Adriaan de Jong · *Der große Sommer geht zu Ende*

ADRIAAN DE JONG

Der große Sommer geht zu Ende

Roman einer Jugend

Mit Illustrationen
von Werner Klemke

Evangelische Verlagsanstalt Berlin

Ungekürzte Ausgabe
Originaltitel: „Merijntje Gijzens jonge jaren"
Aus dem Holländischen übertragen von Jutta und Theodor Knust
und Jörg Hildebrandt
Nach der 1973 wiederaufgelegten holländischen Originalausgabe (Em. Querido's Uitgeverij B. V., Amsterdam) durchgesehen und herausgegeben von
Jörg Hildebrandt
© 1935 („De grote zomer"), 1936 („De goede dood"),
1937 („Het boze gerucht"), 1938 („Een knaap wordt man")
Em. Querido's Uitgeverij B. V., Amsterdam

ISBN 3-374-00785-6

2. Auflage 1989
© dieser Ausgabe Evangelische Verlagsanstalt GmbH
Berlin 1982
Lizenz 420.205-113-89. LSV 6510. H 5120
Gesamtgestaltung: Werner Klemke
Printed in the German Democratic Republic
Gesamtherstellung: Druckwerkstätten Stollberg
02250

Erstes Buch · Der große Sommer

· Erstes Kapitel ·

I

Die Hände in den Taschen seiner fadenscheinigen Jacke mit den
ausgewachsenen Ärmeln und den blankgewetzten Ellbogen, schlenderte Merijntje schleppenden Schritts zur Maasbrücke hinauf. Seit
früh acht Uhr war er durch die Stadt gelaufen und hatte Arbeit gesucht. Doch niemand brauchte ihn. Einen ganzen Viertelgulden
hatte er am Haringvliet verdient: Fässer von einem Frachtkahn
auf den Rollwagen verladen helfen. Es war eilig, und er hatte zu-
gegriffen, ohne eigens dazu aufgefordert worden zu sein; der Schiffer hatte ihm trotzdem einen Viertelgulden in die Hand gedrückt,
und seine Frau war mit einer Schale Kaffee und zwei Käseschnit-
ten aus der Kajüte gekommen. Auf einem Pfosten sitzend, hatte er
die Brote verschlungen und hastig mit dem heißen Kaffee hinun-
tergespült. Der Geruch von Holzteer war erquickend gewesen,
aber die widerliche Süße der Melasse hatte ihm Brechreiz verursacht. Mit kurzem Dank und Gruß war er rasch über die federnde
Planke gelaufen, aus Furcht, daß ihm vor den Augen der fremden
Leute übel würde. Die lärmende Geschäftigkeit in dem belebten
kleinen Binnenhafen hatte ihn plötzlich betäubt; in seinem Schädel
brauste es: ein dumpfes Getöse von holpernden Rädern auf dem
Kopfsteinpflaster, das Klirren und Quietschen von Windenketten,
verwehte Bruchstücke von Flüchen, Warnungen und rauhen Befehlen, grobe Stimmen und rohes Lachen. Taumelnd war er davon-

7

gestolpert, kalten Schweiß auf der Stirn, und erst an der Löwenbrücke war die Übelkeit verflogen.

Klar . . . ihm war vor Hunger schlecht geworden. Außer dem Käsebrot von der Schiffersfrau hatte er den ganzen Tag noch nichts gegessen. Seine Mutter würde ärgerlich sein: Warum er nicht wenigstens ein paar Brote mitnehme, wenn er schon vorhabe, den ganzen Tag unterwegs zu sein? Zu hungern brauche er doch nicht: Vater arbeite ja schließlich. Sein Viertelguldenstück würde sie auch nicht annehmen wollen. „Was soll ich denn damit?" – Er hörte schon ihre unwirsche Stimme und sah ihr brummiges Gesicht und die ärgerliche Bewegung, mit der sie die ewig widerspenstige Haarsträhne hinters Ohr schob, und er lächelte ein wenig dabei. Sie hatte Sorgen genug, aber sie ließ sich nicht unterkriegen. Sie war in diesen Rotterdamer Jahren hart geworden, die Stimme barsch und die Bewegungen heftig. Doch er kannte sie: eine rauhe Schale, aber ein weicher Kern, und für ihre Kinder wie eine Glukke, wachsam, argwöhnisch und herrschsüchtig – und niemals dachte sie an sich selber.

Seit drei Wochen lief er nun schon herum und suchte Arbeit. Sein Bruder Arjaan stand bei den Husaren in Den Haag. Sie lebten dürftig von Vaters Lohn. Aber seine Mutter hatte nur dann ein böses Wort für ihn, wenn er allzulange mürrisch dasaß, die Hände im Schoß. Dann brachte sie ein paar Zigaretten oder eine Zigarre zum Vorschein, drückte sie ihm in die Hand und jagte ihn schimpfend zur Tür hinaus: „Duckmäuser, sitzt einem nur im Weg und macht einen noch verrückt. Am Hafen ist Platz genug für so einen langen Lümmel!" Zu Hause könne sie ihn ebensogut entbehren wie Zahnschmerzen . . . Und wenn er dann über ihre großen Worte zu lachen wagte, schimpfte sie noch mehr und schlug die Tür mit einem lauten Knall hinter ihm zu, daß es durchs ganze Treppenhaus hallte und die Frau im ersten Stock mit ihren schwachen Nerven hinter dem Bügelbrett seufzte: „Mit den Brabantern ist es wieder mal nicht auszuhalten!"

Nur das Heimkommen nach so einem vergeblichen Streifzug war schwer: Mutters gespielt gleichgültiger Blick; aber man sah, wie sie den ganzen Tag gehofft hatte, daß es diesmal glücken werde . . . Nichts . . . Ein unterdrückter Seufzer, ein ruhiges Wort: „Na, dann ein andermal . . ." Aber es änderte nichts an der Qual, sich als Schmarotzer zu fühlen.

Träge schlenderte er weiter über die Brücke, schon jetzt erfüllt von dem Widerwillen, zum soundsovielten Mal mit der gleichen enttäuschenden Nachricht nach Haus zu kommen: Nichts – wieder nichts . . . Wenn man hier so entlangging, dröhnte einem das nie abreißende Getrappel der vielen Fußtritte auf der hölzernen Brückendecke durch die Gedanken, ein altvertrautes und doch fremdes Geräusch. Es ließ einen nicht mehr los, wenn man erst einmal anfing, darauf zu achten. Es ging auch nicht in den lauteren Geräuschen unter: dem Dröhnen der Trams und Rollwagen, dem Donnern des Zuges über die Eisenbahnbrücke, dem Zischen und Pfeifen der Schlepper auf dem Fluß. Dauernd dieses leichte, dumpfe Getrappel von Menschenfüßen auf den Planken ... Vielleicht, weil man so müde und schlapp war ... Er hatte das Gefühl, als klopfe es in seinem Schädel statt auf der Brückendecke.

Er fröstelte in seiner dünnen Joppe. Doch kalt war es heute nicht. Die Sonne schien, und der Wind blies lau. Einer der ersten Frühlingstage im späten März. Aber er war bei dem ungewohnten Verladen der Fässer ins Schwitzen geraten, und nun lief ihm ein Schauer über den Rücken. Bei diesem unbehaglichen Frösteln wurde ihm noch jämmerlicher zumute. Dieses Hundeleben! Warum bekam er bloß keine Arbeit? Die Fabriken hatten nicht genug zu tun und setzten die Jüngsten auf die Straße. Raus mit euch! Seht, wo ihr was zu beißen findet ... Wie Bettler an den Ecken herumlungern. Zu Hause das Gnadenbrot fressen ... Plötzlich stand man überall daneben, allein für sich, verlassen mitten zwischen den Menschen. Andere arbeiteten, verdienten sich ihren Unterhalt; aber für einen selber gab es nirgends einen Platz. Und auf die Dauer kam es einem vor, als stolpere man durchs Dunkel und als gäbe es nichts, woran man sich festhalten konnte. Die Welt, die Menschen bewegten sich in einem Kreis um einen her, aber man konnte nicht hinein, man blieb einfach auf diesem verrückten, inselhaften Fleck stehen, man gehörte nicht dazu – man hatte keine Arbeit! Und darüber grämte und sorgte man sich Tag und Nacht. Ja, auch nachts: dann schlief man schlecht, und wenn man schlief, träumte man, und das war noch schrecklicher.

Ho! Da lag ein Zigarrenstummel, mehr als eine halbe Zigarre. Ein gefundenes Fressen! Hastig bückte er sich, um den Stummel zu seinen Füßen aufzuheben. Im gleichen Augenblick rempelte ihn jemand so heftig an, daß er zur Seite taumelte und den kostbaren Zigarrenstummel zertrat. Halb betäubt klammerte er sich an das Brückengeländer. Er hörte eine grobe Stimme fluchen, dann floß der Strom der Vorübergehenden weiter, und in seinem schwindligen Kopf hämmerte das ununterbrochene Getrappel der Füße. Mit geschlossenen Augen lehnte er sekundenlang am Brückengeländer, die Hände am Rand festgeklammert, und fühlte sich zerschlagen und unglücklich. Es ekelte ihn vor der ganzen Welt und vor sich selber, vor seiner Schlappheit, seiner Ungeschicklichkeit, der verhaßten Überflüssigkeit zwischen all den nützlichen Menschen, die eilig dahinschritten und Arbeit hatten, eine Stelle, wo sie ihre Hände oder ihren Kopf gebrauchen konnten ...

Dann öffnete er die Augen. Und schaute geradewegs in ein Wunder.

Durchsichtig und blau lag der Fluß in der Sonne.

Lichtschuppen schimmerten auf den Kämmen der kleinen Wellen. Funkelnd floß die Maas in ihrer ganzen Breite unter dem graublauen Himmel in die dunstige Ferne. Die Masten und Rahen des Feuerschiffs standen violett verwischt vor dem durchscheinenden Nebel, der den Horizont verschleierte und alles, was sich bewegte, zu zauberhafter Unwirklichkeit verschönte. Einzelne Schlepper glitten schnaubend durch das leuchtende Wasser. Ozeanschiffe hoben ihre ungeheuren Rümpfe massig daraus empor, darüber die klare Zeichnung der Masten, Wanten und Kräne. Segelkutter und lange Lastkähne krochen wie riesige Käfer träge hinter einem rußige Wolken speienden Schlepper her. Und alles, alles lag da, verschwommen in zartgrauen Tönen. Ein lichtes, von goldener Sonnenglut durchwärmtes Grau, das zum Horizont hin immer dünner und durchsichtiger wurde. Auch die Ufer trugen diese goldgraue Umschleierung, und die fahlen, langweiligen Häuserreihen am Hafen erschienen in diesem unwirklichen Licht wie verschwimmende Mauern großartiger Traumschlösser, wie geheimnisvoll drohende Festungen die Kontor- und Speicherhäuser der Holland-Amerika-Linie.

Mit weit aufgerissenen Augen schaute Merijntje hin. Grenzenloses Erstaunen überfiel ihn. Was war das? Das hatte er ja noch nie gesehen! Und doch war er hier Hunderte und aber Hunderte von Malen entlanggegangen, und immer hatte er den Fluß schön gefunden. Aber das, so … nein, das war neu. Das war ganz anders! So etwas … Eine große, grau und braun marmorierte Möwe strich schräg nach oben, dicht an der Brücke vorbei, kreischte mit drohend aufgesperrtem Schnabel und schoß dann lotrecht und blitzschnell zum Wasser, das sanft plätschernd um den Brückenpfeiler strudelte … Doch sogleich flog seine Aufmerksamkeit zurück zu dem wunderbaren Bild des Flusses, zu diesem transparentgrauen Traum, von Goldglut überzittert, dem sanften Durcheinandergleiten von Schiffen und Booten, Segeln und Schornsteinen, zu der von Lichtspitzen durchflimmerten Wasserstraße, die in der Ferne in den Himmel hineinströmte, wo alle Dinge schwerelos schienen, ihrer Stofflichkeit beraubt: durchsichtige Schatten vor einem durchsichtigen Hintergrund.

Allmählich entspannte ein leises Lächeln sein verbissenes Gesicht. In sein bedrücktes Herz strömte eine seltsame, nie gekannte Freude. Ein unerklärliches Gefühl von Dankbarkeit überwältigte ihn, er wußte nicht, wem oder was gegenüber. Es war ihm, als hätte ihm jemand ein großes Geschenk gemacht, und mit einer unbewußten Gebärde streckte er die Hand aus, als wolle er die Schönheit, die sich ihm so plötzlich offenbart hatte, ergreifen, in Besitz nehmen, an sich drücken. Er verspürte das unbestimmte Bedürfnis, wie ein Fohlen über eine Sommerwiese zu springen, aber er stand unbeweglich da und starrte mit leuchtenden Augen und klopfendem Herzen in dieses Wunder …

Ha! Was für ein verblendeter Narr war er gewesen! Er hatte auf den Boden geblickt, auf die Planken unter seinen Füßen. Und rund um ihn her war dieses leuchtende Märchen über die Welt gebreitet, so schön, so unbeschreiblich schön, so wunderbar und unbegreiflich... Und er hatte es noch nie gesehen. Wie war das möglich? Es war doch immer da? Oder kam das nur von der Sonne und diesem schleierhaften Nebel, in dem sich alles verwischte und seine harten Formen und Farben verlor? Oder – war mit ihm etwas geschehen?

Aber was?

Er war traurig und unzufrieden, düster und unglücklich gewesen, weil er keine Arbeit hatte. Dann hatte ein achtloser Passant ihn angerempelt, und er war gegen das Brückengeländer getaumelt. Erbost hatte er darauf die Augen geöffnet... und plötzlich war er mitten in dieses bestürzende Wunder hineingeworfen worden.

Leise lachte er und war verwirrt, als der frohe Klang dieses Lachens seine Ohren überraschte. Was gab es denn nur zu lachen, Simpel, der er war? Hatte er vielleicht Arbeit gefunden?

Nein. Na und? Also weiter arbeitslos? Ja, aber war es deshalb weniger schön, diese herrliche Maas und dieser hohe blaue Himmel und all das Flimmern und die sich durcheinanderschiebenden Wassertiere? Gehörte ihm denn nicht diese weite Pracht von Sonne, Fluß und Stadt?

Er konnte danach schauen, soviel und solange er wollte. Und je länger er schaute, desto schöner wurde es, und desto zartere Glut erhielt alles... Oh, eben hatte er es noch nicht einmal richtig gesehen! Nun offenbarte es sich ihm von Sekunde zu Sekunde tiefer, und er sah jedes Ding als ein kleines Wunder für sich. Eine Freude von ungekanntem und plötzlich aufgesprungenem Glück erfüllte ihn bis zum Bersten und suchte gewaltsam einen Ausweg. Wieder lachte er und schlug mit der Faust kräftig auf das eiserne Brückengeländer. Die Hand tat weh davon, und darüber mußte er auch wieder lachen... Er war wohl ein bißchen verrückt geworden.

Schön, er hatte keine Arbeit. Aber diese Maas, dieses Wunder, hatte er. Und bestimmt er allein: denn weshalb liefen die vielen Leute sonst so hastig hinter ihm vorbei? Waren sie blind, die Dummköpfe? Hatten sie keine Augen im Kopf? Weshalb blieben sie nicht stehen, um es sich anzuschauen? Wenn der Fluß sich so schön gemacht hatte, konnten sie wenigstens so höflich sein, Notiz davon zu nehmen!

Jemand streifte ihn im Vorbeigehen. Er drehte sich halb um und faßte ihn am Arm. Es war ein fein angezogener Herr mit rundem Hut, Spazierstock und einer Blume im Knopfloch. Merijntje zeigte übers Wasser und sagte: „Gucken Sie mal!"

Verdutzt schaute der Mann in die angedeutete Richtung, ließ den Blick suchend über das Wasser irren und fragte dumm: „Wo? Ich sehe nichts."

Der Junge starrte den Herrn eine Sekunde lang an, als habe er ein fremdartiges Tier vor sich. Dann gab er ihm mit der Hand, die noch auf seinem Arm lag, einen leichten Stoß und rief schallend: „Nichts, natürlich!"

Der Herr war wütend und machte ein vorwurfsvolles und sehr gekränktes Gesicht. „Halt andere Leute zum Narren, Lausejunge!" schnauzte er und ging eilig weiter.

Merijntje sah es dem Herrn am Rücken an, wie beleidigt er war, und lachte fröhlich hinter ihm her. Der Herr sah sich nicht mehr um. Er hatte andere Sorgen im Kopf als unpassende Scherze halbwüchsiger Bengel.

„Ich gehe nicht nach Haus!" sagte Merijntje laut zur Welt, aber die Welt fand das nicht wichtig und gab keine Antwort darauf. Nur ein paar Passanten sahen ihn verwundert an und gingen dann gleichgültig weiter.

Merijntje machte kehrt und lief zurück, dicht am Brückengeländer entlang, das strahlende Gesicht zum Fluß gewandt, immer mehr in sein Entzücken über diese Pracht vertieft, von der er gar nicht genug bekommen konnte. Ein paarmal prallte er mit jemand zusammen, wurde angeschnauzt, hörte es jedoch nicht und schob sich weiter am Brückengeländer entlang.

Noch nie hatte er sich so leicht und befreit gefühlt. Oder doch? Eine Erinnerung tauchte auf: Einmal, als er nach der ersten Kommunion aus der Kirche zurückkam ... Ein weißer Traum ... Er lächelte. Wirklich, so ähnlich war es. Als ob er heute morgen zum erstenmal kommuniziert hätte. Reingewaschen von allem Schmutz und Bösen, versöhnt mit der ganzen Welt und dem lieben Herrgott. Und woran lag das jetzt? Es war ja nichts geschehen. Es war einfach so über ihn gekommen. Die Maas hatte ihn gerufen: „Schau mal, wie schön ich bin!" Das war alles ... Wie konnte man davon das Gefühl haben, als wäre man zur ersten Kommunion gegangen? Es war so närrisch, daß ihn das Lachen dauernd in der Kehle juckte. Aber ein Fest blieb es.

Und deshalb trat er rasch in eine Schifferkneipe, aß dort ein Brötchen mit Käse, trank eine Tasse Kaffee und bekam auf sein Viertelguldenstück noch einen Zehner zurück. Dafür kaufte er sich dann übermütig vier sehr gute Zigarren und schlenderte paffend an den Barrieren entlang, die weit geöffneten Augen auf das Wunder dieses blau umnebelten Flusses gerichtet, das er noch nie gesehen, dessen Dasein er nicht einmal vermutet hatte und das ihm mir nichts, dir nichts in den Schoß gefallen war.

Kleine Gruppen heimkehrender Dockarbeiter gingen an ihm vorüber. Rollwagen holperten über das Katzenkopfpflaster der

Hafenstraße. Von den Schiffen am Kai klangen Rufe und das Rasseln auslaufender Ketten. Schwerbeladene Handkarren wurden dicht an ihm vorbeigeschoben, und die ganze Luft war von dem vielstimmigen Arbeitslärm der sich rastlos plagenden Hafenstadt erfüllt. Doch der langaufgeschossene Junge in seiner verschlissenen Jacke, aus deren ausgewachsenen Ärmeln die roten Handgelenke hervorsahen, hörte nichts als einen tönenden Widerhall, der wunderbar zu seiner Trunkenheit von Licht und Weite und Schönheit paßte und zu dem überwältigenden Gefühl, vor allen Geschöpfen bevorzugt zu sein. Das Entzücken strahlte so hell aus seinem Gesicht, daß ein breitschultriger Dockarbeiter, der ihn fast umgerannt hätte, lächelnd zu seinem Kameraden sagte: „Der Kerl scheint das große Los gezogen zu haben!" und sich noch einmal nach ihm umsah, ehe er mit einer energischen Bewegung die Hose hochzog und weiterging.

Doch Merijntje hatte es nicht gehört. Er lief dahin, dauernd das Lachen in der Kehle, und kämpfte gegen die unsinnige Lust an, wie ein vergnügter kleiner Junge zu hopsen. Er blieb erst stehen, als er auf dem Hügel war, wo er erschöpft auf eine Bank niederfiel, noch immer mit weit geöffneten Augen über das leise atmende Wasser starrend, das noch heller, noch zauberhafter, von Traumschiffen befahren, zu seinen Füßen lag – der graue Nebelschleier noch goldener durchleuchtet von der reifen Glut der langsam sinkenden Sonne.

2

Dann kam ein Mann. Er saß schon minutenlang auf der Bank, ehe Merijntje merkte, daß er Gesellschaft bekommen hatte. Der Mann saß vornübergebeugt, die Hände zwischen den Knien, und starrte vor sich hin. Das lange gelbliche Gesicht sah finster und unzufrieden aus. Ein zerkauter Zigarrenstummel hing ihm erloschen im Mundwinkel. Der Mann suchte in seiner Tasche nach Streichhölzern, fand sie nicht, blickte zur Seite und wollte seinen Nachbarn um Feuer bitten. Doch er fragte nicht. Überrascht schaute er auf das magere Jungengesicht, in dem die Augen wie dunkle Juwelen leuchteten und das von einer großen, selbstvergessenen Freude überstrahlt war. Irgendwie kam ihm das Gesicht bekannt vor.

Vor langer Zeit mußte er einmal so ein Gesicht gesehen haben, mit genau solchen dunklen Augen, die in einer ebenso irren und ekstatischen Freude leuchteten. Aber wo? Ach, er hatte so unendlich viele Gesichter gesehen, so viele geliebt und sie doch wieder verloren und vergessen . . .

Merijntje spürte den eindringlichen Blick des Mannes und wandte ihm lächelnd den Kopf zu, eigentlich ohne die Absicht, ihn anzusehen. Doch als er dem forschenden Blick der freundlichen grauen Augen begegnete, durchfuhr es ihn wie ein Schlag. „Flierefluiter!" sagte er fast unhörbar.

Über das zerfurchte Gesicht des Mannes glitt ein Lächeln. Er richtete sich auf und streckte die Hand aus. „Merijntje!" rief er. „Ja, das ist doch Merijntje Gijzen!"

Mit beiden Händen griff der Junge zu und schüttelte die große

Pranke seines alten Freundes; er lachte, und die Tränen schossen ihm in die Augen. „Flierefluiter!" seufzte er. „Warum bist du nie mehr gekommen? Das eine Mal, als du dagewesen bist, war ich bei der Großmutter. Hast du uns gesucht?"

Flierefluiter schüttelte lachend den Kopf. „Du glaubst immer noch, die ganze Welt sei nur zu deinem Vergnügen da. Ich wohne auch hier in der Stadt."

„Was?" rief der Junge aufgebracht. „Hier in der Stadt? Seit wann denn?"

„Schon drei Jahre!"

„Und warum bist du dann nie gekommen?"

„Ich bin verheiratet."

Merijntje blieb der Mund offenstehen. „Du – verheiratet?"

Flierefluiter nickte. „Jetzt fehlt nur noch, daß du sagst: Da lügst du aber . . ."

Sie lachten beide . . . Ja, das war früher sein zweites Wort.

„Groß bist du geworden", begann Flierefluiter von neuem. „Wie alt bist du denn jetzt schon?"

„Im Sommer werde ich neunzehn."

Flierefluiters bewegliches Gesicht verzog sich. „Neunzehn", seufzte er. „Und dabei starrst du über das Wasser, als wärst du zehn . . . Bist du verliebt?"

„Ich?" fragte Merijntje errötend. Und in seiner alten, heftigen Art setzte er hinzu: „Verrückt!"

Da warf Flierefluiter den Kopf in den Nacken und lachte laut. Dieses herzliche, ansteckende Lachen, das der Herr Pfarrer auf dem Dorf so geliebt hatte. Er schlug dem Jungen auf die Schulter und sagte: „Ein verfluchter Kerl, der Merijntje! Er läßt sich noch immer nichts sagen, was ihm nicht paßt."

Merijntje lachte mit, schaute in das alt gewordene, gelbe Gesicht des Landstreichers, und die ganze Liebe und Zärtlichkeit von früher überflutete sein Denken, der ganze reiche Sommer, den er mit Flierefluiter auf Feld und Flur verlebt hatte, stand wie eine fast vergessene Herrlichkeit wieder vor ihm auf.

„Merijntje", wiederholte der Mann leise. „Ja, jetzt wirst du sicher nicht mehr Merijntje genannt?"

„Zu Hause sagen sie alle noch Merijntje", erzählte der Junge. „Aber die Rotterdamer haben herausgekriegt, daß es Rinus heißen muß."

„Und deine Brabanter Sprache hast du noch nicht verlernt!"

„Zu Hause sprechen wir wie früher auf dem Dorf. Aber sonst rede ich holländisch. Kein Mensch merkt mehr, daß ich nicht von hier bin."

„Und warum warst du eben so froh, Merijntje?"

Der Junge sah ihn verwundert an, richtete dann den Blick wieder auf das Wasser und fragte zögernd und verlegen: „Ich?"

Doch schon überfiel ihn von neuem die Bezauberung des Traumflusses mit all seiner Pracht: hinter den Nebelschleiern sank die Sonne wie ein großer roter Ball zum Horizont hinab, setzte rötliche Lichter auf die Schiffsflanken und zog feurige Schlangenlinien über das bewegliche Wasser.

„Aber schau doch nur!" rief er, den Arm ausstreckend. „Hast du so etwas schon mal gesehen? Das ist doch ein richtiges Wunder!"

Flierefluiter wandte das Gesicht zum Wasser. Dann schwiegen sie beide. Die Glut der sinkenden Sonne wurde matter, die Farben immer gesättigter und wärmer. Der Nebel senkte sich tiefer über das Wasser, und allmählich leuchtete der Himmel gelbgrün wie eine ferne Wiese, auf der sich plötzlich und goldfunkelnd eine Blüte öffnete: der erste Stern. Jenseits des Stroms flammten überall Lichter auf: gelbe, grüne und rote Lampen schaukelten kaum merklich in der Dämmerung, die sich auf das helle Wasser herniedersenkte.

„Ja, das ist schön", murmelte Flierefluiter. „Kommst du oft hierher und guckst dir das an?"

„Oft?" fragte er. „Aber nein! Heute zum erstenmal. Das habe ich noch nie gesehen, noch nie."

„Wieso, noch nie gesehen?"

Nun mußte Merijntje über Flierefluiters verblüfften Ton lachen. Er rückte näher und legte dem Freund die Hand auf den Arm. „Na ja, weißt du, gesehen natürlich schon, aber noch nie so wie heute... Das ist so schön, Flierefluiter, das kann man gar nicht..."

Und mit zögernd tastenden Worten, ein wenig verlegen, versuchte er ihm klarzumachen, wie er plötzlich dem Zauber dieses wunderbar verträumten, festlichen Flusses erlegen sei, ganz plötzlich, ohne Anlaß oder Übergang, und in welchen Freudenrausch ihn das versetzt habe.

Flierefluiter hörte ihm schweigend zu. Die Berührung der Hand auf seinem Arm war wie eine lang vermißte Liebkosung. Still und andächtig blickte er in das erregte Gesicht mit dem dunklen Flaum auf Wangen und Oberlippe, den leuchtenden Augen und den weißen unregelmäßigen Zähnen in dem noch kindlich roten Mund. Er rührte sich nicht. Große Zärtlichkeit strömte in sein Herz. Es war ihm, als spräche wieder der kleine Junge von vor zehn Jahren zu ihm, dieser begeisterte Träumer, der so lebhaft auf die unbegreifliche Welt und auf das noch verwirrendere Leben reagierte. Es war doch eine schöne Zeit gewesen damals als Küster bei dem greisen Pfarrer mit seinem kleinen eifrigen Meßdiener... Und nun saß dieser Junge hier – ein großer Bursche mit linkischen Bewegungen wie ein tolpatschiger junger Hund, den Anflug eines Bartes auf dem mageren Gesicht. Aber er hatte die Hand mit der alten vertrauten Gebärde auf den Arm seines großen Freundes ge-

legt und versuchte, ihm genauso begeistert wie früher klarzumachen, daß die Schönheit der Welt ihm plötzlich auf ganz neue
Weise offenbart worden sei. Es war noch derselbe Merijntje. Aber
gewachsen war er, gewissermaßen in Schüben, stoßweise, wie fast
jeder Mensch übrigens – doch die meisten werden dessen nicht ge-
wahr.

„Verstehst du es jetzt, Flierefluiter? Tausendmal bin ich an der
Maas vorbeigelaufen, und niemals habe ich gesehen, wie schön sie
ist."

„Das ist doch kein solches Wunder", erwiderte der Landstreicher lächelnd. „Junge Hunde sind neun Tage lang blind. Dann
machen sie die Augen zum erstenmal auf und sehen die Welt. Bei
den Menschen dauert es wahrscheinlich ein bißchen länger – und
manche bleiben ihr ganzes Leben lang blind."

Der Junge sah ihn an, und Flierefluiter mußte sich bezwingen,
ihm nicht die Hände auf die Schultern zu legen und ihn hin und
her zu rütteln, so kindlich war das ganze Gesicht geworden, daß
die Erinnerung an die grübelnden, viel zu ernsten Augen des kleinen Jungen von damals überwältigend auf ihn eindrang. Und wie
früher so häufig, wurde auch jetzt der gespannte Ernst dieses Gesichtes von einem zögernden, schlauen Lächeln vertrieben: er hatte
es verarbeitet und meinte zu verstehen, was er da hörte, doch er
glaubte es noch nicht und wollte wissen, ob und warum er da vielleicht im Scherz mit einer leeren Ausflucht abgespeist wurde.

„Soll das heißen, daß ich bis jetzt blind war?" fragte er mißtrauisch.

Flierefluiter nickte überzeugt. „Natürlich. Die Maas hat sich
nicht verändert. Also mußt du dich geändert haben."

„Und wie?"

„Ja, wie? Wenn wir von allen Dingen wüßten, wie und warum,
dann wären wir genauso klug wie unser lieber Herrgott."

Nun nickte Merijntje. Zögernd sagte er: „Das ist hübsch: du
kannst einem immer alles so gut erklären. Ich habe oft gedacht:
wenn Flierefluiter nur hier wäre, um mir zu sagen, wie dies und
das zusammenhängt."

Jaja, er wird wohl seine Schwierigkeiten gehabt haben, dieser
ernsthafte junge Kerl, in den heiklen Jahren, die hinter ihm lagen.
Doch Flierefluiter sagte leichthin: „Erzähl mir lieber, wie es zu
Hause steht und wie es euch hier in Rotterdam ergangen ist."

Und Merijntje erzählte. Kurz und ein wenig zerstreut, immer
wieder abgelenkt durch das Auffunkeln neuer Sterne am dunkler
werdenden Himmel, von neuen Lichtern auf dem stahlblauen
Wasser, über dem die aufreißenden Nebel tiefer sanken und fah-
ler verschwammen. Ein belangloser, uninteressanter Bericht von
den Rotterdamer Jahren. Von der Arbeit in der Fabrik, für die er
zwar nicht viel übrig hatte, die er sich aber doch wünschte, wenn

17

er wie jetzt ohne Arbeit war. Von Arbeitslosigkeit und Hunger, von Schuften und Darben, um durch die schweren Zeiten zu kommen. Von besseren Tagen, als sie alle drei Arbeit hatten, Vater, Arjaan und er, wenn die drückenden Schulden abgezahlt werden konnten und Mutter, in ewiger Angst vor den mageren Wochen, die gewiß einmal wiederkommen würden, jeden Stüber, den sie sich absparen konnte, in der Schublade des kleinen Schranks versteckte. Von den beiden Kindern, die geboren und gestorben waren, und von dem jüngsten, einem Mädchen, das erst voriges Jahr zur Welt kam. Vom Umzug in eine billigere Wohnung und später wieder in eine bessere, „weil Wanzen in der verwohnten Bude waren und Mutter den ganzen Tag über diese Sauerei weinte. Jetzt wohnen wir am Prinz-Hendrik-Kai im dritten Stock. Aber Arjaan ist schon seit anderthalb Jahren Soldat, und wenn ich nicht bald Arbeit finde, müssen wir wieder in eine billigere Bude ziehen."

„So, du bist arbeitslos?" fragte Flierefluiter und setzte ruhig hinzu: „Du kannst bei mir was verdienen, wenn du Lust hast."

In äußerster Verwunderung blickte Merijntje ihn ungläubig an. „Bei dir?" In seiner Stimme klang belustigtes Mißtrauen: Wer konnte bei Flierefluiter, dem Possenreißer, schon etwas verdienen?

„Hast du vielleicht wieder mal Kunden, denen du die Krankheiten besprichst?" fragte er, und die Erinnerung trieb ihm ein lautes Lachen in die Kehle: vor ihm tauchte wieder die Komödie mit dem habgierigen Bauern auf, der sich den Fuß verstaucht hatte und für jedes Pferd, das in seinem Stall stand, einen Viertelgulden blechen mußte.

Flierefluiter lachte nicht, sondern seufzte tief. „Nein, leider nicht", sagte er bedauernd. „Aber ich verkaufe in der Sieben-Häuser-Gasse Brennmaterial und heißes Wasser. Kennst du die Straße?"

„Ach, da am Haringvliet? Meine Güte, dann war ich heute fast vor deiner Tür."

„Du kannst mir helfen, Kohlen und Torf zu holen und Brennholzbündel zu machen, wenn du willst. Viel kann ich dir nicht geben, aber es ist immerhin besser als nichts."

Flierefluiter als Chef eines Brennstoffgeschäfts! In der Sieben-Häuser-Gasse, dem Zevenhuizensteeg. Einfach nicht zu glauben! Das war unsagbar komisch. Und doch konnte er nicht darüber lachen. Es bedrückte ihn fast wie ein Mißgeschick. Er wagte auch nicht weiter zu fragen. Ohne Freude sagte er leise: „Gut. Und wann soll ich mal kommen?"

„Komm nur morgen gegen neun. Dann werden wir schon sehen, was zu tun ist."

„Abgemacht."

Eine drückende Pause. Merijntje konnte Flierefluiters Gesicht nicht mehr sehen. Nur seine dunkle, schattenhafte Gestalt. Flierefluiter und eine Brennstoffhandlung! Gott soll mich schützen! Aber es war trotzdem Flierefluiter, und er hatte ihn wiedergefunden. Morgen würde er zu ihm gehen, mit ihm reden und arbeiten. Die Freude, die in ihm erstickt war, lohte wieder auf: Dort war doch die Maas, und nun wimmelte es von Lichtern – auf dem Wasser und an den Ufern, überall. Und um jedes Licht quirlte ein Dunstkreis von dem fallenden Nebel, der sich höher hinauf verflüchtigte, so daß man die Sterne sehen konnte. Immer blasser wurde der Himmel im sanften Licht des silbernen Mondes, der wie ein fahles Antlitz über den Brücken stand und mit milchigem Schein durch das abendliche Dunkel schwamm. Über dem ganzen Fluß blinkte und gleißte es, als schnellten silberblanke Fische dicht unter der Oberfläche durch das Wasser. Alles war noch ebenso schön. Zwar ganz anders jetzt, aber eigentlich noch schöner, noch viel schöner! Man konnte gar nicht genug davon bekommen... Er saß da, schaute und schwieg. Und war glücklich, ohne es zu wissen. Nach einer ganzen Weile hörte er Flierefluiters tiefe Stimme: „Du hast gar nicht gewußt, wie schön die Welt ist, was, Merijntje?"

Es dauerte eine Zeit, ehe die Antwort kam. Der Junge dachte nach und sagte dann verwundert: „Nein – ich glaube nicht."

„Vielleicht wird sie noch schöner – wart nur!"

„Noch schöner?" wiederholte Merijntje sinnend. „Das ist fast unmöglich."

Der Landstreicher lachte. Ein leises, gerührtes Lachen, dessen Bedeutung Merijntje ebensowenig verstand wie die tiefe Wehmut, aus der dieses Lachen aufstieg.

„Du hast heute erst mit dem Leben angefangen, Kerlchen", sagte Flierefluiter und legte voller Zuneigung seine schwere Hand einen Augenblick auf die Schulter seines jungen Freundes. „Ich gehe jetzt in die Stadt. Kommst du ein Stück mit, oder bleibst du noch sitzen?"

Mühsam löste Merijntje sich aus dem Bann des Flusses. Seufzend stand er auf und ging neben Flierefluiter her, am Hafen entlang, zurück zur Stadt. Sie sprachen fast nichts und verabschiedeten sich an der Brücke.

„Dann also bis morgen, Merijntje."

„Ja, bis morgen... Gute Nacht, Flierefluiter!"

„Auf Wiedersehen, Junge!"

Einen Augenblick schaute der Mann dem schmalen Rücken nach, der sich eilig entfernte und im matten Licht einer Laterne zwischen den Menschen auf der Brücke verschwand. Mit einem unbehaglichen Gefühl von Neid, das er ärgerlich zurückdrängte, zuckte er die Achseln und ging in der Richtung zur Löwenbrücke weiter.

3

Als Merijntje nach Hause kam, blickte sein Vater von der Zeitung auf, und seine Mutter fuhr ihn ärgerlich an, um ihre Erleichterung zu verbergen; sie hatte sich Sorgen wegen seines langen Ausbleibens gemacht.

„Wo kommst du denn so spät her, Rotzjunge du?"

Die Zeit, da Merijntje sich durch ihren barschen Ton irreführen ließ und freche Antworten gab, war längst vorbei. Er sah, wie ihre Lippen zitterten vor knapp überstandener Angst, faßte sie an beiden Armen und sagte fröhlich: „Ich habe Arbeit gefunden, Mutter."

Spannung leuchtete in ihren Augen auf. Angst und Ärger schwanden. Sein Vater legte die Zeitung hin und nahm die Brille ab.

„Bei wem?"

„Das rätst du in hunderttausend Jahren nicht, Mutter!"

„Wie kann ich das auch raten, dummer Kerl! Los, sag, bei wem!"

Merijntje beugte sich zu ihr hinab. „Bei Flierefluiter!" schrie er ihr ins Ohr.

Seine Mutter gab ihm eine Backpfeife, bohrte mit dem kleinen Finger in ihrem sausenden Ohr und sagte wütend: „Halt andere Leute zum Narren, verdammter Lausejunge!"

Doch Merijntje schrie vor Lachen und bekräftigte: „Nein, wirklich wahr, Mutter! Morgen fange ich bei Flierefluiter an zu arbeiten. Ich weiß nicht, ob es für lange ist und ob ich viel verdiene, aber er hat Arbeit für mich."

Seine Mutter sah ihn mit offenem Mund an und strich die herabgefallene Haarsträhne hinters Ohr. Vater Gijzen hatte die Arme auf den Tisch gestützt und sagte mürrisch:

„Was sollen diese blöden Späße mit deinem Flierefluiter? Bist du verrückt geworden?"

Lachend schüttelte Merijntje den Kopf und blickte von einem zum anderen. „Es ist die wahrhaftige Wahrheit. Ich habe Flierefluiter getroffen. Er wohnt hier in der Stadt und hat in der Sieben-Häuser-Gasse ein Brennmaterialgeschäft. Und verheiratet ist er auch."

„Verheiratet?" rief seine Mutter, fassungslos vor Überraschung. „Mit wem?"

„Natürlich mit seiner Frau!" brüllte Merijntje. „Aber wie sie heißt, das habe ich, ehrlich gesagt, vergessen zu fragen."

„Flierefluiter verheiratet?" wiederholte sein Vater. Dann brach er in ein unaufhaltsames Lachen aus, schlug mit der flachen Hand einen langen Riß in die Zeitung, sein geliebtes „Nieuwsblad", und rief: „Verdammich! Flierefluiter im Käfig! Wenn da die Welt nicht untergeht!"

„Wer kann das nur sein?" überlegte Frau Gijzen grübelnd. „Bestimmt doch eine aus unserer Gegend." Und unerwartet fiel sie wieder über Merijntje her: „Daß du auch nicht danach gefragt hast, du Dummkopf!"

„Ich werde morgen fragen", versprach der Junge lachend. „Aber jetzt möchte ich erst eine Schnitte, sonst falle ich vor Hunger um."

Dann dachte er plötzlich wieder an den Fluß, und während seine Mutter das Brot schnitt, lief er ins Vorderzimmer, schob das Fenster hoch und steckte den Kopf hinaus. Ja, es war alles noch da! Von dieser Höhe aus betrachtet, war es tatsächlich noch schöner! Jenseits der Stelle, wo sich das Wasser breiter öffnete, lag eine große silberne Platte über dem Strom – sie war voller Leben und sprühte und glitzerte von dem geschwind durcheinanderwimmelnden Lichtergefunkel. Lieber Gott, daß er früher niemals darauf geachtet hatte. Nun wohnten sie fast drei Jahre hier – und heute zum erstenmal entdeckte er die ganze Pracht... Heute zum erstenmal... Flierefluiter hatte recht: er war blind gewesen wie ein Maulwurf!

„Na, was starrst du denn da zum Fenster raus?"

Die Stimme seiner Mutter weckte ihn aus seinen hingerissenen Träumen. Er wandte den Kopf, sah ihren Schatten in der offenen Tür und winkte: „Sieh dir das mal an, Mutter! So was hast du noch nicht gesehen."

„Was denn?"

Neugierig trat sie näher, kniete sich auf die niedrige Fensterbank und steckte den Kopf neben dem seinen hinaus. Schweigend wies er über das Wasser.

„Siehst du's, Mutter?"

„Sehen? Was soll ich denn sehen?"

Ernüchterung legte sich auf Merijntjes Eifer. Ein wenig heftig sagte er: „Na, das Wasser und den Nebel und die Sterne und die Lichter überall ... Ist denn das nichts?" Und mit bedrückender Enttäuschung hörte er selber, wie matt und kraftlos die Worte blieben. Verwundert blickte seine Mutter ihn an. Ihre Augen waren dicht bei seinen, und das Licht des Mondes spiegelte sich darin.

„Schön?" fragte sie unsicher. „Das hast du doch alle Tage."

Da mußte Merijntje wieder lachen. „Eben deshalb!" sagte er rätselhaft, und plötzlich gab er ihr einen schallenden Kuß auf die Backe, dicht neben der Nase.

Sie zog den Kopf weg, wischte sich mit dem Handrücken die Wange und rief: „He, du dreckiger Lümmel! Was ist denn heute abend bloß in dich gefahren? Hopp, iß lieber dein Brot, und dann ins Bett mit dir! Licht kostet auch Geld."

Merijntjes gute Laune war nicht zu erschüttern. Er lachte weiter und alberte herum. Während er sein Brot aß, schmunzelte er, weil seine Eltern sich über Flierefluiters Heirat gar nicht beruhigen konnten. Besonders seine Mutter war ganz nervös und aufgeregt vor Neugier auf diese fremde Frau, der es gelungen war, den freien Vogel in den Käfig zu bekommen.

„Das muß wirklich ein Wunder von einem Weib sein", lachte sein Vater, „wenn Flierefluiter ihretwegen eine Brennstoffhandlung in der Sieben-Häuser-Gasse aufmacht. Na, verflucht noch mal, wenn mir das jemand vorhergesagt hätte, ich hätt's nicht geglaubt."

„Hat er dir denn gar nichts von seiner Frau erzählt, Merijntje?"

„Nichts!" erwiderte der Junge mit vollem Mund und grinste über die verzweifelte Neugier seiner Mutter, die ihn ärgerlich anblickte: Wenn er doch wenigstens nach ihrem Namen gefragt hätte!

„Du bist und bleibst eben ein Dummkopf!" lautete ihr enttäuschter Schluß, und Merijntje verschluckte sich vor Vergnügen über ihren Ärger.

Von seinem Bett aus erblickte er ein Stück des hellen Himmels mit einigen kleinen funkelnden Sternen. Und deutlich, als könne er durch die Wände sehen, stellte er sich den Fluß darunter vor. Er mußte insgeheim darüber lachen: Wenn das so weiterging, wurde er selber noch zum Fluß! Den ganzen Abend hatte er heute nichts anderes getan, als nach dem Wasser, den Schiffen und dem Himmel zu schauen ... Und wieder war da jene unaussprechliche Verwunderung: Wie war es möglich, daß er das heute zum erstenmal so plötzlich gesehen hatte? Seine blinden Augen hatten sich, genau wie die eines jungen Hundes, geöffnet – so sagte Flierefluiter. Bestimmt bei dem Stoß von diesem Kerl, der ihn so grob angerempelt hatte, dachte er lächelnd. Vielleicht waren seine Augen zugeklebt gewesen und bei dem Stoß aufgesprungen ... Ha, man stelle sich das vor! So ein Unsinn! Er hatte doch immer sehen können! Es mußte etwas anderes sein. Aber was? Schließlich kam es ja nicht darauf an. Doch Merijntje war noch immer ein Junge, dem es keine Ruhe ließ, wenn eine Frage ohne Antwort blieb. Das machte ihn unruhig. Nicht mehr so kindisch gereizt wie früher, aber doch irgendwie unzufrieden. Es war so dumm, wenn man einfach keine Erklärung für irgend etwas finden konnte, was doch auf irgendeine Weise zu erklären sein mußte. Trotzdem gab er es jetzt auf, noch länger nach dem Wie und Warum zu suchen. Eine große, glückliche Stille überkam ihn, ein Glanz wie von dem sonnenvergoldeten Nebel über der Maas, in dem sich alles verwischte und auf unerklärliche Weise schöner wurde, als wenn man es deutlich und scharf sah. Und nun würde das immer so bleiben, er konnte es immer wieder genießen. Man wurde fast schwindlig dabei, wenn man versuchte, sich das vorzustellen.

Und mit einer letzten Vision von diesem sonnighellen Fluß fiel er müde und glücklicher, als er seiner Erinnerung nach jemals gewesen war, in einen traumlosen Schlaf ...

Als seine Mutter ihn weckte, galt sein erster Blick dem Fenster. Enttäuschung.

Träger Regen fiel vom Himmel, der grau in grau tief über der Erde hing. Der Fluß war fahl und stumpf, mit falschen Streiflichtern auf den trüben Wellen. Der Rauch eines Schleppers trieb dick und schwarz dahin und breitete sich langsam aus wie ein verrußtes schmutziges Dach voller Löcher. Auf dem Kai die Pflastersteine glänzten von der Nässe, und die Fuhrleute hatten sich Säcke über den Kopf gestülpt und saßen mit verdrießlichen Gesichtern priemend auf dem Bock hinter ihren dampfenden Pferden. Die schmucken weißen Schiffe der deutschen Reederei wirkten unsauber, und alle Geräusche stiegen gedämpft zu dem Jungen empor. Ein Zug donnerte über die Brücke, und die Lokomotive stieß heulend einen langgezogenen Ton aus. Brr, war das alles häßlich und trostlos! Ein Kälteschauer lief Merijntje über den Rücken und schien bis in sein Herz zu dringen. Die letzten Reste der festlichen Stimmung erloschen. Wie ein dumpfer Groll fiel die Wirklichkeit über ihn her: arbeitslos ... bei diesem Sauwetter durch die Stadt laufen ... Nein, doch nicht! Flierefluiter!

Hui! Ja, richtig! Flierefluiter hatte Arbeit für ihn – er hatte ja Flierefluiter wiedergefunden! Eigentlich war er ein undankbarer dummer Schuft, sich gleich die Laune verderben zu lassen, nur weil die Sonne nicht schien und das Wasser nicht genauso aussah

wie gestern! Und so häßlich war es nicht einmal: dieses trübe
Grau in Grau hatte auch einen gewissen Reiz. Im Grunde war es
sogar schön ... Und dann mußte er über sich selber lachen: Wie
konnte etwas, was man trübe fand, schön sein?

„Willst du dort am Fenster hocken, bis du Wurzeln geschlagen
hast?"

Die ärgerliche Stimme seiner Mutter rief ihn aus seinen verworrenen Grübeleien. Sie stand in der Tür und blickte erstaunt in sein
lachendes Gesicht. Die kleine Mieke auf ihrem Arm streckte krähend die Hände nach ihm aus. Rasch fuhr er in die Hose, nahm
das kleine Ding vom Arm seiner Mutter und hob es hoch über seinen Kopf. Es lachte, und die wenigen Perlzähne in dem roten
Mund leuchteten. Hilflos griffen die Händchen in die leere Luft,
und die nackten Füße zappelten vor Freude über das lustige Spiel.
Mieke hatte eine ausgesprochene Vorliebe für Merijntje, und er
war im Herzen stolz darauf. Seine Mutter wußte nicht recht, ob
sie sich darüber freute oder eifersüchtig war. Auch jetzt sagte
sie brummig: „Sei vorsichtig mit dem Kind, großer Lümmel! Los,
gib sie her und geh dich waschen! Hast lange genug herumgetrö-
delt."

Noch einmal schüttelte er das lachende Kind über seinem Kopf;
dabei lief ein Speicheltropfen aus dem kleinen Mund genau in sein
Auge, und mit erschrockener Bewegung reichte er sie rasch seiner
Mutter, die in Lachen ausbrach und sagte: „Das hast du davon,
verrückter Bengel!"

Grinsend wischte er sich das Auge aus und ging, von Miekes
empörtem Schreien und dem Lachen seiner Mutter begleitet, in die
Küche. Neugierig kam der kleine Jan gucken. „Was ist denn los,
Mutter?"

„Mieke hat Merijntje ins Auge gespuckt."

Jan lachte plärrend los und herzte seine kleine Schwester, die
ihn jedoch wütend an den Haaren riß, denn in ihren Augen war Jan
kein Ersatz für den größeren Bruder.

Merijntje wusch sich unter der Leitung und prustete bei dem
kalten Wasser; die Seife zwickte ihm in den Augen und kribbelte
in der Nase. Mit beiden Händen schwappte er sich das Wasser
über den Kopf, ließ noch einmal kräftig den Strahl aus dem Hahn
darüberlaufen und richtete sich tief atmend auf. Eiskalt liefen ihm
die Tropfen über Brust und Rücken, und zähneklappernd trocknete er sich ab. Ah ... schön! Jetzt war er eigentlich erst richtig
wach. Bereit, den Tag zu beginnen.

Beim Frühstück hänselte ihn Jan, weil Mieke ihm ins Augen gespuckt hatte. Gutgelaunt ging Merijntje darauf ein: „War nicht so
schlimm – sie priemt ja nicht."

Mit Jan sprach er holländisch, denn der Junge hatte sich den
heimatlichen Dialekt auf der Straße gänzlich abgewöhnt und be-

herrschte ihn nicht mehr – doch verstand er ihn natürlich noch recht gut.

Jan kreischte bei dieser Vorstellung: ein Hemdenmatz und priemen! „Und doch hat sie dir in die Glotzer gesabbert!" rief er mit einem dieser seltsamen Ausdrücke, die er von der Straße mitbrachte. Plötzlich sagte er neidisch: „So ein Leben wie du möchte ich auch mal haben! Keine Arbeit und den ganzen Tag in der Stadt rumbummeln."

„Ja, Mann!" erwiderte Merijntje. „Aber heute gehe ich zur Arbeit."

„Du hast Arbeit? Bei wem denn?"

„Bei Flierefluiter."

Jan sah ihn mißtrauisch an. „Flierefluiter? Wer ist denn das?"

„Oh, das war früher so eine Art König unter den Landstreichern, aber jetzt ist er reich geworden und hat eine große Fabrik in der Sieben-Häuser-Gasse."

Jan kaute den Mund leer und prüfte aufmerksam das Gesicht des großen Bruders. Er sah die sprühenden Lichter in den Augen und die verräterischen Falten um seine Nase. Da wußte er genug, er schluckte sein Brot hinunter und sagte resolut: „Leck mir den Hintern!"

Die Stimme der Mutter überschlug sich vor Empörung. „Lausejunge! Wie redest du denn wieder! Schämst du dich nicht?"

„Braucht mich ja auch nicht so zu bescheißen!" kläffte Jan erbost, erschrak dann über seine neue Entgleisung und bekam einen roten Kopf.

Merijntje verschluckte sich an seinem Kaffee und prustete ins Taschentuch. Seine Mutter verbiß sich das Lachen und sagte nach kurzer Pause scharf: „So ist's richtig! Eine Sünde nach der andern. Der Herr Kaplan wird in der Beichte eine schöne Meinung von dir bekommen."

„Das erzähl ich ihm auch gerade!" brummte Jan mit vollem Mund. Doch glücklicherweise hatte seine Mutter ihn nicht verstanden.

Gemeinsam mit Merijntje ging er aus der Tür. Draußen gab er seinem Bruder die Hand und lief mit kleinen Trippelschritten neben dessen langen Beinen her. Komisch, dachte Merijntje lächelnd, dieser freche Kerl mit seiner selbständigen Straßenjungennatur ging am liebsten an der Hand neben einem her. Nur wenn seine Kameraden es sahen, zog er die Hand rasch zurück ... Über Flierefluiter sprachen sie nicht mehr: den hatte Jan mit einem Schlag ins Reich der Fabel verwiesen.

„Ich würde heute am liebsten schwänzen", teilte er plötzlich mit. „Hältst du den Mund, wenn ich mit dir komme?"

„Das könnte dir so passen!" rügte ihn Merijntje streng. „Was fällt dir eigentlich ein?"

„Warum denn nicht?" muckte Jan auf. „Ich sage einfach, ich bin krank gewesen. Der blöde Oberlehrer glaubt doch alles. Und wer weiß, wie oft du geschwänzt hast!"

„Ich?" sagte Merijntje. „Nie!"

„Dann bist du ein Schlappschwanz!" folgerte Jan.

„Das mag wohl sein", lachte Merijntje, „aber anständige Jungen schwänzen nicht."

„Na ja", schnaubte Jan, „die Erwachsenen, das sind die reinsten Engel. Aber der Nachbar sagt, daß sie früher, als sie noch klein waren, auch nicht gerade zahm gewesen sind. Junge, Junge, bloß gut, daß man das weiß!"

Merijntje schwieg. Der Nachbar, das war der Hafenarbeiter van Tol, Jans unfehlbares Orakel. Und wenn sie nun auch schon seit Jahren nicht mehr im gleichen Haus wohnten, ja nicht einmal mehr in der gleichen Straße – van Tol blieb der „Nachbar", und Jan war sein fanatischer Anhänger.

An der Taktstraße versuchte der Kleine es noch einmal: „Kann ich nicht doch mitkommen, Merijntje?"

„Bist du verrückt? Los, mach, daß du in die Schule kommst!"

Jan streckte ihm die Zunge heraus, rannte davon, schoß wie ein Hase an Menschen und Fuhrwerken vorbei und sprang hinten auf einen Rollwagen auf.

„Halunke!" murmelte Merijntje vergnügt, schob die Hände in die Taschen und ging zur Willemsbrücke.

4

In der Sieben-Häuser-Gasse blieb er zögernd stehen. Lieber Gott,
wohnte Flierefluiter wirklich hier? Man konnte sich kaum vorstellen, daß hier überhaupt Menschen lebten. Und schon gar Flierefluiter! Dieser Vagabund, dem die Freiheit über alles ging, der die
weiten Felder, den hohen Himmel, Licht und Sonne so liebte! Und
ausgerechnet der hauste hier, in diesem finsteren Schacht? Schon
drei Jahre lang ... und verheiratet. Verheiratet. Da mußte das
Geheimnis liegen! Bestimmt hatte er eine Frau gefunden, für die
er zu allem bereit war, selbst in dieser fürchterlichen Gasse zu leben, in die der Tag fast niemals eindrang. Es heißt ja, daß man
aus Liebe zu einer Frau alles ertragen kann. Eine stille Zärtlichkeit umfing Merijntjes Gemüt. Nein, dieser Flierefluiter! Daß er
so einer Frau begegnet war und hier und jetzt in diesem schäbigen
Durchschlupf glücklich sein konnte!

Doch irgend etwas verdrängte seine Vorstellungen: die Erinnerung an Flierefluiters Gesicht gestern abend. Jetzt, da er darüber
nachdachte, wußte er es nicht mehr genau, aber es schien ihm, als
sei dieses Gesicht doch nicht ganz so glücklich gewesen. Es wirkte
alt und ein wenig düster.

Zögernd ging er weiter. Sein Widerwille wuchs zu einem Gefühl
der Beklemmung. Wer zog denn nur in so eine Straße! Wenn man
die Arme ausbreitete, konnte man bequem die Häuserwände zu
beiden Seiten erreichen, die Mauern, die beängstigend hoch und
drohend aufstiegen, verrußt und abgebröckelt, als wären sie von
einer häßlichen Krankheit angefressen. Scheu blickte er empor,

und ein Schwindel befiel ihn. Oben beugten sich die Mauern aufeinander zu; es war, als wollten sie den schmalen Streifen Himmel aussperren, sich auf den Jungen herabstürzen, ihn unter ihrem lastenden Gewicht und ihrem drohenden Dunkel begraben. Hier mußte man ja ersticken!

Muffige Luft benahm ihm den Atem. Es roch nach Moder und Pilzen. Schwarze, kalt blinkende Schlammpfützen standen in den Löchern des holprigen Pflasters. Eine Gasse, so eng, so bedrükkend und so unendlich traurig. Plötzlich spürte er Tränen in den Augen brennen und drängte sie wütend zurück: Zum Teufel, er war doch kein kleiner Junge mehr! Solche Gassen gab es überall in Rotterdam. Und schließlich wohnten da auch Menschen. War es ihm etwa jemals in den Kopf gekommen, darüber zu heulen?

Er sah Fenster mit schmutzigen Gardinen, ausgetretene Schwellen von niedrigen, offenstehenden Türen, die in pechfinstere Gänge führten, und morsche Fensterrahmen, von denen die Farbe abblätterte. Ein räudiger Hund schlich, scheu an die Mauer gedrückt, an ihm vorbei. Hinter einer blinden Fensterscheibe starrte ihm ein blasses Frauengesicht aus hohlen Augen entgegen – hilfesuchend wie eine Ertrinkende. Ein Junge von vielleicht vier Jahren lag bäuchlings auf einer Türschwelle und planschte in einer Schlammpfütze, auf der er eine leere Streichholzschachtel schwimmen ließ. Mit vorquellenden Augen blickte er neugierig zu dem unbekannten Passanten auf, wandte sich dann wieder seinem Schiffchen zu und planschte weiter. Seine Beine, die in den finsteren Gang hineinragten, waren nicht zu sehen, und Merijntje hatte die scheußliche Empfindung, daß da nur ein halber Kinderkörper liege. Mit einem Gefühl der Übelkeit sah er gerade noch, wie der kleine Junge nach einem angebissenen Stück Brot neben sich auf der Schwelle griff und es in den Mund steckte. Merijntje schüttelte sich. Hastig ging er weiter. Eine fast unüberwindliche Angst jagte durch sein Herz, und er mußte sich Gewalt antun, um nicht in wildem Galopp dieser abscheulichen Gasse den Rücken zu kehren, endlich wieder erlöst zu sein, Atem holen zu dürfen und sich befreit zu fühlen von der lähmenden Furcht, daß unversehens all diese so bedrohlich nahen, bis in den Himmel ragenden Mauern sich zusammenschieben und ihn ersticken, ihn zwischen ihren kotigen Wänden plattdrücken könnten.

Plötzlich sah er ein Schild: „Feuer und Wasser. Im Luftschloß. Bei Th. van Tricht." Mit weißen Buchstaben stand es auf einer schwarzen Tafel neben einer graublau gestrichenen Tür. Th. van Tricht. Hieß Flierefluiter so? Zum erstenmal wurde ihm bewußt, daß er ihn stets mit seinem Spitznamen angesprochen hatte. Im Luftschloß . . . Natürlich wohnte Flierefluiter hier. Wer sonst wäre auf den verrückten Gedanken gekommen, so ein dunkles Loch in einer engen Gasse Luftschloß zu nennen? Das munterte ihn ein wenig auf; ein vertrautes Gefühl linderte die erstickende Angst. Flierefluiter war in der Nähe. Sein alter Freund. Ein Stück seines früheren Lebens, in dem es solche Beklemmungen nicht gab... Die Felder um das Dorf. Die hohen, schattigen Deiche. Der blanke Fluß. Der breite Strom. Wie ein Blitz schoß das alles vor seinen Augen vorüber.

Dann stieß er die Tür auf – eine kleine Glocke, die dabei angeschlagen wurde, schepperte durch die dumpfe Stille. Rötliche Glut schwelte hinten im Dunkel des niedrigen Raumes. Eine Stimme fragte: „Bist du da, Merijntje?"

Flierefluiter. Gott sei Dank!

Der Junge holte tief Luft und zog die Tür hinter sich zu. Dann sah er sich um. Allmählich gewöhnten sich die Augen an die Finsternis, und er sah einen Schatten an einem Tisch nahe der Seitenwand.

„Flierefluiter?" sagte er in fragendem Ton mit unsicherer Stimme.

Der Mann am Tisch lachte leise. „Komm nur weiter, Junge", sagte er spottend, „du bist hier nicht beim König zu Besuch."

Merijntje ging zum Tisch, er spürte, wie die gesprungenen Fliesen unter seinen zögernden Füßen nachgaben. Flierefluiter schob ihm einen Stuhl hin, und er setzte sich. Unruhig klopfte sein Herz. Befangen sah er sich um. Die rötliche Glut, die die Dämmerung golden und unbestimmt erhellte, kam von einem offenen Feuer, über dem ein hoher, zylinderförmiger Wasserkessel hing. Undeutlich unterschied der Junge einen Stapel Torf, einen Vorrat Brennholz und in der Ecke neben dem Fenster voller Spinnweben einen Haufen Kohlen.

„Sehr gesprächig bist du nicht, Merijntje." Die Stimme hatte den gleichen spöttischen Klang wie vorhin, und das kurze Auflachen, das die Bemerkung abschloß, klang nicht froh. Der Junge blickte Flierefluiter an. Sein Gesicht wirkte düster in dem rötlichen Schein, die Augen leuchteten in umschatteten Höhlen, und der Mund war ein schmaler schwarzer Strich, in dem schräg die Kalkpfeife hing. Es ähnelte eher einer Teufelsfratze als dem fröhlichen Gesicht seines alten Freundes.

„Ach", erwiderte der Junge unsicher.

„Ein bißchen erschrocken über die Sieben-Häuser-Gasse, wie?"

Einen Atemzug lang schwieg Merijntje, dann rief er aus: „Ich begreife nicht, wie hier Menschen hausen können! Das sind ja die reinsten Kellerlöcher! Jetzt ist hellichter Tag, und hier sieht's aus, als wäre Nacht."

„Im Sommer, wenn die Sonne scheint, ist es heller. Heute ist trübes Wetter."

„Aber dieser Schacht von einer Gasse ... so drückend und dumpf! Da kann doch kein Mensch leben!"

„Unser lieber Herrgott hat Villen und Hütten geschaffen, breite Straßen mit schönen Häusern und stinkende Gassen mit baufälligen alten Buden, reiche Leute und arme Schlucker, Merijntje."

„Unser lieber Herrgott?" fragte der Junge bestürzt und empört.

„Selbstverständlich", grinste Flierefluiter, „wer sonst? Er hat doch alles gemacht und weiß, wie es in der Welt aussieht . . . Das kannst du jeden Tag in der Kirche hören."

Merijntje dachte an die blasse Frau mit den hohlen Augen, an den kleinen Jungen mit dem unappetitlichen Stück Brot, an den räudigen Hund. Irgend etwas in ihm lehnte sich auf. Er preßte die Lippen zusammen und runzelte die Stirn. Nein, das konnte der Herrgott nicht wollen. Gott, der Allgütige? Und dann so eine Gasse?

„Das ist unmöglich!" sagte er laut und schüttelte störrisch den Kopf.

Flierefluiter zuckte die Achseln und erwiderte gleichgültig: „Dann gib mir eine bessere Erklärung."

„Es sieht eher aus wie das Werk des Teufels", entgegnete Merijntje böse.

„Das ist wahr", stimmte Flierefluiter zu. „Aber dann muß man annehmen, daß der Teufel mächtiger ist als Gott. Glaubst du das?"

„Natürlich nicht!" wehrte sich Merijntje verzweifelt.

„Na also!"

Ratlos kämpfte der Junge mit seinen einander widerstreitenden Gedanken. Es war immer das gleiche: wenn man mit diesen Dingen anfing, fand man sich nicht mehr durch. Gott und die Welt. Gott und die Welt der Menschen. Nachbar van Tol hatte es leicht: der leugnete einfach die Existenz Gottes. Auf diese Weise konnte man mit der Welt fertig werden, denn dann hatte man es nur mit den Menschen zu tun, und sofort ließ sich alles erklären, man konnte sich gegen alles auflehnen. Doch sobald man Gott ins Spiel brachte, wurde alles verworren, unerklärlich und widerspruchsvoll . . . Man mußte verzweifeln. Aber wie konnte man wagen, Gott zu leugnen? Woher stammte dann alles? Wohin führte alles?

„Wissen können wir wenig", sagte der Kaplan, „doch wo das Wissen aufhört, beginnt der Glaube; wir müssen glauben, darauf kommt es an." Merijntje glaubte. Er wollte so gern glauben. Aber wissen wollte er auch. Und was er wußte und sah, erfüllte seinen Glauben so oft mit Zweifeln . . . „Was *du* zu wissen und zu sehen meinst", stellte der Kaplan richtig. „Wir sind viel zu unvollkommene Wesen, um uns einbilden zu dürfen, wir wüßten und sähen wirklich." Wie konnte man aus all dem klug werden? Wie konnte Gott diese stinkende Gasse erschaffen haben, die blasse, kranke Frau, wie konnte er den kleinen Jungen in Schmutz und Armut verkommen lassen? Und wenn er das weder geschaffen noch gewollt hatte, weil er doch allgütig war – warum duldete er dann dieses grausame Menschenwerk?

Seine peinigenden Gedanken wurden vom lauten Knarren einer Tür unterbrochen. Er wandte den Kopf nach der Seite, woher das Geräusch kam. Neben dem Wasserkessel an der Hinterwand hatte sich eine Tür geöffnet, und eine Frau in kurzem braunem Unterrock und weißer Nachtjacke, eine brennende Petroleumlampe in der Hand, kam auf weichen Pantoffeln näher und stellte die Lampe auf den Tisch. Gelber Lichtschein erfüllte den Raum. Verlegen sah Merijntje die Frau an. Sie hatte ein regelmäßiges, weißes Gesicht mit kohlschwarzen Augen, über denen die Brauen an der Nasenwurzel fast zusammengewachsen waren. Das schwarze Haar war ohne Sorgfalt zu einem schweren Knoten gesteckt, der tief in den Nacken hing. Ein verächtlich mürrischer Zug lag um den vollen Mund, und der Ansatz eines Doppelkinns machte die untere Hälfte ihres Gesichts weicher, als es zu diesen harten Zügen paßte. Ihr finsterer Blick wanderte von Flierefluiter zu Merijntje, der aufgestanden war und die Mütze in der Hand hielt. Er hätte den Grund nicht zu sagen vermocht, aber die Frau flößte ihm Unbehagen ein. Sie war nicht groß, eher ein wenig gedrungen, doch es ging etwas Herrisches von ihr aus, etwas Bösartiges, aber gleichzeitig auch eine unerklärliche Anziehungskraft.

„Du hast ja schon früh Besuch", sagte sie in nörgelnd aggressivem Ton.

„Das ist Merijntje Gijzen", erwiderte Flierefluiter, „ein alter Bekannter aus Brabant. Und das ist nun meine Frau, Merijntje."

„Ach", sagte die Frau, und ein Lächeln verlieh ihrem unfreundlichen Gesicht plötzlich einen sanfteren Ausdruck. „Der kleine Junge, von dem du mir manchmal erzählt hast? Ist das aber ein Kerl geworden!" Wie ein Mann drückte sie Merijntje die Hand; sie hatte eine warme, trockene Hand, in der Kraft steckte.

„Guten Tag, Frau van Tricht!" grüßte Merijntje verlegen.

Die Frau lachte. Ein Lachen, das tief aus der Kehle kam mit einem wunderlich lockenden Girren wie von einem unbekannten Waldvogel. „Du kannst ruhig Bets sagen", ermunterte sie ihn. „Ich halte nichts von dem albernen Getue, und schon gar nicht unter Freunden. Wie hast du uns denn so einfach gefunden?"

„Wir haben uns gestern abend getroffen", warf Flierefluiter ein. „Er will mir ein bißchen helfen, er ist arbeitslos."

Bets' Gesicht nahm wieder den mürrischen Ausdruck an, als sie es ihrem Mann zuwandte. „Das hättest du mir doch auch sagen können!"

Dann gähnte sie, die Hand halb zum Mund gehoben.

„Noch nicht ausgeschlafen?" erkundigte sich Flierefluiter ironisch.

„Dämliche Frage!" erwiderte seine Frau kurz angebunden. Darauf ging sie, ohne weiter Notiz von ihm zu nehmen, mit der Lampe in der Hand hinaus.

In dem nun wieder finster erscheinenden Dunkel hörte Merijntje Flierefluiter leise lachen. Er verstand das nicht. Was gab es denn da zu lachen? Sie vertrugen sich gewiß nicht gut. Ihre Antwort hatte so böse und drohend geklungen wie das wütende Kläffen eines Hundes, der beißen will.

„Ein böses Weib, Junge!" sagte Flierefluiter grinsend. „Verdammt noch mal!"

Doch Merijntje erschien das Lachen nicht echt. Er wußte nicht, was er entgegnen sollte, und wünschte, er wäre lieber nicht hergekommen ... Von Menschen, die Streit miteinander hatten, hielt man sich besser fern.

„Marsch, zieh die Jacke aus, dann gehen wir mal zum Lager!" kommandierte Flierefluiter, stand seufzend auf und reckte sich, daß seine langen Arme knackten.

Durch einen Gang neben dem Laden kamen sie in einen ziemlich großen Raum hinter dem Wohnhaus. Flierefluiter zündete eine Petroleumlampe an, die an einer Kette von der Decke hing. Ein flacher Blechschirm zwang alles Licht nach unten. Die obere Hälfte des Raumes blieb im Dunkel und schien endlos und geheimnisvoll im Nichts zu verschwinden.

5

Auf dem Bock sägten sie alte Rammpfähle in kurze Stücke und spalteten sie dann mit dem Beil zu dünnen Scheiten. Als ein fast mannshoher Stapel Kleinholz dalag, holte Flierefluiter eine Rolle Draht, und sie knüpften Schlingen, in die Scheit für Scheit hinein geschoben wurde – immer so viel, daß es ein pralles, rundes Bündel Anmachholz ergab. Das erinnerte Merijntje an den ersten schweren Winter in Rotterdam, als sie sich mit dieser Arbeit über Wasser gehalten hatten. Mit Arjaan zusammen war er von Haus zu Haus gezogen und hatte die Bündel verkauft. Und es hatte ihm Spaß gemacht. Auch in späteren Zeiten der Arbeitslosigkeit hatten sie ab und an noch Zuflucht zur Holzmacherei genommen. Es war stets ein flottes und vorteilhaftes Geschäft gewesen.

Hin und wieder wurde Flierefluiter abgerufen, wenn ein Kunde kam, um einen Eimer Kohle oder einen Armvoll Torf zu holen. Denn seine Frau rührte diese schmutzigen Dinge nicht an. Sie verkaufte höchstens kochendes Wasser oder eine Schaufel Glut.

Eigentlich war das eine ganz gemütliche Bude hier. In einer Ecke befand sich ein großer Verschlag mit vielleicht hundert Zentnern Kohle. An einer Wand waren Holzbündel aufgestapelt, Hunderte und aber Hunderte. Daneben zusammengelegte Kohlensäcke, eine Hobelbank mit Werkzeug, und überall lag Holz herum, das zerkleinert und gebündelt werden sollte. Der Lehmboden war voller Bukkel und Löcher. Ein wunderlicher Arbeitsplatz! Und mitten am Tage mußte die Lampe brennen, sonst konnte man nichts sehen. Kein Wunder, daß Flierefluiter so ein gelbes Gesicht bekommen hatte!

Gegen halb zwölf kam Bets mit einem Tablett herein, auf dem zwei Tassen Kaffee standen. Erstaunt starrte Merijntje sie an. Sie trug eine Bluse aus glänzend roter Seide mit einem weißen Spitzenkragen und dazu einen schwarzen Rock, der ihr bis auf die kleinen Füße in den schwarzen Schuhen mit Lackkappen reichte. Das Haar war mit großen Kämmen zu einem hohen Knoten aufgesteckt; in den Kämmen funkelten grüne Steine. Auf der Brust trug sie eine Brosche und an den Fingern blitzende Ringe. Allmächtiger! Hatte die sich herausgeputzt! Gewiß wollte sie zu einer Hochzeit oder so etwas!

Sie lächelte über sein erstauntes Gesicht und sagte arglos: „Bitte schön – eine Tasse Kaffee für die fleißigen Arbeiter!"

Flierefluiter wischte mit seiner großen Hand die Späne und Splitter vom Hackklotz, machte eine elegant einladende Bewegung und sagte: „Vielleicht nimmt Madam einen Augenblick Platz?"

Madam lachte, verneigte sich würdevoll und setzte sich dann auf den Rand des Klotzes. Merijntje mußte über die vornehme Komödie lachen und dachte, daß er sich doch wohl geirrt habe: sie waren so drollig und närrisch, es machte kaum den Eindruck, als ob sie sich nicht vertrügen.

„Ein böses Weib!" hatte Flierefluiter gesagt. Aber bei ihm wußte man ja nie, wie er es meinte. Dieses muffige Loch hatte er ja auch „Luftschloß" genannt!

Genießerisch schlürfte er seinen Kaffee. Schön heiß und süß und mit viel Milch. Die Wärme der Schale war seinen Händen angenehm. Er spürte, daß die Frau ihn ansah, hob die Augen zu ihr auf und errötete. Sie lachte, und ihre schwarzen Augen funkelten wie Feuer. Gewiß hatte er sich wieder ungeschickt benommen. Hilflos sah er Flierefluiter an; doch der blies mit gesenkten Augen in seinen Kaffee, ein unerklärliches Lächeln um den Mund.

Bets nickte ihm aufmunternd zu und fragte freundlich: „Schmeckt's, Merijntje?" Ihre Stimme war wohltuend sanft. Sie meinte es also gar nicht böse.

„Ja, gut!" lachte er.

Ihre Hand spielte mit der Brosche auf der Brust, und die Ringe funkelten mit grellem Glanz.

„Sie gehen sicher aus?" fragte er, doch sie sah ihn erstaunt an und erwiderte:

„Aber nein, warum denn?"

„Ich dachte nur ... Sie haben sich so fein gemacht."

Sie lachte wieder ihr girrendes Lachen, und Flierefluiter hustete, weil er sich an seinem Kaffee verschluckt hatte.

Die Frau erhob sich. „Ich sehe auch zu Hause gern nett aus", sagte sie erklärend. Und im Vorbeigehen gab sie Merijntje einen Klaps auf die Wange, gerade als wäre er ein Kind, und verließ das Lager.

Blutrot vor Verlegenheit, verblüfft und mit einem Gefühl des Unbehagens blickte der Junge ihr nach, bis sie die Tür hinter sich zuzog. Dann hörte er Flierefluiter lachend sagen: „Verdammich, Merijntje, du hast aber einen Stein bei ihr im Brett! Das passiert meinen Freunden nicht alle Tage."

„Wieso?" fragte der Junge verwirrt.

„Ach, sie hält mehr von ihren eigenen Freunden. Aber sonst ist sie ein hübsches Weib, was?"

„O ja", erwiderte Merijntje und lachte. „Du hast einen guten Griff getan, Mann!"

„Genau!" sagte Flierefluiter und schlug das Beil tief in den Hackklotz, auf dem sie gesessen hatte. Sein Gesicht verzog sich zu einem erbitterten Grinsen.

„Meine Mutter war unheimlich neugierig, mit wem du verheiratet bist, Flierefluiter", berichtete Merijntje und lachte bei der Erinnerung. „Sie ist mir beinah ins Gesicht gesprungen, weil ich es nicht wußte."

„Ein Glück, daß sie sie nicht kennt!" sagte der andere frostig.

„Warum denn?"

„Darum."

Als er den verwunderten Blick des Jungen sah, winkte er ab und sagte mit gezwungenem Lachen: „Hör bloß auf mit deiner Fragerei! Ich kann's dir doch nicht erklären. Aber deine Mutter und Bets – das ist nicht das richtige Gespann."

„Warum denn nicht?"

„Verfluchtes Fragemaul!" polterte Flierefluiter los. „Du hast dich wahrhaftig nicht geändert!"

„Aber du!" schlug Merijntje zurück. „Du bist auf dem besten Weg, ein satter Bürger zu werden!"

„Da hast du sogar recht", seufzte Flierefluiter, und sein Gesicht verzog sich zu einer wehmütigen Grimasse; doch dann lachte er wieder unbesorgt und schimpfte: „Los jetzt, zum Donnerwetter! An die Arbeit! Bist du vielleicht hergekommen, um deinen Chef zu beschimpfen?"

„Der Teufel soll dich holen!" wünschte Merijntje, und lachend griffen sie wieder zum Holz und zerhackten den Vorrat in raschem Tempo.

Sie schwiegen, jeder in seine Gedanken vertieft. Irgend etwas stimmte hier nicht, spürte Merijntje. Flierefluiter hielt nichts von seiner Frau, und sie konnte ihn auch nicht leiden. Das war unbegreiflich, denn Flierefluiter mochte eigentlich jeder gern. Er sagte zwar manchmal merkwürdige Dinge, und man wußte niemals genau, wie er es meinte, aber er war ein guter Kerl und immer bereit, einem zu helfen. Nur Bets konnte ihn nicht leiden ... er sie aber auch nicht. Warum hatten sie dann geheiratet? Flierefluiter hatte doch nie heiraten wollen. Und sie war bestimmt ein ganz

Teil jünger als er. Eine hübsche Frau, das stimmte. Aber irgend etwas war an ihr, was einem Furcht einjagte, wenn er auch nicht wußte, was. In ihrem Blick lag etwas Gefräßiges, etwas Gieriges. Na ja, gefräßig war natürlich Blödsinn; doch er wußte keine andere Bezeichnung dafür. Wirklich, genau als ob sie einen lebendig auffressen wollte. Und dabei hatte man nicht einmal das Gefühl, daß sie böse auf einen war, denn sie lachte dazu und sprach mit freundlicher, schmeichelnder Stimme. „Ein böses Weib!" Ob Fliefluiter das ernst meinte? Anscheinend doch. Aber war sie wirklich böse? Oder sagte Fliefluiter das nur, weil er nun einmal einen Abscheu vor ihr hatte?

Er warf seinem Freund einen Blick zu. Der saß da, ein halb-gefülltes Bündel in den Händen, und starrte unbeweglich vor sich hin. Sein Gesicht wirkte schlaff und verfallen, die graublauen Augen stumpf und ohne Ausdruck. Ein Zug von Verbitterung lag um seinen Mund ... Er hatte sich doch wohl verändert, der Fliere-fluiter. Das stets Frohe, Unbesorgte, Lachende hatte er nicht mehr. Hin und wieder wohl noch, aber nicht so wie früher ... Um ihn abzulenken, sagte Merijntje: „Paß auf, Fliefluiter!"

Der hob den Kopf, als führe er aus dem Schlaf hoch. „Was?" fragte er mit blöd verwundertem Gesicht.

„Du starrst Löcher in die Luft!" rief Merijntje.

Sie lachten beide über den alten Brabanter Scherz.

„Woran hast du denn gedacht?" fragte der Junge.

Sein Freund sah ihn lächelnd an, stopfte sich eine neue Pfeife und sog das Feuer in den Tabak. Dann sagte er:

„Wenn man jetzt über den Deich liefe, Merijntje, fände man die Welt schön, auch wenn die Sonne nicht scheint. So ein Tag im März mit lauem Regen und die ganze große, weite Welt vor einem, die Bäume überall an den Deichen, und ein paar Bauern, die hinter dem Pflug gehen – das ist schön, Junge! Und dann läufst du den Deich hinunter, weil da ein kleines Haus steht, nur eine Arbeiterhütte im Polder, weiß gekalkt mit einem roten Dach und einem großen Fliederstrauch neben der Regentonne. Dort wohnen Menschen, die du kennst und jahrelang nicht gesehen hast, und wenn du ihnen ins Haus fällst, schreien sie vor Freude auf, und der Kaffee dampft auf dem Tisch, und sie schneiden dir eine lange Schnitte vom runden Brot und dazu eine ordentliche Scheibe Schinken! Das ist was anderes als hier in der verfluchten Stadt mit all den fremden Menschen, was?"

Merijntje nickte. Bei Fliefluiters Worten hatte er es deutlich gesehen, das weite Land mit den dunklen Frühjahrsäckern, den mächtig bewegten Wolkenhimmel, die grauen Schatten der Baumreihen am Horizont, fern und verschwimmend. Und das Häuschen, das weiß-rote Häuschen mit dem großen Fliederbusch neben der Regentonne, die kleine Holzbrücke über dem Graben und den

Rauch aus dem rußigen Schornstein. Er roch den Kaffee und den Duft von frischem Landbrot. Heimweh überfiel ihn. Ja, das war wirklich etwas anderes als die verfluchte Stadt mit den vielen fremden Menschen – da hatte Flierefluiter recht. Ganz plötzlich hatte er es begriffen, als sein Freund das Bild dieses Märztages im Brabanter Land beschwor. Das war doch etwas anderes ...

„Stammt deine Frau auch aus unserer Gegend?" fragte er mit einem seltsamen Gedankensprung.

Flierefluiter schüttelte den Kopf. „Nein, die ist aus Rotterdam. Sie hatte eine Schmalzkuchenbude auf den Jahrmärkten. Da habe ich sie zum erstenmal gesehen, ihr geholfen. Sie war damals schon Witwe. Die Schmalzkuchenbude, in die hatte sie eingeheiratet. Na, das habe ich dann eben auch getan ... Aber sie wollte wieder in die Stadt. Sie hatte andere Pläne im Kopf – die hat sie immer. Und so sind wir hier in diese Gegend gekommen. Das Haus gehört ihr, verstehst du? Und ein Stück weiter noch ein paar."

„Aber wer zieht denn in so eine Gasse?" platzte Merijntje heraus. „In so ein dunkles Loch, wo man tagsüber die Lampe anstekken muß?"

„Manche Gewächse gedeihen am besten im Dunkeln, Merijntje", erwiderte Flierefluiter mit einem rätselhaften Lächeln.

Der Junge blickte ihn an. Unklar spürte er, daß hinter dem nüchternen Bericht seines Freundes und besonders hinter den letzten Worten ein Drama verborgen sein mußte, ein großer Kummer, etwas Dunkles und Häßliches; aber er wagte nicht, weiter zu fragen, und schwieg bedrückt. Flierefluiter nickte einige Male zerstreut, seufzte leise, und dann bekamen seine Augen wieder diesen starren, glasigen Ausdruck. Doch diesmal wagte Merijntje nicht, ihn mit einem Scherz zu stören. Verwirrt griff er nach den letzten Holzscheiten und bündelte sie.

Dann steckte die Frau den Kopf durch den Türspalt und rief: „Kommt ihr zum Essen?" Und schon war sie wieder verschwunden.

Flierefluiter stand auf, klopfte die Pfeife aus, zog sich die Hosen hoch und brach in Lachen aus.

„Was habe ich dir gesagt?" fragte er triumphierend. „Du hast einen Stein bei ihr im Brett, Mann! Die gnädige Frau Gräfin holt dich einfach zum Essen! Gerade als ob du zur Familie gehörst. Das mußt du zu schätzen wissen, Bürschlein, denn das ist etwas Seltenes. Aber du bist ja schon immer ein Eroberer gewesen. Na, komm rasch, ehe sie ungeduldig wird!"

Rot vor Verlegenheit folgte ihm Merijntje. Hinter dem Brennstoffladen, ein paar Stufen hinauf, lag ein Zimmer. Auch dort war es dunkel, denn das einzige Fenster ging auf einen kleinen Hof, und das spärliche Licht dieses trüben Regentages fand nur schwer seinen Weg in den Raum. Doch über dem Tisch brannte eine große Hängelampe, und Merijntje staunte. In einer Gegend wie dieser hatte er nichts als armseligen Plunder erwartet, und nun sah er ein Wohnzimmer mit schönen, gepflegten Mahagonimöbeln, und selbst ein Sofa mit muschelförmig gebogener Rückenlehne und geschnitzten Beinen fehlte nicht. Auf dem Fußboden lag ein gestreifter Teppich, schneeweiße Gardinen hingen vor dem Fenster, ein Messingkäfig mit einem Kanarienvogel prunkte auf einem überreich verzierten Ständer in einer Ecke, auf dem Kaminmantel stand eine Pendüle mit Bronzekandelabern, und überall auf der geblümten Tapete hingen in vergoldeten Rahmen Porträts und Landschaften. In der äußersten Ecke stand eine eiserne Doppelbettstelle mit glänzenden Messingknöpfen und einer handgehäkelten weißen Decke.

„Je! Ihr haust hier aber gar nicht so mies – wirklich pfundig!" rief er spontan aus.

Bets lachte geschmeichelt. „Hast du vielleicht gedacht, wir lebten wie die Bettler?" fragte sie spottend. Dann wandte sie sich an Flierefluiter: „Hast du das gehört, Thijs? Vor lauter Staunen fällt er wieder in seine alte Affensprache!"

Flierefluiter brummte irgend etwas Unverständliches und setzte sich vor seinen Teller. Bets wies Merijntje seinen Platz an. Befangen saß er an dem weißgedeckten Tisch. Bei ihm zu Hause wurden nicht so viel Umstände gemacht, die Teller standen einfach auf dem Wachstuch. Einmal hatte er schon an einer so schön gedeckten Tafel gesessen – bei Mijnheer Walter, der mit dem Liebfrauchen verheiratet war ... zuerst hatte sie im Bett gelegen und ihm ein Märchen von einer kleinen Seejungfrau erzählt. Und dann hatten sie alle bei Tisch gesessen. Später war Mijnheer Walters Frau weggegangen und nie wieder zurückgekommen. Die beiden konnten sich auch nicht vertragen. Das schien unter Verheirateten öfter vorzukommen. Seltsam! Warum heirateten sie dann erst? Ihm würde so etwas nicht passieren. Wenn er erst ein liebes, schönes Mädchen heiratete, würde er alles tun, um sich mit ihr zu vertragen. Mein Gott! Wie konnte man sich denn mit einem Mädchen, das man liebte, zanken – und schon gar, wenn man mit ihr verheiratet war?

Bei Tisch wurde kaum gesprochen. Flierefluiter aß rasch und viel. Auch Merijntje tat dem leckeren und reichlichen Mahl alle Ehre an. Ab und zu begegnete er Bets' lachendem Blick und bekam ein ermunterndes Zwinkern zugeworfen: er solle nur zulangen und es sich gut schmecken lassen. Nun, dazu bedurfte es keiner Aufforderung. „Ein böses Weib!" ging es ihm wieder durch den Kopf. Eigentlich schien sie sehr freundlich. Und bestimmt hatte sie etwas besonders Gutes gekocht. Das war doch sehr nett – denn er war ein Wildfremder, den sie heute zum erstenmal sah. Und genaugenommen war er ja nur der Arbeiter ihres Mannes. Nein, Flierefluiter tat ihr sicher unrecht.

„Schmeckt's, Merijntje?"

„Und ob, Frau van Tricht! Sie können gut kochen!"

„Und du kannst gut schmeicheln."

Merijntje wurde schon wieder rot. „Nein, wirklich, ich meine es so", sagte er mit verlegenem Lachen.

Nach dem Essen stand Flieresluiter auf, steckte sich die Pfeife an und legte sich mit der Zeitung aufs Sofa. Er hatte keine drei Worte gesprochen. Ganz plötzlich war er still und finster geworden.

„Komm", bat Bets, „hilf mir rasch beim Abwaschen, Merijntje, dann ist's im Handumdrehen geschafft."

In diesem seltsam verbauten Haus gab es tatsächlich auch noch eine winzige Küche. Ein kleiner Winkel mit einem Ausguß, einem Geschirrschrank und einem Herd. Zu zweit konnte man sich gerade darin bewegen, aber viel Platz blieb dann nicht.

Bets streifte die Ärmel ihrer Seidenbluse vorsichtig über die Ellbogen, band sich eine karierte Schürze um und goß heißes Wasser in eine Schüssel. Dann wusch sie die Teller und Schüsseln, und Merijntje trocknete ab. Sie lobte ihn, weil er es so geschickt und ordentlich machte, die Teller gut trocken und blank rieb, sehr viel besser als ihr Mann. Wenn der ihr manchmal half, war alles noch feucht und streifig. Doch Merijntje erzählte lachend, daß er seiner Mutter oft beim Abtrocknen half, und die putzte ihn gehörig herunter, wenn er es nicht gut machte – so lernte man das wohl.

„Wenn ich ihn beschimpfe, macht er es noch schlechter", sagte Bets verdrießlich. „Oder er läßt die Hälfte hinfallen."

„Aber doch nicht mit Absicht", gab Merijntje zu bedenken.

„Natürlich mit Absicht! Was dachtest du? Nur, um mich zu ärgern. Das ist sein größtes Vergnügen! Dieser Grobian!"

Merijntje schwieg. Was sollte man darauf auch erwidern? Teufel! Er wünschte, er wäre gar nicht hergekommen. Diese beiden! Flieresluiter war sein Freund, er kannte ihn schon so lange und wußte, daß er ein seelenguter Kerl war. Und diese schöne Frau mit den schwarzen Augen war so herzlich und gleich so gastfreundlich. Sie schien wirklich nett zu sein. Aber sie kamen nicht miteinander aus, und deshalb redeten sie nur Schlechtes voneinander. Was sollte er dazu sagen? Er glaubte nicht, daß Flieresluiter Geschirr zerschlug, um sie zu ärgern; aber das konnte er ihr doch nicht einfach ins Gesicht sagen. Wenn sie nur beide den Mund halten wollten! Was ging ihn das schließlich an? Und warum machten sie sich gegenseitig das Leben unnötig schwer? Arm schienen sie auch nicht zu sein: sie hatten Häuser.

Bets stieß ihn mit dem Ellbogen an. „Was träumst du denn? Denkst du an deine Freundin?"

„Ich habe keine Freundin."

„Und das soll ich dir glauben? So ein hübscher Junge wie du! Ich wette, alle Mädchen auf der Straße laufen dir nach!"

Da wurde Merijntje blutrot, daß Bets hell auflachte. Mit der Hand voller Seifenschaum streichelte sie ihm über die Wange, und erschrocken faßte er nach ihrem Handgelenk. Sie versuchte, sich loszureißen, hob auch die andere Hand, die er ebenfalls ergriff. In seiner Verlegenheit drückte er ihre Handgelenke mit aller Kraft hinunter. Ihr Gesicht, von der Anspannung des schweigenden Ringens gerötet, war dicht vor dem seinen, und plötzlich rieb sie ihre Wange an seinem Kinn und lachte leise. Merijntje ließ sie los und trat einen Schritt zurück. Bets rieb sich die roten Handgelenke und sagte bewundernd:

„Donnerwetter! Du hast aber Kraft in den Fäusten, du frecher Draufgänger!"

„Frech?" stammelte Merijntje.

„Natürlich! Oder willst du vielleicht behaupten, daß du mir keinen Kuß geben wolltest?" Und dann hielt sie sich die Seiten vor Lachen über sein verblüfftes und bestürztes Gesicht und erklärte, sie könne nicht mehr, gleich stürbe sie vor Lachen. Da erst begriff er, daß sie sich über ihn lustig machte, und grinste verlegen. Das war vielleicht eine, diese Bets! Sie tat wirklich, als kannten sie sich schon wer weiß wie lange. Na ja, sie war ja auch viel älter und Fliereefluiters Frau. Und er war nun einmal ein ungeschickter Tölpel, der immer alles viel zu ernst nahm.

Dann trug er ihr das Geschirr ins Zimmer, wo sie es in dem Büfett mit gewölbten Türen und gedrehten Säulchen unterbrachte und in einem Regal aus drei Brettern, das vollgestellt war mit Krüglein und Bildchen und auf dessen oberstem Bort zwei schmale Vasen schwankten mit künstlichen Blumen aus gefärbtem Papier und Eisendraht. Fliereefluiter lag auf dem Sofa, die Zeitung über den Bauch gebreitet und die Augen geschlossen.

„Guck dir das an!" sagte Bets gehässig. „Das ist nun meine Gemütlichkeit nach Tisch: ein Kerl, der pennt! Immer das gleiche. Ist das vielleicht ein Leben für eine junge Frau?"

Merijntje blickte Fliereefluiter an. Er hätte schwören mögen, daß ein Lächeln über seine Lippen huschte. Sicher im Schlaf, denn die Augen blieben geschlossen, und der Atem ging regelmäßig. Das Selbstmitleid in Bets' Stimme war dem Jungen peinlich. Hatte sie doch recht? War Fliereefluiter nicht nett zu ihr? Eine junge Frau, sagte sie ... Ja, sie war sicher viel jünger als ihr Mann.

Die Uhr auf dem Kamin schlug mit hellem Ton. Fliereefluiter öffnete die Augen. Dann schwang er seine langen Beine vom Sofa, gähnte und sagte:

„Halb zwei! Merijntje, mein Bursche, die Mittagspause ist um."

„Ja, Chef", erwiderte der Junge gehorsam, aber lachend.

Bets blickte mißbilligend von einem zum anderen. Die Zusammengehörigkeit, die daraus sprach, daß beide den gleichen Dialekt benutzten, ärgerte sie.

„Brabanter Kaffern!" schimpfte sie, und ihre Stirn runzelte sich drohend.

Merijntje lachte laut. Doch das war wieder falsch, denn diesmal meinte sie es ernst.

6

In der sinkenden Dämmerung ging Merijntje über die Maasbrücke nach Hause. Ab und zu ließ er das Geld in der Hosentasche klimpern: zwei Gulden und zwei Kwartjes, zweieinhalb Gulden, ein ganzer Taler! Das war schon ein Tagelohn! Soviel verdiente nicht einmal der Vater. Na ja, verdient – verdient hatte er bei Flierefluiter nur anderthalb Gulden; aber dann hatte ihm Bets, als sie einen Augenblick allein waren, auch noch einen Gulden in die Hand gedrückt: weil sie zuerst so unfreundlich zu ihm gewesen sei, sagte sie, und unter der Bedingung, daß er nie wieder Frau zu ihr sage, sondern immer Bets . . . Na, auch gut: für einen Gulden hätte er zu sonst wem Bets gesagt. „Auf Wiedersehn, Bets!" Und schwupp war der Gulden in der Tasche verschwunden! Kein schlechter Broterwerb!

Aus dichtem Nebel fiel ein feiner Sprühregen. Der Fluß war nicht zu erkennen. Die Laternen brannten zwar schon, doch ihren gelben Lichtkreis sah man erst, wenn man ganz dicht in der Nähe war. Vom Wasser her dröhnten die Nebelhörner dumpf und unheimlich, als ob große, schwere Tiere um Hilfe brüllten. Der wattige graue Nebel umgab einen wie der Dampf einer Waschküche, die sich lautlos mit einem vorwärtsschob... Welch ein Unterschied zu gestern – da schien der Frühling hereingebrochen zu sein, mit aller Macht! Der Wind war lau gewesen, die leichten Dunstschleier über dem Wasser schwebten wie Puderwölkchen von Sonnenschein, und der Himmel hatte sich hoch, so unendlich hoch, und silberblau gezeigt. Nun hing ein diesiges Nebeldach tief über Merijntjes Kopf, verschloß die Welt und wollte einen fast erdrücken ... man konnte nicht einmal mehr die oberen Verstrebungen der Brücke erkennen ... die häßlichen, senkrechten, schmutziggrauen Eisenpfeiler mit ihren zahllosen Pusteln von Nietbolzen verschwanden rätselhaft im Diffusen – so als lösten sie sich auf, als gingen sie im Nebel dort oben selber zu Nebel über... Doch das war auch schön auf seine Art, und Merijntje verstand nicht, warum die Menschen alle mit solch unzufriedenen Gesichtern herumliefen.

Er war nur froh, daß er die Sieben-Häuser-Gasse hinter sich hatte; denn jetzt war es ganz und gar nicht mehr auszuhalten: die trüben Laternen unter den Eingängen – und der Nebel, dieser furchtbare Nebel, der einen hinderte, die oberen Stockwerke der Häuser zu sehen ... In kindischer Angst war er das letzte Stück gerannt, was er nur konnte, um aus diesem Schacht herauszukommen. Er hatte das Gefühl gehabt, Krallenhände im Nacken zu spüren und überall hohle Augen und halbe Kinderkörper herumspuken zu sehen. Hatte er das heute morgen eigentlich wirklich erlebt, oder redete er es sich nur ein? In jedem Fall schien ihm jetzt selbst dieser dichte Nebel hier am Fluß frisch und wohlriechend, verglichen mit der modrigen Luft in der beklemmenden Gasse. Das einzig Gute an ihr war, daß er einen Taler von dort mitbrachte.

Zu Hause rannte er die Treppe hinauf und brach wie ein Wirbelwind bei seiner Mutter ein. Zu seiner Überraschung saß Arjaan am Tisch und verzehrte mit Heißhunger einen Berg Schnitten.

„Hallo, Arjaan! Bist du wieder mal zu Hause?"

„Nein", grinste der Bruder mit vollem Mund. „Du siehst nur meinen Geist."

„Tag, Mutter. Ich hab was für dich!" rief Merijntje, Arjaans geistlosen Witz überhörend. „Hier, der heutige Lohn!" Er hielt ihr einen Gulden hin.

„Besser als nichts", sagte seine Mutter.

„Und volle Kost dazu!" prahlte Merijntje. „Mittags Suppe, Kartoffeln und sooo eine Frikadelle mit Rotkohl, und eben sechs Schnitten, drei mit Käse und drei mit Leberwurst."

„Lieber Himmel!" staunte seine Mutter. „Billiger tust du's wohl nicht?"

„Willst du noch einen haben?" lachte der Junge und hielt ihr den zweiten Gulden dicht unter die Nase.

Verblüfft sah sie auf die beiden Geldstücke in ihrer Hand.

„Na und hier: sie haben Junge gekriegt!" lachte Merijntje und warf ihr auch noch die beiden Kwartjes in die Hand.

Mißtrauisch schaute seine Mutter ihn an. „Hast du das alles verdient?"

„Verdient nicht, aber bekommen." Und begeistert erzählte er, auf welche Weise sich sein Tagelohn erhöht hatte.

Doch nun hielt es Mutter Gijzen nicht mehr aus. „Kennen wir seine Frau?" Die Frage hatte ihr den ganzen Tag auf der Zunge gebrannt.

„Nein", erwiderte Merijntje, „die ist aus Rotterdam. Flierefluiter hat sie vor langer Zeit mal auf einer Kirmes kennengelernt."

„Auf einer Kirmes? War sie da zu ihrem Vergnügen?"

„Nein, sie hatte eine Bude mit Schmalzgebackenem."

Vor Erstaunen schlug seine Mutter die Hände zusammen. „Eine Bude mit Schmalzgebackenem! Aber vielleicht kennen wir sie dann ja doch. Vielleicht ist sie auch mal in unserm Dorf gewesen. Wie sieht sie denn aus? Zum Teufel, Junge, so erzähl doch endlich! Laß dir nicht jedes Wort aus dem Munde ziehen!"

Arjaan und Merijntje brachen in Lachen aus. Sie hatten immer ihren Spaß daran, wie ihre Mutter vor Neugier brannte, sobald es um Menschen oder Begebenheiten aus ihrer Gegend ging.

„Ja, so erzähl doch, zum Teufel!" rief Arjaan in gespielt verzweifeltem Ton und lachte bei dem ärgerlichen Blick, den seine Mutter ihm zuwarf, nur noch ausgelassener.

„Na ja", begann Merijntje, „sie ist nicht groß und hat pechschwarze Augen und schwarzes Haar. Sie ist freundlich und macht gern Spaß; und wenn ihr etwas nicht paßt, zieht sie ein Maul wie ein Scherenschleifer. Flierefluiter sagt, sie ist ein böses Weib, und ich glaube, sie vertragen sich nicht."

Mutters Blick wurde nachdenklich: sie ahnte ein Drama. „Ja, daß er nicht einmal mit ihr hergekommen ist!" wunderte sie sich.

„Er sagt, ihr seid nicht das richtige Gespann, seine Frau und du."

„Warum denn nicht?"

„Weiß ich?"

„Ist sie hübsch?" mischte sich Arjaan ins Verhör.

„Und wie!" bestätigte Merijntje begeistert. „Sie ist auch viel jünger als Flierefluiter. Und Augen hat sie wie Karfunkelsteine – da kann einem angst und bange werden."

„Oh!" sagte Arjaan mit einem unbestimmten Lächeln und strich sich den Schnurrbart.

Doch seine Mutter blickte ihn finster an und fragte weiter: „Und wie wohnen sie dort?"

Da erzählte Merijntje von der Gasse und den dunklen Löchern, in denen tagsüber die Lampen brennen mußten, und all sein Ekel, seine schaudernde Angst, seine Verwirrung und Empörung suchten einen Ausweg in einem Strom von nervösen, stammelnden Worten. Arjaan blieb ziemlich gleichgültig dabei, rauchte eine Zigarette und rollte Brotkügelchen zwischen Daumen und Zeigefinger. Doch seine Mutter war voller Aufmerksamkeit, schauderte und schüttelte den Kopf.

„Fürchterlich!" seufzte sie. „Ja, ja, dieses Stadtvolk! Wie kann man nur in solchen Löchern hausen!"

„Wenn das Muß dahintersteht", warf Arjaan unwirsch ein. „Sie tun's bestimmt nicht zum Vergnügen, darauf kannst du dich verlassen."

„Und daß Flierefluiter in so einem Loch, in so einer muffigen Gasse wohnt", fuhr Mutter Gijzen fort, ohne auf Arjaans Ausfall zu achten, „so ein Vagabund, der sein ganzes Leben in der frischen Luft herumgezogen ist, das will mir nicht in den Kopf!"

„Ach", sagte Arjaan weltklug, „wenn erst eine Frau im Spiel ist, braucht man sich über nichts mehr zu wundern."

In übertriebenem Erstaunen, die Augen weit aufgerissen, schaute seine Mutter ihn an, schlug die Hände zusammen und rief: „Hör sich einer diesen Neunmalklugen an!"

Merijntje lachte, doch Arjaan protestierte brummend: „Na ja, ist doch wahr!"

„Ach, halt den Mund, du Philosoph!" schimpfte sie spöttisch, und das war nicht als Kompliment gemeint, denn das Wort Philosoph bedeutete in der Dorfsprache nicht viel mehr als langweiliger Idiot. Und deshalb lachten sie alle drei.

„Hier", sagte Mutter Gijzen dann und gab Merijntje die beiden Kwartjes zurück, „die behalt nur. Aber geh sparsam damit um, vergiß nicht, es sind schlechte Zeiten!"

„Wollen wir teilen, Arjaan?" fragte Merijntje, der den begehrlichen Blick des Bruders sah, und warf ihm die eine Münze über den Tisch zu.

Lachend steckte Arjaan sie in die Tasche. „Mein Dank wird dir ewig nachschleichen, zufrieden?"

„Wenn's heute wär, würd's auch schon reichen", sagte Merijntje gleichgültig.

Mutter Gijzen ließ mit vergnügtem Gesicht die Gulden auf der Handfläche tanzen. „Schönes Geld!" stellte sie schmunzelnd fest.

„Ich soll morgen wiederkommen", berichtete Merijntje rasch. „Kohlen und Torf holen und Anmachholz bündeln. Es ist noch für mehrere Tage Arbeit, sagt Flierefluiter."

„Hast du ein Glück!" fand Arjaan. „Ich wünschte, ich könnte die Pfoten auch wieder mal regen. Das verfluchte Herumlungern im Dienst!"

Er streckte die langen Beine aus. Die Sporen an seinen Stiefeln klirrten. Ärgerlich blickte er auf den langen Säbel, der an der Wand stand: Sinnbild seiner Sklaverei, so kriegerisch er auch aussah.

Später am Abend, als Merijntjes Schwester Sjoke und sein Vater auch zu Hause waren, saßen sie alle um den Tisch und aßen Bratkartoffeln aus einer Pfanne, die in der Mitte stand. Der kleine Jan kam dabei immer zu kurz, weil seine großen Brüder die Kartoffeln viel heißer hinunterschlingen konnten als er. Wenn er sich auch noch so dazuhielt, sie aßen ihm alles vor der Nase weg, und er stach wütend nach ihren Gabeln, um zu retten, was zu retten war. Vater und Mutter Gijzen achteten heute abend wenig auf das Scharmützel, denn sie kamen über Fliefluiter, seine Frau und das geheimnisvolle Leben in der düsteren Gasse nicht hinweg. Auch Vater Gijzen war voll brennender Neugier; doch als seine Frau zögernd vorschlug, sie könnten ja Sonntagnachmittag einmal hingehen, erwiderte er schroff: „Wenn wir eingeladen werden – eher nicht!"

Merijntje brachte Arjaan zum Zug. Er empfand eine heimliche Bewunderung für den älteren Bruder, der so ganz anders war als er selbst, soviel resoluter und geschickter. Freilich, er hatte viel zu leiden gehabt unter ihm; doch wenn ihm jemand an den Kragen wollte, war Arjaan immer zur Stelle gewesen, ihn zu beschützen: kein Mensch durfte sich an seinem Brüderchen vergreifen, das er selber mitunter so unbarmherzig drangsalieren konnte, nur um ihn am Ende in ohnmächtigen Zorn ausbrechen zu sehen. Stark und unabhängig war Arjaan, lässig und oft auch roh und rücksichtslos; wenn er eine bestimmte Sache in Angriff nahm, konnte er sehr beharrlich sein, und er paßte sich leicht jeder Situation und Umgebung an, in die er geriet. Überall, wohin er kam, mochte man ihn – doch niemand wußte so recht zu sagen, was es eigentlich war, was einen an ihm so sehr anzog, denn er gab sich ziemlich verschlossen. Nur im Jähzorn trat sein leidenschaftlicher Charakter zutage, sein Hang zur Zügellosigkeit, sein grimmig brennender Haß, der demütigen und zerstören wollte. Die frühere Quälsucht, die Merijntje am meisten zu schaffen gemacht hatte, war in den letzten Jahren einem erwachenden Bewußtsein der eigenen Kraft gewichen, einem Überlegenheitsgefühl gegenüber anderen, einer selbstherrlichen Herrschsucht, die mühelos zu regieren verstand. Und hochmütig war er! Eine Beleidigung vergaß er nicht, ehe er sie nicht unmißverständlich gerächt hatte – und auch dann noch konnte er sie nur schwer oder gar nicht verzeihen.

So hing Merijntje ihm an mit einem Gefühl, das sich nicht ganz ohne Furcht erwies, mehr aber eine mildere Form der Ehrfurcht vor dem Älteren und Stärkeren war, da man nun nicht mehr, wie vorzeiten noch, persönlich Arjaans launenhafte Gewaltherrschaft erdulden mußte. Man galt nun selber immerhin als fast erwachsen und durfte auf eine bessere und innigere Kameradschaft mit dem großen Bruder hoffen, wenn er diesen Sommer dann von seinem Dienst zurückkehren würde.

Stolz ging er neben dem hochgewachsenen schlanken Soldaten her, dessen Sporen bei jedem Schritt leise klirrten. Ein Kerl war dieser Arjaan in seiner knappen Uniform und mit dem herausfordernden Gesicht – dem dunklen Bärtchen und den funkelnden Augen. Immer wieder sahen sich die Leute auf der Straße nach ihm um, und er blickte dreist zurück, zwinkerte übermütig den Mädchen zu und ließ seine weißen Zähne blinken, wenn sie lachten.

Vor der Tür des Kaufmanns Willems stand dessen Sohn in einer weißen Jacke und plauderte mit einem Mädchen – Sjaantje, der Tochter der Witwe Leenderts. Merijntje wußte, daß Arjaan ein Auge auf Sjaantje geworfen hatte und daß sie ihn auch ganz gern mochte. Doch Arie Willems lief ihr ebenfalls nach, und sie wußte anscheinend nicht recht, wem sie den Vorzug geben sollte. Unerwartet schob Arjaan seinen Arm durch den ihren und sagte: „Na, Sjaantje, bringst du mich zum Zug?"

„Gott! Du bist es?" lachte Sjaantje erschrocken. „Bist du denn plötzlich vom Himmel gefallen?"

Arie, einen Kopf kleiner als Arjaan, machte ein finsteres Gesicht und grüßte nicht einmal. In seiner Krämerjacke stach er allzusehr von dem schneidigen Husaren ab, und Merijntje mußte über sein verstörtes Gesicht und die hilflose Art grinsen, in der er sich die Hände rieb.

„Na, kommst du mit zur Bahn?" wiederholte Arjaan.

„Ich kann nicht, ich muß Mutter noch beim Bügeln helfen."

„Samstag in acht Tagen habe ich vierundzwanzig Stunden Urlaub, Sjaantje, halt dir den Abend frei. Vergiß es nicht!"

Sjaantje lachte. „Mal sehen!"

„Verlaß dich drauf, daß ich dich abhole. Bonjour!" Er klopfte ihr auf die Schulter und ging gleichmütig weiter, ohne die geringste Notiz von Arie zu nehmen. Doch ein paar Häuser weiter sagte er obenhin: „Wenn ich aus dem Dienst komme, werde ich den Heringsbändiger mal ordentlich durchschütteln, den verdammten Rotzjungen!"

Merijntje mußte darüber lachen. „Sjaantjes wegen?" fragte er.

„Zu meinem eigenen Vergnügen", erwiderte der Bruder, ebenfalls lachend. „Wenn ich seine Schnauze nur sehe, krieg ich schon Lust, ihm eine reinzuhauen."

„Wenn Mädchen im Spiel sind, muß es wohl immer Keilerei geben", sagte Merijntje mißbilligend. „Ihr mit eurem Weiberquatsch!"

Arjaan sah ihn an, lachte spöttisch und sagte: „Du bleibst eben ein Hosenscheißer! Hast du wahrhaftig noch kein Mädchen?"

Merijntje dachte plötzlich an das zierliche blonde Ladenfräulein aus dem Herrenmodengeschäft in der Taktstraat – ein unerreichbares Ideal, aber etwas unsagbar Liebes... Er errötete, erwiderte jedoch gleichgültig: „Dazu ist noch Zeit genug. Ich habe andere Sorgen."

Arjaan stieß ihn mit der Schulter an. „Frag doch Flierefluiters Frau, ob sie dir das Lieben nicht beibringen will!" rief er, gemein grinsend. „Wenn ich dich richtig verstanden habe, wird ihr das ein Vergnügen sein."

Merijntje blieb mitten auf dem Bürgersteig stehen, und Arjaan sah im Licht des Schaufensters, daß er knallrot wurde.

„Dreckfink!" sagte er aus tiefstem Herzensgrund. „Wie kommst du bloß auf solche Gedanken?"

Doch Arjaan zog ihn am Arm weiter und lachte bitter. „Dreckfinken sind wir alle", fauchte er seinen Bruder an. „Das wirst du heute oder morgen selber erfahren. Aber meistens haben die Weiber die Schuld – das merk dir nur!"

„Ach, du bist verrückt!" entschied Merijntje, doch es blieb eine Unruhe in ihm, gegen die er sich nicht zu erwehren vermochte.

Und in der Nacht spukten abwechselnd die Sieben-Häuser-Gasse und die angsterregend funkelnden Augen von Bets durch seine wirren Träume.

· Zweites Kapitel ·

I

Fast täglich ging Merijntje nun in die Sieben-Häuser-Gasse und arbeitete für Flierefluiter. Nur hin und wieder blieb er einen Tag fort, um sich eine Stelle zu suchen; aber wo er sich auch anbot, nirgends brauchte man ihn. Doch jetzt nahm er es gelassen hin, ja, wenn ihm der eine oder andere einmal eine feste Beschäftigung in Aussicht stellte, verspürte er sogar ein leises Bedauern, daß diese ungeregelte Arbeit bei Flierefluiter ein Ende haben könnte. An anderen Tagen wiederum, wenn die Reibereien zwischen Flierefluiter und seiner Frau zu den peinlichsten Szenen ausarteten – wobei Flierefluiter dann mit finsterer Miene spöttisch auflachte, Bets aber wüste Schmähworte und Flüche ausstieß –, wünschte er, nie wieder in das Luftschloß zurückkehren zu müssen. Meist jedoch hatte es mit einer hämischen Anspielung, mit provozierendem Übersehen des Partners oder einem boshaften Feixen sein Bewenden.

Wie konnten Menschen so leben? Wie hielt vor allem Flierefluiter das aus? Und wie war es nur dahin gekommen? Sie hatten sich doch nicht geheiratet, weil sie einen Widerwillen voreinander empfanden und einer dem anderen das Leben mit dauernden Nadelstichen vergällen wollte. Bisweilen glaubte Merijntje an einem suchenden Blick, am Klang eines versöhnlichen Wortes zu spüren, daß Flierefluiter es eigentlich gar nicht so böse meinte und wohl zu anderem bereit wäre. Doch das kam selten vor, und vielleicht irrte er sich ja auch. Bets hatte manchmal einen solchen Haß in den Augen, wenn sie ihren Mann ansah, daß Merijntje sich schämte, diesen Blick aufgefangen zu haben. Hin und wieder wütete morgens, wenn er kam, ein heftiger Streit in der Wohnstube. Dann ging der Junge erschrocken und bedrückt gleich in den Lagerraum und begann mit seiner Arbeit. Erbost warf er die Holzstücke durcheinander, trat nach einer Schaufel, daß sie gegen die Wand flog, und machte einen Lärm, der nicht zu überhören war; dann hatte der Streit bald ein Ende, denn Flierefluiter beherrschte sich stets, wenn sein junger Freund in der Nähe war. Doch Merijntje fuhr fort, seinen Zorn an den unschuldigen Dingen im Lagerraum auszulassen; er war böse: auf irgend etwas – auf die Ursache dieser unbegreiflichen Tatsache, daß ein so guter Freund wie Flierefluiter und diese schöne und freundliche Bets unglücklich waren und wie Hund und Katze miteinander lebten. Aber eigentlich wußte er nicht einmal genau, ob Bets wirklich unglücklich war, denn sie weinte nie – wozu Frauen, wenn sie Kummer hatten, doch im allgemeinen neigten – und konnte nach den heftigsten Auseinandersetzungen unbefangen und fröhlich scherzen, Unsinn machen und ihn zu handgreiflichen Tobereien herausfordern. Sie balgte sich so gern, diese Bets, aber niemals mit ihrem Mann. Ach, was für ein Leben! Vor Wut und Abscheu spuckte er in die Hobelspäne und warf den Holzhammer gegen die Bretter des Kohlenverschlags.

Und dann gab es noch etwas in diesem Haus, was ihn beunruhigte, ohne daß er gewußt hätte, warum. Manchmal saßen er und Flierefluiter einen geschlagenen Nachmittag am Tisch im Brennstoffladen und spielten Karten. An diesen Nachmittagen holten ungewöhnlich viele Leute heißes Wasser, einen Eimer Kohlen, ein paar Stücke Torf oder Brennholzbündel oder eine Schachtel Streichhölzer. Die meisten taten verlegen, standen eine Weile herum, nachdem Flierefluiter sie bedient hatte, und fragten dann schüchtern, ob Bets da sei. Flierefluiter nickte, und die Leute gingen in die Wohnstube. Dann hörte man eine Weile murmelnde Stimmen, manchmal das wütende Zetern von Bets, und der Kunde oder die Kundin kam zurück, oft so entsetzt und verwirrt, daß Flierefluiter sie erinnern mußte: „Wollt Ihr Euren Eimer nicht mitnehmen, Mutter?"

Immer waren es Leute aus der Gegend, dem Aussehen nach die Allerärmsten; sie machten einen scheuen und niedergeschlagenen Eindruck und taten sehr unterwürfig. Sie sprachen flüsternd und verhielten sich so geduldig und still, als schämten sie sich dazusein und hätten für diesen Freimut um Entschuldigung zu bitten. Lauter elende Gestalten. Arme Schlucker aus den dunklen Löchern der Gasse, lichtscheu und ängstlich vor der eigenen Stimme. Meistens waren es verhärmte, liederliche Frauen mit ungepflegtem

Haar und einem heuchlerisch demütigen Blick in den stumpfen Augen. Manche kamen, schwindlig vor Entsetzen, aus der Stube zurück und wischten sich mit bebenden Händen Tränenspuren aus dem Gesicht. Flierefluiter wurde immer finsterer, je weiter der Nachmittag vorrückte und je mehr Kunden kamen und gingen. Er fluchte leise, spielte die falschen Karten aus und biß so fest auf den Stiel seiner Pfeife, daß die Muskeln in dem faltigen Gesicht anschwollen. Er war zornig, das sah man sofort. Aber warum? Was geschah da in der Stube? Daß die Kunden nicht kamen, um eine Tasse Tee zu trinken, war sicher – aber weshalb kamen sie sonst? Flierefluiter schwieg darüber, und Merijntje wagte nicht zu fragen.

Gegen halb fünf war es zu Ende. Dann gingen die beiden ins Wohnzimmer, um ein Butterbrot zu essen, und fanden Bets, die, aufgeräumt vor sich hin summend, das Kaffeegeschirr bereitstellte oder rasch noch etwas in ein dickes, langes Buch kritzelte, aus dem lauter schmutzige Zettel herausragten, und das sie dann in den Schrank schloß. Flierefluiter blickte voller Haß auf sie und ihr Buch. Ironisch grinsend streckte sie ihm die Zunge raus, und er setzte sich brummend hin, trommelte mit den Fingern auf die Tischplatte und rührte fast nichts an. Doch Bets war guter Laune, strich Merijntje die Butterbrote besonders dick, zuckerte seinen Kaffee reichlich und machte ununterbrochen Späße. Sie zwinkerte ihm zu und wies verstohlen mit dem Kopf auf Flierefluiter, als wäre Merijntje ihr Verbündeter.

Der Junge fühlte sich unruhig und beschämt. Das Geheimnis der murmelnden Stimmen in diesem Zimmer bedrückte ihn. Es war, als hinge Unglück in der Luft, Kummer und Sorge. Diese Gegend, dieses finstere Haus, die dunklen Gänge und Treppen, der unausrottbare Gestank nach Moder und giftigen Pilzen waren schon bedrückend genug. Doch diese geheimnisumwitterten Nachmittage, dazu Flierefluiters immer düsterer werdendes Gesicht und die herausfordernde Lustigkeit seiner Frau wuchsen sich zu einer fast unerträglichen Qual aus. Er hätte schreien mögen: „Was geht denn hier vor?" Doch er wagte es nicht. Vielleicht wurden sie dann ärgerlich, daß er sich in Dinge einmischte, die ihn nichts angingen. Oder er würde ein Geheimnis erfahren, vor dem man zitterte, etwas ganz Entsetzliches. Doch später, wenn er durch die Stadt ging oder zu Hause vom Fenster über das Wasser blickte, mußte er über seine eigenen Schauervorstellungen lachen. Was konnte denn schließlich schon Grausiges geschehen? Waren Flierefluiter und Bets nicht Menschen wie er und jeder andere? Ermordet wurde niemand, denn jeder, der in das Zimmer hineinging, kam auch wieder heraus. Vielleicht – vielleicht war Bets Kartenlegerin. Und die Leute kamen zu ihr, um sich wahrsagen zu lassen! Das würde das Geheimnisvolle gut erklären. Aber warum war

Flierefluiter dann so böse darüber? Der hatte mit seinen Tricks wie Krankheitenbesprechen und ähnlichem Quark oft genug Kapital aus dem Aberglauben der Leute geschlagen und würde das Kartenlegen bestimmt nicht so schrecklich finden. Oder vielleicht doch, weil die Opfer so arme Schlucker waren? Aber warum machte er der Sache dann kein Ende? Nein, es mußte etwas anderes sein. Aber was?

Es gab auch Tage, an denen Bets sofort nach dem Essen ihren Mantel anzog und in die Stadt ging. Entgegen ihrer Gewohnheit war sie dann bei Tisch sehr schweigsam und schaute nur manchmal mit einem seltsam gierigen Lächeln vor sich hin. Ihr Gesicht war angespannt, als lausche sie auf etwas, was die anderen nicht hören konnten, und mit ihrer roten Zungenspitze fuhr sie sich rasch über die Lippen wie im Vorgeschmack von heimlichen Genüssen. Plötzlich schien sie es sehr eilig zu haben. Sie müsse Besorgungen machen. Das Geschirr sollten sie nur stehenlassen, das könne sie abends abwaschen. Und wenn sie dann fort war, wurde Flierefluiter von einer nervösen Lustigkeit ergriffen, die Merijntje nicht gefiel, ihn auch nicht ansteckte, sondern traurig machte. Nein, es war ein seltsames Haus und ein seltsames Leben, voll verborgenem Unheil und beunruhigenden Geheimnissen.

Bets selbst beunruhigte ihn auch. Immer stärker. Ihre unbeschwerte Fröhlichkeit, die seiner Jugend mehr entsprach als Flierefluiters ein wenig ironische Überlegenheit, zog ihn immer wieder an. Und wenn sie mit ihrem elastischen Gang durch das Zimmer oder den Arbeitsraum schritt, vermochte er sich kaum dem Reiz ihrer geschmeidigen Beweglichkeit, dem Wiegen ihrer runden Hüften zu entziehen. Sie erinnerte ihn an eine weiche schnurrende Katze, die sich einem schmeichelnd um die Füße dreht und gestreichelt werden will. Und seine erwachende Sinnlichkeit wurde immer empfänglicher für den verlockenden Reiz des weiblichen Wesens; doch war er sich dessen nicht bewußt – er schon gar nicht! –, da er sich in seiner angeborenen Schamhaftigkeit sogleich abgestoßen fühlte, wenn sie mit einem Wort oder einer Geste jene Grenze überschritt, die sein Sittlichkeitsempfinden rein emotional, aber kategorisch gewahrt sehen wollte.

Dann gab es auch Tage, an denen er einen unerklärlichen, rein körperlichen Widerwillen gegen sie empfand. Ihre Trägheit hatte etwas Feistes, Übersattes, und mit dem umflorten Blick der trüben Augen und dem überdrüssigen, angeekelten Zug um den Mund kam sie ihm vor wie ein zu voll gefressenes Tier. Dann erschien sie ihm alt und widerwärtig; ihr sonst so kameradschaftliches Verhältnis wurde kühl und gleichgültig, als wären sie einander völlig fremd, und er teilte – halb unbewußt – Flierefluiters Widerwillen gegen dieses träge Weib, das sich an unbekannten Quellen gesättigt hatte. Doch kaum daß er sich in seiner Gleichgültigkeit ruhig und zufrieden wähnte, schlug sie wieder um, wurde lebendiger, jünger denn je, neckte ihn wie ein ungezogenes Mädchen, raufte sich mit ihm in der Stube und erzwang seine Aufmerksamkeit.

Er sprach mit keinem Menschen über diese Dinge. Auf die neugierigen Fragen seiner Mutter gab er unbestimmte, ausweichende Antworten. Auch von den Geheimnissen erzählte er nichts; sobald er die Gasse hinter sich hatte, erschien ihm alles so unwirklich, als hätte er es sich nur eingebildet. Er wollte nicht ausgelacht werden wegen seiner verworrenen Ängste, seines seltsamen Grauens – und wahrscheinlich lag ja auch alles nur an dieser erbärmlichen Umgebung und der schlechten Ehe, die Flierefluiter und Bets führten.

Aber was ging ihn das an? Es gab auch andere Eheleute, die sich nicht vertrugen. Die Hauptsache war, daß er seine acht, neun Gulden die Woche nach Hause brachte, gut zu essen bekam und sich außerdem geruhsam nach einer Stellung umsehen konnte.

Und seiner Mutter war es auch recht; sie drängte ihn nicht: er möge nur tun, was er wolle. Das einzige, was sie ärgerte, war, daß Flierefluiter sich nicht sehen ließ ...

„So ein guter Bekannter aus der Heimat! Früher ist er froh gewesen, wenn er sich mit an den Tisch setzen konnte, dieser Vagabund! Aber das hat er natürlich vergessen. Na ja, jetzt mit einem Geschäft und dem eigenen Haus sind wir ihm nicht mehr gut genug. Ja, ja, so ist es nun einmal im Leben. Ein Glück nur, daß wir nicht auf ihn angewiesen sind! Soll er ruhig in seiner Sieben-Häuser-Gasse bleiben, wenn er zu stolz ist, sich noch mit seinen alten Freunden abzugeben!"

„Zu stolz?" verteidigte ihn Merijntje. „Er ist nicht stolz. Das paßt auch gerade zu Flierefluiter!" Er mußte darüber lachen.

„Und warum läßt er sich dann nicht sehen? Glaubt er vielleicht, daß er sich hier was holt?"

„Womöglich schämt er sich", sagte der Junge nachdenklich.

Verwundert sah ihn seine Mutter an. „Schämen? Weshalb denn? „Das weiß ich nicht – weil er unglücklich ist vielleicht?"

„Unglücklich?" wiederholte sie, und ihre Stimme überschlug sich vor Verblüffung. „Der? Der läßt sich so leicht keine grauen Haare wachsen. Und außerdem ist das kein Grund – bloß weil man sich unglücklich fühlt. Ist ja lächerlich!"

Sie war aufgebracht und gereizt, weil sie es nicht begriff, und Merijntje schwieg achselzuckend.

„Und warum ist er denn so unglücklich?"

„Ach, das weißt du doch. Ich habe dir doch erzählt, daß er sich mit seiner Frau nicht verträgt."

Seine Mutter blickte ihn eine Weile an, dachte nach und sagte dann kurz: „Na, verdient hat er es doppelt und dreifach, dieser Schürzenjäger!"

Das verstand wieder Merijntje nicht, und unzufrieden schwiegen beide.

Und für ihn blieb es eine dauernde Qual, daß die Begegnung mit seinem alten, geliebten Freund ihm nicht die erhoffte reine Freude gebracht hatte. Wie schon als kleiner Junge, wenn er in dem Brabanter Dörfchen in allzu enge Berührung mit Problemen kam, denen er nicht gewachsen war, seufzte er still vor sich hin. Er verstand die Leute nicht: immer mußte es etwas geben, was alles Gute verdarb, was die Freude vergällte, die Menschen untereinander in traurige Konflikte trieb ... Warum nur? Es schien wahrhaftig, als setzten sie alles daran, sich das Leben so kompliziert, hoffnungslos und unerfreulich wie möglich einzurichten ... Diese Narren!

2

Eines Mittags hatte Bets wieder hastig und zerstreut gegessen und stand gleich nach Tisch auf, um in die Stadt zu gehen. Beim Weggehen zog sie Merijntje scherzend am Ohr und sagte mit spöttischem Blick auf Fieferluiter:

„Wird der kleine Geselle auch gut auf den Chef achtgeben? Die Visage vom Chef gefällt mir nicht. Auf Wiedersehen!"

Sie winkte mit schelmischer Gebärde, und ihr goldenes Kettenarmband klimperte. Lachend verließ sie das Zimmer.

53

Merijntje sah Flierefluiter an. Der grinste ihm zu, zuckte die Achseln und tippte sich mit dem Zeigefinger an die Stirn.

„Bißchen verrückt!" erklärte er.

„Was tun wir heute nachmittag?" fragte Merijntje, der sich unbehaglich fühlte. „Müssen wir nicht Kohlen holen? Der Verschlag ist beinah leer."

„Das hat noch ein paar Tage Zeit. Aber sag mal, sind wir nicht eigentlich große Narren, Merijntje, daß wir uns von einer Frau hier einsperren lassen, während sie zu ihrem Vergnügen in die Stadt geht?"

„Sie muß doch Besorgungen machen."

„Schön – dann machen wir auch Besorgungen. Hopp, zieh dir die Jacke an und komm mit! Wir machen den Laden zu und gehen aus. Es ist viel zu schönes Wetter, um in diesem dunklen Loch zu hocken."

„Und wenn Bets wiederkommt?"

„Die hat einen Schlüssel."

„Und die Kunden?"

„Die sollen zum Teufel gehen! Los, du Feigling, steh nicht so rum! Marsch, zieh die Jacke an! Wir machen uns auf die Socken!"

Er lachte, doch seine Augen waren bekümmert, und um den Mund blieb der bittere Zug, als ob er böse wäre. Mit einem Knall, der dumpf durch die Gasse dröhnte, warf er die Tür hinter sich zu und schloß sie ab.

„Wir werden mal erst ein bißchen frische Luft schnappen an der Alten Mole!" kommandierte er.

Gehorsam ging Merijntje neben ihm her. Sie sprachen nicht viel. An der Mole schlenderten sie am Kai entlang zwischen Rollwagen, die gelöschte Fracht abfuhren und neue brachten.

Es war ein sonniger Frühjahrstag, und beglückt erkannte Merijntje das blinkende Wasser, die durchsichtigen Nebel, den hohen blauen Himmel seiner Verzauberung wieder – einen Monat war das nun schon her ... Wie schön war das doch wieder! Eilig und wichtigtuerisch schossen die kessen Schleppdampfer tuckernd und puckernd über das schimmernde, sich wundervoll kräuselnde Wasser ... Stattlich und ruhig schoben sich die Schiffe unter geschwellten Segeln über den Strom. Ja, hier war es besser als in dem dumpfen Lagerraum, soviel war gewiß.

Flierefluiter sog die Luft tief in die Lungen. Seine Augen leuchteten, und fröhlich sagte er: „Schön, was, Merijntje?"

„Herrlich!" pflichtete der Gefragte bei.

„Man müßte ja verrückt sein, wenn man dauernd in so einer muffigen Höhle sitzenbliebe!"

„Das stimmt", gab Merijntje zu. „Aber eigentlich hätten wir arbeiten müssen."

Der Mann sah ihn an. Etwas von der früheren schalkhaften

Fröhlichkeit leuchtete aus seinen Augen, und er erwiderte mit einer abwehrenden Gebärde:

„Arbeiten ist etwas für die Dummköpfe. Wir schnappen ein bißchen Luft. Das dürfen wir uns ruhig einmal leisten. Man kann doch, verdammt noch mal, nicht immer im Joch gehen! Komm, vorher trinken wir erst ein Glas Bier!"

Er kaufte Zigarren, und genußvoll rauchend traten sie in eine Wirtschaft, in der Schiffer eifrig redend vor ihrem Bier oder Schnaps saßen und in allen Dialekten über Geschäfte und Erlebnisse sprachen.

Merijntje überkam eine festliche Stimmung. Sie gingen aus. Ganz unerwartet. Mit Flierefluiter wußte man eben nie, woran man war! Seine Bitterkeit schien wie weggeblasen. Er hielt das Fräulein hinter der Theke zum Narren, und die lachte über seine Witze, und Merijntjes Verwunderung stieg von Minute zu Minute, denn immer deutlicher kam der alte Flierefluiter von früher zum Vorschein. Seine schlaffen Züge strafften sich, und sein gelbes Gesicht bekam Farbe.

Plötzlich schlug er einem brabantisch sprechenden Schiffer mit grauer Bartkrause auf die Schulter.

„Verdammt noch mal, Teeuwke", rief er, „lange her, daß ich dich das letztemal gesehen habe!"

Der Schiffer blickte ihn verdutzt an und sagte dann: „Ich kenne dich nicht, Mann."

„Du kennst mich nicht?" fragte Flierefluiter enttäuscht.

„Nein – nicht, daß ich wüßte", zögerte der Schiffer, eifrig überlegend. „Ich hab dich noch nie gesehen."

„So was Dummes!" seufzte Flierefluiter. „Dann ist es ja noch viel länger her, als ich dachte."

Der Schiffer wurde unsicher. „Noch viel länger?" fragte er verwirrt. „Wieso noch viel länger?"

„Na ja, nie ist doch länger als lange", erklärte Flierefluiter ernsthaft.

Merijntje und das Büfettfräulein wollten sich ausschütten vor Lachen über das dumm verblüffte Gesicht des Schiffers, der den Beleidigten spielte und in giftigem Ton sagte: „Ich glaube, du willst mich zum Affen machen!"

„Aber nein, Mann, bestimmt nicht!" bekräftigte Flierefluiter mit weiter Armbewegung. „Wie kommst du darauf? Los, wir trinken zusammen ein Glas auf die Freundschaft!"

Ganz beruhigt war der Schiffer noch nicht, doch er nahm das Bier an, und dann kam er ins Schwatzen, gab selber auch ein Glas aus, und eine Viertelstunde später waren sie die besten Freunde. Merijntje fühlte sich wie befreit. Während Flierefluiters heiterer Fröhlichkeit spürte er, wie der Druck der letzten Wochen wie eine Last von ihm abfiel. Er hatte das Empfinden, wieder der kleine

Junge zu sein, der mit Flierefluiter, dem großen Narren, auf dem Dorf Kirmes feierte. Plötzlich gab es keine Sieben-Häuser-Gasse mehr, keine Bets, keine Brennstoffhandlung, keine bedrückenden Streitereien. Flierefluiter war weder verdrießlich noch niedergeschlagen, er war der alte Landstreicher von früher, der mit seinen tollen Einfällen und Possen ein ganzes Dorf durcheinanderbrachte.

Dann zogen sie weiter und streiften durch die Innenstadt. Doch immer wieder mußte Flierefluiter irgendwo einkehren, denn hier waren Freunde, oder dort warteten gewiß Bekannte auf ihn. Es stimmte zwar nie, er kannte keinen Menschen, aber es war ein Grund, in jedem Wirtshaus etwas zu trinken, und Merijntje, der Bier nicht gewöhnt war, bekam einen roten Kopf, kicherte über alles und stellte fest, daß man wirklich immer durstiger wurde, je mehr man trank. Aber es war auch sehr warm – entsetzlich heiß, wie im Hochsommer. Und neblig wurde es, neblig im strahlenden Sonnenschein – und darüber mußte Flierefluiter lachen. Arm in Arm zogen sie weiter, und Merijntje sang leise vor sich hin...

Dann saßen sie wieder irgendwo an einem kleinen Tisch und aßen saure Gurken und Zwiebeln, und Merijntje trank starken Kaffee; aber Flierefluiter hielt sich lieber an gesunde Kost und blickte andächtig durch ein volles Glas klaren Wacholderbranntwein ins Licht.

Und weiter liefen sie, und sie kamen an die Maas. In Merijntjes Kopf wurde es hell und heller; seine Augen erblickten – jetzt ohne trügerischen Nebel – die Schönheit des Flusses, diesen herrlich weiten Raum... Und abermals wandte er sich an Flierefluiter und wunderte sich, daß er dies alles nicht früher erkannt habe, ja daß es heute noch viel schöner, viel größer und viel glänzender sei – und woran das nur liege! Flierefluiter marschierte neben ihm mit seinen altbekannten langen Schritten – wie ein Weltenbummler, der es gewöhnt ist, weite Wege zu laufen.

„Ach, Junge", sagte er lachend, „das ist noch gar nichts! Das ist erst der Anfang! Die Welt ist so groß – und überall ist sie so schön, daß du nur einen Bruchteil davon entdecken kannst! Warte nur... Solltest du zu den Menschen zählen, die das Wesentliche sehen können, dann wirst du noch was erleben!"

„Jeder kann schließlich sehen!" protestierte Merijntje. „Das ist doch bloß leeres Gerede!"

„Bei weitem nicht!" rief Flierefluiter und schlenkerte heftig mit seinen Armen. „Maulwürfe sind die Menschen, hocken in ihrem finsteren Schacht, nur um zu fressen – und sehen nichts... nichts!"

„Sie laufen genauso über die Erde wie du und ich."

„Maulwurfsgänge gibt's auch über der Erde... und wer da erstmal drinsteckt und nach Futter kratzt, der sieht nichts andres mehr. Ist dir schon mal ein Bauer begegnet, der weiß, wie schön sein Fleckchen Erde ist, über das er läuft?"

Merijntje dachte nach.

„Ich weiß nicht", sagte er dann. „Ich hab seit Jahren keinen Bauern mehr gesehen."

„Da hast du selber im Maulwurfsgang gesessen!" lachte Flierefluiter. „Wenn du zu einem Bauern sagst: ‚Wie herrlich ist dein Land hier!' – dann antwortet er: ‚Es geht, es geht ... Aber man kriegt die Disteln nicht weg. Wenn die nicht wären, würd' das Land noch viel mehr abwerfen!' Und ähnlich verhält es sich mit den Menschen rundum. Erblickst du einen einzigen, der mal stehenbleibt, um auf die Maas zu schauen? Immer nur die Schnute im Loch, auf der Suche nach Futter ... Maulwürfe, Merijntje ... alle miteinander Maulwürfe!"

„Wir aber doch nicht!" rief Merijntje triumphierend. „Immer wenn ich hier vorbeikomme, will ich das große Wasser und die weite, weite Luft am liebsten umarmen, küssen, endlos küssen!"

Vor Verlegenheit wurde er ganz rot bei diesem Gefühlsausbruch, der ihm kindlich übertrieben schien, kaum daß er die Worte gesprochen hatte. Aber Flierefluiter lachte und hieb ihm derb auf die Schulter.

„Das soll so bleiben, Merijntje", sagte er, „das soll so bleiben, Menschenskind! Das ist mehr wert als alles Essen und Trinken zusammen ... Darauf müssen wir gleich noch einen heben! Ich hab von deiner Maas einen Durst gekriegt wie ein Pferd ..."

Und wieder kehrten sie in einer Kneipe ein. Aber bald schmeckte Merijntje das Bier nicht mehr, er trank Kaffee oder Limonade und ließ den Spott seines durstigen Freundes an sich ablaufen: er war schon fast betrunken gewesen, und das wollte er nicht; wenn er betrunken nach Hause käme, schlüge seine Mutter ihn grün und blau.

„Einmal muß das erstemal sein", stellte Flierefluiter philosophisch fest, „doch das mußt du selber wissen ... zum Trinken und zur Liebe darf man keinen Menschen zwingen, das ist eine Todsünde – weißt du das? Oder spintisierst du nicht mehr so viel über Sünden aller Art wie früher?"

Merijntje lachte ein wenig befangen. Er dachte gerade jetzt immer so viel über Sünden aller Art nach, aber seine Gedanken verwirrten sich dabei, weil die alten einfachen Sicherheiten fortgefallen waren und seine Augen sich über die komplizierte Vielfalt des menschlichen Tuns zu öffnen begannen. Darüber wollte er lieber nicht sprechen, und deshalb sagte er ausweichend:

„Kümmere dich um deine eigenen Sünden, dann hast du alle Hände voll zu tun, meine ich!"

„Da hast du recht – genau wie früher", grinste Flierefluiter. „Aber ich tue Buße, Mann – bei Gott, ich muß schwer für meine Sünden büßen, davon kannst du dir gar keine Vorstellung machen!"

Ganz plötzlich schlug seine Stimmung um. Er wurde finster und blickte vor sich hin. „Komm, wir laufen noch ein Stück", sagte er verdrießlich.

Die Dämmerung begann schon herabzusinken. In der Hoogstraat blieb Flierefluiter unvermittelt stehen, packte Merijntje am Arm und sagte: „Ist das dort Bets?"

„Wo?"

„Da, vor dem Geschäft, neben dem langen Kerl..."

„Du bist ja verrückt, Mann – die ist ja gut einen Kopf größer! Wie kommst du nur darauf?"

Er lachte, doch Flierefluiter zog ihn heftig mit sich und murmelte mit zusammengebissenen Zähnen: „Die Frau... diese Frau, die verdammte!"

Und Merijntje sagte, halb erschrocken, halb belustigt: „Flierefluiter, jetzt gehen wir nach Hause! Du bist voll wie eine Strandhaubitze!"

„Quatsch!" brummte Flierefluiter. „Ich werde nie betrunken... Komm mit, dann gehen wir endlich einen trinken!"

3

In der dämmerigen Ecke einer kleinen Kneipe auf der Kipstraat, wo eine zischende Gaslampe blasses, ungewisses Licht über das abgespielte Tuch eines Billardtisches warf, hing Flierefluiter schief auf seinem Stuhl, Merijntje saß ihm gegenüber und schaute unruhig in das blaß gewordene Gesicht. Sie waren die einzigen Gäste, der Wirt döste hinter der Theke und fuhr immer wieder erschrocken hoch, wenn Flierefluiter nach einem neuen Glas rief.

Merijntje begann sich unbehaglich zu fühlen. Sie saßen nun schon eine Ewigkeit hier, und Flierefluiter hatte den Mund noch nicht aufgemacht, außer um neuen Schnaps zu bestellen, den er einen nach dem andern hinter die Binde goß.

„Hör doch endlich auf!" zischte Merijntje halblaut. „Du säufst wie ein Walfisch!"

Flierefluiter sah ihn scharf an, lachte spöttisch und sagte:

„Sieh an, du bist immer noch da? Ich hatte ganz vergessen, daß ich Gesellschaft habe. Was machst du eigentlich bei mir, Merijntje? Laß mich ruhig hier sitzen ... du mußt dich mit verlorenen Menschen nicht abgeben ... ich bin ein verlorener Mensch, Junge."

Nachdrücklich nickte er, trank von seinem neuen Glas, wischte sich den Mund mit dem Handrücken und fuhr sanfter fort:

„Das hättest du dir nicht träumen lassen, daß du Flierefluiter einmal so begegnen würdest, wie? Ich auch nicht ... Manchmal geht's hübsch zu in der Welt, Bürschlein."

Eine Weile starrte er mit dumpf brütendem Blick vor sich hin, drehte das Glas zwischen den zitternden Fingern und murmelte mehrmals hintereinander in wehleidigem Ton: „Ein verlorener Mensch ... ein verlorener Mensch."

Ein erstickendes Gefühl von Mitleid und Beklemmung schnitt Merijntje ins Herz. Mit unsicherer Stimme widersprach er:

„Was soll denn das nun bedeuten? Du, ein verlorener Mensch? Du bist besoffen, weiter nichts!"

Flierefluiter schlug die Augen auf und sah ihn an, ein bitteres Lächeln um den großen Mund. Doch seine harten Augen wurden freundlich und seine Stimme beinah zärtlich, als er sagte:

„Du suchst immer noch für alle Dinge die barmherzigste Erklärung, Merijntje ... du bist und bleibst ein wahrer Christ. Du willst nicht, daß Flierefluiter ein verlorener Mensch ist, und deshalb ist er einfach nur besoffen ... Und doch ist es genau umgekehrt, Mann. Flierefluiter ist nie besoffen, aber er ist ein verlorener Mensch."

„Du bist sternhagelvoll!" ereiferte sich Merijntje.

„Na ja, besoffen bin ich auch ... aber trotzdem ein verlorener Mensch!" behauptete Flierefluiter und lachte spöttisch über Merijntjes böses Gesicht.

Eine Weile schwieg er, dann legte er über den Tisch hinweg seine Hand auf Merijntjes Arm und begann mit heiserer Stimme zu sprechen:

„Siehst du, Junge, es ist Bets – an der gehe ich kaputt ... an der bin ich verlorengegangen. Das glaubst du nicht, was? Nein, das versteht sich von selbst, das kannst du auch gar nicht glauben – du weißt ja noch nicht mal, was eine Frau ist, du glücklicher Kerl. Du mußt noch viel lernen, Merijntje! Und lernen ist manchmal verflucht bitter, Junge ... oh, und wie bitter!"

Sein düsterer Blick irrte an Merijntje vorbei in eine weite Ferne, wo er das Bild des Schmerzes sah, der ihn durchbebte. Sein Gesicht verzog sich zu einem Ausdruck körperlichen Leidens, und er biß die Zähne zusammen. Merijntje fühlte sich immer unbehaglicher und blickte befangen in die umflorten grauen Augen, die sich ihm wieder mit stierem Blick zukehrten.

„Komm, wir gehen jetzt nach Hause, Flierefluiter!" bat er flehend.

Doch der Freund drückte seinen Arm fester, und als ob er nichts gehört hätte, fuhr er in dem gleichen gequälten Ton fort:

„Vier Jahre ungefähr ist das jetzt her, daß ich sie zum erstenmal gesehen habe ... und danach gab's keinen ruhigen Augenblick mehr für mich. Verrückt war ich nach ihr, toll und verrückt. Na ja, das bin ich schon manchmal in meinem Leben gewesen, und es ging immer wieder vorüber. Es war schön ... wie ein reifer Sommer. Aber es ging vorbei, und ich zog weiter – keine konnte mich festhalten, Merijntje. Flierefluiter, der war wie der Bach: der küßt die Blumen, die am Rand stehen, und fließt weiter ... Es stehen verflucht viele Blumen am Bachrand, Junge – und sie lassen sich alle gern küssen ... Aber davon verstehst du noch weniger."

Einen Augenblick schwieg er, lachte kurz und heiser auf, dann schluckte er und fuhr fort:

„Nur mit Bets, da ging es anders ... Die hatte Interessenten genug, jüngere als ich. Aber sie wollte mich. Zuerst hab ich gelacht, Merijntje, doch später – es war eine giftige Blume, und ich bin daran kaputtgegangen ... Davon verstehst du kein Wort, was, Junge? Na ja, ich will auf der Stelle tot umfallen, wenn ich es selber begreife ... Aber ich konnte nicht mehr loskommen. Ich hab's versucht, glaub es mir! Ich sagte, ich müsse fort, weit fort. Sie weinte nicht, sie war nicht betrübt, sie lachte nur ein bißchen. Und ich ging fort. Vierzehn Tage bin ich weggeblieben. Die gemeinsten Tage, die ich je erlebt habe ... Jeder Tag dauerte eine Ewigkeit, und nachts war ich in der Hölle. Ich lachte mich selber aus. Ich beschimpfte mich. Ein Weib, verrückt! Dafür ändert man doch nicht sein Leben oder verdirbt es! Das geht schon vorüber – halt's nur noch ein bißchen aus, sagte ich mir ... Aber es ging nicht vorüber. Und als ich erst auf dem Rückweg zu ihr war, lief ich immer rascher. Schließlich rannte ich wie ein blöder Tropf. Sie wollte nichts von mir wissen. Sie lachte mich mit einem andern aus, einem jungen Kerl. Sie knutschten sich ab, während ich dabeistand. Sie tat, als wäre ich ein elender Straßenköter, von dem sich niemand stören läßt."

Er schwieg wieder, zog seine Hand zurück und ließ sie krampfhaft geballt vor sich auf dem Tisch liegen. Er atmete schwer, und in seinen Augen flackerte ein gefährliches Licht.

Mit wachsendem Entsetzen blickte Merijntje ihn an. Flierefluiter, Flierefluiter! Im Innern rief er nach dem alten fröhlichen Freund, ängstlich, flehend – doch laut sagte er nur, vor Spannung bebend: „Und dann?"

„Dann? Nach zwei Tagen habe ich den Kerl hinausgeworfen, gerade als sie ins Bett gehen wollten. Ich habe ihn halb tot geschlagen und bin bei ihr geblieben ... und dann war alles wieder gut. In dem Jahr haben wir geheiratet. Sie wollte es nicht anders. Und ich konnte nicht ohne sie ... So bin ich in die Ehe gerutscht. Eigentlich könnte man sich darüber totlachen, Merijntje, was? Ich und verheiratet! Der Bach muß stehenbleiben und sich an die eine Blume halten ... Verstehst du das?"

Er lachte wieder, höhnisch, mit heiserer Stimme. Er lachte sich selber aus. Aber Merijntje lachte nicht mit. Warum erzählte Flierefluiter das alles? Häßlich war es, häßlich und schmutzig ... Es machte ihn traurig, und der Ekel würgte ihn in der Kehle. Daß Menschen so lebten! Das war schlecht und unbegreiflich. War es ein Wunder, wenn sie dafür bestraft wurden?

Aber schon sprach Flierefluiter es selber aus: „Die Mucker sagen: Worin du am meisten sündigst, darin wirst du am schwersten gestraft, dafür sorgt unser lieber Herrgott zusammen mit seinem ungetreuen Knecht, dem Joosje Pek. Und weil ich zuviel gegen die Frauen gesündigt habe, hat man eine gegen mich ausgesandt, die mir Pfeffer gibt ... Glaubst du das auch, Merijntje?"

Grübelnd sah der Junge ihn an. Meinte Flierefluiter das ernst, was er da sagte, oder spottete er nur wieder darüber? In jedem Fall wartete der Mann seine Antwort nicht ab. Er machte eine wegwerfende Handbewegung.

„Lauter Ammenmärchen von Scheinheiligen mit Schiß in der Hose ... Ich hab den Frauen nichts Böses getan. Ich mochte sie gern – und sie mich. Und wir haben miteinander schöne Tage verlebt. Alles nur eine Frage des Zufalls und des Lebensalters, denk ich mir ..."

„Aber man kann doch nicht einfach wie ein Tier mit allen Frauen leben!" lehnte Merijntje sich mit unterdrückter, vor ängstlicher Erregung zitternder Stimme auf.

„Wie ein Tier nicht", erwiderte Flierefluiter mit leisem Auflachen. „Aber das habe ich auch nicht getan, Merijntje. Erst mit Bets ... mit der ist es ein Leben wie mit einem Tier geworden."

Er beugte sich weiter zu seinem jungen Freund über den Tisch. Seine Stimme klang heiser und unbeherrscht.

„Ich glaubte immer, ich sei viel stärker als alle andern, verstehst du? Denn ich war niemals der Sklave einer Frau und meines eigenen Gefühls. Ich kam und ging, wann *ich* wollte, wie es *mir* gefiel ... Aber bei Bets ist das anders geworden. Bei Bets ist es genau umgekehrt: sie kommt und geht, wie *sie* will. Sie bestimmt, wie es sein soll. Sie hat bestimmt, es soll geheiratet werden – warum, das mag der Teufel wissen, denn sie kümmert sich nicht darum, daß sie verheiratet ist ... Sie wollte in Rotterdam wohnen. Die Schmalzkuchenbude mußte verkauft werden. Sie hatte dieses alte Loch in der Sieben-Häuser-Gasse, und dort mußten wir hinein ... und ein Brennstoffladen! Erst später kam ich dahinter, daß sie damit noch was anderes im Auge hatte – eigene Geschäfte ... Weißt du eigentlich, was das ist?"

Merijntje schüttelte den Kopf. Plötzlich mußte er an die Kunden denken, die jede Woche zu ihr kamen.

„Sie wuchert", sagte Flierefluiter fast unhörbar.

„Was?" fragte Merijntje und spürte, wie eine eisige Kälte ihm durch die Brust lief.

Flierefluiters Gesicht war lauter Ekel. „Sie wuchert", wiederholte er. „Sie verleiht Geld an die armen Läuse bei uns in der Gegend. Für jeden Gulden müssen sie jede Woche ein Dubbeltje Zinsen bezahlen. Und wenn sie mehr borgen, so zwanzig, fünfundzwanzig Gulden, dann müssen sie für mindestens dreißig unterschreiben."

„Und wenn sie nun einmal nicht bezahlen?" fragte Merijntje. „Sind denn das nicht lauter ganz arme Schlucker?"

Flierefluiter lachte verächtlich. „Sie weiß sich schon zu helfen. Die Menschen fürchten sie wie den Tod. Wenn sie mit ihrem Buch und den Zahlen kommt, wissen sie sich keinen Rat. Kein Mensch findet sich darin zurecht, nur sie selber. Und wen sie einmal in den Klauen hat, den läßt sie nicht wieder los. Bei der einen darf der Mann nichts davon wissen, beim andern die Frau. Sie kennt tausend Wege, sie in Furcht zu versetzen. Und wenn einmal keine Zahlung kommt, hält sie sich an den Arbeitgeber der Leute. Sie hat Kunden in der ganzen Stadt, kleine Beamte und so etwas, aber zu denen geht sie selber ins Haus. Und dann hat sie noch so einen Kerl an der Hand, er ist bei der Polizei – der hilft ihr."

„Nein!" rief Merijntje erschrocken.

„Doch, doch!" bekräftigte Flierefluiter mit grimmigem Nachdruck. „Und außerdem hat sie was mit diesem Schuft…"

Merijntje wich zurück. Ekel stieg ihm in die Kehle … er glaubte, brechen zu müssen. In welche Abgründe ließ Flierefluiter ihn da blicken! Und darin lebte er … und blieb er – Flierefluiter, der kein Unrecht mit ansehen konnte … der zuschlug, wenn ein brutaler Kerl seine Frau mißhandelte.

„Bis aufs Blut saugen sie diese armen Schlucker aus. Wenn der Bursche mit seinen blitzenden Knöpfen und dem Helm kommt, stehen sie da wie von Gottes Hand geschlagen. Dieses elende Lumpengesindel weiß genau, daß es bei Messingknöpfen immer den kürzeren zieht, ob es recht oder unrecht hat. Und er fährt nicht schlecht dabei … gute Prozente und ein warmes Weib im Bett."

„Aber Flierefluiter!" Es klang wie ein leiser, bedrängter Notschrei.

Mitleidig betrachtete Flierefluiter den Jungen, doch gleich verdrängte ein böses Auflachen den milderen Ausdruck, und er fragte sarkastisch:

„Was hast du denn? Paßt diese hübsche Geschichte nicht zu den braven Bildern, die du für das Leben hältst? Besser, du erfährst zeitig genug, wie die Welt aussieht, Junge, und was für ein reizendes Völkchen die Menschen sind."

„Aber", stammelte Merijntje, „aber wenn du das doch weißt…"

Er stockte. Flierefluiter nickte mutlos mit dem Kopf.

„Hast recht, Merijntje", sagte er dumpf. „Ich hätte längst weg sein müssen. Aber was soll ich denn tun? Das muß man erst können … und ich kann es nicht. Ich weiß, daß sie mich mit Hinz und Kunz betrügt. Sie hat den Teufel im Leib, das Frauenzimmer. Ich hätte ihr längst den Hals umdrehen müssen. Aber sie hat etwas: dagegen kann ich nicht an. Ich finde sie nicht einmal schön. Sie ist eine Schlampe. Sie hat eine gemeine Art, die gemeinste, die du dir nur vorstellen kannst. Wenn ich meinen Verstand sprechen lasse, muß ich kotzen – aber sobald sie mich nur freundlich ansieht, dann kann ich nicht mehr denken, dann ist es, als wäre alles nicht wahr ... als gehörte sie nur mir – eine kleine, unschuldige, liebe Frau, die sich einem in die Arme schmiegt, um Hilfe bei einem zu suchen ... Und dann liebe ich sie wieder genauso wie in den ersten Tagen. Ich könnte sie fressen vor lauter Liebe. Seltsam, was? So was kannst du dir nicht vorstellen? Ich hätte es früher auch nicht gekonnt. Wenn ich so einen Schlappschwanz sah, der sich von seiner Frau zum Narren machen ließ, mußte ich lachen. Mir könnte so was nicht passieren, dachte ich. Ja, ja, und dann kam es ... Es ist wie eine Krankheit. Man geht dran kaputt, aber man kann nichts dagegen machen – man schämt sich höchstens die Augen aus dem Kopf, weil man so ein schlapper Hund ist ...“

Voller Ekel spuckte er auf den Boden, stemmte beide Fäuste unters Kinn und schwieg, brütend in seine Gedanken versunken.

Voller Entsetzen blickte Merijntje ihn an. Das war es also! Das war aus seinem Freund Flierefluiter geworden! Deshalb ließ er sich bei ihnen zu Hause nicht sehen. Er schämte sich so sehr, daß er sich nicht zu zeigen wagte ... Armer Flierefluiter! Oder doch nicht? Wenn das nun die Strafe für sein wildes und gottloses Landstreicherleben wäre? Man konnte ja schließlich nicht einfach tun und lassen, was man wollte, sündigen, soviel man Lust hatte! Es gab eine Gerechtigkeit. Gott strafte das Böse und belohnte das Gute ... Aber Flierefluiter hatte doch auch Gutes getan – viel Gutes, er selber war seelengut. Wenn es bei einem so großen Kerl nicht so seltsam klänge, könnte man sagen, er sei nur ein wenig verspielt, genau wie ein riesiger verspielter Hund. Und wenn das Böse, was er getan hatte, so schrecklich bestraft wurde – wo blieb dann der Lohn für das Gute? Im Himmel ... Ja – erst das Böse büßen, und dann die Belohnung im Himmel, das stimmte genau ... Und Bets? Die war hundertmal sündiger als der ganze Flierefluiter – und sie litt nicht. Sie lebte wie ein Schwein und lachte die ganze Welt aus ... Na ja, ihre Zeit kam auch noch – hier oder in der Hölle. Das Böse mußte gebüßt werden ... Aber wenn Nachbar van Tol wirklich recht hätte, wenn es keinen Himmel, keine Hölle, kein Jenseits gab? Dann ging gar nichts mehr auf! Nein, ohne Gott wäre das Leben ein einziger großer Dreck von abscheulicher Ungerechtigkeit ... Armer Flierefluiter! Ob er nun gerecht oder ungerecht gestraft wurde, unglücklich war er in jedem Fall ... Er hätte ihm so gern geholfen, aber was vermochte er? Nichts.

Flierefluiter starrte vor sich hin, in den schwarzen Abgrund, zu dem sein helles Leben geworden war. Er dachte an Bets; er wußte, was sie jetzt tat ... Eifersucht würgte ihn in der Kehle. Wahnsinn! Was kam es darauf an? Für ihn bedeutete sie ja nichts mehr. Ab und zu, in einem Anfall tierischer Erregung – aber wer weiß, vielleicht malte sie sich selbst dann noch aus, daß andere Arme sie umschlangen. Abfall – für ihn blieb der Abfall. Und wegen dieses erbärmlichen Stückchens Abfall ertrug er die Finsternis dieser dumpfen, dunklen Gasse... Natürlich war er völlig verrückt! Aber was tat man dagegen, wenn man nun einmal verrückt war?

Er seufzte tief, richtete sich ein wenig höher auf und trank sein Glas aus. Brennend heiß rann der schlechte Branntwein durch seine angeschwollene Kehle. Der Schmerz tat ihm gut... Ach, da war ja noch Merijntje und sah ihn mit den unruhigen, heiligen Augen der Unschuld an! Rechnete sich bestimmt aus, wie weit sein liederlicher Kamerad sein trauriges Los verdient habe. Gott war ja ein genauer Kaufmann, der sorgfältig Buch führte und alles verrechnete. Und wenn beim Tod ein paar Soll- oder Haben-Posten offengeblieben waren, gab es noch die ganze Ewigkeit, um die Abrechnung bis aufs I-Tüpfelchen in Ordnung zu bringen. Ha, er hätte wirklich gern gewußt, ob der Junge diesen ganzen alten Ballast noch mit sich herumschleppte... Aber für heute hatte er ihm gerade genug Entsetzen eingejagt. Warum eigentlich? Was für ein Unsinn, diesen harmlosen Burschen mit solchen Geschichten zu überfallen! Vielleicht, um ihm einen kleinen Einblick ins Leben zu geben? Nein, bloß weil er zuviel getrunken hatte und seine besoffene Zunge nicht im Zaum halten konnte, hatte er voller Selbstmitleid gejammert und eine lächerliche Figur abgegeben.

Böse lachte er plötzlich auf, Merijntje erschrak.

„Geh du jetzt nach Hause, Junge, verstehst du?" sagte Flierefluiter.

„Und du?"

„Ach, laß mich nur noch ein bißchen bleiben... Ich werde schon nicht in die Schleuse fallen."

Merijntje sah ihn entmutigt an und sagte dann böse: „Du willst gewiß noch mehr saufen, was?"

„Das könnte sein", lachte Flierefluiter. „Hier drinnen brennt es, und das muß gelöscht werden. Geh nur, Bürschchen, geh und komm übermorgen wieder zur Arbeit... morgen ist doch nichts mit mir anzufangen."

Er drückte dem Jungen die Hand, stand auf und schob ihn zur Tür.

Merijntje ging mißtrauisch und unruhig fort. Er hörte noch, wie Flierefluiter nach einem neuen Glas Wacholderschnaps rief...

4

Merijntje war völlig durcheinander.

Zu Hause hatte er über die ganze Geschichte geschwiegen: sie dachten ohnehin schon unfreundlich genug über Flierefluiter, weil er sich noch immer nicht gezeigt hatte. Nun verstand Merijntje allzugut, warum. Er fühlte sich nicht nur unglücklich, sondern auch tief gesunken. Oh, es lag klar auf der Hand, daß er seine Frau, die so schandbar lebte und obendrein auch noch eine üble Zinswucherin war, nicht zu seinen alten Freunden bringen wollte. Aber warum tolerierte er dies alles nur? Er zeigte sich doch sonst resolut genug, erwies sich als wahrer Draufgänger, der sich nicht scheute, seine Faust zu gebrauchen! Und nie hatte ihn je ein Mensch irgendwo auf die Dauer halten können ... Aber Bets machte mit ihm, was sie wollte, behandelte ihn wie einen Fußabtreter – und er ließ es sich gefallen! Er murrte zwar, fluchte und tobte auch bisweilen, blieb aber klein und gefügig, ließ sich betrügen und erniedrigen ... Er, Flierefluiter, der lässige, unverdrossene, freie Vagabund, der keine Fesseln je gekannt oder gar geduldet hatte!

Eine schwindelerregende Verwunderung überfiel Merijntje jedesmal, wenn er sich dies vor Augen führte. Wie war das alles möglich? Flierefluiter sah doch genau, was für ein Weib diese Bets war. Er fand sie nicht einmal schön – sie wucherte, sie lebte mit anderen Männern, sie war so gemein, wie das Wasser tief ist ... Und er konnte sie trotzdem nicht lassen? Er verachtete sie, er haßte sie ... Hassen? Haßte er sie denn wirklich? Er hatte gesagt: Wenn sie ihn nur freundlich ansah, vergaß er alles und liebte sie wieder wie in den ersten Tagen. Aber wie konnte man denn so einen Menschen noch lieben? So, wie ein Mann eine Frau liebt... Diese Liebe, von der so viel geredet und in den Büchern geschrieben wird... Angst befiel ihn vor diesem Rätselhaften. Als ob er mit verbundenen Augen einer großen Gefahr gegenübergestellt würde – einer Gefahr, von der er weder Art noch Bedeutung kannte.

Und Bets? War sie wirklich so schlecht, so ganz und gar verdorben, wie Flierefluiter es behauptete? Sie wirkte so herzlich, so natürlich, zwar ein bißchen rauh im Ton, wohl auch einmal launisch und dickköpfig – aber so schlecht? So gemein sittenlos? So hartherzig armen Schluckern gegenüber? Das konnte man sich kaum vorstellen... Ob Flierefluiter mit dem Bauch voll Schnaps und dem umnebelten Gehirn nicht übertrieben hatte? Oder hatte er selber, wie früher so oft, alles viel zu ernst aufgefaßt und in seiner Unerfahrenheit die Dinge falsch verstanden? Kann ein Menschenleben so schwarz und häßlich sein?

Er wollte sich gern davon überzeugen lassen, daß er alles falsch verstanden hatte, daß es gar nicht so schlimm war, daß sich alles als viel weniger entsetzlich herausstellen würde. Doch es gelang ihm nur halb, und so ging er mit bedrücktem Herzen an dem verabredeten Morgen in die Sieben-Häuser-Gasse.

Als er in den finsteren Ladenraum trat und die Glocke schepperte, rief Bets' Stimme aus dem Wohnzimmer: „Wer ist da?"

„Ich bin's – Merijntje!"

„Komm nur herein!"

Sie saß am Tisch vor dem Fenster und frühstückte. Die Lampe brannte. Er blickte auf ihr verstörtes Gesicht, wie sie lustlos ihr Brot kaute.

„Ist Flierefluiter nicht da?"

„Dieser Hund hat mir schon auf nüchternen Magen Krach gemacht, und dann ist er wütend losgegangen."

„Aber er hat mich für heute bestellt."

„Davon weiß er bestimmt nichts mehr. Er ist schon seit vorgestern im Tran, dieses Sumpfhuhn! Es ist nicht mit ihm auszukommen."

Merijntje sah sie betreten an. Sie hatte es auch gerade nötig, ihrem Mann Vorwürfe zu machen!

Las Bets ihm die Gedanken vom Gesicht ab? Die schwarzen Augen warfen ihm einen scharfen Blick zu.

„Wenn er betrunken ist", sagte sie klagend, „tut er nichts anderes als über mich lästern – je schlimmer, desto besser."

Sie schwieg und blickte ihn forschend an.

Der Junge wurde rot und trat verlegen von einem Fuß auf den anderen.

„Wer weiß, was er dir alles erzählt hat", fuhr sie fort.

„Gar nichts", log Merijntje tapfer; doch seine Stimme war unsicher, und er schlug unter ihrem stechenden Blick die Augen nieder.

„Du kannst mir viel weismachen", höhnte Bets. „Na, ist egal. Magst du eine Tasse Tee?"

Verwirrt und unbehaglich setzte sich Merijntje an den Tisch, legte die Mütze aufs Knie und sah zerstreut zu, wie sie ihm den Tee einschenkte.

„Hier, trink erst mal auf den Schreck!"

Sie lachte schon wieder, lachte ihn aus. Natürlich! Erwachsene, vor allem Frauen, lachten ihn so oft aus. Aber was heißt erwachsen? Er war doch, verdammt noch mal, schließlich auch kein kleiner Junge mehr! Im Sommer wurde er neunzehn! Was bildete die sich eigentlich ein? Er mußte endlich anfangen, sich seiner Haut zu wehren.

Mit mürrisch gerunzelter Stirn sagte er: „Na ja, du bist ja wohl wirklich keine Tugendpuppe?"

Es klang wie ein Anschnauzen, viel frecher, als er es beabsichtigt hatte, und er erschrak selber ein bißchen dabei, wurde dunkelrot und trank rasch von seinem Tee.

„Soso?" erwiderte Bets wütend. „Keine Tugendpuppe? Und woher weißt du das, he, wenn Thijs es dir nicht erzählt hat? Was seid ihr für erbärmliche Kerle, hinter meinem Rücken schlecht über mich zu reden! Pfui Teufel!"

Merijntje senkte den Kopf tiefer und trank nervös seinen Tee aus; seine Zähne schlugen klappernd gegen die Tasse, so zitterte ihm die Hand . . . Ja, sie hatte recht: es war erbärmlich, hinter ihrem Rücken schlecht von ihr zu sprechen. Schwach verteidigte er sich:

„Ich habe nichts über dich gesagt, Bets. Wie sollte ich auch? Ich kenne dich ja kaum."

„Das habe ich nicht um dich verdient, Merijntje", sagte Bets nach kurzem Schweigen in ungewohnt sanftem Ton.

Zitterte ihre Stimme? Wenn sie um Gottes willen nur nicht anfangen wollte zu weinen! Da hatte er ja wieder was Schönes angerichtet!

„Alle haben was an mir auszusetzen!" beklagte sie sich, und ihre Stimme klang wie die eines Kindes, das sich ungerecht behandelt fühlt. „Ich kann machen, was ich will, es ist immer falsch. Glaubst du vielleicht, es ist ein Vergnügen für eine Frau, mit einem so viel älteren Mann verheiratet zu sein? Dauernd hat er Wutanfälle, und immer bin ich an allem schuld . . . Er kann es nicht ausstehen, daß ich jung bin und etwas von meinem Leben haben will."

„Warum hast du ihn denn geheiratet?" fragte Merijntje bedrückt und verwirrt.

„Ja, warum? Er machte erst einen ganz andern Eindruck. Er kann sehr nett sein, wenn er nur will. Ich war verrückt nach ihm, aber als wir verheiratet waren, wurde er ganz anders ... Und nun guckt er mich überhaupt nicht mehr an. Kein Wunder, daß ich dann einmal ausgehen will – etwas möchte man ja von seinem jungen Leben haben. Aber er gönnt mir nichts. Hinter allem sucht er etwas Böses. Er ist eifersüchtig wie ein Tiger ... Das siehst du schon daran, was er selber für ein Leben führt."

Merijntje wurde immer unsicherer. Nun sah alles wieder ganz anders aus, als er es sich nach Flierefluiters bedrückenden Geständnissen vorgestellt hatte. Und glaubhaft klang es auch ... Ihr blasses Gesicht war betrübt und hatte einen Ausdruck, den er nicht an ihr kannte. Hilflos, mädchenhaft reizvoll, um den Mund den gekränkten Zug eines Kindes, dem Unrecht geschehen ist ... Wie alt mochte sie eigentlich sein? Jung, sagte sie immer wieder, eine junge Frau ... Ob Flierefluiter ihr in der grämlichen Eifersucht des Älteren nicht wirklich unrecht tat? Es ist ja oft so, daß die Älteren die Jüngeren nicht verstehen oder nicht verstehen wollen. Wie hatte seine Großmutter alles, was er tat, immer falsch ausgelegt, und Vater und Mutter zu Hause auch oft genug! Aber – sie war eine Wucherin!

Und ehe er es wußte, hatte er schon danach gefragt: „Leihst du Geld auf Zinsen, Bets, ist das wahr?"

Sie warf ihm einen scharfen Blick zu und erwiderte heftig: „Ja, das ist wahr! Weshalb?" Dann schlug sie die Augen zu Boden, zuckte die Achseln und fuhr gelassen fort: „Natürlich, das ist auch wieder nicht richtig: lieber die armen Schlucker wegschicken und sie verrecken lassen, statt ihnen zu helfen. Aber das bringe ich nicht übers Herz. Ich kann keine Tränen sehen. Ich muß einfach helfen."

„Aber haben sie denn nicht – nicht sehr viel Zinsen zu zahlen?"

Die Frage klang schüchtern, zögernd, und enthielt schon die Bitte um Entschuldigung.

„Ach, hat er damit auch wieder angefangen, dieser Schuft?" fragte Bets mit betrübter Stimme. „Eine Wucherin bin ich, wie? Eine Wucherin! Dreckiges Pack, alle miteinander! Solange sie einen nötig haben, sind sie katzenfreundlich, da möchten sie dir am liebsten die Fußsohlen lecken, versprechen dir Kühe mit goldenen Hörnern ... und man ist die Beste und die Liebste. Aber wenn's ans Zurückzahlen geht, da sieht alles anders aus – dann lassen sie kein gutes Haar an dir, dann bist du eine Wucherin, eine Blutsaugerin ... und der gemeinste Schmutz ist ihnen nicht dreckig genug, diesem lausigen Pack, dem undankbaren! Glaubt ihr denn alle, das Geld wächst bei mir? Und der eigene Mann hat nichts Besseres zu tun, als diese sauberen Klatschereien unter die Leute zu bringen. Aber daß du auch in sein Horn stößt, das hätte ich nicht von dir gedacht, Merijntje! Das habe ich nicht um dich verdient."

Der abermalige Vorwurf traf den Jungen wie ein Peitschenhieb.

Hatte sie nicht recht? War sie nicht gut zu ihm gewesen? Herzlich und freigebig? Hatte sie ihn nicht aufgenommen, als ob er zur Familie gehörte, ihn an den Tisch gebeten, ihm das Beste zugesteckt und ihm oft noch einen Gulden extra in die Hand gedrückt... Es war wirklich gemein von ihm, so ohne jeden Beweis das Ärgste von ihr zu glauben. Das hätte er nicht tun dürfen. Flierefluiter war wütend, eifersüchtig und betrunken, als er ihm das alles vorgeredet hatte...

Matt protestierte er noch: „Ich ... ich habe wirklich nichts von dir gesagt, Bets, wahrhaftig nicht!"

Er wagte nicht, sie anzusehen. Deshalb bemerkte er weder das Flackern in ihren Augen noch das kleine triumphierende Lächeln, das sie nicht zu unterdrücken vermochte und das eine Sekunde lang ihren Mund verzerrte.

Sie seufzte tief, und Merijntje fühlte sich immer schuldiger und voller Reue. Doch sie machte ihm keine Vorwürfe mehr, sie saß traurig hinter dem Tisch, den Blick auf die nervös verkrampften Hände in ihrem Schoß gerichtet.

Todunglücklich fragte er: „Soll ich lieber nach Hause gehen, wenn Flierefluiter doch nicht da ist?"

„Geh ruhig ins Lager und mach ein paar hundert Brennholzbündel fertig. Sie sind fast alle. Wenn ich warten sollte, bis sich dieses faule, versoffene Spundloch dazu bequemt..."

„Gut", erwiderte Merijntje leise, drehte sich um, ohne sie noch einmal anzusehen, und ging mit schleppenden Schritten ins Lager, wo er die Petroleumlampe ansteckte.

Versoffenes Spundloch, hatte sie gesagt. So kalt, so lieblos und hart. Ein versoffenes Spundloch – und das war nun ihr Mann... das war Flierefluiter, sein guter alter Freund! Häßlich war das alles, so verflucht häßlich! Und unbegreiflich. Wer hatte nun recht? Wem sollte er glauben?

Er warf Mütze, Jacke und Weste auf die Hobelbank, krempelte die Ärmel seines Hemdes über die Ellbogen und starrte dann eine Weile nachdenklich vor sich hin. Was war denn nun die Wahrheit? Flierefluiters verfallenes, mutloses und grausam betrübtes Gesicht, seine rauhe Stimme, sein zerfetztes Lachen? Oder Bets' gekränkte Miene, ihr kindlich frevlerischer Blick, ihre Augen, die Gerechtigkeit und Mitleid erflehten? Beiden hatte er geglaubt, als er sie vor sich hatte... Es war so schwierig, einem anzusehen, ob er die Wahrheit sagte oder nicht. Und er ließ sich immer so leicht etwas weismachen ... das war allezeit schon so gewesen: stets wenn es just zu spät war, mußte er entdecken, daß er wieder einmal die Rolle des einfältigen Tropfes gespielt hatte! Wer von den beiden log nun, Bets oder Flierefluiter? Er konnte sich nicht klarwerden. Immer wieder sah er das stille blasse Frauengesicht mit dem schmollenden Mund und den sanften bekümmerten Augen vor sich. Konnten diese Augen lügen? Und die Augen Flierefluiters? So gequält, so unglücklich, so verzweifelt – logen die?

Wütend über die hoffnungslose Verwirrung in seinem Innern, deren er nicht Herr zu werden vermochte, griff er nach einem schweren Holzkloben und warf ihn auf den Sägebock, daß das wacklige Ding in allen Fugen krachte. Dann riß er die große Spannsäge vom Haken und fing an zu sägen. Er riß den zackigen Stahl so grimmig durch das Holz, daß das Sägemehl in weißen Bächen aus dem Schnitt rieselte. Die Ablenkung durch die Arbeit tat ihm gut. Er spannte die Muskeln, feuerte sich zu noch größerem Eifer an und tobte seine Bestürzung und Verwirrung in wilder Zerstörungssucht an dem knirschenden, ächzenden Holz aus. Als er genug Blöcke hatte, schwitzte er so, daß er sein Hemd an Hals und Brust aufknöpfte. Hastig griff er nach dem Beil und fing an, die Blöcke mit kurzen, heftigen Schlägen in immer kleinere Stücke zu spalten. Er keuchte vor Anstrengung. Staub und Sägemehl kratzten ihn in der Kehle und juckten ihn auf der feuchten Haut. Ab und zu wischte er sich mit dem bloßen Unterarm die Tropfen vom Gesicht. Harte Arbeit beruhigt. Mit dem Holz zerschlug man auch die Sorgen und den Ärger... Und endlich kam er zu der Entdeckung, daß er verrückt war, sich so sehr mit dem Leben anderer zu beschäftigen. Sollten sie doch selber sehen, wie sie fertig wurden! Was ging ihn das alles an? Er war nicht mit Bets verheiratet, und Flierefluiter mußte eben die Suppe auslöffeln, die er sich eingebrockt hatte...

Das gespaltene Holz flog splitternd unter seinem Beil davon, und er machte sich ein Spiel daraus, Schlag auf Schlag immer schneller folgen zu lassen! Rund um den Hackklotz türmte sich der Haufen.

Dann öffnete sich die Tür, und Bets kam herein. Sie trug einen rotseidenen Morgenmantel und Pantoffeln an den nackten Füßen. Sicher hatte sie wieder ihren trägen Tag und keine Lust, sich anzuziehen. Bloß ihr Haar hatte sie sorgfältig frisiert.

„Na, du schaffst aber was weg, das muß man schon sagen! Das geht ja bei dir dreimal so schnell wie bei Thijs! Bist du nicht hundemüde?"

„Es geht", erwiderte Merijntje, sein Keuchen bezwingend und stolz über ihr Lob. Er blickte sie einen Augenblick forschend an: sie schien nicht mehr böse zu sein, wenn ihr Gesicht auch noch ein wenig kühl war.

Sie war zu ihm getreten, faßte seinen nackten Unterarm und kniff kräftig hinein.

„Muskeln hast du!" bewunderte sie ihn. „Das möchte man kaum glauben, so mager, wie du bist!"

Peinlich berührt zog er den Arm zurück. „Es geht", erwiderte er steif.

Sie lachte und machte es ihm nach: „Es geht ... es geht ...“ Dann strich sie ihm mit einer unerwarteten, katzenhaften Bewegung das Haar aus der verschwitzten und staubigen Stirn; mit einem hastigen Ruck wandte er den Kopf ab. Er konnte diese kindischen Handgreiflichkeiten nicht ausstehen, er war doch kein kleiner Junge mehr ... immer dieser Quatsch mit Streicheln und so!

Bets zeigte sich nicht böse. Lachend sagte sie: „Du bist ganz schön müde, mein Junge. Komm mit und ruh dich ein bißchen aus, ich hab den Kaffee fertig.“

„Ich komme gleich“, entgegnete Merijntje, „erst will ich diesen Block noch spalten.“

„Gut, ich warte.“

Ihre Stimme klang dabei wie die eines gehorsamen Kindes. Das gefiel ihm. Sie hatte wohl verstanden, daß er sich nicht so albern behandeln ließ. Sie ging auf ihren weichen Pantoffeln hinaus. Der glänzende Mantel schmiegte sich glatt um ihre runden Hüften. Und Merijntje mußte ihr nachblicken, ohne daß er es wollte. Das machte ihn verdrießlich. Und wütend begab er sich wieder an den Hackklotz, schwang das Beil und ließ die Stücke springen, bis der Block zerkleinert war. Danach reckte er sich, streifte die Ärmel herunter, knöpfte das Hemd zu und ging ins Wohnzimmer.

5

Bets saß am Tisch, auf dem zwei Tassen Kaffee dampften. Daneben stand eine Dose mit Keksen. Als Merijntje eintrat, warf sie ihm einen Blick zu, sagte jedoch nichts. Schweigend nahm er einen Stuhl, setzte sich und griff nach seiner Tasse. Der duftende Kaffee schmeckte ihm nach der schweren Arbeit. Pustend und leise schlürfend trank er.

„Magst du keinen Keks?"

„Ja bitte, gern."

Mit möglichst kleinen Bissen knabberte er das mürbe Sandgebäck, um den Genuß recht lange hinzuziehen – eine alte, kindliche Gewohnheit. Hin und wieder trank er einen Schluck und ließ die süßen Krümel auf der Zunge zergehen. Im Zimmer war es still. Die Pendüle tickte leise und begann dann klingelnd elfmal zu schlagen... Elf Uhr schon! Seine Gedanken irrten ab zu Flierefluiter. Wo mochte er stecken? Sicher am Kai in einer Schifferkneipe – um seinen Ärger mit Wacholderschnaps hinunterzuspülen. Verrückter Kerl! Er ließ die arme Bets wirklich sehr lange allein...

„Warum sagst du denn nichts?"

Verwundert blickte er auf. Bets' schwarze Augen sahen ihn ungnädig an.

„Ich?" fragte er verlegen. „Was soll ich denn sagen?"

„Wenn Thijs da ist, redest du in einer Tour."

War das tatsächlich so?

„Och", sagte er ausweichend.

Unerwartet aggressiv fuhr sie ihn an: „Aber ich weiß ja, mich kannst du nicht leiden, das ist es!"

Nun fing sie schon wieder an! Was sollte man darauf bloß antworten? Sie tat ihm weiß Gott leid, aber das konnte er ihr doch nicht sagen, das klang so verrückt großspurig.

„Es ist ja auch kein Wunder, du glaubst alles, was dieser Lump über mich erzählt ... Niemand mag mich leiden, du auch nicht!"

Plötzlich ließ sie den Kopf auf die Arme sinken und blieb so über den Tisch gebeugt sitzen. Sie gab keinen Laut von sich, doch an dem leisen Zucken ihrer Schultern merkte Merijntje, daß sie weinte. Erschrocken blickte er sie an. Er hatte noch nie Tränen in ihren Augen gesehen. Sein Herz klopfte heftig vor Bestürzung und Schuldgefühl. So unglücklich und hilfsbedürftig sah sie aus ... War sie so betrübt, so verzweifelt? Was sollte er nur tun? Sie mußte aufhören zu weinen. Um jeden Preis! Sonst fing er auch noch an ...

Nervös stand er auf, ging mit zitternden Knien um den Tisch herum und blieb zögernd hinter ihr stehen. Dann legte er die Hand auf ihre gebeugte Schulter. Rauh und leise sagte er: „Bets ... aber Bets! Was ist denn? Was hast du denn plötzlich?"

Mit einer unerwarteten Bewegung faßte sie sein Handgelenk, hob den Kopf, lehnte ihn, weit zurückgebeugt, an seine Brust, und sah mit tränengefüllten, seltsam glühenden Augen zu ihm auf.

„O Merijntje, ich bin so unglücklich", seufzte sie. „Wenn du wüßtest, wie ... Kein Mensch mag mich – ich bin wie eine Verstoßene."

Ihr Morgenrock fiel auseinander, und Merijntje sah erschrocken ihre vollen weißen Brüste, die wie zwei reife Früchte in den Spitzen ihres tief ausgeschnittenen Hemdes ruhten. Es war ihm grauenhaft und peinlich, daß er das sah, und er war überzeugt, ihr wäre es genauso peinlich, wenn sie ahnte, wie sie dasaß – aber er konnte sie doch nicht darauf aufmerksam machen ... Scheu wollte er sein Handgelenk befreien, doch sie klammerte sich fester an ihn und drückte sanft ihre Wange in seine Hand; die Locken an ihrer Schläfe kitzelten seinen Puls. Er hatte das Gefühl, ersticken oder vor Scham sterben zu müssen. Er wußte, daß er nicht auf die nackten Brüste blicken durfte, daß er die Frau heillos damit beleidigte, doch er konnte seine Augen nicht davon abwenden, er konnte es nicht ...

„Sei du doch nicht auch noch böse auf mich, Merijntje!"

„Ich ... ich?" stotterte der Junge mit erstickter Stimme. „Ich bin doch nicht böse mit dir, Bets. Aber ..."

„Nein? Wirklich nicht?"

„Wirklich nicht."

Ein schwaches Lächeln erhellte das weiße Gesicht, in das langsam eine Röte stieg, und die schwarzen Augen leuchteten in heftigerer Glut auf.

„Dann ist es gut. Dann ist alles gut. Hab du mich wenigstens ein bißchen gern. Sei ein bißchen nett zu mir ... willst du, Merijntje?"

„Ja ... warum nicht?" stammelte er in immer tieferer Verwirrung und versuchte wieder, seine Hand freizumachen.

Doch da schob sie ihren Stuhl mit einer raschen Drehung herum, riß den Jungen leidenschaftlich an der Hand zu sich herunter, schlang die Arme um seinen Hals und preßte die glühenden Lippen gierig auf seinen Mund. Völlig wehrlos lag er einen Augenblick unbeweglich über ihr, gelähmt, überwältigt von einer unbeschreiblichen Angst. Er spürte ihre Zähne auf seinen Lippen, ihre Zunge, die sich in seinen Mund schob. Der Ekel gab ihm seine Kraft wieder. Mit dumpfem Stöhnen bog er den Kopf zurück und fühlte gleichzeitig, daß seine Hand dabei auf ihre nackte Brust rutschte – so weich und unangenehm warm. Mit einem heftigen Stoß machte er sich frei, taumelte zurück und blickte voller Schrecken in ihr blaß gewordenes Gesicht, in dem die Augen mit einem Feuer flammten, das seine ratlose Angst in entsetztes Grauen verwandelte.

„Bets! Bets!" stotterte er keuchend. „Bist du verrückt geworden?"

Doch sie lachte schrill auf, sprang hoch und lief auf ihn zu. Der leichte Morgenrock schlug zurück, und fassungslos sah er, daß sie nichts anhatte außer diesem dünnen, seidigen Hemd mit den Spitzen am Ausschnitt. Sie griff ihn an beiden Armen, drückte sich fest an ihn, das Gesicht an seinem Hals, und flüsterte mit heiserer, vor Erregung zitternder Stimme:

„O Junge, ich bin verrückt nach dir! Weißt du das noch nicht? Wir sind allein im Haus. Komm, Merijntje! Komm, Schatz, du darfst mich haben! Du kannst mit mir tun, was du willst! Komm doch, rasch, komm!"

Sie zog ihn zum Bett. Da endlich begriff er ...

Also das wollte sie von ihm! Ekel würgte in seiner Kehle, ein erstickender Brechreiz. Eine verheiratete Frau, die ihn dazu verführen wollte! Flierefluiter hatte also doch recht. Mit aller Kraft riß er sich los und stieß sie heftig zurück, daß sie mit einem leisen Schrei an den Rand des Tisches taumelte.

„Du bist übergeschnappt!" rief er grob. „Schämst du dich nicht?"

Vor seinen Augen war es rot, er riß an seinem Hemdkragen. Ihm war, als müsse er ersticken. Bets war noch blasser geworden. Sie hatte keinen Widerstand erwartet.

„Willst du nicht?" fragte sie, völlig verblüfft.

„Nein", sagte er hart, „natürlich nicht!"

Da verzog sich ihr Gesicht zu einem Grinsen aus Wut und Schmerz. „Schnösel!" kreischte sie. „Schnösel! Was bildest du dir eigentlich ein?"

„Nichts", entgegnete Merijntje zornig. „Ich schäme mir nur die Augen aus dem Kopf, verdammt noch mal!"

Wieder veränderte sich Bets' Gesicht. Sie konnte nicht glauben, daß dieser Junge sie wirklich verschmähte. Er war nur zu dumm, zu unerwartet überrumpelt, dieser einfältige Tropf ... Die wilde Gier flog wieder über ihr erregtes Gesicht. Sie ließ sich vornüberfallen, umfaßte Merijntjes Knie, nannte stammelnd mit heiserer, drängender Stimme seinen Namen, zog sich an ihm hoch, blickte aus den vor Leidenschaft trüben Augen ganz von nahem in die seinen, hob die Hand, um seine Wange zu streicheln, seinen Kopf wieder an sich zu ziehen.

Doch aufs neue stieß er sie zurück und rief wütend: „Ich will nicht! Laß mich in Ruhe!"

Er drehte sich um, wollte fliehen und erstarrte vor Schreck. Flierefluiter stand in der Tür und sah ihm mit finsterem, kreideweißem Gesicht gerade in die Augen. Hinter ihm begann Bets zu kreischen. Mit einem Sprung war er an Flierefluiter vorbei, die Stufen hinunter, durch den Laden. Er hörte noch den gotteslästerlichen Fluch Flierefluiters, ein Schimpfwort, das ihm nicht mehr aus den Ohren wollte, einen Aufschrei von unmenschlicher Wut oder Angst und das Geklirr von Glas, das in Scherben ging ... Dann war er draußen und rannte durch die dämmerige Gasse, als ob ihm der Teufel selber auf den Fersen säße. Erst am Haringvliet verlangsamte er seinen Lauf, weil er merkte, daß die Leute stehenblieben, ihm nachschauten, mit Fingern auf ihn zeigten ...

Er zwang sich dazu, ruhig zu gehen, spürte jedoch dauernd den unwiderstehlichen Drang in den Füßen, zu rennen ... vor dem Abscheulichen zu flüchten, dem Ekelhaften, was da geschehen war ... so viel Raum wie möglich zwischen sich und das, was hinter ihm lag, zu bringen. An einem kleinen Springbrunnen auf der Straße wusch er sich den Mund und spülte ihn mit dem kalten Wasser aus, aber das ekelhafte Gefühl von Bets' Lippen wurde er trotzdem nicht los ... Und daß Flierefluiter gerade in diesem Augenblick nach Hause kommen mußte ... Der glaubte bestimmt, er habe Bets überrumpeln wollen; und sie würde natürlich alles tun, ihn in diesem Glauben zu bestärken, so gemein und niederträchtig wie sie war! Ein Untier ... ein richtiges Untier! Daß es solche Frauen gab! Er dachte an seine Mutter und verging fast vor Scham. Nie und nimmer würde er ihr berichten können – auch in Andeutungen nicht –, was ihm da widerfahren war ...

Er kam an die Maas, über der warme Sonnenglut funkelte, doch er sah nichts davon. Alles schien so finster, so grau, so schmierig ... Ja, schmierig, genau wie er selber. Denn plötzlich bohrte das Gewissen in ihm. Sicher, er hatte sich gewehrt, hatte nicht nachgegeben – aber er wußte ganz genau, daß sich trotzdem etwas in ihm geregt hatte, was seine Lust erweckte und was vielleicht eher durch Bets' Verhalten als von ihm selber unterdrückt worden war: durch ihr lüsternes Getue und dieses eklige Geküsse – pfui Teufel! Aber vorher ... Vorher hatten seine Augen auf ihren üppigen Brüsten geruht, und er hatte den Blick nicht abgewendet. Bis in die Fingerspitzen hinein hatte er das zitternde Verlangen gespürt, diese Brüste zu berühren ... Er war auch schuldig. In seinen Gedanken hatte er ihrem Drängen nachgegeben. Er brauchte sich nicht besser zu machen, als er war. Schmutzig fühlte er sich, schmierig ... Am liebsten wäre er ins Wasser gesprungen und hätte sich mit einer Bürste und grüner Seife abgescheuert.

Er schüttelte sich ... Und doch war es so gefährlich verlockend. Er konnte es nicht leugnen und war wütend auf sich selber, daß ihn so etwas lockte. Und plötzlich tauchte eine Frage in ihm auf: Wenn es nun nicht so unvermutet über ihn hereingebrochen wäre, ohne dieses abstoßend Gemeine der ganzen Situation – wenn Bets nicht eine verheiratete Frau, nicht Flierefluiters Frau wäre ... hätte er dann auch widerstanden? In diesem einen Fall hatte sich alles in ihm aufgelehnt, und die Versuchung war machtlos an ihm abgeprallt. Aber sonst? Er wußte es nicht und fühlte sich ratlos und schuldig, geneigt, dem Bösen nachzugeben: der Unzucht. Denn das, was Bets von ihm gewollt hatte, war Unzucht. Bets war ein unzüchtiges Weib, schamlos und abscheuerregend.

Noch ein anderer Kummer begann tief in seiner Seele zu bohren. Eine unklare Klage, die er nicht in Worte zu fassen vermocht hätte ... Bets hatte mehr getan, als sich selber und ihn zu erniedrigen. Sie hatte das Bild der Frau in ihm beschmutzt.

Er war sich darüber gar nicht unbedingt im klaren, aber die Frau schlechthin war in seinen unbestimmbaren Gefühlen etwas geblieben, was als besonders kostbar galt und dem man sich nur behutsam und scheu nahen durfte – etwas Göttliches geradezu, das man rücksichtsvoll behandeln und hoch ehren mußte. Merijntjes Sinnenleben war frisch erwacht, und seine unruhigen Träume hatten ihn entsetzt und noch mißtrauischer gegen das andringende Verlangen gemacht. Schlüpfrige Witze und schwüle Erzählungen von Abenteuern mit Mädchen reizten ihn nicht, sondern stießen ihn ab. Sein angeborenes und stark entwickeltes Keuschheitsempfinden widersetzte sich unbändig diesem schmutzigen Geschwätz, aber auch den eigenen, bisweilen urplötzlich aufwallenden unkontrollierbaren Gedanken und Vorstellungen. Für Merijntje war eine Frau etwas Heiliges und Unberührbares, etwas aus einer ganz anderen, fernen und schönen Welt. Das Geschlechtliche war ihm keineswegs unbekannt, doch er vermochte es sich nicht als etwas vorzustellen, was Verbindung mit ihm selber und irgendeiner Frau haben könnte. Das Eigentliche des weiblichen Wesens blieb ihm ein Geheimnis, woran er auch mit seinen verborgensten Gedanken nicht rühren wollte ... Es gab einige Mädchengestalten, die durch seine Träume gingen, weil er sie gekannt, sie flüchtig in einer seltsamen Erregung geküßt hatte ... eine hatte er in einem spaßhaften Handgemenge, ohne sich etwas dabei zu denken, unter den Armen hindurch angefaßt, und die unerwartete Weichheit der eben schwellenden Brüste hatte ihn tief entsetzt und mit klopfendem Herzen zurückweichen lassen; noch tagelang danach wagte er ihr nicht in die Augen zu sehen. Er vermochte es auch nicht, wie andere Jungen, roh und gefühllos über die Mädchen zu reden, als wären es hübsche Tiere, mit denen man sich auf wenig wählerische Weise ergötzte. Lieber ließ er sich auslachen und verhöhnen – als Einfaltspinsel, als schüchterner Tropf ... Für ihn waren diese Dinge zu schön, als daß er sie in frechem Mutwillen zerstört hätte. Mädchen, über die erregende Geschichten unter den Jungen umliefen, flößten ihm Abscheu ein, und dazu kam immer der Unglaube: so etwas taten Mädchen nicht ... Und das wärmere Wort Frau vertiefte seine unerfahrene Träumerei, war noch mehr von Geheimnissen und wortloser Ehrfurcht verhüllt. Der alte Begriff Sünde lag ihm dabei sehr fern. Es war zunächst nichts anderes als die unbewußte Abneigung, etwas Schönes, Zartes und Edles durch rohe Berührung seines Glanzes zu berauben.

Und nun hatte Bets diesen Traum zerstört, zerbrochen, befleckt. Eine heftige Verwirrung wühlte ihn bis ins Innerste auf. Seine Ruhe, seine Arglosigkeit waren dahin. Eine Arbeiterfrau, die ihrem Mann das Mittagessen zur Arbeitsstelle brachte, überholte ihn mit eiligen Schritten; von der Seite sah er, wie ihre Brust sich gegen die Bluse preßte. An der Straßenbahnhaltestelle stand, heftig atmend vom schnellen Gehen, eine elegant angezogene Dame; er sah, wie ihre Brust sich unter der Seide des Kleides hob und senkte. Plötzlich hatten alle Mädchen und Frauen Brüste, runde, weiche Brüste, lockendes Fleisch, nach dem seine Hände verlangten. Sie trugen dünne Hemden, durch die ihre Körper schimmerten und die mattweißen Beine darunter ... Es waren keine unpersönlichen, aus der Ferne verehrten und umträumten Wesen mehr, die ihm manchmal durch einen unbewußten freundlichen Blick eine stille, sanft strahlende Freude schenkten, sondern Körper, von denen Reiz und Verführung ausgingen, die Lust versprachen ... Die lang herniederhängenden Röcke verbargen Beine, die eng anliegende Unterwäsche einen weich gewölbten, begehrlichen Leib.

Sein Herz jagte immer schneller vor Angst, und seine Kehle war wie zugeschnürt, so würgte ihn der Ekel, der Abscheu vor sich selber, weil er seine Gedanken nicht mehr im Zaum zu halten vermochte. Wut und Haß fuhren wie ein heißer Sturm durch sein Inneres, Haß gegen Bets, dieses liederliche Weib, für das die rauhe Stimme von Flierefluiter die einzig richtige Bezeichnung herausgebrüllt hatte ... Sie hatte sein Leben verdorben, nun würde ihn stets die Erinnerung quälen, in die das Bild ihres schönen, fast nackten Leibes eingebrannt war – eingebrannt als grauenvoller Schrecken und lieblicher Zauber zugleich, ein Schuldgefühl hervorrufend, das er nimmermehr würde abwerfen können... Alles, was schön und still und rein gewesen war, hatte sie mit ihrer schamlosen Gier zerstört. Nie wieder würde er froh sein können, so unerklärlich froh, wenn ein Mädchen ihn träumerisch anschaute, ohne ihn zu sehen, wenn sie mit einem leisen Lächeln an ihm vorüberging, wenn sie mit geradem Rücken und elastischem Gang vor ihm herschritt... Brüste, Beine, ein Hemd, ein Leib waren sie geworden, kein Traum mehr – Begierden, Tiere!

Niemals hatte Merijntje sich unglücklicher, tiefer entsetzt und schwerer belastet gefühlt als in diesen Stunden, in denen er am Kai entlanglief, ohne etwas anderes zu sehen als die Bilder, die er nicht sehen wollte und die er nicht aus seiner fieberhaft arbeitenden Phantasie verdrängen konnte.

6

Als er spät am Nachmittag nach Hause kam, fuhr seine Mutter erschrocken zurück. Barhäuptig, ohne Jacke und Weste, blaß und mit brennenden Augen schlich er ins Zimmer und wandte sich ab vor den bestürzten Blicken seiner Mutter.

„Was ist denn los mit dir?"

„Nichts", antwortete er kurz und mit heiserer Stimme.

Dann ging er hinter ihr her in die kleine Küche und trank einen großen Becher kaltes Wasser.

„Mein Gott, Junge! Wie siehst du aus! Wo ist deine Mütze? Und die Jacke und die Weste? Hast du dich etwa geprügelt?"

„Nein – ja – geprügelt? Wie kommst du darauf?"

Seine unzusammenhängenden Worte jagten ihr nur noch mehr Angst ein.

„Ich glaube, du bist krank. Was ist mir dir? Ist was passiert?"

„Passiert? Was soll schon passiert sein?"

Dumpf murmelte er seine zerstreuten Antworten, voller Furcht vor ihren Fragen.

Plötzlich sank er erschöpft in den Korbsessel seines Vaters. Mit großen, fiebrig glühenden Augen blickte er vor sich hin, bereit, sich in halsstarriger Abwehr gegen alles Drängen aufzulehnen.

Unruhig und ängstlich sah seine Mutter ihn an. Was hatte der Junge? Irgend etwas mußte ihm zugestoßen sein. Aber was? Sie wußte, daß er es vorläufig nicht erzählen würde. Noch nicht. Er hatte keinen schlechten Charakter, ihr Merijntje, aber wenn er schweigen wollte, war er störrisch wie ein Esel... Ob es bei

Flierefluiter Streit gegeben hatte und er im Zorn davongerannt war? Aber das konnte ihn doch nicht so ergriffen haben. Er wußte sich doch sonst seiner Haut zu wehren und war nicht auf den Mund gefallen. Es mußte etwas anderes sein. Er war ja völlig außer sich, gepackt von einer ihr gänzlich unerklärlichen Erregung.

„Du bist krank", entschied sie.

Ihre Stimme klang so sanft und gut, daß Merijntje es kaum noch aushielt; er schluckte heftig und biß die Zähne zusammen, um nicht in Schluchzen auszubrechen und ihr alles zu beichten.

Sie faßte ihn am Arm.

„Los, komm!" sagte sie mit leisem Drängen. „Geh ins Bett! Später kannst du mir ja erzählen, was los war."

Gehorsam stand er auf und folgte ihr ins Vorderzimmer.

„Zieh dich schnell aus und kriech unter die Decke!"

Zögernd stand er vor dem Bett, taumelnd vor Erschöpfung, mit zitternden Knien.

„Geh ruhig raus!" sagte er unwillig. „Ich finde schon allein ins Bett."

Sie blickte in sein weißes, sonderbar entstelltes Gesicht und begriff, daß er sich nicht ausziehen wollte, solange sie dabei war. Warum nicht? Das hatte ihn doch nie gestört. Irgendwas war mit ihm passiert ... Ihr weibliches Ahnungsvermögen brachte sie auf die verschiedensten Vermutungen. Kopfschüttelnd wandte sie sich ab und ging aus dem Zimmer.

Dann lag Merijntje im halbdunklen Alkoven und schaute zum Fenster, hinter dem ein Stück sonniger Frühlingshimmel zu sehen war. Doch er ertrug die Helligkeit nicht, kehrte das Gesicht zur Wand und schloß die Augen. Erschöpft vor Müdigkeit und Erregung fiel er nach kurzer Zeit in einen tiefen Schlaf. Er merkte weder, daß seine Mutter hereinkam, um nach ihm zu sehen, noch daß sie ihm die Decke sorgsam bis an den Hals hinaufzog.

Verwundert blieb sie eine Weile vor seinem Bett stehen. Er kehrte ihr den Rücken zu. Das rote Ohr und die Wangenlinie sahen so kindlich aus. Doch da war ein dunkler Schatten von beginnendem Bart. Ein stiller Kummer ging durch ihr Herz: wieder einer, der ihr fast entwachsen war ... ein Mann, der seine eigenen Wege suchte, sein eigenes Leben führte, seine Heimlichkeiten hatte. Was war ihm heute geschehen? Gewiß etwas, was mit einem Mädchen zusammenhing. Diese törichten Bengel! Achtzehn Jahre! Als ob das Leben nicht lang genug wäre! Sie mußte einen Widerwillen abwehren: daß ihr Kind nun „wußte", dieser dumme kleine Junge, der einen Bart bekam und breite Schultern. Sie seufzte tief. Es ging immer so schnell, man konnte es nicht aufhalten ... Behutsam schob sie die Vorhänge vor die Bettstelle und ging leise hinaus. Gerade kam Jan die Treppe hinaufgestürmt. Er wurde mit einer Flut halblauter Vorwürfe empfangen: ob er nicht ein bißchen leiser sein könne, wenn sein Bruder krank von der Arbeit gekommen war und schlief?

„Kann ich denn das wissen?" rief Jan entrüstet mit seiner schrillen, frechen Stimme.

Da kriegte er eins um die Ohren, den strengen Befehl, ja den Mund zu halten, und ein Butterbrot mit besonders viel Zucker darauf: über den Kleinen war sie wenigstens noch Herr, den konnte sie nach Herzenslust traktieren und verwöhnen... Jan rieb sich die Backe, verbiß seine Wut und kaute beruhigt an seinem Brot: aus Mutter konnte man auch nie klug werden.

„Was hat denn Merijntje?" fragte er neugierig. Und wild darauf, eine aufregende Sache daraus zu machen, setzte er hinzu: „Etwa Lungenentzündung?"

Mutters Hand fuhr abermals hoch, doch Jan tauchte unter den Tisch.

„Halt ja deinen Mund, dummer Bengel, und mal den Teufel nicht an die Wand! Wer redet denn von Lungenentzündung?"

„Na ja, könnte doch sein", sagte Jan bitterböse. „Und daran stirbt man fast immer. Der Vater von Kees, der hat..."

„Ja, ja, sei nur still! Geh an den Kai und nimm dir dein Butterbrot mit! Aber sei vorsichtig mit den Wagen, hörst du?"

Es war schon dunkel, als Merijntje wach wurde. Verwundert lauschte er den Geräuschen am Kai. War es denn nicht Nacht? Seine tastende Hand fand den Vorhang, schob ihn zur Seite. Das Fenster schnitt ein Stück aus dem dunklen Abendhimmel mit einzelnen funkelnden Sternen. Er setzte sich auf und rieb sich die juckende Nase. Mit einem Schlag sprang die Erinnerung an das, was geschehen war, in sein Bewußtsein zurück, und mutlos ließ er sich wieder aufs Kissen fallen. Sein Herz klopfte rasch, mit kurzen, hämmernden Schlägen, die in seinem Gehirn dröhnten. Der Abscheu kroch ihm wieder ins Blut, und ein brennender Schmerz über etwas, was er verloren hatte, bewegte sein Herz.

Er wehrte sich. Er wollte der Qual nicht wieder nachgeben. Der stundenlange Schlaf hatte einen Abstand zu dem, was vorgegangen war, geschaffen. Seine gesunde Natur begann sich aufzulehnen, wollte sich von dem Druck, der Niedergeschlagenheit befreien. Er versuchte, ruhig, logisch, spöttisch darüber zu denken. Er wollte sich vorstellen, wie Arjaan darauf reagieren würde, wenn er dem einmal erzählte, was ihm mit Flierefluiters Frau passiert war. Aber das schien nicht die rechte Methode zu sein. Er hörte im Geist Arjaans zynische Worte, sein gemeines Lachen, und ein Schauder lief ihm über den Rücken... Nein, das ging nicht. Dazu war alles viel zu schlimm gewesen. Über so etwas konnte man einfach nicht sprechen. Niemand würde das begreifen. Vielleicht seine Mutter? Doch bei diesem Gedanken drohte sein Herz stehenzubleiben –

die bestimmt nicht! Die stand solchen Dingen so fern! Nie würde er ihr gegenüber auch nur ein Wort davon über die Lippen bringen. Es hieß immer: seiner Mutter kann man alles offenbaren ... Mit schmerzender Gewißheit spürte er, daß das eine Lüge war. Es gab Dinge, die man mit seiner Mutter nicht besprechen konnte – mit ihr noch weniger als mit jedem andern. Sie war auch eine Frau, hatte auch einen Körper wie Bets ... Er würde im Boden versinken vor Scham, wenn er ihr von dem zügellos leidenschaftlichen Weib erzählen sollte und von den Vorstellungen, die jetzt durch seinen Geist wirbelten und ihm keinen Augenblick Ruhe gönnten.

Die Hände hinter dem Kopf verschränkt, lag er da und starrte ins Dunkel, versuchte, Herr über seine Gedanken zu werden. Wenn er nur vergessen könnte, völlig vergessen, so als ob es nie geschehen wäre. Aber das war unmöglich ... niemals wieder.

Sein Magen knurrte. Allmächtiger, was hatte er für einen Hunger! Er verging geradezu vor Hunger! Wie spät mochte es sein? Ob sie draußen noch auf waren? Da mußte er über sich selber lachen – ein wehmütig spöttisches Lachen. So war er nun: mitten in der erbärmlichsten Verwirrung spürte er Hunger und überlegte, wie er rasch etwas zu essen bekäme. Zum Märtyrer eignete er sich jedenfalls nicht. Irgendwann hatte er diese Feststellung doch schon einmal gemacht ... Er fand es zwar ganz schön, aber die Schmerzen würde er nicht aushalten! Ach, er war wohl wirklich ein Jammerlappen! Nichts von Seelengröße und Heldentum! Aber wieso eigentlich Heldentum? fragte er sich dann, verblüfft über diese plötzlich auftauchende Vorstellung. Wie kam er denn nur auf diesen lächerlichen Gedanken? Blieb er denn immer der kleine Naivling, der alles für viel wichtiger hielt, als es in Wirklichkeit war, und der selber Mittelpunkt einer Welt sein wollte, in der allerlei gewaltige Dinge geschahen? Na, dann war es nur gut, daß sich der Hunger meldete und ihn daran erinnerte, daß er ein ganz alltäglicher Bengel, ein Lümmel mit leerem Magen war ...

Er stieg aus dem Bett und zog sich die Hose an. Lauschend stand er eine Weile an der Tür. Er hörte die Stimme seines Vaters, wie er die Geschichte aus der Zeitung vorlas. Es mußte also schon spät sein.

Als er ins Zimmer trat, hob der Vater den Kopf, blickte ihn an und schwieg. Seine Mutter, die Jans zerrissene Hose flickte, bedeutete ihm kurz, weiterzulesen. Zu Merijntje gewandt, wies sie mit einem Kopfnicken auf den Schrank. Er fand einen Teller mit einem Berg Broten und lächelte halb belustigt, halb erbittert. Sie hatte es also nicht für sehr ernst genommen und wie immer sein Essen fertiggemacht. Als ob er sich nicht wirklich so elend gefühlt hätte, daß er am liebsten gestorben wäre ... Wütend fiel er über die Brote her und trank gierig den schwachen Tee, den seine Mutter ihm einschenkte.

Die Stimme seines Vaters klang eintönig durchs Zimmer. Er las von einem Grafen mit einem französischen Namen, den er jedoch unbeirrt holländisch aussprach. Die Worte summten Merijntje an die Ohren, ohne ihm ins Bewußtsein zu dringen. Unruhig rutschte er auf dem Stuhl hin und her. Seine Mutter sah ihn mit einem forschenden Blick über ihre Flickarbeit hinweg an. Sie ließ ihn ruhig essen, aber nachher würde sie natürlich sofort mit Fragen über ihn herfallen ...

Draußen auf der Treppe hörte man Schritte. Erstaunt hielt Vater Gijzen inne, und alle drei blickten auf die Tür. So spät am Abend noch Besuch? Es klopfte. Brummend stand der Vater auf und öffnete die Tür zum Korridor.

„Guten Abend, Gijzen!" schallte eine fröhliche Stimme, und Merijntje sprang entsetzt auf: das war Flierefluiter! Der wollte sich Bericht erstatten lassen! Jetzt konnte er etwas erleben!

Hinter seinem Vater trat Flierefluiter ein, und Merijntje erschrak von neuem. Denn Flierefluiter hatte Kratzwunden im Gesicht, ein Auge war schwärzlichblau unterlaufen, und auf der Stirn klebte ein Pflaster. Gijzen machte ein völlig hilfloses Gesicht. Seine Frau erhob sich und starrte auf Flierefluiter, als sähe sie ein Gespenst.

„Tag, Mieke!" begrüßte er sie und streckte ihr die Hand hin, die sie zögernd ergriff. „Lange her, Mädchen ... Ich wollte Merijntje seine Sachen zurückbringen – die hat er im Lager bei mir liegengelassen." Er lachte, hängte Jacke und Weste über eine Stuhllehne und legte die Mütze ordentlich darauf.

Niemand sprach ein Wort. Alle drei starrten ihn an und warteten auf eine Erklärung. Flierefluiter blickte von einem zum anderen, blinzelte Merijntje mit seinem unverletzten Auge verständnisvoll zu, seufzte tief, zuckte die Achseln und kratzte sich hinter dem Ohr.

„Ihr habt recht", sagte er dann, obwohl niemand etwas behauptet hatte. „Ihr habt völlig recht – aber was soll man machen? So ist das Leben nun mal, was? Kann ich mir 'n Stuhl nehmen?"

„Aber setz dich doch!" rief Gijzen plötzlich voller Eifer und schob ihm einen Stuhl hin.

Sie setzten sich alle. Merijntje war blutrot, ballte nervös die Hände in rasender Angst vor der Erklärung, die nun folgen mußte. Er verstand Flierefluiter nicht. Sein Gesicht war entsetzlich zugerichtet, wirkte aber überaus fröhlich, und in dem einen offenen Auge funkelte das alte schelmische Leuchten, das Merijntje so lange darin vermißt hatte.

Frau Gijzen konnte sich nicht länger bezwingen und brach los: „Na, du siehst mir ja schön aus! Wieder herumgeprügelt, was? Du wirst dein Leben lang nicht vernünftig werden! Was bist du doch für ein Kerl ..."

Aber Flierefluiter winkte mit der Hand ab und erwiderte feierlich: „Ich bin Potiphar!"

„Was bist du?"

„Potiphar, der Hauptmann von Pharaos Leibwache oder so etwas ähnliches, jedenfalls der glückliche Gemahl von Potiphars Frau."

Merijntje verstand die Anspielung. Heftiger stieg ihm das Blut zu Kopf. Wenn er doch nur den Mund halten wollte, dieser große Narr!

„Ach was, Potiphar!" polterte Frau Gijzen los. „Ich will dir sagen, was du bist – ein alter Rumtreiber und Nichtsnutz! Und das ist noch ein Lob!"

Flierefluiter nickte zustimmend.

„Ein Landstreicher . . . dein ganzes Leben schon gewesen . . ."

„Und Potiphar obendrein!" ergänzte Flierefluiter; dann zeigte er auf Merijntje und fuhr fort: „Und dort sitzt Joseph . . . ihr wißt schon: der keusche Joseph, der nichts davon wissen wollte . . ."

Es wurde still – eine gedrückte schwere Stille. Jetzt begriffen sie es plötzlich alle.

Merijntje hatte das Gefühl, als ginge die Welt unter. Alle Farbe wich aus seinem entsetzten Gesicht. Blaß, mit zitternden Lippen und eiskaltem Rücken saß er und wartete auf das Gewitter, das über ihn hereinbrechen mußte. Seine Schande war offenbar. Er spürte den Abscheu seiner Mutter wie eine widerstrebende Hand, die ihn zurückstieß . . . Irgend etwas lehnte sich in ihm auf. Was konnte er denn dafür? Er hatte es doch nicht gewollt! Ihm brauchte niemand Vorwürfe zu machen!

Langsam hob er den Kopf und blickte seine Mutter an. Sie schien nicht böse zu sein. Aber er konnte sie trotzdem nicht lange ansehen. In beiden rang unaussprechliche Scham: daß er nun „wußte" . . . die Frau kannte, ihre Körperlichkeit sah . . . Es genierte ihn, daß seine Mutter eine Frau war und daß er nunmehr Kenntnis davon hatte, was das bedeutete. Und sie – sie litt unter ähnlichen Gefühlen: dieser kleine Junge, ihr Kind, war zum Manne geworden, sah den Frauenleib mit wissenden Augen und mit Begierden, deren Kenntnis sie ihm nicht gewünscht hätte. Sie haßte das Leben, das in seinem nicht zu hemmenden Lauf ihr eines der Kinder nach dem anderen raubte. Arjaan ging schon lange eigene Wege. Nun hatte sich auch Merijntje von ihr gelöst und würde immer weiter von ihr wegirren. An dem Schmerz, den dieser Gedanke ihr verursachte, erkannte sie plötzlich, daß sie diesen Jungen am meisten von all ihren Kindern geliebt hatte . . . Geliebt hatte? Er war doch nicht gestorben! Er saß da, tödlich verlegen, ein großer linkischer Bengel. Ach, warum wurden sie nur so groß! Warum konnte man ihn jetzt in seiner Bestürzung und seinem Kummer nicht auf den Schoß nehmen, ihn an sich drücken und seinen

Schmerz wegküssen? Doch das würden nun bald andere Lippen tun. Seine Mutter war machtlos, nutzlos geworden – überflüssig.

Sie blickte zu ihrem Mann hinüber. Ob der auch so fühlte? Er war doch der Vater und wurde ebenso beiseite geschoben. Doch sie erhaschte ein leises Lächeln in seinen Mundwinkeln und einen warmen kameradschaftlichen Blick in den hellblauen Augen, in denen ein heimliches Licht ironischen Vergnügens aufblitzte... Natürlich! Er war ein Mann! Merijntje, der Eingeweihte, stand ihm näher als das einfältige, unwissende Kind! Diese häßlichen Mannskerle waren alle gleich, alle Bundesgenossen in ihrer Art, den Frauen gegenüberzutreten, den Herrn über sie zu spielen und in behaglichem Genuß ihren Leib auszunutzen und ihnen Leid, Schmerz und Elend aufzubürden... Sie preßte die Lippen zusammen, und ihr Gesicht erstarrte in einem verbitterten Ausdruck. Einsamkeit war um sie her. Sie neigte den Kopf und machte sich schweigend wieder an ihre Flickarbeit.

Flierefluiter schaute mit einem Blick voller Zuneigung und Mitleid auf Merijntje. Auch er hatte ein spöttisches Lächeln um den Mund. Er verstand sehr gut, wie tief das Entsetzen in diese unverdorbene Seele eingedrungen war, doch andererseits hielt er den Fall für ziemlich belanglos, banal und ohne Bedeutung für den Jungen: er würde bald darüber lachen und nicht verstehen können, daß er darüber so aus der Fassung geraten war.

Ruhig sagte er: „Eigentlich bin ich gekommen, um zu fragen, ob Merijntje morgen mit mir kommen darf."

Frau Gijzen hob mißtrauisch den Kopf. „Wohin?" fragte sie grimmig.

Flierefluiter machte eine breit ausschwingende Handbewegung.

„Weg", erwiderte er, „raus aus Rotterdam, aufs Land. Er hat hier doch nichts zu versäumen, und bei mir kann er nicht mehr arbeiten: das Luftschloß ist wegen Abreise des Firmeninhabers geschlossen."

Stolz klopfte er sich dabei auf die Brust.

„Und was wollt ihr anfangen?" fragte Gijzen.

„Auf dem Land Arbeit suchen. Jetzt kommt der Sommer. Sollte da nicht in Brabant ein Butterbrot für uns zu verdienen sein? Den Weg kenne ich."

„Und ich kenne dich!" eiferte sich Mutter Gijzen. „Aus Merijntje einen Tagedieb machen? Das könnte dir passen. Daraus wird nichts, daß du's nur gleich weißt."

„Aber nein!" beschwichtigte Flierefluiter lachend. „Das ist nicht meine Absicht. Wir werden auf dem Lande arbeiten und alles tun, womit etwas zu verdienen ist. Weshalb soll der Junge denn hier in der verdammten Stadt herumlungern – ohne Arbeit?"

„Er wird schon was finden."

„In Brabant auch. Er kann ruhig ein bißchen frische Luft schnappen – ein Bengel in seinem Alter. Er ist viel zu rasch gewachsen, siehst du das nicht? Ich bringe ihn dreimal so stark und zehnmal so gesund und hundertmal so glücklich und tausendmal so klug zu euch zurück."

„Ja, ausgerechnet du!"

Merijntje blickte von einem zum anderen. Langsam begann frohe Erregung in ihm aufzusteigen. Er sah das Brabanter Land, das kleine Dorf, die Äcker, den Fluß . . .

„Ich möchte schon!" sagte er plötzlich.

Mißbilligend fuhr seine Mutter ihn an. „Halt du deinen großen Mund und steck dich nicht rein!" befal sie böse.

Sein Vater lachte. „Es geht ihn doch auch was an, Mutter", sagte er versöhnlich.

Frau Gijzen zuckte die Achseln. Sie wollte ihre Macht um so stärker zur Geltung bringen, als sie schmerzhaft fühlte, wie der Junge ihr entglitt.

„Muß denn so ein Flegel überall mitreden?" schnauzte sie. „Was bringt ihm denn dieses Herumstrolchen ein?"

Merijntje wollte auffahren, doch Flierefluiter winkte ihm, er solle schweigen. „Ich stehe dafür ein, daß er jede Woche fünf, sechs Gulden nach Hause schickt", spiegelte er ihnen listig vor. „Das ist für euch doch eine schöne Sache . . . Aus der Kost und dann so fünf, sechs Gulden die Woche . . ."

„Wäre gar nicht schlecht", stimmte Gijzen zu.

Seine Frau ließ ihre Arbeit in den Schoß sinken. Mißtrauisch fragte sie:

„Wie wollt ihr denn so viel verdienen? Vielleicht mit Betteln?"

„Das überlaß nur mir!" lachte Flierefluiter. „Für mich ist das eine Kleinigkeit. Für den Verdienst stehe ich ein."

„Laß mich doch gehen, Mutter", drängte Merijntje aufgeregt. „Hier hänge ich doch nur rum."

„Was heißt – Mutter? Dein Vater hat dabei auch noch ein Wort mitzureden", lehnte Frau Gijzen sich noch einmal auf.

„Nun", sagte dieser nachdenklich, „wenn Flierefluiter meint . . ."

„Flierefluiter meint, Flierefluiter meint . . .", wiederholte sie gehässig. „Der kann viel meinen! Auf seine Meinung gibt das Pfandhaus keinen roten Heller!"

„Du läßt ja kein gutes Haar an mir!" rief Flierefluiter lachend. „Aber meine Versprechen halte ich, und die Groschen sind euch so sicher wie auf der Bank."

Mutter Gijzen schwieg und nahm ärgerlich ihre Arbeit wieder auf. Ihr Mann sagte halb fragend, halb abschließend:

„Ich meine, er könnte es ja mal versuchen. Wenn's schiefgeht, kann er immer noch zurückkommen."

„Klar!" warf Merijntje ein. „Warum soll ich hier noch länger herumlungern?"

„Dann tu, was du willst!" schimpfte seine Mutter. „Gegen drei Männer kann ich doch nicht an." Sie schüttelte erbittert den Kopf. „Ein Vagabund in der Familie – es wird immer schöner!"

„Merijntje wird kein Vagabund", beruhigte sie Flierefluiter. „Das muß in einem drinstecken... Geh du nur jetzt schlafen, Junge. Morgen ist früh Tag, und ich muß mit deinem Vater und deiner Mutter noch einiges besprechen."

Merijntje stand auf. Er sah seine Mutter an. Ihr Gesicht war eher bekümmert als böse – wie er gefürchtet hatte. Insgeheim mußte er schmunzeln: sie widersetzte sich bis aufs Blut, hitzig und hartnäckig, wenn sie mit einer Sache nicht einverstanden war; sah sie aber wohl oder übel ein, daß nichts mehr zu ändern war, dann schmollte sie nicht lange. Sie war doch eine liebe Frau, seine Mutter... Erleichtert sagte er gute Nacht und ging ins Bett. Es war gut abgelaufen. Sie hatten ihm keine Vorwürfe gemacht, ihn nichts gefragt. Flierefluiter war ein Zauberer, der hatte wieder alles zum besten geführt...

Er hörte die Stimmen im Nebenzimmer brummeln. Sie sprachen gewiß über Flierefluiters seltsame Ehe, über Bets, dieses schöne, schwarze Luder... Oh, was für ein gemeines Aas war diese Frau! Und er hätte ihren Flunkereien beinahe Glauben geschenkt. Mitleid hatte er für sie empfunden, hatte ihrer scheinbaren Arglosigkeit, ihrer vermeintlichen Herzensgüte vertraut. Fast hätte er Flierefluiter verleugnet. Abermals durchschauerte ihn eine dumpfe Angst: unbestimmt fühlte er die Macht zweier Frauenaugen, die Macht einer sanften, klagenden Stimme, eines lieblichen Antlitzes, die Macht eines weißen und üppigen Leibes... Gegen diese Macht hatte auch Flierefluiter den kürzeren gezogen. Und er selber wäre ihr fast erlegen, wenn es ihn nicht plötzlich alles furchtbar angeekelt hätte... Bloß gut, daß er weggehen konnte – je weiter, desto besser! Nur raus hier und unter fremde Leute! Fort aus dieser Umgebung, weg von Rotterdam, das verpestet war von der Erinnerung an das, was dieser Tag gebracht hatte, verpestet von Bets' Worten, ihren unbeherrschten Küssen, dem trunkenmachenden Duft ihres Halses, ihrer Haare... Wenn er wegging, war dieses alles vorbei, dann konnte er die ganze häßliche Angelegenheit vergessen... Ja, sie wanderten nach Brabant!

Mit einem frohen Lächeln sank er in Schlaf, und seine Träume waren erfüllt von dem weiten herrlichen Land...

Im Wohnzimmer hörten sich seine Eltern Flierefluiters aufregende Geschichte an. Er berichtete mit knappen Worten, verspottete sich selber und seine Narrheit, eine so junge Frau zu heiraten. Seit alters hatten die Menschen ihre Liedlein gesungen, ihre Witze gemacht, ebengerade über diese Dummheit. Aber weiser waren sie dadurch nicht geworden. Er selber hatte wacker mitgehalten, wenn es darum gegangen war, allzu ungleiche Pärchen zu verspotten. Doch als er an die Reihe kam, war er genauso töricht gewesen.

„Blind in den Käfig geflogen", seufzte er mit einer komischen Gebärde der Verzweiflung.

Gijzen blickte ihn kopfschüttelnd an. Nicht ganz frei von Schadenfreude sagte er: „Natürlich muß dir das passieren, Flierefluiter! Verflixt! Als ob Leim an deinen Fingern klebt. Ja, wenn du die Hände erstmal nach den Weibern ausstreckst, hängen sie dir alle dran!"

„Diese Person, ja", höhnte Mutter. „Eine feine Sorte, das muß ich sagen..."

„Nana, Frauchen, nur nicht so stolz!" scherzte ihr Mann. „Du würdest für ihn doch bestimmt auch noch ganz gern was erübrigen!"

Mutter Gijzen wollte aufbrausen; als sie jedoch die lachenden Gesichter der Männer sah, besann sie sich, schnaufte verächtlich und zog die Schultern hoch.

Flierefluiter erzählte weiter. Bald aber änderte sich sein spöttischer Ton. Der Verdruß über seine Niederlage, sein jämmerliches Versagen beim Griff nach dem Glück in ruhigen, geordneten Verhältnissen beherrschte seine Gedanken und machte seine Worte schwer von zurückgehaltener Trauer und verbissener Wut. Daß sie ihn ab und zu mit diesem oder jenem jungen Kerl betrog, ach, das hätte er ihr schon verzeihen können; er mit seiner Vergangenheit war gewiß der letzte, eine Frau deshalb scheel anzusehen... Er konnte diese unbezähmbare Sucht nach einem erregenden Abenteuer sehr gut begreifen. Doch bei Bets war es anders. Sie hat einen gemeinen Charakter. Alles an ihr ist Habsucht. Sie schenkt nichts, niemals. Auch wenn es scheint, als gebe sie alles, nimmt sie nur. Alles dient ihrem Vergnügen, ihrem Genuß, ihrem Gewinn... Sie betrügt jeden, ihre Geliebten zuallererst – sie wuchert mit ihrer sogenannten Liebe ebenso wie mit ihrem schmierigen Geld. Sie hat kein Herz, für nichts und niemand! Kalte Berechnung, platte Lust, Geld und Sinne, niemals etwas anderes. Eine Teufelin... Wie sie dem lausigen Bettelpack in dem abgelegenen Viertel das Blut aussaugt – das ist so ekelhaft, so unbeschreiblich hart und grausam, daß man sich davor fürchten kann. Sie lachte einen aus, wenn man sie milde zu stimmen versuchte. Mitleid kannte sie nicht...

„Wie hast du das nur so lange ausgehalten?" staunte Gijzen. „Ich hätte ihr längst den blanken Hintern versohlt."

„Ich liebte sie zu sehr", entgegnete Flierefluiter mutlos. „Das war das Unglück. Ich konnte noch so rasend sein und bereit, alles kurz und klein zu schlagen, sobald ich sie ansah, wurde mir windelweich zumute. Und wenn ich sie heute nicht dabei erwischt hätte, wie sie Merijntje verführen wollte, wäre ich wieder mit hängenden Ohren zu ihr zurückgegangen. Aber das konnte ich nicht ertragen. Er war so verstört, der Junge, so verzweifelt in seiner Angst vor ihrer Gemeinheit – ich konnte es nicht mit ansehen. Und plötzlich fiel alles wie ein Stein von mir ab. Oder nein, es war, als würden mir Fesseln abgenommen. Verdammt, was habe ich drauflos geschlagen!"

Er grinste mit starrem Blick, die Faust vor sich auf dem Tisch.

„Na, du hast auch dein Teil abgekriegt", sagte Gijzen.

„Ja, sie ist kein Kätzchen mit Samtpfoten", grinste Flierefluiter, „die hat Krallen! Wir haben gekämpft wie Löwen und Bären. Die Bude flog in Stücke, und die ganze Gasse stand kopf. Vier Polizisten haben mich zur Wache gebracht."

„Auf der Polizeiwache hast du gesessen?" fragte Mutter Gijzen erschrocken.

„Ja, Mann, bis abends halb acht. Und dann – aber das begreifst du im ganzen Leben nicht –, dann ist Bets gekommen und hat mich geholt."

„Deine Frau?" Bestürzt sah Gijzen ihn an.

Flierefluiter lachte roh.

„Richtig! Meine Frau ... Sie zeterte, sie müsse ihren Kerl wiederhaben. Es sei gar nicht so böse gemeint gewesen. Und sie hätte angefangen. Na ja, der Inspektor lachte sich halbtot und ließ mich gehen. Arm in Arm sind wir abgezogen. In Wirklichkeit aber sah es so aus: bei der Prügelei war der Geldschrank umgefallen, auf die Tür, und allein bekam sie ihn nicht hoch. Anderen traute sie nicht, denn ihr Geld und ihr Buch steckten drin. Ja, und da brauchte sie mich, um ihr zu helfen. Das hab ich dann auch getan, aber wie!"

Er brach in wildes Gelächter aus und konnte sich gar nicht wieder beruhigen.

„Wieso?" fragte Gijzen gespannt. „Wie denn?"

„O Mann!" schrie Flierefluiter. „Als der Geldschrank auf seinen vier Beinen stand, hab ich das Buch erwischt und mit all den Papieren und Zettelchen in den Ofen gesteckt. Na, ich habe bestimmt schon viel erlebt, aber so eine Furie wie dieses Weib, als ihr Vermögen in Flammen aufging, war mir doch neu. Sie sprang mich an wie eine tollwütige Katze, und als sie nichts erreichte, warf sie sich auf den Boden und schrie das ganze Viertel zusammen. Sie schlug um sich wie eine Verrückte, riß sich die Haare aus dem Kopf ... Da entdeckte ich noch einen Kasten mit Gulden und Talern – die hab ich auf die Gasse geworfen, damit die Leute was zu suchen hatten, und bin abgehauen. Doch erst habe ich allen erzählt, sie brauchten Bets keinen Cent zurückzuzahlen, denn ich hätte alle Beweise verbrannt ... Ich wette meinen Kopf, jetzt feiert die ganze Gasse ein großes Fest, und heute abend sind alle voll wie die Mehlsäcke!"

Wieder lachte er dröhnend, und Gijzen stimmte von Herzen ein. „Verdammt noch mal!" sagte er. „Das ist echt Flierefluiter!"

Doch Mutter Gijzen lachte nicht mit. Das Entsetzen über so eine Art zu leben zitterte ihr in den Knien. Daß es so etwas gab! Solche Frauen! So eine bestialische Wirtschaft...

„Und was nun?" fragte sie, als sich die Männer beruhigt hatten. „Einmal mußt du doch wieder zu deiner Frau zurück."

Flierefluiter fuhr entsetzt hoch, die Hände wie in Abwehr weit von sich gestreckt und im Gesicht das kalte Entsetzen.

„Zurück?" schrie er. „Nie im Leben! Jetzt bin ich mit ihr fertig! Ich gehe los, mag sie sich einen andern Schlappschwanz suchen, der ihr Haus in Ordnung hält. Hier! Ich habe meinen alten Freund und Brotverdiener mitgenommen."

Er holte seine Flöte heraus, setzte sie zusammen und wollte anfangen zu spielen. Doch mit seinen zerschlagenen Lippen brachte er keinen Ton hervor. Seufzend gab er es auf.

„Das geht bald vorüber", sagte er mit einem traurigen Versuch zu lachen. „Wenn alle Risse so rasch heilten wie diese, wäre es leicht im Leben, was, Mieke?"

Er blinzelte ihr mit seinem gesunden Auge zu, und sie hatte fast den Eindruck, als stünden Tränen darin.

Aber er lachte laut, schlug mit der flachen Hand auf die Platte und jubelte:

„Es lebe die Lust und die Freude! Ich schiff mich auf der Brigg stromaufwärts ein und laß alle Sorgen hinter mir ... Es geht doch nichts über die Freiheit – das hab ich inzwischen ganz gut begriffen!"

· Drittes Kapitel ·

I

Über die schmale Landstraße, die sich in weiten Windungen zwischen frischgepflügten Frühjahrsäckern zum fernen Deich hinzog, gingen Flierefluiter und Merijntje Gijzen in der hellen Sonne des wolkenlosen Aprilmorgens. Durchscheinend wie aus Porzellan wölbte sich der Himmel hoch über die Welt, zartblau und strahlend. Es war noch früh am Tag, aber die Sonne schien schon warm; ein fast sommerlicher Wind aus dem Süden fuhr streichelnd über die Erde und über die Gesichter der Menschen, die lächelten, ohne es zu wissen, wie Kinder, die im Schlaf die wohltuende Hand der Mutter spüren.

Neben Flierefluiters breiter Gestalt wirkte der fast ebenso große Junge zierlich und sehr schmal. Der Mann pfiff leise eine hüpfende Melodie vor sich hin, und sein Gesicht strahlte vor innerer Freude. Er schritt wacker aus wie ein Mensch, der das Wandern gewöhnt ist, und die Berührung seiner Füße mit dem sandigen Grund gab ihm ein Gefühl grenzenloser Wonne und Geborgenheit. Die grauen Augen, wovon das eine noch in grellen Farben die Spuren der wilden Keilerei trug, leuchteten vor Lebenslust. Der Junge neben ihm ging mit hängendem Kopf und ein wenig schlürfenden Schritten, die den Staub um seine derben Schuhe aufwirbelten. Grübelnd blickte er vor sich hin, aber er sah weder die Landschaft noch die Sonne. Die Gedanken stürmten auf ihn ein wie lästige Fliegen, und er konnte mit sich selber nicht ins reine kommen.

Es hatte so schön, so sorglos begonnen. Ein flüchtiger Abschied zu Haus mit Tränen bei dem eifersüchtigen Jan und einem bedrückten Kopfschütteln seiner Mutter, doch mit dem triumphierenden Gefühl von Freiheit und Ferien. Hinaus aus der überfüllten, betriebsamen Stadt, weg von dem lärmenden Kai, dem Alpdruck der Sieben-Häuser-Gasse! Weg von dem allem, hinaus in die Weite, auf Dörfer und freie Felder, Abstand schaffen zwischen dem Vergangenen und dem Neuen.

Mitgerissen von Flierefluiters unbändiger Freude hatte auch er singend und mit einem Gefühl, als tanze er über die Straßen, den Weg ins Unbekannte angetreten. Es hatte ihn nicht gestört, daß der Himmel bewölkt und der Wind rauh war. Er sah alles mit den Augen des Landstreichers, der dahinlief, ohne ein anderes Ziel, als nachts irgendwo zu schlafen – wie nah oder wie fern, es kam nicht darauf an.

Doch die erste Nacht in dem elenden Bett einer verpesteten Armenherberge hatte die Unruhe wieder aufwachen lassen, jene Bilder zurückgerufen, die er vergessen wollte, das Verlangen der Frau, die mit fieberheißen Händen nach ihm griff, das Entsetzen vor der eigenen Begierde, die ihn dazu trieb, den Blick auf etwas zu richten, was ihm hätte verborgen bleiben müssen, der unwiderstehliche Drang in den ängstlich zaudernden Händen, fest zuzupacken, der Ekel, der Haß gegen sich selbst, weil er etwas tun wollte, wovon er wußte, daß es unverzeihlich war ... Wirre Bilder, quälendes Aufwallen von Leidenschaft, Selbstverachtung, Bedauern und ein würgender Kummer über die unbewußt verlorene Schönheit von Träumen. Sein Leben war verdorben ... Vielleicht kam auch das Heimweh dazu, das kindliche Verlangen, die Stimme seiner Mutter gute Nacht sagen zu hören, die heimische Nestwärme zu spüren. Es war eine schlechte Nacht gewesen, ein unruhiger Schlaf, von bösen Träumen durchzogen. Wie gerädert war er am anderen Morgen aufgestanden und dann den ganzen Tag lustlos neben Flierefluiter einhergetrottet; zerstreut hatte er dessen wunderlichem Geschwätz gelauscht, Erzählungen halbherzig belacht, bei denen er sonst vor Vergnügen losgebrüllt hätte.

Nun waren sie im Brabanter Land, zwar noch weit von seinem Heimatdorf entfernt, aber die Häuser an der Straße und am Deich entlang mit ihren Fliedersträuchern, den schiefen Schuppen und den verräucherten Schornsteinen waren hier auch schon klein und niedrig und auf die gleiche Weise gebaut.

An diesem zweiten Abend hatte Flierefluiter ein sauberes Dorfgasthaus als Unterkunft gewählt, und Merijntje hatte die ganze Nacht tief und fest geschlafen. Fast fröhlich war er aufgewacht, als ihm die Sonne ins Gesicht schien. In der Gaststube hatten sie gefrühstückt: würziges Bauernbrot mit gebratenem Speck. Flierefluiter hatte es genossen wie ein Festmahl, und auch Merijntje hatte sich behaglich befühlt. Dann war sein Auge zufällig auf die junge Frau des Wirts gefallen, die am Fenster stand und sich mit einem tiefen Seufzer reckte: ihre vollen Brüste zeichneten sich deutlich unter der engen Jacke ab, und die runde Linie ihrer Hüften stand scharf gezeichnet vor dem hellen Fenster – als ob sie nackt wäre. Sofort war seine Stimmung verflogen. So würde er die Frauen nun also immer sehen! Selbst Frauen wie diese mit dem stillen, freundlichen Gesicht, die bestimmt nicht darauf aus war, ihn zu reizen! Vergiftet war er, durch und durch schlecht und gemein. Konnte man denn so überhaupt leben? Und wie konnte man das wieder loswerden? Beten? Ja, beten mußte man. Zu Maria, der Bewahrerin der Keuschheit – aber auch sie war eine Frau... Schwindlig vor Entsetzen verdrängte er den Gedanken, doch er wußte genau, daß er nie ein Gebet über die Lippen bringen würde, das sie in dieser Not um Hilfe bat. Wie verdorben mußte er sein, wenn er selbst bei dem Gedanken an die Jungfrau Maria nicht vergessen konnte, daß sie eine Frau war... Wie wagte so ein ruchloser Gedanke in seinem Hirn aufzutauchen?

Traurig und mit einem drückenden Schuldgefühl zog er neben Flierefluiter dahin. Der andere spürte schon eine ganze Weile, daß sein junger Freund die Wanderschaft nicht so genoß, wie es hätte sein müssen. Und er ahnte auch, wo die Schwierigkeiten lagen. Er kannte Merijntjes übergewissenhafte Art noch von früher. Und mochten sich seine Grübeleien jetzt auch auf andere, wichtigere Dinge richten, im Grunde war er der gleiche nachdenkliche und mit sich selbst stets unzufriedene kleine Junge geblieben, der er vor acht, neun Jahren schon war. Bereits damals hatte Flierefluiter geahnt, daß dieses Bürschlein kein leichtes Leben haben würde, und die Geschichte mit Bets war nur ein Beweis dafür; sie mußte ihn völlig aus dem Gleichgewicht gebracht haben... Merkwürdig, er selber hatte gerade dadurch sein Gleichgewicht wiedergefunden! Aber nun mußte er dafür sorgen, daß auch der Junge mit sich ins reine kam.

Dann und wann blickte er ihn verstohlen von der Seite an, neugierig, mitleidig, ein bißchen belustigt, vielleicht auch ein wenig eifersüchtig. So jung zu sein, so schüchtern, so unerfahren... das volle Leben noch vor sich, das schöne, wohlige, heitere Leben! Wann würde er endlich begreifen, daß selbst diese Scherereien irgendwie zur Herrlichkeit des Lebens gehörten? Ein warmes Gefühl erfüllte sein Herz – immer schon hatte er diesen Jungen gern gemocht, hatte eine seltsam starke Zuneigung zu ihm verspürt, und er wollte, daß er glücklich wurde. Er mußte ihm die Flausen ausreden! Der Junge war wirklich allzu sittsam, allzu besorgt um seine Seele... so mußte er ja geradezu seine Seligkeit verlieren!

Wie brachte er, Flierefluiter, etwas Lockerheit, etwas Sorglosigkeit in das verklemmte Gemüt?

Sie waren zum Seedeich gekommen und stiegen hinauf. Flierefluiter mit großen Sprüngen vorneweg wie ein Junge, der zum erstenmal das Meer zu sehen bekommt. Auf dem Rücken des Deiches standen sie nebeneinander und blickten über den Strom, der sich im Westen in uferloser Ferne ausbreitete. Es war Flut. Gleich hinter dem grünen Groden tanzten silberhelle Lichter auf dem metallisch schimmernden Blau des Wassers. Auf der anderen Seite des Flusses standen hohe Bäume wie dunkle Wächter am Horizont – von den Stürmen des Meeres nach Osten gebeugt. Schiffe mit geschwellten Segeln zogen träge über die breite Wasserstraße, ein Dampfboot mit einer langen Rauchfahne am Schornstein stand wie ein nebelhafter Schatten weit in der Ferne am jenseitigen Ufer vor Bruinisse, wo der Strom wie ein Meer wirkte. Die Luft war scharf und schmeckte salzig.

Erinnerungen flatterten auf wie verwirrte Vögel aus der Vergangenheit. Die Sonne spiegelte sich im Wasser in grell funkelnden, augenblendenden Flächen. Und hoch oben in der klaren Luft schwebten Bilder von früher, Visionen von Menschen und wundersam bewegten Stunden ... wohl gänzlich verschiedenen Inhalts bei den zwei schweigenden Betrachtern, doch ergreifend und atemraubend für den einen wie den anderen. Lange standen sie gebannt, ohne ein Wort, nebeneinander ... jeder in seiner Vergangenheit lebend, von eigenen Erinnerungsbildern durchdrungen ...

Dann brach Flierefluiter das Schweigen. Mit leuchtenden Augen blickte er in das Gesicht seines jungen Gefährten, sah den träumerischen Ausdruck und das Beben um seine Mundwinkel. Er schlug ihm auf die Schulter.

„Ist das nicht doch noch etwas anderes als deine geliebte Maas, Merijntje?" rief er aus.

Der Junge nickte. Ein Abglanz der ungekannten Freude, die ihn in jenem wundervollen Augenblick überfallen hatte, drang durch die Dämmerung, die sein Bewußtsein wie in Nebelschleier hüllte ... Hatte er damals nicht gedacht, daß er nie mehr betrübt und bedrückt zu sein brauchte, weil alles rundum so schön war, sich öffnete zu einer betäubenden Pracht? Und hatte es sich dann nicht wieder vor ihm geschlossen? Nein, Flierefluiters Worte riefen es erneut wach ... Dies hier war noch schöner, noch gewaltiger, noch herrlicher! Es war wahrhaft anbetungswürdig – so groß, so überwältigend, daß es keine Worte dafür gab. Man sollte wohl niederfallen, sich ehrfürchtig hinknien ... Doch was plapperte Flierefluiter jetzt wieder für krauses Zeug?

„Der Dreck von ganz Rotterdam wird einem von der Seele gewaschen, wenn man so etwas sieht ..."

Dreck von der Seele gewaschen ... Wie meinte er das? Argwöhnisch prüfte der Junge das Gesicht des Freundes, doch der saß mit hochgezogenen Knien im Gras der Böschung und blickte schweigend in die Ferne. Langsam ließ sich Merijntje neben ihm nieder, riß einen Grashalm ab und begann darauf zu kauen. Dann fragte er: „Wie meinst du das, Flierefluiter?"

„Was?" fragte der andere.

„Na, das mit der Seele, die gewaschen wird ... Das versteh ich nicht."

Flierefluiters helle Augen leuchteten.

„Genau, wie ich es sage, Junge. Ich habe das Gefühl, als wäre ich mit meiner ganzen Seele hier eingetaucht in das Wasser, in Wind und Sonne – und nun schwimmt sie durch all das Blau, und Rotterdam wird abgespült. Diese verdammten Rotterdamer Jahre – alles! Fühlst du das nicht auch?"

Merijntje hätte es gern gefühlt. Das Bild von der schwimmenden Seele, die abgespült wird, gefiel ihm sehr. Aber an seiner Seele konnte er das nicht feststellen. Er hatte eher den Eindruck, daß der Rotterdamer Dreck wie Pech an ihm klebte, so fest, daß alle Flüsse der Erde nicht ausreichen, ihn abzuspülen.

Traurig schüttelte er den Kopf. „Nein", erwiderte er leise und tonlos, „das fühle ich nicht – ich wollte, es wäre so."

In diesen leisen Worten klang eine so bekümmerte Trostlosigkeit, daß Flierefluiter das Herz schwer wurde. Er mußte den Jungen darüber hinwegbringen! Sonst war auch ihm die wiedergewonnene Freiheit wertlos.

Heftig schüttelte er Merijntje an der Schulter und rief mit erzwungenem Lachen: „Nun hör aber endlich auf, Kerl! Du machst ein Gesicht, als hättest du deinen letzten Klimpergroschen verjubelt! Achtzehn Jahre! Und sitzt da wie das heulende Elend ... Hat Bets dich denn so sehr aus dem Gleichgewicht gebracht?"

„Darüber wollen wir nicht reden!" wehrte Merijntje erschrocken ab.

„Zum Donnerwetter, ja! Gerade darüber müssen wir sprechen!" fuhr Flierefluiter ihn an, und sein Gesicht war dunkel vor Zorn.

Merijntje wandte den Kopf ab. Seine Wangen brannten. Sein Herz klopfte laut und ängstlich. Tausend Fragen drangen plötzlich auf ihn ein, doch er sprach keine einzige aus, preßte störrisch die Lippen zusammen und riß nervös an dem Gras neben sich. Darüber konnte man doch nicht sprechen! Dazu brauchte es Worte, die er nie über die Lippen bringen würde.

„Du darfst dich wegen so einer Schlampe nicht unterkriegen lassen, Merijntje!"

Flierefluiters Stimme klang weich, mahnend, dringend. Der Junge verspürte die Neigung, sich vornüber ins Gras zu werfen und zu weinen, wie er seit Jahren nicht mehr geweint hatte. Doch er verhärtete sich gegen diese Aufwallung und sagte bitter:

„Von mir aus können alle Weiber umkommen!"

„Warum denn, Merijntje?"

„Sie sind gemein – ich will nichts mehr mit ihnen zu tun haben!
Es ekelt mich vor ihnen."

Er blickte über das Wasser, sah jedoch nichts. Heftig aufquellende Tränen verschleierten seine Augen. Er biß die Zähne zusammen und schluckte, doch er konnte es nicht verhindern, daß kleine salzige Perlen an seinen Wangen entlangliefen.

Flierefluiter tat, als habe er nichts gesehen, wandte den Kopf ab und gab ihm Gelegenheit, die Tränen wegzuwischen. Das war es also: nach dem Erlebnis mit Bets glaubte er, alle Frauen über einen Kamm scheren zu müssen. Ihr Bild hatte sich zwischen ihn und seine unreifen Ideale geschoben und die engelhafte Vorstellung von der Frau schlechthin ihres Glanzes beraubt... Achtzehn Jahre – und noch so einfältig, innerlich so unberührt! Flierefluiter schüttelte den Kopf. Es gab also doch noch Ritter, die mit blankem Harnisch durch Schmutz und Schlamm wateten und unbefleckt herauskamen. Nur – leicht hatten die es nicht, wenn man es genau betrachtete... Alle Weiber können umkommen, sie sind gemein! Merijntje, Merijntje! Lümmel, törichter! Wenn ich dir nur begreiflich machen könnte, daß es das Leben selber ist, das du da lästerst, daß du das Schönste, was die Erde besitzt, in falscher Vorstellung beleidigst. Wie kann ich nur diesen pechschwarzen Qualm aus dir herausblasen, mit einem Gewaltstreich die tiefeingewurzelte Angst vertreiben, die sich durch die verkehrte, widernatürliche Erziehung einer endlosen Kette von Menschheitsgeschlechtern in dir eingenistet hat – die Angst vor dem eigenen Körper! Ach, könnte ich doch einen frommen und frohen Heiden aus dir machen!

Leise sagte er: „Das ist nicht wahr, Merijntje. Wenn du älter bist, wirst du anders darüber denken."

„Niemals!" erwiderte Merijntje heftig. „Jetzt begreife ich erst, was ich so oft gehört habe: daß alles Böse von den Frauen kommt."

„Wir auch", entgegnete Flierefluiter schmunzelnd.

„Was heißt das: Wir auch?" fragte der Junge verblüfft.

„Wir kommen auch von den Frauen... Wir gehören auch zu dem Bösen."

Merijntje zuckte die Achseln. Was war das nun wieder für eine sinnlose Rederei?

Flierefluiter streckte die Hand aus und wies mit einer weiten Gebärde über den Strom.

„Findest du das Wasser schön, Merijntje?"

„Ja, natürlich..."

„Und ist das ganze große Wasser nun schmutzig und verseucht, nur weil ab und zu der Unrat eines Schiffes auf seinen Grund sinkt?"

Merijntje sah ihn ärgerlich an. Was meinte er damit? Sollte das etwa ein Vergleich sein mit den Frauen? Ja, wie kam er denn darauf, so was zu sagen?

„Was soll das heißen?" fragte er unsicher.

„Ach, Junge", erwiderte Flierefluiter, und nie hatte Merijntje einen so innigen Klang in seiner Stimme gehört, „die Frauen, die sind das Schönste, was es auf der Welt gibt ... Ich bin nun fast fünfzig, aber wenn ich genau auf den Klang des Wortes Frau lausche, dann spüre ich, wie mir das Herz im Leibe schmilzt, und dann möchte ich die Erde küssen, weil die Frauen mit ihren Füßen darübergehen."

Der Junge sah ihn mit grenzenlosem Staunen an.

„Du?" fragte er mit weiten, ungläubigen Augen.

„Ja, ich", erwiderte Flierefluiter und lachte gutmütig. „Wenn mein Auge auch noch in allen Regenbogenfarben leuchtet und ich von hinten und vorn betrogen worden bin ..."

Merijntje wurde rot und antwortete nicht.

„Unter den Blumen gibt's auch welche, die giftig sind", fuhr Flierefluiter fort, „und die schönsten Rosen haben manchmal die spitzesten Dornen. Was kann man dagegen tun? Die Natur ist voll von solchen Grillen. Aber schön ist sie doch, so schön, daß man schwindlig davon werden kann. Und das Schönste von allem, Merijntje, das Lieblichste in der ganzen großen Schöpfung ist eine Frau." Er verhielt einen Augenblick, schaute seinen Kameraden offen an und fügte dann hinzu: „Der Körper einer Frau."

Dem Jungen schoß das Blut ins Gesicht vor Wut und Scham.

„Schmutzfink!"

Doch Flierefluiter schüttelte lächelnd den Kopf. „Du bist ein seltsamer Junge, Merijntje", sagte er. „Da hat unser lieber Herrgott sich alle Mühe gegeben, die Frauen so schön wie möglich zu machen, und wenn ich dann sage, daß ich sein Werk bewundere, dann nennst du mich einen Schmutzfink! Ich begreife dich nicht."

Merijntje wurde unruhig: da stimmte doch etwas nicht. Durfte man denn so einfach, ohne zu sündigen, an den Körper einer Frau denken, nur weil Gott ihn geschaffen hatte? Oder hielt dieser große Narr ihn wieder zum besten?

„Ja, ja", beschwichtigte Fierefluiter mit einer leisen Handbewegung, „ich weiß schon, was du sagen willst: ein Leib, das ist etwas Sündiges, und es kommt nur auf die Seele an ... Aber ich will dir eins sagen: Dummes Gewäsch ist das und außerdem ein Schimpf für unseren lieben Herrgott, der den Leib genauso erschaffen hat wie die Seele."

Verwirrt blickte Merijntje zu ihm auf. Diese Begründung erschien ihm ziemlich ketzerisch. Zögernd fragte er: „Du bist doch katholisch, Flierefluiter?"

Der andere schüttelte den Kopf. „Nein, das bin ich nicht."

„Wieso, was bist du denn sonst?"

„Etwas viel Unbedeutenderes."

„Doch nicht ein Jude?"

„Nein, dafür bin ich nicht auserwählt genug . . ."

Er lachte sanft, aber Merijntje forschte unerbittlich weiter:
„Was bist du denn nun wirklich?"

Flierefluiter dachte nach und blickte über den Jungen hinweg in
die Ferne. Das Lachen schwand von seinem Gesicht, und versonnen sagte er:

„Nichts – nur ein kleiner Knecht Gottes."

Über Merijntjes Rücken lief ein Schauer. Aber dann begann er
zu lachen, ein helles Lachen, jungenhaft spöttisch und triumphierend. Er hatte begriffen: Flierefluiter wollte ihn wieder wie früher
mit einem Scherz aus der Reserve locken, um ihn dann zu verspotten, wenn er wütend wurde. Aber jetzt war er kein kleiner Junge
mehr. Darauf fiel er nicht mehr herein . . .

„Soso, und wie heißt dein Gott?" fragte er höhnisch.

„Der hat keinen Namen, dummer Junge", erwiderte Flierefluiter lächelnd, so ernst und ruhig, daß Merijntje seine Sicherheit
wieder wanken fühlte.

„Und wie sieht er aus?"

„Kann jemand sich vorstellen, wie Gott aussieht?"

Der Junge betrachtete ihn prüfend. Angst erfüllte seine Gedanken. „Und wo ist dein Gott?"

„Überall – genau wie deiner."

„Es gibt nur einen Gott!" sagte Merijntje hastig und mit Nachdruck – und zugleich fühlte er die Unzulänglichkeit dieser Kate-
chismusweisheit.

Flierefluiter blickte in sein verbissenes, unruhiges Gesicht. Die
Worte riefen eine Erinnerung in ihm wach.

„Das hast du schon einmal zu mir gesagt", erwiderte er, „und
nun sage ich, genau wie damals: selbstverständlich."

„Aber du selber redest doch von deinem Gott und von meinem."

„Deinen gibt es ja gar nicht."

Merijntje fuhr hoch. Seine dunklen Augen flammten. Der alte
Eifer erwachte in ihm. Doch ebenso schnell wie die Erregung in
ihm aufgelodert war, legte sie sich wieder. Er zuckte die Achseln.

„Das kann man leicht sagen", entgegnete er matt, „genausogut,
wie ich es von deinem behaupten kann."

„Aber meinen kannst du sehen, Merijntje. Du hast ihn dauernd
vor Augen – die ganze Welt ist von ihm erfüllt."

Ein geringschätziges Lächeln kräuselte Merijntjes Lippen. „Ein
schöner Gott", schmähte er. „Vielleicht aus Wasser und Lehm gemacht!"

„Ja, aber auch aus Licht und Sternenstaub, aus unendlicher
Weite und von hunderttausend Arten Leben . . ."

Merijntje sah ihn an, während er über die seltsamen Worte seines Freundes nachdachte. Verwunderung und Neugier traten in seinen Blick.

„Wo hast du das nur immer alles her?" fragte er nach einer Weile. „Du hast sicher viel gelernt, wie?"

Flierefluiter lachte leise und begann sich eine Pfeife zu stopfen. „Diese Dinge habe ich erst erfahren, als ich vergessen hatte, was man auf der Schule lernt, Junge", sagte er.

„Hast du – denn studiert?"

„Das auch ... Aber was ich eben sagte, das habe ich gelernt, als ich mit offenen Augen und offener Seele am Deich saß, genau wie jetzt, oder wenn ich im Wald unter einem Baum lag und nach den Vögeln in der Sonne blickte oder abends nach den Sternen am Himmel ... und manchmal wohl auch, wenn eine Frau mich küßte und mir mit der Hand über die Augen strich."

Eine seltsame Rührung ging durch Merijntjes Herz. Es klang so schön, was Flierefluiter sagte, und er mochte ihn auch so gern leiden, aber er begriff nie genau, was er meinte.

Er lachte verlegen und sagte: „Ein bißchen verrückt bist du doch, Flierefluiter!"

„Danke", erwiderte der andere mit seinem rätselhaften tiefen Lachen, „du bist sehr gnädig mit deinem Urteil."

Dann gab er ihm einen Stoß, daß er umfiel, doch Merijntje packte ihn am Fuß, und zusammen rollten sie lachend und miteinander ringend die Böschung hinunter.

2

Gegen Abend kamen sie müde und hungrig an einen Bauernhof. Ein Knecht hatte die Pferde ausgespannt und führte die ungeduldig stampfenden Tiere in den Stall. Der Bauer stand neben dem Haus und sah gleichgültig zu.

„Wir müssen versuchen, hier Obdach zu finden", sagte Flierefluiter. „Wir können nicht jeden Tag wie die großen Herren im Hotel logieren."

Als sie auf den Hof kamen, fuhr ein struppiger Wachhund kläffend auf sie los. Merijntje hielt sich vorsichtig hinter seinem Freund. Doch dieser ging beherzt näher und redete halblaut auf den wütenden Köter ein. Dem Jungen wurde angst und bange, daß das bissige Tier Flierefluiter anfallen würde, aber zu seiner Verwunderung sah er, wie der Hund zögerte, dann ruhig wurde und mit dem Schwanz wedelte. Flierefluiter klopfte ihm den Hals, und das Tier hob dem Fremden zutraulich den Kopf entgegen.

Der Landstreicher blickte seinen Gefährten über die Schulter an und sagte: „Das mußt du auch lernen, Merijntje, das gehört zum Handwerk. Sonst kostet es manchen Hosenboden."

Der Bauer beobachtete erstaunt, wie sein scharfer Hund sich von einem Fremden streicheln ließ, und kam langsam auf die beiden zu.

Flierefluiter tippte höflich an den Hut und grüßte: „Guten Abend, großer Meister!"

„Was habt ihr hier zu suchen?" fragte der Bauer mürrisch und musterte sie mißtrauisch von oben bis unten.

Merijntje wurde rot vor Scham und Empörung. Dieser ungehobelte Kerl erwiderte nicht einmal ihren Gruß und tat, als ob sie der Auswurf der Menschheit wären. So ein Kaffer! Der müßte auf der Stelle tot umfallen! Doch Flierefluiter schien an der beleidigenden Haltung keinen Anstoß zu nehmen. Ebenso freundlich wie ungerührt erwiderte er:

„Zu suchen eigentlich nichts, aber verdienen würden wir gern was."

„Verdienen? Womit?"

„Mit Arbeit natürlich. Aber wenn Ihr uns ein paar Reichstaler so in die Hand drücken wollt, nehmen wir Euch das auch nicht übel."

Ein verdrießliches Lächeln huschte über das harte Gesicht des Bauern.

„Auf den Mund gefallen scheinst du jedenfalls nicht zu sein", gab er eine Spur freundlicher zu.

„Wenn ich meinen Unterhalt mit dem Mund verdienen könnte, dann wäre ich heute ein reicher Mann", prahlte Flierefluiter lachend. „Ich kann reden, daß Ihr vergeßt, die Grütze ins Maul zu schieben."

„Soso?" sagte der Bauer und lachte nicht einmal über den Scherz „Aber an solchen Arbeitern liegt mir nicht viel – ich habe meine Erfahrungen mit Schwätzern . . ."

In der Tür des Wohnhauses erschien eine Frau, sah die redende Gruppe und kam näher.

„Was wollen die Leute?" fragte sie neugierig.

„Arbeit", erwiderte der Bauer, „aber ich habe keine für sie."

„Wie schade", seufzte Flierefluiter, „und ich hatte gerade gedacht, wir könnten uns einen Stuiver verdienen und auf dem Heuboden schlafen."

Die Frau sah ihn mitleidig an. Der Bauer wandte sich ungeduldig zur Seite, als wollte er gehen.

„Habt ihr keine Bleibe?" fragte die Bäuerin.

„Leider nicht", entgegnete Flierefluiter mit unglücklicher Miene.

„Ist das dein Sohn?"

„Nein, ich bin sein Vormund. Sein Vater und seine Mutter sind tot, und nun muß ich für ihn sorgen."

„Ach, der Arme!" seufzte die Bäuerin und schaute mitleidig auf Merijntje, der bei Flierefluiters schamlosen Lügen feuerrot wurde.

Dann schien ihr etwas einzufallen, und sie wandte sich an ihren Mann. „Laß sie doch den Garten umgraben, Nol", sagte sie. „Der alte Teeuw ist die nächsten Tage doch nicht wieder gesund, und es wird Zeit für das Gemüse."

Der Bauer überlegte. Er war ärgerlich, daß seine Frau sich eingemischt hatte. Er allein wäre die beiden Schmarotzer längst los gewesen.

Unfreundlich fragte er: „Versteht ihr denn was von der Arbeit?"
„Und ob!" rief Flierefluiter begeistert. „Es geht nichts über Gartenarbeit! Ich bin jahrelang Gärtner bei Baron van Havekote gewesen."

„Also gut", entschied der Bauer. „Aber mehr als zweieinhalb Gulden und die Kost gibt es nicht, damit ihr's gleich wißt! Schlafen könnt ihr auf dem Heuboden."

„Und jetzt kommt nur herein", nötigte die Bäuerin, „dann könnt ihr gleich mitessen."

In dem großen, niedrigen Hinterhaus aßen sie gemeinsam mit dem Bauern, der Bäuerin, den beiden Mägden und den beiden Knechten. Viel gesprochen wurde nicht. Die Leute waren müde von dem langen Arbeitstag in der ungewöhnlich warmen Frühjahrsluft.

Merijntje würgte an seinem Essen. Er kam sich erbärmlich vor und fühlte sich erniedrigt. Der Bauer behandelte sie wie Bettelpack. Zwar warf ihnen die Frau ab und an einen freundlichen Blick zu, aber er empfand ihr Mitleid als Beleidigung. Verdammt noch mal, sie hatten nach Arbeit gefragt und sie bekommen – sie fraßen hier ja schließlich nicht das Gnadenbrot. Aber er verstand schon: als Landstreicher durften sie um Gottes Barmherzigkeit willen ein bißchen Arbeit tun, weil die Bäuerin Mitleid mit dem armen Waisenjungen und seinem Vormund hatte... Doch der Bauer ließ deutlich merken, daß es sich um nichts als ein Almosen handelte. War er deshalb von zu Haus fortgegangen? Arbeit suchen, nannte Flierefluiter das! Ihm kam es vor wie Bettelei. Seine ganze Ferienstimmung war dahin. Am Nachmittag war es so schön gewesen. Das Gespräch am Deich hatte ihn von seinen quälenden Gedanken abgelenkt, und über den seltsamen Gott seines Freundes hatte er sich nicht lange beunruhigt: bei diesem verrückten Kerl wußte man ja nie, ob er die Dinge ernst meinte... Und plötzlich war nichts mehr da von der Freude. Wenn es nach ihm ginge, kehrte er lieber heute als morgen nach Rotterdam zurück, statt hier an diesem ungastlichen Tisch zu sitzen und sich von dem geizigen Bauern die Bissen in den Mund zählen zu lassen. Doch Flierefluiter schien das alles nichts auszumachen. Er aß wie ein Wolf und lächelte entgegenkommend, wenn sich der unfreundliche Blick des Bauern zufällig in seine Richtung verirrte.

Nach Tisch steckte der Bauer eine Stallaterne an und sagte: „Ich zeige euch den Heuboden, dann könnt ihr schlafen. Morgen ist früh Tag."

„Jetzt schon?" wollte Merijntje fragen, doch Flierefluiter stand auf und sagte fröhlich: „In Ordnung, Bauer... Wohl zu ruhen, alle miteinander, und schönen Dank, Frau!"

Auch Merijntje preßte einen gemurmelten Gruß aus seiner vor Wut wie zugeschnürten Kehle, doch ein Dankeswort brachte er nicht über die Lippen.

An der Scheune sagte der Bauer schroff: „Dreht mal eure Taschen um! Streichhölzer dürft ihr nicht mit ins Heu nehmen."

Noch tiefer fühlte Merijntje sich gekränkt und erniedrigt. Er erwartete, daß Flierefluiter auffahren und diesem herrischen Kerl sagen werde, er solle mit seinem Schikanieren zur Hölle fahren. Doch Flierefluiter protestierte nicht einmal, drehte seine Taschen um und gab dem Bauern treuherzig Streichhölzer, Pfeife und den halbgefüllten Tabaksbeutel.

„Bitte schön", sagte er höflich.

Nun gab auch Merijntje seine Streichhölzer ab. Schweigend stopfte der Bauer alles in seine Tasche und ging vor ihnen her in die Scheune. Er zeigte ihnen die Leiter, die sie hinaufsteigen mußten, um auf den Heuboden zu gelangen, und leuchtete ihnen noch einen Augenblick, so daß sie sehen konnten, wohin sie sich am besten legen sollten.

„Und nun schlaft!" sagte er unwirsch. „Ich rufe euch morgen früh schon."

„Wohl zu ruhen, Bauer!" rief Flierefluiter brav, während der Bauer die Leiter hinabstieg. Sein langgezogener Schatten huschte in dem matten gelben Schein der Laterne über die Dachspanten, dann wurde alles dunkel und totenstill um sie her.

Merijntje saß im Heu und starrte in der Finsternis vor sich hin. Er verspürte das Bedürfnis, irgend etwas zu zerschlagen, trat ärgerlich nach dem Heu zu seinen Füßen und fluchte zwischen zusammengebissenen Zähnen: „Himmeldonnerwetter noch mal!"

Zu seiner Verblüffung hörte er Flierefluiter leise lachen. Er horchte ... Ja, wahrhaftig, der Kerl lachte!

Wütend fuhr er auf: „Was gibt's denn zu lachen, he?"

„Ärgert es dich?" fragte Flierefluiter scheinheilig.

Darüber wurde der Junge noch rasender. „Natürlich ärgert es mich!" rief er. „Alles ärgert mich! Dieser Stinkbauer tut ja gerade, als wären wir lumpige Bettler! Die Pest soll er kriegen! Und du mit deinen Lügen dazu! Warum sagst du, daß ich ein Waisenjunge bin? Ich wußte nicht, wo ich hingucken sollte ... und jetzt liegst du da und lachst noch darüber, verdammter Schwindler!"

Flierefluiter hatte sich rücklings ins Heu fallen lassen und sagte vergnügt:

„Das gehört alles zum Handwerk, Merijntje, denn sieh mal: wärst du kein Waisenjunge, hätten wir jetzt keine Arbeit und kein Dach überm Kopf. Ja, ja, es will alles gelernt sein, mein Junge, merk dir das. Es ist ein schönes Fach, aber man muß Köpfchen haben – und Menschenkenntnis. Hast du gesehen, wie der Bauer sich geärgert hat? Das allein war schon einen Taler wert."

„Ersticken soll er!" rief Merijntje rachsüchtig.

„Das ist nicht christlich ... Ersticken ist ein qualvoller Tod, den darfst du deinem Nächsten nicht wünschen", tadelte Flierefluiter.

„Ach, hol dich der Teufel mit deinem Geschwätz!" wetterte Merijntje. „Ich verstehe nicht, wie du lachen kannst, wenn du wie ein
Stück Dreck behandelt wirst!"

Gelassen entgegnete Flierefluiter: „Das will ich dir genau erklären. Der Bauer mag sich noch so sehr aufspielen – ein Kerl wie der
kann mir nichts vormachen, den wickle ich um den kleinen Finger,
wenn's drauf ankommt, verstehst du?"

Merijntje verstand nicht.

„Ach", schmähte er, „spuck nicht so große Töne! Du hast dich
ganz schön unterkriegen lassen von ihm."

Flierefluiter grinste. „Noch ist nicht aller Tage Abend, mein
Junge, wart's nur ab."

„Wieso? Was hast du vor?" fragte der Junge, sofort brennend
vor Neugier.

Doch Flierefluiter gab keine Antwort. Er stapfte durch das Heu
zu dem kleinen Fenster, das wie ein silberblaues Viereck in der
schwarzen Dunkelheit stand. Merijntje sah seine Silhouette vor
dem leuchtenden Hintergrund. Dann hörte er Flierefluiters leise
Stimme:

„Komm, schau mal, Merijntje!"

Dicht nebeneinander lehnten sie sich aus dem kleinen Fenster. Im
klaren Licht des Mondes lagen die Felder und Wiesen, und in der
Ferne stand der Deich wie eine dunkle Brustwehr in der Landschaft. Bis an den vernebelten Horizont breitete der Strom seine
silberne Fläche, auf der dunkel und geheimnisvoll die Schiffe trieben und ihre Mastlichter wie Sterne zum Himmel hoben ... Sanft
rauschte der Abendwind um das Gehöft. In der Ferne riefen un-
sichtbare Seevögel. Irgendwo hinter ihnen rumpelte ein Karren
über den Feldweg.

Wie still, wie friedlich! Wieder befiel Merijntje das unaussprechliche Entzücken, das ihn unlängst beim Anblick der sonnen-
gleißenden Maas überwältigt hatte – das starke Gefühl unantast-
baren Glückes, weil diese Schönheit keinem anderen gehörte als
ihm, nur ihm! Aller Verdruß war wie fortgeblasen. Niemand vermochte ihn mehr zu demütigen oder zu schmähen. Keine Angst vor
häßlichen Dingen beengte sein Gemüt. Still wuchs er in die wort-
lose Herrlichkeit hinein – eine Herrlichkeit, die ihn völlig in der
Schönheit dieser Welt aufgehen ließ. Und trotzdem hatte er das
Bedürfnis, sich mitzuteilen, drang heisere Erregung in seine Kehle,
als müsse er singen und wisse nicht, was oder wie. Auf der Schulter spürte er den Druck von Flierefluiters Arm. Das war gut.
Ein Freund, der bei einem war und auch sehen und schweigen
konnte ...

Lange standen sie versonnen da und träumten in die blaue
Mondnacht hinein, die über Strom und Feldern hing.

Endlich sagte Flierefluiter: „Siehst du nun, wie reich wir sind,

Merijntje? Jetzt liegt dein armer Bauer im finsteren, muffigen Bett. Er schnarcht oder rechnet nach, wie groß der Schaden ist, den wir ihm anrichten. Und wenn wir ihn herholten, um ihn teilhaben zu lassen an diesem schönen Anblick, so würde er doch nichts sehen, was ihn froh machen könnte, denn er ist genauso blind wie ein Maulwurf, dieser erbärmliche Tropf . . ."

Merijntje nickte. Ihm machte dieser arme, blinde Bauer ehrlich zu schaffen.

„Für uns", fuhr Flierefluiter mit seiner verträumten Stimme fort, die Merijntjes unklare Empfindungen vertiefte und ihnen Gestalt verlieh, „für uns hat der liebe Herrgott dieses Gemälde hier im Mondschein aufgestellt, denn er will, daß wir die Augen, die er uns gegeben hat, zu unserem Vorteil nutzen. Hast du jemals so etwas Erhabenes gesehen, Merijntje?"

„Nein", antwortete der Junge leise, „noch nie."

„Ich auch nicht . . . Natürlich habe ich's einige tausendmal schon gesehen – und das will gewiß was heißen! –, doch jedesmal, wenn's wieder vor mir liegt, ist es neu für mich und noch schöner, noch gewaltiger . . . Und jedesmal fühle ich mich wie neugeboren. Überall ist es dasselbe, in allen Landen, ein ums andere Mal, zu jeder Jahreszeit, bei Tag und bei Nacht . . . Die Welt ist wirklich ein Paradies, Merijntje, und die Menschen setzen unverwandt alles daran, es zu verhunzen . . . Begreifst du das?"

Nein, das begriff Merijntje nicht. Er begriff nicht einmal, was Flierefluiter überhaupt meinte. Der Sinn seiner Worte drang kaum in ihn ein. Er wünschte nur, daß diese sanfte, träumerische Stimme weiterspräche; denn unter ihrem Zauber wurde alles viel lieblicher, viel weiter, viel geheimnisvoller. Doch als er jetzt schwieg, war es auch gut. Die Stimme summte noch nach in seinem Kopf, zerfloß in dem wehmütigen Sausen des Windes um den Hof. Und dann übermannte Merijntje einen Atemzug lang die wunderliche Empfindung, ohne Körper zu sein, daß sein irdischer Leib entwichen sei, sich aufgelöst habe in der Helle dieses prächtigen Abends, dieser verzauberten Welt.

Es dauerte nur einen Augenblick, aber es war nicht weniger herrlich, als wenn er – wie es bisweilen geschah – im Traume schwebte, über Häuser, Bäume und Gewässer sprang, leicht wie eine Feder, die vom Wind aufgehoben und davongetragen wird, immer weiter fort . . .

Tabakgeruch, der in seine Nase drang, brachte ihn auf die Erde zurück. Er blickte auf und entdeckte eine brennende Zigarre in Flierefluiters Mund.

„Du rauchst?" fragte er erstaunt.

„Wie du siehst", antwortete Flierefluiter lakonisch.

„Das darfst du doch nicht."

„Deshalb schmeckt's ja doppelt so gut."

„Aber der Bauer hat dir doch deine Streichhölzer weggenommen?"

„Jawohl. Aber ich laß mir schließlich nicht alles aus den Taschen ziehen ..."

Merijntje mußte auf einmal unbändig lachen. Dieser Flierefluiter scheute sich vor nichts! Was das doch für ein Teufelskerl war! Sie würden noch so allerhand miteinander erleben!

Dann schwiegen sie wieder und schauten über Strom und Flur, über das nächtliche Land, das sich in dem immer heller werdenden Glanz des langsam aufsteigenden Mondes badete. Still schlich sich ein wehmütiges Verlangen in Merijntjes verschwommene, zauberische Träumerei, ein leichter Schmerz der Einsamkeit, den auch nicht der Druck von Flierefluiters Arm auf seiner Schulter zu lindern vermochte. Es war eine ferne, unbestimmte Betrübnis, die gleichwohl nicht unangenehm war, eine Trauer, für die sich kein Name finden ließ. Er kannte diesen heimlichen, süßen Gram bereits von früher, und er überlegte, wann und wo ihn jene sehnsuchtsvolle, wehmütige Stimmung schon einmal gerührt hatte. Doch das einzige, was ihm jetzt einfiel – aber wie kam er nur darauf! –, war das Bildnis des entzückenden blonden Ladenfräuleins aus der Taktstraat mit den großen blauen Augen, die immer dreinblickten, als sähen sie etwas ganz Erstaunliches ...

Ein leiser Seufzer hob seine Brust. Was für ein reizendes Mädchen das war, so fein, so sauber, so gepflegt, ein Wesen aus einer anderen Welt – aber unerreichbar für einen armen Schlucker wie ihn. Und dann überlegte er, ob sie wohl schon einmal so etwas Herrliches gesehen hatte wie dieses weite Land und die großartige Wasserfläche bei Mondlicht. Wenn er ihr das einmal zeigen könnte – es ihr schenken: Hier, das ist für dich – mein Land und mein Strom und mein Mondschein ... Verrückte Gedanken, über die er lächeln mußte, während sie ihm durch den Kopf gingen ... Aber ein liebes Mädchen war sie! Schade, daß sie so viel feiner war als er – er würde sich nie an sie heranwagen.

Und er schlief schon fast, den Kopf auf der zusammengerollten Jacke und den herrlichen Geruch des Heues in der Nase, als er bemerkte, daß er an das reizende Ladenmädchen gedacht hatte, ohne durch die Vorstellungen erschreckt zu werden, die Bets in ihm geweckt hatte. Einen Augenblick quälte ihn wieder die Angst; doch die Freude in ihm war stärker: er hatte das blonde Mädchen gesehen, schön und fern und ohne häßliche Nebengedanken – genau wie früher ... Es würde alles vorübergehen.

Er lauschte Flierefluiters regelmäßigen Atemzügen, drehte sich auf die Seite, zog die Knie an und sank todmüde und zufrieden in Schlaf.

3

Am nächsten Morgen hatte der Bauer sie geweckt, als die Dämmerung noch am östlichen Horizont zögerte. Verschlafen waren sie aus dem Heu gekrochen, hatten sich unter der Pumpe gewaschen und danach mit dem Gesinde gefrühstückt – Kaffee, Brot und gebackenen Speck. Die Frau war freundlich und nötigte Merijntje, tüchtig zuzulangen: sie gönne es ihm, und er müsse noch wachsen. Der Bauer saß mit verdrießlichem Gesicht dabei, blickte geringschätzig auf seine Frau und achtete verstohlen und ärgerlich auf die Eßlust der beiden ungeladenen Gäste ... verdammte Schmarotzer!

Dann führte er sie in den Garten hinter dem Haus. Im ersten Morgenlicht standen die blühenden Bäume da wie ungeheure Brautsträuße, und wenn der Wind ein wenig stärker durch die Kronen strich, schneiten wirbelnd zarte weiße Blättchen auf den Boden. Doch der Bauer sah nichts davon, achtete nicht darauf. Mit seiner mürrischen Stimme kommandierte er:

„Der Boden muß einen guten Spaten tief umgegraben werden. Die alten Strünke kommen auf den Misthaufen, die Beete und Wege werden sauber abgestochen, und das Gras wird herausgehackt. Nach einer Weile sehe ich, was ihr geschafft habt."

„Wie's beliebt, der Herr", sagte Flierefluiter verbindlich; doch blinzelte er Merijntje heimlich zu, der sich wieder über das hochfahrende Kommandieren dieses alten Griesgrams erzürnte.

Ohne Gruß stapfte er davon, um den Arbeitern, die über die Landstraße kamen, die Arbeit anzuweisen.

Hinter dem Rücken des Bauern machte Flierefluiter eine spöttische Verbeugung und stach dann mit einer kräftigen Bewegung den Spaten in die schwere, fette Erde.

„Einen Spaten tief", sagte er erbost, „in solchem Boden! Und Beete und Wege abstechen und die alten Strünke und das Gras raushacken ... und dann vielleicht noch säen und pflanzen! Für ganze zweieinhalb Gulden – und volle Kost ... und Licht frei, wenn die Sonne scheint! Den Teufel werde ich tun! Er soll bloß kommen, dieser verfluchte geizige Schleicher!"

„Was hast du vor, Flierefluiter?"

„Zunächst einmal nicht tiefer graben als höchstens einen halben Spaten ... und nachher werden wir schon sehen."

Lustlos machten sie sich ans Werk. Und wenn sie es sich anfangs auch nicht allzu sauer werden ließen, so spürten sie doch bald, daß sie diese Arbeit nicht gewöhnt waren. Rücken und Glieder schmerzten, und die Handflächen brannten wie Feuer. Und trotzdem stießen sie den Spaten immer tiefer in den Boden und warfen immer schwerere Schollen um. Nicht, weil der Bauer es so befohlen hatte, sondern weil sie beide, ohne daß es ihnen bewußt wurde, diesen reichen, fruchtbaren Boden liebten und es nicht übers Herz brachten, ihm sein Recht zu versagen.

Von Zeit zu Zeit richteten sie sich stöhnend auf und wischten sich den Schweiß von der Stirn. Ärgerlich wies Flierefluiter auf die tiefen Furchen.

„Siehst du, Merijntje", sagte er, „das ist die Gefahr beim Arbeiten: wenn man erst damit beginnt, vergißt man alles andere und schuftet sich halbtot... Besser, man läßt die Hände davon und fängt erst gar nicht an."

Sein Gesicht drückte so unverhohlenen Abscheu aus, daß Merijntje in Gelächter ausbrach.

„Lach nicht!" murrte Flierefluiter. „Schäm dich lieber: du gräbst auch schon einen Spaten tief. So brauchen wir mindestens vier Tage für den Garten. Da, sieh dir die Bäume an! Die lachen uns aus mit ihren weißen Blütengesichtern. Die blühen nur und stehen einfach prunkend in der Sonne. Und wir verrückten Maulwürfe wühlen in der Erde ... Sollte der Mensch nicht klüger sein?"

„Wir müssen doch leben", sagte Merijntje praktisch.

Mißbilligend musterte Flierefluiter ihn von Kopf bis Fuß. „Alberner Kerl!" polterte er. „Müssen leben ... müssen leben! Nennst du das leben, den Kopf nach unten und Schollen aus der Erde stechen?" Und als Merijntje über sein mißmutiges Gesicht lachte, fuhr er heftiger fort: „Daß du nur nicht denkst, ich wollte eine Gewohnheit daraus machen, Bürschlein! Da kennst du mich schlecht! Glaubst du vielleicht, daß ich deshalb die Stadt verlassen habe? Es gibt tausend Arten, seinen Unterhalt zu finden, ohne diese Schufterei ... Wart's nur ab!"

„Das kannst du halten, wie du Lust hast", sagte Merijntje, „aber bilde dir ja nicht ein, daß ich betteln gehe."

„Betteln? Wer redet denn von Betteln? Ich habe mein ganzes Leben noch nicht gebettelt."

Wütend beugte er sich wieder über seinen Spaten, trat ihn bis zum Stiel in den Boden und warf mächtige Erdbrocken um. Und auch Merijntje nahm seine Arbeit wieder auf, spuckte in die Hände und grub, was er konnte... Ihre Jacken und Westen lagen schon am Wege. Sie hatten die Ärmel aufgekrempelt, barhaupt standen sie in dem kühlen Frühjahrswind und schwitzten bei der ungewohnten Arbeit wie die Pferde.

Gegen halb elf brachte ihnen die Bäuerin selber den Kaffee mit ein paar Scheiben Brot. Sie wischten sich die schmutzigen Hände mit den brennenden Blasen an der Hose ab und setzten sich auf die Schubkarre, die umgekehrt auf dem Weg stand.

Die Frau wartete, um die leeren Schalen mitzunehmen.

„Ihr haltet euch aber tüchtig ran bei der Arbeit", lobte sie.

Merijntje warf ihr einen dankbaren Blick zu, doch Fliereefluiter blickte betrübt vor sich hin.

„Man tut sein Bestes", sagte er, und es klang wie ein ernster Vorwurf.

Mitleidig sah die Bäuerin Merijntje an. „Hast du deine Eltern schon früh verloren, mein Junge?" fragte sie.

Das Blut schoß ihm in die Wangen, doch Fliereefluiter warf rasch ein:

„Voriges Jahr, Frau", erzählte er mit trüber Stimme. „In einer Woche alle beide ins Grab... Und wenn Ihr sie gekannt hättet! Sein Vater ein Baum von einem Kerl! Und seine Mutter – ach, wie eine Blume ... noch keine vierzig."

„Ein Jammer ist das!" wehklagte die Bäuerin und fragte dann neugierig: „Was hatten sie denn?"

„Die Masern", erwiderte Fliereefluiter.

„Die Masern?" staunte die Frau.

„Ja, aber was für Masern!" triumphierte er düster. „Solche Masern, Frau, von dieser Größe!" Und mit Daumen und Mittelfinger zeigte er den Umfang eines Guldenstückes.

Die Bäuerin schlug die Hände zusammen. „Das ist ja schrecklich", stöhnte sie, „ich wußte gar nicht, daß es so etwas gibt!"

Merijntje stand auf und ging weg. Er hielt es nicht länger aus. Er schämte sich gewaltig. Die herzlose Art, in der Fliereefluiter mit dem Leben seiner Eltern leichtfertigen Spott trieb, verdroß ihn. Aber er mußte insgeheim doch schmunzeln. Wäre er nur eine Minute länger geblieben, hätte er gewiß einen Lachanfall bekommen – trotz seiner Wut auf Fliereefluiter. Dessen Lästerzunge und das wachsende mitleidsvolle Erstaunen der Bäuerin – nein, er hätte einfach nicht mehr an sich halten können ...

„Er kann's nicht ertragen, wenn darüber gesprochen wird", erklärte Flierefluiter mit halblauter Stimme. „Er ist ein weichherziger Bursche . . . und es war auch ein schwerer Schlag."

Voll Mitleid blickte die Bäuerin dem Jungen nach, der immer rascher ging, um hinter die hohen Beerensträucher zu kommen. Sie sah, wie seine Schultern zuckten, und sagte mit erstickter Stimme: „Ach, er weint, das arme Blut!"

„Ja, wir hätten nicht davon anfangen dürfen", seufzte Flierefluiter reuevoll. „Nun ist er wieder den ganzen Tag betrübt."

Die Bäuerin machte ein bedrücktes Gesicht: durch ihre Neugier hatte sie dem armen Jungen den Tag verdorben. Doch gutherzig, wie sie war, beschloß sie, es wieder auszugleichen und ihm etwas Besonderes zuzustecken. Und dann ging sie mit den leeren Schalen zurück und murmelte kopfschüttelnd vor sich hin: „Die Masern . . . solche Masern . . . Daß es so etwas gibt!"

Als sie im Haus verschwunden war, kam Merijntje mit rotem Kopf hinter den Beerensträuchern hervor und ging auf seinen Gefährten zu. Der steckte sich in aller Gemütsruhe die Pfeife an und blickte mit halb zugekniffenen Augen durch den Rauch in das wütende Gesicht seines jungen Freundes.

„Bist du endlich fertig?" fuhr Merijntje los. „Du mit deinem Waisenjungen! Wenn du noch einmal davon anfängst, sag ich, daß du lügst wie gedruckt."

Mit einem Gesicht, als wäre ihm Unrecht geschehen, schüttelte Flierefluiter den Kopf und seufzte vorwurfsvoll:

„Ich glaube wahrhaftig, du brächtest es übers Herz, der guten Bäuerin ihren Waisenjungen wieder wegzunehmen!"

„Ach, du bist verrückt!" schimpfte Merijntje.

„Gönn ihr doch ihr Mitleid!" klagte Flierefluiter weiter. „Sie verdient sich damit ein besseres Plätzchen im Himmel. Ich an deiner Stelle würde mich schämen, es ihr streitig zu machen, bloß damit der unbarmherzigen Wahrheit Ehre widerfährt!"

Er zog ein so entrüstetes Gesicht, daß Merijntje laut lachen mußte.

„Pst!" mahnte Flierefluiter besorgt. „Paß auf, daß die Bäuerin dich nicht hört! Ein armer Waisenjunge hat nichts zu lachen."

Und alsdann lachten alle beide verhalten vor sich hin. Merijntje gab seinen Widerstand auf: Flierefluiters Schwänken und Ränken war er doch nicht gewachsen.

Beim Mittagessen blickte Flierefluiter immer wieder verstohlen zu Merijntje hinüber, wenn die Bäuerin ihm das beste Stück Fleisch zuschob, ihm ordentlich Soße über die Kartoffeln goß und ihn mütterlich ermunterte, sich nicht zu genieren und tüchtig zuzugreifen. Merijntje enttäuschte sie nicht; von der schweren Arbeit hatte er Hunger und aß wie ein Wolf. Sehr zur Freude der Bäuerin, doch zum Verdruß des Bauern, dem die Augen übergingen, als er sah, welche Mengen die beiden Fremden vertilgten. Die fraßen einem ja die Haare vom Kopf, diese Bettler... Gott mochte wissen, was für lausiges Jahrmarktsvolk das war! Seine Frau hatte wieder einmal einen ihrer verrückten Anfälle... am liebsten würde sie es diesem Rotzjungen vorn und hinten hineinstopfen – und er mußte es, ohne mit der Wimper zu zucken, mit ansehen, sonst bekam sie es wieder an den Hüften.

Wütend saß er da und starrte mit giftigem Blick auf die Schüsseln, die schon fast leer waren. Den Rest häufte Flierefluiter sich auf, und als er sah, wie der Bauer ihm die Bissen in den Mund zählte, sagte er unvermittelt:

„Ich wette, daß Ihr nicht ganz gesund seid, Bauer... Eure Augen sind so gelb."

„Kümmre dich lieber um deine eigene Gesundheit!" brummte der andere.

Einer der Knechte sagte: „Der Bauer glaubt, er hat's an der Leber."

„Glaubt?" fragte Flierefluiter mit unheilverkündendem Nachdruck. „Schon heute morgen habe ich zu meinem Pflegesohn hier gesagt: Mit der Leber des Bauern stimmt was nicht..."

Alle sahen sie den Bauern an, der unruhig auf seinem Stuhl hin und her rutschte. Die Männer stopften sich die Pfeife, und auch der Bauer holte seine verräucherte Kalkpfeife hervor.

„Das würde ich lieber lassen", warnte Flierefluiter. „Bei Eurer Krankheit ist eine Pfeife Tabak nach dem Essen das reinste Gift."

Der Bauer sah ihn wütend an. „Bist du vielleicht Doktor?" fragte er ärgerlich.

„Das nicht", erwiderte Flierefluiter. „Doch ein Doktor würde bei Euch auch nicht mehr viel ausrichten."

„Aber du!"

„Es wäre nicht das erstemal."

Zögernd drehte der Bauer die Pfeife zwischen den braunen, schwieligen Fingern und steckte sie dann gelassen wieder in die Tasche seiner Ärmelweste. Flierefluiter nickte beifällig.

„Weißt du wirklich ein Heilmittel?" fragte die Bäuerin und sah mit wachsendem Respekt auf den Fremden. Sie hatte es doch gleich gemerkt, daß an diesem Mann etwas Besonderes war.

Flierefluiter nickte.

„Das will ich meinen", erwiderte er und blickte dem Bauern fest in die Augen, der sich unruhig abwandte und dann mürrisch, wenn auch ziemlich kleinlaut, sagte: „Dummes Zeug..."

Flierefluiter schob seinen Stuhl zurück und erhob sich.

„Wie Ihr meint", sagte er, „ich dränge mich keinem auf. Schließlich hat jeder das Recht, an der Krankheit zu sterben, die ihm am liebsten ist."

Merijntje folgte ihm hinaus, doch kaum waren sie im Gemüsegarten angekommen, als der Bauer schon mit hastigen Schritten hinter ihnen her war. Ohne weitere Einleitung fragte er barsch:

„Was ist das für ein Mittel?"

„Kräuter", erwiderte Flierefluiter gleichmütig und ohne stehenzubleiben.

„Kräuter?" brummte der Bauer. „Das wird schon was Vernünftiges sein!"

Flierefluiter tat, als habe er nichts gehört, gleichgültig pfiff er vor sich hin und ging weiter.

„Was für Kräuter?" fragte der Bauer grimmig, aber voller Neugier.

Der andere blieb stehen und drehte sich um.

„Caprifolium multiflorum saxifragus", sagte er, „aber darunter kannst du dir doch nichts vorstellen."

„Nein", stotterte der Bauer verblüfft. „Was ist das?"

„Eines der Kräuter. Aber es gehören noch zehn, zwölf andere dazu."

Mißtrauisch starrte der Bauer zwischen halbgeschlossenen Lidern auf Flierefluiters unbewegtes Gesicht und fragte dann zögernd: „Sind sie teuer?"

„Nein, sie kosten fast nichts – drei Taler ungefähr ... Für mich selber rechne ich nichts, denn man darf einem Kranken kein Geld für die Gabe abnehmen, die unser lieber Herrgott einem geschenkt hat."

Der Bauer war fassungslos.

„Siebeneinhalb Gulden ... und das nennst du fast nichts?" stammelte er.

„Ja, Mann, und wenn ich Geld hätte, zahlte ich dir noch einen drauf, nur um dir armem Schlucker helfen zu dürfen. Aber zum Glück hab ich keins. Mahlzeit!"

Flierefluiter hatte in grobem Ton gesprochen und machte Anstalten, weiterzugehen. Er spürte, wie Angst und Geiz in dem Bauern stritten, doch bald merkte er, daß die Angst stärker war.

Der Bauer hielt ihn am Arm zurück.

„Wo bekommt man diese Kräuter?"

„In der Stadt beim Apotheker, aber einige muß ich selber suchen, die mit der besonders starken Heilkraft ..."

Noch immer war der Bauer nicht mit sich einig. Er wollte mit Reden Zeit gewinnen.

„Weißt du genau, daß es hilft?"

Flierefluiter zuckte die Achseln.

„Wenn du kein Vertrauen hast, ist es schade um jedes Wort, das wir darüber verlieren", sagte er störrisch. „Ohne dein Vertrauen kann ich dich doch nicht heilen."

Da faßte der Bauer seufzend seinen Entschluß.

„Also gut! Dann geh heute abend auf die Suche!"

„Ausgeschlossen!" weigerte sich Flierefluiter. „Die Kräuter muß ich in der Sonne pflücken . . . Es sind welche darunter, die werden giftig, sobald die Dämmerung darüber gesunken ist. Das weißt du doch selber."

Ja, so etwas habe er auch schon gehört. Dann solle er also gleich gehen. Und als Flierefluiter verlangte, daß der Junge mitkommen müsse, um ihm suchen zu helfen, war der Bauer auch damit einverstanden.

Sie gingen alle drei ins Haus zurück, wo die Bäuerin einen Seufzer der Erleichterung ausstieß, als sie an den Gesichtern sah, daß die Sache in Ordnung war. Sie hatte gefürchtet, daß ihr Mann aus reinem Geiz diese einzigartige Chance, gesund zu werden, ungenutzt ließe.

„Gib ihnen drei Taler, Frau . . . für die Kräuter", sagte er stöhnend.

„Legt ein paar Kwartjes dazu für ein Glas Bier unterwegs", schlug Flierefluiter ruhig vor – und nach einem scheuen Blick seiner Frau stimmte der Bauer mit gelassenem Kopfnicken zu. Aber man sah ihm an, wie diese unziemliche Verschwendung ihn peinigte. Brüsk drehte er sich um und ging aus der Tür.

Die Bäuerin gab Flierefluiter die verlangten drei Taler und einen halben Gulden dazu. Merijntje drückte sie auch noch einen halben Gulden in die Hand und sagte freundlich: „Hier, kauf dir eine gute Zigarre, mein Junge . . ."

Merijntje wurde rot und stotterte seinen Dank.

„Zum Abendessen sind wir wieder da", versprach Flierefluiter. „Dann koche ich, ehe wir schlafen gehen, den Trank, und morgen wird sich der Bauer schon sehr erleichtert fühlen. Dafür stehe ich ein."

„Was für ein Glück!" sagte die Bäuerin. „Er ist in der letzten Zeit schon richtig übellaunig geworden. Und zum Arzt will er nicht – es fehlt ihm an Vertrauen."

„Da kann ich ihm nicht einmal Unrecht geben – fürwahr, ein weiser Standpunkt!" pries Flierefluiter.

„Er hat Angst, daß sie ihn operieren", enthüllte sie flüsternd.

„Sehr richtig", nickte Flierefluiter nachdrücklich. „Die Kerls schneiden einen auf wie ein frisches Brötchen. Mit Kräutern ist alles viel bequemer. Und wozu läßt Gott die Kräuter denn sonst wachsen?"

Den letzten Satz sagte er mit erhobener Stimme und in aggressivem Ton. Und die Bäuerin beeilte sich, ihm recht zu geben.

„Das sage ich auch immer, Kräuter sind die beste Medizin."

Flierefluiter nickte bekräftigend. „Alsdann, Frau, auf Wiedersehen . . . bis nachher!"

„Ja, einen schönen Tag auch, ihr Männer!"

4

Schweigend liefen sie den Polderweg entlang zum Seedeich. Von
Zeit zu Zeit blickte Merijntje seinen Gefährten an und wunderte
sich über die strahlende Verzückung, die sich auf dessen runzliges
Gesicht gelegt hatte. Endlich hielt er es nicht länger aus, und er
mußte einfach fragen:

„Warum bist du so froh, Flierefluiter?"

Dieser sah ihn an, blieb stehen, legte beide Hände auf die
Schultern des Jungen und antwortete:

„Froh, Merijntje? Mir ist, als sei ich wer weiß wie lange vom
Himmel fortgewesen und kehrte jetzt zurück! Der Himmel ist
noch ebenso schön wie zuvor, und die Engelchen sind nicht weniger unschuldig geworden inzwischen... Das Leben ist doch wirklich ein Fest, Merijntje – findest du nicht auch?"

Ein bißchen mißtrauisch schaute der Junge in das lachende Gesicht und die Augen, in denen spöttische Lichtlein tanzten.

„Wirst du den Bauern heilen?" fragte er.

„Worauf du dich verlassen kannst!" antwortete Flierefluiter.
„Heilen werd ich ihn – bloß wovon, das wird sich noch zeigen!"

„Wovon? Na, von seiner kranken Leber..."

„Kann ich vielleicht in seine Innereien sehen?"

„Du hast doch selber gesagt..."

„Irgendwas muß man doch sagen."

Vor sich hin lachend zog er weiter. Merijntje war empört.

„Hast du ... hast du ihm was weisgemacht?" fragte er beunruhigt.

Flierefluiter ließ die acht Gulden auf der ausgestreckten Hand tanzen.

„Hör mal, wie schön sie singen, Merijntje!" rief er begeistert. „Endlich sind wir den Klauen dieses Geizkragens entrissen, singen sie, und jetzt dürfen wir wieder tanzen . . . Hörst du's, Merijntje? Verflixt, sie sind bestimmt genauso froh wie ich!"

Merijntje mußte lachen – ob er wollte oder nicht. Flierefluiters Gesicht strahlte so fröhlich, so einfältig zufrieden, und die klimpernden Gulden machten ihn ganz närrisch vor Glück. Diesem großen, unberechenbaren Kerl konnte man einfach nicht gram sein!

„Du bist aber auch kein schlechter Taugenichts!" rief Merijntje. Mit elegantem Schwung nahm Flierefluiter den Hut ab und verneigte sich in Richtung seines Kameraden.

„Besten Dank für das Kompliment", sagte er höflich, „damit kannst du mir keine größere Freude machen! Da sind wir ja beide dasselbe – auf diesen Tag und diese Stunde hab ich gelauert . . . Es wird höchste Zeit, Merijntje, daß ich dir einmal danke; denn wenn du nicht diese Kabbelei mit meiner Frau gehabt hättest, wäre ich mir bis heute noch nicht so recht darüber im klaren gewesen, daß ich da nichts mehr verloren habe und weg muß . . . Nein, nein, nein, Merijntje, ich bin dir ja so dankbar!"

Er schlang im Laufen einen Arm um Merijntjes Schulter und drückte seinen Freund fest an sich. Der Junge versuchte entrüstet, sich loszukämpfen, und spürte mit Erstaunen die Kraft im Arm dieses baumlangen Kerls.

„Laß mich gefälligst los!" schrie er.

Flierefluiter zog seinen Arm zurück, und Merijntje stürzte fast zu Boden.

„Bis zum Verschimmeln hätte ich in meinem Maulwurfsgang gehockt!" jubelte der Landstreicher weiter. „Und ich dachte schon, es gäbe nichts andres mehr. Aber nun bin ich kuriert . . . mindestens ebenso gründlich, wie ich unsern Bauern kurieren werde . . . Der mag was erleben, Merijntje! Laß diese Nacht erst verstreichen, ab morgen früh nimmt der Klutenpedder freiwillig keine Kräuter mehr – und wenn er hundert Jahre alt werden sollte . . . so radikal werd ich ihn heilen!"

Er lachte dröhnend, warf beide Arme in die Höhe und vollführte einen verrückten Luftsprung. Merijntje beäugte verwundert und ohne Mißfallen Flierefluiters kindische, unbezähmbare Erregung.

„Manchmal hab ich das Gefühl, als ob ich viel erwachsener bin als du", sagte er tadelnd.

„Hoh!" rief Flierefluiter mit lächerlich hoher und gedehnter Stimme. „Nicht erst seit heute oder gestern! Das warst du vor zehn Jahren auch schon – immer gabst du dich viel älter und vernünftiger. Was hast du nicht alles probiert, mich weise und besonnen zu machen! Aber es ist dir nicht gelungen – nicht ein klitzekleines Fitzchen. Ich glaub, ich bin dafür nicht geschaffen ... Du darfst es mir nicht übelnehmen, Merijntje – es ist Gottes Wille, sag ich dir."

„Ach, verschon mich mit deinem törichten Geschwätz!" maulte Merijntje unbefriedigt, doch verleitete ihn die ansteckende Fröhlichkeit seines Wandergefährten zum Mitlachen. „Jedenfalls machen wir jetzt einen hübschen Spaziergang – und das ist besser als Umgraben."

Am Seedeich und auf den Groden suchte Flierefluiter eifrig einen Butterbrotbeutel voll Pflanzen, wobei er unausgesetzt leise vor sich hin kicherte. Auf Merijntjes interessierte Fragen antwortete er nicht oder reagierte nur mit flauen Witzen oder der monotonen Vertröstung: „Wart's doch ab!"

Dann liefen sie quer über den Polder und folgten den weiten Windungen des Sturmdeiches bis hin zum Städtchen, wo der Wunderdoktor bei einem Drogisten fünferlei Sorten Puder und Pülverchen erstand. Darauf schleppte er seinen argwöhnisch neugierigen Freund in das Bahnhofskaffeehaus, um ihn mit Bier zu traktieren, mit Brot, Schinken und überbackenen Eiern. Zum Schluß erteilte er Merijntje die erste Lektion im edlen Billardspiel; und als dieser einen ziemlich bemerkenswerten Dreiangel in das Tuch stieß, warf Flierefluiter spornstreichs den Stock hin, erklärte die Partie für gewonnen und bezahlte die Zeche. Sogleich machten sie sich davon; Merijntje kroch die Angst in den Nacken, sie könnten zurückgerufen werden, um das zerrissene Billardtuch zu bezahlen, wofür ihr Geld nicht annähernd gereicht hätte. Doch niemand rief sie zurück. Flierefluiter wollte noch irgendwoanders ein Gläschen Bier trinken, aber Merijntje weigerte sich entschieden: er hatte keine Ruhe, ehe sie nicht der Stadt den Rücken gekehrt hatten und durch den Polder liefen. Und wie üblich verlachte Flierefluiter ihn ob seiner Besorgtheit und Angst, seiner unverbesserlichen Angewohnheit, alle Dinge viel ernster und tragischer zu nehmen, als sie es in Wirklichkeit verdienten.

„Will wetten, daß dich dein Gewissen plagt wegen dieses kleinen Malheurs, das du dem Wirt hinterlassen hast."

„Na, hör mal", antwortete Merijntje hitzig, „findest du's etwa besonders schön, jemandem Schaden zuzufügen und sich dann klammheimlich aus dem Staube zu machen? Wenn ich genug Geld gehabt hätte, dann hätt' ich's ihm bezahlt."

„Ja, so verrückt wärst du", grinste Flierefluiter. „Aber einem Spelunkenwirt Schaden zufügen, Junge, das ist doch nichts Verwerfliches – bist du denn närrisch? Recht besehen ist das eine gute Tat, die wohlgefällig ist vor den Augen unseres Herrgotts ..."

„Vor den Augen deines lieben Herrgotts gewiß", spöttelte Merijntje. „Das ist mir schon ein rechter Herrgott, der dir beim Gläschen Bier immer Gesellschaft leistet!"

Aber es gelang ihm nicht, seinen Freund auf andere Gedanken zu bringen oder ihm auch nur im geringsten seine gute Laune zu rauben: es schien, als ob Flierefluiter in dem Maße, wie er alles Mißgeschick unwiederbringlich hinter sich ließ, immer mehr Freude am Leben gewann. Einen unbegreiflich leichtsinnigen Charakter hatte dieser Bursche – es war nicht zu fassen! Und das Unbegreiflichste von allem war, daß man ihn dennoch gern haben mußte und ihm nicht böse sein konnte.

Zum Abendessen kehrten sie auf den Hof zurück. Der Bauer hatte immer wieder am Tor gestanden und nach ihnen ausgeschaut. Große Unruhe war über ihn gekommen. Er hatte seiner Frau wütend Vorwürfe gemacht, sie habe ihn dazu überredet, diese beiden Halunken mit seinem schönen Geld in der Hand einfach auf und davon gehen zu lassen. Acht Gulden! Die konnte man natürlich in den Schornstein schreiben! So eine Dummheit... Und obendrein würde man ihn noch auslachen. Die Frau hatte widersprochen. So seien die beiden nicht. Der Alte habe so gute, ehrliche Augen. Und diesen Waisenjungen brauche man doch nur anzusehen, um zu wissen, daß er zu so etwas nicht imstande sei.

Und deshalb war die Rückkehr der beiden eine wahre Erleichterung für das Ehepaar.

Neugierig schaute der Bauer auf den blauen Beutel, der Flierefluiter am Handgelenk baumelte. „Na, alles erledigt?" fragte er.

„Und ob, Mann!" erwiderte Flierefluiter, und auf den Beutel klopfend, fuhr er fort: „Hier steckt die Gesundheit für deine Leber drin, sei nur ruhig!"

Als der Bauer weiterfragen wollte, winkte er ab:

„Nur nicht so eilig! Nach dem Essen mache ich den Trank für dich fertig... Aber jetzt falle ich um vor Hunger – das war ein Gerenne!"

„Setzt euch nur gleich hin!" nötigte die Bäuerin aufgeräumt. Sie war sehr froh, daß die beiden zurückgekommen waren, denn sie wagte sich gar nicht auszudenken, wie der Bauer getobt hätte, wenn sie mit dem Geld durchgegangen wären!

Die Knechte und Mägde betrachteten die Fremden mit größerem Interesse als am Abend zuvor. Heimlich suchten sie an Flierefluiter äußere Kennzeichen seiner geheimnisvollen Kraft. Die hellen grauen Augen kamen ihnen unheilverkündend vor, so hart und durchdringend. Weiß Gott, vielleicht verstand der Kerl auch etwas von der Schwarzen Kunst! Bei diesen Vagabunden konnte man nie sicher sein. Sie streiften durch die ganze Welt und hatten die seltsamsten Begegnungen.

In der sinkenden Dämmerung erschien ihnen Flierefluiter plötzlich noch unheimlicher, und sie waren froh, daß die Bäuerin alsbald die Petroleumlampe anzündete.

Nach und nach entspann sich ein Gespräch über Krankheiten und wundersame Heilungen. So ganz nebenbei begannen sie Flierefluiter auszuhorchen über seine Erfahrungen, und dieser zeigte sich durchaus nicht verschlossen und gab freiweg Proben aus seiner Praxis als nichtdiplomierter Heilkünstler – sonderbare Erzählungen waren das, bei denen die Zuhörer immer größere Augen bekamen.

„Der seltsamste Fall, der mir unter die Finger gekommen ist", erzählte er in ernstem, nachdenklichem Ton, „war die Sache mit dem Rentner aus Flakkee, Diengeman mit Namen. Hier, mein Pflegesohn kann's bezeugen, er hat die ganze Affäre miterlebt... Dieser Mensch litt unsägliche Schmerzen in seinem Magen und in seinen Gedärmen. Kein Arzt konnte ihm mehr helfen. In Leiden haben sie ihn schließlich operiert. Hat viel Geld gekostet, für den Professor und für die Verpflegung. Aber genützt hat es nichts. Dann kam er zu mir. Er sah aus wie der Tod von Pierlala. Du liebe Christenseele, war der Mensch abgemagert und morbid! Und Schmerzen hatte der – und Angst! Ich hab ihn drei Tage untersucht und mit ihm gesprochen, um rauszukriegen, was ihm fehlt. Und dann erzählte er mir, daß er vor ein paar Jahren auf den Rat irgendeines Quacksalbers ein halbes Pfund Grassamen gegessen hatte, um seinen Husten loszuwerden. Grassamen! Ein halbes Pfund! Stellt euch das vor! Das gefährlichste Zeug, was es gibt! Grassamen, der bekanntlich eine sagenhafte Wuchskraft hat! Ich erfaßte sofort die Lage: Magen und Eingeweide von diesem Burschen saßen voll Gras. Die Saat hatte ausgetrieben, und der arme Tropf wuchs langsam von innen zu. Kein Wunder, daß er Krämpfe bekam und Blähungen... Dann bin ich in die Felder gelaufen und hab sechs Maulwurfsgrillen gefangen – ihr wißt ja, diese riesigen Käfer, die alle Wurzeln schnippschnapp kaputtfressen. Und die Viecher hab ich dann erst zwei, drei Tage in eine leere Dose gesperrt, daß sie vor Hunger fast krepierten. Und dann hab ich ihn alle sechs lebend verschlingen lassen..."

Eine Woge des Entsetzens durchlief die Zuhörer, die vor Schreck zu essen vergaßen und voller Spannung in das ausdrucksvolle Gesicht des Erzählers starrten. Betroffenheit und Ekel standen auf ihren Stirnen zu lesen. Unerschüttert jedoch fuhr Flierefluiter fort:

„Am gleichen Tag noch merkte er, daß er schon ein bißchen mehr Luft bekam; am dritten Tag fing er an, mit Verlaub, zu kakken..."

„Oh!" rief der Bauer fassungslos.

„Na ja, das hatte ich erwartet", sagte Flierefluiter forsch, „denn das war für mich der Beweis, daß die Kur anschlug. Die Grillen fraßen die Wurzeln ab, und das Gras verdorrte dann und kam unten raus – Strünke, sag ich euch, die 'ne Elle lang waren, Leute... Man glaubt ja nicht, was in den Eingeweiden eines Menschen wachsen kann ... Als aber nach etwa zehn, zwölf Tagen nichts mehr kam, begann der Patient plötzlich über nagende Schmerzen in seinem Bauch zu klagen ... Die krabbeln da rum, sagte er. Ich begriff sofort: die Wurzeln waren alle verputzt, nun wurden die Tierlein gefährlich – sie mußten unschädlich gemacht werden ... Da hab ich dem Alten einen Korkenstöpsel ins Spundloch gesteckt und hab ihm ein Gläschen Süßöl in den Schlund gekippt. Das rauscht sonst, wie man weiß, eins-fix-drei, durch, aber mit dem Pfropfen blieb's drin ... zwei Tage und zwei Nächte lang.

„Süßöl?" fragte die Bäuerin verwundert. „Wozu das ...?"

„Ja, Frau", ließ sich Flierefluiter mitleidig lächelnd herbei, Auskunft zu erteilen, „Ihr wißt ja selbst, daß Maulwurfsgrillen in Süßöl schmelzen wie Zucker in Wasser. Da macht man oft ein Mittel draus gegen Atemnot ... Nun, nach zwei Tagen schoß der Stöpsel raus – und dann ging's los! Eine Heilung, Leute! Eine phantastische Heilung! Das konnte ja auch nicht anders sein, he? Wenn von euch mal jemand nach Flakkee kommt, dann fragt nach dem alten Diengeman! Über zweihundert Pfund wiegt er jetzt und ist gesund und munter wie ein Fisch. Stimmt's, mein Sohn?"

Merijntje saß über seinen Teller Milchsuppe gebeugt. Die Ohren waren glutrot. Er nickte schweigend und löffelte emsig in sich hinein; er fürchtete, laut aufbrüllen zu müssen. Wie schaffte es dieser Narr bloß, solch einen Blödsinn zu verzapfen?

Gruselnde Bewunderung regte sich bei der Tischgesellschaft.

„Das ist doch gräßlich!" seufzte die Bäuerin.

Und eine der Mägde sagte mit bebender Stimme: „Wer erfindet denn solch schreckliche Medizin?"

„Ach", gab Flierefluiter bescheiden zur Antwort, „wenn man's versteht ... Kein Leiden, sag ich immer, für das Mutter Natur die Arznei nicht bereithält. Wer die Natur gut kennt und sein Köpfchen zu gebrauchen versteht, der braucht um ein Heilmittel nicht verlegen zu sein."

„Ich muß doch nicht etwa auch lebende Tiere verschlucken?" fragte der Bauer beklommen.

Flierefluiter brach in lautschallendes Gelächter aus, und alle stimmten mit ein – froh, daß die Spannung um diese Schauergeschichte gewichen war. Dann beruhigte der Wunderdoktor seinen Patienten: „Ihr kommt mit Kräutern aus, Bauer! Macht euch nur keine Sorgen! Los denn, nun muß ich aber anfangen, sonst wird's zu spät ..."

Erwartungsvoll blieben alle sitzen, um zu sehen, was nun vor sich gehen würde, doch Flierefluiter protestierte:

„Nein, nein, Leute, so guckt ihr mir die Kunst ab. Ich muß ein Stündchen allein sein. Geht ihr nur schlafen! Mein Pflegesohn hilft mir schon. Der Bauer und seine Frau können so lange draußen warten, oder in der Stube."

Enttäuscht standen alle auf und ließen die beiden allein. Flierefluiter schüttete die Kräuter auf den Tisch und begann sie mit todernstem Gesicht feinzuschneiden. Merijntje stieß ihn in die Seite und schimpfte, unterdrückt prustend:

„Häßlicher Lügner, was du den Leuten auch für Bären aufbindest! Ich bin fast erstickt vor Lachen und habe mich in den Tod geschämt!"

„Stör mich nicht!" tadelte Flierefluiter nachsichtig. „Sonst kriege ich das kostbare Heilmittel für den Bauern nicht fertig."

„Quatschkopf!" schalt der Junge flüsternd und knuffte ihn wieder in die Rippen. „Genierst du dich nicht, die Menschen so hinters Licht zu führen? Das wuchernde Gras in seinen Gedärmen – und dann setzt er einen Haufen hin! Zum Donnerwetter!"

Er ließ den Kopf vornüber auf die Arme fallen und schluchzte vor Lachen, bis er ganz außer Atem war und einen Krampf im Bauch bekam und stöhnen mußte.

„Wächst da in der Leber des Bauern etwa ein Erdschwamm, Teufelsbrot vielleicht?" fragte er heiser.

„Ach, sei doch still, vorlauter Affe!" rief Flierefluiter. „Du tust ja gerade so, als ob du meine Kenntnisse anzweifelst. Nimm lieber den Tiegel vom Herd und füll eine Handbreit Wasser aus dem Regenfaß hinein."

Grinsend gehorchte Merijntje. Er war neugierig, was daraus werden sollte. Das mit dem Heilmittel war doch bestimmt Unsinn. Was für einen Dreck mochte der Bauer zu schlucken bekommen?

Doch Flierefluiter setzte seine Arbeit mit unerschütterlichem Ernst fort. Sorgfältig schnitt er die Pflanzen in feine Stückchen, warf alles in den Tiegel, streute dann die schwarzen, roten und weißen Pulver hinein, die sie in der Drogerie gekauft hatten, rührte alles mit einem Holzlöffel um und befahl Merijntje, das Feuer zu schüren.

Der Junge wurde immer unsicherer. Wollte Flierefluiter wirklich ein Heilmittel bereiten? Aufmerksam sah er zu, wie sein Freund die brodelnde grüne Flüssigkeit umrührte, den gelblichen Schaum zur Seite schob und schnuppernd die Nase über den Tiegel hielt. Ein Dampf stieg daraus auf, der als widerlich süßer Gestank den Raum erfüllte.

Merijntje sagte naserümpfend: „Ein Glück, daß ich das Zeug nicht zu schlucken brauche!"

Flierefluiter grinste, erwiderte jedoch nichts.

Als die übelriechende Suppe lange genug gekocht hatte, nahm er einen anderen Topf von der Wand neben dem Schornstein. Merijntje mußte seinen Brotbeutel geöffnet darüber halten, der nun als Sieb diente und die Reste von Blättern und Stielen als eine schmierige breiige Masse zurückbehielt. In dem neuen Kochtopf dampfte jetzt eine grünlich braune Soße, die einen noch penetranteren, noch unangenehmeren Gestank verbreitete.

Nun durften der Bauer und die Bäuerin hereinkommen.

Munter sagte Flierefluiter: „So, Bauer, dein Mittel ist fertig. Nun muß es noch ein Weilchen abkühlen, und dann kannst du das erste Glas trinken. Eine halbe Stunde später noch eins und dann in die Federn! Und morgen denkt kein Mensch mehr an deine Leber – paß auf, was ich dir sage."

Neugierig und ein wenig ängstlich beugte der Bauer sich über den Topf. „Das stinkt ja wie die Pest", jammerte er.

„Ach", tröstete Flierefluiter, „dafür schmeckt es noch viel scheußlicher – aber dagegen ist nichts zu machen. Wer gesund werden will, muß etwas dafür tun."

Der Bauer schien diese heitere Überzeugung nicht zu teilen. Aber seine Frau nickte zustimmend und verständnisvoll.

„Soll ich uns einen ordentlichen Kaffee aufbrühen?" fragte sie freundlich.

„Ein ordentlicher Schnaps wäre mir lieber", regte Flierefluiter an.

Und nach einem zögernden Blick auf ihren Mann ging die Bäuerin in den Keller und brachte eine Steinkruke mit Johannisbeergeist, die sie auf den Tisch stellte.

„Dem Bauern nicht, bloß nicht!" warnte Flierefluiter besorgt. „Johannisbeergeist und dieser Kräutertrunk, das verträgt sich nicht."

Er rieb sich die Hände, während die Bäuerin drei Gläser füllte und der Bauer mit sauertöpfischem Gesicht auf die Tischplatte trommelte.

Dann stießen sie an und tranken auf die baldige Genesung des Hausherrn.

Beim zweiten Glas sagte Flierefluiter: „Dazu würde eigentlich eine Zigarre gut schmecken, Frau. Vielleicht eine aus dem Kistchen für den Herrn Pfarrer?"

„Nur zu!" brummte der Bauer. „Es kann ja nicht genug kosten!"

Doch die Bäuerin, die kleine glänzende Augen und feuerrote Flecke auf den Wangenknochen bekam, kicherte und sagte übermütig: „Holla! Deine Genesung muß doch gefeiert werden!" Und sie ging zum Schränkchen und holte eine Kiste Zigarren heraus, die sie offen auf den Tisch stellte.

Es wurde gemütlich. Flierefluiter erzählte und schwatzte und schenkte sich zerstreut einmal und noch einmal ein. Die Bäuerin hörte zu und kicherte unter dem Einfluß des ungewohnten Getränks wie ein junges Mädchen. Merijntje rührte eine dicke Schicht Zucker unter den blutroten Schnaps, kostete und versuchte, sich vorzustellen, er trinke köstlichen Wein, und kam in fröhliche Stimmung.

Dann stellte Flierefluiter dem Bauern ein Bierglas voll von der trüben, eklig braunen Flüssigkeit hin.

„Bitte schön, Bauer", sagte er. „Und nun nicht zimperlich, sondern das Ganze in einem Zug hinunterkippen! Bilde dir ein, es wäre alter Korn!"

Der Bauer wurde unter seiner verwitterten Haut graublaß, als er das Glas mit zitternder Hand zum Munde führte. Einen Augenblick zögerte er, angewidert von dem üblen Geruch, der ihm in die Nase stieg; dann ermannte er sich, drückte die Augen zu, setzte das Glas an und trank. Die anderen schauten gespannt zu. Sie sahen, wie sein Gesicht sich vor Ekel verkrampfte. Aber aus Furcht vor ihrem Spott setzte er das Glas nicht ab, sondern trank weiter. Erst bei dem letzten Schluck streikte sein Magen, und mit lautem Rülpsen trieb die Flüssigkeit wieder nach oben. Er verschluckte sich, und dünne Strahlen grünlichen Saftes schossen ihm aus den Nasenlöchern.

„Das ist nicht schlimm, das ist nicht schlimm", beschwichtigte Flierefluiter. Merijntje biß sich fast die Lippen blutig; die Bäuerin bekam einen nervösen Lachanfall und konnte sich gar nicht wieder beruhigen.

Doch hustend und mit erstickter Stimme fluchte der Bauer: „Gottverdammich!" Damit griff er nach dem frisch gefüllten Schnapsglas seiner Frau und goß es sich mit zurückgelegtem Kopf in die Kehle. „Ah", stöhnte er, „das ist besser!" Und mit dem Handrücken wischte er sich die Lippen und die tropfende Nase.

„Das hättest du nicht tun dürfen, Bauer!" tadelte Flierefluiter ihn ernst. „Ich habe dir doch gesagt, es verträgt sich nicht miteinander."

„Geh zum Teufel!" polterte der Bauer grimmig. „An diesem Gebräu erstickt man ja." Wütend sah er seine Frau an, die kichernd und mit blutrotem Kopf dasaß. „Und du lachst auch noch, albernes Frauenzimmer!" brüllte der Bauer. „Was gibt's denn da zu lachen?"

Doch auch Merijntje konnte sich nicht mehr halten und lachte mit. Der Bauer wollte gewaltig aufbrausen, aber ein neues Rülpsen hinderte ihn daran, und sein bereits geöffneter Mund verzog sich in solchem Ekel, daß auch Flierefluiter in das Lachen einstimmte. Er faßte sich jedoch sofort wieder und sagte verweisend:

„Du mußt aber auch nicht übertreiben, Bauer! Verdammt noch mal, du ziehst ein Maul, als hättest du Gift genommen!"

Als einzige Antwort warf ihm der Bauer einen mordlüsternen Blick zu. Dabei schüttelte er sich und spuckte, um den abscheulichen Geschmack loszuwerden. Dann korkte er die Schnapskruke zu, schloß die Zigarrenkiste und brummte: „Nun ist's genug. Los, wir gehn ins Bett!"

„Du mußt noch das zweite Glas trinken!" erinnerte Flierefluiter. „Vor allem, wo du den Schnaps dazwischen getrunken hast. Ich fürchte, daß dir das noch leid tun wird, Mann!"

Doch der Bauer zuckte die Schultern und brachte sein bedrohtes Eigentum in Sicherheit. Flierefluiter trank sein Glas aus, betrachtete wehmütig den Boden und seufzte.

„Komm, Sohn!" sagte er dann. „Wir kriechen ins Heu. Die Frau wird schon dafür sorgen, daß der Bauer seine Medizin einnimmt. Hier sind meine Streichhölzer . . . Wir finden den Weg schon allein. Wohl zu ruhen! Und es soll dir gut bekommen, Bauer!"

Auf dem dämmerigen Heuboden, wo das Fenster als milchiger Lichtfleck im Dunkeln stand, lag Flierefluiter da und grinste vor sich hin.

„Der hat ein Maul gezogen!" sagte Merijntje. „Ich hätte mich halbtot lachen können. Ist denn das Mittel wirklich so schlimm?"

„Und wie!" kicherte Flierefluiter. „Aber das ist noch nicht das Ende. Warte nur!"

Merijntje wollte fragen, was er meinte, doch Flierefluiter winkte ab: „Du wirst es schon erleben!"

Eine Zeitlang lagen sie ohne zu sprechen und lachten in sich hinein. Dann stand Flierefluiter auf, ging zur Dachluke und öffnete sie. Merijntje folgte ihm; und wie am Abend zuvor standen sie Seite an Seite und schauten über die märchenhafte Landschaft hinweg in die stille, helle Mondnacht.

„Hier", sagte Flierefluiter, „rauch noch eine Zigarre, denn wir werden so schnell nicht schlafen gehen. Ich hab mir ein paar aus dem Kistchen gemaust, ehe der Bauer das Zeitliche segnet . . ."

„Gemeiner Dieb!" rügte Merijntje ihn lachend. „Du bist mir ein bescheidener Bursche!"

„Der Katze steht das meiste zu", brummte Flierefluiter, „und für den Herrn Pastor bleibt auch noch genug."

Dann schwiegen sie wieder; bewegungslos standen sie nebeneinander, rauchten und starrten in die Nacht. Allmählich wich die Erregung dieses bewegten Tages aus Merijntjes Seele. Er vergaß den Bauern und seine Krankheit, den Besuch in der Stadt und die Geschichte von dem Heilmittel. Die Ruhe der Nacht senkte sich über ihn, und mit großen Augen blickte er vor sich hin und ließ die Gedanken und Träume kommen und gehen, wie sie wollten. Erinnerungen tauchten auf und glitten wieder weg. Kraft spannte seinen Körper, der Drang zu großen Taten, das Verlangen nach einer Zukunft voll ungeahnter Herrlichkeiten. Das Gestern war weit und die vorige Woche eine Ewigkeit her.

Rechts vom Bauernhof stand schemenhaft eine ferne Lichtglut vor dem Horizont: dort war Rotterdam – Rotterdam mit seinen tausenden und abertausenden von Lichtern, seinen Laternen, seinen hellerleuchteten Läden, den zahllosen gelben, grünen und roten Augen, die über der Maas blinzelten und farbige Schlangen in das Wasser ringelten ... Rotterdam, das er sehen konnte, wenn er die Augen schloß ... den Prinz-Hendrik-Kai ... er hörte das Gerumpel der Rollwagen, das Zischen und Rasseln der Winden auf den Schiffen, das Gedonner eines Zuges über die Brücke ... die Sieben-Häuser-Gasse ... er spürte die feuchte Kälte, roch die modrige Kellerluft ... Bets – nein. Bets nicht! An sie wollte er nicht denken; sie gab es nicht. Aber Rotterdam – gab es das? Existierte es wirklich? Konnte es diese Stadt geben, wenn die Welt so zauberhaft schön, so still und weit und einsam war? Hunderttausende von Menschen, eng zusammengepfercht in Häusern und Stuben, die in- und übereinanderverschachtelt waren? Ein brüchiges Wirrwarr von Steinkäfigen – voll, voll, voll mit Menschen ... krakeelende Hausierer, polternde Wagen, klingelnde Trambahnen, und wieder und immer wieder ohrenbetäubendes Gedonner von Zügen über Brücken und Viadukte ... das Zischen von Dampf, das Tuten der Boote, das Getöse des vieltausendfältigen Verkehrs, das wimmelnde Menschenheer in schmalen Geschäftsstraßen oder auf unruhigen Märkten voll schreiender Händler ... Und dies alles war dort, wo sich der helle Fleck am fernen Himmelsrand zeigte ... doch hier war Stille und Weite, so unendlich, so groß, so groß ... ja, so groß, daß solch Glück einen geradezu ängstigen mußte – so groß, daß es ganz und gar unaussprechlich war ...

Plötzlich hörte er, wie die Haustür rasch und geräuschvoll aufgerissen wurde. Er fuhr hoch und lief zum Fenster.

„Da hätten wir's", sagte Flierefluiter mit deutlicher Befriedigung in der Stimme und erhob sich ebenfalls.

Sie sahen den Bauern, die Hände auf den Leib gepreßt, in Unterhosen und Holzschuhen, hastig durch das Mondlicht stolpern und in dem Häuschen verschwinden, das am Eingang zum Gemüsegarten stand.

Flierefluiter lachte leise und schlug mit der flachen Hand auf das Fensterbrett. „Es wirkt", seufzte er erleichtert.

„Was wirkt?" fragte Merijntje.

„Das Mittel", erwiderte Flierefluiter feierlich. „Die Genesung hat begonnen."

Neugierig schaute Merijntje neben Flierefluiter hinaus. Der Bauer kam bereits wieder aus der Tür mit der herzförmigen Öffnung heraus und trabte zum Haus zurück.

„Warte, Freundchen, das ist erst der Anfang!" schmunzelte Flierefluiter. „Das ist garantiert noch nicht alles ...".

Fragend schaute Merijntje ihn an, aber er schüttelte den Kopf und schwieg; seine Augen lachten spöttisch, und er verzog den Mund zu einer schiefen Grimasse.

Wie ein Fastnachtsnarr, fand der Junge und blickte ungeduldig und unzufrieden auf den Hof hinunter.

Lange brauchten sie nicht zu warten. Wieder flog die Tür auf, und der Bauer kam herausgerannt, als säße ihm der Leibhaftige auf den Fersen. Er verlor einen Holzschuh, doch er machte sich nicht die Mühe, ihn wieder anzuziehen. Sie hörten, wie er beim Laufen stöhnte.

Wiederum lachte Flierefluiter unterdrückt, und Merijntje sagte: „Es sieht aus, als ob er Bauchschmerzen hat."

„Und ob er die hat!" gab Flierefluiter zu.

„Ist dein Mittel vielleicht zu stark ausgefallen?"

„Du bist der reinste Hellseher!"

Flierefluiter grinste ironisch, und Merijntje sah, wie seine Augen in boshaftem Spott funkelten. Heftig stieß der Junge ihn in die Seite:

„Du, ich glaube, das hast du absichtlich gemacht!" warf er ihm tadelnd vor.

Flierefluiter verzog das Gesicht zu bekümmerten Falten.

„Wie kannst du nur so was von mir denken?" fragte er scheinheilig. „Wofür hältst du mich denn? Still – da ist er wieder."

Die Unterhose mit beiden Händen heraufziehend, kam der Bauer aus dem Häuschen und humpelte zur Wohnung zurück. Gerade als er bei dem verlorenen Holzschuh war, trat er anscheinend auf einen spitzen Stein, denn er stieß einen unterdrückten Fluch aus, zog das Bein hoch und rieb heftig die schmerzende Stelle an dem nackten Fuß.

„Sieh an, sieh an!" murmelte Flierefluiter. „Die Vorstellung wird immer interessanter. Wie gut, daß wir Plätze im ersten Rang haben!"

„Ich glaube gar, dir macht das noch Spaß!" wetterte Merijntje, dem der arme Kerl da unten nun schon leid tat.

„Wie kannst du so was sagen!" verwies ihn Flierefluiter betrübt. „Siehst du nicht, daß ich nahe daran bin, auch zu heulen?"

Doch Merijntje sah sehr wohl, daß er seine Lippen mühsam zusammenpreßte und daß seine Schultern vor beherrschtem Lachen bebten. Dann wandte er den Kopf wieder nach draußen, denn eben ertönte abermals ein gedämpfter Schrei, und zusammengekrümmt hastete der Bauer, kaum daß er die Hinterpforte erreicht hatte, zurück zu dem Häuschen am Zaun. Er lief weit vorgebeugt, beide Hände in die Magengrube gepreßt, und stieß wimmernde Klagelaute aus, vermischt mit gotteslästerlichen Flüchen.

„Na, hör das einer, wie seine Gebete klingen!" jauchzte Flierefluiter; und er ließ sich rücklings ins Heu fallen, drehte eine Rolle und strampelte mit den Beinen in der Luft wie ein Pferd, das man gerade auf die Weide gelassen hat.

Eigentlich fand es Merijntje ziemlich bedenklich, daß Flierefluiter solch leichtfertiges Vergnügen an den grausamen Leibschmerzen des Bauern hatte; aber er konnte es doch nicht verhindern, daß auch er von der ansteckenden Fröhlichkeit seines Freundes gepackt wurde. Und er mußte sich die Faust in den Mund stecken, um nicht loszuplatzen, als er eben um die Ecke spähte und den Bauern laut jammernd von dem Häuschen kommen sah, eine Hand auf den Bauch, die andere auf den Hintern gedrückt: „Oh ... oijoijoijoi ... o weh, meine Därme, meine Därme!"

Flierefluiter gesellte sich rasch dazu und sah gerade noch, wie sich der Bauer hustend und pustend gegen den Türpfosten lehnte, ehe er hineinging.

„Niederträchtiger Bandit, du!" stöhnte Merijntje außer Atem.

„Das wird ihn lehren, anständige Menschen wie Dreck zu behandeln", sagte Flierefluiter grimmig. „Und einen Waisenjungen mit seinem Vormund für zweieinhalb Gulden die Woche schuften zu lassen! Dieser Geizhals!" Er drehte sich zu Merijntje um und fuhr in belehrendem Ton fort: „Gier und Aussaugerei müssen bestraft werden, denn das sind schwere Sünden. Und weil unser lieber Herrgott so barbarisch viel um die Ohren hat mit all seinen verfluchten Sündern, helf ich ihm ein bißchen. Außerdem profitiert der dumme Lümmel auch noch davon. Wer weiß, wie viele Tage Ablaß ich ihm mit dieser Prüfung besorge ... Jetzt bleibt er aber lange."

Kaum hatte er es ausgesprochen, als der Bauer wieder erschien. Diesmal hatte er sich nicht einmal Zeit genommen, seine Holzschuhe anzuziehen. Mit den eckigen Bewegungen einer Marionette sprang er über den Hof. Dann saß er stöhnend und winselnd hinter der nur halb geschlossenen Tür. Ab und zu, bei einem schneidenden Schmerzkrampf, überschlug sich seine Stimme in einem wilden Fluch, der kein Ende nehmen wollte.

„Nein, nein", murmelte Flierefluiter, „das ist kein Christenmensch, dieser Mann ... Er weiß sein Leiden nicht mit Geduld und Nutzen zu tragen. Meinen ganzen Ablaß flucht er bestimmt wieder weg!"

Wankend tauchte der Bauer aus dem Häuschen auf. Er hielt sich am Türpfosten fest. „Oooh ... aaah ... o meine Zeit!" stöhnte er heiser. Mit dem Handrücken wischte er sich die schweißnasse Stirn, schauderte und zog das weiße Hemd fester über der Brust zusammen.

Plötzlich rief Flierefluiter: „Hohler Kopf! Kannst du dich denn nicht wärmer anziehen? Willst du auch noch die galoppierende Schwindsucht kriegen?"

Heftig erschrocken fuhr der Bauer auf. Doch rasch begriff er, wer ihn da anrief. Er hob das Gesicht zum Fenster und schüttelte drohend die Faust.

„Halt's Maul, du Dreckskerl!" brüllte er rasend. Seine Stimme röchelte tief in der Kehle. „O du Dreckskerl, du gemeiner Dreckskerl, der du bist!"

„So, das ist wohl der Dank?" rief Flierefluiter gekränkt hinunter.

„Ich werde dir danken – morgen früh gleich!" drohte der Bauer, halb erstickt vor Wut. „Morgen früh, da schieß ich dich aus der Scheune raus – so wahr ich hier stehe!"

Flierefluiter lachte höhnisch.

„Scheißen kannst du – aber schießen?" krähte er. „Und morgen früh . . . morgen früh kriegst du keine Flinte angehoben, häßlicher Stinkesel!"

„Himmelkreuzdonnerwetter!" begann das Schlachtopfer wieder kreischend zu fluchen. Doch die Drohung endete in einem gellenden Schmerzensschrei und einer überhasteten Flucht ins Häuschen.

„Wenn ihm nur nichts passiert!" äußerte Merijntje unruhig.

Doch Flierefluiter zuckte die Schultern und sagte gleichmütig: „Das bißchen Abführen tut dem nichts."

„Das bißchen Abführen!" ereiferte sich Merijntje. „Was bist du doch für ein schlechter Mensch, Flierefluiter . . . Verflixt, ein richtiger Schurke bist du!"

Dann sahen sie mit Anteilnahme dem Rückzug des Bauern zu, der nicht einmal mehr heraufschaute, so elend und erbärmlich fühlte er sich. Mit hängendem Kopf und unsicherem Schritt ging er laut stöhnend zum Haus, die nackten Füße lächerlich hoch anhebend, als ob er so die spitzen Steine weniger spüre.

Boshaft rief Flierefluiter ihm nach: „Es ist deine eigene Schuld! Hättest du den Schnaps nicht getrunken!"

Niedergeschlagen senkte der Bauer den Kopf noch tiefer, als wolle er einem Schlag entgehen, und verschwand im Haus.

Dann blieb es still.

„Jetzt hat er ein paar Stunden Ruhe", verkündete Flierefluiter. „Aber für mich ist der Reiz dieses Hofes dahin . . . Pack dein Bündel, Merijntje, wir ziehen weiter!"

„Mitten in der Nacht?" rief der Junge verwundert. „Wohin denn?"

„Irgendwohin", erwiderte Flierefluiter unbesorgt. „Ist die Welt nicht groß genug? Ich habe das Gefühl, der Bauer hat was gegen mich, und diesen Gedanken kann ich nicht ertragen. Los, komm! Bist du fertig?"

Einige Minuten später waren sie durch ein Stallfenster geklettert und standen mit ihrem Bündelchen auf dem Hof, der still und unwirklich im Mondschein lag. Flierefluiter holte ein Stückchen Kreide aus seinem Sack und schrieb an die Hinterpforte: „Hättest du den Schnaps nicht getrunken, plumper Bauer du!"

Vor sich hin kichernd lief er ums Haus herum zum Tor. Der Hofhund in seiner Hütte hob den schweren Kopf, blinzelte schläfrig die beiden Wanderer an und wedelte sogar mit seinem buschigen Schwanz. Flierefluiter bückte sich und klopfte ihm auf den Nacken.

„Du bist gescheiter als dein Herr, Kerlchen!" lobte er ihn. „Du kannst wenigstens Freund und Feind auseinanderhalten. Komm morgen früh dem Bauern nur nicht zu nahe, Hundchen, sonst tritt er dir noch ein paar Rippen ein!"

Der Hund schleckte mit seiner warmen Zunge voller Hingabe über die streichelnde Hand. Als sie dann weiterliefen, sagte Flierefluiter:

„Solch ein armes Tierchen könnte ich nicht so foltern – daran magst du erkennen, daß ich doch eigentlich einen ganz braven Charakter habe, nicht wahr, Merijntje?"

Ein herzhaftes Lachen war die einzige Antwort des Jungen. Flierefluiter schüttelte betrübt den Kopf, weil sein Pflegesohn offensichtlich eine ziemlich schlechte Meinung von ihm hatte.

Schweigend gingen sie nebeneinander über den Polderweg tiefer ins Land hinein. In der Ferne schlug die Turmglocke eines Dörfchens elf helle Schläge, die sanft singend über ihnen dahinschwebten wie ein Vogelzug durch die stille Luft. Das einsame Land mit seinen unermeßlichen Feldern, schwarz noch oder mild überhaucht von dem ersten Grün der Saat, lag bis zu dem verschwommen sichtbaren Horizont weit, weit ausgebreitet unter dem klaren Himmel mit dem großen weißen Mond und den hier und da funkelnden Sternen. In unregelmäßigen Abständen erhoben sich die Baumreihen der alten Deichwege – um so schemenhafter und diffuser, je weiter sie weg waren. Sie schnitten die Landschaft in immer kleiner werdende, mehr und mehr in die Ferne weichende, sich perspektivisch verschiebende Planquadrate, wobei sie ein riesig ausgedehntes Raumbild suggerierten, das ungebrochenen Horizonten zu mangeln pflegt.

Leise knirschten ihre bedächtigen Füße in dem feinen, pulverigen Kies. Das war das einzige Geräusch ringsum. Merijntje fühlte, wie sich eine gewaltige Ehrfurcht seiner nebulos umherschweifenden Gedanken bemächtigte. Die Größe dieser unbefleckten nächtlichen Welt erfüllte ihn mit tiefem Staunen und mit atemraubender Freude, deren Ursache er nicht zu ergründen vermochte. Aber er dachte auch nicht darüber nach. Diese Nacht barg etwas Heiliges – etwas, was einem das Herz beklemmte und dennoch gut und freundlich war und fast vertraut. Es bekümmerte ihn nicht mehr, wohin sie zogen in dieser verzauberten Welt, die ein blaues Traumland wurde, je länger sie unterwegs waren, endlos ... und immer stärker fühlte man sich eins werden mit dieser stillen, klaren Nacht, mit dieser abgeschiedenen, weiten, lichten Welt, in der man selber das einzige Leben war – nur die fernen, klagenden Stimmen der ruhelosen Seevögel am Strom ... Und jäh wurde er sich seiner Liebe bewußt, die er für dieses Land hegte ... Oh, wie hing er daran! Er fühlte sich an dieses Land gefesselt, leidenschaftlicher als an irgend etwas anderes in der Welt, leidenschaftlicher als an Vater und Mutter... Es war unvorstellbar, ja verwirrend und überwältigend herrlich. Wie tröstlich, zu entdecken, daß man für etwas Schönes so viel empfinden konnte und daß dieses Schöne einen annahm und die Zuneigung erwiderte. Aber konnte das denn sein? Ein lächerlicher Gedanke: Wie konnte das Land einem seine Liebe zurückgeben! Das Land hatte weder Herz noch Seele...

Doch dieses Gefühl blieb und begeisterte ihn. Über diesem Land waren seine Augen aufgegangen. In diesem Land hatte sein Leben begonnen. Alle Erinnerungen seiner ersten zehn, elf Jahre waren mit diesem Land verknüpft: seine frühen Abenteuer, all seine aufregenden Erlebnisse, seine Spiele, seine stürmischen Freuden, sein erster Kummer... Die Wurzeln seines Lebens lagen in diesem Boden. Kam er deshalb davon nicht los? Nein, nun wußte er es untrüglich, daß er nichts, aber auch gar nichts von Rotterdam gehalten hatte – von der Stadt nichts, nichts von dem Leben dort und auch von den Menschen nichts... Oder doch, doch ja, ach ja... Freundschaften hatte es wohl gegeben ... schöne, heitere Stunden, Geborgenheit in der Gemeinschaft, im Zusammensein mit vertrauten Menschen... dieser zauberische Frühlingsabend an dem golden schimmernden, blauen Fluß... Ja, richtig – auch in Rotterdam hatte er so manches liebgehabt... Aber das war anders gewesen, nicht so unmittelbar, so nahe, nicht so ... so...
Seine suchenden Gedanken stockten, stießen auf etwas seltsam Unerklärliches. Und er wußte nur noch, daß er an diesem Land mit einer unzerstörbaren Liebe hing und daß er die Bäume beneidete, die dort drüben längs des Deiches standen, jahraus, jahrein, und in das Land schauen und an ihrem Platz verweilen durften, immerfort, immerfort, wer weiß, wieviel Jahre noch... Wahrhaftig, er mußte lächeln bei diesem törichten Gedanken; aber eine winzige Portion Eifersucht blieb doch haften neben der still jubelnden Freude, daß er hier seines Weges zog, zurück in das fast vergessene Land, das heimlich in seinem Leben geblieben war und das er jetzt als sein ureigenes erkannte, dessen stummes Lied er verstand, Wort für Wort. Er hätte es nachsprechen können...

Endlich gelangten sie an die Stelle, wo der Polderweg in sanfter Steigung auf den massiven Deich hinaufführte. Schräg lagen die blauen Schatten der Bäume über dem Hang. Ohne ein Wort ließ sich Flierefluiter ins Gras fallen, dicht unterhalb der Deichkrone, mit dem Rücken gegen eine stämmige Ulme.

Merijntje setzte sich neben ihn, faltete die Hände um die hochgezogenen Knie und starrte mit großen, verträumten Augen vor sich hin. Seine Seele trank die Stille und die einsame Schönheit der Nacht. Dann zitterte neben ihm plötzlich ein leiser Ton auf wie von einem Vogel, der im Schlaf zu singen beginnt. Er wandte den Kopf zur Seite. Zum erstenmal seit ihrer Abreise hatte Flierefluiter die Flöte hervorgeholt und spielte. Die kleine Melodie hüpfte und sprang, als tanze sie mit leichten Füßen durch den Mondschein. Eine stille Trauer war plötzlich darin, aber vielleicht war es doch Freude. Etwas Wunderliches, das auch in Merijntje lebte und wofür er vergebens Worte suchte. Längst vergangene Tage tauchten auf, ein stilles und liebes Gesicht, krause weiße Haare, das Antlitz des greisen Pfarrers, flüchtige Kindheit, unmeßbares Glück und unstillbarer Kummer. Ein weißer Traum war dieser Morgen gewesen . . .

Zeigte sich das Leben so reich, so schön, so wechselnd und so zärtlich? Und was kam nun?

Die mondbeschienene Landschaft verschwamm plötzlich im Nebel dick hervorquellender Tränen, die die Augen trübten und mit einer verstohlenen Handbewegung von Merijntje verschämt weggewischt wurden. Doch nicht ohne daß Flierefluiter es bemerkt hätte . . .

· *Viertes Kapitel* ·

I

Unbeschwerte, seltsam bewegte Tage. Sorgloses Wandern über unbekannte Wege, die alle so vertraut waren ... Der laue Frühlingswind schlug nach Norden um und kühlte den Leib durch die dünnen Kleider bis auf die Gebeine. Kalter Sturzregen prasselte schräg auf die verfinsterte Erde nieder aus dicken, schwarzen Wolken, hinter denen keine Sonne denkbar war. Hagelschauer klatschten auf gebeugte Rücken; der letzte nasse Schnee zerschmolz zu weichem, breiigem Matsch unter den schmatzenden Sohlen. Die Bäume krümmten ihre grünenden Kronen unter der Gewalt kurzer, heftiger Stürme, die alsbald in leichtere Winde übergingen und die Wolken auseinanderjagten, um einen saubergewaschenen, stahlblauen Himmel bloßzulegen. In den Wäldern hingen die Buchen voll zartgrüner Brautschleier, und die Obstgärten streuten ihre schäumenden Blüten über das üppig aufschießende Gras. Lämmlein tollten närrisch umeinander und stießen mit den runden Köpfchen nach vermeintlichen Angreifern, trunken von ungewohntem Leben. Fohlen standen neben ihrer träumenden Mutter auf der Weide, stoben plötzlich davon, schlugen Erdklumpen aus dem Boden, flüchteten in panischem Schrecken wieder zur Stute zurück, die sich träge umwandte und gleichmütig über den ängstlich zufluchtsuchenden Kopf des Jungtieres leckte. Bezaubernd die Frühlingslandschaft in ihren tausenderlei Erscheinungen – in allem

Wachsen und Blühen strebt sie der reiferen Jahreszeit zu. Und die bebende Verzückung, die Merijntje packt, jetzt zum erstenmal, da er das unfaßliche Wunder des Erwachens entdeckt, die Schönheit der Welt sieht, sie tiefer noch erfährt durch das stillvergnügte Geplauder seines Wegbegleiters und dessen ungestüme Ausbrüche überschwenglicher Lebenslust. Schlafen in Heuhaufen, die am Ende einer langen Wanderung standen, oder einmal sogar – in einer lauen Nacht – im Wald, unter überhängendem Buschwerk, an dem die jungen Blättchen wie an Schnüren aufgereiht saßen. Die nie gekannte Seligkeit des Erwachens im grünen Licht des morgenfrischen Waldes, umjubelt vom tausendstimmigen Lied der singenden Vögel ...

Ein fremdartig anmutendes Leben unter der launigen Führung Flierefluiters, der sich von den Eingebungen des Augenblicks bestimmen ließ, der für alles Rat wußte, der die Menschen um den Finger zu wickeln verstand und sich durch nichts aus der Ruhe bringen ließ. Er war bekannt in der Gegend, wurde empfangen wie ein guter Freund, und alle Häuser standen ihm offen. Überall verdienten die beiden Geld. Manchmal mit Arbeit in Scheunen und Ställen, im Garten oder auf dem Feld. Manchmal mit den absonderlichen Praktiken Flierefluiters, der den Wunderdoktor spielte, verrenkte Gliedmaßen durch „Besprechen" heilte, Wunden reinigte und geschickt verband, makabre Kuren verschrieb für abergläubische Bauern, für ihre Frauen und ihre Tiere. Merijntje glaubte, daß er die Tiere besser, gewissenhafter und behutsamer umsorgte und ihnen wirklich half; die Menschen hielt er hemmungslos zum Narren und lachte sie hinterher noch aus. Als Merijntje ihn fragte, warum er die Tiere gütiger behandelte als die Menschen, antwortete er, daß die Tiere hilflose Geschöpfe seien, die keine Vernunft besäßen wie die Menschen, um zu begreifen, wenn sie beschwindelt würden: darum müsse man ihnen, die ohne Arg seien, auch ohne Arg begegnen!

Manchmal kommen sie auch gerade zu einem Fest, einer Hochzeit, einer grünen, kupfernen oder silbernen – ganz egal. Flierefluiter wird mit Jubel hereingeholt, spielt, schwatzt törichtes, spöttisches Zeug, ist nach kürzester Zeit Meister und Mittelpunkt und lehrt die Leute Feste feiern. Und Merijntje wird überall mitgeschleppt in das fröhliche Treiben, ißt und trinkt, tanzt und singt und küßt die Mädchen beim Pfänderspiel, ohne allzu tief zu erröten.

Und akkurat jede Woche geht eine Postanweisung nach Hause mit ein paar kurzen Worten: Sind gesund und finden Arbeit genug, sind dort und dort, aber morgen geht's woanders hin. Ein seltsames, aufregendes Leben! Hitziger Streit in den tauperlenden Morgenstunden an leise bewegtem Wasser unter sanft flüsternden Weiden – hitziger Streit über Gott und die Weltordnung, wobei allein Merijntje hitzig wird, denn Flierefluiter bleibt stets ruhig, predigt seinen staunenerregenden Gottesbegriff, ist unzugänglich für jegliche Höllenängste, mit denen Merijntje ihn zu schrecken versucht, lacht über alles, was dem Jungen als unantastbarer Glaubensstandpunkt eingebleut worden ist, und strahlt vor Liebe und Vertrauen gegenüber dem Gott, den Merijntje nicht gelten lassen will. Nagender Zweifel bleibt zurück nach jedem dieser Gespräche – Zweifel, der Merijntjes Wesen ohnehin nicht fremd ist, hat er doch all die Jahre zuvor schon dagegen anzukämpfen gehabt. Zweifel, der unter den aufkeimenden Gedanken einer reifenden Idee die alten Sicherheiten erschüttern macht; und dennoch wagt man nicht, sie loszulassen, weil es keine neuen Sicherheiten gibt, auf die man sich stützen kann. Und wachsende Aufmerksamkeit für Flierefluiters heiteren Gottesbegriff, den er nicht akzeptieren will, der ihn aber fesselt wie eine schöne Geschichte, ein exotischer Traum, farbig und von mildem Licht überstrahlt.

Ja, einen Wirrwarr von Eindrücken schüttete dieses Leben über den Jungen aus, und oft blieb ihm keine Zeit zum Nachdenken und Ordnen. Aber das war das Leben. Oh, bestimmt war dies das Leben! Seine Haut verbrannte zu einem warmen Braun, sein Körper härtete sich ab gegen Wetter und Wind, er aß wie ein Wolf und schlief wie ein Kind mit geballten Fäusten. Rotterdam lag versunken in einer fernen, dumpfen Vergangenheit. Es war, als hätte er Jahre verschlafen und als wäre Rotterdam nur ein verschwollener Traum, aus dem er in dem alten Land, unter dem hohen blauen Himmel mit den eilig dahinjagenden Frühjahrswolken, mitten in den grünen Feldern erwachte. Um ihn her die kleinen, armseligen Häuser an den Deichen, die stattlichen Höfe im Schutz ihrer hohen Baumgruppen, die Dörfer mit ihren zierlichen Türmen und die Sonne auf den roten, blauen oder schilfgrauen Dächern. Die aufsprießenden Schwerter der Irisblätter in den Gräben, das bereits schüchtern rauschende und sich neigende Schilf an den Ufern von Bächen und Gräben. Hier und da verstreut die Arbeiter in der Unendlichkeit der Felder, jätend oder grabend oder pflanzend; kleine, dunkle Gestalten, die sich schwerfällig über die grünende Erde bewegten – wie Käfer, die über ein buntgewürfeltes Kleid krabbeln.

Und immer die Musik, die nie schweigende Musik von Äckern, Wäldern und Wasser. Man konnte nicht sagen, was schöner war: das Schauen oder das Lauschen. Alles floß zusammen zu einer Freude, einem Entzücken, das man mit Worten nicht auszudrücken vermochte und das man doch einmal äußern wollte, äußern mußte. Man suchte nach Worten, aber sie klangen so töricht unzureichend, so arm und blaß. Oder auch hohl und übertrieben. Sie hatten nichts mehr mit dem zu schaffen, was man hörte und sah und fühlte, und man bekam einen roten Kopf vor Verlegenheit bei

dem Lächeln und dem gütig spottenden Blick Flierefluiters. Und
in solch einem Moment wußte man, daß es das gescheiteste war,
laut aufzuschreien und seinen Kameraden unversehens anzufallen,
ihn niederzureißen und mit ihm, wild raufend und tobend, durch
das Gras zu rollen.

Ob es nur an Flierefluiter lag, daß seine Augen und Ohren sich
geöffnet hatten? Merijntje wußte es nicht. Er wußte nur, daß mit
ihm zusammen alles schöner wurde, einen tieferen Glanz erhielt,
wenn er mit andächtiger Stimme – stille Freude in den Augen –
dasaß und den Jungen auf den Gesang einer Lerche oder den Untergang der Sonne hinter einem schwarzen Fichtenwald aufmerksam machte. Und Merijntje überlegte, wo er diesen Ausdruck ruhigen Glücks schon gesehen hatte. Und plötzlich wußte er es: so
blickte früher der Herr Pfarrer, wenn er sinnend über die Güte
des lieben Herrgotts redete.

In seiner Verwunderung sprach er es aus: „Weißt du, Flierefluiter, wem du manchmal ähnlich bist?"

Der andere schaute ihn fragend an.

„Unserem alten Herrn Pfarrer. So ein Gesicht konnte er auch
haben, wenn er über den Himmel oder über Gott sprach."

„Oh", sagte Flierefluiter lächelnd. Er schwieg eine Weile und
nickte dann langsam. „Das ist gut möglich. Es wird wohl der Abglanz vom Himmel und von Gott selber sein."

Dem Jungen lief es kalt über den Rücken. „Du darfst nicht
spotten!" sagte er unwillig.

„Aber ich spotte doch nicht!" erwiderte Flierefluiter leise lachend. „Der Herr Pfarrer dachte an den Himmel, und ich sitze
mitten darin – er glaubte, er werde Gott nach seinem Tode sehen,
und ich schaue ihm den ganzen Tag in die Augen."

Merijntje blickte ihn fragend und ängstlich an. Meinte er das
ernst, was er sagte, oder lachte er ihn aus mit seinem spottenden
Unglauben? Nein, das war nicht möglich. In diesem hingerissenen
Gesicht war wirklich etwas von Frömmigkeit. Aber wie war das
möglich? Flierefluiter war ein Ungläubiger, ein gottloser Gesell,
der über Kirche und Priester respektlose Reden führte. Und doch
konnte er das Wort Gott mit einer Ehrfurcht aussprechen, die Merijntje mit Verwunderung und seltsamer Rührung erfüllte.

„Was meinst du eigentlich mit deinem Gott?" fragte er beunruhigt zum soundsovielten Mal.

„Alles", sagte Flierefluiter und machte eine weite Handbewegung. „Alles auf der Welt und rund um die Welt, alles um uns
und in uns und uns selber dazu."

„Das verstehe ich nicht", rief Merijntje ungeduldig. „Meinst du
die Natur?"

„Auch", lachte Flierefluiter, „aber ich vergesse den Geist nicht
dabei."

Davon wurde es nicht deutlicher. Flierefluiter sah lächelnd die Denkfalten auf Merijntjes Stirn und seine zusammengezogenen Brauen.

„Du mußt nicht zuviel über Gott nachgrübeln", sagte er dann ermutigend. „Du wirst ihn schon finden, freilich mußt du diese kindische Karikatur deines lieben, kirchenfreundlichen Herrn mit dem langen Wallebart und dem schelmischen Wesen vergessen können."

„Halt den Mund, gemeiner Spötter!" schimpfte Merijntje. „Das ist nicht meine Vorstellung von Gott. Aber so wie er in Wahrheit existiert, werde ich ihn nie vergessen ... und es würde auch nichts nützen, denn es gibt ihn ja doch!"

„Aber er schert sich nicht darum, wie du ihn dir vorstellst", gab Flierefluiter zu bedenken, „nicht mehr jedenfalls, als er sich um das Gottesbild jenes Marienkäfers dort kümmert, der da den Grashalm hinaufklettert ... Daß du das nur weißt!"

Merijntje zuckte die Schultern. Dummes Zeug ... Er hätte gern noch mehr gefragt, doch er wagte es nicht. Er wagte seinen Gott nicht mehr dem von Flierefluiter gegenüberzustellen, aus Furcht, daß schon das Gotteslästerung sei, aus Furcht auch, daß er nicht solch schlagende Argumente finden könnte wie Flierefluiter und daß der Gott dieses Heiden ihn in noch stärkere Versuchung führen würde ... Denn er fühlte sich manchmal abscheulich davon angezogen.

Aber wenn er auch hartnäckig und ängstlich Fliereluiters Gott verwarf, so trat doch zur Schönheit der Welt etwas hinzu, was eine wärmere Glut, einen volleren Geschmack, ja größeres Verstehen insgesamt schenkte – und das lag wohl vornehmlich an diesen wunderlichen Reden und Sprüchen seines Freundes. Es schien immer, als stünde hinter dessen Worten und hinter dessen blitzenden Augen ein Geheimnis, das er nicht aussprechen wollte oder nicht aussprechen konnte, das aber alle Dinge mit einem mysteriösen Glanz umstrahlte. Und Merijntje ließ sich willig stets von neuem in das überwältigende Glück jener Irrwanderungen zurückführen, das voll Erwartung künftiger, noch größerer Herrlichkeiten war.

Jetzt zogen sie unter einem bedeckten Himmel dahin, der mit Regen drohte, über einen Deich, der sich in weitem Bogen durch die Felder wand. In der Ferne, zwischen Bäumen, drehte sich der Wetterhahn auf dem Turm von Merijntjes Heimatdorf, auf das sie zuschritten und wo sie die Nacht über bleiben wollten. Sein Herz klopfte vor Erregung mit kurzen wilden Schlägen. Er hatte bisher nicht viel daran gedacht, sondern war geduldig neben Flierefluiter hergegangen, kreuz und quer durch das Land, ohne zu fragen, warum und wohin. Doch als gestern sein Freund plötzlich sagte: „Morgen wollen wir einmal in dein Dorf gehen, Merijntje", war eine große Freude über ihn gekommen. Und nun schritten sie schon stundenlang dahin.

Nicht mehr lange, und sie würden bei der Großmutter am Tisch sitzen und in dem alten vertrauten Häuschen Kaffee trinken. Er würde seine Kameraden von früher wiederfinden und mit ihnen über Schuljungenstreiche sprechen. Während des ganzen Weges rief er sich die Bilder aus den Kinderjahren vor sein geistiges Auge, er sah die Gesichter der alten Bekannten, vom Schmied und vom Wagner, vom Frachtschiffer Duumpje, mit dem er als Kind einmal von Rotterdam hierhergefahren war. Die Dorfstraße mit ihren gestutzten Linden vor der Pfarrei und einigen Wirtshäusern erschien ihm als etwas so Schönes und Vertrautes, wie es auf der ganzen Welt sonst nicht zu finden war. Und Flierefluiter mußte ihm immer wieder sagen, er solle nicht so rennen, ein solches Tempo halte er nicht aus, denn der Abend bei dem geizigen Bauern säße ihm noch in den Knochen – und der habe ein verdammtes Gewicht . . .

2

Als sie gegen drei Uhr nachmittags bei der Großmutter eintraten, strahlte Merijntje vor Freude. Auf dem Weg durch das Dorf hatte er dauernd nach rechts und links geblickt, alle Häuser wiedererkannt, ihnen zugenickt und zugelacht und die verwundert neugierigen Gesichter hinter den Fenstern mit fröhlichem Winken begrüßt.

„Guten Tag, Großmutter!" rief er mit einer Stimme, die vor Freude fast ebenso schrill klang wie damals, als er noch ein kleiner Junge war.

Seine Großmutter saß im Lehnstuhl am Fenster. Unter der Rüschenhaube wirkte ihr braunes Gesicht kleiner und hagerer als früher. Ihre schmale, krumme Nase zwischen den schwarzen stechenden Augen sprang heftig nach vorn, und die Spitze bog sich über den zahnlosen Mund, als ob sie in das vorspringende Kinn mit der behaarten Warze stechen wolle. Wie alt und klein sie geworden war! Ganz verhutzelt.

Nur in ihrer Bissigkeit schien sie die alte geblieben zu sein. Als sie Flierefluiters lange, breite Gestalt hinter Merijntje eintreten sah, rief sie giftig:

„Sieh an, da haben wir ja die Vagabunden! Ich habe es doch geahnt, daß die heute anscharwenzelt kommen."

„Wieso? Wußtest du denn . . .?"

„Natürlich wußte ich. Denkst du vielleicht, deine Mutter hat es mir nicht geschrieben? Eine schöne Geschichte, muß ich schon sagen. Ein Landstreicher in der Familie!"

Merijntje wurde rot vor Verlegenheit und Wut. Doch Flierefluiter lachte laut und sagte fröhlich:

„Gut so, Großmutter! Ich sehe, du bist noch immer gesund wie ein Fisch im Wasser."

„Ich – gesund?" schnauzte die kleine Alte entrüstet. „Ich bin krumm vor Rheumatismus, das weißt du genau, denn es ist ja nicht erst seit heute oder gestern. Und hier im Haus könnt ihr nicht bleiben, daß ihr's nur wißt!"

„Na, na, Sjoke!" sagte eine schwere Stimme. „Schenk den Männern lieber eine Schale Kaffee ein! Ist das eine Art, Christenmenschen zu empfangen?"

Da erst sahen Merijntje und Flierefluiter, daß ein Pfarrer am Tisch saß. Sie begrüßten ihn, und Großmutter erhob sich stöhnend aus ihrem Lehnstuhl. Murrend ging sie, auf ihren Stock gestützt, zum Kanonenofen und griff nach dem Kaffeetopf.

„Ihr habt gut reden, Herr Pfarrer! Was soll ich mit zwei solchen Flegeln anfangen?"

Doch sie gehorchte ohne weitere Widerworte und schenkte zwei Schalen Kaffee ein.

„Ihr auch noch, Herr Pfarrer?"

„Nein, schönen Dank! Ich muß weiter."

Schwer erhob sich seine mächtige Gestalt hinter dem Tisch. Er drückte den Hut auf den großen Kopf und sagte mit seiner groben Stimme: „Wenn sie so böse wäre wie ihre Zunge, hätte ich ihr längst den Hals umgedreht. Auf Wiedersehen, alle miteinander!"

Verblüfft blickten Merijntje und Flierefluiter dem breiten Rükken nach, der sich beugen mußte, als der Mann durch die niedrige Tür ging.

Als er außer Hörweite war, entrüstete sich die Großmutter.

„Was sagt ihr zu dem? Habt ihr schon einmal einen solchen Unmenschen gesehen? Das Prachtstück haben wir voriges Jahr ins Dorf gekriegt, als Pfarrer van Gils – Gott hab' ihn selig – das Zeitliche segnete."

Flierefluiter brach in Gelächter aus und schlug sich klatschend aufs Knie.

„Verflixt", rief er, „ich glaub, das ist ein Pfarrer nach meinem Herzen!"

„Halt deinen Mund, du Lump, nichtsnutziger!" schnauzte die Großmutter. „An diesem Pfarrer ist ein Raufbold verlorengegangen."

„Tatsächlich?"

„Ramakers heißt er und ist der übelste Grobian, den ich je gesehen habe."

„Na, na, Großmutter, darf man denn so über einen Pfarrer reden?" mahnte Flierefluiter mit ernstem Gesicht, doch innerlich belustigt.

„Ach was", gab das kleine alte Weib giftig zurück. „Ich sage, wie's ist, ob Pfarrer oder nicht. Und das ist kein Pfarrer, das ist ein – ein Unwetter ist das, jawohl, ein Unwetter!"

Anscheinend befriedigt über ihren Fund nickte sie wiederholt mit dem Kopf und wischte sich mit der knochigen Hand den Speichel vom Kinn.

„Ein Gewitter!" bekräftigte sie.

„Das herniederfährt über Gerechte und Ungerechte?" vermutete Flierefluiter.

„Vor allem über die Gerechten", murrte die Großmutter. „So ein Bullenbeißer!"

„Der gefällt mir", lobte Flierefluiter. „Ich glaube, mit dem muß ich nähere Bekanntschaft schließen."

Die Großmutter zuckte ärgerlich die Achseln und wandte sich mürrisch an Merijntje: „Und warum bist du zu Hause weggelaufen? Konntest du dir nichts Vernünftigeres ausdenken, als mit diesem Vagabunden auf die Walze zu gehen?"

„Ich bin nicht weggelaufen", verteidigte sich Merijntje empört. „Ich konnte in Rotterdam keine Arbeit finden, und hier bekommen wir welche."

„Das wird eine schöne Arbeit sein!" schnaubte die Großmutter verächtlich. „Mit so einem Tagedieb! – Stell dich mal hin!"

Gehorsam stand Merijntje auf. Sie musterte ihn mit abschätzendem Blick.

„Groß bist du geworden", sagte sie dann mit etwas wie Befriedigung in der knarrenden Stimme. „Wenn du noch ein bißchen stämmiger wirst, hast du Ähnlichkeit mit deinem Großvater. Na ja, ihr könnt vorn in der Bettstelle schlafen. Nun, wo Tante Trui geheiratet hat, ist doch kein Mensch mehr im Haus ... Und wann zieht ihr weiter?"

Darüber mußten die beiden lachen, und Flierefluiter erwiderte: „Das wissen wir noch nicht, Großmutterchen. Wenn wir keine Arbeit finden, sind wir sofort wieder weg, und wenn wir welche finden, bleiben wir länger – aber dann bezahlen wir Kostgeld."

„Das will ich meinen", sagte die Großmutter skeptisch, schien jedoch ein wenig sanfter gestimmt durch die Möglichkeit, daß ihre unwillige Gastfreundschaft bezahlt würde. Darauf blickte sie Flierefluiter forschend an und fragte: „Aber du bist doch verheiratet, nicht wahr?"

Flierefluiter zog ein schiefes Gesicht, zeigte auf seine Brust und rief entrüstet: „Ich?"

Er sagte es mit so komisch entsetztem Nachdruck, daß Merijntje sich umdrehen und verstohlen grinsen mußte.

Aber seine Großmutter ließ sich nicht so leicht aus dem Feld schlagen. „Doch, doch", beharrte sie, „mit diesem Weib aus der Schmalzkuchenbude, sagen die Leute."

„Sagen die Leute, sagen die Leute!" wiederholte Flierefluiter.
„Pah! Sie sagen auch, du hättest es mit dem Pfarrer van Gils gehalten ... Soll ich das vielleicht glauben?"

Die Alte erstarrte in ihrem Sessel. Ihre winzigen schwarzen Augen in dem zerfurchten Gesicht sprühten Blitze. Und die dürren
Hände um die Armlehnen gekrampft, stotterte sie wütend:

„Was – was für – Dreckskerle ..."

Flierefluiter lachte laut, winkte beschwichtigend ab und sagte:

„Na, beruhige dich nur! Das habe ich mir bloß so ausgedacht.
Aber du siehst, wie leicht es ist, zu sagen: die Leute sagen ... Gut,
ich gehe jetzt zu Jan Birres, ein Glas trinken. Bis nachher!"

Noch leise vor sich hin lachend, ging er hinaus. Merijntje biß
sich auf die Lippen.

Die alte Frau blickte ihn an und zeterte: „Und du lachst noch
darüber, wenn so ein Flegel deine Großmutter verhöhnt!"

„Er hat es ja nicht böse gemeint, Großmutter."

„Ja, ja, halt ihm noch die Stange! Du wirst es weit bringen,
wenn du mit solchem Volk herumziehst. Dieser saubere Bruder!
Aber jetzt erzähl mal! Ist er nun verheiratet oder nicht?"

Widerwillig entgegnete der Junge: „Ja, schon – aber er ist seiner Frau weggelaufen."

Großmutters Augen wurden zu Spalten, und ihr schmaler Mund
sah aus wie ein Schlitz.

„Dann will ich ihn nicht in meinem Haus haben!" sagte sie fest
entschlossen. „Ein Kerl, der seiner Frau wegläuft, hat bei mir
nichts zu suchen!"

Merijntje erschrak: Da hatte er ja wieder etwas Schönes angerichtet. Um es wiedergutzumachen, sagte er:

„Aber Großmutter, diese Bets ist so ein böses Weib – und ab-
grundschlecht ... wirklich, Flierefluiter hat viel Kummer mit ihr
gehabt und viel ertragen. Aber dann hat sie's so bunt getrieben,
daß er es nicht mehr aushalten konnte."

„Natürlich, natürlich!" rief die Großmutter mit schriller Stimme. „Immer der Frau alle Schuld geben! Dein Flierefluiter ist ja
ein Engel!" Doch dann siegte ihre Neugier, und sie fragte hastig:
„Was hat dieses Weibsstück denn getan?"

Merijntje wurde rot. Unbestimmt sagte er: „Ach, alles mögliche."

Doch so kam er bei seiner Großmutter nicht davon. Inquisito-
risch fuhr sie fort: „Was denn? Heraus mit der Sprache!"

Und da mußte der Junge wohl oder übel das eine und andere
auspacken. Widerwillig und mit tastenden Worten, verlegen und
zögernd erzählte er von Bets' Gemeinheiten: daß sie es mit anderen Männern trieb, daß sie wucherte und daß sie ihren Mann wie
einen dummen Jungen behandelte.

Die Großmutter lauschte begierig, stellte scharfe Fragen, um

Einzelheiten zu erfahren. Und als sie alles aus ihm herausgepreßt hatte, schüttelte sie den Kopf, schlug die Hände zusammen und sagte entrüstet:

„Nein, nein, nein! Was ist das für eine Welt dort in der großen Stadt! So etwas von Schlechtigkeit überall! Und du Rotzjunge sitzt da und redest darüber, als ob du über alles schon genau Bescheid wüßtest. Daß du dich nicht schämst!"

Zorn stieg in Merijntje auf. Der gleiche Zorn wie früher gegen die launische Ungerechtigkeit dieser tyrannischen Großmutter, die ihn in seinen Kinderjahren so hart und streng für Vergehen bestraft hatte, von denen er jetzt wußte, daß es Kindereien waren. Wie früher hatte er Lust, ihr böse Schimpfworte an den Kopf zu werfen und davonzulaufen. Doch sie saß da so klein und verhutzelt, so kraftlos, schwach und gebrechlich. Und plötzlich mußte er lachen: eigentlich war es zu komisch – dieses zerfurchte Weiblein, das noch immer glaubte, über alle herrschen zu können, große Töne redete und tat, als habe der liebe Herrgott ihr seine verborgensten Wahrheiten persönlich offenbart! Groß und stark saß er ihr gegenüber, und sie putzte ihn herunter, als ob er noch der kleine Junge wäre, der zu spät nach Hause kam und seine Strafe von ihr erhielt. Er traute ihr zu, daß sie auch jetzt noch imstande wäre, ihn, wie früher so oft, auf die Knie zu zwingen und fünfundzwanzig Vaterunser beten zu lassen, wenn er gewagt hätte, ihr zu widersprechen.

Er lachte leise.

„Was hast du denn zu kichern?" fuhr die Großmutter los. „Alte Leute auslachen! Aus dir ist in der lasterhaften Stadt was Rechtes geworden, das muß ich schon sagen."

„Aber Großmutter, ich lache dich doch nicht aus."

„Halt deinen Mund, du Lausebengel! Und diesem Burschen kannst du ruhig sagen, daß er hier nicht reinkommt! Ein Kerl, der seine Frau im Stich gelassen hat ... das nehme ich nicht auf mein Gewissen."

„Aber Großmutter ..."

„Papperlapapp! Nichts da! Er soll sich eine andere Unterkunft suchen. So eine gotteslästerliche Sünde ... ein verheirateter Kerl!"

„Dann bleibe ich auch nicht hier."

Der schmale Mund verzog sich geringschätzig. Unheilverkündend funkelten die kleinen schwarzen Augen unter den brauenlosen Bogen. Mehr denn je glich sie einer Zauberhexe. Scharf blickte sie Merijntje ins erzürnte Gesicht.

„Das mußt du selber wissen", sagte sie giftig. „Ich hätte dich gern aufgenommen ... Aber wenn du lieber bei diesem gemeinen Dreckfink bleibst, werde ich dich nicht zurückhalten."

„Flierefluiter ist kein gemeiner Dreckfink ... Er ist unglücklich und ein Mensch, den man gern haben muß."

„Gern haben, diesen Halunken! Bete lieber, daß unser Herrgott sich seiner annimmt, denn heute oder morgen geht er in die Ewigkeit ein mit einer Seele, schwarz wie Pech."

Da hatte sie es schon wieder mit ihrem lieben Gott! Finster blickte Merijntje vor sich hin. Eine Seele, schwarz wie Pech... Hatte Flierefluiter eine Seele, schwarz wie Pech? Natürlich war er nicht ohne Sünden. Aber war er schlecht, wirklich schlecht? Doch die Großmutter und andere, die so waren wie sie, die drohten gleich mit dem lieben Herrgott und wußten genau, was der tun würde... gerade als ob sie ihn alle Tage sprächen...

Sein Widerwille wurde heftiger. Was war das für ein Herrgott, der sich von bösartigen alten Frauen und scheinheiligen Muckern zu jeder Stunde des Tages als drohenden Spuk gebrauchen ließ? Lächerlich war das – und abscheuerregend. Daran brauchte er nicht zu glauben. Irgendwie fühlte er sich innerlich freier bei dieser Erkenntnis; fast so etwas wie Erlösung durchdrang sein Denken. Eine derart eigenbrötlerische und selbstgerechte Vorstellung durfte man getrost verwerfen. Auch um des Herrgottes selber willen... Aber welchen Gott nun sollte man gelten lassen? Gab es schließlich doch mehrere davon? Den von Großmutter würde er auf keinen Fall akzeptieren. Der von Flierefluiter reizte ihn sehr, aber er wagte ihn nicht zu übernehmen. Und sein eigener Gott? Wie sah er denn nun aus? War das nicht derselbe wie Großmutters – war er ihnen nicht in der gleichen Kirche gepredigt worden?

Ärgerlich stand er auf. Sein Gewissen war beunruhigt. Dieser plötzliche Abscheu vor dem lieben Herrgott begann ihn zu bedrükken; denn es konnte doch nur einen Gott geben, wie man's auch drehte und wendete – es ließ sich kein anderer Schluß finden!

„Dann gehe ich also", sagte er dumpf.

„Geh deiner Wege!" erwiderte die Großmutter schroff.

Er nahm sein Bündel und seinen Stock und ergriff auch Flierefluiters Habseligkeiten.

„Leb wohl, Großmutter!"

„Leb wohl!"

Als er am Fenster vorüberkam und noch einmal hineinblickte, sah er, daß seine Großmutter den Rosenkranz in den dürren Fingern hielt und der zahnlose Mund Gebete murmelte...

Für wen betete sie nun wohl? Für ihn, den sie sicher ein wenig als verlorenen Sohn betrachtete? Oder für Flierefluiter und seine Seele, schwarz wie Pech? Vielleicht meinte sie es nicht einmal so böse.

Achselzuckend ging er die Dorfstraße entlang auf die Suche nach Flierefluiter, der hier oder da in einer Wirtschaft hinter einem Glas Bier saß. Der würde Augen machen! Vor die Tür gesetzt, noch ehe man richtig im Haus war! Eigentlich war es zum Lachen. Seine Großmutter war ein Prachtstück!

Lange brauchte er nicht zu suchen. Aus der ersten Wirtschaft hörte er lärmendes Reden und Lachen, und die Stimme seines Freundes übertönte alles. Er trat ein. Flierefluiter stand mit zwei Bauernknechten an der Theke, der Wirt und seine Frau lehnten sich darüber, und alle lachten über etwas, was der Landstreicher eben gesagt hatte.

„Ach!" rief Flierefluiter. „Da haben wir ja Merijntje! Kennt ihr ihn noch?"

Ausrufe des Erstaunens und der Begrüßung. Harte Hände, die er mit seltsamer Freude drückte. Er erkannte sie alle, nannte sie beim Namen, lachte über ihr Verwundern, daß er so groß geworden sei – wahrhaftig ein ganz erwachsener Kerl ... Er mußte ein Glas Bier mittrinken auf das Wiedersehen und auf die Freundschaft. Wie interessiert sie nach Vater und Mutter und den Kindern fragten, und ob Arjaan noch immer so ein verdammter Bandit sei. Ach, es war doch schön, wieder im Dorf zu sein und die alten Bekannten zu sehen!

Übermütig rief er: „Prost, trinkt aus! Ich gebe eine Runde!"

Dann wurde er rot vor Verlegenheit. Alle sahen ihn so lachend und überrascht an. Es war die erste Runde, die er in seinem Leben ausgab.

Flierefluiter schlug ihm kräftig auf die Schulter und sagte stolz:

„Na, was sagt ihr zu dem? Ich werde, verdammt, einen Kerl aus ihm machen wie sechs andere!"

Dann fiel sein Auge auf die Bündel.

„Warum trägst du denn unser Gepäck spazieren?" fragte er argwöhnisch.

Merijntje trank einen großen Schluck von seinem Bier, wischte sich mit einer sehr männlichen Bewegung den Schaum von den Lippen und erwiderte:

„Wir sind bei meiner Großmutter schon hinausgeflogen!"

„Was?" schrie Flierefluiter. „Hast du Streit mit ihr angefangen?"

„Ich nicht – sie mit mir."

Die ganze Gesellschaft brach in schallendes Gelächter aus. Die Großmutter war bekannt. Und Flierefluiter sagte eifrig:

„Rasch, Leute, trinkt aus! Darauf muß ich eine Runde spendieren."

Sie beeilten sich, den angenehmen Befehl zu befolgen. Dann schenkte einer der Bauernknechte eine Runde, der andere wollte nicht zurückstehen – und hätte es nicht wie Geiz gewirkt, wenn der Wirt sich nun nicht auch erkenntlich gezeigt hätte?

Flierefluiter wollte unbedingt wissen, warum die Großmutter plötzlich ihren Entschluß geändert habe, doch Merijntje schüttelte den Kopf. Er lachte nur und winkte abwehrend mit der Hand, wie er es von Flierefluiter so oft gesehen hatte. Das viele Bier war ihm zu Kopf gestiegen und verlieh ihm das Gefühl, als schwebe er – wie im Nebel sah er die Wirtschaft und die Anwesenden vor seinen Augen, und mitten in dieser dunstigen Welt die Großmutter zusammengesunken im Lehnstuhl; sie glich genau einem Maulwurf, einem kleinen schwarzen Maulwurf, so blind, so blind ... So ein kleiner naseweiser Maulwurf, der nichts von der Welt und dem Leben weiß, der nur seine lichtlose Höhle und die schwarzen unterirdischen Gänge kennt – und der doch mitreden und das große Wort führen will über die Welt dort oben, da draußen, wo solche Kerle herumlaufen wie Flierefluiter, den Kopf hoch in der Sonne und einen Separatgott für sich allein. Ein boshafter, blinder Maulwurf, mit einem Rosenkranz und einem Mümmelmündchen ... Es war zu komisch, und Merijntje erstickte fast vor Vergnügen bei dieser grotesken Vorstellung.

„Ich begreif sie wohl", sagte Flierefluiter mit betrübter Stimme. „Sie traut mir nicht. Sie fürchtet, daß ich's auf deine Unschuld abgesehen habe."

Ohrenbetäubendes Gelächter brach los. Die Frau des Wirtes fand, daß es für sie an der Zeit wäre, zu verschwinden: wenn die hartgesottenen Männer solch lose Reden führten, war es für eine anständige Frau schicklicher, ungesehen vom Hinterstübchen aus zu lauschen.

„Laß sie nur", sagte Merijntje plötzlich mit schwerer Zunge, „sie ist ein Maulwurf, Flierefluiter, so ein kleines, schwarzes, blindes Maulwürflein, das seine Höhle für die Welt hält ... Soll sie zum Teufel fahren!"

„Das sind weise Worte, Donnerwetter noch mal!" lobte Flierefluiter. „Darauf trinken wir noch eins."

Dann kam der Wagner herein, um den Bauernknechten zu sagen, die Deichsel an ihrem Wagen sei fertig, und sie könnten fahren. Aber erst mußte er ein Glas Bier mittrinken, und als eine Viertelstunde später sein Geselle nachschauen kam, wo der Meister blieb, wollte der nicht gehen, weil Flierefluiter mitten in einer Geschichte über wunderliche Erlebnisse mit amerikanischen Seeleuten im Schiedamer Hafen war, und der Geselle mußte ebenfalls zuhören und inzwischen auch ein Glas trinken.

Anderthalb Stunden später holperte ein Bauernwagen in gefährlicher Zickzacklinie die Dorfstraße hinunter, dem die Frauen nachstarrten und die schreienden Kinder hinterherrannten. Denn auf dem Wagen saß eine lärmende Gesellschaft von zehn Personen, darunter der Wirt, der Wagner und sein Geselle, um ein Fäßchen Bier auf einem improvisierten Gestell, und alle sangen und grölten, daß es von den Häusern widerhallte. Flierefluiter, ein schäumendes Glas Bier in der hocherhobenen Hand, überragte alle, und sein Gesicht strahlte vor Freude.

Merijntje saß an eine Seitenwand gelehnt, die Hände um die Knie, und wiederholte von Zeit zu Zeit mit lallender Stimme: „Ein Maulwurf ... so ein kleiner blinder Maulwurf ... und der will uns schikanieren ... Verflucht noch mal!"

Und wie ein Feuer lief die Kunde durchs Dorf: „Habt ihr's schon gehört? Flierefluiter ist wieder da!"

3

Am anderen Morgen erwachten Flierefluiter und Merijntje von heftigem Rumoren und nicht minder heftigen Verwünschungen. Sie hoben den Kopf und mußten feststellen, daß sie in einem großen Haufen Hobelspänen lagen. Im kalten Morgenlicht sahen sie den Wagner wütend herumpoltern. Alles, was ihm in die Quere kam, beförderte er mit Fußtritten in eine Ecke, schmiß den Hammer gegen die Holzwand, daß es dröhnte, und schlug krachend das Beil in den Hackklotz – dabei fluchte er mit rollendem R: „Verruchte Runkelrübe!"

Flierefluiter strich sich die geringelten Hobelspäne aus dem Haar und von den Sachen.

„He, was ist denn los, Meister?" rief er verschlafen.

Der Wagner drehte sich um und sah ihn dumm an. Plötzlich

dämmerte es in seinem schweren Kopf: Ach, die beiden, die hatte er ja selber heute nacht dahin befördert – wie ein sorgsamer Vater.

„Ist das ein Leben!" brummte er wütend. „Nicht mal ein Gläschen Bier darf man trinken, schon muß die Alte sich den Mund zerreißen! Ich bin doch zum Himmeldonnerwetter kein kleiner Junge mehr!"

Er schüttelte den grauen Kopf, faßte dann mit beiden Händen nach den Schläfen und stöhnte:

„Ojemine, mein Schädel! Als ob da Blei drin wäre!"

Eine schrille Frauenstimme keifte durchs Haus: „Willst du wohl endlich aufstehen, du Saufbold! Los, raus da! Was denkst du dir eigentlich? Schandstück von einem Kerl!"

Unverständliches Murmeln antwortete.

„Jetzt kriegt der Geselle sein Teil!" sagte der Wagner zufrieden und ließ sich auf eine niedrige Bank fallen.

Die zeternde Stimme keifte weiter: „Mach bloß, daß du rauskommst! Sonst schütt ich dir einen Eimer Wasser über den Schädel."

Abermals verschlafenes Murmeln.

„Paßt auf, sie tut's wirklich!" sagte der Wagner hoffnungsvoll.

Einen Augenblick blieb es still. Nur das Geräusch von klappernden Pantoffeln. Gespannt warteten sie alle drei.

Da kam die Stimme wieder: „Bist du nun endlich raus oder nicht? Der Kerl hat sich noch mal umgedreht! Nichtsnutziges Sumpfhuhn! Dir will ich's zeigen. Da!"

Der Henkel eines Eimers schepperte. Eine Männerstimme brüllte auf, ein gewaltiges Getöse, jemand sprang dröhnend auf die Dielen, tanzte herum und fluchte fürchterlich.

Die Frauenstimme schimpfte dagegen an: „Halt's Maul, fluchendes Vieh! Und mach, daß du in die Werkstatt kommst!"

„Jetzt hat er sein Fett!" sagte der Wagner, und der Schatten eines Grinsens huschte über sein jammervolles Gesicht.

„Wir wollen bloß sehen, daß wir wegkommen, Merijntje", flüsterte Flierefluiter ängstlich. „Wenn die uns hier findet, kriegen wir auch unser Teil."

Sie ließen den Wagner auf seiner Bank sitzen und machten sich aus dem Staube . . .

Die Dorfstraße lag leer und still im trüben Morgen. Zwei Hunde liefen hintereinander her, beschnupperten sich und drehten sich umeinander. Ein paar Landarbeiter, die Hacke über der Schulter, den Jackenkragen hochgeschlagen, stapften in die Felder. Hähne krähten gegeneinander an, heftig und triumphierend. Über den Äckern lag grauer Nebel.

Merijntje fröstelte in seinen dünnen Kleidern. Übelkeit würgte ihn in der Kehle. Sein Kopf hämmerte. Hände und Füße waren wie abgestorben. Ein Kälteschauer lief ihm über den Rücken. Oh, wie elend war ihm zumute! Warum war er auch so dumm gewesen, mitzusaufen? Was hatte er davon? Pfui Teufel – und dieser ekelhafte Geschmack im Mund!

Angewidert spuckte er aus.

„Kater?" erkundigte sich Flierefluiter gähnend.

Merijntje zog eine Grimasse.

„Das geht vorüber", tröstete der andere. „Wir wollen erst mal sehen, wo wir eine Schale Kaffee kriegen."

Müde trottete Merijntje hinter ihm her, zum Dorf hinaus. Ein alter Mann mit gebeugten Schultern und kurzem grauem Bart ging ohne Gruß an ihnen vorüber, in Gedanken vertieft. Eine unbestimmte Erinnerung zog durch Merijntjes hämmernden Schädel, versank aber sofort in der Müdigkeit seines pochenden Gehirns.

Ein Stück vor dem Dorf stand die Tür einer kleinen Wirtschaft offen. Sie traten ein und fanden die Witwe Baks mit ihren drei Kindern um den Tisch sitzen. Der Duft von Kaffee und gebratenem Speck hing in dem niedrigen Raum, vermischt mit dem Geruch von schalem Bier und billigem Schnaps. Die Luft war verbraucht wie in einem ungelüfteten Schlafzimmer. Merijntje wich angewidert zurück und ließ sich schwer auf der Bank vor dem Haus nieder.

Lachend begrüßte Flierefluiter die Frau, die ihn an den Tisch nötigte.

„Du verflixter Vagabund!" sagte sie. „Du hast ja gestern wieder das ganze Dorf auf den Kopf gestellt, habe ich gehört."

Die Kinder blickten den Fremden mit erstaunten Augen neugierig an.

„Erst muß ich für meinen Kameraden sorgen", sagte Flierefluiter, „er braucht dringend eine große Schale Kaffee. Ist's erlaubt?"

„Nur zu!"

Er brachte Merijntje den Kaffee, klopfte ihm ermunternd auf die Schulter und ging wieder hinein. Dann frühstückte er mit gutem Appetit, sprach voller Mitgefühl über den Mann der Witwe Baks, der vor zwei Jahren bei der Ernte verunglückt war, machte Dummheiten mit den verlegen lachenden Kindern, strich der jungen Frau über den Kopf, als ihre Augen sich mit Tränen füllten über die vaterlosen armen Würmer, und versprach, bald einmal wiederzukommen, wenn er im Dorf bliebe. Dann ging er abermals hinaus, packte Merijntje am Arm und zog ihn hoch. Fröstelnd vor Kälte erhob sich der Junge. Er fühlte sich elend, verwünschte das Bier und den Schnaps und sich selber dazu.

Flierefluiter lachte. „Kopf hoch, Junge!" sagte er. „Wir laufen ein bißchen und frischen uns auf. Los, komm!"

Dann wanderten sie den Deich entlang auf den Strom zu. Ein

Kuhhirte trieb schreiend und schimpfend seine kleine störrische Herde vor sich her zum Hang, wo sie grasen durfte. Die Jäter schwärmten über die Äcker aus und hackten gebückt das Unkraut weg. Ein junger Bauer ließ den Klepper vor seinem Dogcart traben, die sonntäglich aufgeputzte Frau dicht neben sich; sie fuhren zur Stadt. Er knallte mit der Peitsche, rief einen fröhlichen Gruß und rasselte mit dem scharfen, prasselnden Geräusch der unter den Rädern wegstiebenden Steïne vorbei. Die Sonne kam durch und jagte die letzten Nebel von den Feldern. Flierefluiter schob den Hut in den Nacken, steckte die Hände in die Taschen und summte ein Liedchen.

Merijntje verspürte Neid. Dieser Kerl war von Stahl und Eisen. Der merkte schon nichts mehr von der Zechpartie... Aber die Sonne tat auch ihm gut. Wohltätig spürte er die Wärme auf dem durchfrorenen Körper... Wenn nur das Bohren und Hämmern in seinem Schädel aufhören wollte! Wohin gingen sie eigentlich? Er war zu lustlos, um danach zu fragen. Wäre es nicht besser, sich einfach ins Gras zu legen, die Sonne über sich hinwandern zu lassen und zu schlafen? Mechanisch lief er neben seinem Freund weiter, müde, elend und enttäuscht.

Flierefluiter schlug einen kleinen Polderweg ein, dann kamen sie an den Seedeich, kletterten hinüber und gingen über den Groden. Hier wehte ein frischer Wind, der über das große Wasser kam und einen salzigen Geruch mit sich brachte. Die Flut lief auf. Die wunderlich gekrümmten Gräben mit ihren ausgefressenen Klei-Ufern füllten sich schnell. Klares Flutwasser mit spielerisch verteilten trüben Wölkchen, wo sich ein Erdklumpen auflöste.

„Jetzt aber los!" kommandierte Flierefluiter. „Hier haben wir einen schönen tiefen Graben. Kleider aus und rein ins Wasser!"

„Baden? Jetzt?" fragte Merijntje erschrocken und voller Widerwillen.

„Ja, keine Angst! Davon wirst du wieder frisch."

Er zog sich aus, und Merijntje war noch nicht zur Hälfte fertig, als Flierefluiter bereits mit einem Satz ins Wasser sprang. Schnaubend und prustend kam er wieder an die Oberfläche, strich sich die Haare zurück und schrie:

„Nun los doch, du Waschlappen!"

Und dann ging Merijntje auch ins Wasser. Der lehmige Boden sog seine Fußsohlen an. Zitternd vor Kälte spürte er das eisige Wasser an seinen Beinen, seinem Bauch; der Atem stockte ihm in der beengten Brust, dann verlor er den Grund unter den Füßen und mußte rasch die Arme ausbreiten, um nicht unterzugehen. Und nun schwamm er... Schneidend kalt umspielte das Wasser seine Haut, doch jetzt war es nicht mehr unangenehm. Kräftig stieß er mit Armen und Beinen aus. Ha, das war schön! Flierefluiter hatte doch recht gehabt... Wie ein Delphin tauchte er kopfüber und zappelte mit den Füßen in der Luft. Vor ihm schwamm Flierefluiter gegen den Strom auf das Außenwasser zu ... Mal versuchen, ihn einzuholen ... Je, schwamm der rasch! Weit ausholende, gleichmäßige Stöße, die den Körper schnell durch das Wasser trieben, den Kopf halb unter Wasser vorgestreckt, bei jedem Schlag nur eine Sekunde gehoben zum Atemschöpfen ... Dagegen kam er nicht an – das brauchte er gar nicht erst zu probieren. Es war nicht leicht, gegen den Flutstrom zu schwimmen. Wenn man auf das Wasser schaute, schien es, als käme man rasch voran, doch ein Blick auf das lehmige Ufer zeigte, daß man sich kaum vorwärts bewegte. Aber schön war es! Und erfrischend! Kühle Luft in den Lungen, Salzgeschmack auf der Zunge, Klarheit im Kopf, den Wind in den Haaren und die warme Sonne auf dem immer wieder auftauchenden Rücken ...

An der Mündung des Grabens war das Wasser endlos, ein Ozean, wenn man die Augen so dicht an der Oberfläche hatte. Ein Schiff hob ungeheuer seine Segel in den Himmel. Und dann auf dem Rücken ausruhen, leichte paddelnde Bewegungen mit den Händen an den Seiten, die Sonne im Gesicht und durch die fast geschlossenen Lider in das dunstige Blau des Morgenhimmels starren, an dem sich weiße Tupfen ununterbrochen durcheinanderschoben ... Das Wasser trug einen sicher und gut, es trug einen mit auf seiner Fahrt und umspülte den Leib mit einer frischen, kühlen Liebkosung – wie eine streichelnde sanfte Hand ...

War das gestern abend nicht auch so gewesen? Plötzlich konzentrierten sich seine Gedanken darauf.

Der Bauernhof im weiten Polder ... Der Bauer, der erst ärgerlich war, dann aber doch lachen mußte, weil sich seine lustige Frau einfach nicht beruhigen wollte, als der alte steife Wagner mit närrischen Bocksprüngen zu zeigen versuchte, wie seiner Ansicht nach eine echte Kreuzpolka aussehen mußte. Die beiden Töchter, die braune und die blonde ... Die Fröhlichkeit bei dem reichlichen Mahl und der ganze tolle Abend, als Flierefluiter im Mondschein zum Tanz aufspielte. Alle, sogar der Bauer und die Bäuerin, hatten mitgemacht, die Knechte, die Mägde, die Töchter und der Sohn, der sich erst mürrisch ablehnend verhalten hatte und später der lärmendste von allen wurde. Und dann hatten sich die kühlen Hände um seine Wangen gelegt – im Schatten eines blühenden Apfelbaums, silberne Glut in goldenem Haar ... ein Paar lachende Augen ... ein roter Mund mit weißen Zähnen dicht vor dem seinen ... und immer wieder die kühlen Hände an seinen Wangen ... Die Betörung eines atemraubend langen Kusses, und dann ein zärtliches Flüstern: „Du bist ein lieber Junge." Die Wärme eines weichen Körpers, nur einen Augenblick lang, ein paar Sekunden, dann waren sie wieder bei den anderen ... Erregung, Rausch, Freude ... Er hatte mit seiner hellen Stimme gesungen, ein altes Lied, das er von seiner Mutter kannte, bis der Bauer schließlich ein Ende machte: morgen war wieder früh Tag.

Der Knecht hatte sie ins Dorf zurückfahren müssen, und dann hatten sie in der Wirtschaft noch etwas gegessen und getrunken und waren schlafen gegangen – Fierefluiter und er in die Hobelspäne bei dem völlig betrunkenen Wagner... Bis auf diesen Augenblick hatte er nicht mehr an sie gedacht. Er wußte nicht einmal, wie sie hieß. War es eine der Töchter des Bauern oder eine der Mägde? Auch das wußte er nicht. Es war alles so rasch vorüber gewesen.

Er schwamm zum Ufer, stieg aus dem Wasser und lief zurück zu seinen Kleidern. Ach, war die Sonne jetzt schön warm! Ein wohliger Schauer fuhr ihm über den Rücken... „Du bist ein lieber Junge", hatte sie geflüstert. Und ihre Hände hatten sein Gesicht umfaßt. Er hatte ihre Zähne an den Lippen gespürt. Seine Hände hatten auf ihrer Brust geruht... Wie kam es, daß er keinen Abscheu fühlte, keine Bitterkeit, keinen Widerwillen, daß er alles nur so unendlich lieb fand? Bets war doch auch schön, sie war lieb und gut zu ihm gewesen; er hatte sie gemocht. Aber als sie ihn griff und küßte und ihren nackten Leib sehen ließ, war er fast erstickt vor Abscheu, vor Schrecken und auch vor Wut... Er wollte sie nicht küssen, konnte sie nicht küssen – der Widerwille blieb stärker als das schwelende, wilde Begehren. Und danach vermochte er an keine Frau mehr zu denken und an ihren Körper, ohne daß sich dieser alles erstickende Abscheu wieder einstellte... Warum aber jetzt nicht? Er hatte die vollen und doch so weichen Brüste unter der dünnen Bluse in seiner Hand beben gespürt. Ihr Mund hatte sich fest und verlangend auf den seinen gepreßt... Es war nicht häßlich, nicht gemein, nicht beunruhigend. Es war herrlich. Es war so unendlich lieb... Lieb war das Wort. Ein verrücktes, kindisches Wort, aber ein anderes gab es nicht dafür. Lieb – lieb – lieb war es.

Nackt saß er bei den Kleidern in der Sonne, die Arme um die hochgezogenen Knie gelegt, und lächelte still und zufrieden vor sich hin. Triefnaß stapfte Fierefluiter aus dem Wasser auf ihn zu, sah ihn forschend an und lachte dann befriedigt.

„Wieder munter?"

„O ja – und wie!"

„Siehst du! Wenn du nur immer tust, was der alte Fierefluiter sagt, dann kommt alles ins Lot."

Von der Sonne geblendet, schaute Merijntje blinzelnd zu ihm auf. Wie grau Fierefluiter schon war, und die Stoppeln seines Bartes schneeweiß. Aber Muskeln hatte er unter der glatten Haut! Ein wahrer Athlet mit gut durchtrainiertem Körper. Kein Wunder, daß einem beim Herumtoben manchmal die Knochen knackten!

„Was hast du da für eine Narbe an deiner Schulter, Flierefluiter?"

„Messer", antwortete dieser kurz angebunden.

„Gestochen?" rief der Junge entsetzt.

„Nein, gekitzelt", grinste Flierefluiter. Er wollte nicht weiter darüber sprechen, beschattete seine Augen mit der Hand und zeigte über den Groden: „Da hat noch einer gebadet!"

Merijntje richtete sich halb auf, sah einen Kopf und einen nackten Rücken unter einem herabsinkenden Hemd verschwinden, ein ganzes Stück entfernt, an einem anderen Graben. Ihm konnte es gleichgültig sein. Er ließ sich hintenüber ins Gras fallen, zappelte mit den Beinen in der Luft und schrie:

„Hab ich einen Hunger! Ich sterbe vor Hunger. Haben wir gar nichts zu essen?"

„Friß Gras mit Lämmerohren, Junge, das ist gut auf nüchternen Magen!"

Merijntje beschimpfte ihn maßlos, und lachend zogen sie sich an.

„Ich habe auch Kohldampf", bekannte Flierefluiter. „Wir werden einen Überfall auf Potter unternehmen."

„Wer ist denn das?"

„Ein alter Bekannter. Ein kleiner Fischer hinter der Schleuse."

„Weit von hier?"

„Nein, keine Sorge, in zwanzig Minuten sitzt du beim Frühstück."

„Zwanzig Minuten!" jammerte Merijntje. „Das halt ich nicht aus, zum Teufel!"

Im Laufschritt überquerten sie den Groden, zurück zum Seedeich. Sie sahen eine schwarze Gestalt hinaufklettern, einen Augenblick groß und dunkel vor dem Himmel stehen und dann rasch die andere Seite hinunter verschwinden.

Flierefluiter lachte. „Pfarrer Ramakers!" sagte er. „Hängen lasse ich mich, wenn der nicht auch gebadet hat."

„Pfarrer baden nie", erklärte Merijntje kategorisch.

„Oh", schmunzelte Flierefluiter und tippte höflich an den Rand seines Hutes, „bitte um Vergebung, Euer Eminenz, aber dieser Pfarrer Ramakers sieht mir so aus, als ob er viele Dinge tut, die Pfarrer in der Regel unterlassen. Doch ich kann mich natürlich irren."

„Schwatz nicht!" tadelte Merijntje. „Im übrigen kann es mir gleich sein, ob dieser Pfarrer badet oder nicht. Sorg lieber dafür, daß wir was zu essen kriegen!"

Und er begann zu traben, daß Flierefluiter Mühe hatte, neben ihm zu bleiben.

Potter war ein kleines Männchen mit einem Paar pfiffiger schwarzer Augen in einem spitzen Rattengesicht. Seine Frau war einen Kopf größer als er, doch mager wie eine Latte und pockennarbig wie ein Schwamm.

Sie kreischten auf vor Freude, als Flierefluiter in das niedrige dunkle Haus trat und rief: „He, Potter, lebst du noch? Tag, Lien, du bist aber auch nicht fetter geworden!"

„Kreuzdonnerwetter, wenn das nicht der Flierefluiter ist!" krächzte der kleine Fischer, und seine Frau rief schrill: „Jessesmarianochmal! Wo kommst du denn her?"

„Direkt aus dem Wasser – und davor aus der Hölle. Aber wir gehen die Wand hoch vor Hunger, ich und mein Gefährte hier ... Das ist Merijntje Gijzen."

„Von den Gijzens, die nach Rotterdam gezogen sind?"

„Stimmt. Aber nun frag nicht mehr, sondern schaff was zu beißen, sonst fallen wir dir tot vor die Füße!"

Das Ehepaar konnte sich nicht beruhigen vor Erstaunen und Freude, doch die Frau holte Brot, schnitt Schinken in die Pfanne, schlug lässig ein halbes Dutzend Eier darüber, und der Mann mahlte unterdessen Kaffee.

Ausgehungert fielen die beiden über das herzhafte Frühstück her, und dabei erzählte Flierefluiter, wie er dazu gekommen war, sein altes Leben wieder aufzunehmen. Aber Merijntje konnte seiner Wahrheitsliebe auch diesmal kein gutes Zeugnis ausstellen. Doch er schwieg. Was hatte er nicht schon alles versucht, seinen Freund dazu zu bewegen, den Leuten nicht so viel Märchen aufzutischen!

Merijntje widmete sich eifrig der Mahlzeit und spürte mit Befriedigung, wie die letzten Reste von Unbehagen schwanden, je mehr sich sein Magen füllte.

„Wirst du denn satt, Bürschlein?" fragte die Frau herzlich. „Sonst sag's nur, es gibt Essen genug auf der Welt."

Doch Merijntje war vollkommen befriedigt und bedankte sich höflich. Erst jetzt bemerkte er, wie unangenehm es in dem kleinen Zimmer roch. Er blickte sich um und sah, daß es unordentlich und schmutzig war. Die niedrigen Fenster trübe und mit Fliegenkot bedeckt, die Gardinen zerrissen und graubraun von Rauch und Qualm, und überall lagen und hingen Netze herum, stinkend von zurückgebliebenen Schuppen und kleinen Fischen. Die Wände waren bis zur Hälfte schwarz geteert und darüber einmal weiß gewesen, aber nun vom Rauch fleckig und abgeblättert. Doch als er sah, daß selbst die Schalen, aus denen sie Kaffee getrunken hatten, lauter schwarze Fingerabdrücke und braune Spuren von angetrockneten Tropfen aufwiesen, schüttelte er sich vor Ekel ... Was für eine Sauerei! In seinem Hunger hatte er gar nicht darauf geachtet. Pfui Teufel! Und die beiden Alten sahen genauso drekkig aus. Die Halsfalten der Frau schienen wie mit Kohle nachgezogen, und die großen Ohren des Mannes sahen aus, als wären sie schwarz eingefaßt. In was für ein Stinkloch hatte Flierefluiter ihn da wieder hineingelockt!

Gerade hörte er Potter sagen: „Ihr könnt ruhig hierherkommen, wenn ihr keine Bleibe habt. Auf dem Boden liegen noch ein paar Matratzen und alte Decken. Und Lien hat eine feine Zunge beim Kochen, das weißt du ja. Mangel leiden wir hier nicht."

Das kleine Männchen lachte mit heiserer Stimme. Es war wirklich von Herzen gutgemeint. Doch wenn Flierefluiter das Angebot annahm, war er nicht mit von der Partie! Dann bat er lieber seine Großmutter um Verzeihung!

Flierefluiter sah ihn von der Seite an und verstand genau, was in ihm vorging. Merijntjes Gesicht war ein einziger Protest. Und deshalb ließ der Ältere ihn eine Weile im ungewissen. Nachdenklich mit dem Kopf nickend, stopfte er sich die Pfeife, reichte Potter den Tabaksbeutel und wartete, bis der sich seine auch gestopft hatte, ehe er ein Streichholz anzündete, von dem sie gemeinsam Feuer in den Pfeifenkopf sogen.

„Wenn du lieber eine Zigarre rauchst", sagte die Gastgeberin freundlich zu Merijntje, „da liegt noch eine halbe auf dem Herd, die kannst du ruhig nehmen."

Merijntje blickte auf den Stummel mit der zerkauten Spitze.

„Genier dich nicht!" ermunterte Flierefluiter. „Hier ist dir alles von Herzen gegönnt."

Seine Augen funkelten vor boshaftem Vergnügen.

Merijntje warf ihm einen wütenden Blick zu. „Danke, nein", sagte er mit erstickter Stimme, „ich habe keine Lust zu rauchen."

Er atmete auf, als er hörte, wie Flierefluiter das Angebot, hier zu logieren, mit einem großen Aufwand freundlicher Worte abschlug. Es sei leider unmöglich, weil sie im Dorf so gastfreundlich empfangen worden seien. Alle Leute rissen sich darum, sie aufnehmen zu dürfen, besonders Merijntjes Großmutter – nein, es ginge wirklich nicht, so leid es ihm täte. Später natürlich gern, wenn hier in der Nähe etwas zu arbeiten und zu verdienen sei ...

„Dann kommt wenigstens Freitag zum Aalessen her!" lud Potter sie eifrig ein. „Die macht kein Mensch so gut wie Lien, das ist meilenweit im Umkreis bekannt."

„Das tun wir", versprach Flierefluiter ohne Zögern. „Darauf könnt ihr euch verlassen ... Aber nun müssen wir uns beeilen, Leute, wir werden erwartet. Und seid schön bedankt für die gute Aufnahme!"

Mit Händedrücken, Schulterklopfen und Mahnungen, doch ja wiederzukommen, wurden die unerwarteten Gäste bis zum Schleusenweg begleitet, worauf das so wenig adrette Ehepaar in sein Häuschen zurückkehrte.

Begeistert sagte Flierefluiter: „Das sind noch Menschen, was, Merijntje?"

Der Junge zog ein schiefes Gesicht. „Wenn sie nur nicht so drekkig wären!" sagte er voller Abscheu. „Erst habe ich gar nicht darauf geachtet, aber nachher dachte ich, ich muß brechen."

„Ja, schmutzig ist's bei ihnen", sagte Flierefluiter lächelnd. „Aber wer sie sonst schlecht machen will in meiner Gegenwart, den pack ich am Schlafittchen und setz ihn mir nichts, dir nichts an die Luft."

„Warum?"

„Warum? Äußerlich mögen sie dreckig sein, aber im Innern, Bürschlein! Das sind Menschen mit einem goldenen Herzen. Und das ist mehr wert als ein noch so sauber gewaschenes Gesicht. Solange die eine Scheibe Brot haben, fällt immer noch eine halbe für einen anderen dabei ab. Und hast du gar nicht bemerkt, daß sie nichts gefragt haben? Weder warum du mit mir Vagabunden herumziehst noch warum ich meine Frau habe sitzenlassen, nichts, keinen Ton ... nur, ob wir noch Hunger hätten und ob wir ein Dach über dem Kopf und ein Bett brauchten. Laß sie ruhig schmutzig sein, den Potter und seine Frau – aber es sind Menschen. Merk dir das, Merijntje, allzu vielen wie ihnen wirst du nicht begegnen in deinem Leben!"

Er sprach so herzlich, daß es Merijntje ganz warm dabei wurde. Er dachte an den Empfang bei seiner blitzsauberen Großmutter und schämte sich. Beinah tat es ihm leid, die guten Menschen enttäuscht zu haben.

„Dieser Potter, Mann", fuhr Flierefluiter fort, „das ist ein Wilddieb, so einen findest du nicht zum zweitenmal – gerissen wie ein Fuchs. Und segeln kann der! Wir werden sonntags mal hingehen, dann kannst du mit ihm fahren."

„Wenn wir nur nicht dort zu essen brauchen!" jammerte Merijntje.

„Und wenn", tröstete Flierefluiter, „waschen wir erst selber das Geschirr ab."

Doch damit war Merijntjes Abneigung nicht überwunden.

4

Die Turmuhr schlug sechs helle Schläge, als sie müde und zufrieden wieder ins Dorf kamen.

„Genau einmal um die Uhr sind wir weg gewesen", sagte Flierefluiter. „Ein schöner Arbeitstag."

Merijntje lachte. „Arbeitstag? Keinen Handschlag haben wir getan!"

„Wir haben zwölf Stunden lang gut gelebt", erklärte der andere, „das ist die beste Arbeit, die es gibt, und auch die schönste."

„Vor allem die bequemste!" ergänzte Merijntje spöttisch. Er war nie ganz zufrieden, wenn sie nicht gearbeitet und etwas verdient hatten.

„Sag das nicht!" belehrte ihn Flierefluiter. „So bequem ist das gar nicht ... Aber davon verstehst du doch nichts, Bürschlein."

Merijntje zuckte geringschätzig die Achseln. Dummes Geredе!

„Hallo! Merijntje Gijzen!"

Er blickte sich um. „He, Dicker, du! Wie geht's denn?"

Ein alter Schulkamerad, ein lachendes, bekanntes Gesicht. Sie schüttelten sich die Hände.

Flierefluiter ging weiter und rief über die Schulter: „Du findest mich bei Birres oder sonstwo."

Langsam begleitete Merijntje den Dicken.

„Was macht ihr denn hier? Seid ihr wieder im Dorf?"

„Nein, das nicht. Aber ich war in Rotterdam arbeitslos. Nun ziehe ich mit Flierefluiter ein bißchen durch die Gegend ... Wir verdienen unser Brot."

„Was macht ihr denn?"

„Ach, alles mögliche. Bei den Bauern arbeiten, hier was und da was, und manchmal spielt Flierefluiter zum Tanz bei einer Hochzeit oder so."

„Was habt ihr denn heute getan?"

„Nichts!" lachte Merijntje. „Flierefluiter hat gesagt: Es ist zu schönes Wetter zum Arbeiten. Wir sind rumgelaufen, haben gebadet, am Deich gelegen, bei Freunden von Flierefluiter Kaffee getrunken und gegessen..."

„Teufel!" rief der Dicke. „Das ist gar kein schlechtes Leben! So kommt man leicht an sein Brot."

Merijntje antwortete nicht sofort. Derselbe alte Mann mit den gebeugten Schultern, den er schon am Morgen getroffen hatte, war wieder vorbeigegangen, und abermals hatte der Junge eine unbestimmte Erinnerung, als er auf den breiten Rücken schaute. Er sah ihm unwillkürlich nach, während er antwortete:

„So klappt es aber nicht immer. Wenn ich morgen wieder in die Fabrik könnte, würde ich sofort gehen. Stetigkeit ist das Wahre... Und was machst du?"

Der alte Mann wurde kleiner und kleiner auf der Dorfstraße.

„Landarbeit... Vielleicht kann ich zu Sankt Andreas Pferdeknecht bei Timmers werden."

„Gar nicht schlecht", sagte Merijntje und sah gerade, wie der alte Mann von der Straße abbog auf ein kleines Haus zu, das ein wenig außerhalb des Dorfes lag.

Plötzlich begann sein Herz laut zu hämmern.

„Wer war der Alte, der da eben vorbeikam?"

„Was für ein Alter?"

„Er geht eben über den Graben auf das kleine Haus zu."

Der Dicke schaute hin, lachte dann und sagte: „Den mußt du doch kennen... Das ist der Kruik."

Merijntje wurde kreideweiß.

„Der Kruik? Ist der denn zurück?"

„Aber ja, Mann ... schon seit ein paar Jahren. Sie haben ihn früher rausgelassen, weil er sich gut geführt hat... Hast du ihn denn nicht erkannt?"

Merijntje wandte sich ab. Warum hatte er plötzlich so eine unbändige Lust, in das gleichgültig grinsende Gesicht des Dicken zu schlagen? Ein Schwindel befiel ihn... Einen Atemzug lang drehte sich alles vor seinen Augen. Plötzlich gab er sich einen Ruck und rannte wie gehetzt davon.

Sein Schulkamerad schaute ihm verwundert nach. „He, Merijntje!" rief er. „Was ist denn los?"

Doch Merijntje gab keine Antwort und sah sich auch nicht um.

Der Dicke schüttelte ärgerlich den Kopf. „Dann nicht!" sagte er und setzte seinen Weg fort.

Am Ende der Dorfstraße hielt Merijntje an und ließ sich keuchend auf einem Meilenstein am Grabenrand nieder. Gott im Himmel! Der Kruik war wieder da – aus dem Zuchthaus zurück. Er lebte noch, wohnte wieder in seinem alten Haus... Zweimal war er an ihm vorbeigegangen, und sie hatten sich nicht erkannt...

Kruik, den er verraten hatte – ohne es zu wollen oder zu wissen, aber eben doch verraten! Zehn Jahre Zuchthaus hatte er bekommen, weil er den Feldgendarmen und Janekee Brouwers ermordet hatte... Das größte Entsetzen, der größte Kummer seines Lebens lastete plötzlich wieder auf Merijntje.

Ein alter Mann mit grauem Haar, weißem Bart und gebeugten Schultern. Aber war das denn möglich? Konnte das Kruik sein? Der war doch nicht älter als sieben- oder achtunddreißig Jahre. Sollte er durch das Zuchthaus so alt geworden sein? Sein guter Kruik, sein bester Freund, dieser Riese an Kraft, dieser wilde, gefürchtete, gefährliche Kruik, vor dem sie alle Angst hatten, weil sie alle ihn nicht kannten... Er hatte ihn gekannt, und er wußte, daß er gut war – der Mörder. Gereizt hatten sie ihn und in die Enge getrieben, bis er rasend und verrückt geworden war und zugeschlagen hatte. Etwas mußten auch die anderen davon begriffen und gefühlt haben, deshalb hatte er auch nur zehn Jahre bekommen statt zwanzig oder lebenslänglich... Aber zehn Jahre – und nun war er wie ein Mann hoch in den Sechzig wiedergekommen.

Wie würde er über ihn, Merijntje, denken? Ob er ihn haßte wegen des alten Verrats? Ob er wußte, welch grausamer Kummer ihn so lange bedrückt hatte? Niemals hatten sie wieder etwas voneinander gehört. Und während der letzten Jahre hatte er auch nicht mehr an Kruik gedacht. Niemand sprach über ihn. Es war so lange her – ein toter, vergessener Vorfall. Es geschah so viel anderes, was einen beschäftigte...

Und jetzt – jetzt war mit einem Schlag die Vergangenheit wieder lebendig. Erinnerungen wirbelten ihm durch den Kopf, doch alle drehten sich um den einen entsetzenerregenden Mittelpunkt: das Zimmer im Gemeindehaus, die strengen, würdigen Herren von der Staatsanwaltschaft, dazwischen der dunkle Kruik, er selber mit dem Wachtmeister, das verräterische Messer in der Hand, das den Mörder überführen mußte. Kruiks Gesicht... Kruik, der sich nie fürchtete, nie Rührung zeigte. Die Augen, die vor Entsetzen weit wurden, die verkrampfte Angst, dann eine unmenschliche Qual und die dumpfe röchelnde Stimme, die die Tat zugab... Er, Merijntje, war völlig ahnungslos gewesen; er hatte nur das seltsame Messer des Freundes retten wollen. Aber dennoch hatte er ihn dadurch seinen Verfolgern ausgeliefert. Ob Kruik ihm deshalb noch grollte?

Er wollte zu ihm. Er mußte mit ihm sprechen. Ihm sagen, wie

noch jetzt der Gedanke an den ungewollten Verrat ihn zerriß. Kruik mußte ihm sagen, daß er nicht böse auf ihn war, daß er ihm verziehen hatte ... Aber er traute sich nicht auf den Steg, wagte nicht, nach dem bekannten, einst so geliebten Haus zu gehen und ihn zu besuchen. Er wagte es nicht. Aber er mußte es doch ... Lange Zeit saß er auf dem Stein und blickte scheu auf das Haus.

Endlich raffte er sich auf und ging mit raschen Schritten über den Steg. Wie früher klopfte er an der Hintertür und trat ein. Er sah niemand. Verwundert blickte er sich um. Es war ordentlich aufgeräumt und sauber im Zimmer. Vergebens suchte er nach den Netzen, Stricken, den Gewehren von früher. An den weißgekalkten Wänden hingen grellfarbige Buntdrucke hinter Glas: die Heilige Familie, die Mater dolorosa, Ecce Homo, Sankt Franziskus. Auf Schrank und Kommode mehrere bemalte Heilige aus Gips mit und ohne Glassturz, ein großes Kruzifix am Kamin, zu beiden Seiten des Alkovens Weihwasserbecken mit Palmzweigen ... Wohnte hier Kruik? War das Kruiks Zimmer? Das konnte wohl nicht sein. Sicher wohnten hier andere Leute, bei denen er als Kostgänger lebte. Schüchtern rief er: „Hallo! Ist hier wer?"

Eine Weile blieb es still. Dann hörte man Poltern, die Tür öffnete sich, und der alte Mann von vorhin stand auf der Schwelle. Schweigend sahen die beiden sich an. Das Gesicht des Mannes war graublaß. Schlaff beutelte die Haut unter den stumpfen, ausdruckslosen Augen. Die mächtigen Schultern schienen schmaler geworden, die hageren, knochigen Hände hingen bewegungslos an dem gedrungenen, leicht gebückten Körper herab. Als Merijntje ihn ansah, kam er auf seinen blauen Socken unhörbar über die Binsenmatte näher. So spukhaft war dieses lautlose Schleichen, daß der Junge unwillkürlich einen Schritt nach der Tür zurückwich.

„Bringst du eine Nachricht vom Bauern?" fragte eine klanglose alte Stimme.

„Kruik!" stammelte Merijntje, während ihm die Tränen in die Augen schossen.

Der schwere, müde Kopf hob sich ein wenig. Dann bewegte er sich langsam hin und her, und die dumpfe Stimme sagte:

„So mußt du mich nicht nennen – ich heiße Goort Perdams."

„Kruik! Kennst du mich denn nicht mehr? Ich bin Merijntje! Merijntje Gijzen!"

„Merijntje Gijzen?" murmelte der Mann. Anscheinend suchte er in seiner getrübten Erinnerung, fand jedoch nichts, was diesen Namen erklären konnte. Und wieder schüttelte er den Kopf. „Ich kenne dich nicht."

„Aber Kruik!" Der Junge schrie es fast.

Kruik hob die Hand, winkte abwehrend, brachte sie dann an die Stirn.

„Pst!" mahnte er. „Du mußt nicht so schreien. Das hält mein Kopf nicht aus."

Er setzte sich auf einen Stuhl am Fenster.

„Siehst du", sagte er langsam, „dort war es so still." Seine Stimme sank zu heiserem Flüstern. „Ich habe . . . ich habe lange gesessen, weißt du, lange . . . Ich habe etwas getan, etwas Schlimmes. Ich weiß nicht mehr, was. Aber vielleicht ist es mir schon vergeben. Und wenn ich immer mein Bestes tue, wird es mir im Jenseits nicht mehr angerechnet. Das hat mir der Pfarrer dort versprochen . . . Merijntje Gijzen, sagst du? Bist du auch hier aus dem Dorf?"

Mit erstickter Stimme fragte Merijntje: „Weißt du denn nichts mehr von früher, Goort?"

Kruik schüttelte den Kopf und sagte geheimnisvoll:

„Das darf ja nicht sein . . . Früher habe ich in Sünde und Schlechtigkeit gelebt. Doch jetzt habe ich Gnade gefunden. Es gibt kein Früher mehr. Der Pfarrer dort hat gesagt: Daran mußt du nicht mehr denken. Das ist vorbei, vergessen und vergeben. Und Gott hat mir geholfen, sagt er. Ich habe alles vergessen. Ich tue nur noch Buße. Ich bete und faste. Denn ich muß doch sehen, daß ich in den Himmel komme, nicht wahr? Und nun darfst du's mir nicht übelnehmen, aber ich habe meinen Rosenkranz noch zu beten."

Er zog den Rosenkranz aus der Tasche, küßte das Kreuz, das daran hing, schlug ein großes und feierliches Kreuzeszeichen, heftete seinen Blick starr auf den Boden vor seinen Füßen und begann murmelnd zu beten.

Voller Grauen blickte Merijntje ihn an, wie er da im rötlichen Abendlicht saß, den kahlen Schädel mit dem harten, weißen Haarkranz über die Hände mit dem Rosenkranz gebeugt – ein harmloses, blödes, altes Männchen . . . Er hatte ihn nicht erkannt . . .

Von Tränen geblendet drehte Merijntje sich um, suchte nach der Türklinke und floh. An einem Steg über den Graben setzte er sich ins Gras, barg das Gesicht in den Händen und schluchzte vor Ratlosigkeit. Sein Herz jagte in wildem Schrecken. Die Tränen tropften zwischen den Fingern hervor. Er biß die Zähne zusammen, um seines Entsetzens Herr zu werden. Er wollte nicht, daß ihn hier jemand so fand, heulend wie ein Kind. Ärgerlich schneuzte er sich die Nase, wischte sich die Augen, starrte vor sich hin – und blickte unmittelbar in die traurigen, bläulich trüben Augen eines Pferdes, das mit hängendem Kopf auf der anderen Seite des Grabens stand und ihn anschaute. Die Erinnerung an den einfältigen Fons überkam ihn – Fons und seine wunderliche Gemeinschaft mit den Pferden . . . Fons, mit dem es auch so übel geendet hatte. Kruik war jetzt fast in der gleichen Verfassung wie dieser Narr – freilich ohne dessen quirlige, wirre Vitalität, aber unschuldig und mit umnebeltem Verstand . . .

Mit einem Ruck erhob sich Merijntje und sah sich um – ein neuer Schreck überfiel ihn: Genau hier hatte der Knecht das Messer von Kruik im Graben gefunden. Hier hatten sie um den Polizisten gestanden, als er mit Arjaan an jenem verhängnisvollen Morgen nach dem Karneval vom Quellberg kam ... Oh, dieses Dorf war voll grausiger Erinnerungen! Warum war er nur hierhergekommen!

Hastig, als würde er verfolgt, lief er zurück ins Dorf. Er wollte zu Flierefluiter. Plötzlich spürte er, wie er sich auf Flierefluiter verließ, wie nötig er ihn brauchte, wie er ohne ihn nicht aus diesen Schwierigkeiten herauskommen konnte. Flierefluiter würde ihm helfen. Der würde die Worte finden, die ihn trösten und ihm eine neue, bessere Einsicht verleihen konnten.

In der Wirtschaft fand er seinen Freund, mit ein paar Leuten aus dem Dorf redend, hinter einem Glas Bier. Flierefluiter sah sofort, daß irgend etwas nicht in Ordnung war. Er warf Merijntje einen fragenden Blick zu, doch der schüttelte fast unmerklich den Kopf, während er auf die Anwesenden deutete. Dann trank Flierefluiter sein Glas aus, zahlte, grüßte und ging hinaus.

„Was hast du denn?" fragte er, sobald sie auf der Straße waren. „Du siehst aus, als wärst du dem Teufel begegnet."

„Ich erzähl es dir gleich", entgegnete Merijntje, ein wenig gekränkt über den unbekümmerten Ton seines Kameraden.

„Gut, gut", beschwichtigte Flierefluiter. „Dann gehen wir erst mal auf die Suche nach einem anständigen Heuhaufen – wir haben uns die Nachtruhe redlich verdient."

Gerade als sie am Pfarrhaus vorbeikamen, trat der Pfarrer aus der Tür. Sie grüßten, und er kam auf sie zu.

„Zieht ihr schon weiter?" fragte er, auf ihre Bündel weisend, die sie am Stock über der Schulter trugen. „Gefiel es euch nicht bei der Großmutter?"

Flierefluiter lachte.

„Wir waren bei der Großmutter schon vor die Tür gesetzt, ehe wir noch drinnen waren", sagte er. „Aber wir werden schon irgendwo einen Heuhaufen finden, wo wir schlafen können."

Pfarrer Ramakers runzelte die Stirn.

„Rausgeworfen?" fragte er. „Weshalb?"

„Merijntje hat Streit mit ihr gehabt."

„Worüber?"

„Ja, das weiß ich eigentlich nicht. Danach habe ich nicht gefragt. Mit der Großmutter gerät man über alles in Streit."

„Worum ging's denn, Junge?" fragte der Pfarrer.

Merijntje zögerte, wurde rot und sagte dann verlegen: „Das möchte ich lieber nicht sagen, Herr Pfarrer."

Pfarrer Ramakers tat einen gewaltigen Zug aus seiner Zigarre, blickte dem Jungen mit seinen hellen, durchdringenden Augen fest ins Gesicht, nickte dann und sagte: „Kommt mal mit!"

Er ging mit großen Schritten vor ihnen her, genau auf Großmutters Häuschen zu. Ohne anzuklopfen, öffnete er die Tür, schob seine Begleiter hinein, folgte dann selber und schloß die Tür. Großmutter saß auf ihrem gewohnten Platz am Fenster, eine Schale Kaffee vor sich, den unvermeidlichen Rosenkranz in den Händen.

Es war fast dunkel im Haus, und die alte Frau rief: „Wer ist da? Was wollt ihr?"

„Ich wollte dich was fragen, Sjoke", sagte der Pastor. „Warum hast du deinem Enkel und Flierefluiter kein Obdach gewährt?"

„Männer, die ihrer Frau weglaufen, kommen mir nicht ins Haus. Und allein wollte mein sauberer Enkel nicht bleiben."

„Und warum setzt du einen vor die Tür, der seiner Frau weggelaufen ist?"

„Weil so ein Mensch unsittlich ist."

„Woher weißt du das?"

„Was verheiratet ist, gehört zusammen."

„Vielleicht ist es aber manchmal unsittlicher, zu bleiben als auszurücken."

„Ganz richtig!" rief Merijntje.

„Schweig!" gebot der Pfarrer.

„Es ist unsittlich", beharrte die Alte dickköpfig. „Und damit will ich nichts zu tun haben. Das befiehlt mir mein Gewissen."

Einen Augenblick blieb es still. Dann sagte der Pfarrer streng: „Du bist selbstgerecht und unbarmherzig, Frau Gijzen!"

„Es ist gegen mein Gewissen", wiederholte die Großmutter scharf.

„Aber es ist nicht gegen dein Gewissen, überall im Dorf herumzuklatschen, he?" donnerte der Pfarrer unversehens mit gewaltiger Stimme, daß die Scheiben klirrten. „Es ist mir heute von vier, fünf verschiedenen Seiten berichtet worden, wie du tratschst und hechelst. Übelreden und lästern – das beschwert dein Gewissen nicht! Doch Sündern die Hand reichen – das widerspricht deinem frommen Gemüt. Wahrhaftig, das scheint mir der rechte Christengeist!"

„Aber Herr Pfarrer, nun macht nur nicht so viel Wirbel um meinetwillen", versuchte Flierefluiter erheitert zu vermitteln.

„Misch dich nicht ein, wenn ich mit meinen Pfarrkindern spreche!" schnauzte der Geistliche.

Die Großmutter klapperte mit den Perlen ihres Rosenkranzes. Sie gab sich nicht geschlagen.

Gemessen sagte sie: „Und doch will ich solches Volk nicht in meinem Haus haben. Ich muß nach meinem Gewissen handeln."

„Du und Gewissen!" fuhr der Pfarrer sie in wütendem Ton an.

„Dein Gewissen ist aus Gummi – das dehnst du und ziehst du zurecht, wie es dir am besten paßt ... Und nun will ich dir mal was sagen: Wenn du die beiden Männer nicht aufnimmst, dann tu ich's. Mir geht es nicht gegen das Gewissen. Na? Was hältst du davon?"

Die alte Frau hob den Kopf und blickte nach der riesigen Gestalt, die wie eine dunkle Drohung im dämmerigen Zimmer stand. Doch unerschüttert kam ihre Antwort:

„Das müßt Ihr selber wissen, Herr Pfarrer. Ich tu's nicht."

Pfarrer Ramakers drehte sich um.

„Kommt mit, Männer!" gebot er kurz, und zu der Alten: „Daß du es nicht noch einmal bereuen wirst, Sjoke! Glaub ja nicht, nur mit dem Rosenkranz in der Hand allein könne man sich die Seligkeit erkaufen!"

Als sie draußen waren, hätte Merijntje darauf schwören mögen, daß er hörte, wie der Pfarrer leise in sich hineinlachte.

Flierefluiter stieß ihn an, wies mit dem Daumen auf die dunkle Gestalt, die schnell vor ihnen ausschritt, und flüsterte achtungsvoll: „Das ist ein Kerl, was?"

Doch Merijntje antwortete nicht. Er war viel zu verdutzt über die unglaubliche Tatsache, daß seine Großmutter einen Rüffel bekommen hatte, während er dabeistand, und daß sie den noch unglaublicheren Mut besaß, dem polternden Pfarrer Widerpart zu geben. So ein giftiges Weiblein! Aber man mochte sagen, was man wollte, die ließ sich nicht kleinkriegen ...

Und so dachten alle drei darüber.

5

Ängstlich hatte Merijntje sich vorgestellt, wie die Pfarrköchin sie empfangen würde, wenn sie sah, mit was für einer Gesellschaft der Pfarrer da ankam, denn für ihn waren alle Pfarrköchinnen gleich: Nicht anders als die heftige, keifende Jans, die dem alten Herrn Pfarrer auf dem Kopf herumgetanzt war. Auch Flierefluiter hatte sich im stillen auf so eine Erscheinung gefreut: Der wollte er schon die Hölle heißmachen und sie zur Verzweiflung treiben mit seinen spitzfindigen verdrehten Auslegungen dessen, was geschrieben steht.

Doch Nele war ganz anders, als sie es sich vorgestellt hatten. Keineswegs eine bissige alte Jungfer. Sie war eine Frau von vielleicht gerade vierzig Jahren, sah jedoch viel jünger aus in ihrem schlichten, aber gutsitzenden Kleid und hatte ruhige, sehr beherrschte Bewegungen, ein weißes, hübsches Gesicht mit merkwürdig glatter Haut, ein Paar stille dunkle Augen, eine etwas große, gebogene Nase und einen freundlichen Mund, der nicht für heftige Worte geschaffen schien. In ihrem ganzen Wesen lag etwas Stilles und Zurückhaltendes, auch etwas Mütterliches, das Merijntje sofort anzog und Flierefluiter den Wind aus den Segeln nahm.

Gerade als sie in die Tür traten, kam sie aus der Küche auf die Diele.

„Ich habe ein paar Gäste mitgebracht, Nele", sagte der Pfarrer. „Sie werden wohl eine Weile hierbleiben."

„Das ist schön, Herr Pfarrer", erwiderte Nele ruhig und nickte ihnen freundlich zu. „Sollen sie oben im großen Gastzimmer schlafen?"

„Ja – dies ist Merijntje Gijzen, und den da nennen sie Flierefluiter. Wie er heißt, weiß ich nicht, darauf kommt's auch nicht an. Er ist seiner Frau weggelaufen..."

„Oh", sagte Nele und errötete leicht.

„Kein Grund, rot zu werden", brummte der Pfarrer. „Er hat wohl ganz gescheit gehandelt, und ich glaube nicht, daß das seine größte Sünde ist."

Flierefluiter lachte.

„Ihr seid ein Menschenkenner, Herr Pfarrer", lobte er. „Ich fürchte mich beinah vor Euch."

Der Pfarrer warf ihm einen durchdringenden Blick zu. Dann lächelte er.

„Danach siehst du auch gerade aus... Du sorgst wohl für das Abendessen, Nele?"

„Ja, Herr Pfarrer."

Als Nele aus dem Zimmer war, faßte Flierefluiter den Pfarrer plötzlich am Ärmel. Sein Gesicht war besorgt und unruhig.

„Herr Pfarrer, Ihr habt doch nicht etwa einen Küster nötig, oder...?"

„Nein", entgegnete der andere verwundert, „warum?"

Flierefluiter atmete tief auf.

„Oh!" sagte er erleichtert. „Dann ist's gut. Ich bin hier schon einmal so freundlich aufgenommen worden, seht Ihr – und dafür habe ich ein halbes Jahr den Küster spielen müssen."

„Das hat man mir erzählt", lachte der Pfarrer. „Aber große Ehre scheinst du damit nicht eingelegt zu haben."

Flierefluiter seufzte schuldbewußt und zuckte die Achseln, ohne zu antworten.

Merijntje erkannte das Zimmer nicht wieder. Pfarrer Ramakers hatte eine Wand herausbrechen lassen und das Hinterzimmer dazugenommen. Nun war es ein großer Raum geworden mit Fenstern an beiden Seiten. Überall standen und lagen Bücher herum, in den Schränken und auf dem Tisch, auf den Stühlen und auf dem altmodischen Kanapee in der Ecke an der Hinterwand, wo die Fenster in den Garten gingen. Auf dem Kaminmantel stand neben allerlei Pfeifen ein Stapel Zigarrenkisten. Der Pfarrer griff nach einer, stellte sie offen auf den Tisch und zeigte darauf, ohne ein Wort zu sprechen. Darauf öffnete er einen Bücherschrank, griff unten hinein und setzte eine Kruke auf den Tisch.

„Ein Glas mögt ihr doch?"

„Da sage ich nicht nein, Herr Pfarrer", grinste Flierefluiter vergnügt.

„Ich lieber nicht, Herr Pfarrer", wehrte Merijntje ab, da er an den vorigen Abend und den Kater des heutigen Morgens dachte.

„Das ist vernünftig", sagte der Pfarrer.

Er schenkte zwei Gläser ein, hob das seine Flierefluiter entgegen und leerte es mit einem Zug. Und Flierefluiter folgte höflich seinem Beispiel. Dann schenkte der Pfarrer noch einmal ein, stellte die Kruke hin und sagte:

„Nun entschuldigt mich einen Augenblick, ich bin bald wieder da."

Er ging aus dem Zimmer.

Flierefluiter stieß Merijntje an.

„Du wirst es mir vielleicht nicht glauben, Junge, aber ich fühle mich hier fast noch behaglicher als bei deiner Großmutter."

Merijntje war zu verdutzt über die Entwicklung der Dinge, um auf den Scherz einzugehen. Er saß auf der Kante des Stuhls und sah sich mit erstaunten Augen um.

Flierefluiter faltete die Hände, hob die Augen gen Himmel und psalmodierte:

„Welch ein Mann! Welch ein Mann! Welch ein erhabenes Vorbild von einem Pfarrer! Unser lieber Herrgott hält es mit den Vagabunden, Merijntje, da siehst du's wieder. Er hat uns diesen erklärten Feind aller Mucker und Frömmler über den Weg geschickt, weil er es so gut mit uns meint. Laßt uns dafür dankbar sein! Oremus ..."

„Schwatz nicht, du Narr!" sagte Merijntje leise. „Wenn der Pfarrer das hört!"

„Wieso?" entrüstete sich Flierefluiter. „Ich sage doch nur Gutes!"

Er blies eine große Rauchwolke zur Lampe, nahm mit spitzen Lippen ein Schlückchen aus seinem Glas, trampelte dann mit den Füßen, rieb sich die Hände und sagte aus tiefstem Herzensgrund:

„Gut! Himmeldonnerwetternocheinmal!"

Als der Pfarrer zurückkam, sah Merijntje mit Erstaunen, daß er einen geblümten Hausmantel mit einer Schnur um die Hüften trug, dazu gestickte Pantoffeln an den Füßen und eine rote Filzmütze mit baumelnder Quaste auf dem großen Kopf. Der Pfarrer sagte kein Wort als Entschuldigung oder Erklärung für seinen sonderbaren Aufzug. Er entschuldigte sich nie und erklärte nie, was er tat.

Schweigend setzte er sich in seinen Lehnstuhl, trank von seinem Schnaps, rauchte und betrachtete seine Gäste – ein fester, forschender Blick. Merijntje wurde dabei verlegen und unruhig. Doch Flierefluiter schaute frank und frei in das Gesicht ihres Gastgebers: Was war das wohl für ein Mann?

Pfarrer Ramakers hatte ein verschlossenes, fast grimmiges Gesicht. Alles an ihm war groß: die Augen, die Nase, der Mund, die schweren Kiefer, das eckige Kinn. Dichte, struppige Brauen standen über den tiefen Augenhöhlen. Aber seine Stirn war hoch und schön gewölbt. Drei dünne Furchen durchzogen sie quer, und zwei gruben sich senkrecht zwischen den Augen über der Nasenwurzel ein. Er war ein Riese von Gestalt, und bei diesem Gesicht auf dem mächtigen Körper schien es besser, ihm nicht zu nahe zu treten ... Doch er gefiel Flierefluiter ungewöhnlich gut. Selten war er einem Mann begegnet, der ihm so gut gefiel. In diesem Gesicht lag etwas Aufrechtes. Es war nicht das Antlitz eines Mannes, der in einer unerschütterlichen Überzeugung Ruhe gefunden hatte, eher das Gesicht eines Kämpfers, der immer wieder im Streit lag mit dem Leben und am meisten vielleicht mit sich selbst. Ein Menschengesicht, über das das Leben hingegangen war und in das es tief und schmerzhaft seine Furchen eingegraben hatte. Doch je länger Flierefluiter in dieses Antlitz blickte, desto mehr liebte er es. Eine ganz andere Natur als die seine, und dennoch fühlte er sich in brüderlicher Zuneigung zu diesem Menschen hingezogen.

Merijntjes Empfindungen waren anders. Ihn beunruhigte dieses große, herrische Gesicht. Ihm bedeutete die Tatsache, Gast in einer Pfarrei zu sein, an sich schon etwas seltsam Ungewohntes. Ein Pfarrer war für ihn noch ein halb mythisches Wesen, nur in geringem Maße Mensch, weit mehr eine unwirkliche Gestalt, ein Gesalbter, Mittler zwischen Mensch und Gott und mit der Glorie des Überirdischen umgeben. Dieser Pfarrer aber schien in so bedrückender Weise menschlich. Er wirkte viel eher wie ein Mann und nicht wie ein Priester. Und diese Tatsache verübelte ihm der Junge geradezu, ohne sich darüber klarzusein, welche Gründe ihn dazu führten. Mehr noch als es ihn verwunderte, störte ihn das weltliche Kostüm, und vor allem nahm er an der leichtfertig baumelnden Quaste auf der roten Mütze Anstoß. Denn genau wie in den meisten unerfahrenen Menschen erweckte auch in ihm alles, was nicht in vollkommener Übereinstimmung mit einmal angenommenen Auffassungen und Begriffen stand, ein unerklärliches Gefühl des Mißbehagens.

Der Pfarrer schien die beiden völlig vergessen zu haben. Er rauchte, trank hin und wieder einen Schluck aus seinem Glas und blickte in Gedanken vertieft vor sich hin. Die große Petroleumlampe über dem Tisch rauschte leise. Draußen erklangen die Stimmen zankender Kinder und das Klappern vorbeitrabender Füße in Holzschuhen. Still verstrichen die Minuten, und niemand sprach ein Wort.

Und so schreckten sie alle auf, als das bescheidene Klopfen Neles ertönte, die fragen wollte, ob sie den Tisch decken dürfe.

Erstaunt und belustigt blickte der Pfarrer auf Flierefluiter, der ruhig und mit Appetit mehr von der Mahlzeit vertilgte als er und Merijntje zusammen.

„Du hast einen besseren Appetit als dein Gefährte, Flierefluiter", sagte er lächelnd. „Nach dem Alter gerechnet, müßte es eigentlich umgekehrt sein."

„Das ist ein Irrtum, Herr Pfarrer", erwiderte Flierefluiter ernsthaft, „Merijntje war bereits vor zehn Jahren erheblich älter als ich heute."

Merijntje wurde rot und schaute seinen Freund böse an. Der Pfarrer lachte.

„Dazu kommt noch", fuhr Flierefluiter fort, „daß er eben etwas gesehen zu haben scheint, wovon ihm der Hunger vergangen ist."

Das Rot auf Merijntjes Wangen wurde tiefer.

„Was denn?" fragte der Pfarrer interessiert.

„Das weiß ich nicht, er hat es mir nicht sagen wollen."

Fragend schaute der Pfarrer auf den Jungen, der verlegen ein Stückchen Brot zerkrümelte.

„Ist es ein großes Geheimnis, Merijntje?" fragte er, und seine schwere Stimme klang so freundlich, daß der Junge sofort Antwort gab:

„Ich bin bei Kruik gewesen, bei Goort Perdams."

„Ach, das kann doch nicht wahr sein!" rief Flierefluiter erschrocken.

Der Pfarrer blickte in das verstörte Gesicht des Jungen, das allmählich blaß wurde. Minutenlang lastete dumpfes Schweigen auf den drei Männern. In Merijntjes Augen kehrte das Entsetzen über die Begegnung mit Kruik zurück, die ihn so grenzenlos erschüttert hatte. Das Gesicht des Pfarrers wurde weicher, und ein sanfter Zug spielte um den großen, grimmigen Mund. Er nickte. Langsam sagte er:

„Ich weiß alles. Deine Großmutter hat es selten versäumt, mir die Geschichte mit dem Messer als erbauliches Beispiel der ausgleichenden Gerechtigkeit Gottes vorzuhalten, Merijntje. Das ist einer der Höhepunkte ihres religiösen Lebens gewesen..."

Voll Erwartung sah Merijntje ihn an, schwankend zwischen Hoffnung und Furcht: Würde Hilfe oder noch tiefere Vernichtung kommen?

Flierefluiter verhielt sich still. Es schwang da so etwas wie boshafte Ironie in der Stimme des Pfarrers mit – eine Ironie, die ihm die Überzeugung gab, er dürfe sich für dieses Mal getrost draußen halten.

Der Pfarrer lachte kurz und spöttisch: „Das befriedigt sie", sagte er mit düsterer Stimme, „ein Gott, der gegenüber dem besten Freund den Scharfrichter spielt. Das leuchtet ihr ein, das stimmt sie schadenfroh... Aber daran glaubst du doch gewiß nicht, Junge?"

Merijntje schüttelte den Kopf. Nein, an diesen Gott hatte er schon damals nicht, in den Tagen des Pfarrers van Gils, glauben wollen. Doch das war es ja nicht, was ihn jetzt so furchtbar entsetzte.

„Er ist im Zuchthaus blöd geworden", sagte er leise. „Er hat mich nicht erkannt und saß da, den Rosenkranz in der Hand – und er weiß nichts mehr von früher . . ."

Pfarrer Ramakers nickte. „Wenn ich an den lieben Gott deiner Großmutter glaubte, dann würde ich sagen: Erst hat er ihn gestraft für das, was er Böses getan hat, und dann hat er wiedergutgemacht und hohen Lohn gezahlt für seine Heimsuchung."

Zögernd fragte Merijntje: „Was haltet Ihr denn nun wirklich davon, Herr Pfarrer?"

Fliereefluiter schaute gespannt auf das düstere, erstarrende Gesicht mit den wilden Augen, die in den tiefen Höhlen blitzten.

Langsam erwiderte der Pfarrer: „Wenn du je ein guter Christ werden willst, Merijntje, dann mußt du dir abgewöhnen, in allem, was die Menschen einander antun, die Hand Gottes sehen zu wollen. Das ist lästerlicher Aberglaube."

Fliereefluiter nickte begeistert, doch Merijntje sah den Pfarrer verwirrt und unsicher an. Der fuhr ruhig fort:

„Du mußt dir abgewöhnen, Gott mit so kindischen Maßstäben zu messen, du darfst ihn nicht so eng beurteilen, als ob er eine Dreieinigkeit aus einem Schullehrer, einem Buchhalter und einem Polizisten wäre."

„Bravo, Herr Pfarrer!" stimmte Fliereefluiter ihm zu.

„Halt den Mund!" blaffte Pfarrer Ramakers. „Du bist ein Heide. Oder meinst du, das wüßte ich nicht?"

Fliereefluiter machte ein demütiges Gesicht, zog den Kopf zwischen die Schultern und erwiderte:

„Vielleicht würdet Ihr mich bekehren können, Herr Pfarrer."

Der Pfarrer sah ihn an, lächelte und sagte:

„Eines Tages wirst du schon mit unserem lieben Herrgott ins reine kommen – auch ohne mich, scheint mir."

Darauf wandte er sich wieder Merijntje zu.

„Sie hätten den Kruik auch so gefaßt – mach dir darüber keine Sorgen. Das war doch nur ein Zufall. Im Ofen haben sie dann später noch ein Stück blutigen Kleiderstoff gefunden . . . Der Bürgermeister hat mir alles haargenau erzählt. Es ist das große Ereignis seines Lebens gewesen und geblieben."

„Aber Kruik ist irrsinnig dabei geworden", sagte Merijntje leise.

„Der Kruik", entgegnete der Pfarrer nachdenklich, „ich denke, der ist wohl immer schon ein wenig irr gewesen . . . Und wer sich selber sein Recht verschaffen will, muß hinnehmen, was darauf folgt, Junge."

„Der Grenzhüter und Janekee waren beide nicht halb so viel wert wie Kruik allein . . ."

„Das ist wohl möglich. Aber deshalb durfte Kruik sie doch nicht ermorden. Damals glaubte er, er dürfe es. Später in der Zelle ist das anders geworden. In einer Zelle wird alles anders . . . Kruik, der sich vor niemand fürchtete, vor Gott und dem Teufel nicht, der hat in der Zelle Furcht vor sich selber bekommen. Und das hat sich auf seinen Kopf gelegt. Das letzte Jahr seiner Haft ist er schwerkrank gewesen, und als er wieder gesund wurde, war er so, wie er jetzt ist – blöd, still und furchtsam ... und fast ohne zu wissen, was geschehen war. Du darfst ihn nicht beklagen. Für ihn ist es besser so."

Merijntje schaute in das Gesicht des Pfarrers, das auf einmal alt und traurig aussah und in dem ein bitterer Zug um den Mund die gelassenen Worte Lügen strafte.

„Der Tiger ist gezähmt", schloß der Priester mit einer unbestimmten Handbewegung. „Besser für den Tiger – nun läuft er nicht mehr Gefahr, angeschossen zu werden ..."

Der Junge antwortete nicht, mit brennenden Augen sah er vor sich hin und schüttelte den Kopf. Er konnte es nicht verarbeiten. Er liebte den früheren Kruik, den furchtlosen Wilderer, der nahm, was ihm paßte – und das Bild von dem gezähmten Tiger gefiel ihm nicht. Ein Tiger war Kruik nicht gewesen.

Leise sprach er es aus: „Ein Tiger war Kruik nicht ..."

Der Pfarrer war aufgestanden und lief, die Hände auf dem Rücken, durchs Zimmer hin und her, die Zigarre schief im Mund. Plötzlich blieb er stehen und sprach, die Worte mit der großen Hand unterstreichend:

„Du hast recht. Er war also ein freier Mensch, wenn dir das lieber ist ... Doch solche freien Menschen werden in unserer kleinen Welt als Tiger betrachtet und verfolgt. Ich weiß genau über Kruik Bescheid, und was mich betrifft – na ja, mir gefallen die wilden Vögel auch besser als die braven, die im Bauer sitzen und einem den Zucker aus der Hand fressen. Aber wer den Kampf gegen die Welt aufnimmt, der muß schlau sein wie die Schlange, vorsichtig wie der Fuchs und stark wie der Löwe. Und selbst dann hat er noch nicht viel Aussicht ..."

„Wenigstens nicht, wenn er mit Gewalt anfängt", fiel Flierefluiter ein.

Der Pfarrer sah ihn an, und Flierefluiter blickte ihm offen in die Augen. Ein wenig mürrisch erwiderte der Priester:

„Du mußt nicht zuviel hinter meinen Gedanken suchen, Mann, darauf wollte ich nicht hinaus."

„Dann dürft Ihr die Klappe auch nicht aufmachen", sagte Flierefluiter ohne die mindeste Scheu.

Über das Gesicht des Pfarrers flog dunklere Farbe. Es schien, als wollte er zornig auffahren. Doch dann begann er zu lachen und drohte:

„Du aber auch nicht, Freund, denn wenn ich es mit dem Mund nicht mehr schaffe, gebrauche ich die Fäuste – sei vorsichtig!"

„Und ich darf meine Fäuste gewiß nicht gegen die geweihte Gestalt erheben?"

„Sicher darfst du das – doch es würde dir schlecht bekommen."

Sie maßen sich mit den Blicken. Wie zwei kampflustige Hunde, fand Merijntje, erschrocken über die Wendung des Gesprächs und peinlich berührt von der entsetzlichen Frechheit seines Gefährten. Der Pfarrer würde sie noch auf die Straße setzen – wer ließ sich denn schon solche Dinge gefallen! Doch zu seiner Verblüffung begann Pfarrer Ramakers laut zu lachen und gab Flierefluiter einen Schlag auf die Schulter, daß der Stuhl krachte. Flierefluiters Gesicht bekam einen Ausdruck von ungeheurem Respekt. Befreit stimmte Merijntje in das Lachen des Pfarrers ein, froh, daß der es so gemütlich aufnahm und die drohende Gefahr beschworen war ...

„So, und jetzt geht schlafen!" riet der Pfarrer. „Ihr habt euch gestern abend schandbar betragen und seid den ganzen Tag herumgestromert. Morgen ist's früh Tag, und ihr müßt tüchtig zupakken, denn ich hab viel Arbeit und wenig Geduld ... Ich habe noch einiges zu lesen. Nele wird euch den Weg zeigen. Gute Nacht!"

„Gute Nacht, Herr Pfarrer!"

Nele brachte sie hinauf, ließ die Lampe in dem großen, hellen Zimmer unter dem Dach und verabschiedete sich mit einem leisen Gruß.

Begeistert sah Flierefluiter sich um, schlug mit der flachen Hand auf das dicke Federbett in dem ungeheuer breiten Lager und sagte:

„Du mußt gleich zehn ‚Gegrüßet seist du' für die arme Seele deiner Großmutter beten, Merijntje, denn das alles hier haben wir nur ihr zu verdanken."

Merijntje lachte und sagte dann:

„Ein bißchen weniger frech könntest du ruhig sein ... Es ist ein Pfarrer! Ich dachte eben, er wolle uns rauswerfen."

„Der?" frohlockte Flierefluiter. „Der freut sich noch viel mehr als wir, daß er uns im Haus hat."

„Ja, besonders dich!" spottete Merijntje. „Bild dir bloß nicht zuviel ein!"

„Wenn er nur nicht so ein Bär wäre!" jammerte Flierefluiter. „Ich glaubte, er schlägt mich durch den Stuhl durch, und zwar nur aus lauter Freundschaft!"

Seufzend vor Wohlbehagen krochen sie in das kühle, nach Lavendel duftende Leinen, und das weiche Bett war eine Wohltat für ihre übermüdeten Glieder. Mit verwundertem Stolz dachte Merijntje, daß er nun in einer Pfarrei schlief, als Gast eines Pfarrers. Wie verrückt das zugegangen war! Und was für ein seltsamer, beunruhigender Mann, dieser Pfarrer, voller Güte, doch mit etwas Wildem und Unberechenbarem, wie man es bei einem Pfarrer niemals erwartet hätte. Er sagte darüber noch etwas zu

Flierefluiter, doch der gab keine Antwort – er atmete bereits tief und regelmäßig.

Merijntjes Gedanken irrten zurück zu Kruik: Blöd, ein getrübter Geist – ein Trottel, der aus seinem früheren Leben nichts als eine verschwommene Erinnerung an etwas Sündiges bewahrte, wofür er nun Buße tat ... Besser so, hatte Pfarrer Ramakers gesagt. Besser so? Allmählich begann er die Bedeutung dieser Worte zu erfassen ... Ja, nun konnte Kruik nicht mehr über die Vergangenheit grübeln, nicht mehr von Zorn und Wut gequält werden, nun litt er nicht mehr unter der Verachtung der scheinheiligen Welt ... Trotzdem blieb es unglaublich und bitter. So ein starker und guter Kerl, wie es der Kruik gewesen war ... und nun ein armer Narr, dem vielleicht die Kinder nachliefen, um ihn zu ärgern. Man konnte es sich nicht vorstellen. Besser so? Der Gedanke befriedigte ihn nicht. „Wenn ich an den lieben Gott deiner Großmutter glaubte, dann würde ich sagen: Erst hat er den Sünder gestraft für das, was er Böses getan hat, und dann hat er wiedergutgemacht und hohen Lohn gezahlt für seine Heimsuchung." So etwa hatte Pfarrer Ramakers gesagt ... Unglaubliche Worte für einen Geistlichen! Es lief ihm kalt über den Rücken ...

Unten hörte er seinen Gastgeber hin und her gehen und laut vor sich hinreden. Er konnte nicht verstehen, was er sagte. Es klang abgemessen und rhythmisch. Ob er laut betete oder eine Predigt auswendig lernte? Wunderlich, in einem Pfarrhaus zu schlafen, wo Predigten vorbereitet und alles für den Gottesdienst in der Kirche und das Seelenheil der Gemeindeglieder geregelt wurde ... Die vorige Nacht hatten sie beim Wagner in den Hobelspänen geschlafen – bei Flierefluiter wußte man wirklich nie, was im nächsten Augenblick geschah!

Er lächelte im Dunkeln, hörte noch halbwach, daß die Turmuhr auf der nahen Kirche neun schlug, und sank dann in einen traumlosen Schlaf.

· Fünftes Kapitel ·

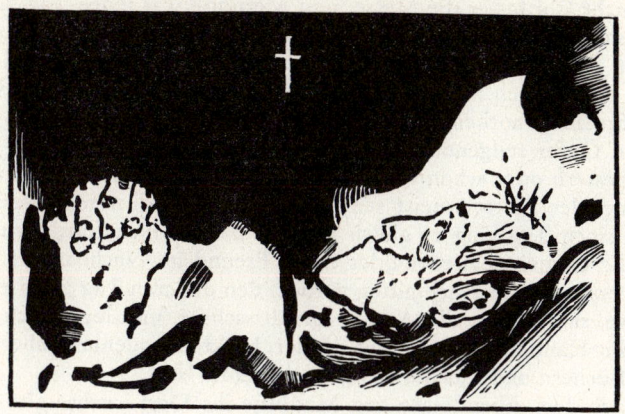

I

Diese Tage lächelten Merijntje zu wie gute Kameraden. Flierefluiter hatte nicht unrecht, wenn er abends die Augen zum Himmel hob und dem Herrgott dafür dankte, daß die Großmutter so
war, wie sie war. Denn durch ihre störrische Abweisung hatte
sie den Pfarrer gereizt und veranlaßt, den beiden Landstreichern
Gastfreundschaft auf der Pfarrei zu gewähren. Und dabei fuhren
sie gut. Ja, und wie gut! Sie hatten Arbeit, bekamen reichlich und
ausgezeichnet zu essen, schliefen in einem herrlichen Bett, hatten
ein blitzsauberes Zimmer und waren gleichzeitig auch noch die
beiden meist beneideten und meist besprochenen Persönlichkeiten
im ganzen Dorf. Und die Großmutter erhielt von allen Seiten giftig spottende Bemerkungen; nur ein paar Pharisäer waren auf ihrer Seite, doch selbst die wagten nicht, es offen zu zeigen. Und der
Herr Pfarrer tat, als ginge ihn das alles nichts an. Gleichmütig
hatte er sie als Hausgenossen aufgenommen und behandelte sie, als
wäre es immer so gewesen und solle auch immer so bleiben. Er
war ebenso unerreichbar für Tadel wie für Lob. Seine überlegene
Persönlichkeit weckte in Merijntje einen Wirrwarr von Gefühlen,
die sich von unbestimmter Furcht über schüchterne Ehrerbietung
bis zu respektvoller Bewunderung bewegten; doch nie fehlte das
grenzenlose Erstaunen, daß so ein Mann gleichzeitig auch noch
Geistlicher war . . .

Beim ersten Schein des Morgenrots stand der Pfarrer auf, machte einen langen Spaziergang und schwamm irgendwo an einer einsamen Stelle im Fluß oder in einem der Gräben am großen Strom. Um acht Uhr las er die Messe, und Merijntje war jeden Tag dabei und saß wunderlich bewegt in der kleinen vertrauten Kirche zwischen den wenigen Frauen, Kindern und alten Männern, blickte nach den kleinen Meßdienern in ihren schwarzen Röcken und weißen Spitzen-Chorhemden, dachte an die Zeit, da er selber am täglichen Opfer teilgenommen hatte, und wußte nicht mehr, ob das erst gestern oder schon eine Ewigkeit her war. Danach frühstückten sie, der Pfarrer meist schweigend und mit düsterem Gesicht. Den einen Tag ging er gleich nach dem Frühstück fort, besuchte kranke Gemeindeglieder oder einen Freund im Nachbardorf und kam erst spät am Nachmittag zurück, den anderen Tag blieb er zu Hause, sah zu, wie die Arbeit vorwärtsschritt, und legte auch selber mit Hand an, verschwand wieder, hockte stundenlang über seinen Büchern und rauchte das große Zimmer blau.

Nach dem Abendessen zog Merijntje ins Dorf, suchte alte Kameraden auf, saß mit ihnen am Deich, erzählte von der großen Stadt oder lauschte den Berichten aus dem Dorfleben, das ihm immer einfältiger und langweiliger vorkam, über das er oft insgeheim lächeln mußte und das ihn doch anzog und – ob er es sich eingestehen wollte oder nicht – innerlich sehr bewegte. Die beiden letzten Abende hatte er den Pfarrer und Flierefluiter beim Musizieren angetroffen; sie spielten Geige und Flöte, beide mit Noten vor sich wie richtige Musiker. Er hatte sich wieder aus dem Zimmer geschlichen und mit Nele still und staunend in der Küche gesessen und dieser seltsam durcheinandergleitenden Musik der beiden Instrumente gelauscht. Ein Pfarrer, der Geige spielte und sich von einem Vagabunden auf der Flöte begleiten ließ! Nele saß am Tisch, und Merijntje sah deutlich, daß sich ihre Augen mit Tränen füllten. Warum? So schlimm war es ja nun auch wieder nicht – freilich ungewohnt, das stimmte...

Nele mochte den Pfarrer, das spürte man sofort. Man merkte, wie sie ihm jeden Wunsch von den Augen abzulesen versuchte. Jans hatte den alten Pfarrer auch sehr geliebt, aber auf ihre brummige, tyrannische Art. Doch bei Nele war das anders. Sie hatte sanfte, stille Augen und schaute den Pfarrer an wie eine Mutter ihr schwieriges Kind, das ihr Kummer bereitet. Aber der Pfarrer tat meistens, als bemerke er sie nicht; er gab ihr kurz, wenn auch nicht unfreundlich, seine Befehle und hörte ungeduldig zu, wenn sie etwas über den Haushalt mit ihm zu besprechen hatte. Nur manchmal, wenn sie durchs Zimmer ging und ihm dabei den Rücken kehrte, blickte er ihr nach, und dann wurden seine Augen sanfter, und ein Lächeln glitt über seinen harten Mund. Sicher mochte er sie trotzdem gern, wenn er es auch nicht zeigte. Nele

war aber auch ein lieber Mensch – wie freundlich und ohne zu
murren hatte sie ihn und Flierefluiter aufgenommen und mit keinem Wort über die Mühe geklagt, die das alles für sie mit
sich brachte. Mit heimlicher Befriedigung bemerkte Merijntje, daß
Flierefluiter sie nicht zum Narren hielt oder ärgerte, wie er das bei
Jans immer getan hatte; er behandelte sie vielmehr mit ungewöhn-
lichem Respekt – fast wie eine Dame. Doch Merijntje paßte genau
auf, ob das nicht wieder nur eine neue Art von Spott sei; bei diesem verrückten Burschen kannte man sich ja nie aus. Aber das
sollte er nur wagen, dann bekam er es mit ihm zu tun, denn Merijntje hatte Nele in seiner Achtung und ehrerbietigen Zuneigung
sehr hoch gestellt.

Die Arbeit selber war die reinste Freude. Zu seinem großen
Erstaunen hatte Merijntje in der Scheune eine Hobelbank mit
ausgezeichnetem Werkzeug gefunden. Und der Pfarrer hatte eine
Zeichnung von einem Vogelhaus gemacht, das Merijntje nun zu-
rechtzimmern sollte. Das nötige Holz und die Gaze hatte er in der
Stadt bestellt, und der Fuhrmann hatte es mitgebracht.

Die Sonne stieg träge über das Dach der Kirche und warf Merijntje ein Bündel heißer Strahlen in den gebeugten Nacken; der
Junge stand vor der Scheune an der Hobelbank und schnitt die
Leisten für das Vogelhaus zurecht, das an der weißgekalkten Rück-
wand des Pfarrhauses aufgestellt werden sollte. Er pfiff leise zwischen den Zähnen und ahmte verschiedene Vogelstimmen nach,
die in den Bäumen des Gartens durcheinanderzwitscherten. Es
war ein herrlich unbeschwertes Schaffen an der frischen Luft hier
draußen, mit aufgekrempelten Ärmeln und offenem Hemd. Der
Atem des leichten Sommerwindes strich ihm wie eine kühle Liebkosung über Hals und Brust . . .

Die Zeichnung des Pfarrers gab jede Einzelheit so genau an,
daß die Arbeit das reinste Kinderspiel war. Der ganze Garten war
von Vogellauten und dem Summen von Bienen und Hummeln erfüllt; und jede halbe Stunde hallten aus dem kleinen Turm die
Schläge der Uhr, die hellen, fröhlich singenden Schläge, die an so
viele Dinge aus seinem früheren Leben erinnerten, an die Kinderjahre, die er im Schatten dieses Turms verbracht hatte und die von
dieser frohen, eiligen Glockenstimme begleitet worden waren. Irgendwo hinter ihm ertönte undeutlich die Stimme des Pfarrers, der
Flierefluiter auseinandersetzte, wie er sich die Arbeit vorgestellt
hatte – das Ausheben eines kleinen Teiches. Das Vogelhaus war
eigentlich für Nele gedacht. Doch für sich wollte der Pfarrer unbedingt einen Tümpel haben mit Fischen, Fröschen und Molchen.
Platz war ja genug.

Denn Pfarrer Ramakers hatte gleich neben dem alten Pfarrgarten noch den großen verwahrlosten Bauernhof gekauft, der hinter

dem „Herrenhaus" des Rentners Dogge lag. Nach dessen Tod hatten die Erben um alles in der Welt nicht in dem verfallenen und verdreckten Schuppen wohnen wollen und nur allzugern Gehöft und Garten an den Priester abgetreten. Es war ein großes Stück Land mit hohem altem, hier und da verstreutem Baumbestand, wüst verwildertem Strauchwerk, von Unkraut überwucherten Gemüsebeeten und einem baufälligen Treibhaus mit grünbemoosten oder auch zerbrochenen Scheiben, wo in den letzten zwanzig Jahren gewiß keine Pflanze mehr gezüchtet worden war. Er brauche dringend Platz, so argumentierte der Herr Pfarrer, und darum habe er diese Wildnis gekauft und die trennende Mauer niedergerissen. Sein eigener rückwärtiger Zaun schloß unmittelbar an den des alten Dogge an – und so schien es schließlich fast, als hätten die beiden Gärten schon immer zusammengehört. Zwischen drei Baumgruppen wollte er nun mit aller Gewalt einen Teich haben, denn Wasser brachte Leben und Licht, behauptete er . . .

Nele kam aus dem Haus. Sie trug ein Tablett mit drei Schalen Kaffee. Daneben stand eine Dose aus blauem Glas, mit dicken, selbstgebackenen Butterkeksen gefüllt.

„Würdest du den Männern wohl den Kaffee bringen, Merijntje?"

„Ja, gern, Nele."

Er nahm ihr das Tablett ab und ging damit durch den Garten. Überrascht blieb er stehen, als er die beiden hinter einer Strauchgruppe erblickte: der Pfarrer hatte die Soutane ausgezogen, und in schwarzen Kniehosen, groben Wollstrümpfen und einem Paar alten Holzschuhen hob er die Erde aus. Er trug ein weißes, kurzärmeliges Hemd, aus dem die mächtigen, dicht behaarten Arme wie knorrige Wurzeln hervorblickten. Der niedrige Kragen ließ den Hals frei, einen Stiernacken. Was war das für ein Kerl! Er sah eher aus wie ein Ringkämpfer . . .

Als Merijntje auf einen dürren Zweig trat, drehte sich der Pfarrer um.

„Ha!" rief er zufrieden. „Da kommt der Kaffee. Den haben wir auch verdient."

Zu dritt saßen sie dann am Rand der Grube, tranken Kaffee und knabberten an den Butterkeksen. Sie schwiegen und lauschten der Musik des Gartens, den jauchzenden Vogelstimmen, dem Brummen der Insekten, dem leisen Rauschen des Windes in den Bäumen. Als Merijntje Fleefluiter einen verständnisvollen Blick zuwarf, um ihm kundzutun, wie wohl er sich fühle, sah er dessen Augen mit einem unruhigen Ausdruck umherschweifen, gerade als wolle er den Himmel etwas fragen. Der Pfarrer blies in den Kaffee, zerbröckelte seinen Keks und trank mit einem Zuge die Schale leer. Fleefluiter aber seufzte tief auf.

„Wohin geht dieser Seufzer?" fragte der Pfarrer spöttisch.

„In die Ferne", erwiderte Flierefluiter und lachte verlegen.

„Soso", sagte der andere mit mißtrauischem Blick. „Ist es mal wieder soweit?"

Merijntje erschrak. Wollte dieser verdammte Stromer hier etwa alles im Stich lassen? Aber dann konnte er allein gehen. Er wollte erst das Vogelhaus fertigmachen, und den Teich schaffte er wohl auch, wenn es sein mußte... So ein undankbarer Hund!

Demütig erklärte Flierefluiter: „Ach, Herr Pfarrer, das müßt Ihr verstehen. Drei Jahre habe ich im Käfig gesessen und gerade erst die Flügel wieder ausgebreitet."

„Es sind noch keine acht Tage, daß ihr hier seid", sagte der Pfarrer. „Willst du mich jetzt vielleicht mit dem ganzen Dreck sitzenlassen?"

„Aber nein, Herr Pfarrer!" rief Flierefluiter beleidigt. „So einer bin ich nun wirklich nicht! Was denkt Ihr denn von mir?"

„Na, was willst du denn?"

„Nur mal heute nachmittag... Am Abend bin ich wieder da. Ich weiß nicht recht, ich fühle mich ein wenig... beengt."

Seine Stimme bettelte. Merijntje mußte innerlich darüber lachen. Der Pfarrer auch.

„Ach, versteht mich doch!" bohrte Flierefluiter listig nach.

Der Hausherr nickte, plötzlich wieder mit ernstem Gesicht.

„Na schön", sagte er, „dann geh nur..."

„Und Merijntje auch?"

„Ich will gar nicht", fiel der Junge ein. „Ich arbeite gern weiter."

„Geh nur mit!" lachte Pfarrer Ramakers. „Das ist sicherer. Sonst kann es uns passieren, daß er vierzehn Tage lang wegbleibt."

„Daß Ihr immer alles beim falschen Namen nennen müßt!" verwahrte sich Flierefluiter mit wehleidiger Stimme.

Merijntje mußte schmunzeln. Dieser große Kerl mit seinen grauen Haaren führte sich wieder einmal wie ein Kindskopf auf.

„Läppisches Geschwätz!" schimpfte er.

Aber der Pfarrer stand auf, griff nach dem Spaten und sagte:

„Vorwärts, aber jetzt an die Arbeit, Mann! Ehe du rumbummelst, mußt du noch einmal zupacken. Ich will vor zwölf Uhr Wasser sehen."

Merijntje brachte das Tablett mit den leeren Schalen zu Nele in die Küche. Sie saß am Tisch und putzte Salat.

„Hat's geschmeckt?" fragte sie freundlich.

„Na!" rief der Junge begeistert, um ihr eine Freude zu machen. „Du kochst verdammt guten Kaffee, Nele!"

„Und du lernst schon genauso schmeicheln wie dein Gefährte", lächelte das Mädchen. „Was macht der Herr Pfarrer?"

„Er gräbt mit Flierefluiter." Und dann zögernd: „Ohne Soutane – die hat er an einen Ast gehängt."

„Ja", sagte Nele leise, „so arbeitet er immer im Garten. Du darfst nur im Dorf nicht darüber sprechen."

„Eigentlich finde ich es gar nicht schlimm", erklärte Merijntje eifrig.

„Nein, du nicht. Aber die Leute hier reden so rasch..."

„Ach, diese Lästermäuler!" beschwichtigte der Junge verächtlich. „Darauf darf man nichts geben."

Nele lachte und sah ihn freundlich an.

„Du magst den Herrn Pfarrer wohl gern leiden?" fragte sie.

„Ganz bestimmt. Ich glaube, er ist ein guter Mensch. Und mir ist es gleich, was er macht."

„Er ist ein sehr guter Mensch", sagte das Mädchen. „Aber er kann so böse und grob tun. Es ist manchmal schwer mit ihm."

„Du kennst ihn schon lange?"

„Schon von klein auf... Wir kommen aus demselben Dorf. Mein Vater war erster Knecht auf dem Hof des Vaters vom Herrn Pfarrer."

„Ach..."

Das Gespräch war zu Ende. Ein wenig verlegen grüßte der Junge und kehrte an seine Arbeit zurück. Ein sonderbarer Mann, dieser Pfarrer, dachte er... hantierte mit dem Spaten wie ein Polderarbeiter, konnte hobeln, sägen und zimmern wie ein Handwerker, spielte Geige, ging baden, trank Schnaps und drohte einfach zuzuschlagen, wenn etwas nicht nach seinem Sinn ging. Und im Dorf erzählten die Leute, daß er sogar schon folgendes getan habe: zum Karneval hatte er eine ganze Gruppe sich prügelnder Halbwüchsiger auseinandergebracht und die zwei, drei, die nicht aufhören wollten, mit den Köpfen zusammengehauen, daß sie mit blutender Nase und aufgerissenen Lippen davongetaumelt waren. Nun wußten alle, was sie an ihrem Pfarrer hatten, und wenn sie es auch nicht für die richtige Art bei einem Geistlichen hielten, hatten sie doch gewaltigen Respekt vor diesen großen, zupackenden Händen, aus denen es kein Entkommen gab. Nele – das ließ sich nicht leugnen – betete ihn an. Nun ja, das taten eigentlich alle Pfarrmädchen mit ihren Herren – aber bei ihr war es etwas anderes. Sie zeigte sich nicht hinterhältig und sprach immer anständig über ihn, als müsse er durchaus beschirmt und verteidigt werden... wie Mutter manchmal über Arjaan gesprochen hatte, wenn die ganze Nachbarschaft wütend gewesen war über seine groben Dummenjungenstreiche. Ein Gewaltmensch, das war Pfarrer Ramakers. Das war Pfarrer van Gils freilich auch gewesen. Doch auf eine andere Weise. Ihn hatte Merijntje nicht ausstehen können. Aber für diesen neuen Pfarrer empfand er von Stunde zu Stunde mehr Sympathie. Wahrscheinlich lag es daran, daß er ein gerechter Mann war – ein Polterer zwar mit großem Mund und harten Fäusten... aber gerecht bis zum äußersten. Man konnte ihm widersprechen, und er gab einem sofort recht, wenn man recht hatte.

Über Gott hatte er auch gerecht gesprochen, als von Kruik die Rede gewesen war – in seiner verständigen Art das ganze Gegenteil von Pfarrer van Gils ... Der Mensch war geschaffen nach dem Ebenbilde Gottes ... Flierefluiter lachte darüber und behauptete, daß es umgekehrt sei: jeder stelle sich Gott nach seinem eigenen Bilde vor, so sagte er. Sollte sich ... sollte sich nicht doch vielleicht ein Körnchen Wahrheit dahinter verbergen? Die scheinheiligen Mucker hier im Dorf, allen voran seine liebenswerte Großmutter, glaubten die nicht an einen Gott, der genauso beschränkt, so engherzig und rachsüchtig war wie sie selber? Der Gott des alten Herrn Pfarrers war ausschließlich Liebe und Güte gewesen – wie er selber! Der Gott von Pfarrer van Gils war heimtückisch und stets auf harte Strafen aus, ein starrköpfiger Griesgram – genau wie er selber! Und Pfarrer Ramakers sprach von einem Gott der großzügigen Gerechtigkeit ohne Ränke und ohne Engherzigkeit. Und Flierefluiter? Dessen Gott war fröhlich und wollte, daß seine Kinder das Leben und die Schönheit der Welt genossen, und daß nur das Sünde sei, was gemein war und das Leben verdarb ...

Der Schweiß brach Merijntje aus – doch nicht die warme Sonne war schuld daran, die ihm jetzt mit zunehmender Kraft in den Rücken schien. Er schwitzte, weil ihn Unruhe und heimliche Angst packten vor dem Lauf seiner abirrenden Gedanken. Waren das nicht geradezu ketzerische Vorstellungen? Wenn sich jeder nach seinem Charakter und eigener Einsicht ein Bild von Gott machen wollte, dann mußte man ja zu dem Schluß kommen, daß es überhaupt keinen Gott gab! Und da hörte er im Geist Flierefluiters Stimme so deutlich, als ob er wirklich zu ihm spräche: „Irrtum, mein Lieber! Das bedeutet nur, daß Gott groß genug ist, um allem Raum zu geben, so groß, daß kein Mensch ihn je ganz zu erfassen vermag ..." Das hatte Flierefluiter wirklich schon einmal gesagt. Und darauf hatte Merijntje wütend gefragt: „Aber wer von allen hat denn nun recht mit seiner Vorstellung von Gott?"

„Gott gegenüber hat kein Mensch recht. Wie wäre das auch möglich?"

Man fand sich nicht durch. Flierefluiter selber übrigens auch nicht. Doch der machte sich nichts daraus. Er lachte nur und behauptete, er sei in seiner Kleinheit sicher. Und nie kam man dahinter, was er damit meinte. „Nichts", sagte er dann immer, „es hat nichts zu bedeuten." Aber damit konnte Merijntje sich nicht zufriedengeben. Er wollte eine klare Antwort: Gab es Gott oder gab es Gott nicht? Und natürlich gab es Gott! Wer wollte das leugnen? Aber was war er und wie wünschte er, daß man sich ihm gegenüber verhielt?

Da schlug sich Merijntje kräftig auf seinen Daumen, ließ mit einem unterdrückten Schrei den Hammer fallen und steckte den gequetschten Finger in den Mund. Großmutter raunte in seinem Innern: „Gott läßt sich nicht spotten, niederträchtiger Zweifler, du!"

Aber das war natürlich Unsinn! Wurde er vielleicht wieder der einfältige Ministrant, der da überlegte, ob er mit seinen leichtfertigen Gedanken nicht zehnfach sündigte – ausgerechnet jetzt als Gast eines Pfarrers und in dem Garten neben der Kirche, die zu diesem Pfarrhaus gehörte? Und dann lachte er verstohlen, doch mit betroffenem Gesicht um dieser seiner kindischen Ideen willen. Das war nun tatsächlich eine Vorstellung aus dem Repertoire jener kleingeistigen Tröpfe, die sich Gott als klügelnden Rechenmeister dachten. Aber das war der Gott, den sie den Kindern einredeten ... Wieviel Angst und Entsetzen hatte er als Knabe zitternd durchlitten, weil sie ihm Gott als den ewigen Buhmann weisgemacht hatten, der kleinen Kindern nachstellte, um sie auch für die geringfügigste läßliche Sünde mit grausamer Strenge zu züchtigen! Nein, so war es nicht richtig, so konnte es nicht sein, so durfte man Gott den Kindern nicht vorsetzen! Das war unrecht. Ja, war das wirklich unrecht? Wurde es nicht so in Kirche, Haus und Schule gelehrt? Und woher wollte er die Weisheit nehmen, es anders zu sehen? Was gab ihm die Legitimation, es besser wissen zu wollen als der Pfarrer? Woran lag es nur, daß ihn immer und immer wieder die Zweifel überfielen? Sicher weil er mit solchen Irrgeistern wie Flierefluiter umging, die schließlich auf nichts eine Antwort wußten ... Du lieber Himmel, war das alles verwickelt – so mühselig und gefährlich!

Die Turmuhr schlug zwölf. Kaum war der letzte Ton verklungen, da begann es schon zu läuten. Nun stand der Küster in der Glockenstube und zog an dem Seil, an dem er selber so oft auf und nieder gebaumelt war ... Die laute Stimme der fröhlichen kleinen Glocke flog aus dem Turm heraus, durch die Luft, über Dorf und Straßen und Felder und teilte den Menschen mit, daß sie nun aufhören sollten zu arbeiten.

Essenszeit, rasch!

Der Pfarrer und Flierefluiter stapften herbei, über und über mit Schlammspritzern bedeckt, bis ins Gesicht hinauf.

„Dein Gewerbe ist sauberer als unseres, Merijntje", lachte der Pfarrer. „Schaut euch das an: er hat kaum Sägemehl auf der Hose, und wir sehen aus wie die Schweine."

„Er sucht sich immer das beste aus", sagte Flierefluiter unverschämt.

Aber Merijntje stieß ihn lachend in den Bauch und entgegnete gutgelaunt: „Du kannst mich doch nicht reizen!"

„Ein guter Christ ist sowieso nie gereizt", meinte Flierefluiter mit einem schrägen Blick zum Priester hin, der sich den angetrockneten Dreck von den Armen rieb.

Pfarrer Ramakers fing den Blick auf, lachte flüchtig und sagte: „Darauf würd' ich mich nicht allzusehr verlassen, Flierefluiter."

„Ich behaupte ja gar nicht, daß Ihr ein guter Christ seid, Herr Pfarrer", gab der dreiste Kerl aalglatt zur Antwort.

Merijntje wurde blaß vor Schreck ob dieser ungeheuerlichen Beleidigung. Doch Pfarrer Ramakers lachte schallend, griff nach Flierefluiter, der rasch zur Seite sprang, schützend die Hände ausstreckte, abwinkte und rief:

„Mich braucht Ihr nicht dazu zu machen, Herr Pfarrer – da streike ich!"

2

Als sie nach Tisch über den Deich liefen, knöpfte sich Merijntje den Freund vor. In mißbilligendem Ton begann er:

„Du bist doch wirklich schlimm, du alter Kerl, du!"

Verwundert blickte Flierefluiter ihn an und fragte: „Wieso?"

„Na, vor nichts hast du Respekt! Du sprichst mit dem Pfarrer wie mit einem Bauern oder Arbeiter – genauso lässig! Du redest, wie dir der Schnabel gewachsen ist. Und was das Stärkste ist: du wirfst Pfarrer Ramakers vor, kein guter Christ zu sein. Gibt's denn so was! Wie ist dir das bloß in deinen Kopf gekrochen?"

Flierefluiter kicherte.

„Er versteht mich besser als du – er hat es nicht krummgenommen. Außerdem war es kein Tadel, sondern ein Kompliment."

„Ein schönes Kompliment!" lachte Merijntje. „Einem Pastor bescheinigen, daß er kein guter Christ ist! Himmel, du leistest dir ja was! Wer ist denn, bitte sehr, ein guter Christ?"

„Nun, deine Großmutter zum Beispiel – und die ist bei weitem nicht die schlimmste. Da haben wir so was wie die Anneke van Tielo, die es in ihren jungen Jahren mit dem ganzen Dorf gehalten hat... und den alten Mop van Zette, der nichts als soff und randalierte und wie ein Rabe klaute... und Jane Kwik, die mit den Schielaugen, die noch immer rumrennt, allen hinterhergeifert und Gift und Galle spuckt... Das sind die guten Christen. Frag sie doch selber mal! Verpassen die auch nur eine einzige Messe, eine einzige Andacht? Und schütteln sie nicht von morgens bis abends ihr Haupt, weil die Welt heutigentags so jämmerlich schlecht ist?"

„Gerade diese scheinheiligen Salamander – und so was nennst du nun gute Christen!" rief Merijntje entrüstet.

„Ich nicht, Junge, ich nicht! Sie selber! Sie sind fest davon überzeugt, daß so ein Rabauke wie Pfarrer Ramakers als Christ ihnen nicht das Wasser reichen kann. Genausowenig wie du oder ich natürlich..."

„Nun mußt du ausgerechnet dich auch noch dazubringen! Du sagst doch selber, daß du ein Heide bist..."

„Nur deshalb, weil solche feinen Christen in der Kirche sitzen", entgegnete Flierefluiter grinsend.

„Und trotzdem bist du voller Widerspruch gegen den Pfarrer..."

„Ach, das ist ganz was anderes... Aber möchtest du nicht bitte warten, bis er mir das selber steckt?"

Merijntje lachte: „Ja, ich fände es ganz hübsch, wenn er's dir mit den Fäusten stecken würde."

„Sehr liebenswürdig, wahrhaftig – und das behauptet nun, ein treuer Freund zu sein!" seufzte Flierefluiter. „Wolltest du mich wieder im Gasthaus bei einer Keilerei sehen? Was hab ich dir denn Böses getan, häßlicher Kerl, du?"

Der Junge lachte laut über die unglückliche Miene seines Kameraden, gab ihm einen Puff gegen die Schulter und rief aus der Tiefe seines Herzens:

„Was führen wir doch für ein herrliches Leben – he, Flierefluiter!"

Das ausdrucksvolle Gesicht des Landstreichers strahlte plötzlich vor Zufriedenheit:

„Oh, was das betrifft", sagte er entzückt, „da muß ich dir ausnahmsweise beipflichten. Wenn wir beide erst einmal lange genug miteinander herumgetrabt sind, wollen wir gar nichts anderes mehr. Es lebe die Freiheit und das Vergnügen!"

Er wirbelte den Hut hoch in die Luft und fing ihn flink wieder auf, ohne seine Hände zu gebrauchen.

„Wohin wollen wir denn?" fragte Merijntje.

„Das weiß ich nicht ... der Sonne entgegen. Los, hier diesen Polderweg entlang!"

Sie stiegen die Deichböschung hinunter und gingen über den schmalen Lehmweg, der sich zwischen den Äckern hinschlängelte. Die Luft roch nach Erde und jungem Gras, nach frühem Sommer und Sonnenschein. Glänzend grün sproß das Korn, sanfte Wogen liefen mit seidigem Schimmer darüber hin. Die jungen Blätter der Zuckerrüben glänzten hart und neu. Die Grabenränder waren gelb, violett und weiß vor Feldblumen. Lerchen stiegen jubelnd in das hohe Blau des Himmels. Kiebitze strichen über die Felder, ihr Schrei klang hoch und eilig. Ein Kuhhirt rief von einem Deich, und aus weiter Ferne kam der leise Hall einer antwortenden Stimme. In den Gräben quakten Frösche, ein Rotkehlchen zwitscherte sein zartes Lied in einem Erlenstrauch. Erde und Himmel waren voller Leben und Klingen.

In seltsamer Bewegung schlug Merijntjes Herz schnell und laut. Wie herrlich alles war ... Er kannte doch hier jeden Fleck, und trotzdem war alles völlig neu. Eine unaussprechliche Freude beengte seine Brust. Wenn man das doch alles aussprechen könnte! Aber das war unmöglich, dafür gab es keine Worte – die würden töricht klingen.

Er seufzte tief auf und sagte dann zögernd: „Wie arm und kahl eine große Stadt doch ist, was, Flierefluiter?"

Zufrieden lachte der andere ihm zu.

„Geht dir das jetzt auch auf? Zuwenig Salz, Mann, und viel zuviel Pfeffer und Senf."

Befremdet sah der Junge ihn an. Das klang verrückt, aber er ahnte, was gemeint war.

„Das ist schlecht für den Magen", sagte er lachend.

„Und fürs Herz noch viel schlechter!" ergänzte Flierefluiter. „Da, schau mal, ob du das Häuschen dort hinten noch kennst!"

Merijntje blickte nach dem niedrigen Haus mit den weißen Mauern und dem mattroten Ziegeldach, das nach hinten zu ganz tief herabgezogen war. Daneben standen große Fliedersträucher und ein Schuppen aus schwarzgeteerten Brettern. Er sah nach links und nach rechts, um sich zu orientieren ... Dieses Häuschen – natürlich kannte er das. Aber wer wohnte denn dort?

„Kenne ich die Leute?"

„Na, weißt du! Denk mal gut nach!"

„Ach, Frau Besjane!" rief Merijntje plötzlich. „Und Blosekrieske, die kleine Pfirsichblüte!"

„Stimmt", lachte Flierefluiter. „Deshalb brauchst du aber nicht rot zu werden!"

„O verflixt!" rief Merijntje. „Ich bin neugierig, ob sie mir noch böse ist."

„Böse? Weshalb? Ihr wart doch gute Freunde."

„Ja, Mann, aber kurz bevor wir wegzogen, habe ich ihren ganzen Puppenhaushalt im Schuppen kurz und klein geschlagen."

„Dann gehen wir jetzt hin und bitten um Entschuldigung", entschied Flierefluiter. „Ihre Mutter hat mir auch noch dies und das zu verzeihen . . . Komm, rasch, sonst wage ich es nicht mehr!"

Hastig schritt er weiter, und Merijntje lief lachend hinter ihm her. Tausend Erinnerungsbilder wirbelten vor seinen Augen: Blosekriekske, seine Pfirsichblüte, und ihre Mutter, aufregende Spiele mit Nellekes Puppen – Nelleke, so lautete ihr richtiger Name –, Spiele auch mit dem putzigen Scherbenhaushalt, ihre schmeichlerische Art, mit der sie ihm alles abzubetteln verstand, ihre drollige Habsucht, die schrillen Streitereien, der unheilvolle Schluß ihrer ungestümen Freundschaft, seine Wut, als sie ihn verleugnete. Jetzt mußte er darüber lachen – diese Blosekriekske! Was war sie für ein gerissenes kleines Luder gewesen!

Sie gingen ums Haus herum zur Hintertür. Flierefluiter hob die Klinke, stieß die Tür auf, steckte den Kopf durch den Spalt und rief: „Dürfen wir hereinkommen?"

Ein unterdrückter, erschrockener Aufschrei war die Antwort.

Nun ging er durch die niedrige Tür, und Merijntje folgte ihm.

Frau Besjane stand am Tisch, die linke Hand auf die Brust gedrückt, blutrot im Gesicht, und blickte mit starren Augen auf den näher tretenden Mann.

„Flierefluiter!" rief sie mühsam. „Bin ich erschrocken!"

Erst jetzt sah Merijntje, daß ein langer Kerl mit struppigem Bart und hagerem, scharf geschnittenem und verwittertem Gesicht am Tisch vor dem Fenster saß.

Flierefluiter streckte die Hand aus, die die Frau zögernd ergriff.

„Tag, Marjanneke!" lachte er. „Ich freue mich, daß du mich noch nicht vergessen hast."

Die Frau hatte sich ein wenig gefaßt. Ein bitterer Zug verbreiterte einen Augenblick lang ihren Mund. Dann zeigte sie auf den Mann am Fenster.

„Meinen Mann kennst du doch, nicht wahr?"

Noch nie hatte Merijntje seinen Weggenossen Flierefluiter so überrumpelt gesehen. Sein Mund öffnete und schloß sich einige Male, er schluckte, und seine Augen traten so weit hervor, daß es aussah, als ob sie aus den Höhlen springen wollten.

Der Mann am Tisch lachte und schlug sich mit der großen Hand aufs Knie.

„Daß du nur nicht vor Schreck umfällst!" polterte er. „Heiraten ist doch nichts Unmenschliches! Auch nicht für eine Witwe."

„Bist du", stammelte Flierefluiter, den Kopf wieder Marjanne zugewandt, „bist du mit Teeuw Apers verheiratet?"

„Ja", entgegnete sie mit einem feindlichen Ton in der Stimme. „Oder hast du gedacht, du bist der einzige, der heiraten kann?"

Flierefluiter hustete. Die Farbe kehrte in sein Gesicht zurück. Er versuchte, sich zu fassen, doch sein Lachen klang kümmerlich, und seine Stimme war heiser, als er sagte:

„Na, dann herzliche Glückwünsche, euch beiden! Schade, daß ich das nicht gewußt habe, sonst hätte ich Blumen geschickt."

„Das ist bei uns nicht Sitte", erwiderte Marjanne mürrisch.

Nun trat auch Merijntje vor.

„Tag, Frau Apers", sagte er, korrekt ihren neuen Namen benutzend, „du kennst mich sicher nicht mehr?"

Forschend betrachtete sie ihn.

„Nein. Nicht, daß ich wüßte."

„Das ist doch Merijntje Gijzen", erklärte Flierefluiter.

Ein Lächeln entspannte die starren Züge der Frau.

„Der kleine Streithammel!" sagte sie mit einem fröhlichen Klang in der Stimme. „Da wird Nelleke aber Augen machen!"

„Ist sie nicht zu Hause?"

„Doch, sie kocht im Schuppen Schweinekartoffeln. Du kannst ihr ruhig guten Tag sagen."

Lachend ging er aus der Hintertür und lief über den kleinen Hof. Das seltsame Gefühl einer Wiederholung überkam ihn. Er wurde zu Nelleke in den Schuppen geschickt... Waren seitdem viele Jahre verstrichen, oder war es erst gestern, als dies zum erstenmal geschah?

Die Tür des Schuppens stand halb offen. Er hörte drinnen eine Mädchenstimme, die ein Lied sang, ein altes Lied, das auch seine Mutter häufig gesungen hatte, eine sentimentale Ballade von einem Soldaten, der auf Wache im Dunkeln seine Mutter erschoß, die ihm etwas bringen wollte und nicht stehenblieb, weil sie sein „Wer da?" nicht hörte. Nelleke sang es mit gefühlvollen Dehnungen. Lauschend blieb er eine Weile stehen und lächelte. Sie hatte eine ganz andere Stimme bekommen, voller, tiefer... Das hübsche kleine Ding!

Er stieß die Tür auf, bückte sich und trat ein. Dann sah er sie vor dem Kochkessel, in dem sie mit einem Stock rührte, ein kräftig gebautes Mädchen, die Arme rund und weiß unter den hochgestreiften Ärmeln. Sie hob den Kopf, strich sich mit dem Handrücken eine krause Haarsträhne aus dem Gesicht und sah ihn mit dunklen Augen verwundert an.

„Na?" sagte sie unfreundlich. „Was gibt's?"

Er lachte leise – sie wehrte sich noch immer tüchtig ihrer Haut.

„Tag, Blosekriekske!"

„Was ist denn . . .", begann sie schnippisch, doch dann kam ihr plötzlich die Erinnerung, ihr verwundertes und ärgerliches Gesicht entspannte sich zu einem fröhlichen Lachen, und sie rief: „Merijntje! Donnerwetter, das ist ja Merijntje Gijzen!"

„Stimmt!" lachte er und schüttelte ihr die Hand. „Wie geht's?"

„Mir gut – und dir? Du bist aber groß geworden!"

„Und du erst! Eine richtige erwachsene Frau . . . Hast du deinen kleinen Haushalt noch?"

Er sah sich um, aber Blosekriekskes Puppenhaus war wieder seiner alten Bestimmung zugeführt: ein Läuferschwein stapfte stöhnend und schmatzend durch den Dreck.

„Bist du denn dumm? Ich hab was andres zu tun! Oder bist du vielleicht gekommen, um wieder was kaputtzuschmeißen?"

Sie lachten beide laut auf und schauten einander in die Augen. Die Wärme der Erinnerung an gemeinsam erlebte Spannungen brachte sie einander näher.

„Das waren Zeiten, was, Nelleke?"

„Ja, wenn du nur nicht so ein Querkopf gewesen wärst!"

„Aber du hast mich auch immer ganz schön strapaziert!"

„Ich dich? Das ist gut! Du mich, meinst du wohl?"

„Siehst du, nun geht's schon wieder los! Du warst eine richtige kleine Hexe, Nelleke."

„Und du ein Grobian!"

Dann hörten sie beide den aggressiven Ton in ihren Stimmen und brachen in Lachen aus.

„Da fangen wir doch wahrhaftig wieder an!"

Nelleke griff nach dem Stampfer, um die Schweinekartoffeln, die gar waren, kleinzustampfen.

„Komm, laß mich das machen."

„Verrückt! Das kann ich doch selber."

„Her mit dem Ding!"

„Ich denke gar nicht dran! Glaubst du vielleicht, ich bin so eine lächerliche Stadtziege?"

„Gib her, sage ich!"

„Bleib mit deinen Dreckfingern davon!"

Sie hielt den Stampfer auf dem Rücken, blickte den Jungen mit ihren funkelnden dunklen Augen frech an und streckte ihm die Zunge heraus.

„Na, verdammt noch mal!" fluchte Merijntje.

Er griff nach dem Stampfer, doch sie drehte sich weg. Da umschlang er sie mit beiden Armen, um den Stampfer auf ihrem Rükken zu fassen. Durch den Ruck fiel sie gegen ihn und ließ den Stampfer los. Und er dachte an keinen Stampfer mehr, legte die Arme um ihre Schultern, drückte sie fest an seine Brust und begann sie zu küssen, wo er nur hintreffen konnte. Leise lachend drehte sie ihr Gesicht unter seinem durstigen Mund weg. Er küßte sie aufs Ohr, in die Locken, auf den Hals, auf die Kehle. Plötzlich schlang sie ihre Arme um seinen Nacken, zog seinen Kopf zu sich und küßte ihn wild und lange auf den Mund, die Augen geschlossen, dicht an ihn gedrückt. Ganz nah sah er die bebenden Lider, die langen schwarzen Wimpern, die zitternd auf der rosig leuchtenden Haut ihrer Wangen lagen. Dann ließ sie ihn los, stemmte die Hände gegen seine Brust und stieß ihn heftig von sich. Verdutzt taumelte er zurück und blickte sie mit erschrockenen Augen an...

Sie strich sich das Haar glatt und sagte in entrüstetem Ton:

„Na, hör mal! Was denkst du dir eigentlich, du frecher Affe!"

„Nelleke!" stammelte er verwirrt, doch sie keifte weiter:

„Hu! Das fällt so einfach vom Himmel und fängt gleich an zu küssen! Was glaubst du denn, wen du vor dir hast?"

Sie sah richtig böse aus, und Merijntje verstand gar nichts mehr.

„Aber...", begann er.

„Sei bloß still! Stampf lieber die Kartoffeln!"

Verdutzt bückte er sich und hob den Stampfer auf. Doch dann packte auch ihn die Wut, und erbost fuhrwerkte er in dem Kessel herum, so daß alles über den Rand spritzte.

„Nicht so wild!" rief Nelleke, und er stampfte vorsichtiger; dabei warf er ihr einen bösen Blick zu.

Sie lachte schon wieder und lobte ihn: „So ist's gut."

Dann setzte sie sich auf einen alten ausgedienten Stuhl mit zerrissenem Binsensitz und legte die Hände in den Schoß. Ruhig schaute sie zu, wie er die Kartoffeln zu Brei zerquetschte. Plötzlich sah sie genau aus wie die kleine Blosekriekske von früher, so daß er lachen mußte und zu stampfen aufhörte.

„Wie alt bist du jetzt, Blosekriekske?"

„Siebzehn... Aber was willst du eigentlich hier?"

„Ich hab Ferien."

„Ferien? Studierst du denn?"

„Natürlich, Pfarrer sogar!"

„Pfarrer?" Vor Erstaunen blieb ihr Mund offenstehen. „Und dann wagst du, Mädchen zu küssen?"

Merijntje lachte laut, und sie begriff, daß er sie zum Narren gehalten hatte. Trotzdem klang Erleichterung durch ihren Ärger, als sie sagte: „Dummer Kerl, halt dich selber zum Narren!" Und sie mußte auch lachen. Dann erkundigte sie sich neugierig: „Verdienst du viel in Rotterdam, Merijntje?"

„Na, bestimmt. Wenn ich nur Arbeit hätte!"

„Hast du keine Arbeit?"

„Nein, die wollte ich mir hier suchen."

Nachdenklich sah sie ihn an, während er eifrig weiterstampfte. Nach einer Weile sagte sie:

„Ich bin vielleicht bald fest verlobt."

Der Junge schaute sie ungläubig an.

„Du? Jetzt schon?"

„Mit dem Sohn von Bauer de Wit von der Mühle . . . du weißt schon, der große Hof."

Merijntje wollte es nicht glauben, und trotzdem spürte er es wie einen Stich der Eifersucht im Herzen. Geringschätzig sagte er:

„Das kannst du mir erzählen – ausgerechnet so ein reicher Bauernsohn!"

Er erwartete, sie werde auffahren, doch sie lachte selbstbewußt, verschränkte die Arme über der Brust und erzählte triumphierend:

„Doch, wirklich, du kannst es mir glauben! Er ist ganz verrückt nach mir. Wenn seine Eltern es nicht wollen, heiratet er mich doch, hat er gesagt. Oh, und wie der mir nachläuft, Merijntje!"

Mürrisch sagte er: „Paß lieber auf mit diesem Bauernlümmel! Du bildest dir doch nicht ein, daß er es ernst mit dir meint?"

Ihre Brauen zogen sich drohend zusammen, doch dann lachte sie wieder und sagte verächtlich:

„Ich passe schon auf mich auf . . . Du bist ja bloß eifersüchtig!"

Merijntje warf den Stampfer heftig in den dampfenden Kessel und schrie, rot vor Wut:

„Eifersüchtig? Ich eifersüchtig? Was bildest du dir denn ein?"

Plötzlich hielt er inne. Abermals überkam ihn das bedrückende Gefühl einer Wiederholung. Als ob sich gestern die gleiche Szene abgespielt hätte. Und ein Name drängte sich ihm auf: Peer – ihr Cousin Peer . . . Verdammt! Damals hatte sie ihn mit diesem rotznasigen Peerke rasend gemacht – jetzt war es schon ein reicher Bauernsohn . . .

„Ich habe selber ein Mädchen in Rotterdam", sagte er gedehnt. „Das ist etwas ganz anderes. Ein Ladenfräulein – eine richtige Dame, daß du's nur weißt!"

Doch Nelleke ließ sich nicht irremachen. Sie blies verächtlich durch die Nase.

„Das kannst du leicht sagen", spottete sie geringschätzig. „Und außerdem, du bist mir der Rechte, andere Mädchen zu küssen, wenn du eine in Rotterdam hast! Schmutzfink!"

Er mußte über ihren unlogischen Ausfall lachen, und sie sah ihn finster an, plötzlich unsicher geworden durch seine veränderte Haltung.

Da erklang die Stimme von Nellekes Mutter aus der Haustür: „He, kommt ihr? Kaffeezeit!"

„Jaaa!" schrie Nelleke und stand auf.

„Kennst du Flierefluiter noch?" fragte Merijntje.

Ihre Augen leuchteten auf. „Ist der auch da? Das hättest du mir eher sagen können!"

Mit flatternden Röcken rannte sie vor ihm her. Langsam folgte er ihr. Nelleke... Blosekriekske ... siebzehn Jahre – und schon eine erwachsene Frau ... Und sie hatte es noch genauso faustdick hinter den Ohren wie früher! Erst hatte sie ihn geküßt und gleich darauf beschimpft und geärgert. Ach, die Mädchen! Und doch blieb eine verwunderte Zärtlichkeit in ihm zurück. Diese launische Blosekriekske!

Als er ins Zimmer kam, saß sie auf Flierefluiters Knie, klopfte ihm mit beiden Händen die Wangen, und er hatte einen Arm um ihre Schulter gelegt und streichelte ihr das krause Haar.

„So'n verdammt kleines Ding!" seufzte Flierefluiter. „Das wächst einfach heran und wird groß. Ich komme mir vor wie ein Urgroßvater. Es ist zum Weinen!"

Teeuw lachte über sein bekümmertes Gesicht. Seine Frau sagte unzufrieden:

„Nelle, schämst du dich denn nicht? Du bist kein kleines Kind mehr!"

Das Mädchen sprang von Flierefluiters Knie, schüttelte ausgelassen die Locken und sagte kokett:

„Pah! Er ist doch schließlich mein Onkel!"

„Ja, von Adam her." Aber es klang aus Marjannes verkniffenem Mund nicht wie ein Scherz.

Sie tranken Kaffee und aßen Zwieback mit Zucker. Doch es kam keine frohe Stimmung auf. Flierefluiter machte kaum einen Spaß, und das grobe Poltern von Teeuw fiel nicht auf guten Boden, so daß er beleidigt schwieg und sich brummend die Pfeife stopfte.

Sobald sie ihren Kaffee ausgetrunken hatten, sagte Flierefluiter mit einem mißglückten Versuch zur Munterkeit:

„Marsch, wir ziehen weiter, Pflegesohn..."

Niemand versuchte sie zurückzuhalten, und nach einem matten Händedruck stapften sie aus der Tür.

Schweigend ging Flierefluiter neben seinem verwunderten Kameraden her. Er ließ den Kopf hängen, und sein Gesicht wirkte schlaff und stark gealtert. Ab und zu seufzte er vernehmlich und schüttelte den Kopf.

„Was hast du denn bloß?" fragte der Junge endlich ungeduldig.

„Nichts, Merijntje", erwiderte Flierefluiter mit schwachem Lächeln.

„Du tust so verschimmelt!"

Der andere zuckte die Achseln, schritt etwas rascher aus und biß hart auf den Stiel seiner Pfeife. Als sie an den hohen Deich kamen, setzte er sich an die Böschung ins Gras, in den Schatten der breiten Ulmen und blickte nach dem mattroten Dach, das verloren in der Weite der Felder lag. Dann seufzte er tief, klopfte die Pfeife auf der Handfläche aus und sagte rätselhaft:

„Ja, ja, Merijntje, so geht's . . ."

Merijntje setzte sich neben ihn und kaute an einem Grashalm.

„Was meinst du damit?" fragte er.

„Wenn ich nun doch schon heiraten mußte . . . Warum habe ich dann nicht wenigstens Nellekes Mutter genommen?"

„Du – Nellekes Mutter?"

„Ja, Junge. Dann hätte es zwei glückliche Menschen gegeben. Und nun sind's mindestens drei, die nicht zufrieden sind."

Merijntje sah ihn verblüfft an. Flierefluiter die Witwe Besjane heiraten? Allmählich ging ihm ein Licht auf . . . Deshalb waren sie früher so oft zusammen in das Häuschen auf dem Polder gegangen! Deshalb hat er ganze Nachmittage mit Blosekriekske im Schuppen spielen können, ohne von den Erwachsenen gestört zu werden. Flierefluiter und Frau Besjane waren verliebt gewesen . . . Und plötzlich wurde er sich des Unterschieds bewußt zwischen der strahlenden, fröhlichen jungen Witwe von damals und der mürrischen, ein wenig schlampigen Frau mit den matten Augen und dem verkniffenen Mund, bei der sie eben Kaffee getrunken hatten . . . Und Flierefluiter war mit dem bösen Jahrmarktsweib verheiratet!

Ärgerlich sagte der Junge: „Das hättest du dir früher überlegen müssen!"

Flierefluiter seufzte wieder.

„Du hast recht", entgegnete er mit betrübtem Gesicht. „Aber so klug wie du bin ich eben nie gewesen . . ."

Aufgebracht schlug Merijntje mit der Faust ins Gras.

„Hör doch bloß auf mit deiner abgeschmackten Faselei!" rief er giftig. „Und behandel mich nicht immer, als ob ich ein unreifer Knirps bin! Ich versteh dich nicht. Die eine liebst du, und die andere heiratest du . . . Und dann läufst du weg und tust, als wäre dir Unrecht geschehen! Aber ich glaube, auch wenn du mit Nellekes Mutter verheiratet gewesen wärst, hättest du einen Grund gefunden, wegzulaufen . . . Du hältst es doch nirgends lange aus!"

Er schwieg und trat einen harten Erdbrocken, der ihm vor den Füßen lag, die Böschung hinunter. Flierefluiter starrte ihn mit großen Augen an, den Kopf der halbgestopften Pfeife unbeweglich im Tabaksbeutel. Leise sagte er:

„Mach nur weiter, Merijntje – los, schimpf mich ordentlich aus!"

„Ach, du machst dich doch über alles lustig!" schnauzte Merijntje. „An dir ist Hopfen und Malz verloren. Ich weiß manchmal nicht, ob du ein großer Rotzbengel bist oder ein übler Ganove . . ."

„Alles beides ein bißchen, mein Freund."

„Siehst du, da fängst du schon wieder an. Erst ziehst du eine Schnute wie ein Ohrwurm – und gleich darauf ist alles vergessen. Da soll nun einer schlau draus werden!"

Flierefluiter hieb ihm schwer auf die Knie und sagte dankbar:

„Aber du hast mich selber gelehrt, daß man immer wieder lachen muß. Es ist doch stets und überall das gleiche: Wenn ich Nellekes Mutter geheiratet hätte, wär ich vielleicht schon viel früher getürmt ... Nicht durch ihre Schuld, o nein, denn sie ist unheimlich lieb, immer schon gewesen ... Aber ich muß einfach davonrennen, meine Natur verlangt das. Ich bin wohl an die viermal weggelaufen ... Warum sollte ich ausgerechnet beim fünftenmal geblieben sein?"

„Halt bloß deinen Mund!" sagte Merijntje unangenehm berührt. Nach kurzem Schweigen fuhr Flierefluiter fort — wie zu sich selbst:

„Ach, ich hab's ihr weiß Gott schwer gemacht, der armen Marjanneke ... bestimmt. Aber da war immer ein Hafen, in den ich einlief, wenn ich müde war, wenn ich von allem genug hatte. Dann funkelte sie mich an und beschimpfte mich wie einen faulen Fisch. Aber es wurde immer wieder gut, und sie machte mich besser. Zum Henker! So eine Frau muß erst noch geboren werden. Wenn ich nur eine andere Natur hätte ... Doch was kann man dagegen machen? Sie hätte es besser verdient, die Marjanneke — einen Besseren als mich und einen viel Besseren als diesen groben Polderknecht! Aber nun ist es nicht mehr zu ändern, Junge."

Er schüttelte bekümmert den Kopf und stopfte seine Pfeife fertig. Dann steckte er sie an, blies ein paar große Wolken in den Himmel und fragte in verändertem Ton:

„Und Nelleke? Merijntje, was hältst du von Nelleke?"

„Die?" sagte der Junge halb ärgerlich, halb belustigt. „Die ist noch genau wie früher ... Erst küßt sie einen, und dann ist sie einem böse und prahlt mit einem reichen Bauernsohn, der ihr nachläuft. So ein unausstehliches Luder!"

„Hoppla!" schmunzelte Flierefluiter. „Du wirst resolut, Merijntje. Da triffst du ein Mädchen, und gleich fängst du an, sie zu küssen!"

Merijntje wurde blutrot. Es war ihm unwillkürlich so herausgefahren in seiner Entrüstung über Nellekes boshafte Künste, und nun lachte Flierefluiter ihn aus.

„Ach", sagte er, „ich weiß nicht, wie das so plötzlich kam ..."

„Aber ich", triumphierte Flierefluiter. „Und du wärst nicht wert zu leben, wenn du's nicht getan hättest!"

„Du bist verrückt!" brummte Merijntje mit finsterem Gesicht, doch er fühlte sich keineswegs unzufrieden bei Flierefluiters Lob. Und Nelleke, das unausstehliche Biest, wurde in seinen Gedanken zu etwas sehr Liebem ... sie hatte ihn so fest auf den Mund geküßt, ihm die Arme um den Hals gelegt und sich eng an ihn gedrückt. Ihre Wimpern zitterten auf den Wangen, dicht vor seinen Augen ... Himmel, war so etwas lieb! Und gleich danach hatten sie Streit miteinander gehabt, sich gegenseitig eifersüchtig gemacht, sich erzürnt. Was für ein kindisches Getue! Aber Nelleke hatte damit angefangen. Warum nur? Sie tat ja, als hätte sie einen abscheulichen Widerwillen gegen ihn. Aber weshalb hatte sie ihn dann erst geküßt?

„Fleiefluiter", fragte er vertrauensvoll, „warum war Nelleke mir böse, als sie mich geküßt hatte? Was meinst du?"

Fliefluiter sah ihn an, verbiß sich das Lachen und sagte ernst: „Weil sie sich vor dir fürchtete . . ."

Verblüfft starrte Merijntje ihn an.

„Vor mir? Warum sollte sie sich fürchten? Ich hätte ihr doch nichts Böses getan?"

Der andere schüttelte mit einem undurchdringlichen Lächeln den Kopf. Sein Blick wurde nachdenklich, und langsam sagte er:

„Manche Frauen fürchten sich davor, jemand zu sehr zu lieben, Junge. Die kämpfen lange, ehe sie sich besiegt geben. Und je mehr sie sich gefangen fühlen, desto härter gehen sie dagegen an. Und manchmal begreifen sie erst, was sie getan haben, wenn es zu spät ist . . . Ja, Mann, das Leben ist ein hübscher Irrgarten! In jungen Jahren müßte der Mensch ein bißchen klüger und in den alten Tagen ein bißchen närrischer sein – dann ginge vieles besser!"

Er schwieg und blies nachdenklich Ringe in die stille Luft. Fliefluiters Worte rauschten in Merijntjes Kopf, und seine Gedanken kehrten wieder zu Blosekriekske zurück. Sie war schön geworden . . . War sie eigentlich schön? Bestimmt nicht so schön wie das blonde Ladenfräulein. Und auch nicht so schön wie das Bauernmädchen auf dem Hof, wo sie getanzt hatten. Aber schön war sie doch – und lieb . . . Was für liebe Wesen die Mädchen doch waren! Man mußte sie einfach gern haben, ob man wollte oder nicht! Und er hatte gar nicht gewußt, daß man sie einfach küssen und an sich drücken konnte . . . Und wie herrlich es war, sie zu küssen und wiedergeküßt zu werden, ein Paar weiche Arme um den Hals . . . Alle Mädchen hätte er küssen mögen, ganz nah in diese strahlenden, lachenden Augen blicken, die flüsternde Stimme dicht an seinen Lippen, den biegsamen Körper in den Armen . . . Durfte das denn sein?

Erschreckt von dem Lauf seiner Gedanken hielt er verwirrt inne. Es war schlecht, was er da dachte! Das durfte nicht sein! Das war unsittlich, einfach so dahinzuleben – heute die und morgen jene . . . Eine durfte man haben, zu der mußte man halten, sie heiraten und bis zum Tod bei ihr bleiben . . . Aber in seinem Innern lachte Fliefluiter ihn aus: Warum schlecht? Er wollte doch nichts Gemeines? Er fand sie lieb, wollte sie küssen und sanft und zärtlich zu ihnen sein – weiter nichts. An den schmutzigen Rest, wovon so viele Jungen ihren dreckigen Mund vollnahmen, dachte er nicht einmal! Ein Kuß, ein liebes Wort, ein Streicheln über duftendes Haar, den Arm um runde, federnde Hüften, ein Blick in diese leuchtenden Augen, die so gut und warm zurückblickten, die plötzliche Vertrautheit, als wisse man alles voneinander, das Gefühl, zu allem für so ein Mädchen bereit zu sein, alles für sie tun zu wollen, ihr Freude zu schenken ... War das schlecht? Etwas Schlechtes war, genau betrachtet, immer häßlich. Doch das war nicht häßlich! Das war schön! So unbegreiflich, erstaunlich schön, daß es einem die Kehle zuschnürte vor betäubender Freude ... Oder war es das, was man den betörenden, trügerischen Schein der Sünde nannte?

„Worüber grübelst du denn, Merijntje?"

Verdutzt blickte der Junge seinen Freund an.

„Das kann ich nicht sagen", erwiderte er nach einer Weile mit unsicherer Stimme.

„Ich verstehe", nickte Flierefluiter.

Merijntje sah zwar die spöttischen Lichter in den grauen Augen, fragte aber trotzdem:

„Ist es nicht schlecht, Flierefluiter, wenn man so ... wenn man das Gefühl hat, man könnte eine Menge Mädchen gleichzeitig liebhaben?"

Flierefluiter ließ sich hintenüber ins Gras fallen und schlug die Hände über dem Kopf zusammen.

„Ach, sprich mich doch lieber nicht darauf an!" sagte er klagend.

„Gib Antwort!" rief der Junge ungeduldig.

Da richtete sich der Landstreicher wieder auf, schlug ihm auf die Schulter und entgegnete ruhig:

„Nein, Merijntje, das ist nicht schlecht. Das ist in deinem Alter ganz natürlich. Und vielleicht muß das sogar so bleiben – auch wenn die meisten Menschen anders darüber denken und reden; es ist viel Neid und Unaufrichtigkeit dabei. Was dein Herz sagt, darauf mußt du hören, und danach mußt du handeln. Doch um das zu können, mußt du all jenes vergessen, was man dir beigebracht hat und was man dir heute noch beibringen will. Und das ist verdammt schwer, mein Junge, darüber mußt du dir im klaren sein."

„Aber wenn man nun ein begehrliches Herz hat?" fragte Merijntje bedrückt.

Flierefluiter lachte fröhlich und ohne Spott.

„Das hast du nicht, da kannst du ganz beruhigt sein", sagte er überzeugt.

Dann aber schüttelte er den Kopf und rief verwundert:

„Tausend Bedenken hat der Junge immer – genau wie früher! Du bist ein unversiegbarer Quell gottesgelehrten Streites. Versuch's doch mal mit Pfarrer Ramakers. Ich wette, du bringst es fertig, dir zehnmal mehr Fragen aus den Fingern zu saugen, als er beantworten kann."

Merijntje starrte nachdenklich vor sich hin. Er hörte überhaupt nicht mehr auf die verrückten Märchen seines Begleiters. Beunruhigt dachte er an die seltsame Erfahrung, daß er plötzlich alle Mädchen so ergreifend lieb und schön fand und Lust hatte, sie der Reihe nach zu küssen.

Und nach einer Weile vernahm er dann doch wieder Flierefluiters Stimme, der zögernd und gütig sprach:

„Und vielleicht wirst du bald einer begegnen, die dich alle andern vergessen läßt, Merijntje ..."

Der Junge blickte ihn von der Seite an, errötete und fragte sich verwundert nach dem Grund. Doch als tiefes und reiches Glück spürte er die Wärme seiner Freundschaft für diesen seltsamen Flierefluiter. Und plötzlich wußte er mit unumstößlicher Gewißheit, daß er über viele Dinge nur mit diesem wildfremden Vagabunden zu reden vermochte. Mit seinen Eltern hätte er das nie gekonnt. Merkwürdig! Und wie ein Trost überkam es ihn, daß er einen Menschen hatte, dem er alles anzuvertrauen wagte und der auf alle Fragen eine Antwort wußte. Wenn die Antwort auch manchmal danach war ...

3

Ein stiller Abend lag über dem Land. Merijntje lief den Deich
entlang und pfiff leise vor sich hin – ohne zu wissen, was ... Ein
Liedchen – doch welches? Der Mond stand weiß an einem blaß-
blauen Himmel. Auf dem gelben Kiesweg wimmelten vieltausend
bewegliche Goldklümpchen – Lichtfunken, die der Mond zwischen
den Ritzen und Schlitzen der sanft flüsternden Baumkronen hindurch auf die Erde warf. Die Felder zu beiden Seiten breiteten
sich in silbriger Helle aus, nur die reifenden Saaten bildeten
dunkle Flächen. Ein Gehöft schlief im Schatten seiner geschwätzi-
gen Pappeln; ein Tupfen des geweißten Giebels leuchtete von weitem – und doch ganz nahe, als sei es ein herbeigeflattertes verirrtes
Stückchen Papier. In einiger Entfernung sah Merijntje das Dorf in
der schützenden Bucht des Deiches liegen, so winzig klein in der
Unendlichkeit des Abends – das Dorf mit seinem Kirchtürmchen und den niedrigen Häusern, deren Dachfirste silbernes Mondlicht einfingen. Schön war der Abend, schön das vertraute Dörfchen, schön die weite Welt hinter diesem weichen, matten Himmel, an dem der Mond und die ihn begleitenden, spärlich verstreuten Sterne freundlich glitzerten wie ungebärdig aufsprühende Funken.
Kräftig setzte er seine übermütig stapfenden Füße auf die Erde,
hörte mit unerklärlicher Freude das Knirschen des harten, fein-
gestoßenen Kieses unter seinen Sohlen und war glücklich.
Denn nun wußte er es ganz sicher, daß es nicht schlecht war ...
Er hatte wieder ein Mädchen geküßt. Er war mit Kees, dem

Sohn vom Schmied, davongezogen, hatte die plaudernde Abend-
gesellschaft allein gelassen und war zum Deich gewandert. Dort
waren sie zwei Mädchen gefolgt, die Arm in Arm einen Seitenpfad
entlangschlenderten. Sie hatten sich den beiden lachend angeschlossen. Janske de Booi ging neben ihm; er kannte sie noch von der
Schule, sie war mit ihm in der gleichen Klasse gewesen, bei Lehrer
Kostermans, den sie „Ölbauer" nannten – warum, das wußte er
nicht mehr. Bei der Allee hatte sich Kees mit dem anderen Mädchen von ihnen getrennt und war in der Dämmerung unter den
hohen Bäumen verschwunden. Merijntje war darauf mit Janske
allein den kleinen Weg weitergezogen in den fallenden Abend hinein. Sie hatte von ihm alles über Rotterdam erfahren wollen, und
er hatte bereitwillig von der großen Stadt erzählt und sich über
den naiven Wissensdurst eines Mädchens vom Lande höchst erstaunt gezeigt.

Sie lief dicht neben ihm. Ab und an spürte er ihren Arm an dem
seinen. Über eine Viehkoppel waren sie gegangen, auf der lis-
pelnde Kopfweiden standen; und auf einmal hatte unmittelbar vor
ihnen ein junger Stier gebrüllt, der fest angepflockt war und wütend mit den Füßen im Gras stampfte. Erschrocken hatte Janske
seine Hand ergriffen, und er hatte schützend den Arm um ihre
Schulter gelegt. So waren sie dann weitergegangen, bis sie unterhalb des Faulen Deiches herauskamen. Dort hatten sie sich in stillem Einvernehmen ins Gras gesetzt und lange geschwiegen. Dann
hatte er ihr Gesicht mit seiner Hand zu sich gewandt, und ein
heimlicher Glanz war in ihren Augen gewesen, die er in der tiefer
sinkenden Dämmerung deutlich zu sehen vermochte. Und sie hatten einander geküßt und die Arme umeinandergelegt und geraume
Zeit schweigend nach dem aufgehenden Mond geblickt, der wie
eine mattrote runde Lampe durch den Dunstschleier am Horizont
in den Himmel stieg. Später hatte er sie nach Hause gebracht. Sie
wohnte ein wenig außerhalb des Dorfes. Auf der schmalen Holzbrücke, die über den Graben zu dem Häuschen ihrer Eltern führte,
hatte er sie wieder geküßt; und sie – sie hatte die Arme um seinen
Hals geschlungen und eine Zeitlang in sein Gesicht emporgeschaut,
mit einem unbestimmten Lächeln, das für ein Weilchen ihre weißen Zähne hinter den geöffneten Lippen aufleuchten ließ. Noch
einmal, ganz unverhofft, hatte sie ihn auf den Mund geküßt, war
schnell über die Brücke davongesprungen und hinter dem Haus
verschwunden.

Merijntje aber lief ins Dorf zurück, voll Ruhe und inneren
Glückes: Nein, das konnte gewiß nichts Schlechtes sein – es war
so friedvoll und natürlich. Es kam ganz unbemerkt und ohne daß
man es eigentlich gewollt hätte. Und ehe man sich's versah, war ein
Mädchen etwas ungemein Liebes und Inniges in der Erinnerung –
und zugleich doch etwas eigentümlich Fremdes und Fernes, was

einem ein wehmütiges, nicht unangenehmes Gefühl verlieh. Wo waren jetzt Abscheu und Angst geblieben, die ihn noch einige Wochen zuvor befallen hatten – wo die entsetzten Gedanken an das Fleischliche, das Leibliche, das ihm so anstößig erschien und Ekel vor der eigenen Verdorbenheit einflößte? Der zarte Druck einer Mädchenbrust gegen seine Schulter weckte einzig eine stille Rührung, eine schüchterne Ehrfurcht wie vor etwas Heiligem, an dem man nicht rütteln durfte, wonach man sich sehnte und das es doch gab, gleichsam als heimliches Wunder – Verheißung unbekannter, dumpf erahnter, verschämt erträumter Herrlichkeiten ...

Wie kam es nur, daß er sich jetzt so groß, so frei, so stark fühlte? Die Bäume hätte er allesamt aus der Erde reißen und vom Deich aufs weite Feld werfen mögen. Oder er hätte mit einem Satz von hier bis mitten ins Dorf springen können, wie es bisweilen im Traum geschah. Es war eine Lust zu leben, es war ein Glück, mit Flierefluiter aus Rotterdam geflohen und ins alte Land der Kindheit heimgezogen zu sein ... Ja, das war das Allerschönste! Und morgen würde er sich ganz besondere Mühe geben oben auf dem Dachgesims mit dem Vogelhaus für den Herrn Pfarrer. Das Vogelhaus, das eigentlich für Nele bestimmt war. Ob Nele in ihren Mädchenjahren wohl auch einen Jungen geküßt hatte? Nele? Wie kam er bloß darauf? Nele war eine Frau, lieb und gut und sanft ... aber sie war die Haushälterin eines Pfarrers – und da durfte man an solche Dinge nicht denken. Seltsam. Nele war ganz anders als all die Pfarrmädchen, die er bisher kennengelernt hatte – die hatten auf ihn nie den Eindruck gemacht, richtige Frauen zu sein. Nele jedoch bildete eine Ausnahme – sie war eine stille, mütterliche Frau. Ja, Nele mußte man einfach bewundern, weil sie ein so lieber Mensch war.

Nun stand er an der Auffahrt zum Deich, unmittelbar am Dorfeingang. Die Turmuhr schlug halb zehn. So spät schon? Niemand mehr war unterwegs. Wie Silberwasser ergoß sich das Mondlicht über die Dächer und das trockene Kopfsteinpflaster der Dorfstraße, glitt über die geschlossenen Fensterläden der Häuser, hinter denen hier und da noch ein goldener Schimmer aufblitzte. Die meisten Menschen schliefen. Still und friedlich ruhte das Dorf – wie unter einem Zauber, der getrost hundert Jahre währen durfte. Oh, wie liebte er sein Dörfchen, wie liebte er dieses Land! Wie herrlich war diese große Stille, die allein von dem Rauschen des Windes und dem reinen Nachhall des Glockentones aufgehoben wurde ...

Da befiel ihn plötzlich Unruhe: halb zehn! Bestimmt waren sie im Pfarrhaus auch schon im Bett! Verrückt und unverfroren von ihm, so lange wegzubleiben! Wie von der Tarantel gestochen schoß er den Hang hinunter und rannte ins Dorf bis vors Pfarrhaus. Die Fensterklappen waren zugeschlagen, doch fiel Licht durch die

Spalten, und er hörte Stimmen im Zimmer des Pfarrers. Ein Glück! Er war noch auf und schwatzte mit Flierefluiter.

Später vermochte er sich nicht mehr genau zu erinnern, wie er hineingekommen und auf das Sofa in der dunklen Ecke am Hinterfenster geraten war. Vor seinem Blick stand nur das irritierende Bild einer neblig verräucherten Stube, der Geruch von Tabak und Alkohol, zwei erhitzte, glänzende Gesichter mit blitzenden Augen im rötlichen Lichtkreis der Stehlampe, laute Stimmen und heftige Gebärden. Vielleicht hatte ihm einer von beiden einen Wink gegeben, sich zu ihnen zu gesellen. Er wußte es nicht. In seiner Verwirrung bekam er kaum etwas anderes mit, als daß die Stimme des Pfarrers im Raum schwebte – mit wunderlichem, verführerischem Klang, der alle Worte groß und bedeutungsschwer machte. In der einen Hand hielt er ein Buch, die andere fuhr bedächtig durch die Luft; aus der Zigarre, die zwischen den Fingern klemmte, kringelte spiralenförmig hellblauer Rauch empor.

Mit Erstaunen registrierte Merijntje, daß es sich reimte, was der Pfarrer da vorlas. Er sagte wahrhaftig einen Vers auf! Ein paar Flaschen standen auf dem Tisch und dazu große Gläser, in denen dunkelroter Wein funkelte. Waren die Männer bezecht, daß sie nicht mehr wußten, was sie vor Tollheit beginnen sollten? Erwachsene Menschen, die Gedichte aufsagten? Ein Pfarrer, der dröhnend ein Reimsprüchlein vortrug! Von Flieferfluiter war nichts Besseres zu erwarten: wenn der über den Durst getrunken hatte, war er der abgeschmacktesten Extravaganzen fähig... Aber der Herr Pfarrer?

Er richtete seinen Blick auf Flieferfluiter in der Annahme, dessen Gesicht in tausend Spottfältchen verzogen zu sehen, einem verstohlenen Augenzwinkern insgeheimen Einvernehmens zu begegnen, das diesem absonderlichen beschwipsten Priester mit seiner schweren Stimme und seinen Verslein gelten würde... Aber mit neuer Verwunderung bemerkte er, wie Flieferfluiter an den Lippen des Pfarrers hing: die Augen strahlend, der Mund halb offenstehend, das große Gesicht verträumt in atemloser Spannung und mit einem Ausdruck fast kindlichen Glückes. Nein, betrunken war er gewiß nicht... Merijntje begriff immer weniger.

Dann begann er dem Pfarrer zuzuhören. Was war das denn nun, was er da vortrug... Und sogleich fesselte ihn die tiefe, beseelte Stimme. Wundersam klang sie: ernst, voll Hingabe... da vibrierte ab und an etwas in ihr wie der Singsang einer Glocke. Wahrlich seltsame Worte – wohltönend und fließend, in natürlicher Melodik, erhabene Töne in Merijntjes Ohren, schwer zu erfassende Wendungen, die Dinge meinen mußten, die ungesagt bleiben sollten... Kein Kinderreim war das, kein spaßiges Gelegenheitsgedicht – es mutete einen an wie eine nie gefühlte Empfindung, etwas Fremdes, etwas ungemein Liebliches. Es erzählte von der Liebe und der Schönheit einer Frau, von einem Abend mit dem fernen, perlmutternen Glanz am westlichen Himmel; und aus dem wogenden Klang der Worte traten deutlich und rein gezeichnet die Bilder hervor: ein dunkler Vogel glitt am mattschimmernden Horizont vorüber, hohe Bäume streckten sich schemenhaft gegen den Nachthimmel; ein Licht brannte auf der Veranda eines schweigenden Hauses, ein Menschenherz schlug hörbar in der Stille, und ein unermeßlich großes Glück senkte sich tief in die Seele, daß man aufschreien wollte vor Verlangen... Alles, was je gut und schön gewesen war, wurde wieder wach in einem. Wer vermochte das?

Fasziniert blickte Merijntje auf das ausdruckstarke, so lebendige Antlitz des Pfarrers. Und als die tiefe Stimme verstummte, schien es ihm, als verlösche vor seinen Augen ein strahlender Glanz, in den er wie verzaubert gestarrt hatte. Noch sang und klang es in seinem Kopf – die hellen Töne leicht schwebender Worte. Dann sagte Flierefluiter leise in die klingende Stille hinein:

„Welch ein Dichter! Welch ein Dichter!"

Der Pfarrer lächelte zufrieden, klappte das Buch zu und nahm einen tüchtigen Schluck aus seinem Glas.

„Licht!" sagte er darauf. „Reines Licht, Mann! So etwas kommt nur alle hundert Jahre einmal vor."

Seine Stimme zitterte vor verhaltener Begeisterung. Die schwere Hand fuhr liebkosend über die weiße Einbanddecke mit dem Goldschnitt.

Eine Zeitlang sah Flierefluiter ihn über den Rand des halberhobenen Glases mit zusammengekniffenen Augen an. Schließlich sagte er: „Ich möchte zu gern mal wissen, wieso Ihr eigentlich Pfarrer geworden seid."

Merijntje zuckte in seiner Sofaecke zusammen: das war wieder eine von diesen sagenhaften Dreistigkeiten, mit denen sein Freund jedes aufkeimende Vertrauensverhältnis zu zerstören drohte. Deutlich sah er, wie unter den borstigen Augenbrauen des Pfarrers ein grimmig flammender Blick auf den unverschämten Landstreicher hervorschoß und wie sich sein knochiges Gesicht verfinsterte. Er erwartete einen bissigen Rüffel, der Flierefluiter gehörig in die Schranken weisen würde, doch blieb es still.

Der Pfarrer leerte sein Glas, goß es wieder voll, paffte mächtige Rauchwolken aus seiner Zigarre in die Luft und schaute versonnen in die karfunkelrote Glut des Weines. Endlich sagte er:

„Das ist ein dummer Zufall gewesen..."

Schweigend blickte Flierefluiter ihn an. Ein bitterer Zug umspielte den Mund des Priesters. Nach einer Weile fuhr er fort:

„Trink dein Glas aus, dann will ich's dir erzählen. Du bist ein Liebhaber ergötzlicher Geschichten? Nun, du sollst auf deine Kosten kommen!"

Er füllte Flierefluiters hastig geleertes Glas bis zum Rande, trank ihm zu und berichtete mit harter Stimme, die von Zeit zu Zeit ins Sarkastische abglitt:

„Mein Vater war Großbauer im Fendert, und ich war der zweite Sohn. Meine Mutter starb im Wochenbett, als ich wenige Tage alt war. Das konnte mir der Vater nie verzeihen. Er erzog mich streng und ohne Liebe. Mein Bruder war sein Einundalles. Doch in einer Sache wollte der Vater ihm nicht nachgeben. Er wollte nämlich Geistlicher werden; mein Vater aber hatte den Hof für ihn bestimmt, und er sollte Bauer werden. Das wäre ich aber gern geworden, und darum zwang er mich in den Priesterstand. Er schuftete wie ein Pferd, um den Hof zu vergrößern, und er hatte Glück: jedes Jahr wurde er reicher, und alles sollte später mein Bruder bekommen. Ich brauchte ja nicht viel, wenn ich erstmal Pfarrer war. Ich hab mir die Augen aus dem Kopf geweint, als es soweit war und ich aufs Seminar sollte – aber es half nichts, ich mußte fort vom Hof. Ich war ein schmächtiges Kerlchen damals, und mein Vater lachte mich aus und wies auf meinen Bruder, der ein kräftiger Bursche war: das würde ein rechter Bauer werden! Ich fragte, ob ich was anderes lernen dürfte, ob er was dagegen hätte, wenn ich Arzt oder Rechtsanwalt würde. Für das geistliche Amt hatte ich einfach nichts übrig. Nein, Seelsorger mußte ich werden, als Sühne gewissermaßen – da konnte ich vielleicht wiedergutmachen, was ich an meiner Mutter verschuldet hatte. Hundertmal plante ich, vom Seminar wegzulaufen. Und irgendwann einmal hätte ich's auch bestimmt getan – ich war zu jener Zeit zwischen achtzehn und neunzehn –, doch dann bekamen wir einen neuen Professor, und um dessentwillen bin ich geblieben. Das war ein großer Gelehrter und ein Heiliger obendrein. Er erwählte mich vor allen anderen zu seinem Freund und Vertrauten. Er hat so etwas wie einen Menschen aus mir gemacht. Er lehrte mich lesen und verstehen, was geschrieben steht. Durch ihn hatte ich erkannt, was Schönheit im Leben eines einsamen und bekümmerten Menschen sein kann. Eine Weile habe ich dann tatsächlich geglaubt, mich zu einem geistlichen Leben berufen fühlen zu dürfen. Zehn Monate ungefähr vor meiner Priesterweihe ist er gestorben. Der Mensch kann viel vertragen – aber da war etwas in mir kaputtgegangen, und das alte Gefühl, übel gehandelt zu haben und allein auf der weiten Welt zu sein, kehrte zurück. Ein paar Monate später wurde ich nach Hause gerufen: mein Bruder war im Stall von einem Pferd totgetreten worden. Nach dem Begräbnis, als Familie und Nachbarschaft verschwunden waren, sagte mein Vater zu mir: ,Nun, mein Junge, häng deinen schwarzen Rock an den Haken, du mußt jetzt auf den Hof kommen!' Begreifst du, was das für mich bedeutete? Hätte man mir das ein paar Jahre früher gesagt, wäre ich höher als dieses Haus gesprungen. Aber er hatte mich genötigt, zu tun, was er für richtig hielt. Er hatte mein junges Leben verpfuscht. Erst jetzt ging mir auf, wie wenig ich diesen Mann achtete – erst jetzt, da er mir so bedenkenlos befahl, die Soutane auszuziehen und Bauer zu werden. Und ich merkte, mit welch wohlgefälligen Blicken er meine breiten Schultern musterte, denn ich war groß und stark geworden – freilich nicht so groß und stark wie er. Nun wollte ich nicht mehr. Jetzt wollte ich ihm vergelten, was er an mir getan hatte. Ich wußte, daß es nur eines gab, woran er mit ungeteilter Liebe hing: sein Hof – sein Hof, der an einen seiner Söhne übergehen und in der Familie bleiben mußte, wie es seit drei Jahrhunderten geschehen war. Hier konnte ich ihn treffen. Und das habe ich getan. Ich weigerte mich, auf den Hof zu kommen, und bin brav ins Seminar zurückgekehrt. So bin ich Geistlicher geworden. Mein Vater ist bei der Priesterweihe nicht zugegen gewesen und auch nicht bei meiner ersten Messe. Er ist gestorben, ohne sich mit mir auszusöhnen. Nach seinem Tod habe ich den Hof verkauft – der hatte genug Unheil gestiftet in unserer Familie. So, nun weißt du, wie und warum ich Pfarrer geworden bin. Man könnte eine schöne Moral aus dieser Geschichte ziehen – von wegen Finger Gottes und so und ‚wen der Herr liebhat, den züchtigt er‘ und so weiter . . . Die Frömmsten der Frommen hätten ihr helles Entzücken daran, wenn sie es wüßten!"

„Bauernschädel", sagte Flierefluiter böse, „sturer Bauernschädel – immer dasselbe!"

Merijntje saß vergessen und verloren in seiner schummerigen Ecke. Ihm war kalt geworden bei der harten Erzählung von Pfarrer Ramakers, und Übelkeit befiel ihn. Konnten Menschen so unbarmherzig gegeneinander sein? Konnte jemand auf diese Weise Priester werden?

Lärmend erhoben sich die Stimmen der beiden Männer, ohne daß der erschrockene Junge zunächst einzelne Worte zu erfassen vermochte – so sehr hatte ihn der eben vernommene Bericht erschüttert. Doch dann hörte er seinen Freund sagen:

„Kein Wunder, daß Ihr so ein schlimmer Polterer geworden seid!"

Der Pfarrer lachte spöttisch und verbittert. Mit einem dumpfen Knall zog er eine neue Flasche Wein auf, schenkte ein und sagte barsch:

„Das Volk hier braucht einen Polterer. Wie will man sonst zurechtkommen? Sie fressen sich ja gegenseitig auf!"

„Habt Ihr genug von den Menschen?" fragte Flierefluiter nach kurzem Schweigen.

Verwundert hielt der Pfarrer die Flasche für einen Augenblick regungslos über sein Glas, dann goß er es in aller Ruhe voll, lachte und antwortete unbekümmert:

„Na, was denkst du denn, warum ich Pfarrer geblieben bin? Ich glaub, ich habe diese Galgenstricke viel zu gern – selbst die verdammten Betschwestern! Im Grunde könnte man über sie lachen, aber das darf man nicht – ihnen muß ich mich ganz besonders zuwenden. Ich versuche sie dazu zu bringen, vernünftiger und besser zu werden; denn in ihrem Eigennutz sind sie nur darauf bedacht, dem anderen alles wegzuschnappen und ihm Leid zuzufügen. Ja, Flierefluiter, bei Licht besehen, ist die Menschheit zu nichts anderem imstande."

„Das glaubt Ihr doch selber nicht", brummte der Landstreicher unwillig.

„Und wieso nicht, wenn ich fragen darf?" gab Pfarrer Ramakers bärbeißig zurück.

„Weil Ihr dann gar nicht Priester bleiben würdet – das habt Ihr doch selber gesagt..."

Der Pfarrer sah ihn über den Tisch hinweg nachdenklich an. Dann lächelte er, hob sein Glas und sagte:

„Prost, mein Junge!"

„Auf Euer Wohl, Herr Pfarrer!" antwortete Flierefluiter feierlich und trank sein Glas bis zur Neige leer, die Augen geschlossen in schwelgendem Genuß: „Ah, was für ein Wein!"

Er schenkte sich selber ein, ergriff das Glas, schnoberte den satten Duft tief ein, ließ das Licht in dem edlen Rot glitzern und sagte dann sinnend, ohne den Pfarrer anzusehen:

„Ich würde für mein Leben gern wissen, an was für einen Gott Ihr glaubt, Herr Pfarrer!"

Merijntje meinte vor Schreck sterben zu müssen. Nun dürfte es mit der Geduld des Hausherrn endgültig vorbei sein. Jetzt flogen sie raus – stehenden Fußes. Unweigerlich bekam der dreiste Vagabund augenblicks eine Tracht Prügel verpaßt. Aber nichts dergleichen geschah. Ruhig fragte der Pfarrer – und versetzte dem Jungen damit einen neuen Schock:

„Denkst du, daß es so sehr darauf ankommt?"

Flierefluiter murmelte: „Hm ... mich dünkt ... für einen Pfarrer..."

„Ist ein Pfarrer denn etwa kein Mensch?" fragte der andere.

Er stützte die Ellbogen auf den Tisch, die Fäuste unter das kantige Kinn gestemmt, die Zigarre schief im Mundwinkel festgebissen, und blickte dem verdutzten Flierefluiter spöttisch in die Augen. Dieser murrte unsicher:

„Ich verstehe überhaupt nichts mehr, was Euch betrifft..."

„Ach, Mann", lachte der Pfarrer, „gib dich nicht törichter, als du bist! Was kommt's denn schließlich darauf an, in welcher Spielart der Mensch an Gott glaubt – Priester oder Laie. Meinst du, daß Gott, der Herr über das ganze Weltall, sich kleinliche Rechenschaft darüber ablegen läßt, was so ein armseliger Erdenwurm auf einer seiner ungezählten Welten über ihn denkt oder nicht denkt? Und ob das Würmchen nun einen schwarzen Talar oder einen blauen Arbeitskittel trägt? Gott hat wahrlich Belangvolleres zu tun, als sich mit solch allzu menschlicher Haarspalterei zu beschweren – meinst du nicht auch?"

Flierefluiter zuckte lächelnd mit den Schultern.

„Ich bin kein Theologe", sagte er und blickte den anderen scharf aus schmalen Augenschlitzen an. „Aber ich denke, daß Eure Pfarrkinder Augen kriegen, groß wie Wagenräder, wenn sie das hören! Wie wollt Ihr den Menschen Tugend predigen angesichts eines unbestimmten Gottes?"

Der Pfarrer lachte grimmig.

„Ich will dir mal was sagen", blaffte er. „Wenn Gott so wäre, wie sich ihn die Flachköpfe von Menschen vorstellen, und immer gleich mit einem Stückchen Hölle zur Hand, na, dann sausten all die Tugendbolde, die die Tugend nur brauchen, um Gott gnädig zu stimmen und sich die Ewigkeit zu erschleichen, spornstreichs in die tiefste Grube der Hölle – das kannst du aber annehmen!"

„Wie und warum wollt Ihr dann aber erreichen, daß die Menschen gut werden und das Böse meiden?"

„Wir müssen nicht gut sein nur um unseres Gottes willen und allein für ihn – Gott kann sehr wohl ohne unsere Bemühungen auskommen. Wir müssen gut sein um unserer selbst willen, gut sein zu den Mitmenschen ... weil das Leben so schön ist, wenn man gut zueinander ist, ohne jeden Haß und Neid ..."

„Das wird wohl noch ein Weilchen dauern, bis die Menschen so weit sind, nur aus diesem Grunde gut und verträglich zu werden", belustigte sich Flierefluiter.

„Deshalb bleibe ich ja vorläufig auch noch im Amt", lachte Pfarrer Ramakers.

Flierefluiter stand auf und verneigte sich feierlich, die Hand auf sein Herz gelegt.

„Herr Pfarrer", sagte er nachdrücklich, „Ihr seid ein großer Mensch! Aber bewahrt Eure Gedanken um alles in der Welt innerhalb der eigenen vier Wände!"

Pfarrer Ramakers bedeutete ihm mit einem knappen Wink, sich zu setzen, fuhr sich mit der Hand über die Stirn und sagte unzufrieden:

„Ach, wir schnattern viel zuviel! Und du, du säufst den lieben Wein, als ob du Pumpenwasser schluckst. Alles hat seine Zeit – das Reden und das Schweigen, mein Freund. Und die Buddel ist auch schon wieder leer."

Er drehte sich in seinem Stuhl halb zur Seite, um eine neue Flasche neben dem Kamin wegzuschnappen, und gewahrte Merijntje in der Ecke. Er sah den Jungen starr an – geraume Zeit; Merijntje bebte vor unerklärlicher Angst. Der finstere Blick unter den struppigen Augenbrauen wurde nach und nach freundlicher. Plötzlich begann der Pfarrer laut zu lachen und schlug sich auf die Knie. Die Quaste seines roten Käppchens baumelte am Ohr herab. „Da hockt ja wahrhaftig auch noch unser Zimmermann!" rief er. „Und totenbleich sieht er aus! Komm her, Junge, und trink ein Gläschen Wein mit zwei Philosophen, die es gut meinen mit den Menschen und mit ihrem Herrgott. Prost, komm zu uns und trink mit!"

„Jeijeijei!" seufzte Flierefluiter, während Merijntje, feuerrot jetzt, an den Tisch stolperte. „So kleine Näpfe und so große Henkel dazu!"

Mit zittrigen Händen nahm Merijntje vom Pfarrer das gefüllte Glas entgegen, stieß pflichtschuldig mit den lachenden Männern an und trank von dem schweren, alten Wein, der aufs erste ziemlich herb wirkte, so daß sich sein Mund säuerlich zusammenzog; doch der Nachgeschmack war so würzig und süß, daß er vor Staunen die Augen aufriß.

„Nicht schlecht, was, Merijntje?" pries Flierefluiter. Dann, ohne Übergang, fragte er boshaft: „Was meint Ihr, Herr Pfarrer, ist es eine große Sünde, wenn ein kleiner Bengel von knapp neunzehn Jahren dem unwiderstehlichen Verlangen nachgibt, alle schönen Mädchen zu küssen?"

Merijntje glaubte vor Scham in den Boden sinken zu müssen. Er verschluckte sich, hustete und hörte, wie Pfarrer Ramakers mit lautem Lachen und einem dröhnenden Faustschlag auf den Tisch ausrief:

„Eine Sünde? Gottes Wille ist das, Mann! Ein mindestens ebenso gottgefälliges Werk wie der gewohnheitsmäßige, gedankenlose Kirchgang Sonntag für Sonntag."

Ohne Nachtgruß flüchtete Merijntje aus dem Zimmer. Hinter sich vernahm er das schallende Gelächter zweier unbegreiflicher Spötter, von denen der eine sage und schreibe Priester war! Fassungslos zog er sich aus und kroch ins Bett. Von unten drangen die Stimmen der beiden Männer zu ihm hinauf. Sie schwatzten und stritten, immer lauter, dann lachten sie wieder; schließlich sangen sie gedämpft ein Lied und klopften dazu beim Refrain mit dem Fuß ihrer Gläser auf den Tisch.

Durch das Fenster sah er ein Stückchen des klaren Nachthimmels mit den hier und dort aufblitzenden Sternenfunken. Schaudernd dachte er an die Worte des Pfarrers über die Größe und Allmacht Gottes und die ungezählten Welten, die von Leben wimmelten und auf denen der Mensch nichts weiter war als ein törichter Erdenwurm. Waren die Sterne denn Welten, und wohnten dort auch Menschen, und dachten sie vielleicht, daß diese Erde hier nur ein leuchtender Funke war in der Unendlichkeit der ungezählten Himmel? Schwindel befiel ihn, und er schloß fest die Augenlider.

Lichtpünktchen wimmelten über eine grell erglänzende violette Fläche. Erschrocken öffnete er die Augen wieder, kehrte sich zur Wand und horchte auf das harte Pochen seines Herzens... Was war von den Worten des Pfarrers zu halten? War das nicht Lästerung? Aber er hatte den Unterton großer Ehrfurcht in dessen Stimme vernommen und eine Demut herausgehört, die sich nicht mit der Absicht vertrug, Gott zu schmähen. Eine geheimnisvolle Gewalt war von seinen Worten ausgegangen und hatte Merijntje für einen Moment ergriffen; doch sogleich hatte er sich dagegen aufgelehnt und alles von sich gewiesen – in seiner Angst, über Dinge nachdenken zu müssen, die ihm ganz und gar mißbehagten... Denn Pfarrer Ramakers' Gott war doch schwerlich jener Gott, den man ihn fürchten und ehren gelehrt hatte. Ein Geistlicher, der so über den Herrgott sprach... Konnte man da nicht auf der Stelle tot umfallen vor Schreck? Er hatte gemeint, gerade dieser Pfarrer müsse eine perfekt durchdachte, fein säuberlich abgerundete Vorstellung von der unerschütterlichen Gerechtigkeit Gottes haben – und nun hatte er sich in dieser freimütigen Art geäußert, so ganz anders, so unbestimmt, so rätselhaft und unbegreiflich... als ob Gott zwar über alle Maßen groß und mächtig sei, sich aber herzlich wenig um die Menschen schere... Wie sollte man das verstehen?

Ein Gefühl furchtbarer Verlassenheit bemächtigte sich seines Denkens. Wenn es nun wirklich so war? Ein derart gebildeter Mann wie Pfarrer Ramakers, der sich in all seinen langen Studien ausschließlich mit der Gotteslehre beschäftigt hatte – mußte er es nicht wissen? Und wenn nun alle Pfarrer so dachten, es nur nicht sagten, um den Gläubigen ihren Halt und ihr Lebensziel nicht zu rauben? Auf einmal erkannte der Junge – unheimlich deutlich erkannte er es –, wie sehr er sich im tiefsten Innern seines Wesens stets auf jenen Gott verlassen und eine feste Stütze an ihm gefunden hatte, der ihm von Jugend auf nahegebracht worden war – der Gott, dessen ungeheuerlichem, anspruchsvollem und so rachsüchtigem Mysterium man nur mit Zittern und Zagen begegnen konnte... Aber immerhin, so unzugänglich er auch erscheinen mochte, er war doch allgegenwärtig und ließ einen nicht allein. Grausige Angst konnte einen sehr wohl befallen, wenn man spürte, daß dieser Gott einem sein sündiges Leben verargte, doch blieb man stets an ihn gebunden, er ließ einen nicht los – alles war von ihm erfüllt. Ja, wenn er nun aber nichts weiter war als jenes blutlose Geschöpf, wie es sich Pfarrer Ramakers vorstellte: nebulos, fern, unpersönlich und gänzlich unbestimmt? Was blieb einem dann? Was war man dann? Ein Staubkörnchen, das in den wechselnden Winden durch endlosen Raum trieb... Nichts – ein armes, einsames, völlig verlassenes und nutzloses Ding...

Er konnte nicht schlafen. Der Schweiß brach ihm aus. Hastig

strampelte er die Decken von sich und stand auf. Er ging ans Fenster und stieß es auf. Kühle Nachtluft umwehte seine Schläfen. Er spürte es kaum. Über den Garten hinweg schaute er in die vom milden Mondlicht durchflutete Welt. Hauchzart und hoch war der Sommerhimmel, durchsichtig blau, und die Sterne funkelten freundlich und scheu, als wollten sie ihm Ruhe spenden – ferne Lampen, die ihn aufmunternd an liebgewonnene Dinge erinnerten, die das Gefühl trauter Geborgenheit vermittelten... Aber sie schienen Merijntje auf einmal spöttisch zuzuzwinkern: Wir sind nicht die unschuldigen, stillen Himmelslämpchen, für die wir gehalten werden, wir sind auch Welten, große, verwirrende Welten, voll Leben und Bewegung, und wir lachen über deine Sorgen und Ängste, über deine Tugenden und Sünden, über alles, was du je gedacht und geglaubt hast... Ihm ging durch den Kopf, was er in der Schule gelernt hatte: daß das blaue Himmelsgewölbe keine abgeschlossene Kuppel war, daß sich dem Auge nichts als die Farbe bot; ihm fiel auch ein, was ein Lehrer auf der Fortbildungsschule von den Sternen und dem Weltall gesagt hatte: daß hinter diesen Sternen andere Sterne existierten und dahinter wieder neue und abermals welche und so fort bis in alle Unendlichkeit – Grenzen gab es keine. Jetzt erst begann ihn dieser Gedanke im ganzen Ausmaß seiner schwindelerregenden Dimension zu durchdringen. Es gab kein Oben, es gab kein Unten – nichts als Raum, immer wieder Raum... Raum, in dem man sich zwangsläufig verirrte, sobald man ihn verstandesmäßig zu erfassen versuchte... Raum, der einen regelrecht in den Wahnsinn treiben mußte. Ja, wo sollte denn der Himmel sein mit Gott und seinen Heiligen und allen Engeln? Wo war die Hölle mit ihren Teufeln und den verdammten Seelen? Wo blieb das ganze, so schön und passend aufeinander abgestimmte Weltbild, das ihm von Kind auf vertraut gewesen war – vertraut und furchteinflößend zugleich? Wie denn! Wenn diese Sterne nun auch Welten waren? Und wenn diese Welten auch Menschen bewohnten?

Aber woher sollte das der Pfarrer wissen? Das konnte man doch gar nicht wissen! Das war unmöglich – niemand vermochte so weit zu blicken.

Unten wurde ein Fenster zur Gartenseite hin aufgeschoben, und Fleirefluiters und des Pfarrers Stimmen klangen lauter.

„Paß gut auf", sagte der Hausherr, „ich will dich noch etwas hören lassen, was dir die Sprache verschlägt!"

Dann wurde es still. Merijntje wollte sich zurückziehen, denn er wußte sehr wohl, daß es sich nicht schickte, Dingen zu lauschen, die nicht für fremde Ohren bestimmt waren. Doch er brachte es nicht fertig. Seele und Geist waren wie eine Feder gespannt. Er mußte horchen. Konnte nicht das Wort, das ihm Ruhe und inneren Frieden schenken würde, jeden Augenblick gesprochen werden?

Mußte nicht über kurz oder lang die Wahrheit klar und unanfechtbar zutage treten? Einmal mußte sie doch offenbar werden!

Da ertönte die dunkle, tiefe Stimme des Pfarrers:

Goede Dood wiens zuiver pijpen
door 't verstilde leven boort,
die tot glimlach van begrijpen
alle jong en schoon bekoort,

voor wien kinderen en wijzen
lachend laten boek en spel,
voor wien maar verkleumde grijzen
huivren in hun kille cel.

Mij is elke dag verloren,
die uw lokstem niet verneemt;
want dit land van most en koren
is mij immer schoon en vreemd.

Want nooit beurde ik hier te drinken
't water dat de ziel verjongt,
of van dichtbij hief te klinken
't verre wijsje dat gij zongt:

Alle schoon dat d' aard kan geven
is een pad dat tot u voert,
en alleen is leven leven
als het tot den dood ontroert.

Guter Tod, der seine reinen Töne
sanft durch des Lebens Träume treibt
und heiter stets wie alles Schöne
die Sehnsucht meiner Jugend bleibt,

um dessentwillen Kinder, ja selbst Weise
lachend opfern Spiel und Buch,
vor dem allein erstarrte Greise
schaudern in ihrem kalten Tuch.

Mich dünkt schier jeder Tag verloren,
der seinen Lockruf nicht vernimmt;
sein Land voll Korn und Most hab ich erkoren,
lang schon ist seine Fremde mir bestimmt.

Denn nie empfing ich hier den Trank
des Wassers, das die Seel' verjüngt,
denn nie vernahm ich hier den Klang
der fernen Weise, die da singt:

Das Schönste, das die Welt kann geben,
ist wohl der Weg, der zu ihm führt.
Erst jenes Leben ist mein Leben,
das einst der gute Tod berührt.

In schleppenden Kadenzen, mit monotonem Timbre, Silbe für Silbe sauber skandierend, hatte der Pfarrer das Gedicht gelesen. Die harte Stimme hallte wie eine bronzene Glocke mit verborgenen, kaum hörbaren Schwingungen, die den staunenerregenden Worten einen tiefen, hintergründigen Sinn verliehen.

Regungslos verharrte Merijntje in der lichten Sommernacht. Ein Schauder kroch über seinen Rücken, bis zu den Beinen hinab. Wortfetzen summten in seinen Ohren, verwirrende, unbegreifliche Bilder standen vage, seltsam irritierend, vor seinem erstarrten Blick. Guter Tod? Konnte der Tod denn etwas anderes sein als ein großer Schrecken? Ein Becher vielleicht, geheimnisvoll wie in einem Zaubermärchen, mit Wasser gefüllt, das die Seele verjüngt? Liebliche Felder gar, weit hingestreckt ... ein Land voll Korn und Most?

Von fernher ertönte das Lied, das der Tod sang, und plötzlich war es ganz nahe. Flierefluiters Stimme wiederholte, sonderbar bebend:

„Erst jenes Leben ist mein Leben, das einst der gute Tod berührt."

Warum sagte er das noch einmal? Und weshalb erfand jemand solch merkwürdige Verse? Wer sollte das verstehen! Guter Tod? Und woran lag es, daß er dennoch ganz atemlos lauschen mußte, daß jene Bilder nicht aus seinen Augen wichen, daß die Worte so schön klangen und so entsetzlich lockten?

„Ich hab mein Bestes dafür getan", fuhr Flierefluiter träumerisch fort, „den Weg zum Ende hab ich wohl schon betreten."

„Jeder auf seine Weise", brummte Pfarrer Ramakers.

Wieder kam die Stille, das allenthalben wispernde, bedrohliche Schweigen, in dem tausend Gedanken durch Merijntjes Kopf spukten, einander vertreibend, noch ehe sie vollendet und bewußt gedacht waren, entgleitend ins Ungefähre, ins Diffuse ...

Was bedeutete das ganze? Oder bedeutete es überhaupt nichts? Handelte es sich hier bloß um zwei ungehobelte Männer, die zuviel getrunken hatten und irreredeten? Jetzt hörte er den Pfarrer tief seufzen und sprechen:

„Ja, Junge, solche Dichter, sie sind die Stimme der Seele ... Unsere Seelen sind stumm geboren."

Auch Flierefluiter seufzte tief und betrübt. Klagend ließ er sich vernehmen:

„So wollen wir denn unsere armen, stumm geborenen Seelen trösten mit der Labsal eines guten Tropfens, Herr Pfarrer!"

Wütend schlug Merijntje mit der Faust aufs Fensterbrett. Dieser verdammte Halunke konnte einfach nicht den Anstand wahren! Die erhebende Bemerkung des Herrn Pfarrers wußte er natürlich nur mit wurstigem Säufergefasel zu erwidern! Aber er hörte den Pfarrer verhalten lachen; und dann erfolgte ein hohler Schlag, der offenbar auf Flierefluiters Schulter fiel, denn dieser sagte warnend:

„Vorsicht, Mann, es muß ja nicht gleich heute sein!"

Jetzt lachten sie beide, und über ihrem Gelächter zitterte der zarte Klang gegeneinanderstoßender Gläser.

„Und nun laß ich den guten Tod mit seinen reinen Tönen erschallen!" rief Flierefluiter.

Verwundert ging Merijntje vom Fenster weg und kroch wieder ins Bett. Aber da hörte er, wie Flierefluiter seinem Instrument eine zarte, tänzerische Melodie entlockte, eine Weise, die jäh von überschwenglicher Fröhlichkeit in getragene, düstere Trauer umsprang und nach seltsamen Akkorden wieder zu ihrem Anfang zurückkehrte.

Still lag Merijntje auf dem Rücken, die Hände neben sich zu Fäusten geballt. Tränen sprangen aus seinen Augen, rannen die Schläfen hinab, eine brennende Spur ziehend. Ganz hilflos fühlte er sich, töricht und verloren. Er begriff nichts mehr, nichts vom Leben, nichts vom Tod. Was wußten denn die beiden dort unten davon, daß er erst noch lernen mußte, so zu sein wie sie, die selbstbewußt und sicher ihren Weg gingen, während er einem flackernden Kerzenflämmchen glich, das bei jedem Windhauch hin und her weht und zu verlöschen droht. Gedemütigt und niedergeschlagen durch eine ihn tief verletzende Empfindung von Nutzlosigkeit und würgender Ohnmacht biß er die Zähne zusammen. Das befremdliche Spiel Flierefluiters entfachte eine Unruhe in ihm, deren Ursprung ihm verborgen blieb, die durch und durch ungereimt schien und ihn nur noch untröstlicher machte. Warum? Was war der Sinn in all diesem? Was war der Sinn dieses ganzen unbegreiflichen Lebens? Warum gab es ihn, Merijntje Gijzen, überhaupt, und warum lag er hier und mußte still vor sich hin weinen und die Zähne fest aufeinanderpressen, um seine Not nicht hinauszuschreien wie ein Kind, dem bange ist und das Schmerzen hat, doch nicht weiß, wo und weshalb?

Plötzlich glitt die Flötenmelodie aus greller Höhe zu tiefen, warmen Tönen hinab, die allmählich in reinen Schwingungen erstarben. Still blieb es jetzt im Hause. Durch die Bäume des Gartens strich säuselnd der Nachtwind, und ein Vogel stieß schläfrig kurze, karge Laute aus. Der Turm ließ hell seine Stundenschläge fallen, die träge in der Weite verhallten.

Warum nur war er von zu Hause fortgelaufen und hatte sich auf Flierefluiters Wege gewagt, die wahrlich ein Labyrinth bildeten, in das er sich immer tiefer verstrickte, aus dem er nicht mehr herausfand? Narr! Was hatte er sich vorgestellt? Was hatte er sich eingebildet? Alles war zur Schrecknis und Finsternis geworden. Ringsum herrschten Dunkel und Bedrohung. Auf den großen Sommer, der offen und gewaltig über der Welt stand, hatten schwarze Wolken ihre Schatten geworfen, und Bedrängnis breitete sich allenthalben aus. Weder Licht noch Freude gab es fernerhin für Merijntje, der einsam und verachtet in diesem fremden Bett lag; und er konnte nicht einmal um Kraft und Hilfe beten, denn er wußte nicht, wen seine stammelnde Angst rühren sollte. Die Erde war dunkel, der Himmel leer ... Und zwischen der verfinsterten Erde und dem geplünderten Himmel irrte die verstörte Seele in ihrer unbeschreiblichen Not ... Wie konnte es nur geschehen, daß er von heut auf morgen so unglücklich werden mußte?

Mit einem Ruck warf er sich in seinem Bett herum und biß ins Kissen; zwischen den zusammengepreßten Zähnen stieß er in seiner Verzweiflung einen Hilferuf nach jener letzten Zuflucht hervor, die dem verlassenen, scheiternden Menschen immer bleibt: „Mutter, o Mutter, komm!"

Zweites Buch · Der gute Tod

· Erstes Kapitel ·

I

Hoch über der Erde wölbte sich der blaue Himmel, seidenweich und strahlend von Licht. In der Ferne zogen kleine Wölkchen hintereinander her wie flaumige Schafwollbällchen, die ein spielerischer Kindermund fortbläst. Ein Mauerseglerpärchen jagte in kapriziösem Flug nach unsichtbarer Beute. Hoch oben vom Turm sah die Erde wie eine ungeheure Mulde aus, die nach allen Seiten zum Horizont hin aufsteigt. Hinter den letzten bestellten Feldern stand dunkel und struppig der Wald, und aus der Tiefe des Pfarrgartens hörte Merijntje die Holztauben gurren. Ein Paar aufgeregte Dohlen flatterten um die Turmspitze und krächzten in einem gefährlichen Streit.

Wie vertraut und sicher das Dorf sich um die alte Kirche gruppierte! Dicht an dicht standen die Häuser mit ihren Schuppen aus schwarzgeteerten Planken beieinander, als müsse eins das andere stützen; und das Grün der Obstbäume in den Gärten leuchtete zwischen dem Rot und Blauschwarz der Ziegeldächer.

Wie schön das alles ist! dachte Merijntje, der, das Kinn in die Hände gestützt, mit stillem Gesicht aus dem Fenster der Glockenstube blickte und mit heimlicher Freude spürte, wie sehr ihm dieses kleine Dorf ans Herz gewachsen war. Es stimmt einen wohl immer froh, wenn man merkt, daß man von einer Sache oder einer Person viel hält. Warum eigentlich? Wenn's umgekehrt wäre:

wenn jemand oder etwas von einem selbst viel hielte! Ach, es ist ein so liebes, liebes Dörflein. So friedlich. Die Zeit steht still ... Schmuck und blitzblank wie im Traum ...

Da spürte Merijntje einen heftigen Stich in seinem Rücken, der durch das lange Stehen in der gleichen Haltung steif und schmerzempfindlich geworden war. Seufzend richtete er sich auf, streckte sich, spannte die Arme und drehte sich um.

Am anderen Fenster stand Flierefluiter und starrte hinaus, beide Hände tief in die Taschen vergraben. An seiner Haltung war etwas Krampfhaftes. Leise ging Merijntje zu ihm hin. Auf dieser Seite sah man den Bach als metallisch blinkendes Band sich durch die Felder schlängeln und weiter fort den funkelnden Strom mit den Bäumen am anderen Ufer, die sich alle nach Osten neigten. Auf dem Wasser blähten sich die Segel der Schiffe wie weiße Schmetterlingsflügel; ein lächerlich kleiner Käfer schwamm dahin und zog eine lange, schmutziggraue Fahne hinter seinen Fühlern her. Unbegreiflich, daß das ein Dampfer war mit vielleicht fünfzig Menschen und einer ganzen Herde Vieh an Bord ... Im Westen konnte man nicht sehen, wo das sonnige Wasser aufhörte und der sonnige Himmel begann; dort war kein Horizont ...

„Schön, was?" fragte Merijntje leise, doch er bekam keine Antwort.

Verwundert blickte er von der Seite auf Flierefluiters Gesicht. In den hellen Augen glühte rätselhaftes Feuer, um den Mund zuckte es, und die Muskeln unter der gespannten Haut traten hervor, als ob der Mann neben ihm hartnäckig und mühsam die Zähne aufeinanderbiß. Man wußte nicht, unterdrückte er ein Lachen oder ein Weinen ... Was hatte er denn?

Der Junge stieß ihn in die Seite und rief scherzend, doch mit befangener Stimme: „He, Küster! Schläfst du im Stehen?"

Langsam, wie unwillig, wandte Flierefluiter ihm sein bewegtes Gesicht zu. Ein gespenstischer Schrecken flog darüber, so daß Merijntje ungewollt lachen mußte. Da lächelte auch sein Kamerad und strich sich mit der Hand über die Stirn.

„Küster", sagte er grübelnd, und seine Augen wurden weich bei der Erinnerung. „Das ist lange her, Junge! Damals warst du noch ein kleiner Wicht, eine Erdscholle hoch und einen Torfbatzen dick ..."

„Du machst ein Gesicht, als wolltest du gleich losheulen."

Flierefluiters Augen irrten von ihm weg. Er schwieg. Dann zuckte er verdrießlich die Schultern, als wollte er etwas abschütteln, räusperte sich und sagte barsch:

„Hier ist's auch verdammt staubig, die Augen tun einem richtig weh."

„Davon merke ich nichts", erklärte Merijntje und blickte ihn argwöhnisch an. „Ich glaube, du spinnst, Mann!"

Doch da blitzte der Schalk in Flierefluiters Augen wieder auf. Er brach in Lachen aus und versetzte dem Jungen einen derben Schlag auf die Schulter.

„Dir kann man aber auch nichts weismachen, du verfluchter Philosoph. Ich dachte gerade an etwas, was weniger erfreulich ist – mehr nicht."

„Und was ist das?" In der Stimme seines Freundes war ein Ton, der Merijntje unruhig machte. Der Scherz klang gezwungen, und die Sorglosigkeit überzeugte ihn nicht.

Flierefluiter schüttelte den Kopf.

„Du bist schlimmer als ein Beichtvater!" seufzte er. „Du gönnst einem Menschen nicht das kleinste Versteck in seiner armen Seele. Aber ... wenn du es wissen willst: die Welt ist zu schön – das ist der ganze Witz ..."

Starr vor Verblüffung riß Merijntje die Augen auf, so daß seine schwarzen Brauen in zwei richtigen Halbkreisen darüber standen. So kindlich war dieses Gesicht plötzlich, daß Flierefluiter Mühe hatte, seine Rührung zu verbergen, und ihn kräftig durcheinanderschüttelte.

„Hör auf, du Narr, das tut doch weh!" schimpfte der Junge ärgerlich.

„Dann zieh nicht so ein Gesicht!" warf Flierefluiter ihm entrüstet vor.

Aber Merijntje ließ sich nicht ablenken. „Wie kann die Welt zu schön sein?" rief er heftig. „Je schöner sie ist, desto besser!"

„Für dich schön", erwiderte der andere mißmutig. „Du fängst erst an. Aber ich ... Heut oder morgen muß ich dran glauben, Mann, und dabei hab ich das Gefühl, als ob ich gestern erst auf die Welt gekommen wäre. Ist das vielleicht nicht ärgerlich?"

Einen Augenblick fühlte Merijntje sein Herz stillstehen, dann trommelte es heftig in seiner Brust. Verstört blickte er dem Freund in das zerfurchte Gesicht, das plötzlich alt und erschöpft aussah. Mit unsicherer Stimme fragte er:

„Heut oder morgen dran glauben ... Wieso? Du bist doch nicht etwa krank?"

„Aber nein, Junge! Ich meine nur, daß ich in meinen Jahren schon weit über die Hälfte weg bin. Ist das nicht schlimm genug?"

Erleichtert atmete Merijntje auf. Er war wieder einmal reingeflogen, hatte sich umsonst Sorgen gemacht. Aber besser so! Verdammt, was war er erschrocken gewesen!

Lachend und geringschätzig sagte er: „Och, wenn das alles ist! Du kannst gut hundert Jahre alt werden, so ein Bär wie du."

Flierefluiter nickte bedächtig.

„Ja, aber dann bist du auch schon ein alter Kerl ... Großvater Merijntje ... das wird gut zu dir passen! Und dann kommst du und gratulierst mir ..."

Er mimte ein steinaltes, gebücktes Männchen und sprach mit gebrochener, piepsiger Stimme:

„Gratuliere, Flierefluiter, hörst du, zu deinem hundertsten Geburtstag... Bist du auch so engbrüstig und steif vom Rheumatismus?" Und noch piepsiger und krächzender: „Es geht, Merijntje, es geht schon noch... Aber die Mädchen, Junge, siehst du, die wollen nichts mehr von mir wissen, und das schmerzt mich. Ich sabbere zuviel, wenn ich sie küsse, sagen sie. Ist das nicht schlimm, Merijntje – ach je, ach je!"

Merijntje lag auf der Eckbank vor dem Fenster und bog sich vor Lachen. Als er wieder zu Atem kam, schimpfte er:

„Du verrückter Kerl, du! Wenn du hundert bist, wirst du wohl an andere Dinge denken als an die Mädchen!"

„Meinst du?" fragte Flierefluiter bestürzt. „Woran denn sonst, Merijntje?"

„An deinen Sarg!" kreischte der Junge, und seine Stimme überschlug sich vor Vergnügen über das bedepperte Gesicht Flierefluiters, der seine Greisenrolle immer noch weiterspielte und sich schüttelte, als liefen ihm kalte Schauer über den Rücken.

„Brrr!" machte er entsetzt. „Wie häßlich! Nein, nein, dann will ich doch lieber keine hundert Jahre alt werden..."

Plötzlich gab er sich einen Ruck, als ginge ihm ein Licht auf.

„Verflucht und zugenäht!" rief er. „Was für ein Glück, daß du mich früh genug gewarnt hast! Da will ich nur sehen, daß ich ein bißchen früher in meinen hölzernen Paletot krieche!"

Merijntje lachte nicht mehr. Plötzlich war eine Beklemmung über ihn gefallen. Dieses leichtfertige Spiel mit dem Gedanken an den Tod stand ihm nicht zu.

„Jetzt hör aber auf!" sagte er unwillig. „Du mit deinem Gespött auch immer!"

„Aber ich spotte ja gar nicht – ich meine es ernst!" verteidigte Flierefluiter sich eifrig, doch sein verzogener Mund und die Fältchen um die Augen verrieten, daß er sich heimlich über Merijntjes jähe Bedrückung lustig machte, deren Ursache er nur zu gut begriff.

Der Junge zuckte mit den Schultern und wandte sich wieder zum Fenster. Die in strahlende Sonnenglut getauchte Landschaft führte seine Gedanken fort von dem düsteren Thema. Warum sollte man vom Tode sprechen, wenn die blühende Welt wie das Leben unter einem ausgebreitet lag?

Nun mußte er an solch einen Mann wie jenen Dichter denken, dessen Verse der Pfarrer gelesen hatte. Der würde gewiß prächtige Worte für all das finden, was man hier sah – wie schön das war, wie herrlich! Worte, die sich bildhaft vor das innere Auge rufen ließen, wenn man sie noch einmal las... Schöner vielleicht sogar, denn es schwang etwas Geheimnisvolles in ihnen, das allem eine noch tiefere Bedeutung gab. Ein großes Glück mußte es doch wohl sein, so etwas zu können! Es beklemmte einen, wenn man etwas so unglaublich Schönes entdeckte, daß das Herz laut und wild zu pochen begann, zugleich aber die Worte fehlten, dies auszudrücken.

Flierefluiter hatte sich die Pfeife angesteckt. Der blaue Rauch mit dem würzigen Duft von Herrn Pfarrers Portorico zog an Merijntjes Kopf vorbei durch das offene Fensterchen nach draußen. Er sah träumerisch zu, wie die dünnen Schleier im Sommerwind auseinanderstoben und sich spurlos in der Luft auflösten. Wie kam es nur, daß ihn dieser Anblick mit unbestimmter Trauer erfüllte? Es war doch nichts Betrübendes daran . . .

Ach, kindisch bist du! schalt er sich selbst.

„Willst du nicht rasch suchen gehen, Merijntje? Vielleicht haben die Turmmännchen wieder ein Dubbeltje für dich zwischen den Balken versteckt?"

Lächelnd blickte der Junge zu ihm auf. Er erinnerte sich an das Spiel. Wie klein und gutgläubig war er damals doch gewesen! Zehn Jahre ist es jetzt her . . . Vorbei . . . Gar so einfältig war er nun doch nicht mehr . . . Die Turmheinzelmännchen ruhten wohlverwahrt bei den anderen Märchenphantasien und kindlichen Vorstellungen von übernatürlichen Wesen und Mächten . . .

„Kannst mir das Geld ja so geben!" antwortete er schmunzelnd und hielt seine Hand auf.

Flierefluiter spuckte danach, so daß Merijntje die Hand hastig zurückzog und rief: „Schmutzfink, elender!"

„Du bist viel zu klug geworden!" sagte Flierefluiter mißbilligend. „Das wird dir noch sauer aufstoßen – auf mein Wort!"

Über ihnen begann sich plötzlich der Flügel des Schlagwerks knarrend herumzudrehen, und langsam fielen von der Turmuhr fünf Schläge herab. Seltsam klang das hier, viel gedämpfter als unten. Merijntje sprang auf und griff nach dem Glockenseil. Flierefluiter wollte mit zupacken, doch der Junge schob ihn unwillig zur Seite.

„Allein!" brummte er hitzig. Angestrengt begann er an dem Seil mit den dicken Knoten zu ziehen. Es war glatt geworden von den Händen, die es Jahr um Jahr in Bewegung gebracht hatten. Merijntje spannte die Muskeln von Armen, Brust und Schultern an, stemmte die Füße fester auf den Boden und spürte, wie das Tau langsam nachzugeben begann und dann träge, aber gewaltsam nach oben zog. Die bronzene Glocke fing an zu schwingen, ganz leise und langsam . . . mit ein paar zaghaften Tönen, als der Klöppel leicht an der Metallwand entlangrollte, dann etwas lauter . . . Und nun der erste deutliche Schlag. Doch jetzt ging es rascher, immer rascher . . . Höher schnellte das Seil empor, um bei jedem ziehenden Ruck wieder nach unten zu sinken, und der helle

Schall schwang sich jubelnd aus dem Turm, weit über Dorf und Felder bis in den blauen Himmel hinein ...

Fierefluiter blickte in das rote, verschwitzte Gesicht des Jungen und schüttelte kaum merklich den Kopf. Was für ein Kind der Bengel noch war! Ein Glück strahlte aus diesen dunklen Augen, als ob es ein Fest sei, die schwere Glocke zu läuten.

Für Merijntje war es ein Fest. Sein Herz flog mit den Klängen hinaus in die Weite und jauchzte mit den Glocken um die Wette. Er fühlte sich so froh, so leicht, so übermütig, als purzelte er selber mit den kobolzschießenden Tönen der schwingenden Glocke durch das blaue Himmelszelt. Er zog und ließ das Seil wieder aufschnellen, leicht durch die Handteller schwirrend, in denen ein heißer Schmerz sengte. Aber das vermochte seine Freude nicht zu dämpfen. Es war ganz wunderbar, so ungewohnt herrlich, so geheimnisvoll: gerade so, als spräche er jetzt mit Worten aus, was ihn eben noch in der Spannung des Unsagbaren bedrückt hatte. Ein rätselhaftes Gefühl der Befreiung erfüllte sein Herz, und das noch geschwinder erklingende Lied der Glocke sang es hinaus in die Ferne: So schön ist die Welt! So froh bin ich, hört doch, hört! Bimbam, bimbam!

Seine Handflächen brannten, doch er riß nur um so heftiger an dem Seil und ließ es emporschnellen, als wollte er sein Herz mit hinaufschicken.

Fierefluiter winkte mit der Hand.

„Ich würde ruhig wieder aufhören, Meister Glöckner!" rief er lachend. „Du brauchst nicht zur Frühmesse für morgen zu läuten!"

Jäh ernüchtert blickte Merijntje zu ihm auf, ließ das Glockenseil los und trat einen Schritt zurück. Das Tau flog auf und nieder, die Glocke läutete weiter. Doch bald verlangsamte sich die Bewegung, die Schläge fielen zögernder ... leiser ... und erstarben in einem letzten, zitternden Beben, mit dem der Klöppel die Glockenwandungen streichelte. Dann erreichte er die Wand nicht mehr und pendelte in kleinen müden Schwingungen aus.

Keuchend erholte sich Merijntje von der ungewohnten Anstrengung. Mit blitzenden Augen sah er Fierefluiter an.

„Das ging gut, was?" fragte er begeistert.

„Prächtig!" lobte der andere.

Bedauernd wandte der Junge die Augen zu dem sich leise bewegenden Seil.

„Schade, daß es schon vorbei ist", sagte er. „Ich hatte das Gefühl, als ob ich mit in den Himmel flöge ..."

Fierefluiter nickte schweigend. Er kannte dieses Gefühl nur allzugut. Und plötzlich, mit einem Gedankensprung, dem der Junge nicht zu folgen vermochte:

„Du solltest Flöte spielen lernen!"

Verwundert blickte Merijntje ihn an und sagte dann hastig:

„Das möchte ich schon. Aber ist es nicht sehr schwer?"

„Alle guten und schönen Dinge sind schwer", lächelte Flierefluiter. „Aber um so mehr Freude macht es, wenn man es einmal
kann. Ich will's dir beibringen."

„Das ist gut!" rief Merijntje. „Und wann?"

„Zu Pflaumpfingsten, wenn die Äpfel reif sind ... Aber jetzt
gehn wir erst mal runter. Der Pfarrer wird uns bestimmt schon
vermissen."

„Daraus machst du dir auch gerade viel!" sagte der Junge spöttisch.

Doch Flierefluiter war schon durch die Falltür verschwunden
und stolperte die düstere Treppe hinunter.

Plötzlich war es beängstigend still und einsam in der Glockenstube, und hastig stieg auch Merijntje in die Finsternis der Trep-
penluke. Ein Schauder lief ihm über den Rücken ... noch immer
fühlte er sich im Dunkeln nicht ganz behaglich.

2

Als Merijntje in den Garten kam, traf er Nele, die am Vogelhaus
stand; die Voliere war fertig und wartete nur noch auf den letzten
Farbenschmuck. Bewundernd betrachtete sie den hellblau gestrichenen Käfig mit den weißen Laubmotiven, dessen Stäbe noch rot
abgesetzt werden sollten. Über das Türchen des dreieckigen Giebels hatte Merijntje einen Vogel gemalt, der einen Goldfasan dar-
stellte. Er hatte ihn nach einem Bild kopiert und viel Mühe damit
gehabt, aber nun prangte er im Schmuck seiner leuchtenden Regenbogenfarben. Ein gestrenger Kunstkritikus hätte gewiß begründete
Einwände erheben können – doch hier war jedermann entzückt;
die Knirpse vom Religionsunterricht, die vom Pfarrer im Garten
mit Erd- und Himbeeren abgefüttert worden waren, hatten mit
offenem Mund dagestanden und vor Staunen keine Worte gefunden – so zauberhaft schön fanden sie diesen Märchenvogel.

Nele schlug die Hände zusammen und bewunderte Merijntjes
Werk aus Herzensgrund.

„Nein, so etwas!" rief sie. „Wie hast du das nur fertiggebracht?
Das ist ja ein richtiges Gemälde!"

Der Junge lachte verlegen und wurde rot. „Ach", sagte er bescheiden, „das ging ganz von allein." Doch gleichzeitig blickte er
zu dem Goldfasan empor, und seine Augen leuchteten: er war sehr
zufrieden damit.

In die Stille, die nun folgte, erklang von der Dorfstraße das Getrappel rasch vorbeiklappernder Holzschuhe, und eine schrille Jun-
genstimme rief:

„Das Karussellschiff! Das Karussellschiff kommt!"

„Ha!" sagte Merijntje und ließ den Pinsel sinken. „Hast du gehört? Das Karussellschiff kommt... Sonntag ist Kirmes!"

Nele lächelte.

„Freust du dich darauf? In der großen Stadt hast du doch bestimmt andere Sachen erlebt als so ein dummes Bauernfest."

„Das schon", nickte der Junge.

Er fühlte sich geschmeichelt. Oh, er hatte eine ganze Menge von der Welt gesehen, wovon die Leute hier im Dorf nicht einmal träumten. Doch die kleine Eitelkeit versank sofort wieder, und mit frohem Lachen sagte er:

„Aber das ist doch ganz was anderes, Nele... so viel Spaß wie hier bei der Kirmes hast du in der Stadt nie."

Nele lachte und zuckte ungläubig die Schultern.

„In jedem Fall gibt's am Sonntag Kirmesessen", versprach sie, „Reisbrei mit Korinthen."

„Brrr!" Merijntje schüttelte sich in heftigem Abscheu. „Das mag ich aber gar nicht!"

„Reisbrei mit Korinthen magst du nicht?" staunte Nele. „Junge, das ist doch eine fürstliche Mahlzeit!"

„Möglich. Aber ich krieg's nicht runter, gewiß und wahrhaftig nicht!" klagte der Junge. „Meine Großmutter hat früher immer gesagt, ich muß vom Teufel besessen sein, wenn ich Reisbrei mit Korinthen nicht mag, im Himmel äßen ihn die Engelchen und die seligen Seelen alle Tage. Das hat mir den ganzen Himmel verleidet, denn dauernd Reisbrei mit Korinthen... Nein, dann wollte ich lieber gar nicht erst hin. Aber dann erschrak ich immer sehr, weil ich gewagt hatte, so etwas auch nur zu denken. Später hat man mir erzählt, daß es im Himmel Nektar und Ambrosia gibt. Ich bin froh, daß ich nicht genau weiß, was das ist, aber ich hoffe, es schmeckt besser als Reisbrei mit Korinthen. Was meinst du, Nele?"

Nele gab keine Antwort darauf. Sie lachte nur und fragte:

„Was möchtest du denn im Himmel am liebsten essen?"

Ohne sich zu besinnen, rief er begeistert:

„Alle Tage Schweinskarbonade mit jungen Kartoffeln und grünem Salat! Und danach vielleicht einen kleinen Pudding, so wie du ihn neulich gemacht hast. Dazu ein gutes Glas Bier und hinterher eine Schale Kaffee mit einer schönen Zigarre!"

„Na, danke!" lachte Nele. „Du wirst ein teurer Kostgänger für unseren lieben Herrgott, Merijntje. Hoffentlich haben sie dort überhaupt so viele Noten in ihrem Gesang!"

„Was macht das dem lieben Gott denn aus!" rief Merijntje übermütig. „Er braucht es doch nur zu erschaffen! Wenn er sagt, das und das soll da sein, dann ist es auch da!"

Nele schüttelte den Kopf. Das Lachen verschwand von ihrem Gesicht, und ein wenig bestürzt sagte sie:

„Du darfst aber nicht spotten, Merijntje, das weißt du doch!"
Dann drehte sie sich um und ging in die Küche.

Der Junge blickte ihr lächelnd nach. Sie war doch nicht etwa
böse? Nein, Nele war nicht böse. Sie war eine liebe Nele. Man
war fast versucht, „Mutter" zu ihr zu sagen. Mutter Nele ... Doch
sie war keine Mutter. Schade. Schade? Warum denn schade? Weil
Flierefluiter das unlängst gesagt hatte? Der schwatzte soviel, was
in dem Moment, da man es hörte, ganz plausibel klang, aber ein
anderes Gesicht bekam, wenn man später in Ruhe darüber nach-
sann: da ließ sich mitunter kein Strick dran knüpfen!

Du darfst nicht spotten, hatte sie gesagt. Hatte er denn gespottet? Wieso eigentlich? Wenn Gott, der Schöpfer Himmels und der
Erde, das Licht und das Firmament aus dem Nichts erschaffen
konnte, dann war es doch ganz und gar nichts Besonderes, auch
mit einer guten Mahlzeit aufzuwarten ... Wieso war das Spotten?
Vielleicht weil es so klein und irdisch war?

Nachdenklich zog er den langen, schmalen Pinsel mit der leuchtend roten Farbe an den Stäben entlang. Seine Gedanken durch-
irrten die wundersame Schöpfungsgeschichte, das unfaßbare Mysterium vom Werden der Welt aus dem Nichts. Alles hatte Gott
aus dem Nichts geschaffen ... Alles, ja ... Nur den Menschen
nicht! Wieder ruhte der Pinsel. Den Menschen hatte Gott aus
Erde gemacht und ihm durch seinen Odem das Leben gegeben ...
So stand es in der Schöpfungsgeschichte ... Warum hatte Gott den
Menschen nicht auch aus dem Nichts gezeugt? Das mußte er doch
gelegentlich den Pfarrer fragen!

Dann wurde seine Aufmerksamkeit wieder durch das Rennen
und Schreien der Kinder auf der Straße abgelenkt. Sie riefen sich
gegenseitig die Nachricht von dem Karussellschiff zu. In fliegen-
der Eile liefen sie zum Hafen, um ja als erste dazusein und vielleicht das scheußlich grinsende Maul eines hölzernen Löwen unter
einer Segeltuchplane hervorlauern zu sehen – mit klopfendem
Herzen! In der Nacht würden sie dann davon träumen ... Merijntje wußte das noch genau von früher. Es schien, als sei das
alles lange her, aber dann wiederum hatte er das Gefühl, als wäre
es erst gestern gewesen. Er spürte, wie die Erregung in ihm aufstieg, die gleiche Erregung, die die schreienden und jauchzenden
Kinder zum Hafen trieb. Am liebsten hätte er die Arbeit hingeworfen, um sich ebenfalls das Karussellschiff anzuschauen.

Tiefer im Garten hörte er den Pfarrer laut lachen. Bestimmt
hatte Flierefluiter wieder irgendwelchen Unsinn geredet. Die beiden deckten gerade den Rand des Teiches mit Rasensoden ein. Es
war ein hübscher Teich geworden, in dem bereits zwanzig fette
Goldfische herumschwammen. An den Ufern stand hier und da
ein Büschel Schilf, Binsen oder gelbe Lilien. Wie schön würde das
alles in ein paar Jahren aussehen!

Die Stimmen der beiden klangen nun lauter, voller Streitlust gegeneinander an. Sie benehmen sich wahrhaftig wie die Kinder! dachte Merijntje. Nur gut, daß die Gemeindeglieder nichts davon hören! Es würde der Ehrfurcht vor dem Herrn Pfarrer kaum zugute kommen. Merijntje mußte im stillen lachen, als er an die Kraftausdrücke des Pfarrers und das scheinheilig empörte Gesicht Flierefluiters dachte, mit dem er den Geistlichen stets voller Entrüstung ob seiner unziemlichen Redeweise tadelte ... Worüber mochten sie sich nur streiten? Eigentlich könnte er mal hinübergehen und sehen, was los war; die paar Streifen würde er auch später noch fertigkriegen. Außerdem war es ohnedies Zeit, mit der Arbeit Schluß zu machen.

Gemächlich schlenderte er in die Richtung, aus der die lärmenden Stimmen kamen. Er hörte gerade, wie der Pfarrer laut und warnend rief:

„Nimm dich in acht, du alter Taugenichts, du!"

Flierefluiter, der, einen Grassoden in der Hand, dem Teich den Rücken kehrte, machte ein entrüstetes Gesicht.

„Verdammt schade, Mann, daß Ihr ein Pfarrer seid!" sagte er erbost.

„Warum?" lachte der Pfarrer kampflustig.

„Sonst würde ich Euch den großen Mund mit einem Grasbüschel stopfen."

„Wirklich?" Der Pfarrer grinste, während er rasch einen Soden von der Erde aufhob. „Probier's doch mal, Bürschchen, aber beeil dich, sonst werfe ich zuerst!"

Es ging so blitzschnell, daß Merijntje den Bewegungen kaum zu folgen vermochte. Flierefluiters Geschoß flog dich an der Schulter des Pfarrers vorbei und landete im Rhododendronbusch, doch der Pfarrer hatte besser gezielt: der schwere Rasensoden traf Flierefluiter genau vor die Brust, so daß er, die Arme in der Luft, nach hinten taumelte und der Länge nach in den Teich fiel. Merijntjes Schreckensruf ging in dem schallenden Gelächter des Pfarrers unter, als Flierefluiter gleich darauf wie ein begossener Pudel mit dem Kopf aus dem Wasser tauchte. Prustend und wütig spuckend arbeitete er sich empor, stieß gurgelnde Flüche aus, die sicher nicht von christlicher Nächstenliebe sprachen, und watete dann mit stapfenden Schritten ans Ufer.

Der Pfarrer hatte sich ins Gras gesetzt und preßte die Hände gegen den schutternden Leib. Merijntje lehnte seitlich an einem Baumstamm, den er mit seinem Arm umklammert hielt, und schluchzte vor Lachen. Aufgeschreckt durch das Geschrei und Geplätscher kam Nele aus dem Haus gerannt. Als sie das wütende Gesicht des tropfnassen, ans Ufer krauchenden Flierefluiter sah, brach auch sie in herzhaftes Lachen aus und konnte sich gar nicht beruhigen.

„Jetzt stehn sie da, kichern und halten Maulaffen feil!" tobte der empörte Flierefluiter. „Das sind mir schöne Christen! Da kann man glatt ersaufen – und sie lachen immer noch!"

„Bist du ins Wasser gefallen?" fragte Nele, ganz erschöpft, mit feuerrotem Kopf.

„Nein!" schnauzte Flierefluiter. „Dein lieber Pastor, der hat mich reingeworfen... Das ist ein sauberer Hirte! Ein feiner Geistlicher ist das! Zum Henker mit ihm!"

Seine zornige Anklage hatte eine ganz und gar entgegengesetzte Wirkung – die drei Zuschauer begannen nur noch ungehemmter zu lachen. Sie wischten sich die Tränen von den Wangen.

Grimmig verwünschte der Unglücksrabe sein Publikum: „Schert euch zum Teufel, alle miteinander!"

Dann lief er mit großen Schritten davon, eine breite Wasserspur hinter seinen triefenden Schuhen zurücklassend.

Nele trocknete sich mit dem Schürzenzipfel die tränenden Augen und stammelte, schwer nach Luft schnappend:

„Es ist doch eine Sünde, so einen armen Tropf... Habt Ihr ihn wirklich in den Teich geworfen, Herr Pfarrer?"

Der Pfarrer nickte und brachte nur mühsam hervor:

„Mit Hilfe eines Rasensodens. Es war ein Volltreffer!"

Und er begann wieder still vor sich hin zu lachen.

Merijntje rieb seinen Hinterkopf, wo er einen krampfartigen Schmerz verspürte.

„O je, o je!" seufzte er. „Man lacht sich ja in sein eigenes Unglück! Das Gesicht, als er aus dem Wasser kam, werd ich mein Lebtag nicht vergessen!"

Der Pfarrer stand auf und klopfte sich Gras und Erde von der Kniehose. Er grinste in redlichem Nachvergnügen und sagte:

„So, das wird den Schuft lehren, ein bißchen mehr Achtung vor dem geistlichen Stand zu haben!"

Merijntje zweifelte stark, ob der Pfarrer wohl die rechte Art gefunden hatte, seinem Freund Ehrfurcht vor dem heiligen Amt einzuflößen; aber er sagte nichts, lachte nur einmal kurz auf und wurde plötzlich recht kleinlaut bei dem Überdenken des Vorfalls: dieser Pfarrer hier sprach so salopp und befremdlich über den Priesterstand – fast wie Spott klang es; das konnte man doch unmöglich gelten lassen...

Als sie das Haus erreichten, fand Nele ihre Küche verschlossen. Flierefluiters Stimme dröhnte gewaltig, als sie gegen die Tür trommelte:

„Bleibt getrost draußen, ihr schandbaren Frömmler! Ich steh hier in meiner ganzen Pracht, so wie Gott mich geschaffen hat. Schickt mir Merijntje mit trockener Wäsche, aber hurtig, sonst lauf ich so über die Straße und laß mir ein Schnäpschen reichen!"

Die drei im Hausflur lachten. Darauf brüllte er:

„Banditen! Räubergesindel! Ich ermorde euch!"

Doch sein wüstes Geschrei machte geringen Eindruck, und Merijntje schaffte kaum die Treppe zum Boden hinauf, so mußte er über die Erregung seines Freundes lachen, der es nicht gewohnt war, Niederlagen zu erleiden, und nun so kläglich gegen den Herrn Pfarrer den kürzeren gezogen hatte.

Später am Tisch zeigte Flierefluiter ein finsteres Gesicht. Mürrisch schaute er ab und an unter seinen gerunzelten Augenbrauen hervor zum Pfarrer hin, der gleichgültig mit dem Messer spielte und jedesmal verstohlen lachte, wenn er den drohenden Blicken seines Opfers begegnete. Nele brachte eine zugedeckte Schüssel herein und stellte sie lächelnd auf den Tisch.

„Etwas ganz Besonderes auf den Schreck", verhieß sie mit einem kaum merklichen Nicken gegen Flierefluiter.

Sie hob rasch den Deckel. Würziger Duft stieg von einer großen, appetitlich braungebratenen Wurst in ihre Nasenlöcher.

„Mmm!" sagte Merijntje, und Pfarrer Ramakers rieb sich die Hände: sein Lieblingsgericht.

Flierefluiter sah ihn erstaunt an, zuckte die Schultern; unversehens zerrte er sich mit seinem Messer die Wurst auf den Teller.

„Wer hat denn hier einen Schreck gekriegt?" fragte er herausfordernd. „Ihr vielleicht, Herr Pfarrer? Die Portion ist für den Ertrunkenen. Basta!"

Hastig schnitt er die Wurst in Stücke und begann davon zu essen, die Arme schützend um den Teller gelegt, Messer und Gabel mit den Spitzen drohend nach oben gerichtet.

Der Pfarrer schaute verdutzt drein, und Merijntje spürte verdrießlich, wie ihm das Wasser im Mund zusammenlief.

„Gierfraß!" schimpfte er enttäuscht.

„Schiel nur tüchtig!" antwortete Flierefluiter mit vollem Mund und schob sich noch eine dicke Scheibe Wurst ein. „Davon wirst du auch nicht satt!"

„Erstick bloß nicht dran!" warnte der Pfarrer.

Flierefluiter grinste flau, hob die Schultern und schlug die Augen genießerisch zur Decke empor, um anzudeuten, wie himmlisch die Wurst schmeckte. Da pickte sich Merijntje flink ein Stück von dem fremden Teller und steckte es in den Mund. Flierefluiter vergaß vor Überraschung zu kauen und starrte mit weit aufgerissenen Augen auf den Jungen, der übertriebenes Entzücken zur Schau trug. Worauf auch der Pfarrer die Gelegenheit beim Schopf ergriff und ein Wurststückchen stibitzte. Flierefluiter breitete die Hände über seinen geplünderten Teller und stimmte ein markerschütterndes Gezeter an.

Nele lachte schallend.

„Eine hübsche Truppe seid ihr – Lausebengel durch die Bank!" rief sie und verließ vergnügt das Zimmer.

Da mußten sich alle drei vor Lachen an der Tischkante festhalten. Flierefluiter beruhigte sich als erster und sagte übermütig:

„Was ist das Leben doch schön! He, Männer?"

Und sogleich verteilte er brüderlich die Reste der Wurst auf die drei Teller.

3

An diesem Abend herrschte lebhaftes Treiben unter den Männern am Deich. Keiner war dabei, der nicht rasch einmal am Hafen vorbeigegangen war, um einen Blick auf das Karussellschiff zu werfen. Sie hatten es zwar alle ein wenig herablassend getan, mit spöttischem Lächeln über die Aufregung der Kinder, die sich schreiend am Ufer drängten und der Kirmesvorfreude die Zügel schießen ließen. Aber dennoch war auch in diesen großen, stämmigen Burschen, die so taten, als seien sie längst darüber hinaus, etwas von der Aufregung und Vorfreude, die die Kinder so unruhig und zappelig machte. Lärmend und lachend standen sie da und redeten über alles mögliche. Doch bald gab es nur noch ein Thema: die früheren Kirmesfeste. Was hatten sie dabei alles erlebt! Tolle Saufgelage, Prügeleien, aus denen man einzig und allein als unüberwindlicher Sieger hervorgegangen war... „Wißt ihr noch, wie sie alle am Boden lagen? Denen hab ich's gegeben!" Erfolge an den Glücksbuden... „Mann, ein Treffer nach dem andern!"

Merijntje lag rücklings am Deichhang, kaute an einem Grashalm und lauschte diesen Prahlereien. Komisch ist das: jeder weiß,
daß der andere faustdick aufträgt, denn es sind immer fast alle dabei gewesen, aber keiner versalzt des andern Suppe. Heute abend
nicht . . . heute waren sie guter Laune. Und wenn sie die Geschichten auch schon auswendig kannten und genau wußten, was sie wert
sind, so hörten sie doch andächtig zu, nickten beifällig, spuckten
begeistert und bereiteten indes ihren eigenen Bericht vor für den
Fall, daß einen Augenblick Stille eintrat. „Genau wie damals auf
dem Heudeich mit diesem Schele van Bedaf, wißt ihr noch?" Und
schon kam wieder so eine gepfefferte Geschichte mit unzähligen
„Und dann sag ich" und „Und dann sagt er" und „Dann versetz
ich ihm einen Haken, daß er nicht mehr piep sagen kann . . ." Und
die anderen lauschten und nickten und lachten und arbeiteten an
ihrem Märchen, das sie gleich nachher erzählen wollten.

Wie die Lausebengel! dachte Merijntje und lachte leise vor sich
hin: Das hatte Nele vorhin auch gesagt, als Flierefluiter nach dem
unfreiwilligen Bad klitschnaß in die Küche kam. Aber sie hatte
damit auch den Pfarrer gemeint.

Lag es an dem Dorf, daß die Erwachsenen hier wie Kinder
wirkten? In Rotterdam war das ganz anders . . . Er dachte an
Flierefluiters „Luftschloß", an die Tage, die er dort verbracht hatte . . . Nein, damals war an Flierefluiter nichts von einem Kind gewesen. Aber hier war es wohl auch nicht immer so. Nur heute, weil
die Kirmes in der Luft lag, da waren alle voller Erwartung . . .
Plötzlich mußte er lachen. Er vielleicht nicht? Klar! Und wie! Er
freute sich unbändig auf die Kirmes und war genauso aufgeregt
wie alle anderen. Ein Zirkus würde kommen, zwei Luftschaukeln,
ein Zelt, in dem richtiges Theater gespielt wurde – wie in der
Stadt. Jeder wußte, daß das aus der Luft gegriffen war, Wunsch-
träume, Phantastereien von Narren, aber alle redeten darüber, besprachen jede Einzelheit, immer mit dem Hintergedanken: Vielleicht . . . vielleicht geschieht es ja doch! Und die Schuljungen fuhren wütend aufeinander los, wenn einer es wagte, die Illusion des
anderen zu zerstören . . . Doch was auch kommen mochte, Sonntag
war Kirmes, und gleich nach dem Hochamt würden die Buden
offen sein, die Karussells, und nach der Vesperandacht begannen
Musik und Tanz; bis zehn Uhr durften die Wirtshäuser offenblei-
ben, und der Polizist achtete an diesem Abend nicht auf ein Vier-
telstündchen.

Merijntje hatte sich mit Dikkop und Neus Bosters, zwei alten
Schulkameraden, verabredet; sie wollten zu dritt feiern. Die beiden hatten Mädchen, mit denen sie schon früher zur Kirmes gegangen waren. Er solle sich nur auch eins suchen, hatten sie gesagt,
denn ohne Mädchen mache die ganze Sache keinen Spaß. Bei diesem Gedanken lachte er leise vor sich hin. Wer würde das sein?

Blosekriekske – seine „Pfirsichblüte"? Janske de Booi? Oder das blonde Mädchen von dem Bauernhof? Er wußte nicht einmal ihren Namen und hatte sie nie wieder gesehen, aber erkennen würde er sie sicher . . . „Du bist ein lieber Junge", hatte sie zu ihm gesagt . . . Kirmes mit einem Mädchen – damit bewies man doch wohl überzeugend, daß man erwachsen war. Nur schade, daß man bisweilen durchaus noch unter solch kindlichen Ängsten und Anwandlungen zu leiden hatte . . . Freilich, nach außen hin gab man sich als ganzer Kerl; aber es war noch keine drei Wochen her, daß er heimlich nach seiner Mutter gewimmert hatte – an jenem Abend im Bett, als der Pfarrer Gedichte vorgelesen und zusammen mit Fliefluiter so beängstigend rätselhaft über den Tod gesprochen hatte, den guten Tod . . . Er würde alles drum geben, wenn er den Mut aufbrächte, einmal die anderen großen Jungen zu fragen, ob sie auch soviel Kummer mit sich selbst hätten . . . Aber natürlich fiele es keinem von ihnen im Traume ein, ein Wort darüber zu verlieren – genauso, wie er es anderen gegenüber eben auch nicht tat . . .

Um ihn her lärmte grobes Lachen. Worüber hatten sie gesprochen? Er hatte nicht mehr zugehört . . . Ach so, Pinneke Testers war das. Dieser alte Aufschneider! Der änderte sich auch nicht – der blieb wohl ewig ein Kindskopf! Sie erzählten von Pfarrer van Gils. O ja, er kannte die Geschichte so ungefähr . . . Großmutter und Tante Jans hatten ellenlange Briefe darüber geschrieben . . . Der Pfarrer war gegen die Kirmes gewesen, und er hatte den Bürgermeister überredet, die Polizeistunde auf abends acht Uhr festzulegen. Danach keine Musik mehr, kein Tanz, kein Ausschank, kein Fest . . . Die Menschen hatten ja einen Heidenrespekt vor Pfarrer van Gils, aber da waren sie dann doch aufsässig geworden. Was? So sollte ihnen ihre Kirmesfreude versalzen werden? Zwischen Fastnacht und Schlachtzeit das einzige Fest? Das durfte man nicht hinnehmen! Erst hatten sie höflich angefragt, ob sich diese Entscheidung nicht rückgängig machen ließe, aber der Herr Pfarrer hatte sie barsch von der Tür geschnauzt. Da waren sie wütend geworden und hatten tüchtig einen zur Brust genommen. Maulend hatten sie beisammengesessen und einander aufgestachelt und gewaltige Drohreden über dem Haupte von Pfarrer van Gils losgelassen. Auf den Bürgermeister waren sie nicht allzu böse gewesen – der war schließlich nur ein Strohmann. Doch der Pfarrer – der hatte das durchgedrückt! Und an jenem Abend, drei Tage vor dem Vergnügen, hatten sie mit ihren trunkenen, rachelüsternen Köpfen plitz-platz einen Überfall auf das Pfarrhaus veranstaltet. Mit Klinkersteinen hatten sie die Fenster zur Straßenseite eingeworfen, die Tür halb aus den Angeln gerissen; und einer hatte sogar sein Messer tief in den Türrahmen gestoßen und dort stecken lassen . . . vielleicht hatte er es nicht mehr herausziehen können – aber es sah doch nach einer verteufelt gefährlichen Botschaft aus.

Der Pfarrer hatte sich nicht blicken lassen. Der Dorfpolizist ohnehin nicht. Aber die Frauen waren schreiend herzugelaufen und hatten ihre tollgewordenen Männer nach Hause geschleift. Und sie hatten sich tatsächlich schleifen lassen, fluchend und drohend zwar und unter Protest, um nicht ihr Gesicht zu verlieren, aber im Herzen wahrscheinlich froh, dem Schauplatz ihrer Schandtaten so rasch den Rücken wenden zu können. Doch der Aufruhr hatte Erfolg gehabt: am nächsten Morgen gab der Ausrufer bekannt, daß alles so vonstatten gehen werde wie immer. Nicht einmal nach den Anstiftern des Unfugs wurde gefragt, keine Untersuchung eingeleitet. Der Pfarrer hatte am Sonntag über die Pflicht des Christen gepredigt, seinen Schuldigern zu vergeben und die Rache Gott anheimzustellen. Sie hatten ein wenig darüber geschmunzelt, die zufriedengestellten Aufrührer. Sie hatten die pure Angst herausgehört hinter den salbungsvollen Worten, und die Verwegensten unter ihnen bedauerten, dem Herrn Pfarrer nicht eine gehörige Tracht Prügel verabreicht zu haben an jenem Abend: die Gelegenheit wäre wohl günstig gewesen, uralte Rechnungen zu begleichen! Eine schändliche Sprache leichtfertiger Rabauken, angesichts derer des Herrn Pfarrers Langmut völlig für die Katz war ... Doch die Kirmes ward so ausgelassen gefeiert wie nie zuvor, und Pinneke Testers hatte ein besonderes Liedchen fabriziert, das noch sehr lange gesungen wurde und eine der Ursachen dafür war, daß Pfarrer van Gils' harte Autorität nie wieder ganz aufgerichtet wurde.

Es war eigentlich eine skandalöse Geschichte gewesen, fand Merijntje, aber die Männer sprachen darüber mit begeisterten Worten wie über ein ungewöhnlich festliches Ereignis. Klatschend schlugen sie sich mit der flachen Hand auf die Schenkel und fluchten aufgeregt bei der Erinnerung. Schamlos bekannten sie ihren Anteil an der Gewalttat, und jeder wollte alle Scheiben eigenhändig und ganz allein eingeworfen haben. Sie hielten ihr Werk offenbar für höchst verdienstvoll ... Wenn das nicht große, alberne Kindsköpfe waren! Und er selbst? In seinem Innern genoß auch er die wilde Empörung ... Doch das lag vielleicht daran, daß er nach wie vor mit Widerwillen, ja mit Haß beinahe, an Pfarrer van Gils dachte ... Für ihn blieb er ein Menschenquäler, und so gönnte er ihm seine Niederlage von Herzen.

Plötzlich langweilte ihn das prahlerische Geschwätz, und er stand auf.

„Gehst du schon, Merijntje?"

„Ja", erwiderte er träge.

„Zeit für Kinder, ins Bett zu kommen", sagte eine Stimme aus dem Dunkel, und der dürftige Scherz wurde pflichtschuldigst belacht.

„Gute Nacht, zusammen!" grüßte der Junge und schritt zwischen den sitzenden Männern hindurch auf den Rücken des Deiches.

Einen Augenblick verspürte er eine kindische, grenzenlose Wut gegen die blöden Kerle, als hätten sie ihn mit ihrer faden Bemerkung und ihrem Lachen schwer beleidigt. Doch das Gefühl verging gleich wieder, und lächelnd lief er an der anderen Seite den Deich hinab. Wie kam es, daß er plötzlich so reizbar war?

Langsam sank die Nacht. Nach Osten zu wurde der Himmel farblos, und ein leuchtender Stern ging funkelnd über den dunklen Bäumen an der anderen Seite des Hafens auf. Im Westen hing noch der grünlich goldene Glanz des Sonnenuntergangs, und davor stand alles pechschwarz und scharf umrissen: die kleinen Häuser, die Knicks an den Äckern entlang, die hohen Pappeln an der fernen Schleuse. Alles schien ganz nah, als könne man es mit der Hand greifen. Ziellos schlenderte Merijntje ein Stück vom Dorf weg und setzte sich auf einen Zaun, der sich quer über den Deich zog. Still war es hier und doch voller Laute. Sogar das Reden der Männer drang als unbestimmtes Gemurmel herüber. Auf der Dorfstraße schlug ein Junge einen eisernen Reifen über die Pflastersteine. Im Gras zirpten die Grillen, monoton und heftig, als würde immerzu ein kleiner rostiger Riegel hin und her geschoben. In der Ferne auf dem Strom heulte dunkel und schwermütig ein Dampfer. Hunde kläfften, bald hier, bald da; ein aufgeregter Hahn krähte herausfordernd, und ein anderer antwortete. Vom Watt ertönte der zarte Ruf eines Brachvogels. Summend flog ein Nachtkäfer um Merijntjes Kopf. Laute genug. Und trotzdem saß er wie in einem Gewölbe von Stille, einer Stille, die weich war wie Samt. Ein unsinniger Gedanke: Wie konnte Stille weich sein wie Samt?

Rasch verglomm die letzte Glut am westlichen Horizont. Immer mehr Sterne funkelten am Himmel. Nur der Mond war noch hinter den Wolken, und das Dunkel legte sich wie eine Decke über den Jungen. Endlos weit schien er nun von allem entfernt, verloren in der Einsamkeit von Nacht und Stille. In diese Einsamkeit schlich sich eine unbestimmte Trauer. Tief in ihm sang ein klagender Ton, und er begriff ihn nicht. Warum? Er versuchte, an die Kirmes zu denken. Aber es kam nicht mehr dabei heraus als ein bißchen johlender Spaß und betrunkenes Geschrei ... Warum war er so allein? Es nutzte nichts, an Fliefluiter, an den Pfarrer, an zu Haus zu denken ... Es gab so viele Dinge, über die man mit niemand reden konnte, und wenn man ihn auch noch so liebte. Wenn man nur damit anfing, sahen sie einen so befremdet an, und manchmal lachten sie sogar darüber ... „Du bist ein lieber Junge, weißt du das?" hatte das Mädchen auf dem Bauernhof zu ihm gesagt. Und ihre Augen hatten nicht gelacht. Sie waren ernst gewesen, seltsam andächtig und gut. Diesem Mädchen würde er vielleicht alles sagen können, und sie würde alles verstehen ... Aber er kannte sie ja nicht, wußte nicht einmal ihren Namen, wußte auch nicht mehr, auf welchem Anwesen er ihr begegnet war.

Und wenn er dies alles nun wüßte, wenn sie jetzt neben ihm säße – was würde er ihr denn erzählen? Natürlich gar nichts! Was gab es schon zu erzählen? Oder doch? Vielleicht würde er sie fragen, ob sie das auch kenne, diese Traurigkeit, die einen jäh überfiel und deren Ursache man nicht wußte. Genauso wie jetzt ... Mitten in der kribbligen Vorfreude auf den bevorstehenden Kirmessonntag hatte sie ihn heimgesucht. Unsinnig war es, das wußte er recht gut; auch wußte er, daß sie morgen früh schon wie fortgeblasen wäre und er dann voller Verwunderung nur lächeln würde darüber ... Warum vermochte man einer solchen Anwandlung nicht zu widerstehen, warum konnte man sie nicht einfach verdrängen? Ganz von ferne tauchte eine Erinnerung auf: sein „Liebfrauchen", Mevrouw Walter ... sie war fortgegangen und nie mehr zurückgekommen ... „Weil es doch keinen einzigen Menschen gibt, der mich wirklich liebhat", hatte sie gesagt. Und dabei stimmte das nicht einmal! Denn Merijntje hatte sie damals über die Maßen gern gehabt. Und Mijnheer Walter auch. Aber sie sagte, ihr genüge das nicht. Sie wollte etwas anderes. Doch was? Das blieb ein Rätsel – ihr war traurig ums Herz gewesen, und sie hatte ein unzufriedenes Gesicht bekommen, und sie war gegangen ... Vielleicht begriff er es nun doch ein wenig. Auch er hatte Menschen genug, die ihn mochten – aber ihm genügte das nicht. Und er konnte sich auch nicht erklären, warum das so war. Er wußte nur: so oder so blieb man allein. Und ob man sich auch noch so energisch klarmachte, daß man verrückt war – es nützte nichts. Auf einmal überfiel einen wieder dieses wehmütige Gefühl, jener nagende Kummer des Alleinseins, und mit niemandem konnte man darüber sprechen, vor niemandem konnte man seine Nöte ausbreiten ... man mußte eben warten, bis es verging – warten, bis man wieder darüber lachen konnte, denn es war natürlich alles reine Dummheit.

Mit tiefem Seufzer sprang er von dem niedrigen Zaun hinunter. Doch gleich darauf schüttelte er den Kopf über sich selber. Er kam sich vor wie ein altes Jammerweib. Was in aller Welt hatte er denn zu klagen? Ihm fehlte doch nichts. Sein Bett war aufgeschlagen und wartete auf ihn. In der Pfarrei führte er ein Leben wie Gott in Frankreich, und in Flierefluiter hatte er einen Freund, der immer dafür sorgte, daß sie das Lachen nicht verlernten. Aber dennoch wollte die trübe Weise in ihm nicht schweigen, so forsch und entschlossen er auch Fuß vor Fuß setzte, um die bedrückende Einsamkeit und Stille der Nacht mit seinen hallenden Schritten zu übertönen ...

Am Deich saß niemand mehr. Der aufgehende Mond warf sein bleiches Licht über das Dorf. Aus dem Fenster von Birres' Wirtschaft drang der Schein einer Petroleumlampe. Dort saßen gewiß noch ein paar, die nicht nach Hause finden konnten, bei den Karten. In allen anderen Häusern war es finster. Die Leute gingen früh schlafen. Sie standen morgens um fünf schon auf dem Feld.

Er schritt durch den dunklen Gang neben der Pfarrei. Nele ließ immer die Hintertür offen, dann konnten sie jederzeit herein, wenn sie früher zu Bett gegangen war. Achtlos schob er die Gartenpforte auf und blieb stocksteif stehen. Im Mondlicht, das wie ein bläulicher Nebel über dem Garten hing, sah er am Nußbaum eine hohe, breite Männergestalt, die ihm den Rücken wandte. Dicht neben ihm ging eine Frau, die niemand anders sein konnte als Nele. Mit einer schützenden Gebärde hatte der Mann seinen Arm um ihre Schulter gelegt.

Hastig, doch behutsam zog der Junge die Gartenpforte wieder zu und trat zurück in den dunklen Gang. Sein Herz klopfte heftig, und Schweiß brannte unter seinen Haaren. Auf Zehenspitzen schlich er bis zur Straße und ging auf die Gastwirtschaft von Birres zu. Er hörte Stimmen und lautes Lachen ...

Flierefluiter war da.

Als er eintrat, blickten die drei Männer an dem runden Tisch unter der Lampe auf: der Wirt, Flierefluiter und der Dorfpolizist. Der letztere schwankte auf seinem Stuhl, als er sich zur Tür wandte.

„Hui!" sagte er mit schwerfälliger Zunge. „Hinaus, du ... gleich ist Schluß hier!"

Merijntje zwang sich, mit den anderen mitzulachen. Gleichmütig sagte er:

„Immer ruhig! Solange du selber vor dem Schnapsglas sitzt, hast du nichts zu vermelden. Gib mir 'n kleines Dunkles, Wirt!"

Lachend holte Birres den Bierkrug und schenkte Merijntje ein Glas ein. Der Polizist sah mit bekümmertem Gesicht zu und schüttelte den Kopf.

„Viel Gutes hast du dort in der Stadt nicht gelernt!" lallte er.

Der Junge trank einen großen Schluck aus dem Glas und schaute herausfordernd in das rote Gesicht des Gendarmen.

„Mehr als du aber doch!" gab er frech zurück. „In Rotterdam sitzen deine Amtsgenossen nach der Polizeistunde nicht mehr in der Kneipe ..."

„Peng!" schrie Flierefluiter. „Mitten ins Schwarze!"

Aber der Gendarm fühlte sich nicht geschlagen. Er zuckte die Schultern, trank seinen Schnaps aus und wischte sich mit dem Handrücken den weißen Walroßbart. Darauf sagte er mit grenzenloser Verachtung:

„Polizisten in der Stadt ... Verdammt noch mal, das sind doch keine Männer! Das sind Gamaschenknöpfe – die verstehen keinen Unterschied zu machen... Das sind sozusagen überhaupt keine Menschen."

Nun zuckte Merijntje seinerseits die Schultern, trank sein Glas aus und goß es wieder voll. Flierefluiter schaute ihn an: der Junge hatte etwas. Aber fragen wollte er nicht. Wenn er nicht mehr ein noch aus wußte, würde er wohl von selber anfangen. Lächelnd überlegte er, welche Last an Seelennot dieser wunderliche Knabe schon zu ihm geschleppt hatte. Er hatte zuviel Gewissen. Viel zuviel Gewissen und Skrupel. Immer noch. Dieser Prachtjunge! Dieser arme Tropf! Wie konnte man ihm das nur austreiben? Wahrscheinlich gar nicht. Das steckte in seiner Natur, im Kern seines Wesens...

Der Polizist erzählte gerade etwas von einem gefährlichen Wilderer. „Wie früher der Kruik", sagte er, „genauso. Alle Feldhüter sind hinter ihm her."

„Nimm du ihn doch mal aufs Korn!" riet Flierefluiter. „Das gäb einen schönen Abschluß für dein Leben als Gendarm."

Erschrocken schoß der Hüter des Gesetzes hinter dem Tisch hoch.

„Ich?" rief er mit weit aufgerissenen Augen. „Bist du denn toll, Mann? Ich sterbe lieber im Bett, verstehst du? Was kümmern mich die Hasen und die Kaninchen und die Fasanen? Von mir aus soll er sie alle abknallen!"

„Habt ihr das gehört?" rief Flierefluiter und heuchelte tiefste Entrüstung. „Das kannst du doch gar nicht verantworten! Bist du nun Gendarm oder nicht? Mann, wie kannst du dich nur mit solchem Gerede versündigen!"

Der Polizist wurde böse. Er zog sich den Uniformrock glatt und sagte mit einem prachtvollen Versuch zur Würde:

„Wir von der Obrigkeit, wir bestimmen selber, was unsere Pflicht ist. Merk dir das, Mann!"

„Und du merk dir, daß es deine Pflicht ist, den Wilderern auf den Fersen zu bleiben!" entgegnete Flierefluiter starrköpfig. „Wie können wir anständigen Menschen uns sonst sicher fühlen, wenn ihr uns nicht vor den Verbrechern beschützt?"

„Und wenn mich so 'n Lump über den Haufen knallt?"

„Nun ja, das gehört doch zu deinem Beruf! Außerdem, so schlimm ist das nicht, wenn ab und zu einer von eurer Sorte totgeschossen wird! Es bleiben immer noch genug davon übrig!"

„Ja, Gottverdammich noch mal!" fluchte der Polizist, stotternd vor Wut. „Du willst also, daß ich... daß ich mich in aller Gemütsruhe zusammenschießen lasse?"

„Meinetwegen auch ohne Gemütsruhe", sagte Flierefluiter gleichgültig. „Von mir aus kannst du dabei soviel Lärm machen, wie du willst. Aber totgeschossen mußt du werden, das ist dein Handwerk. Und wenn du dich dem entziehst, dann taugst du eben nichts!"

„Ich ... ich ... tauge nichts?"

„Ein Angsthase bist du!"

„Das laß ich mir nicht sagen, daß du's nur weißt!"

Das Gesicht des Polizisten war blaurot, und seine trüben Augen traten weit aus den Höhlen. Er stammelte unverständliche Flüche und Drohungen.

Gleich trifft ihn der Schlag! dachte Merijntje.

Der Wirt lachte dröhnend und versetzte dem wütenden Ordnungshüter einen Stoß.

„Laß dich doch nicht zum Narren halten, Mann!" rief er. „Der meint es ja gar nicht so."

„Und ob ich das so meine!" erwiderte der mit todernstem Gesicht.

Verzweifelt stampfte der Polizist mit dem Fuß auf den Boden.

„Siehst du's nun", rief er kläglich, „daß er es doch so meint?"

Nun überwältigte es auch Flierefluiter. „Ach, du alter Saufbold!" lachte er. „Wie könnte ich das denn ernst meinen? Wir sind doch Freunde, was? Trink nur noch einen Schnaps auf meine Rechnung!"

Der gekränkte Gendarm atmete erleichtert auf. Seine Würde war gerettet. Er streckte die Brust heraus, strich sich den Schnurrbart und nickte vor sich hin.

„Ja, dann ... na, dann ist's ja gut ... Aber sonst hättest du was erleben können ..."

„Das weiß ich", sagte Flierefluiter. „Du bist 'n Kerl wie 'ne Kanonenkugel ... Mit dir würde ich nicht gern aneinandergeraten."

Mißtrauisch sah der andere ihn von der Seite an.

„Hier, trink erst mal einen auf den Schreck!" sagte der Wirt und stellte ein neues Glas Schnaps vor ihn hin.

„Na ja, aber nur noch eins, Männer", stimmte er besiegt zu. „Es ist schon lange Polizeistunde. Ihr macht euch sozusagen einer Übertretung schuldig, aber für gute Freunde drücke ich schon mal ein Auge zu."

Birres und Flierefluiter lachten und hoben ihm ihre Gläser grinsend entgegen. Merijntje schüttelte den Kopf. Auch wieder solche Kindereien, dachte er. Aber er mußte trotzdem mitlachen, ob er wollte oder nicht.

Dann traten sie auf die Straße. Der Polizist ging schwankend auf sein Haus zu und schlug mit der Spitze seines Stocks Funken aus den Pflastersteinen.

Flierefluiter schaute zum Himmel. „Schöner Abend", sagte er gedehnt.

Merijntje gab keine Antwort; er hatte Angst, nach Hause zu gehen.

Als sie durch den dunklen Gang neben der Pfarrei liefen, wo der Sandboden das Geräusch ihrer Schritte verschluckte, rief Merijntje plötzlich mit lauter Stimme:

„War der Polizist besoffen, Flierefluiter?"

„Schrei nicht so!" beschwichtigte der Ältere. „Das braucht doch nicht das ganze Dorf zu hören."

Merijntje lief voraus, rüttelte an der Gartenpforte und stieß sie dann mit einem harten Schlag auf.

„Benimm dich doch anständig!" mahnte Flierefluiter abermals. „Mußt du denn das ganze Haus wachmachen? Das kommt davon, wenn solche Knirpse schon altes Braunbier trinken wollen!"

Merijntje blickte sich verstohlen im Garten um. Der Mond stand höher, und der bläuliche Schimmer hing silberhell über den Beeten und zwischen den Bäumen. Doch es war niemand zu sehen. Erleichtert atmete er auf und ging weiter zur Hintertür. Er hörte, wie Nele in der Küche mit Geschirr hantierte.

Im Zimmer saß der Pfarrer in Hemdsärmeln mit einem Buch am Tisch und rauchte eine große Meerschaumpfeife. Sein Gesicht war ruhig, und lächelnd sagte er zu den Eintretenden:

„Der Polizist war also wieder mal betrunken?"

Es klang ganz unbefangen, und seine Augen blickten freundlich unter den struppigen Brauen hervor.

Nein, dachte Merijntje, ich muß mich geirrt haben. Er war es nicht. Wie konnte ich auch nur so etwas denken! Mit einem befreiten Auflachen schaute er in das große Gesicht, das er in seinem Schuldbewußtsein mehr liebte als je.

„Wie eine Haubitze, Herr Pfarrer!" rief er eifrig und riß die Augen dabei auf, als hätte er ein großes Geheimnis verkündet.

„Wer war der große Kerl, der vorhin durch den Pfarrgarten ging?" fragte Flierefluiter.

„Neles Bruder", antwortete der Pfarrer.

Da gab Merijntje seinem Freund einen Puff in die Magengegend, daß er vor Schreck die Sprache verlor, sprang ihm unversehens ins Genick und zerrte ihn zu Boden, wo er fassungslos sitzenblieb und in die Runde starrte.

„Das ist für deine Neugierde, elender Schuft!" wieherte Merijntje. „Hat er's nicht verdient, Herr Pfarrer?"

Flierefluiter meckerte wie eine Geiß in Todesnot, und zu allem Überfluß warf ihm der Pfarrer auch noch sein Buch an den Kopf. Geschickt fing er es auf und schaute auf den Titel.

„‚Von der Nachfolge Christi'", las er entsetzt und stand auf. „Ist das aber schön! Feine, feine Leute sind das hier! Vollkommene Christen. Ich bin heilfroh, daß ich ein Heide bin. Wünsche wohl zu ruhen!"

Hastig lief er nach oben. Lachend sauste Merijntje hinterher. Eine tolle Freude jubelte in ihm, daß er von diesem wahnwitzigen

Irrtum befreit war. Vor Erregung schlug seine Stimme über, und als Flierefluiter ihn verblüfft anstarrte, fauchte er wie ein wütender Kater und schlich gebückt, die Hände wie Tatzen vorgestreckt, auf ihn los. Die Augen funkelten, die Zähne blitzten weiß zwischen den roten Lippen. Dann sprang er auf ihn zu, doch Flierefluiters lange Arme fingen ihn auf und schlossen sich wie Stahlklammern um ihn. Der Mann drückte ihn fest gegen sich und blickte ihm von ganz nahe in die strahlenden Augen.

„Was ist heute nur in dich gefahren?" lachte er verwundert. „Hast du vielleicht wieder ein Mädchen geküßt?"

„Nein, zufällig nicht."

„Warum machst du dann solche Fisimatenten, närrischer Junge?"

„Weil die ganze Welt verrückt ist!" schrie Merijntje.

Da ließ Flierefluiter ihn los und stieß ihn zurück.

„Du merkst wirklich alles!" spottete er.

Als Flierefluiter längst schlief, lag Merijntje noch wach und starrte vor sich hin. Dunkel und schwer hatte etwas auf ihm gelastet, und plötzlich war es fort . . . in Licht verwandelt. Selten war er so froh gewesen! Und dazu war in drei Tagen Kirmes . . .

Flierefluiter hatte recht: Das Leben war schön. Aber man mußte es zu genießen wissen – und nicht solch törichte Gedanken im Kopf haben!

· Zweites Kapitel ·

I

Der Kirmestrubel brach mit Lärm und Getöse über das Dorf herein. Samstagabend hatte das Karussell schon ein paar Probedrehungen gemacht, und auch die Buden waren ein Stündchen offen gewesen, aber das war nur zum Vergnügen für die Kinder. Die Erwachsenen waren lächelnd vorübergegangen und hatten kaum ein paar Cent dafür geopfert. Später hatten sie in dem warmen, klaren Sommerabend noch eine Weile bei leisem, friedlichem Gespräch vor den Türen gesessen, in heiterer Stimmung und gespannt auf den Tag, der kommen sollte.

Einige, die ihre Ungeduld nicht bezwingen konnten, hatten im Vorgeschmack auf den morgigen Sonntag schon einen Schluck in der Wirtschaft getrunken. Doch nicht zu viel, denn die Kirmesgroschen durften nicht vorher ausgegeben werden. Nur Duumpje, der Schiffer, und der Nillis vom Schmied, die immer viel Geld in der Tasche trugen, hatten sich das Bier zu gut schmecken lassen und waren mit freundlichen Worten aus dem Gasthaus herausgelotst worden, weil noch geputzt und das Billard herausgeschafft werden sollte, damit es Platz zum Tanzen gab.

Das Hochamt war aus, die Kirche leerte sich. Alle hatten sich in festlichen Staat geworfen. Die Frauen in ihren blütenweißen Falbelhauben, das Blumenkränzchen anmutig darüber, die älteren noch mit dem bunten, durchwirkten Schultertuch, die jüngeren in dunklen Mänteln, städtisch tailliert und mit Seidentresse besetzt. Die Männer in kurzen schwarzen Jacken und den wunderlich geschnittenen Hosen: um Schenkel und Knie eng anliegend und nach unten zu immer weiter werdend, bis sie sich über die Schuhe stülpten, von denen man nur die blankgeputzten Spitzen sah – das war höchster Schick.

Die Frauen gingen langsam und plaudernd nach Haus, um für den Kaffee oder die fette Kirmesmahlzeit zu sorgen, die Männer lungerten noch eine Weile vor der Kirche herum, schwatzten eifrig, steckten sich schwarze Zigarren an und freuten sich auf den steifen Schnaps, den sie sich gleich genehmigen würden, um das Fest einzuweihen. Johlend rannten die Kinder zwischen ihnen hin und her, wenigstens solange sie ihren Vätern nicht am Arm hingen und um einen Extra-Cent bettelten: gleich würde die Bude mit den Zimtstangen und den sauren Bonbons geöffnet werden und daneben die mit dem Schmalzgebackenen . . .

Die helle Sommersonne lachte strahlend am tiefblauen, unbewölkten Himmel. Das würde ein Tag werden!

Merijntje bummelte zwischen den Gruppen einher, und während er sich suchend nach seinen beiden Kameraden umsah, mit denen er Kirmes feiern wollte, lief er seiner Großmutter geradewegs in die Arme. In der Umrahmung der weißen Sonntagshaube erschien ihr Gesicht noch kleiner, brauner und zerfurchter als sonst, und ihre Hakennase sprang streitlustig zwischen den schwarz funkelnden Äuglein hervor.

Giftig sagte sie: „Na, du Rumtreiber, bist du auch wieder da? Du könntest dich ruhig mal bei mir sehen lassen, denk ich."

Verwundert blickte der Junge in ihr böses Gesicht hinunter.

„Ich wußte gar nicht, daß du so versessen darauf bist, Großmutter", entgegnete er mit leichtem Spott.

„Ach was, Familie bleibt Familie", geiferte das alte Weiblein. „Komm nur und trink dann ein Schälchen Kaffee bei mir!"

Verwirrt hatte er bereits ja gesagt, ehe er es wußte, und mit kurzem Nicken trippelte die Alte davon, das Meßbuch steif an die platte Brust gepreßt. Einen Augenblick schaute Merijntje ihr noch nach. Dann lachte er in sich hinein und drehte sich nach Dikkop um, der ihm kräftig auf die Schulter schlug. Neus Bosters gesellte sich ein Weilchen später zu ihnen. Und nun wurde endgültig die Verabredung getroffen: nachmittags um halb vier wollten sie sich in der Wirtschaft von Frau Nuiten treffen, um gemeinsam am Kirmestag herumzuschwärmen.

„Hast du schon ein Mädchen?" fragte Dikkop.

„Nein", erwiderte Merijntje gleichgültig, „noch nicht."

„Alte Schlafmütze! Hättest längst eine fragen müssen!" ereiferte sich Neus.

„Och", Merijntje zuckte die Schultern, „es gibt genug Mädchen. Ich werde schon eine aufgabeln, habt keine Sorge!"

„Nun denn!" rief Dikkop großartig. „Darauf gehen wir einen heben! Ich gebe die erste Runde... Kommt, Männer!"

„Ich muß erst noch mal zu meiner Großmutter", entschuldigte sich Merijntje.

„Was willst du denn bei der alten Hexe?" wetterte Dikkop empört. „Komm lieber mit!"

„Nein, ich hab ihr versprochen, eine Schale Kaffee bei ihr zu trinken. Geht nur – ich komme gleich nach!"

„Wenn's denn sein muß", sagte Dikkop unzufrieden. „Aber bleib nicht zu lange! Bis nachher – im Haus unter den Weiden!"

Großmutter brühte gerade den Kaffee auf, als er eintrat. Der würzige Duft füllte das saubere Zimmerchen mit dem weißen Streusand auf dem roten Klinkerfußboden und den hellen Gardinen vor den kleinen Fenstern. Sie hatte Tuch und Haube abgelegt und trug eine schwarze Alpakaschürze über dem Sonntagsrock. Mit zusammengepreßten Lippen nickte sie auf seinen etwas lärmenden Gruß. Unzufrieden spürte er: hier war er wieder der kleine Junge, der sich von dieser herrschsüchtigen alten Frau mit ihrem Starrkopf bekritteln lassen mußte. Es war eigentlich komisch: vor jedem kehrte sie den Herrn und Meister heraus, und sie scheute sich nicht, selbst den lieben Gott zu bemühen, wenn es galt, irgend jemandes Widerstand zu brechen. Mutter behauptete immer, daß sie so arg nicht sei, wie sie sich gebe; doch das sagte sie wohl nur, weil es ihre Mutter war – da schickte es sich nicht, Böses zu sagen... Und doch war Großmutter oft genug auch gegen die eigene Tochter hart gewesen, wenn es ihr nicht gelang, ihren Willen durchzudrücken.

Was wollte sie denn jetzt bloß von ihm?

„Setz dich hin, du Quecksilber!" sagte sie schnippisch. „Oder wartet draußen vielleicht schon irgend so ein Schandmädchen auf dich?"

Merijntje mußte lachen. Halb ärgerlich, halb amüsiert schob er einen Stuhl an den Tisch und setzte sich.

„Na, na!" sagte er absichtlich grob. „Du redest ja gerade, als ob ich weiter nichts täte, als den Mädchen nachzulaufen."

Großmutters scharfe, dunkle Augen bohrten sich in die seinen, und ihre Stimme keifte:

„Du brauchst gar nicht so unschuldig zu tun! Ich weiß genau, daß du ein Mädchennarr geworden bist – das ganze Dorf spricht darüber. Du bist hier nicht in Rotterdam!"

Der Junge wurde rot vor Ärger. „Das ganze Dorf!" höhnte er wütend. „Die Klatschmäuler, meinst du wohl, die aus einem Furz einen Donnerschlag machen..."

„Ja, ja, nun sei auch noch frech zu deiner alten Großmutter – aber das warst du ja schon immer!"

„Dann sollen sie ihren Schnabel halten, die verdammten Waschweiber!" wetterte Merijntje, der auf die unsinnige Beschuldigung nicht näher eingehen wollte, da er seine Großmutter – eine ausgemachte Kanzelschwalbe, für die er sie nun einmal hielt – in dieser Frage für ganz und gar nicht kompetent ansah.

Warum war er nur hergekommen? Er wußte doch genau, wie sie war, diese unverträgliche alte Frau mit ihren stechenden Augen, ihrer giftigen Zunge und ihren pharisäisch strengen Auffassungen... Immer ließ er sich seine Freude verderben durch eigene allzu große Nachgiebigkeit. Warum hatte er nicht kurz und bündig erklärt, er käme nicht – und damit basta!

Er hatte sich ihre Bemerkung, er vernachlässige seine Familie, zu Herzen genommen, und nun saß er hier und mußte alles über sich ergehen lassen.

„Ist es vielleicht nicht wahr?" ereiferte sich die Großmutter. „Man hat dich schon mit mindestens drei Mädchen herumlaufen sehen."

„Na und? Was ist dabei?" fragte Merijntje streitlustig. „Ich bin doch kein Kind mehr..."

Sie lachte kurz und spöttisch auf, und er verspürte ein unwiderstehliches Bedürfnis, sie zu reizen. In ruhigem Ton fuhr er fort:

„Und der Herr Pfarrer hat gesagt..."

Doch die Großmutter ließ ihn nicht aussprechen. Sie machte mit der dürren Knochenhand eine abwehrende Bewegung.

„Hör mir bloß mit diesem Pfarrer auf!" schnaubte sie erbost. „Das ist der Richtige! Aber du mußt es ja selber wissen. Wer nicht hören will, muß fühlen. Du wirst schon noch mal an deine Großmutter denken ... wenn's zu spät ist! Der Teufel hat dich schon halb in seinen Krallen, Bürschlein! Aber das ist schließlich deine eigene Sache." Und plötzlich: „Mit wem feierst du Kirmes?"

Nach den düsteren Prophezeiungen kam die Frage so unerwartet, daß Merijntje einen Augenblick ganz bestürzt darüber war.

„Mit Dikkop und Neus Bosters", erwiderte er.

„Nein", sagte die Großmutter, „das meine ich nicht. Mit welchem Mädchen du dich verabredet hast..."

Der Junge lachte unbefangen. „Nun täuschst du dich aber wirklich, Großmutter! Ich habe mich mit keiner verabredet."

Großmutter brummte etwas, was ebensogut Unglauben wie Zufriedenheit ausdrücken konnte. Sie goß den Kaffee ein und schob ihm die Zuckerdose mit den Butterkeksen zu.

„Hier ... oder bist du schon zu groß für ein süßes Plätzchen?"

Lachend schüttelte Merijntje den Kopf und suchte sich einen schönen dicken Keks aus, den er noch einmal genießerisch betrachtete, bevor er ihn in den Mund schob.

„Du backst wirklich gut, Großmutter", lobte er. „Du und die alte Jans vom Pfarrer damals, ihr habt es immer am besten gekonnt."

„Nur gut, daß ich wenigstens etwas kann", brummte die Frau, aber er sah wohl, daß sie sich geschmeichelt fühlte. „Ich glaubte schon, daß ich gar nichts tauge."

Er ging nicht darauf ein, sondern schlürfte nur seinen Kaffee und dachte an das Mädchen, mit dem er tanzen und Kirmes halten wollte, und daran, daß er noch nicht einmal wußte, wer das sein würde. Im Zimmer war es still. Hell stand die Sonne im Fenster, und draußen zwitscherten die Vögel im Fliederstrauch. Dann kam Großmutters Stimme, bedächtig und ein wenig zögernd:

„Wenn du doch noch kein Mädchen im Auge hast, solltest du Betje Doggen mal fragen, ob die nicht mit dir Kirmes feiern will."

Stumm vor Verblüffung sah der Junge sie an. Betje Doggen . . . Die war mindestens sechs Jahre älter als er. Sie hatte Sommersprossen und ein Feuermal im Gesicht und die Hände voll großer grauer Warzen. Wie in Gottes Namen kam Großmutter nur auf die?

„Na, du brauchst mich nicht so anzusehen!" fuhr sie, schon wieder aggressiver, fort. „Schön ist sie nicht, das weiß ich auch, aber was kannst du dir für Schönheit kaufen? Die guckt man im Handumdrehen ab. Betje ist ein gottesfürchtiges Mädchen – und da steckt auch . . ."

Sie rieb Daumen und Zeigefinger aneinander, und ihre schwarzen Äuglein funkelten.

„. . . sie hat viel von ihrem Onkel geerbt, von dem Rentner, du weißt schon."

Forschend spürte sie dem Eindruck nach, den ihre Worte machten. Betje hatte es auf den Jungen abgesehen, das hatte sie deutlich gemerkt; schließlich war sie weder blind noch taub. Das Vermögen lag für den Bengel bereit, wenn er vernünftig war.

Merijntje fühlte sich unbehaglich. Er hatte Lust zu lachen und gleichzeitig zu fluchen und mit der Faust auf den Tisch zu schlagen. Aber die Erkenntnis, daß er versuchen müsse, der Falle zu entgehen, blieb am stärksten. Er senkte die Augen zu seiner Kaffeeschale nieder und sagte unbestimmt:

„Ach, ich kenne das Mädchen ja kaum . . ."

„Du kennst sie, solange du lebst . . . und ein Schwätzchen ist schnell gemacht."

„Ich kann's mir ja überlegen, Großmutter", sagte er und setzte die leere Schale auf den Tisch. Dann erhob er sich plötzlich voller Eile. „Ich muß weg. Meine Freunde warten auf mich."

Großmutter drängte ihn nicht weiter: solche Sachen durfte man nicht überstürzen. Sie sagte nur noch: „Ihr Vater hat das große Haus von Laanen in der Stadt gekauft."

„Oh!" machte Merijntje träge.

Großmutter holte ihr Portemonnaie hervor.

„Hier", sagte sie und reichte ihm einen Gulden und zwei Kwartjes, „ein Kirmesgroschen . . . Spaß kostet Geld. Ja, ja, nimm's nur, ich kann's entbehren, genier dich nicht!"

Verblüfft nahm er das Geld. Was für ein merkwürdiger Mensch war sie doch! Erst beschimpfte sie ihn in Grund und Boden und ließ kein gutes Haar an ihm, und dann steckte sie ihm in ihrer Armut einen Taler zu, damit er fröhlich Kirmes feiern und sich sorglos in die Sünde stürzen konnte . . . Einen Augenblick stach ihn das Mißtrauen: Tat sie das vielleicht nur wegen Betje Doggen, damit er sich vor ihr sehen lassen konnte? Doch sofort verwarf er den Gedanken. Nein, dann wollte er lieber glauben, daß sie im Grunde gar nicht so bösartig war, wie sie sich stellte . . .

Herzlich sagte er: „Vielen Dank, Großmutter! Verdammt noch mal, heut werde ich reich! Vom Pfarrer krieg ich auch noch Kirmesgeld . . ."

Mißachtend spitzte Großmutter den eingefallenen Mund.

„Das wird danach sein . . . Der scheißt auch nicht vor elf, und dann ist's noch dünn!"

Merijntje brach in lautes Lachen aus über diesen unbegründeten Vorwurf. Sie sah ihn böse an, doch ehe sie noch ein Wort sagen konnte, hatte er bereits fröhlich gegrüßt und war draußen.

In sich hineinlachend, ging er über die sonnige Dorfstraße. Einen Augenblick blieb er vor dem Karussell stehen, um das sich die Kinder für die nächste Fahrt drängten. Die Drehorgel spielte einen wilden Walzer, die Glocke läutete, die Kinder schrien, ein paar Größere johlten übermütig, und der fettigsüße Geruch aus der Bude mit dem Schmalzgebäck hing in der Luft . . .

Heije! Die Kirmes hatte begonnen, das Fest war schon im Gange – überall lachende Gesichter, blitzende Augen, die Spannung der Vorfreude! Was würde der Tag noch alles bringen!

Eilig ging er dem Wirtshaus zu, wo seine Freunde warteten. Dikkop und Neus saßen strahlend hinter ihrem Branntwein mit Zucker und kamen sich sehr erwachsen vor.

„Ah! Da ist er ja!" schrie Dikkop. „Na, hat sie dir ordentlich die Leviten gelesen?"

Lachend ließ Merijntje das erhaltene Kapital auf der Handfläche springen.

„Einen Taler hat's eingebracht", sagte er. „Los, trinkt aus! Ich geb auch eine Runde."

Die Jungen machten große Augen und pfiffen zwischen den Zähnen.

„Nicht schlecht!" rief Neus. „Für einen Taler ließe ich mir auch die Hölle heißmachen."

„Verdammich, verdammich!" fluchte Dikkop kopfschüttelnd. „Das hätte ich diesem giftigen Weiblein nie zugetraut."

„Sie ist gar nicht so böse, wie sie aussieht", sagte Merijntje gerührt. „Kommt, wir trinken auf ihre Gesundheit!"

Sie hoben einander die funkelnden Gläschen entgegen, stießen an, und Neus sprach feierlich:

„Wenn man ihn nur immer hätte, mögen möchte man ihn schon!"

Eine Stunde später kam Merijntje zum Essen in die Pfarrei. Er hatte ein rotes Gesicht und kicherte immer wieder in sich hinein, weil seine Beine das sonderbare Bestreben hatten, dauernd Tanzschritte zu machen. Auch in seinem Schädel summte es, und alles drehte sich, denn er hatte drei Schnäpse getrunken. Und nach dem zweiten hatte er entsetzlich lachen müssen, denn Neus hatte sich neben seinen Stuhl gesetzt und war unten liegengeblieben, weil der alte Bauer, der hinter ihm saß, den Stuhl weggezogen hatte. Neus wollte sich gleich prügeln und hatte seine Jacke schon abgestreift, doch konnten sie ihn beruhigen; er tat dann so, als habe er den Kampf widerstandslos gewonnen, und forderte den Bauern auf, mit ihm anzustoßen. Der aber hatte sich umgedreht und ihn nicht weiter beachtet, aus Angst, den Versöhnungstrunk bezahlen zu müssen ... Neus war gehörig voll – stockbetrunken war er ... Ein gewaltiger Tag würde das werden!

Die Luft vibrierte förmlich vor Fröhlichkeit, und Merijntjes ganzer Körper kribbelte vor gespannter Erwartung ... Viele lange Stunden würden noch folgen, ehe die Nacht hereinbräche und das Fest endete – und diese Stunden waren bis zum Rande gefüllt mit Vergnügen, Musik und rappliger Freude ...

2

Das Mittagessen war genau das gewesen, was sich Merijntje gewünscht hatte. Nele hatte mit verständnisinnigem Lächeln ein Gericht nach dem anderen aufgetischt, und er hatte dankbar zurückgelacht und mit solch unverkennbar köstlichem Behagen geschmaust, daß der Pfarrer mit gespielter Strenge gesagt hatte:

„So schamlos fleischlichen Lüsten zu frönen, ist komplette Sünde, Merijntje!"

Aber Merijntje hatte kopfschüttelnd geantwortet: „Das stimmt nicht, Herr Pfarrer, denn jeder soll dankbar Gottes gute Gaben genießen!"

„Er wird auf die Länge der Zeit schon noch zu leben lernen", hatte F:erefluiter gerührt ausgerufen, und alle vier hatten gelacht und das untrügliche Gefühl gehabt, daß hier ein wirkliches Fest im Gange war.

Später hatten sie in der Laube eine Tasse starken Kaffee getrunken und eine von des Pfarrers besten Zigarren geraucht. Das Durcheinander in Merijntjes Kopf hatte sich gelegt, und geblieben war nur die freudige Spannung auf das, was kommen würde. Das Läuten der Karussellglocke, die Drehorgelmusik, das Dröhnen des Hammers auf dem Haut-den-Lukas mit dem scharfen Knall des explodierenden Zündhütchens trugen die lärmende Kirmesstimmung in den friedlichen Garten, wo die silberne Kugel auf ihrer Stange funkelte und die Vögel sangen, ohne sich stören zu lassen.

„Ich bin neugierig, wer sich heute wieder alles grün und blau schlägt", sagte der Pfarrer nach einer Pause in die Stille hinein.

„Warum, Herr Pfarrer?" erkundigte sich Merijntje verwundert. Flierefluiter grinste.

„Hast du je eine Kirmes hier in der Gegend mitgemacht, auf der man sich nicht geprügelt hat?" fragte der Pfarrer.

„Sollen sie doch!" sagte Flierefluiter gelassen. „Sie haben so wenig vom Leben. Gönnt ihnen getrost das Vergnügen!"

Der Pfarrer warf die Lippen auf. „Diese Lümmel!" sagte er hart. „Mitten im schönsten Feiern fällt ihnen nichts Besseres ein, als aufeinander loszugehen. Die reinsten Wilden!"

„Ach, sie haben nur zuviel Kraft und Blut", erklärte Flierefluiter. „Und sie nutzen jeden Festtag, um sich davon zu befreien. Sie platzen ja, wenn sie nicht ab und an Gelegenheit finden, sich auszutoben."

Der Pfarrer lächelte.

„Du hast für alles eine Erklärung bei der Hand", sagte er. „Und nicht einmal die schlechteste. Aber hast du vielleicht auch einmal daran gedacht, daß die überschüssige Kraft für etwas Vernünftigeres eingesetzt werden könnte?"

„Wofür denn?"

„Um das Leben etwas reicher und schöner zu machen, beispielsweise."

Flierefluiter lachte spöttisch. „Da gehören Dinge zu, um die sich ein Priester schwerlich kümmern kann", antwortete er.

„Das ist noch sehr die Frage", meinte der Pfarrer unzufrieden.

„Für Euch ist das natürlich kein Problem", spottete Flierefluiter weiter. „Ihr würdet's ihnen ja mit Gewalt einbläuen, wenn sie's nicht auf Anhieb fressen wollten."

Pfarrer Ramakers schmunzelte tiefsinnig.

„Du kannst die Menschen nicht zwingen, gut oder zufrieden zu sein", sagte er, „da hast du ganz recht. Lernen müssen sie's – und Lernen geht langsam."

„Sie müssen's erst mal lernen wollen – darauf kommt's an", sagte Flierefluiter anzüglich und blies voller Genugtuung eine Rauchwolke in die Richtung des Pfarrers. Dieser blickte ihn mit düsterem Stirnrunzeln an und sagte schroff:

„Was ich zu tun für nötig halte, davon kann mich kein Mensch abbringen!"

„Wahrscheinlich nicht", gab Flierefluiter zu. „Aber um Eures eigenen Friedens willen tätet Ihr besser daran, es nicht zu versuchen. Rammelt lieber dazwischen, haut die Köpfe gegeneinander – das begreifen sie, daran sind sie gewöhnt, das erwarten sie! Für das andere ist dieses Volk noch nicht reif . . . da sind sie zu plump für – davon bin ich fest überzeugt."

Er hatte sein Schlußwort nach einer kleinen zögernden Kunstpause gesprochen; jetzt beobachtete er das Gesicht des Pfarrers, um dessen Reaktion abzulesen.

Der starrte an ihm vorbei, sog mächtige Rauchwolken aus seiner Zigarre und nickte leicht mit dem Kopf. Dann richtete er seine Augen auf Flierefluiters trotziges Gesicht und sagte bedächtig:

„Viel Liebe oder Achtung empfindest du nicht für die Menschen, Flierefluiter!"

Das Gesicht des Landstreichers wurde nachdenklich. Die funkelnden Lichter in seinen Augen verloren ihren Glanz und verfärbten sich zu dunkler Glut; er seufzte leichthin. Der Pfarrer betrachtete ihn mit gespannter Aufmerksamkeit und wartete auf Antwort. Schließlich zuckte Flierefluiter mit den Schultern und entgegnete gleichgültig:

„Ich muß mich einfach immer über die Leute amüsieren ... sie bilden sich soviel auf sich ein – und sind doch keinen Schuß Pulver wert!"

„Wieso nicht?"

„Was machen sie denn aus ihrem Leben?"

„Was hast du denn aus deinem Leben gemacht?"

Flierefluiter riß die Augen weit auf.

„Ich?" rief er empört. „Ein Fest habe ich daraus gemacht, Mann, ein einziges, großes, immerwährendes Fest!"

Pfarrer Ramakers lachte und sagte ironisch:

„Ja, in deinem Luftschloß ..."

„O weh, das sitzt!" rief Merijntje.

„Lästern, das könnt ihr zwei!" klagte Flierefluiter verunsichert. „Aber ich bin ein Mensch, bitte sehr, und ich habe das Recht, auch einmal zu irren ... und gewiß muß ich höchstpersönlich dafür geradestehen ..."

Der Pfarrer lachte ihn aus. „Alles Flausen!" sagte er. „Leeres Gewäsch!"

„Ihr redet ohne Sinn und Verstand, Mann!" schimpfte Flierefluiter. „Wenn einem eine Frau über den Weg läuft, wird plötzlich alles möglich ... Aber das geht über Euer Begreifen!"

„So, so! Ist's wahr?" belustigte sich der Pfarrer. „Das geht über mein Begreifen? Du vergißt offenbar, daß ich etliche Jahre schon im Beichtstuhl gesessen habe."

Flierefluiter schüttelte energisch den Kopf.

„Das zählt nicht", sagte er überzeugt. „Man kann nicht vom Hörensagen lernen ... nichts wiederholt sich – alles geschieht nur einmal! Das Fieber in deinem Blut mußt du gespürt haben, den Brand, der dich verzehrt, der deinen Verstand auffrißt. Zum Kinde und zum Narren wirst du – und du würdest dein Leben dafür aufs Spiel setzen, wenn's sein müßte! Und wenn du's richtig triffst, so greifst du dir eine gute Frau, dann schwebst du regelrecht in den Himmel hinein ... sonst landest du im Luftschloß. Und dann hast du noch Glück gehabt, denn es kann auch ganz anders kommen – da kann der Kruik ein Lied von singen ..."

Merijntje durchzuckte ein Kälteschauer, mitten am warmen Tag. Der Pfarrer hob die Schultern.

„Du sprichst von schwachen Charakteren", sagte er. „Wer wirklich stark ist, bleibt Herr über sich selbst. Freilich, wer sich immer nur mitschleifen läßt, der ist verloren – dem nützt auch keine Frau!"

„Da mögt Ihr recht haben, Herr Pfarrer", seufzte Flierefluiter. „Aber meine Erfahrung ist die: Keine Kraft ist so groß, und nichts kommt dagegen an – heute nicht und morgen nicht –, wie das Gefühl für eine Frau, die man begehrt. Wahrhaftig, die gewaltigste Kraft, die man sich vorstellen kann! Schwächlinge können durch sie zu Helden werden, Weise vermögen sich durch sie in einfältige Tröpfe zu verwandeln, in rechte Esel, Lämmer in Tiger... Ihr mögt mir glauben oder nicht – das müßt Ihr selber wissen..."

Der Pfarrer schwieg in sich gekehrt. Merijntje sah plötzlich das gemeine und doch so schöne Gesicht von Bets vor sich – ihre blitzenden Augen, die einem Angst machten, Augen, die aufreizten, ihre lockenden Bewegungen, mit denen sie einen betörte, schmeichelnd wie die einer spielenden Katze; und dann auf einmal sah er jene gräßliche Szene... Aber damit war's dann doch auch erledigt gewesen? Er hatte sehr rasch erkannt, worauf sie hinaus wollte, und war voller Ekel davongelaufen... Schweinerei... Beschmutzte ihn der Vorfall denn immer noch? Stak nicht doch noch ein Stachel widerstrebender Erinnerung in ihm? Hätte er nicht fast nachgegeben damals? War da nicht ein Drang in ihm gewesen, der ihn zu dem glühenden, sinnlich riechenden Körper hatte treiben wollen – eine Leidenschaft in seinem Blut, die, ungeachtet seines Abscheus, fast übermächtig geworden wäre? Nun gut, das wollte und konnte er nicht leugnen... Aber er hatte doch nicht nachgegeben! Er hatte zu guter Letzt recht gehandelt. Unwiderruflich war danach alles aus gewesen! Wenn er das getan hätte, wozu ihn die Frau überreden wollte, dann müßte er jetzt wohl vor sich selbst ausspucken. Daß Flierefluiter das nicht kapierte, daß er dies so gänzlich anders auffaßte! Er war doch sonst so ein intelligenter Bursche, dem man nichts weismachen konnte, der für jedes Loch einen Nagel hatte, der die Menschen zu durchschauen vermochte wie kaum ein anderer und über jeden genau Bescheid wußte... Und so ein ausgekochtes Luder wie die Bets hatte ihn ein Jahr ums andere wie ein Hündchen an der Leine gehalten. Unbegreiflich blieb das! Dunkel und unbegreiflich... Zauberei, hätte man denken können, wenn man abergläubisch gewesen wäre. Doch Zauberei oder nicht – der Pfarrer hatte ganz recht, wenn er sagte, daß Männer, die sich in dieser Weise zum Sklaven einer Frau machen ließen, Schwächlinge sein mußten.

„Und Simson zum Beispiel?" rief Flierefluiter, als habe er Merijntjes Gedanken erraten, so daß der Junge erschrak und sogleich aber lachen mußte über das Spiel des Zufalls.

„Simson war ein Riese – was aber sein Verhältnis zu Frauen betrifft, ein Kümmerling", sagte der Pfarrer ungeduldig. „Da beißt keine Maus einen Faden ab!"

Flierefluiter schüttelte den Kopf.

„Ihr seid ungerecht, weil Ihr nicht den blassesten Schimmer davon habt", antwortete er. „Das wäre genauso, als wenn Ihr einem alten Tatter zum Vorwurf machen wolltet, er wäre ein Schwächling, nur weil er das Zittern nicht lassen kann. Ihr könnt mir glauben, ich habe die Nase voll von dieser Art der Einstufung... Meine Erkenntnis kann ich nicht abtreten, aber ich hoffe – und das lehrt mich die Erfahrung –, daß euch beiden solcherart Pauschalwertungen ein für allemal erspart bleiben... So, nun wißt ihr's, daß ich's gut mit euch meine. Und im übrigen ist Kirmes, und ich kann meine Zeit besser gebrauchen. Ich ziehe jetzt los, lebt wohl! Nüchtern seht ihr mich nicht wieder – stellt euch darauf ein!"

Mit großen Schritten trabte er davon. Der Pfarrer blickte ihm lächelnd nach. Merijntje sagte unzufrieden:

„Er kann es nicht verknusen, im Unrecht zu sein! Er muß immer das letzte Wort haben!"

„Vielleicht hat er doch ein bißchen recht, Merijntje", erwiderte der Pfarrer nachdenklich. „Er hat mehr erlebt als wir beide zusammen..."

„Pfff!" machte Merijntje verächtlich. „Wenn's um Frauen geht, dann wird er zum Narren – das weiß ich nur allzugut..."

„Aber in einem Fingerhut voll Narrheit steckt ein ganzer Sack voll Wahrheit, sagt man, Merijntje."

Der Junge schaute ihn an. Meinte der Pfarrer das nun wirklich, oder wollte er ihn wieder gnadenlos auf den Besen nehmen? Aus keinem der beiden konnte man so recht schlau werden – weder aus Flierefluiter noch aus dem Pfarrer. Hockten sie beisammen, so gerieten sie sich unweigerlich in die Haare – war jeder für sich allein, so sprach er freundlich über den anderen, als wäre er in allem unfehlbar. Ja bitte, warum zankten sie sich denn überhaupt? Ach, sie waren und blieben Kinder, durch und durch!

Er hörte jetzt Flierefluiter vor der Küche rufen:

„Wird's bald, Nele, hast du dein schönstes Kleid angezogen? Wir feiern doch die Kirmes zusammen?"

Nele lachte ihr helles, fröhliches Lachen.

„Da kommst du zu spät, mein Freund", rief sie zurück, „ich bin schon mit einem andern verabredet."

Flierefluiter fuchtelte mit den Fäusten und spielte gefährliche Wut. „Der soll mir bloß nicht begegnen!" drohte er lärmend. „Ich zerschlag ihm alle Rippen. Das ist ein ganz gemeiner Streich!"

Darauf schob er den zerdrückten Filz weiter in den Nacken und stampfte den Gang entlang aus der Gartenpforte.

„Gehst du nicht mit?" fragte der Pfarrer.

„Ich hab mich mit ein paar Kameraden verabredet", erklärte Merijntje. „Der Narr wird auch allein sein Vergnügen finden."

„Da ist gewiß ein Kamerad mit Röcken dabei?" Er lachte laut, als Merijntje bis unter die Haare rot wurde und ernstlich leugnete.

„Nein, wirklich nicht, Herr Pfarrer ... es sind ..."

„Ja, ja, schon gut, Junge, nun geh nur ... Und mach ordentlich Lärm! Du bist nur einmal jung, vergiß das nicht!"

Merijntje stand auf. Er lachte verlegen.

„Ja, dann gehe ich also", sagte er unbeholfen. „Auf Wiedersehen, Herr Pfarrer!"

„Auf Wiedersehen, Junge! Viel Vergnügen!"

Als er im Gang seine neue Mütze aufsetzte, kam Nele heraus.

„Hier", sagte sie. „hast du noch ein paar Zigarren. Es ist nur einmal im Jahr Kirmes ..."

„Merci, Nele", lachte er, „du bist wie eine Mutter zu mir."

„Ja, ja, ist schon gut, dummer Bengel! Und vergiß nicht: keine Prügelei, hörst du?"

Lachend lief er aus der Tür und durch die Gartenpforte. Vom Pfarrer hatte er einen Reichstaler gekriegt, einen Gulden von Nele, einen Taler von seiner Großmutter, und nun noch eine Handvoll Zigarren ... Steinreich war er! Was für liebe Menschen sie alle waren!

Er setzte die Mütze schief, und als er auf die sonnige Dorfstraße trat und das Kirmesgejohle auf ihn eindrang, fühlte er sich wie ein Feldherr, der eine Schlacht gewinnen wird.

3

Und dann hatte es ihm anfangs eigentlich doch nicht gefallen. Es schien ein ziemlich derber und wenig befriedigender Zeitvertreib werden zu wollen, diese Kirmesfeierei hier.

Das Gedränge um die paar Buden mit Spielzeug, Näschereien und Schmalzgebackenem; die quengelnden Kinder, die an Bonbonstangen lutschten oder stark riechende Anisküchelchen aus Papiertüten aßen; das Gewimmel um die Karussells; die schreienden jungen Kerle, die die Kinder brutal von den heißbegehrten Pferden und Löwen zu den nichtssagenden Schiffchen drängten, um dann selber lärmend und johlend auf die Tiere mit ihren starren, wilden Augen zu steigen; die Burschen, die mit ihren Mädchen in die Schaukeln sprangen und so hoch flogen, daß die Gehilfen in ihren schmutzigen und durchschwitzten Matrosenkitteln die Bremse anzogen, um Unfälle zu vermeiden – das alles machte ihn schwindlig, erschien ihm verrückt, prahlerisch und kindisch. Auch die Erregung der Männer, die mit schweißüberströmtem Gesicht auf den Haut-den-Lukas hämmerten und ihre ganze Kraft anspannten, um das Zündhütchen oben am Mast zur Explosion zu bringen und eine blitzende Blechmedaille an buntem Band auf die Brust gesteckt zu bekommen, kam ihm albern vor. Und der ungehobelte Kerl mit der heiseren Stimme, der die dummen Bauernknechte zu immer größeren Kraftleistungen anfeuerte, hatte eine Visage wie ein Verbrecher.

Die Drehorgeln der Karussells und der Schaukeln spielten mißtönend gegeneinander an. Aus den Wirtschaften klang Musik von

Harmonikas, Trompeten und Geigen, und überall erschallte das Johlen der Kirmesgäste, die von einer Kneipe zur anderen zogen, auf Papiertrompeten tuteten und sich an den Trillerpfeifen fast die Lungen ausbliesen. Aus den offenen Türen der Wirtshäuser trieb Tabaksqualm heraus, und man hörte das Dröhnen und Stampfen der Tänzer in ihren schweren Schuhen.

Auf diese rauhe, krawallartige Lustbarkeit hatte er sich so unbändig freuen können?

Jemand nickte ihm zu, und eine helle Stimme rief: „Tag, Merijntje!"

Er blickte auf und erschrak. Das war wahrhaftig Betje Doggen, die seine Großmutter ihm als Kirmesmädchen zugedacht hatte! Das Feuermal in ihrem Gesicht glühte blutrot, und sie lachte, daß man alle ihre gelben Pferdezähne sah ... so als wolle sie einen sofort auffressen!

Er winkte lässig mit dem Arm. „Ach, die Betje!" rief er forciert jovial zurück.

Doch er ging rasch weiter und spürte ärgerlich, daß sie ihm nachsah. Tiest vom Schneider, der gerade vorüberkam, lachte lärmend und schlug ihm auf die Schulter.

„Beiß doch an, Merijntje!" neckte er.

„Ach, verschwinde, Mann!" schnauzte der Junge verdrießlich und drängte sich eilig zwischen einer Gruppe tanzender Jungen und Mädchen hindurch. Seine Stimmung sank immer mehr. Empfanden denn all diese Leute wirklich so viel Vergnügen, wie ihre lachenden, erregten Gesichter, ihre leuchtenden Augen und die verrückten Hopsereien es ausdrückten, oder taten sie nur so, weil sie ihren tollen Spaß haben wollten, haben mußten? Sie grölten das Lied von der Kirmes, die es „nur einmal im Jahr" gebe, und wollten damit wohl plausibel machen, warum sie sich bei ihrem verrückten Ulk, der nicht verrückt genug sein konnte, so sehr verausgabten.

Und dann beschimpfte er sich selber wegen seines Trübsinns. Ach was! Natürlich hatten sie ihren Spaß! Sie hatten sich so lange auf diesen Tag gefreut – kein Wunder, wenn sie nun närrisch und ausgelassen waren vor unzähmbarer Lust! Sie würden nicht eher aufhören, bis sie keine Stimme, keinen Atem, keine Kräfte und keinen Cent mehr besäßen. Nur er war ein Idiot! Aber das lag bloß daran, daß er so allein und nüchtern einherzog, statt seine Kameraden zu suchen, ein Glas zu trinken, mitzutanzen und zu spüren, daß man dazugehörte...

Er rannte jetzt schneller an den vielen Menschen vorbei, wurde dann plötzlich durch einen Auflauf vor Birres' Wirtshaus aufgehalten. Erregtes Geschrei, Flüche und kreischende Stimmen. Merijntje fühlte sich durch hinzulaufendes Volk weitergeschoben und nach vorn gedrängt; ehe er sich's versah, stand er in der ersten Reihe des Ringes, der sich rund um die beiden kämpfenden Gesellen gebildet hatte, die knurrend und ineinander verbissen über die Pflastersteine rollten. Da hatte man's wieder! Der Pfarrer hatte recht gehabt: Ohne Keilerei keine Kirmes ... Diese Ochsenköpfe!

Frauenstimmen gellten: „Trennt sie doch!"

Männer lachten roh und schrien: „Hände weg! Laßt sie kämpfen! Los, de Fijne, schlag zu! Immer drauf, Kerl! Du wirst doch wohl de Fijne schaffen!"

De Fijne ... Ein dürres Bürschlein, ein gutmütiger Zimmermann – doch wenn er getrunken hatte ein unberechenbarer Draufgänger. Er taugte nicht für Raufereien, aber er mußte Streit suchen und sich prügeln, und er gab nicht eher Ruhe, als bis er den erlösenden Engleinhieb erhalten hatte. Es schien, als mache ihn der Alkohol schmerzunempfindlich. Unzählige Male war er erbarmungslos zusammengeschlagen worden, doch bei jeder Gelegenheit fing er wieder von neuem an. Da lag er jetzt unten. Der andere, ein breitschultriger Bauernknecht, hockte rittlings auf ihm und preßte seinen Kopf, an beiden Ohren gepackt, gegen die Steine. Aber de Fijne hatte mit seinen Händen das geblümte rote Halstuch umschlungen, das der andere als Krawatte trug, und zerrte daran, um dem Feind die Kehle zuzuschnüren.

„Laß los, verdammt!" fluchte der Knecht mit erstickter Stimme.

„Nein!" keuchte de Fijne.

„Der Polizist! Der Polizist kommt!" rief eine der Gafferinnen. Und da wurde auch schon Platz gemacht, um den Diener der Gerechtigkeit durchzulassen. Sie schubsten den alten Flurhüter nach vorn, der durchaus keine Eile an den Tag legte, zu den Kämpfenden zu gelangen. Der Bauernknecht hatte de Fijnes Kopf vom Boden gehoben und schlug ihn jetzt hart gegen die Steine.

„Da hast du's, verdammter Schuft!" fauchte er, halb erstickt – sein Gesicht hatte sich violett verfärbt, die Adern an seinen Schläfen und in seinem Stiernacken waren dick geschwollen und traten wie stramme Seile hervor.

Durch die Menge der angstschlotternden Frauen ging ein Aufschrei. Die Männer verstummten. Blut sickerte leuchtend auf die grauen Steine.

„Willst du wohl loslassen!" röchelte der Knecht.

Aber de Fijne gab nicht auf.

„Nein!" wiederholte er mit besessener, schriller Stimme, und seine mageren Hände packten noch krampfhafter das Halstuch und zogen den Strang fest zu.

„Jesus Christus, er erwürgt ihn!" entsetzte sich ein Mädchen, das mit großen furchtsamen Augen gebannt den Kampf verfolgte.

„Auseinander!" kommandierte der Polizist mit einer Stimme,

die sich vor Aufregung überschlug. „Laßt los – hört auf, verfluchte Halunken!"

Doch der Knecht schlug erneut den Kopf seines Widersachers gegen die Steine, das Blut floß reichlicher, de Fijne brüllte, zog aber weiterhin störrisch an der Krawatte. Der Knecht schwitzte, röchelte noch erbärmlicher, riß den Kopf zurück, konnte sich aber aus den würgenden Händen nicht befreien.

Eine hohe Frauenstimme jammerte: „So trennt sie doch endlich!"

Da wurden die dicht zusammengedrängten Zuschauer mit derber Hand zu Seite gestoßen. Eine mächtige schwarze Gestalt schoß vor, und ès erhob sich ein betroffenes Gemurmel: „Der Herr Pfarrer!"

Pfarrer Ramakers bückte sich über die Streitenden, der Polizist strauchelte erschrocken rückwärts. Atemlose Stille herrschte – man hörte nur, merkwürdig deutlich, de Fijnes klägliches Ächzen und den pfeifenden Atem des Knechtes. Mit einer raschen Bewegung griffen die Pranken des Pfarrers zu; er richtete sich mit einem Ruck seiner breiten Schultern wieder auf, zerrte die Streitenden hoch, trennte sie und stellte sie auf die Füße. Der Knecht riß hastig die Krawatte vom Hals und schnappte tief und befreit nach Luft. De Fijne griff sich blöde an den Hinterkopf und betrachtete dann traurig das Blut an seinen Händen. Aber der Pfarrer hatte kein Mitleid. Sein großes Gesicht war rot vor Zorn, und seine Augen funkelten unwillig unter den struppigen Brauen.

„Hornochsen, verruchte Bande!" tobte er, sie weiterhin mit festem Griff am Kragen gepackt haltend. „Nennt ihr das, ein Fest feiern? Hier – wenn ihr euch unbedingt weh tun wollt!"

Und mit einem kräftigen Ruck schlug er die beiden Köpfe wuchtig aneinander. Erschrocken zappelten sie, um loszukommen, doch steckten sie in den Fäusten des Pfarrers wie in Eisenklemmen. Das Blut lief de Fijne aus der Nase, und der Knecht lutschte emsig an seiner aufgeplatzten Lippe. Gelächter wurde laut, erstarb jedoch sogleich unter den drohenden Blicken des Pfarrers.

„Reicht's jetzt, he?" sagte er mit schwerer, dunkler Stimme. „Jeder hat wohl sein Teil gekriegt... Wenn ihr euch aber wieder schlagen wollt, dann kommt zu mir – da könnt ihr eine ordentliche Portion kassieren! Ab mit euch! Aber marsch!"

Er ließ die zwei Kampfhähne los. Taumelnd versuchten sie ihren Beinen Halt zu geben, staubbedeckt standen sie da, zerrupft, blutig, verschmutzt und verschwitzt, ihre ganze Erscheinung nur Verlegenheit, und glotzten einfältig dumm in die Gegend.

De Fijne stotterte: „Das ist doch ... das ist ... verflucht ... das sollst du ... na, ich ..."

Aber mit einem letzten schiefen, ängstlichen Blick auf die gewaltige Hand, die ihn so unerbittlich in die Zange genommen hatte, drehte er sich um und trabte davon, in plötzlicher Eile über die eigenen Füße stolpernd. Und der Knecht drängelte sich zwischen den gutmütig auseinanderrückenden Zuschauern hindurch, wütend und beschämt, doch wohl wissend, daß er besser daran tat, auch zu verschwinden. Wieder erscholl Lachen – spöttisch und erleichtert zugleich. Der Pfarrer spähte mit bösen Augen in die Runde.

„Lacht nicht, Lumpenvolk!" sagte er hart. „Seid ihr vielleicht Christenmenschen? Da bleibt ihr seelenruhig stehen und weidet euch daran, wie sich zwei Strolche gegenseitig abmurksen wollen. Schämt ihr euch nicht?"

Das Gelächter verstummte augenblicks. Brüsk drehte sich Pfarrer Ramakers um und schritt davon. Befangen und unsicher zogen nunmehr auch die Umstehenden, leise zueinander sprechend, ihres Weges – nachdem sie mit angenehmem Gruseln rasch noch einen scheuen Blick auf den Blutfleck auf dem Straßenpflaster geworfen hatten. Dann schüttelten sie aber die Beklemmung von sich ab, entsannen sich ihres kostbaren Kirmesvergnügens, begannen wieder zu singen und zu springen und stürmten den Eingang des Wirtshauses, um nur ja beim Tanz dabeizusein.

Neben Merijntje wurde es leer. Seufzend hob der Junge den Kopf und wandte die Augen ab von dem Rot auf der grauen Glanzlosigkeit der Steine. Blut. Menschenblut. Vergossen, weil hier ein Fest gefeiert wurde. Eine seltsame Geschichte! Wunderliche Wesen waren die Menschen... Und Pfarrer Ramakers, der sie bessern wollte, schlug sie mit den Köpfen aneinander, daß das Blut aus Nase und Lippen sprang. Auch eine wunderliche Art, Frieden zu stiften – doch für diese Sorte Streithammel vielleicht die beste... Merijntje war nie ein Faustheld gewesen. Er dachte an die wenigen Male, da es zu einer Schlägerei gekommen war. Er konnte sie gut und gern an einer Hand abzählen. Hinterher hatte er immer ein fatales Gefühl gehabt. Auch und gerade wenn er Sieger geblieben war. Eine Erinnerung aber drängte sich dazwischen – die große Ausnahme: das eine Mal, als er in blinder Wut drauflos gedroschen hatte... damals, als die Straßenlümmel Schweinereien erzählt hatten über ihn und die kleine Esther... das hatte ihm echte Genugtuung verschafft, eine Befriedigung, die er jetzt noch nachempfinden konnte... Verflixt, wie hatte er die Schmutzfinken abgetrocknet! Doch diese verbissene, törichte Holzerei, wie jetzt bei de Fijne und dem Bauernknecht, für nichts und wieder nichts, nur um eines falsch aufgefaßten Späßchens, einer mißverstandenen Gebärde willen – nein, das war viehisch, das war schändlich... Ja, Merijntje hatte seit langem keine Lust mehr verspürt, sich zu prügeln. Er konnte seine geballte Faust einfach nicht in das Gesicht eines anderen schlagen – die Vorstellung des Schmerzes, den er verursachen würde, und den er selber fürchtete, lähmte seine Hand...

Ein Schatten glitt an seinen Augen vorbei. Er blickte auf und sah ein Mädchen, das an ihm vorübergegangen war. Fast genauso groß wie er. Ein schmaler Rücken, ein luftiges, geblümtes Kleid mit einem hellblauen Band um die Taille. Ihr blondes Haar war auf dem Hinterkopf zu einem Knoten aufgesteckt, und um die Schläfen und im Nacken tanzten Löckchen wie aus schimmerndem Golddraht. Er lächelte. Selten hatte er so etwas Hübsches gesehen. Sie war dem reizenden kleinen Ladenfräulein aus der Taktstraat ein bißchen ähnlich, nur größer und breiter. Schade, daß er ihr Gesicht nicht gesehen hatte ... Dann war sie weg – in der Menge untergetaucht ...

Merijntje zuckte die Achseln, lachte kurz auf und reckte sich. Nun wollte er seine Kameraden suchen. Sonst glaubten die noch, er käme gar nicht mehr. Los! Es war Kirmes, und der Tag mußte genossen werden ... Die Tasche voll Geld und Zigarren, schönes Wetter, fröhliche Menschen – warum sollte er da verdrießlich sein?

Die Mütze im Nacken, die Hände in der Tasche, eine Zigarre schief und großspurig im Mundwinkel, arbeitete er sich durch eine tanzende Gruppe, schrie einem, der seinen Namen rief, eine fröhliche Antwort zu und schaute in ein paar Wirtshäuser hinein, um seine Freunde zu finden. Bei Verdaasdonk entdeckte er sie; sie hatten ihre Mädchen am Arm und begrüßten ihn lärmend.

„Na, endlich!" riefen sie, hakten ihn unter und rissen ihn mit zu einem Rundtanz, bei dem der ganze Saal erbebte von dem dröhnenden Stampfen ihrer klotzigen Schuhe. Die Mädchen wirbelten mit ihren langen Röcken dichte Staubwolken vom Boden auf. Als der Tanz zu Ende war, ließen sich alle, keuchend vor Anstrengung, mit roten, schweißglänzenden Gesichtern, leuchtenden Augen und aufgerissenen lachenden Mündern auf die Bank an der Wand fallen.

„Ich geb eine Runde!" schrie Neus. „Tempo, Tempo, Driekes, mach rasch, bring fünf Bier!"

Kaum hatten sie angestoßen und den ersten Schluck genommen, da setzte die schmetternde Musik zu einem neuen Tanz ein.

„Donnerwetter, es geht schon wieder los!" rief Dikkop. „Schnell Männer! Wir haben noch eine halbe Tour frei ... Los!"

Forsch stellten sie die Gläser hin, rissen die Mädchen auf den Tanzboden und wirbelten zwischen den anderen Tänzern davon.

Lächelnd blickte Merijntje ihnen nach, das Bierglas zwischen den Knien ... Christenseelen, war das ein Lärm! Und dieser Staub und die Hitze! In dem niedrigen Saal hing blauer Tabaksqualm, und in den Lichtbalken der Sonne wimmelten Tausende blitzender Funken zwischen den strudelnden Nebelschleiern. Die Tänzer mit der Zigarre zwischen den Zähnen drückten die Mädchen fest an sich, drehten sich im schnellen Walzer, stießen gegeneinander, schrien scherzhafte Schimpfworte, kamen aus dem Takt und sprangen wie die Wilden herum. Über den Lärm hinweg schmetterte die Trompete, und die Harmonika dudelte; mit ihrem zwingenden Rhythmus versuchten die Instrumente Ordnung in dieses Chaos zu bringen, bis ein greller Trompetenstoß der wogenden und trampelnden Menge Halt gebot. Die Tänzer stießen einen langgezogenen Schrei aus und schlenderten keuchend und lachend, den Arm um die Schultern der Mädchen gelegt, zu ihren Plätzen zurück, während sie sich mit einem roten Taschentuch den Schweiß abwischten, der ihnen in Strömen über das Gesicht in den Nacken lief.

Neus schlug Merijntje auf die Schulter. „Hast du noch keine aufgegabelt, du altes Stierkalb?" schrie er lärmend. „Beeil dich ein bißchen, Mann, sonst ist der Tag vorbei, und du bist immer noch allein!"

„Klar, Mensch, fordere doch einfach ein Mädchen auf!" Lachend bedrängten sie ihn, lachend wehrte er ab.

„Laßt mich nur, ich hab Zeit... Ich bin ein bißchen wählerisch, wißt ihr, aber ich werd schon was finden, keine Sorge!"

„Dann gib eine Runde aus auf guten Erfolg!" schlug Dikkop vor, und Merijntje rief dem Wirt zu, er solle die Gläser füllen.

Sie stießen an, tranken das kühle Bier und blinzelten einander über den Rand ihrer Gläser fröhlich zu. Dikkop begann plötzlich wie verrückt zu lachen, verschluckte sich, hustete und nieste. Das Bier lief schäumend aus der Nase. Sein Mädchen schlug ihm unsanft auf den Rücken. Alle fünf lagen sich brüllend in den Armen. Dann fiel wieder die Musik ein. Gellendes Geschrei erhob sich: „Oheee!"

Bald tanzte alles davon, und Merijntje saß, leise vor sich hin lachend, auf der Bank an der Wand und schlug mit dem Fuß den Takt der Polka. Er kam in Stimmung. Es würde ein lustiger Tag werden. Neus und Dikkop waren fröhliche Kameraden, und ihre Mädchen machten mit! Nette Mädchen waren es. Aber nichts für ihn. Ein bißchen zu grob. Die eine hatte vorstehende Zähne; das mochte er nicht. Und die andere mit dem gierigen Mund und den funkelnden Augen erinnerte ihn an Bets... Er konnte gerade sehen, wie sie, dicht an Neus gepreßt, an ihm vorbeitanzte. In ihrem Blick lag wilde Glut, und die Spitze ihrer Zunge spielte dauernd über die roten Lippen. Um den jungenhaften Mund des Freundes lag ein merkwürdiges, fast erschrockenes Lächeln... und Merijntje wußte nicht, ob er ihn nur bedauerte oder auch ein bißchen beneidete...

Da sah er zwischen den tanzenden Paaren ein geblümtes Kleid leuchten. Das mußte das Mädchen sein, das vorhin auf der Straße an ihm vorbeigegangen war. Doch ehe er noch ihr Gesicht sehen konnte, war sie im Gewühl der Tänzer verschwunden... Ungeduldig stand er auf. Er wollte wissen, ob er sie kannte, ob sie allein war oder mit einem Freund.

Mühsam arbeitete er sich zwischen den Tanzenden durch. Er lächelte still vor sich hin, während er Schritt um Schritt vorwärtsgeschoben wurde. Plötzlich packte ihn ein großer Bauernknecht, gegen den er angerannt war, lachend an der Schulter und gab ihm, ohne den Tanz zu unterbrechen, so schwungvoll einen Stoß, daß er zwischen den Paaren hindurch auf die Theke zutaumelte und das Gleichgewicht verlor. Hilflos ruderte er mit den Armen und landete, die Beine in der Luft, auf dem nächsten Stuhl. Verdutzt blieb er einen Augenblick in seiner komischen Stellung sitzen, ehe er in das Lachen der anderen einstimmte.

Dann hörte er, wie eine helle Stimme neben ihm sagte: „Du hast's ja so eilig, Merijntje!"

Schmunzelnd setzte er sich auf dem Stuhl zurecht und blickte zur Seite, gerade in das Gesicht des Mädchens mit dem geblümten Kleid. Was für ein liebes Gesicht! durchfuhr es ihn. Und er wurde rot, als hätte er es laut gesagt, genau in die blauen Augen hinein. Sie lachte ein wenig. Zwei Reihen schneeweißer Zähne blitzten zwischen ihren frischen Lippen, und Merijntje errötete noch heftiger – lachte sie ihn aus?

„Woher kennst du mich denn?" fragte er endlich, mit Mühe seine Verwirrung unterdrückend.

„Ich hab dich in der Pfarrei gesehen."

„In der Pfarrei?"

„Als du an dem Vogelhaus arbeitetest . . ."

„Und was hast du dort gemacht?"

„Ich hab Eier hingebracht . . . von Bauer Meesters."

„Ach so . . ."

Er schwieg und schaute sie an. Hatte er schon einmal so etwas Liebes gesehen wie dieses Gesicht? Blau und hell waren die Augen, still und tief wie Wasser, in dem sich der Sommerhimmel spiegelte. Sonnenlicht funkelte darin, und man mußte an die blauen Sterne der Kornblumen denken. Und der Klang ihrer Stimme blieb in seinen Ohren wie das Tönen einer kleinen Glocke. Sie hatte eine kräftige, leicht gebogene Nase, deren Flügel in verhaltenem Lachen bebten.

Wer war sie? Hatte er sie schon einmal gesehen? An wen erinnerte sie ihn?

Fragend blickte er sie an, ihr Lächeln verwirrte ihn und machte ihn froher, als er es je gewesen war.

4

Wo war das Wirtshaus, wo war auf einmal der Lärm der Musik, wo das Stampfen und Johlen der tanzenden Kirmesgäste? Wie kam es, daß er dieses Gesicht zwischen dem goldenen Schimmer eines sonnigen Kornfeldes zu sehen glaubte? Mit dem blauen Himmel darüber und einer tiefen Stille ringsumher? Weshalb mußte er plötzlich an Mevrouw Walter denken, die er einst sein Liebfrauchen genannt hatte, weshalb mußte er an seine Mutter denken und an Nele, die Haushälterin des Herrn Pfarrers, aber auch an das reizende Ladenfräulein aus Rotterdam? Sie ähnelte keiner von ihnen, und dennoch . . .

Wie lange saß er nun schon da und starrte mit unbestimmbarem Lächeln in das fremde Gesicht, das er zum erstenmal sah und das ihm so seltsam vertraut erschien? Er spürte ein Ziehen in der Brust, als ob er gleich wie ein kleiner Junge anfangen müsse zu weinen . . . Oder würde es ein unbändiges Lachen werden? Und niemals hätte er geglaubt, daß er es fertigbringen würde, „Bist du ganz allein hier?" zu sagen.

Doch plötzlich fiel wieder der Kirmesspektakel über ihn her, und er sah, daß sie wie ein gewöhnlicher Mensch nickte, und da waren keine Kornfelder, keine Blumen, kein blauer Himmel und keine Sonne mehr, sondern ein verqualmtes Schanklokal voller Staub und Gestank von schalem Bier und schlechtem Branntwein und voll stampfenden Bauernjungens und kichernden Mädchen . . . Und er saß hier, um ein wahres Fest zu feiern, zu tanzen, zu trinken und mitzukrakeelen, um voll dabeizusein bei dem berauschenden Gaudium dieses einzigartigen, tollen Kirmestages, den es nur einmal im Jahr gab und der ausgekostet werden mußte bis zur letzten Minute... Und sie? Sie natürlich auch. Sie war festlich gekleidet ins Dorf gekommen, um mit irgendeinem unternehmungslustigen jungen Mann, der sie auffordern, lachend und singend in den Taumel des Tanzes und des turbulenten Vergnügens schleifen würde, die Kirmes zu feiern... Warum sollte er dieser junge Mann nicht sein?

Doch weshalb zögerte er jetzt? Wieso fragte er sich, ob dies alles Sünde, ja ob sie nicht viel zu schade für solch ungezügelte Lustbarkeit sei? Weshalb zauderte er, bis womöglich ein anderer kam, irgendein angetrunkener Flegel, der sie kannte, kichernd um die Hüfte faßte und in den Trubel riß? Dann würde er dasitzen mit seinen dummen Gedanken und das Nachsehen haben...

„Wollen wir mal tanzen?"

„Und ob!"

Siehst du wohl! Sie stand bereits da und legte ihm die Hand auf die Schulter. Vorsichtig schob er den Arm um ihre Taille, ergriff ihre Hand – und schon tanzten sie zwischen den anderen durch. Ein Meistertänzer war Merijntje nicht; er merkte kaum, ob er seine Füße richtig setzte, wie er auch nichts von den knochigen Schultern spürte, die ihn rammten. Ihr Gesicht war dicht an dem seinen, und sie blickte ihm gerade in die Augen und lachte ohne einen Laut. Er fühlte ihre weiche, warme Hüfte in dem dünnen Sommerkleid unter seiner Hand. Und wieder kamen die Kornfelder, die Blumen, die Stille und die Einsamkeit, in der sie beide die einzigen lebenden Wesen waren. Berührten ihre Füße den Boden oder schwebten sie... so wie im Traum, wenn der Körper plötzlich alles Gewicht verliert und sich leicht und befreit, dem Vogel gleich, emporschwingt?

In seinen dunklen Augen spiegelte sich unendliches Erstaunen. Sie kniff ihn in die Hand; rasch neigte sie ihr Gesicht. Einen Atemzug lang berührte ihre Wange sein Kinn. Er zitterte und tat einen verkehrten Schritt. Ungeschickt versuchte er, wieder in Takt zu kommen, während sie sich in seltsamer Befangenheit anlachten. Er sah kleine Schweißtropfen auf ihrer Oberlippe und hätte sie gern mit streichelndem Finger weggewischt. Die Löckchen an ihren Schläfen bewegten sich leise. Und plötzlich hatte er das Gefühl, als müsse er dieses Mädchen ganz rasch aufheben und von hier forttragen... Warum nur? Was waren das für absonderliche Gedanken beim Kirmestanz in einem Dorfwirtshaus? Nein, wirklich – ein liebes Mädchen, ein so liebes Mädchen! Er verspürte den heißen Wunsch, sie zu küssen... Ob sie es sich gefallen lassen würde? Ihn wiederküssen?

Wer war sie nur? Und wie kam es, daß sie allein war, ohne Freund – das schönste, liebste Mädchen aus dem ganzen Dorf?

Dann brach die Musik ab, und johlend suchten die Tänzer einen Platz auf den Bänken an der Wand. Merijntje führte das Mädchen am Arm. Mit einer trotzigen Bewegung des Kopfes warf sie eine nach vorn gefallene Locke zurück. Wie verzaubert sah er sie von der Seite an und lachte leise.

„Warum lachst du, Merijntje?"

„Nur so ... weil du so lieb bist ..."

Und dann wurde er wieder rot vor Verlegenheit, denn es kam ihm ungehörig und verrückt vor, so etwas nach fünf Minuten zu einem Mädchen zu sagen, das man noch nie gesehen hatte.

Doch sie schien es ganz und gar nicht verrückt oder ungehörig zu finden. Sie blickte ihn an und nickte.

„Sag das noch einmal, ja?" bat sie.

Doch das brachte er nicht fertig. Er schüttelte nur verlegen den Kopf und zog sie mit auf die Seite, wo seine Kameraden mit ihren Mädchen gerade die Gläser ansetzten, um den Staub aus den Kehlen zu spülen. Als sie ihn kommen sahen, das blonde Mädchen neben sich, blickten sie verwundert auf. Er hatte geglaubt, sie würden ihn lärmend beglückwünschen, daß er endlich eine gefunden hatte, aber nun taten sie so merkwürdig, als ob sie verlegen und peinlich berührt wären.

Unerwartet zog Dikkop ihn beiseite, ein paar Schritte von den anderen fort.

In dem Versuch, harmlos zu tun, lachte Merijntje: „Nun? Was sagst du zu dem Mädchen?"

„Ach, Junge", flüsterte Dikkop verdrossen, „das ist ja kein Mädchen – das ist eine verheiratete Frau! Der Kerl ist ihr weggelaufen ... Mit der kannst du doch nicht feiern, bist du denn verdreht?"

Merijntje hatte das Empfinden, daß ihm jemand mit einem schweren Knüppel einen Schlag über den Kopf versetzte. Dieses Mädchen – eine verheiratete Frau? Ihr Mann weggelaufen? Von einer Frau mit solchem Gesicht?

„Ach, verrückt, Mann!" wehrte er ab.

Aber Dikkop ließ nicht nach. „Glaub's mir doch!" flüsterte er heftig. „Es ist so. Sie wohnt im Polder unten an der Schleuse ... sie taugt nichts ..."

Merijntje sah ihn dumm an. Sie taugt nichts? Ein großer Kummer drang plötzlich in sein Herz. Die Verachtung, mit der Dikkop das gesagt hatte ... Sie taugt nichts ... Er hätte ihm am liebsten eins auf den blöden Mund geschlagen.

Aber dann drehte er sich achselzuckend weg. Er glaubte dem Burschen nicht. Seine Blicke suchten das Mädchen. Er wollte sich davon überzeugen, daß es nicht wahr sei, was dieser dumme Flegel gesagt hatte. Wenn er ihr in die Augen sah, würde er wissen, daß der andere gelogen hatte ...

Aber sie war nicht mehr da. Verblüfft schaute er sich um. Wo war sie so rasch verschwunden? Seine Augen irrten durch das Lokal, über die Bänke, wo die Tänzer mit ihren Mädchen saßen, tranken und lachten. Sie war fort.

„Wo ist sie denn?" fragte er verdutzt.

„Die hat sich aus dem Staube gemacht!" lachte Neus. „Sie weiß genau, was los ist. Aber ein leckerer Käfer, was? Wenn ich nichts anderes finden könnte . . ."

Merijntje blickte von einem zum anderen. Was bildeten sich diese Idioten denn ein? Solche gemeinen Klatschereien! Mit einem Ruck drehte er sich um.

„Ihr könnt mir alle gestohlen bleiben!"

Hastig ging er davon.

„Sei doch nicht albern!" rief ihm Dikkop nach.

Doch er hörte nicht mehr hin, er lief aus der Wirtschaft, spähte die Straße entlang, nach rechts, nach links . . . Wo war sie nur? Man mußte sie doch sofort erkennen mit ihrem hellen geblümten Kleid und dem blonden Kopf!

Wütend trabte er ins Dorf, drängte sich durch das Gewühl bei den Buden, bahnte sich einen Weg durch die fröhlichen Zuschauer am Karussell und an der Luftschaukel. Sie war nirgends zu finden. Aber er wollte sie finden. Er wollte sie sehen, ihr in die Augen schauen, diese lachende Stimme hören . . . wie sie „Merijntje" sagte . . .

Eine verheiratete Frau? Der Mann durchgebrannt? Bitte, was noch? Ferner . . . Nein, das konnte nicht sein! Unsinn! Ein Mädchen war sie – einfach ein Mädchen . . . Er mußte sie wiedersehen, mit ihr sprechen; mußte erfahren, wie sie hieß, woher sie kam . . . mußte seinen Arm um sie legen, den weichen, warmen Körper in seiner Hand spüren, wie vorhin beim Tanz . . . Flegel, die nichts Besseres wußten, als üble Nachrede zu halten und herumzutratschen und einen lieben Menschen von seiner Seite zu jagen! Falls er sie nicht fand, dann würde er dem Dikkop eins verpassen, diesem Affen mit seinem dämlichen Gequatsche, seinem albernen Gegrinse! Aber tüchtig! Dann durfte man von ihm auch getrost behaupten, daß er ohne Keilerei kein Fest feiern könne. Schwätzer! Die waren ja bloß neidisch, weil sie anders, besser, hübscher, städtischer aussah als ihre Dorftrinen . . .

Er lief von Wirtshaus zu Wirtshaus. Überall spürte er zwischen den durcheinanderwirbelnden Tänzern einem geblümten Sommerkleid nach, einem Kopf mit blondem Haar.

Endlich sah er sie – sie tanzte mit Nillis vom Schmied. Brutal hielt er sie an sich gepreßt. Sein struppiger Schnurrbart berührte fast ihre Wangen, und mit seinen lauernden Augen, die vor Gier funkelten, blickte er ihr lüstern ins Gesicht. Doch sie hatte die

Augen niedergeschlagen, hing steif in seinem Arm und ließ sich willenlos herumdrehen; ihr Gesicht war verschlossen, abwehrend, bekümmert. Merijntje sah es deutlich: sie fühlte sich verletzt. Und mit Nillis, diesem Dreckskerl, tanzte sie nur, weil sie niemanden merken lassen wollte, wie sehr diese dummen Bauernlümmel sie gekränkt hatten. Nillis, das war der Abscheu des ganzen Dorfes, ein verheirateter Kerl, der ewig hinter anderen Frauen her war, trank und würfelte, sich prügelte und fluchte wie ein Vieh. Ausgerechnet mit diesem Windhund tanzte sie! Und was der von ihr wollte, ließ sich leicht von seiner erhitzten Visage ablesen – dieser Schuft!

Kochend vor Wut lehnte Merijntje am Türpfosten und schaute mit halb zugekniffenen Augen den tanzenden Paaren nach. Wenn sie mit diesem Kerl weiterging ... Ja, was dann? Schließlich konnte sie tun und lassen, was sie wollte. Gewiß – aber ... ob Dikkop vielleicht doch recht hatte?

Sie taugt nichts ... Sie – eine verheiratete Frau? Dieses junge Mädchen mit dem frischen Gesicht und der schlanken Figur?

Der Tanz war zu Ende. Keuchend und schwitzend suchten die Tänzer sich einen Sitzplatz. Nillis blieb mit dem Mädchen mitten im Saal stehen. Er lachte, daß man seine braunfleckigen Zähne unter dem Schnurrbart sah, wischte sich mit dem behaarten Handrücken den Schweiß aus den Augen und sagte etwas, was Merijntje in dem Lärm nicht verstehen konnte. Das Mädchen schlug die Augen auf und blickte ihn entrüstet an. Da lachte Nillis noch lauter, legte den Arm um ihre Schulter und versuchte sie zu küssen.

Atemlos sah Merijntje zu. Er spürte, wie er vor Angst blaß wurde, als wäre er selber bedroht. Doch das Mädchen entzog sich mit einer flinken Bewegung Nillis' Griff und stieß ihn so kräftig vor die Brust, daß er taumelte. Roh streckte er die Hand aus, um sie wieder an sich zu ziehen, doch sie hatte sich bereits ein paar Schritte von ihm entfernt. Ihre Augen funkelten zornig unter den zusammengezogenen Brauen, und heftig fuhr sie ihn an:

„Dazu hast du doch zu Hause genug Gelegenheit, was!"

Nillis sah sie böse an. Rundum wurde gelacht. Er war pfiffig genug, sich auf die richtige Seite zu schlagen, und lachte mit.

„Tu bloß nicht so empfindlich!" rief er hinter ihr her.

Ohne sich umzusehen, ging sie zur Tür. Merijntje trat einen Schritt zurück und stand wartend draußen. Da war sie. Mit beiden Händen strich sie sich das Haar glatt, schob den schweren Knoten im Nacken hoch, steckte eine Nadel um.

Diese Gebärde rührte ihn ungemein.

Sie hatte ihn noch nicht bemerkt. Als er vor sie hintrat, ließ sie langsam die Hände sinken und blickte ihn forschend, mißtrauisch an. In ihren Augen brannte noch der Zorn, mit dem sie Nillis zurückgestoßen hatte.

„Was suchst du denn hier?"

Es klang ärgerlich. Warum? Er hatte ihr doch nichts getan ...

„Weshalb bist du mir weggelaufen?" fragte er leise.

Ein Lächeln spielte um ihre Mundwinkel ... Er war ihr nachgekommen! Sie preßte die Hände zusammen und schaute in sein bedrücktes Gesicht, dann wandte sie die Augen ab.

„Ich ... ich dachte, du wolltest nichts mit mir zu schaffen haben."

„Warum denn nicht?"

Sie drehte sich halb um und schritt ein Stück die Straße entlang. Er ging neben ihr. Ohne ihn anzusehen, sagte sie:

„Sie haben dir sicher alles über mich erzählt ..."

Merijntje schwieg. Er sah ihre zusammengepreßten Lippen, die plötzlich gespannte Linie des Kiefers; die Nase schien stärker gebogen ...

„Dafür kann ich doch nichts", sagte er vorwurfsvoll. „Ich glaube kein Wort von diesem blöden Klatsch!"

Sie warf einen Blick in sein entrüstetes Gesicht.

„Was haben sie denn gesagt?"

„Daß du ... daß du ... verheiratet bist ... daß dein Mann dir weggelaufen ist ..."

Er hatte es leise, zögernd, widerwillig gesagt und erwartete, daß sie nun lachen, die Dummheit mit einem einzigen Wort abtun werde.

Doch sie lachte nicht. Sie nickte bedächtig und sagte: „Das stimmt, Merijntje."

Wie festgewurzelt blieb der Junge stehen, als habe er einen Schlag bekommen. Wie konnte das sein? Er wollte es nicht ... Es durfte nicht sein!

Auch sie war stehengeblieben. Ein wenig spöttisch schaute sie ihn an. Unter halb niedergeschlagenen Wimpern begegnete er ihrem Blick, sah den bitteren Zug um ihren Mund, die Nasenflügel, die ein wenig bebten, die Lider, die sich einigemal flatternd auf und ab bewegten. Sie hielt sich stolz und aufrecht, aber sie hatte Kummer. Sie war verheiratet, doch der Mann war ihr davongelaufen – sie war allein, allein in jeder Beziehung ... sie hatte einen schlechten Ruf, niemand wollte etwas mit ihr zu tun haben. Er wußte, was das hier bedeutete! Er dachte an seine Großmutter mit ihren löblichen Freundinnen, und heftige Auflehnung erhob sich in ihm ... Diese Klatschmäuler, diese scheinheiligen Frömmler!

Dann hörte er ihre Stimme: „Nun, Merijntje, willst du jetzt nicht lieber auch weglaufen?"

Mit einem wilden Blick sah er ihr in die Augen, und plötzlich, als sei gar nichts geschehen, faßte er ihre Hand und sagte:

„Ich weiß nicht einmal, wie du heißt."

„Marjan."

„Marjan ... das ist ein hübscher Name. Marjan und Merijntje, paßt das nicht gut zusammen? Komm, wir gehen tanzen!"

Er wollte sie mitziehen, aber sie hielt ihn am Arm zurück.

„Was denn?" fragte er enttäuscht. „Willst du nicht?"

Er sah doch an ihren Augen, daß sie froh war. Warum wehrte sie sich dann?

Lächelnd schüttelte sie den Kopf.

„Lieber nicht, Merijntje, du bringst dich nur ins Gerede."

„Quatsch!" rief er energisch. „Wieso denn? Meinst du, ich kümmere mich um den Dorfklatsch? Wir gehen zusammen aus – und wem das nicht paßt, der soll bloß kommen!"

Sein Gesicht war kampflustig.

Sie lachte leise, schob ihre Finger in seine kräftige Hand, und er hatte das Gefühl, als könne er in die Luft hinaufschweben.

„Du bist lieb", sagte er spontan. „Und ich weiß nichts von dir – und will nichts wissen. Du bist lieb ... und du begleitest mich jetzt. Abgemacht!"

Ein wenig schien sie noch zu zögern. Ein Schatten von Traurigkeit glitt über ihre Augen. Dann glaubte Merijntje plötzlich wahrzunehmen, wie die Sonne auf ihrem Antlitz durchbrach. Nun war sie wieder genau dieselbe, die er zuallererst, beim Tanzen vorhin, erlebt hatte.

Sie hakte sich bei ihm unter und drückte ihn fest an sich.

„Also, dann los!" rief sie, und in ihrer Stimme war ein Jubel, der ihn sofort ansteckte. Er lachte laut, zog sie eilends mit, zurück ins Gasthaus, und sprang sofort auf den Tanzboden. Ein wilder Walzer in schwindelerregendem Tempo wurde gespielt. Er schwenkte sie in der Runde, ihre Röcke schlugen ihm um die Beine, während die tollen Musikanten das Tempo immer mehr beschleunigten, bis niemand mehr mitkonnte und alle nur wild herumsprangen und die ganze Wirtschaft ein einziges lärmendes Stampfen, Johlen und Kreischen war. Marjan hing in Merijntjes Armen, ihre Wange ruhte glühend an der seinen, und ihre Arme lagen fest um seinen Nacken.

So weitermachen! flog es ihm durch den Kopf, nie mehr aufhören ... sie immer so an sich drücken dürfen! Wie leicht und weich und warm sie war ... So etwas Liebes – daß es das gab!

Die Musik brach ab. Mit lautem Schrei blieben die Tänzer stehen, lachten heiser, außer Atem.

Eine grobe Stimme keuchte: „Donnerwetter, das war ein Tanz!"

Mit geschlossenen Augen lehnte sich Marjan an Merijntje. Er hielt sie noch in den Armen, blickte in das warme Gesicht dicht vor seinen Augen ... das strahlende Mädchengesicht mit dem roten, selig lächelnden Mund. Staunen erfaßte ihn wieder. Eine verheiratete Frau ... dieses Mädchen? Sein Mädchen!

In jähem Besitzerstolz zog er sie fester an sich.

„Komm, Marjan, wir trinken was. Ich ersticke von dem Staub. Du auch?"

Dicht aneinandergepreßt suchten sie sich einen freien Platz auf der Bank, nahmen jeder ein Glas Bier vom Tablett, stießen an und tranken mit durstigen Zügen.

Er strich über ihren Hals und schob eine golden leuchtende Locke zurück.

„Marjanneke!" sagte er leise.

Sie lachte, faßte seine Hand, die in ihrem Nacken lag, und drückte sie an ihre warme Haut.

„Lieber Junge!"

An ihren Lippen sah er, was sie sagte, aber es gab keinen Laut. Stürmische Freude jubelte in ihm. Jetzt war es ein richtiges Fest! Noch nie in seinem Leben hatte er sich so festlich gefühlt . . . Und wie sie ihn ansah, die Marjan! Er wurde mit jeder Minute toller nach ihr . . . am liebsten hätte er sie hier, mitten zwischen dem johlenden Kirmesvolk, in die Arme genommen und geküßt . . .

Er hob ihr das Glas entgegen: „Santé!"

Sie hielt seine Hand zurück. „Worauf trinken wir?"

„Auf alles, was du willst!"

„Aber nur, wenn du es auch willst!"

Er lachte ihr in die leuchtenden Augen. Toll war er auf dieses Mädchen! Wie konnte einen das nur so plötzlich überkommen? Die Welt schien wohl zweimal so groß wie sonst, und alles war hell und leicht, alles schäumte und sprühte, man könnte die ganze Kneipe hochheben und über den Deich werfen vor lauter Freude! Er konnte nicht mehr sitzenbleiben. Ungeduldig sprang er auf.

„Komm, gehen wir weiter!"

Sie streiften von Wirtschaft zu Wirtschaft, tanzten und blickten einander tief in die Augen. Sie liefen durch die Straßen mit dem Gefühl, als schwebten sie. Sie sagten einander kurze, törichte Worte, die stets das gleiche bedeuteten. Und in beiden war dasselbe Erstaunen: Wie kam das . . . wie konnte das eigentlich geschehen?

An einer Bude kaufte er ihr eine Brosche mit blitzenden Steinen, und sie kaufte für ihn ein Messer mit einem Palmholzheft, auf dem Adam und Eva eingeschnitzt waren; aber dafür mußte er ihr einen Cent zurückzahlen, denn sonst zerschnitt es die Freundschaft . . . Sie gewannen einen schweren Kirmeskuchen und gaben ihn an eine alte Frau weiter, die neidisch vor sich hinmurmelnd zugesehen und das eigene Los, eine Niete, enttäuscht fallengelassen hatte. Sie mußten Tränen lachen über die kindische Freude der Alten: sie nahm den Kuchen in den Arm wie einen Säugling und tat wunderliche Tanzschritte, wobei die weiten Röcke wie verrückt um ihre stockdürren Beine schlackerten. Den Kindern, die verlangend um das Karussell lungerten, schenkten sie ein paar Cent aus lauter Bedürfnis, auch andere froh zu machen. Sie schaukelten, bis

sie die Decke berührten und der Gehilfe ihr Boot bremste – aus
Angst, ihnen könnte etwas passieren. Marjan schauderte bei dem
schnellen Niedersausen, und Merijntje hatte unbändige Lust, noch
höher zu schwingen, immer höher, bis man vielleicht geradewegs
in den Himmel flog ... Und wieder tanzten sie, bis sie todmüde
an einem Tisch niedersanken.

Ein paarmal hatte Merijntje bemerkt, wie ihm die Blicke der
anderen folgten. Er lachte darüber. Diese Karrenhengste! Eifersüchtig waren sie, das war alles! Es sollte nur einer wagen, den
Mund aufzumachen ... Herausfordernd saß er da, die Hand auf
Marjans Schulter. Ab und zu neigte sie den Kopf zur Seite und
strich mit ihrer Wange über seine Hand. Dann sah er sie an und
lächelte in ihre Augen und wußte, daß er noch nie so froh und
glücklich gewesen war ...

Ja, diese tiefen, hellen Augen, so blau wie der Himmel – deutlich sprachen sie immerfort dasselbe: „Ich hab dich gern.“

Es war unbegreiflich. Es war nicht zu fassen. Vor ein paar Stunden hatte er von diesem Mädchen noch nichts geahnt. Und jetzt
wußte er untrüglich, daß es niemanden auf der Welt gab, den er
so innig liebte wie sie – so sehr liebte wie bislang in seinem ganzen Leben keinen Menschen ... Ein atemraubendes, ein zwingen-
des Gefühl, ein ungestümes, hitziges Wissen: dieses Mädchen ist
meins, gehört mir, mir allein. Niemand kann die Hand nach ihr
ausstrecken. Er ist voll von ihr – und das ist schließlich kein Wunder, denn die ganze Welt ist von ihr erfüllt – da gibt es nichts
außer ihr, was anzuschauen sich lohnte. Sie hat das prächtigste
blonde Haar weit und breit, und niemand hat ein so leuchtend
schönes Gesicht, einen so glatten, schlanken Hals ... Aber da ist
noch etwas anderes, etwas völlig anderes – etwas, wofür sich keine
Worte finden lassen und was doch das Allerbedeutsamste scheint:
Es sprüht aus ihren Augen, ihr ganzes Wesen strahlt es wider, es
geht über alles Verstehen, und Worte fehlen dafür ... Es umhüllt
dich wie ein warmer Mantel, es fährt streichelnd über deine Wangen, es durchdringt dich; es macht das verräucherte Wirtshaus zu
einem Palast, es bringt dich auf Gedanken, die auszusprechen du
nie wagen würdest, weil du alberne hochtrabende Phrasen wählen
müßtest – und jeder würde sich biegen vor Lachen ... Wenn man
nur wüßte, was das ist! Und wenn man sich angesichts dessen nicht
so elend arm fühlte! Denn wie konnte man dies alles vergelten?
Es gab doch nichts, was dem vergleichbar war!

Verwundert schaute er in ihre glänzenden Augen. Sie schien jedoch nicht gar so freudig bewegt zu sein wie er.

Dicht an ihrem Ohr fragte er: „Bist du zufrieden, Marjanneke?“

Sie lachte leise, brachte ihren Mund an seine Wange und flüsterte: „Du bist ein Goldjunge!“

Er mußte darüber lachen – zugleich blieb aber ein Kloß in seiner Kehle stecken. Das hatte seine Mutter früher immer zu ihm gesagt, wenn er krank war und im Fieber nach ihr rief. Manchmal hatte er sich danach gesehnt, wieder krank zu sein, nur um sie das noch einmal sagen zu hören, wenn sie, von Sorgen gequält, schroff und unfreundlich war. „Goldjunge!" Das sagte man zu einem Kind, wenn es krank war und mehr Zärtlichkeit brauchte, als gewöhnlich zur Verfügung stand. Und nun raunte es dieses Geschöpf in sein Ohr.

Und er fand es nicht einmal lächerlich.

Jemand schob einen Stuhl an ihren Tisch, und der lange Körper von Flierefluiter beugte sich über sie.

„Aha, du Lausebengel!" sagte er mit empörter Stimme zu Merijntje. „So einer bist du also! Einen alten Freund allein umherirren zu lassen, um sich selber den besten Brocken herauszufischen! Eine schöne Freundschaft ist das, das muß ich sagen!"

„Trink ein Glas auf meine Rechnung", bot Merijntje spendabel an und lachte.

Flierefluiter verzog den Mund. „Das ist Bestechung", schimpfte er. „In die Falle geh ich nicht, Mann! Hättest du wenigstens noch gesagt: Gib dem lieben Frauchen einen Kuß – das wäre noch ein Zeichen von Nächstenliebe gewesen..."

Marjan lachte, beugte sich über den Tisch, ergriff Flierefluiters Kopf und gab ihm einen Kuß auf beide Wangen.

„Da!" sagte sie. „Weil du der Freund von Merijntje bist."

Seufzend verdrehte Flierefluiter die Augen.

„Die Erklärung hättest du dir sparen können", sagte er vorwurfsvoll, „ich will wegen meiner eigenen Verdienste geküßt werden – aber anscheinend ist das vorbei... Stell dir vor, Merijntje, Blosekriekskes Mutter wollte nicht ein einziges Mal mit mir tanzen. Die ist so versessen auf ihren Poldermenschen, daß sie ein Gesicht wie sieben Tage Regenwetter machte. Ich glaube, ich muß mich unter der Hand mal nach einem passenden Kloster umsehen!"

Er zog ein so betrübtes Gesicht, daß die beiden anderen in Lachen ausbrachen. Flierefluiter nickte bekümmert.

„Natürlich", jammerte er, „so ist die Jugend – keine Spur von Mitleid mit einem alten Mann, der mit einem Bein im Grabe steht..."

„Na, hör mal!" rief Merijntje entrüstet. „Weißt du kein lustigeres Lied?"

Flierefluiter lachte. „Jetzt hab ich ihn soweit", sagte er zu Marjan. „Jeden Augenblick wird er mich anspringen." Dann beugte er sich näher zu Merijntje und flüsterte: „Hast du noch genug Cents?"

Der Junge nickte. „O je, ja... massig!"

„Schön, dann genieß sie, Mann!" Und zu der Frau gewandt: „Paß gut auf ihn auf, Marjanneke – mach nichts dran kaputt! Vergiß nicht: Merijntje ist mein Sorgenkind . . ."

Sie lachten alle drei. Flierefluiter nahm den Hut ab, verneigte sich elegant und schaute sie beide noch einmal kopfschüttelnd an, dann drehte er sich um und stapfte zwischen den Tanzenden davon.

In Merijntje war eine kleine Unruhe: Spielte Flierefluiter Komödie oder hingen seine Schultern wirklich so trübselig herab?

Marjan sagte: „Guck dir das an, wie der losgeht, als ob er seinen letzten Groschen vernascht hätte . . . Der kann Flausen machen!"

Erleichtert lachte Merijntje mit, und als ihre Hand sich streichelnd auf die seine legte, war der ganze Flierefluiter vergessen.

5

Und dann saßen sie in der langsam sinkenden Dämmerung am Seedeich und blickten über das glatte Wasser des Stromes, das rote, goldene und grüne Glanzlichter trug und in dem sich der sommerliche Sonnenuntergang spiegelte.

Ab und an waren im Wirtshaus hinter vorgehaltener Hand Bemerkungen gefallen, und Merijntje war ungeduldig und zornig geworden. Doch Marjan hatte ihn mit einem Lächeln beruhigt und bald darauf vorgeschlagen, Dorf und Kirmes zu verlassen und einen Spaziergang durch die Felder zu unternehmen. Erleichtert hatte er zugestimmt, und so waren sie dann gemeinsam durch die Lindenallee davongezogen und am Fuße des Deiches längs der Felder gestreift. Hinter ihnen war der Lärm immer leiser geworden, eine ferne Begleitung ihrer im gleichen Schritt gehenden Füße, und schließlich war er ganz und gar erstorben, und die große Stille des einsamen Landes vertiefte ihre drängende, schweigende Freude. Unter den Weiden, an einem blinkenden Wasserlauf, hatte er sie dann in seine Arme genommen, und sie hatten einander zum erstenmal geküßt. Und da wußte Merijntje auch, daß dies der erste Kuß überhaupt war, den er einem Mädchen gab, denn nie zuvor hatte er die Erfahrung gemacht, daß man so unendlich ins Vergessen sinken konnte, wenn ein Frauenmund einen Kuß erwiderte. Ihren schlanken Körper fühlte er in seinen Armen zittern, die das Mädchen fest umschlungen hielten und nicht loslassen wollten. Es war, als gäbe es die Welt ringsum nicht und als bliebe nichts außer ihnen beiden... eine unermeßliche Lieblichkeit und Anmut, ein strahlendes Glück, ein heller Glanz im Raum.

Als sie einander schließlich freigaben, hatten sie lange, sehr lange gestanden, Auge in Auge, lächelnd, eng umschlungen, schweigend, jeder in das Wunder des Anblicks seines Gegenübers vertieft, minutenlang. Dann waren sie weitergewandert, ohne viel Worte, dicht aneinandergeschmiegt, immerfort weiter in die Einsamkeit der stillen Sonntagsfelder, wo sich dann und wann die Laute von zirpenden Grillen und kleinen, schläfrigen Vögeln regten.

Wie lange waren sie gegangen? Wie oft waren sie stehengeblieben, um sich zu küssen und sinnlose, kindlich liebkosende Worte zu flüstern?

Und nun saßen sie hinter dem Seedeich und schauten über den Strom, auf den sich der Abend in hellen, immerzu wechselnden Farben senkte. Marjan lehnte den Kopf an Merijntjes Schulter, und gedankenverloren streichelte er das blonde Haar, das sich so ungewohnt warm und weich in seinen Fingern anfühlte – und zugleich auch so seltsam vertraut. Hatte er diese Frau wahrhaftig heute zum erstenmal gesehen, oder kannte er sie nicht schon ein Leben lang?

Er blickte auf ihr Gesicht nieder, sah, wie sich die Wimpern ihrer Augen bewegten, und empfand eine Zärtlichkeit, wie er sie seiner kleinen Schwester gegenüber kannte. Sie hatte so etwas rührend Kindliches und Hilfloses an sich... Behutsam strich er mit der Hand über ihr Gesicht; er spürte das Kitzeln ihrer Wimpern und lachte. Sie zog seine Hand herab und küßte sie, hielt sie dann unter das Kinn und gegen ihren Hals... Da pochte eine Ader, und er lauschte andächtig: sie klopfte im gleichen Rhythmus wie sein Herz – genau die gleichen Schläge. Auch darüber mußte er wieder leise lachen.

„Mein lieber Junge!" sagte sie zu ihm hinauf, mit verhaltener Stimme.

Wie oft hatte sie es schon gesagt? Jedesmal klang es inniger, jedesmal herrlicher. Hungrig lauschte er darauf. Er war nicht mit zärtlichen Worten verwöhnt worden und hatte immer geglaubt, er möge sie nicht, er würde sie ärgerlich zurückweisen: Hör auf mit den Dummheiten ... Und nun konnte er nicht genug davon bekommen. Die Stimme, die Worte streichelten. Sie liebkosten sein Herz, und er erschauerte, so schön war es.

„Marjanneke!"

Sie schlug die Augen zu ihm auf. Er sah ihren Mund, die weißen Zähne zwischen den rotgeküßten Lippen.

„Marjanneke!"

„Was ist denn?"

„Nichts ..."

Sie lachte. Ihre Schultern rieben sanft gegen seine Brust. Er legte sein Gesicht auf ihre Haare. Wie sie dufteten! Wonach rochen sie? Nach reifem Korn? Nach Heu? Blumen? Nein, anders. Ein Geruch, in dem dies alles ineinanderströmte – und noch etwas dazu ... etwas, was von ihr allein kam.

Tief sog er den trockenen Duft des Haares ein ...

„Das riecht schön", sagte er. „Wie kommt das?"

„Du hast mich gern – nur daran liegt's. Weißt du das nicht? Menschen, die einander mögen, finden immer, daß der andere besonders gut riecht."

Darüber mußte er lachen.

„Das ist wahr", beharrte sie.

Dann zog sie seinen Kopf zu sich herab, steckte ihre Nase in seine Haare, holte tief Atem und sagte:

„Siehst du wohl, deine Haare riechen auch köstlich!"

Er schlüpfte unter Marjans Armen heraus und legte seinen Kopf in ihren Schoß. Ihre Hand ruhte auf seiner Wange. Über sich sah er ihr Gesicht, rein und blühend, doch auch ein wenig fremd, wie es jetzt – sozusagen auf den Kopf gestellt – gegen den tiefblauen, immer dunkler werdenden Himmel stand. An ihrem Hals sah er die Ader klopfen. Unter dem Ohr hatte sie eine Narbe, ein schmaler, weißer Streifen. Er hob die Hand und strich mit einem Finger darüber.

„Was ist das?"

Marjan zog den Kopf weg; sie zitterte ein wenig.

„Nichts ... das ist nur eine kleine Narbe."

„Wovon?"

Sie antwortete nicht, neigte sich über ihn, nahm seinen Kopf von ihren Knien und küßte Merijntje langsam auf beide Augen. Er dachte an keine Narbe mehr, lehnte seinen Kopf gegen den ihren, fühlte die Weichheit ihrer Brüste, seufzte vor Wohlbehagen und schloß die Augen.

„So möchte ich ewig liegen, Marjanneke!"

„Lieber Junge!"

Marjanneke... Lieber Junge... Immerfort das gleiche. Immer wieder neu. Herrlicher und immer herrlicher! Wie konnte einen so etwas Simples so glücklich machen? So überaus glücklich, daß sich das Herz in einem zusammenkrampfte, daß man die Fäuste ballte, bis einem die Finger weh taten...

Weit weg auf dem Strom heulte ein Dampfer dumpf und wehmütig, ein langgezogener düsterer Ton. Seevögel klagten über dem Watt, armselige kleine Stimmen in dem weiten Raum. Ein Windhauch trieb verschwommene Töne von Musik heran... ganz leise, unwirklich wie in einem Traum... die Kirmes im Dorf... Hier ist es besser, dachte Merijntje. Wie konnten die Menschen in stinkenden Kneipen aneinanderkleben und sich wie die Wilden gebärden, wenn es hier so unfaßbar schön war, so still, so weit, so einsam und gut? Der Salzgeruch vom Strom, der endlose Himmel, in dem das Abendrot ermattete, das kühler werdende Blau des Wassers, das warme Gras, die Vogelstimmen... und Marjanneke, die sich gegen ihn lehnte und mit ihrer Hand zärtlich über seinen Kopf strich und deren Herz er an seiner Schulter klopfen spürte... Erbärmliche Kirmes! Und doch: Gesegnete Kirmes! Er hatte recht getan, sich darauf zu freuen, denn die Kirmes hatte ihm Marjanneke beschert!

Lange saßen sie da und blickten schweigend mit träumerischen Augen vor sich hin. Er sah nichts, hörte nichts, dachte an nichts Bestimmtes. Aus dem Osten glitt der helle Sommerabend über die Welt. Sterne flammten leuchtend auf, und aus den Gräben dampften weiße Nebel, die zarte Schleier über das ausgefressene Watt breiteten. Auf dem Strom trieben die gelben Mastlichter der Schiffe, hier und da lauerte ein grünes, ein rotes Auge, Baken oder Feuer von vorüberfahrenden Dampfern. Die Luft war lau, wie eine warme Hand, die einem streichelnd über die Wange fuhr... War das noch die Welt? Nein, das konnte man nur träumen. Die Welt war im Traum versunken, und dieser Traum lag vor ihnen, so schön, so unwirklich schön. Es gab keine erkennbaren Formen mehr, alles war verzaubert, verschleiert und umnebelt, und die kleinen Geräusche kamen von so unendlich weit angeschwebt, daß sie die Stille nicht zu stören vermochten. Und plötzlich quälte Merijntje das unbestimmte Gefühl, daß er das Wunder dieses Abends aussprechen wollte und es nicht konnte, es nie können würde... Dann schlang Marjan die Arme um ihn und küßte ihn lange und leidenschaftlich, immer wieder und wieder, bis sie keinen Atem mehr hatten und einander seufzend losließen. Ihre Gesichter schienen blaß in der Dunkelheit.

Marjan stand auf und klopfte sich die Grashalme vom Rock.

„Komm", sagte sie, „wir wollen gehen, Merijntje."

Enttäuscht blickte der Junge zu ihr auf. „Gehen? Wohin denn?"

„Nach Haus."

„Nach Haus?"

„Ja, zu mir nach Haus ... Hast du keinen Hunger?"

Hunger? Ernüchternd fiel das Wort in seine träumerische Stimmung. Aber als es ausgesprochen war, spürte er seinen leeren Magen. Er lachte.

„Darauf wäre ich nie gekommen!" gestand er. „Aber jetzt, da du's sagst, merk ich, daß ich schon halb verhungert bin."

„Dann komm nur rasch mit, damit du nicht ganz und gar verhungerst!"

Er sprang auf, schloß sie wieder in die Arme und flüsterte ihr ins Ohr:

„Nur keine Angst, da eß ich dich erst auf. Ich glaub, das werde ich früher oder später sowieso tun!"

Er biß sie sanft ins Ohr. Lachend wehrte sie ihn ab.

„Damit warte noch ein bißchen, Merijntje! Wir haben noch zu wenig voneinander gehabt."

Sie zog ihn mit sich über den Deich. Hand in Hand liefen sie in einen Feldweg zwischen Getreideäckern, wieder über einen Deich und einen Weg entlang, der sich zwischen Wiesen dahinzog. Dann waren sie an dem Häuschen, in dem Marjan wohnte. Es stand ganz allein. Ein Stück weiter verbarg eine Baumgruppe den Hof von Meesters, bei dem sie arbeitete.

„Machst du die Läden zu? Dann steck ich schon die Lampe an."

Sie ging auf die Hintertür zu. Merijntje blieb stehen, hörte, wie sie den Schlüssel umdrehte und die eiserne Klinke herunterdrückte; die Tür knarrte in den Angeln.

Vertraute Geräusche ... Gleichwohl war es ein Traum, ein fremder, süßer Traum. Machst du die Läden zu? Mann und Frau kehren heim – ein weiter Weg und ein großer, stiller Abend über den Feldern ... der Mann schließt die Fensterklappen, die Frau geht hinein, um die Lampe anzuzünden ... der Wind wispert im Apfelbaum hinter dem Häuschen ... die Türklinke scheppert metallen, die Scharniere kreischen, eine Diele im Flur knarrt ... dies alles wohlbekannte, liebgewordene Geräusche. Wir lauschen kaum mehr darauf, so gut kennen wir sie ... Und über dem Häuschen steht der helle Sommernachtshimmel; er wimmelt von Sternen, von glitzernden Sternen. Mitten hinein ist die mild schimmernde Bahn der Milchstraße geschüttet ... eine ungeheuere Kuppel, die einzig über diese Welt gesetzt ist, um in ihrer Mitte das winzige Häuschen zu bergen, in das jetzt ein Mann geht, der eben die Fenster verdunkelt hat, während seine Frau die Lampe ansteckt. Gelber Schein leuchtet bereits durch die Herzen in den Läden.

Er schließt die Tür hinter sich und tritt in das kleine, saubere Zimmer, die übliche Behausung der Landarbeiter: ein gestrichener Tisch, braun gefirnißte Stühle mit Binsensitzen, ein bemalter Schrank, eine alte Kommode, ein Eisenofen, Heiligenbilder an der Wand, ein paar Fotografien in ovalen Rahmen, die Heilige Familie aus buntem Gips auf dem Kamin, kniende Engelchen zu beiden Seiten, auf dem Boden Binsenmatten, über der Bettstelle ein hölzernes Kruzifix, daneben ein Weihwasserkessel mit einem verstaubten Palmzweig. Alles so wie in anderen Häusern auch. Vielleicht ein bißchen heller und sauberer ... Doch genau dasselbe wie allenthalben in dieser Gegend. Woran liegt es denn nur, daß es ihn dennoch so wundersam anrührt? Warum meint er noch nie etwas so Ergreifendes wie dieses kleine Stübchen in diesem kleinen Häuschen gesehen zu haben, das verloren in der Weite der Felder liegt, bewohnt ganz allein von dem blonden Mädchen ...

Er sagt nichts, er steht nur an der Tür, schaut, lächelt und ist seltsam bewegt von dem Gefühl, daß er eigentlich dieses ganze kleine Zimmer ans Herz drücken möchte.

Marjan nickt ihm zu und ist beschäftigt. Sie setzt den Teekessel mit Wasser auf einen Petroleumkocher, schüttet Kaffee in die Mühle und fängt an zu mahlen. Auch ein vertrautes Geräusch, das knirschende Zerkleinern der Kaffeebohnen in der Mühle – und es bringt einen vertrauten Geruch ... Langsam kommt er auf den Tisch zu, hängt seine Mütze an den Knopf eines Stuhls und setzt sich. Hier ist er zu Hause – zu Hause in einer fremden Wohnung.

Marjan trällert und blickt ab und an zu ihm hinüber. Beide wundern sich über das Lächeln im Gesicht des anderen und wissen nicht, daß sie selbst auch lächeln. Das Wasser beginnt zu singen, zögernd zunächst ... Marjan stellt sich neben Merijntje und drückt dessen Kopf an ihre Hüfte. Er schaut zu ihr auf ... sie ist das Schönste vom ganzen Traum, das Schönste von allen Träumen – das Schönste überhaupt!

Plötzlich lacht sie hell auf, bückt sich und küßt ihn auf die Nase. „Hopp-hopp!" sagt sie munter. „Jetzt muß ich aber fürs Abendessen sorgen. Geh da weg, ich will Stullen schneiden!"

Gehorsam setzt sich Merijntje an die andere Seite des Tisches. Aber das tiefe Lächeln weicht nicht von seinem Mund. Fang nur an, denkt er. Tu, was du gewohnt bist, Marjanneke! Tu, was du willst ... Ein Traum bleibt es doch, so etwas Himmlisches gibt's einfach nicht auf der Welt!

Sie schneidet die langen dünnen Schnitten von dem runden Brot, das herrlich riecht, und legt sie auf einen Teller. Sie brüht den Kaffee auf und schenkt ein. Dann essen sie zusammen Abendbrot und merken, daß sie eigentlich doch keinen Hunger haben, und darüber müssen sie lachen, als einer es vom anderen feststellt. Marjan räumt den Tisch ab, doch als sie an Merijntje vorbeikommt, faßt er sie um die Hüften, zieht sie auf seine Knie und vergräbt sein Gesicht in ihrem Hals.

Wie das duftet! So müßte es bleiben! Leise und reglos sitzen und den warmen Hals an seinen Lippen spüren, ihr gekräuseltes Haar an der Wange, ihre Hände um den Kopf – und still sein, schweigen ... einfach nur so dasitzen und auf das Pochen des eigenen Herzens horchen. Oder ist es ihr Herz? Und das Gefühl haben, schreien, laut aufschreien zu müssen, weil dies noch lange nicht alles ist, weil Beteuerungen und Verheißungen im Raum schweben, für die niemand Worte hat, die aber groß sind wie die Welt ... noch größer ...

Er flüstert in ihren Hals hinein, wieder und immer wieder: „Marjanneke ... Marjanneke ...“

Und sie antwortet an seinem Ohr: „Lieber Junge ... mein lieber Junge ...“

Dann hebt sie seinen Kopf zu sich, blickt ihm in die Augen, und eine Glut, wie er sie nie erlebt hat, fliegt verzehrend durch sein Blut.

Sie steht auf und nimmt ihn an der Hand.

„Komm, Merijntje!“

Und er folgt ihr mit wild klopfendem Herzen, einen Schleier vor den Augen und mit stockendem Atem.

6

Wie spät war es, als Merijntje langsam durch die Nacht auf das Dorf zuging? Wieviel Stunden lagen hinter ihm? Waren es wirklich nur Stunden – oder war eine Ewigkeit verstrichen?

Der Mond, fast kugelrund und voll, hing am silberblassen Himmel und wanderte beständig mit. Merijntje lief federnden Schrittes, den Kopf hoch erhoben, und lachte dem weißen Mondgesicht zu. Seine Mütze hatte er in die Tasche gesteckt, und mit Behagen fühlte er den kühlen Nachtwind durch sein Haar streichen. In seinem Kopf sang etwas, immer der gleiche Klang, immer derselbe Name: Marjan ... Marjanneke ...

Stolz fühlte er sich, als Mann fühlte er sich ... Er war nicht mehr der leichtgläubige, versponnene Junge, der gestern Mittag zur Kirmes ausgezogen war, um zu tanzen und sich ein Mädchen zu suchen, mit dem er ein bißchen schäkern konnte. Ein Mann war er ... Eine Frau hatte sich ihm hingegeben. Er wußte nun, was es bedeutete, ein Mann zu sein – der Mann einer Frau. Stolz? Nein, nicht Stolz – Demut empfand er gegenüber Marjan. Dankbarkeit, überströmende Dankbarkeit. Und Erstaunen ... So schön konnte das also sein? Wie hatte er je denken können, daß es abscheulich sei, niedrig und gemein? Es war so wunderbar, so rein, so überaus herrlich!

So also war eine Frau. So war es, wenn man eine Frau liebte, wenn man von einer Frau geliebt wurde. Da brauchte man sich nicht zu schämen – es war nicht schmutzig, nicht widerwärtig. Es war schön, einfach schön ... Der weiße Leib – ganz anders als der seine: so rund und voll und schmiegsam, so zart und ergreifend; so heilig, daß man ihn fast nicht zu berühren wagte. Überall, wo man ihn mit Küssen bedeckte, war er glatt und weich, wie Satin, und auch so glänzend. Marjan... Marjanneke... Was hast du mir getan? Was hast du mir gegeben? Was hast du aus mir gemacht? Ich bin so reich und so groß ... Wie ein König stapfe ich durch die Nacht, und da gibt es nichts, was ich nicht tun könnte.

Sag mir, was soll ich für dich tun!

Er blieb stehen, reckte die Arme, lachte, ein tiefes Lachen der Befriedigung und des Gefühls ungehemmter Kraft. Wer war so stark wie er? Dann stieß er einen Schrei aus, einen wilden Siegesruf, der weit hinaus über die nächtlichen Felder klang und ein klagendes Echo weckte. Erschrocken schwieg er ... War er denn verrückt geworden?

Plötzlich hatte er die Empfindung, daß er für jeden sichtbar da oben auf dem Deich stehe, scharf abgezeichnet gegen den hellen Mondhimmel. Er sah sich selbst dort stehen. Alles Unsinn natürlich! Nicht ein einziges lebendes Wesen war in der Unendlichkeit dieser Nacht zu erkennen. Und doch lief er rasch den Deich hinunter, ging unten am Fuß an den lispelnden Weiden entlang und schlug dann einen schmalen Weg ein, der durch die Äcker auf das ferne Dorf zu führte.

Das Gefühl von Freude und Kraft verließ ihn nicht, jubelnder Siegestaumel blieb in ihm. Er summte irgendein Liedchen vor sich hin und suchte dabei nach Worten; doch es wurde ein unaufhörliches Hersagen ein und desselben Wortes: Marjannekes Name. Jedesmal mußte er darüber lachen, aber er fand nichts anderes – und es war gut so. Es gab ja nichts anderes als Marjanneke... Marjan und er ... Marjan und Merijntje – das paßte wunderbar zusammen!

Eine Zeitlang saß er dann auf einem Zaun, ließ die Beine baumeln und lauschte in die Nacht. Um ihn her rauschte sanft das Korn im Wind wie die Brandung einer fernen See. Frösche quarrten, unruhig schwirrten die flinken, leichten Blätter einer Pappel hinter ihm. Irgendwo kläffte ein Hund auf einem Gehöft ... Dann fiel sanft singend der Glockenschlag einer Uhr – ein einziges Mal ... Ein Uhr? Oder war es der Halbstundenschlag? Halb zwei oder halb drei vielleicht? Er hatte nicht die geringste Zeitvorstellung.

Erschrocken sprang er auf den Weg zurück. Er mußte nach Hause, zur Pfarrei. Heiliger Strohsack, er konnte doch nicht zu nachtschlafender Zeit auf dem Pfarrhof anlangen! Was sollte er dem Pfarrer sagen? Natürlich war alles abgeschlossen, er kam gar nicht ins Haus; womöglich mußte er Nele mühsam aus dem Bett klopfen.

Eilig lief er los. Nach einem Weilchen verhielt er seinen Schritt und blieb lachend stehen. Nun, was sollte ihm das denn ausmachen? Schlimmstenfalls packte er sich irgendwo ins Heu oder ins Korn. Mochten sie getrost denken, daß er voll gewesen war und es nicht mehr nach Hause geschafft hatte. Es war schließlich nur einmal Kirmesnacht... Das heißt – wenn Flierefluiter den Schnabel gehalten hatte; denn der hatte ihn ja mit Marjan gesehen! Na ja, und wenn schon? Was denn, bitte? Er war doch frei genug, zu tun und lassen, was er wollte! Und wenn jemand was zu bemerken hatte – Merijntje schritt jetzt wieder zügig aus –, gar kein Problem: er war kein kleiner Junge mehr! Er konnte seinen eigenen Weg gehen, so wie er es für richtig hielt.

Bei dem Gedanken an einen möglichen Widerstand stieß er ärgerlich kleine Steinchen vor sich her... Es blieb eine dumpfe Beunruhigung, doch setzte er entschlossen Fuß vor Fuß, in der festen Absicht, den Schwierigkeiten die Stirn zu bieten. Für Marjan würde er durch dick und dünn gehen, und was ihn selbst betraf, so würde er sich auch nichts mehr gefallen lassen. Niemand konnte einen blassen Schimmer davon haben, was mit ihm geschehen war, und er würde es auch niemandem sagen können. Dafür gab es keine Worte. Jedes Wort würde es nur geringer erscheinen lassen, würde es in etwas Häßliches verwandeln, in etwas ganz Gewöhnliches, worüber man schmutzige Witze machen konnte, mit Augenzwinkern und verschlagenem Gesicht. Bah! Wahrhaftig Grund genug, wütend zu werden und die Menschen zu verachten, weil sie aus einer so gewaltigen und schönen Angelegenheit etwas so Gemeines machten, worüber man hinterrücks feixte. Eher vielleicht aber Grund auch, traurig zu sein... Erbärmliche Wichte waren es, Stümper, die nichts von dem begriffen, was mit ihnen geschah – die aber überlegen, dreist und roh taten, um den Eindruck zu erwecken, sie seien tolle Hechte... Es blieb immer etwas, worüber man mit niemandem sprechen konnte, zumindest nicht im Kreis von Leuten, die gleichgültig und gedankenlos dahinlebten... Vielleicht mit einem Freund, von dem man sehr viel hielt, mit dem man ganz vertraut war – und dann auch lediglich in Andeutungen, mit behutsamen Worten, in einer Art, daß einfach die tiefe, stille, große Freude anklang, jenes so geheimnisvoll Anmutende, das sich am ehesten mit etwas überaus Heiligem vergleichen ließ, von dem man nur ehrfurchtsvoll bebend und doch mit strahlender Freude im Herzen erzählen konnte.

Ach, wie seltsam hatte sich alles verwirrt! Jäh, wie etwas Fremdes fiel der Gedanke in sein Bewußtsein, daß er eigentlich eine große Sünde begangen hatte: er hatte bei einer Frau gelegen und war nicht mit ihr verheiratet. Aber sie war verheiratet. Ehebruch nannte man das, und mit einer solchen Sünde auf der Seele war man auf ewig verloren. In heftiger Abwehr schüttelte er den Kopf. Nein, nein, das war unmöglich, das konnte keine Sünde sein! Er

wußte genau, daß er noch niemals im Bann einer so reinen Heiligkeit gestanden hatte wie eben, als er in Marjans Armen lag...
Nichts Irdisches war mehr daran gewesen, ein Schweben in lichtdurchstrahlten Räumen, ein Aufgehen in schwindelerregende Höhen, fort von aller Schwere, von aller Irdischkeit – kein dunkler Gedanke hatte Zugang zu seiner Seele gehabt. Und in Marjans Augen hatte er dasselbe gelesen ... die Glut, das Licht, den Taumel des Wunders. Ja, ein Wunder war es, ein strahlendes, großes Wunder! Wie ein Blitz war es vom Himmel herniedergefahren: gewaltsam und unwiderstehlich. Das konnte keine Sünde sein. Niemand würde ihn davon überzeugen können, und wenn ihm die ganze Welt gegenüberträte, um ihn zu beschuldigen – er wußte, daß er ein Wunder erlebt hatte.

Auf einmal hörte er, daß seine Schritte lauter klangen, und blickte auf. Er stand am Anfang der Dorfstraße und wußte nicht, wie er hierhergekommen war. Die Häuser zur Linken lagen dunkel im Schatten geborgen, der sich schief und gedrungen über die grauen Pflastersteine geschoben hatte. Nadelfein stach das spitze Kirchtürmchen in den sternklaren Himmel. Die bizarren Silhouetten des Karussells, der Buden und der Luftschaukel mit ihren staksigen Gliedmaßen wirkten fremd in der verlassenen Straße, in der sich nichts bewegte und die Erinnerung an den lärmenden Kirmestag, der dort vorbeigerast war, wie erstarrt in den gespenstischen Schatten des Rummelplatzes lag.

Der laute Widerhall seiner Schritte auf dem holprigen Pflaster beunruhigte Merijntje, und er ging auf dem schmalen Sandweg neben der Straße weiter. Nun mußte er sehen, wie er in die Pfarrei hineinkam. Wer weiß, wie spät es schon sein mochte...

Die Gartentür war nicht verschlossen. Auf Zehenspitzen ging er ums Haus und blieb plötzlich stehen: unter der Linde saßen der Pfarrer und Flierefluiter an einem Tisch, über den die Stehlampe gelben Schimmer goß.

Merijntje stand im Mondlicht, und ehe er zurücktreten konnte, kam auch schon Flierefluiters Stimme:

„Ah, da ist er ja. Willkommen zu Haus, Merijntje! Wir dachten schon, du hättest dich verirrt."

„Komm nur her, Junge!" rief der Pfarrer. „Du wirst Durst haben. Hier ist etwas zu trinken."

Merijntje trat langsam, mit steifen Schritten näher wie ein Hund, der seinem Gegenüber nicht traut und vorhat, bei der ersten verdächtigen Bewegung zuzuschnappen.

„Guten Abend, zusammen!" grüßte er befangen.

„Das nennt er Abend!" lachte Flierefluiter. „Die Jugend hat keinen Begriff für Zeit, Herr Pfarrer."

„Zur Kirmes sind alle ein bißchen durcheinander", sagte der Pfarrer begütigend.

Flierefluiter zwinkerte mit den Augen.

„Ja, und sie wohnt so weit weg!"

„Aha!" sagte der Pfarrer und lachte mit seiner schweren Stimme. „War's denn ein hübsches Mädchen, Merijntje?"

„Es geht, Herr Pfarrer", erwiderte Merijntje rascher, als er es selber wußte.

Flierefluiter schüttelte empört den Kopf.

„Es geht!" wiederholte er im Ton tiefster Verzweiflung. „Ich hab sie gesehen, Herr Pfarrer – eine Lilie auf dem Felde, eine Blume geradewegs aus dem Paradies, ein reines Wunder! Und dann sagt so ein Weihnachtsmann: Es geht... Statt alle Psalmen zu singen, die es nur gibt! Himmeldonnerwetternochmal, diese jungen Tölpel! Weinen möchte man darüber!"

Lachend blickte der Pfarrer Merijntje an, der nicht recht wußte, ob er böse werden oder mitlachen sollte. Was Flierefluiter über Marjan sagte, schien ihm ganz richtig, aber es klang ihm dennoch nicht vertrauenswürdig im Ohr.

„Laß ihn nur, Junge!" riet der Pfarrer, der ihm ansah, daß er sich ärgerte. „Mit eifersüchtigen Leuten läßt sich nicht streiten – das führt zu nichts."

Flierefluiter hob verzweifelt die Arme zum Himmel.

„Ist es vielleicht ein Wunder, daß ich eifersüchtig bin?" fuhr er auf. „Ich bin fast geplatzt vor Neid, als ich ihn heute nachmittag mit diesem Vergißmeinnicht losziehen sah. Schließlich bin ich auch nur ein Mensch... Stellt Euch das doch mal richtig vor: während er ein Mädchen nach Hause bringt, muß ich mit einem Geistlichen hinter einer Flasche Wein und einer Zigarre philosophieren... Und dann soll man nicht vor Eifersucht die Beherrschung verlieren! Nicht jeder Sterbliche kann ein Heiliger sein, Herr Pfarrer – und wenn ihm die Tugend dreist aus allen Knopflöchern quillt, wie bei mir. Ein dunkles Fleckchen gibt's in der reinsten Seele..."

Der Pfarrer lachte fröhlich und nickte mit seinem großen Kopf, und auch Merijntje mußte lachen, ob er wollte oder nicht.

„So", sagte er mit tadelnder Entrüstung, „nun wirfst du dem Herrn Pfarrer auch noch vor, daß du mit ihm bei Wein und Zigarren sitzen mußt! Hast du schon einmal etwas von Dankbarkeit gehört?"

„Laß ihn, Junge!" sagte der Pfarrer lachend. „Der Arme ist wirklich zu bedauern."

„Und wie!" jammerte Flierefluiter. „Aber das versteht ihr doch nicht. Dafür ist der eine zu jung und der andere nicht fein genug besaitet... Daran liegt's. Aber das verringert mein Leiden nicht!"

„Alles Leid, das dich drückt und das du noch zu tragen haben wirst, hast du reichlich mit deiner Lieblingssünde verdient", schmunzelte der Pfarrer. „Auf die Dauer erhält jeder, was ihm zukommt. Und das ist nur gut – das wahrt das Gleichgewicht."

Flierefluiter nickte mit mißmutigem Gesicht, trank dann sein Glas aus und sagte:

„Glücklicherweise ist Euer Wein besser als Euer Trost, Herr Pfarrer, sonst würde sich mein Mund von der Säure zusammenziehen!"

„Na, so ein Glück, daß das wenigstens noch etwas taugt!" höhnte Merijntje, und der Pfarrer lobte: „Brav so, Merijntje, du mußt mir ein bißchen beistehen, denn dieser Herr wäre noch imstande, mich an mir selber zweifeln zu lassen. Komm, setz dich zu uns, Junge, und trink ein Gläschen mit!"

„Müssen wir nicht ins Bett?" fragte Merijntje, während er sich zögernd setzte und das Glas Weißwein abnahm, das ihm der Pfarrer reichte.

„Da haben wir's wieder!" schimpfte Flierefluiter. „Das Bürschchen findet immer ein Haar in der Suppe, um unsereins die Freude zu verderben. Wenn er dereinst in den Himmel kommt, wird er Petrus gewiß fragen, ob's denn überhaupt genehm sei und ob er nicht ungelegen komme und lieber ein paar hundert Jahre später erneut vorsprechen solle, wenn er noch frömmer wäre und gottgefälliger ... Genieß doch den köstlichen Wein, du Musterknabe, und denk nicht ans Bett!"

Lachend hob Merijntje ihm das Glas entgegen: „Nun, auf dein Wohl denn! Und auf Eure Gesundheit, Herr Pfarrer!"

Wie eine kühle Liebkosung rann der Wein durch seine Kehle; er nahm noch einen Schluck und schnalzte mit der Zunge.

„Verflixt, das ist ein edler Tropfen!" rief er.

Flierefluiter nickte vergnügt.

„Das hör ich schon lieber", sagte er zufrieden. „Mensch, was sind wir doch für bevorzugte Halunken!"

„Das sind wir wohl!" stimmte Merijntje begeistert zu.

Flierefluiter blickte ihn mit halbgeschlossenen Augen an und schmunzelte.

„Bedenk das nur gut!" erklärte er. „Da haben sich ein Haufen Leute müde und lahm geschuftet, sind auf Berge geklettert, haben auf der Erde gelegen und sich den Rücken verbrannt, sind mit Giftspritzen herumgelaufen und haben sich den ganzen Sommer über im Schweiße ihres Angesichts abgeplagt, nur um dafür zu sorgen, daß wir so einem liebreizenden Fläschchen den Hals brechen können. Wenn man richtig darüber nachdenkt, kann einen schon das Gewissen rühren."

„Vor allem, wenn man selber nicht gewohnt ist, sich zu rühren!" lachte der Pfarrer.

„Das schießt ja nun haarscharf am Ziel vorbei!" rief Flierefluiter. „Diese Jacke braucht sich ein Mann, der eben erst einen ganzen Binnensee ausgestochen hat, nicht anzuziehen – und ich werd sie mir auch nicht anziehen!"

„Großartig!" pries der Pfarrer. „Hör mal, Flierefluiter: Zieh dir nur ja nie und nimmermehr was an, was dir nicht paßt, sonst wirst du vielleicht doch noch zu sehr rangenommen!"

Sie hänselten sich noch weiter. Doch Merijntje hörte bald nicht mehr hin. Die Worte kamen wie aus weiter Ferne, und er erfaßte ihren Sinn nicht mehr. Seine Gedanken irrten zu Marjan zurück. Er sah sie, wie er sie verlassen hatte: den blonden Kopf mit dem krausen Haar auf dem Kissen. Den blonden Arm auf der Decke. Die träumerischen Augen schwer vom Schlaf, den Mund, der noch einmal seinen Namen flüsterte ...

Wie unsagbar lieb dies alles war ... eine wunderbare Nacht – eine Nacht ohne Ende. Schön und herrlich von Anbeginn ... Marjan ... der Heimweg durch die Kornfelder unter den Sternen ... das Sitzen hier draußen unter dem wispernden Baum, mit jenem gelben Lichtkranz über dem Tisch und dem Wein, der grünlich in den hohen Gläsern funkelte.

Dann hörte er Flierefluiter mit einem tiefen Seufzer sagen:

„Ja, ja, Herr Pfarrer, der Mensch ist nicht viel mehr als ein Häufchen Staub ..."

Merijntje hob den Kopf. Nicht mehr als ein Häufchen Staub? Dieser Gedanke hatte ihn schon so oft beschäftigt. Und ehe er es noch wußte, hatte er bereits gefragt:

„Herr Pfarrer, warum hat unser lieber Herrgott alles aus dem Nichts erschaffen – nur den Menschen nicht?"

Verwundert sah der Pfarrer ihn an. Flierefluiter richtete sich in seinem Stuhl ein wenig auf und betrachtete Merijntje voller Erwartung: der mußte natürlich wieder mit einer Frage herausrücken, die nicht so leicht zu erledigen war.

„Wie kommst du denn darauf, Junge?" fragte der Pfarrer.

„Ja, das wird uns doch gelehrt", sagte Merijntje. „Gott sprach: Es werde Licht, und es ward Licht – aber um den Menschen zu machen, nahm er den Staub der Erde. Warum?"

Pfarrer Ramakers sah ihn überrascht an. Flierefluiter grinste vor sich hin und schüttelte den Kopf. Als der Pfarrer nicht sogleich antwortete, sagte der Vagabund amüsiert:

„Das ist doch leicht zu erklären. Am Aschermittwoch heißt es: Aus Staub bist du gemacht, und zu Staub sollst du wieder werden ... Nun, Gott der Herr wußte von Anfang an, daß man das sagen würde, nicht wahr? Denn er weiß alles ... Und um die Pfarrer nicht als Lügner hinzustellen, hat er den Menschen aus dem Staub der Erde gemacht. Ganz einfach!"

Unwillig schüttelte Merijntje den Kopf, und der Pfarrer lächelte über sein verstörtes Gesicht. Dann sagte er:

„Hast du schon mal gehört, Merijntje, daß auch die Erde ein Stern ist? Dann könntest du also auch sagen, daß der Mensch aus Sternstaub gemacht ist – und Sterne geben Licht ..."

Merijntje blickte den Pfarrer an. Seine Augen wurden groß und rund wie bei einem verwunderten kleinen Jungen; Flierefluiter mußte sich bezwingen, ihn nicht wie ein Kind an sich zu ziehen, wie er es vor zehn Jahren getan hätte. Doch dann sagte er mit leichtem Spott:

„Der Herr Pfarrer ist ein Dichter, hast du's gehört?"

Merijntje blickte empor, wo zwischen dem Laub der Linde ein paar Sterne funkelten. Er seufzte tief, stand auf und sagte müde: „Ich gehe ins Bett."

„Das täte ich auch!" nickte Flierefluiter. „Denn morgen ziehen wir weiter. Ich habe uns bei Meesters zur Getreideernte verdingt ..."

Merijntje schob den Kopf vor: „Bei wem?"

„Bei Meesters – den hab ich heute auf der Kirmes gesprochen."

Ein fröhliches Licht blitzte in Merijntjes Augen auf. Dann wünschte er ruhig gute Nacht, drehte sich um und ging ins Haus. Im Flur mußte er einen Augenblick stehenbleiben. Ein lautloses Lachen schüttelte seine Schultern. Von morgen an arbeitete er bei Meesters ... bei Marjans Bauern ... Und Marjan war aus Sternstaub gemacht – sie gab Licht ...

Ach, die Welt war doch ein Paradies, und es war ein Fest, darauf zu leben!

· *Drittes Kapitel* ·

I

Weißglühend steht die Augustsonne am silbrig blauen Himmel. Über dem Kornfeld steigt flimmernd die Luft in heißen Wogen auf. Die Weiden am Ende des Ackers, dort wo der Graben ist, vibrieren sanft in diesem leisen Flirren mit, scheinen zu zittern und leicht zu schwingen in der brütenden Hitze, die vom Erdboden aufsteigt.

Nicht der matteste Windhauch streicht über das Land, um den gebückten, sich plagenden Arbeitern, die Bauer Meesters' Gerste ernten, ein wenig Kühlung zu bringen. Die Augen unter dem breitrandigen Sonnenhut sind starr auf die Halme vor den langsam vorwärtsschlurfenden Füßen gerichtet. Mechanisch bewegen sich die Arme, schlagen den Pickhaken hinter das Getreide, schwingen die haarscharfe Sichel in genau abgemessenen Bogen um die Beine, und rauschend fällt Garbe um Garbe schräg hinter dem Mäher zu Boden. Durch das dünne geöffnete Hemd sengt die Sonnenhitze mit einer Kraft, als stünde der ganze Himmel in Brand. Die Welt ist wie ein Backofen. Aus allen Poren dringt der Schweiß, prickelt auf der verbrannten Haut, tropft beißend in die Augen und läuft an Brust und Beinen entlang. Über dem Rand der Holz- oder Lederpantoffeln stechen die Stoppeln in die nackten Knöchel und reißen brennende Wunden. Der gebeugte Rücken ist ein einziger Schmerz, so als würden Tausende von glühenden

Pfriemen hineingejagt. Ab und zu fällt ein Blick schreckhaft nach rechts und nach links, um sich zu vergewissern, daß man auch nicht zurückbleibt. Durchhalten! Nicht zurückfallen! Zäh und unermüdlich weitermähen!

Dort drüben geht der Bauer, die Pfeife im Mund, und schaut schweigend nach den Arbeitern. Sein wortloses Zusehen ist wie eine Peitsche, die unhörbar über ihnen schwingt und stets gegenwärtig ist, die knallen und zuschlagen und mit einem kurzen, bösen Streich alles unerträglich machen kann. Sie wagen kaum, sich mit dem Rücken der für einen Moment untätigen Hand den Schweiß aus den Augen zu wischen.

Merijntje hat das Empfinden, bei lebendigem Leib in die Hölle geworfen zu sein. Zuerst war es ein Kinderspiel. Er hatte den Schlag rasch heraus, den eigenartigen Rhythmus, mit dem die blitzende Sichel geschwungen wurde, nachdem der Haken zugepackt hatte. Er ergötzte sich an einem Liedchen, das er im Takt der fauchenden Hiebe, die die harten Halme trafen, und der zur Seite sausenden Schwaden trällerte. Am frühen Morgen, da die Sonne noch kaum über dem Horizont stand, die Nachtkühle noch zwischen den Halmen hing und der Boden unter den Füßen feucht war vom Tau, machte es Freude, die Muskeln für diese Arbeit anzuspannen, dem Jubilieren der Vögel zu lauschen und dem stillen Säuseln des Windes im Kornfeld. Ein Vergnügen war es geradezu, für das man sich kaum anzustrengen brauchte. Locker schwangen die Arme in den Gelenken, und die Beine liefen mühelos mit, leicht wie bei einem langsamen Tanz. Es tat wohl, die reine Luft einzuatmen, zu fühlen, wie der frische Wind über Wangen, Hals und Brust strich ... Hinter ihnen, hinter den mähenden Männern, griffen die Frauen die niedergesunkenen Halme, banden sie zu Garben und setzten sie später zu Puppen zusammen ... Und eine dieser Frauen war Marjan. Sie war zwar nicht in seiner Nähe, arbeitete weit hinten im Rücken der anderen Erntehelfer, aber sie war auf demselben Acker, zog mit im Sog der gleichen Arbeit; sie gehörten doch zusammen hier auf dem Feld, unter dem klaren Morgenhimmel, und ihre Körper bewegten sich im unnachgiebigen Fluß der gleichen Strömung, des gleichen Spiels ... Und nachher, wenn Pause gemacht wurde, würden sie sich sehen, und ihre Augen würden von dem sprechen, was niemand wußte als sie beide allein – Erinnerungen und Verheißungen ...

Doch die Sonne war am Himmel emporgestiegen und hatte die letzten Reste der kühlen Morgennebel aufgesogen, der Wind hatte sich gelegt, und aus dem Spiel war grausamer Ernst geworden. Der Bauer hatte ihn angeschnauzt, weil er hinter den anderen zurückgeblieben war, und er hatte wütend zugeschlagen, schneller den Haken hinter die Halme gehakt, sich rascher und tiefer gebückt, bis allmählich die sengende Glut dieses Mittsommertages vom

Himmel auf ihn niederfiel, von der Erde zu ihm aufstieg und röstend auf seinen Schultern brannte. Wie Leder lag seine trockene Zunge im Mund, in seiner Nase kitzelte der Staub, die Haut des Gesichts stach und juckte, der Schweiß lief an ihm nieder, und alle Muskeln schienen gezerrt oder gerissen. Es war jedesmal ein Aufatmen, wenn die Sichel mit dem Haarhammer gedengelt werden mußte – einen Augenblick sitzen, einen Augenblick eine andere Bewegung, einen Augenblick Luft holen und einen Schluck Kaffee durch die ausgedörrte Kehle gießen ... Doch die prüfenden Augen des Bauern bewachten einen und trieben zur Eile an. Die anderen arbeiteten weiter. Man mußte sich überstürzen, um wieder nachzukommen. Und wie groß dieser Acker war, wie endlos er sich unter der unbarmherzigen Sonne ausdehnte!

In der Mittagspause war er schwindlig, mit zitternden Gliedern, ins Gras unter den Weiden gefallen, hatte sein Brot heruntergewürgt und war dann plötzlich in Schlaf gesunken wie ein Block. Marjan hatte er nicht einmal bemerkt, und die abgehärteten Arbeiter hatten ihn ausgelacht und ihn unsanft geweckt, als es Zeit war, wieder an die Arbeit zu gehen.

Und dann begann die Hölle erst richtig. Die Nachmittagssonne brannte und stach. Er spürte seinen Körper nicht mehr vor Erschöpfung. Hustend vor Staub, schwer und mühsam keuchend kämpfte er sich vorwärts. Er mußte sich einen Weg schlagen durch einen Ozean von Korn, der nie ein Ende nehmen würde – Korn, das sich zu Flammen verwandelte ... Flammen, in die seine Sichel hineinschlug, Flammen aus dem Himmel über ihm, Flammen, die aus dem Boden stiegen, seine Fußsohlen versengten, an seinen Beinen emporzüngelten ... Flammen ringsumher, eine Welt von Flammen! Eine Hölle, aus der keine Erlösung möglich schien ...

„Beeil dich ein bißchen, Junge! Du bleibst dauernd zurück! Wenn du's nicht schaffst, mußt du eben aufhören." Die Stimme des Bauern klang verdrießlich und herrisch.

Wut stieg in Merijntje auf, doch er drehte sich nicht um. Verbissen schlug er die Sichel in die Halme, die rauschend zu Boden fielen.

„Gib acht auf deine Beine!" warnte der Bauer erschrocken, als das scharfe Sichelblatt hart an Merijntjes Füßen vorbeischwirrte. Dann lief er weiter, ärgerlich vor sich hinbrummend. Warum hatte er sich auch von Flierefluiter, diesem dreimal verfluchten Nichtsnutz, so einen Grünling aufschwatzen lassen!

Klingend schlug Merijntjes Sichel auf einen Stein. Ach, nun mußte die Schneide wieder gerichtet werden! Er straffte langsam den Oberkörper. Je oje, wie es im Rücken und in den Lenden stach! Das hielt er nicht bis zum Abend aus! Aufgeben? Den ganzen Kram hinschmeißen? Diesem verdammten Bauern die Sichel an seinen dicken Schädel werfen? Nein, das Vergnügen wollte er den anderen nicht gönnen. Sie hatten miteinander getuschelt und unablässig gegrinst: Dieser Stadtjunge! Noch steckte er nicht auf! Was würde Marjan sagen, wenn er kniff? Dann mußte er auch vom Hof fort – weg aus ihrer Nähe. Nein! Zornig biß er die Zähne zusammen. Er gab nicht auf – und wenn er halbtot umfiel. Eher mußten sie ihn vom Acker schleppen! Er wollte es ihnen schon zeigen, daß in dem Stadtjungen noch genug Landblut floß und er diese stupide Knochenarbeit genausogut schaffen konnte wie sie. Verrückte Dorftrottel, die alles über sich ergehen ließen, wie die Besessenen rackerten, sich dumm und dämlich plagten, dafür noch kostenlos Rüffel kassierten und untertänig zum Bauern aufschauten, ob er's ihnen gar verübelte, daß sie keine Riesen waren, die die ganze Dreckarbeit im Handumdrehen verrichten konnten!

Mit einem Ruck erhob er sich, unterdrückte einen Schrei wilden Schmerzes und legte unwillkürlich die Hand auf seine Lenden, die bohrten und brannten, als ob sie voll offener Wunden säßen .. Er hörte jemand heiser lachen, blickte aber nicht auf, um zu sehen, wer es war. Heftig griff er das Getreide an. Das war der Feind! Der mußte geschlagen werden, der war an allem schuld! Er mußte beinah selber lachen über seine kindische Wut gegen das unschuldige Korn. Aber an irgend etwas mußte er seine Wut auslassen ... Hier, du Luder, ich schlag dich kaputt, einen zu quälen, bis man verrückt wird! Wart nur, ich kriege dich schon! Hier ... da ... nieder mit dir! Und wenn du zehnmal so groß wärst, wie du bist, ich krieg dich schon unter ... Es wurde eine Wollust, die scharfe Sichel durch die Halme zischen zu hören, den Pickhaken sausend hineinzuschlagen, Schwaden für Schwaden umfallen zu sehen. Aufgeben? Nun gerade nicht!

Nein, er kapitulierte nicht. Er wußte kaum mehr, daß er noch lebte. Nichts weiter als ein einziger stechender, glühender Schmerz war er ... wie in einem flammenden Ofen geröstet kam er sich vor, seine Handflächen brannten von den aufgescheuerten Blasen, und das Blut klebte am Griff seiner Sichel. Aber er gab nicht auf ...

Als der Abend zu sinken begann, winkte der Bauer, die Arbeit einzustellen. Stöhnend reckten sich die Leute, rieben sich die schmerzenden Hände, tranken den letzten Schluck aus ihren Kaffeeflaschen, suchten ihr Gerät zusammen, stopften sich die Pfeife und stapften zum Damm, um auf die Straße zu gelangen.

Merijntje fühlte sich wie gerädert. Am liebsten hätte er sich ins Korn fallen lassen, um gleich einzuschlafen. Der Gedanke an Essen verursachte ihm Übelkeit. Liegen ... liegen ... und schlafen ... nichts mehr hören, an nichts mehr denken ...

Seine Beine zitterten, vor seinen Augen war ein Schleier, er taumelte. Doch er riß sich zusammen und setzte sich mit einem Ruck in Bewegung, die Sichel über der Schulter, den Haken unter den Arm geklemmt.

Wo steckte Marjan! Er blickte sich um. Dort drüben ging sie mit den anderen Frauen und Mädchen. Er brummte seine Enttäuschung weg. Natürlich ging sie mit den anderen! Glaubte er vielleicht, sie werde angelaufen kommen und ihm vor allen Leuten um den Hals fallen?

Am Damm drehte er sich um und schaute über den Acker. Ein schönes Stück hatten sie kahlgeschoren! Auf seine trockenen Lippen trat ein leichtes Lächeln. Da standen die Puppen, die die Frauen aufgestellt hatten. Wie viele kamen wohl auf seine Rechnung? Und wieviel blieb noch zu tun? Doch er wußte nicht, wie weit Meesters' Felder reichten. Na, mal sehen, sie würden es schon schaffen ... Die Flinte, nein, die Sichel ins Korn werfen – das tat er nicht!

Mit bleischweren Beinen schlurfte er auf den Weg. Vor ihm ging ein alter Arbeiter. Der Rücken war krumm, die breiten Schultern hingen vornüber, und seine schleppenden Füße wirbelten Staubwolken auf. Wie uralt er aussah, dieser Mann – und dennoch stand er von morgens früh bis zum Abend im Getreide und tat die unmenschlich schwere Arbeit. Ein Leben lang ... Und wofür? Was hatte so ein Mann von seinem Leben?

„Gar nicht so leicht, was, Merijntje?" sagte neben ihm eine fröhliche Stimme.

Verstört sah er auf, in das lachende Gesicht eines jungen Burschen ... Peer van Til ... Der war ein paar Jahre älter als er, erinnerte er sich. Ein ungelenker Riese mit langen Armen und kindlichem Flaum um die schweren Kiefer. Merijntje hatte nicht den Mut aufzuschneiden.

„Nein", gab er zu, „wirklich nicht. Ich bin halbtot."

„Daran gewöhnt man sich", sagte Peer ermutigend. „Nachher macht's dir gar nichts mehr aus."

Merijntje nickte.

„Bist du ständiger Knecht bei Meesters?"

„Leider nicht. Ich arbeite auf dem Feld, überall, wo's was zu verdienen gibt. Im Herbst werde ich wohl mit den Polderarbeitern mitgehen ... Wenigstens wenn die Frau es zuläßt."

„Bist du denn verheiratet?" fragte Merijntje verblüfft.

Peer lachte laut. „Klar, anderthalb Jahre!" rief er. „Wir haben auch schon einen Jungen ... so'n Dreikäsehoch, Mann. Du lachst dich tot über ihn, wenn du ihn siehst. Finger, nicht größer als Garnelen, und Füße! So!" Er zeigte mit Daumen und Zeigefinger, wie groß die Füße des Kindes waren, und erzählte weiter, daß es schon lachen könne und ihn sofort erkenne, wenn er sich über die Wiege beuge.

Merijntje schaute verstohlen zu ihm auf. So ein Junge, und schon verheiratet – und Vater auch ... Und wie stolz er darauf war! Sein ganzer eckiger Kopf strahlte vor Freude und Zufriedenheit. Ein glücklicher Kerl!

„Mit wem bist du denn verheiratet?"

„Mit Kee Dekkers. Die kennst du doch wohl noch? Sie hat früher neben euch gewohnt."

„Ja, sicher kenn ich sie", sagte Merijntje und lächelte.

Wie verrückt! Die kleine runde Kee Dekkers mit dem Flachskopf und den Sommersprossen ... die war noch jünger als Peer. Merkwürdig, Vater und Mutter! Diese Kinder, mit denen er gespielt hatte ... Na ja, er war selber auch kein Kind mehr. Das merkte man erst, wenn man so etwas erfuhr.

Peer stieß ihn mit dem Ellbogen an.

„Servus, Merijntje, ich biege hier den Feldweg ein. Ich wohne dort drüben hinter dem Deich. Bis morgen!"

„Bis morgen!"

Peer ging den schmalen Weg entlang. Merijntjes Augen folgten ihm.

„Grüß deine Frau!" rief er hinter ihm her.

Der andere winkte mit dem Pickhaken, und Merijntje sah noch einmal sein lachendes Gesicht. Dieser Bursche hatte gefunden, was er wollte! Ein Riese ... eitel Kraft ... Und was würde davon übrig sein, wenn er so alt war wie der Mann dort vor ihm?

Nicht viel gewiß. Auch so ein gebeugter Körper, breite hängende Schultern, gichtige, gekrümmte Finger und ein Kopf, der vornüber zur Erde kippte und mit stumpfen Augen vor sich hinstierte. Plötzlich stieg heiße Empörung in Merijntje auf. Das war doch kein Leben! Er dachte wieder an Marjan ... an sich und Marjan ... So mußte sich Peer gegenüber seiner Kees fühlen ... so hatte sich dieser alte Mann einst gegenüber seiner Frau gefühlt. Was blieb davon nach solch viehischer Arbeit? Was blieb übrig vom Leben, von der Freude? Ein verbrauchter Körper, erschlaffte Muskeln, Angst vor den letzten Jahren, den dürren, kalten Jahren des Alters, da man von dem leben muß, was einem zugesteckt wird; denn auf dem Feld kann man nicht mehr stehen, weil man sich kaputtgeschunden hat ... und der Bauer fuhr gut dabei – der lief nicht krumm und schief herum, den zwangen die Jahre nicht so leicht zu Boden!

Nach einer Weile hatte Merijntje den alten Arbeiter eingeholt.

„Ah, Kiske Baks!" rief er.

Der Mann blickte müde zu ihm auf, ohne daß ein Lächeln sein hartes, zerfurchtes Gesicht entspannte.

„Schwerer Tag heute, was?"

Kiske hob fast unmerklich die Schultern. „Wie jeder andere", sagte er gelassen.

„Ja, aber diese Hitze!"

„Das ist nur gut", brummte der Mann, „je eher die Gerste vom Feld ist, desto rascher haben wir unser Geld verdient."

„Wie alt bist du jetzt eigentlich, Kiske?" Er hatte es gefragt, ehe er es noch wußte.

Der Mann dachte nach. Ohne ihn anzusehen, sagte er: „Im Herbst werde ich vierzig."

Merijntje erschrak. Vierzig Jahre? Das war doch kein Alter! Und dieser Mann hatte stumpfes graues Haar, er ging vornübergebeugt, sein Gesicht war voller Falten.

Baks blickte zur Seite, als keine Antwort kam. Anscheinend sah er die Bestürzung im Gesicht des Jungen.

„Ja, Mann", sagte er mit einem bitteren Lächeln. „Wenn man einen Haushalt mit neun Kindern hat, muß man zupacken, und davon wird man nicht schöner. Die schwerste Arbeit wird am besten bezahlt, hat mein Vater immer gesagt, und hinter der bin ich mein Leben lang hergewesen."

„Ja, ja", seufzte Merijntje, „natürlich."

Dann grüßte er und ging an dem Mann vorbei. Er fühlte sich mit einemmal jung, gesund und bevorzugt... Was für ein Sklavenleben führten diese Menschen! Und was hatten sie davon? Solange sie jung waren, nahmen sie das Maul voll. Sie lebten fröhlich und unbeschwert. Sie wollten dies tun und jenes unternehmen. Und dann plötzlich waren sie, genau wie Peer, verheiratet, bekamen ein Kind nach dem anderen, und aus war es mit dem vergnüglichen Leben, über das sie so eifrig geprahlt hatten – und das sie fortsetzen wollten, Mann, bis in alle Ewigkeit! Sie wurden Sklaven der Arbeit und der Familie. Zum Leben blieb weder Zeit noch Kraft.

Aber dann wunderte sich Merijntje über seine Gedanken. Das war doch exakt Flierefluiter, der so dachte! Zum Leben? Was bedeutete das denn? War die Arbeit für die eigene Familie denn kein Leben? Wenn er nun Marjanneke einmal heiratete und sie bekamen Kinder... würde es dann keine Freude sein, für sie zu arbeiten? Für sie und für die Kinder? Dann wußte man doch wenigstens, wofür man seine Haut auf dem Feld versengte. Aber etwas in ihm widersetzte sich: Nein, so war es nicht. Flierefluiter wußte es besser: Diese Menschen waren Gefangene... sie lebten nicht in der Freude, die emsige Arbeit für Frau und Kind durchaus bereiten kann... Diese Viecherei hier war eine Qual für jeden, ein Fluch, eine Strafe. Was hatte er heute von der Schönheit der weiten Kornfelder, unterbrochen von dem Grün der Zuckerrüben und dem matten Gold des Flachses, wahrgenommen? Hatte er ein einziges Mal aufgeschaut, um zu sehen, wie die Landschaft von Deich zu Deich weiter zurückwich, mit immer ferneren, dunkler und dunkler werdenden Baumreihen, die einen bläulichen Wegschatten spendeten – wie er es sonst unzähligemal wohl am Tag zu tun pflegte, wenn er draußen war? Diese Arbeit fraß einen auf, ließ einen verdorren, höhlte aus, tötete... Und die Menschen in der Gegend kannten nichts anderes. Sein Vater hatte gar nicht so falsch gehandelt, als er sich entschloß, in die große Stadt zu ziehen und Fabrikarbeiter zu werden... Oh, das war auch nicht die Erfüllung – doch diese entsetzliche Plackerei unter der mörderischen Sonne auf dem verbrannten Land, das war schlimmer... Er erinnerte sich an seinen ersten Arbeitseinsatz auf dem Acker mit den weißen Zwiebelchen. Wie alt war er damals? Neun Jahre ungefähr. Wahrhaftig, das richtige Alter für solche Schinderei! Er war schwindlig und fieberkrank vom Feld getaumelt... und beinahe wäre es heute wieder soweit gewesen. Nein, für die Landarbeit war er nicht geschaffen!

2

Auf dem Hof stand Flierefluiter und schaute nach ihm aus.

„Na, Merijntje, lebst du noch?"

Müde wehrte der Junge ab. „Ist das 'ne Hitze!"

Flierefluiter schüttelte mitleidig den Kopf.

„Wasch dich nur rasch ein bißchen unter der Pumpe – das wird dir guttun."

Merijntje zuckte die Achseln. Der hatte leicht reden! Den ganzen Tag in der kühlen Scheune sitzen und Erbsenplanen flicken! Das war bequemer als die Schufterei auf dem Feld!

Er brachte sein Gerät weg und ging zur Pumpe. Flierefluiter wartete reumütig auf ihn und drückte dienstwillig den Schwengel. Ah, das tat gut! Das kalte Wasser plantschte wohltätig über Merijntjes Kopf, Hals und Arme. Er schüttelte die nassen Haare, prustete wie ein Delphin und schauderte, als die kalten Strahlen in seinen Nacken liefen und ihre eisigen Spuren über Brust und Rücken zogen.

„Gut, was?" sagte Flierefluiter.

Der Junge nickte: „Und wie!" Seine gute Laune kehrte zurück, und er lachte über Flierefluiters Gesicht, der ihn ansah, als hätte er etwas gutzumachen... Sie konnten doch beide nichts dafür, daß der Tag so heiß und die Arbeit so schwer gewesen war!

„Komm nur schnell essen! Der Bauer ist schon zu Hause, sie fangen gleich an."

„Essen?"

Merijntje hatte geglaubt, nicht einen Bissen schlucken zu können, doch nun spürte er, daß er sehr gut mithalten konnte. Sie aßen mit den anderen Tagelöhnern, den Knechten und Mägden zusammen in einem geräumigen Hinterhaus. Heute wurde nicht viel gesprochen. Alle schlangen wie ausgehungerte Wölfe. Schüsseln voll Kartoffeln mit ausgelassenem Speck und zusammengekochten grünen und weißen Bohnen verschwanden mit spukhafter Geschwindigkeit unter heftigem Schmatzen, Kauen und befriedigtem Stöhnen. Ein Teller mit Buttermilchbrei beendete die Mahlzeit. Dann schoben sie die Stühle vom Tisch zurück und erhoben sich satt und zufrieden, um draußen noch eine Pfeife zu rauchen, ehe sie zu ihren Schlafplätzen gingen.

Flierefluiter zog Merijntje mit hinaus.

„Du bist sehr müde, nicht wahr, Merijntje?"

Der Junge sah ihn mürrisch an.

„Fix und fertig bin ich!"

„Das dachte ich mir. Komm, wir gehen ein bißchen schwimmen!"

„Jetzt noch? Ich glaub, du bist verrückt!"

„Mann, jetzt ist's gerade schön. Glaub nur, was Flierefluiter dir sagt. Hab ich dir schon mal was Falsches geraten?"

Merijntje lachte grimmig.

„Ja, als du mich Mäher werden ließest!"

Doch er folgte seinem Freund, der bereits aus dem Tor schritt.

„Mäher bei Meesters!" betonte Flierefluiter. „Vergiß das nicht!"

„Na und?" Merijntjes Stimme klang streitlustig.

Flierefluiter kratzte sich hinter dem Ohr und blickte den Jungen von der Seite an. Merijntje spürte, wie ihm das Blut in den Kopf stieg. Glücklicherweise konnte Flierefluiter das nicht sehen, denn dafür war es schon zu dunkel.

„Ich begreife nur nicht", ließ sich der Freund vernehmen, „wieso dir die Arbeit so wenig Spaß macht. Ich denke, du hast Augen im Kopf, Merijntje... Du kannst doch bei den Dichtern nachlesen, wie romantisch die Wühlerei auf den Feldern ist. Da kommen dir geradezu die Tränen – und du hast nur den einen Wunsch, dir von irgendwoher rasch die Sichel zu schnappen und vor lauter Lust kräftig mitzutun!"

„Die Dichter!" sagte Merijntje verächtlich. „Das sind mir schöne Spinner! Die sitzen gemütlich am Schreibtisch und krakeln drauflos."

„Ja, da hast du schon recht", empörte sich Flierefluiter pflichtschuldigst. „Aber das ist doch das Übliche! Wer so ergreifend über den Krieg schreibt, stellt sich gewiß nicht in den Kugelregen – dann würd er's ja nicht mehr schön finden. Und das wäre doch jammerschade, stimmt's? Jeder so ehrlich, wie er sich's leisten kann! Du hast offenbar keine literarische Ader..."

„Ach, die Literaten mögen meinetwegen alle das Schüttelfieber kriegen!" rief Merijntje ärgerlich. „Und du dazu – damit du's weißt!"

Flierefluiter lachte.

„So gefällst du mir schon besser", sagte er. „Wie ich sehe, bist du doch noch nicht ganz geschafft von der Rackerei. Und paß auf, wenn du erst dein Bad hinter dir hast, dann bist du wieder voll bei Kräften. Wetten?"

„Geh zum Kuckuck!" schimpfte Merijntje. „Warum sind wir nicht auf dem Pfarrhof geblieben! Das war ein anderes Leben!"

Flierefluiter seufzte tief.

„Ja, Junge, alle guten Dinge kommen einmal zum Schluß. Ich vermisse mein Gläschen Wein auch sehr schmerzlich – aber hörst du mich klagen? Dabei bin ich beträchtlich älter und hinfälliger als du."

Merijntje lachte und versetzte dem Freund einen Stoß in die Seite.

„Alter Narr!" rief er und hatte es plötzlich sehr eilig.

Der Hof lag dicht unter dem Seedeich, und bald waren sie am Wasser. Die Gräben füllten sich rasch in der auflaufenden Flut. Über dem Watt hing ein bleicher Schimmer, und im Osten stieg der Mond dunkelrot über den Horizont. Es roch nach Tang und Salzwasser.

Merijntje warf die Kleider ab und stapfte in den Graben. Er rutschte auf dem glatten Schlickboden aus und ließ sich fallen. Das kalte Wasser umfing ihn mit eisigem Griff, doch das war nur im ersten Augenblick unangenehm, dann drang eine herrliche

Kühle in seinen übermüdeten und versengten Körper. Er tauchte unter, kam prustend wieder herauf, spuckte das bittere Wasser aus und warf die Haare zurück. Flierefluiter schwamm in einigem Abstand neben ihm. Er sah sein Gesicht, schemenhaft blaß, über das Wasser gleiten in einem Ring geheimnisvollen bläulichen Lichtes . . . Und die Strudel, die die weit ausholenden Hände und Füße ins Wasser schlugen, wurden zu wirbelnden Kreisen von ebendemselben blaugrünen, silbern durchsprenkelten Schein.

„Das Wasser leuchtet heute abend!" rief Flierefluiter ihm schnaubend zu. „Schön, was?"

Merijntje hatte schon davon gehört, doch gesehen hatte er es noch nicht. Wasser, das wie Feuer aussah, nasses, kaltes Feuer, genau wie Flammen . . . Und wenn man den Arm aus dem Wasser hob, tropften grüne Funken herab . . . Er warf sich auf den Rükken, stieß mit den Füßen und plätscherte mit den Händen. Ringsumher sprühte Feuer, ein wirbelndes, funkelndes Feuerwerk!

„Schön!" rief er.

Er konnte nicht genug davon bekommen und plantschte heftig durch das Wasser, um zu sehen, wie es leuchtend um ihn herumwirbelte und die hellen Funken hoch in die Luft flogen. Alle Müdigkeit, aller Ärger waren vergessen.

„Los, noch eine Runde und dann raus!" kommandierte Flierefluiter. „Jetzt nicht zu lange drinbleiben!"

„Auch gut!" lachte Merijntje. „Du brauchst nur zu befehlen!"

Sie schwammen an die Stelle zurück, wo ihre Kleider lagen, rieben sich flüchtig mit dem Hemd ab und zogen sich an. Merijntje dehnte sich wohlig.

„Ich bin überhaupt nicht mehr müde", stellte er verwundert fest.

„Das hab ich dir doch gesagt!" triumphierte Flierefluiter. „Die andern liegen jetzt in ihrem stinkenden, brütendheißen Nest und stehen morgen genauso müde auf, wie sie hineingekrochen sind."

„Ja, ja, wenn ich dich nicht hätte!" spottete der Junge dankbar.

„Ja, das wär ein Unglück!" stimmte Flierefluiter eifrig zu. „Dann säßest du heute noch in dem steinernen Brutkasten von Rotterdam, hättest die Kirmes nicht mitgemacht und weiß Gott was sonst noch alles versäumt."

Sie liefen den Seedeich an der Landseite hinunter. Merijntje sah sich nach Marjans Häuschen um. Dort brannte Licht.

Hastig sagte er: „Weißt du was, Flierefluiter . . . Geh schon voraus, ich komme gleich nach. Wir schlafen ja doch im Heu."

Und trotz der entrüsteten Ausrufe seines Freundes trabte er den Deich hinab und schlug einen Feldweg ein, der zu Marjans Häuschen führte.

Flierefluiter blickte der dunklen Gestalt nach, die eilig in der Finsternis verschwand. Er lachte leise vor sich hin . . . Der kleine Draufgänger! Ein gelehriger Schüler! Gerührt schüttelte er den

Kopf und stieg dann den Deich vollends hinunter und ging pfeifend den Weg zum Hof entlang.

Als Merijntje dicht an Marjans Häuschen war, glaubte er zu sehen, daß sich ein dunkler Schatten am Zaun entlangschob. Ohne weiter darauf zu achten, ging er ums Haus und drückte die Klinke der Hintertür herunter. Aber er konnte nicht hinein, die Tür war von innen verriegelt. Leise kratzte er am Schlüsselloch wie ein Hündchen, das bittet, eingelassen zu werden. Gespannt lauschte er. Drinnen hörte er jemand auf Strümpfen behutsam an die Tür kommen. Durchs Schlüsselloch flüsterte er:

„Mach auf, Marjanneke!"

Doch Marjans Stimme erwiderte:

„Nein, geh weg, du weißt doch, daß ich nichts von dir wissen will!"

Das war ein neckisches Spielchen ... Merijntje lachte verhalten.

„Ach", flüsterte er vergnügt, „dann hab ich die Kirmesnacht gewiß geträumt!"

Drinnen blieb es still. Das Ohr am Schlüsselloch, lauschte Merijntje, was sie weiter sagen würde. Plötzlich hörte er sie leise lachen. Dicht an seinem Ohr war ihre flüsternde Stimme.

„Bist du's, Merijntje?"

„Ich weiß nicht, Marjanneke. Komm doch mal gucken!"

Vorsichtig wurde ein Riegel zurückgeschoben, die Tür öffnete sich einen Spalt. Merijntje drückte sich rasch hinein, stieß mit dem Fuß die Tür hinter sich zu, schlang die Arme um Marjan und küßte sie. Doch sie machte sich hastig los und legte den Riegel erst wieder vor die Tür.

„Hast du Angst vor Dieben?"

„Ich schließe meine Tür immer ab", sagte Marjan. „Ich bin doch allein!"

Eine Frau – allein. Das Wort rührte Merijntje tief, und er nahm sie schützend in die Arme. Sie lächelte zu ihm auf. Eine Unruhe war in ihren Augen. Sie strich ihm das nasse Haar aus der Stirn. Ihre Hand war rauh von der Arbeit, aber nicht Samt noch Seide konnten weicher streicheln.

„Wieso bist du so naß?"

„Ich habe gebadet."

„Gebadet – jetzt noch? Närrischer Junge!"

„Oh, das war schön, ich bin ganz erfrischt davon."

Dann schraken sie zusammen. Ein Stein war gegen die Läden geflogen, und eine Stimme stieß einen rohen Fluch aus.

Merijntje ließ Marjan los.

„Was ist das?"

Sie faßte ihn am Arm.

„Nichts, laß nur!"

Er schüttelte ihre Hand ab.

„Wart mal einen Augenblick!"

Er stürzte auf die Tür zu, doch Marjan hielt ihn zurück. Verstimmt und argwöhnisch sah er sie an. Draußen auf dem Kiesweg klangen Schritte, die sich eilends entfernten.

„Siehst du!" flüsterte Marjan. „Irgend so ein frecher Lümmel. Das passiert hier öfters . . ."

„Verdammte Schufte!" brummte Merijntje.

Ein unbestimmtes Mißtrauen bohrte in ihm. Doch dicht vor seinem Gesicht lachten Marjans Augen; ihre Arme lagen um seinen Nacken, ihre Zähne blitzten zwischen den halbgeöffneten Lippen. Fester drückte er sie an sich. Sie stöhnte leise vor Wonne. Ihre Stimme seufzte:

„Lieber Junge, daß du doch gekommen bist . . ."

„Hattest du mich erwartet?"

Sie antwortete nicht, schloß die Augen und hob die Lippen zu ihm auf. Und dann war nichts mehr als dieses sonnige Gesicht, dieser warme, weiche Körper, dicht an seine Brust geschmiegt.

Der Sohn von Bauer Meesters arbeitete auf dem Feld mit, aber wenn sein Vater wegmußte, übernahm er die Aufsicht und verschaffte sich gern Geltung. Er war ein Junge in Merijntjes Alter mit einem dunklen, hochmütigen Gesicht, einem sprießenden schwarzen Schnurrbart und breiten, brutalen Kiefern. Wenn er seine Bemerkungen machte, erstarrten die Gesichter der Arbeiter; es war ärgerlich genug, wenn der Bauer einen zurechtwies, doch von dieser Rotznase einen Rüffel hinnehmen zu müssen, das weckte die Neigung zum Widerstand. Nur die Furcht um das Brot hielt die Männer vor allzu offener Auflehnung zurück. Doch untereinander erleichterten sie ihr Herz über den jungen Teeuw . . . so ein Bullenbeißer, so ein Rotzjunge, verwöhnter! Ein Schürzenjäger, mit dem man noch allerhand erleben würde! Und dieser Meesters, der sonst nicht der Schlechteste war und bestimmt nicht dumm, der ließ dem Flegel überall freie Hand. Sein einziges Kind . . . Begreiflich, aber ein gutes Ende würde das nicht nehmen . . .

Merijntje war viel zu sehr in seine hellen Träumereien verstrickt, um zu merken, daß Teeuw ihn nach einigen Tagen dauernd zum Ziel seines Tadels machte. Die Arbeit ging besser; sein Körper hatte sich nun daran gewöhnt. Gewiß, sie blieb ermattend, und die heißesten Stunden waren nach wie vor eine Höllenqual, doch so schlimm wie am ersten Tag wurde es nicht mehr. Und in Erwartung des Abends mit Marjan schien er alles leichter zu tragen, die Geräte hatten kein Gewicht, und die Sichel glitt durch die störrischen Halme wie durch Butter.

Er hörte Marjans Stimme, die während der Arbeit mit den anderen Mädchen und Frauen ein Lied sang. In den Pausen saß er da und schaute lächelnd zu ihr hinüber, verstohlen, denn sie taten im Beisein anderer, als kennten sie einander kaum. Daß niemand etwas ahnte, machte ihr Verhältnis noch spannender und inniger. Die schwere Arbeit füllte nur die langen Tagesstunden aus, in denen er nicht bei Marjanneke sein konnte. Deshalb achtete er kaum darauf, wenn der Bauer oder Teeuw ihm etwas zurief, um ihn zu größerer Eile anzuspornen. Er blickte sich wohl einmal um, lächelte und zuckte die Achseln . . . Dann arbeitete er weiter.

Doch Teeuws Bemerkungen wurden immer gehässiger, so daß es den anderen Arbeitern bereits auffiel.

„Hast du was mit Teeuw?" fragten sie.

„Ich?" erwiderte Merijntje verwundert. „Nicht, daß ich wüßte. Weshalb?"

„Na, weil er dauernd was an dir auszusetzen hat!"

Er machte große Augen. Das war ihm gar nicht aufgefallen. Doch nun begann er darauf zu achten, und mußte erkennen, daß es wirklich so war. Teeuw suchte einen Vorwand. Aber wofür? Was hatte er dem Kerl Böses getan? Langsam wuchs eine heftige Auflehnung in ihm, die er mit aller Kraft bezwang. Er wollte nicht Gefahr laufen, wegen eines unbedachten Wortes weggeschickt zu werden. Jetzt nicht. Denn das bedeutete: fort von Marjan . . . Und das war ihm der ganze Teeuw nicht wert.

Der Acker war fast leer. Noch ein schmaler Streifen, und die Gerste war gemäht. Dann würden sie die Garben einfahren. Das Wetter blieb warm und trocken. Heute abend würde das Feld kahl sein.

3

In der Mittagspause saß die ganze Gruppe am Graben unter den Weiden. Die Leute hatten gegessen und ruhten sich nun im Gras aus. Ein paar junge Burschen alberten herum – die Strapazen der Arbeit waren wohl noch nicht aufreibend genug gewesen. Merijntje hatte sich an eine Kopfweide gelehnt und schnitzte mit dem Messer, das Marjan ihm auf der Kirmes gekauft hatte, an einem Zweig herum, den er unter dem Baum gefunden hatte. Seitentriebe und Blätter ab ... eine Schneckenlinie in die saftige Rinde ... obenherum ein kunstvolles Muster – wie für einen Spazierstock. Es schien, als sei er ganz in die spielerische Arbeit vertieft, doch in Wirklichkeit wußte er kaum, was er tat. Immer wieder irrten seine Blicke zu Marjan hinüber, die ein Ende weiter mit ein paar Freundinnen zusammensaß und hin und wieder wie absichtslos in seine Richtung schaute. Ihr gewohntes stilles Spiel, das weitaus erregender war, als es den Anschein erweckte ...

Teeuw stand in der Nähe von Marjan und den anderen Mädchen. Die Männer grinsten darüber. Das war in jeder Pause so – dieser Kerl war nicht von den Frauen wegzubringen. Er warf Marjan eine Bemerkung zu, und Merijntje sah, daß sie ihn kaum eines Blickes würdigte und nur ein spöttisches Gesicht zog. Recht geschah ihm das, diesem eingebildeten Stenz! Er glaubte, nur weil er der junge Bauer sei, könne er überall die erste Geige spielen.

Nummer eins bin ich, Mann! dachte Merijntje schadenfroh. Bauer hin, Bauer her – hier ziehst du den kürzeren!

Mit langsamen Bewegungen schnitt er ein M in die Rinde des

Weidenstockes. Von der Mädchengruppe klang Gelächter herüber, und er sah, wie Teeuw sich mit einem wütenden Blick und rotem Kopf abwandte. Hui, der hatte wohl eine Antwort bekommen, die nicht so leicht zu verdauen war!

Träge schlenderte der junge Bauer auf ihn zu. Dicht vor ihm blieb er stehen und schaute auf ihn herab. Merijntje schnitzte ruhig weiter an seinem Stock. Plötzlich hörte er über sich die höhnische Stimme Teeuws:

„Ein M . . . das soll sicher Marjan bedeuten!"

Mit einem Ruck flog Merijntjes Kopf hoch. Woher wußte der Lümmel das? Er sah das bösartige Grinsen auf dem hochmütigen Gesicht und die Wut in den zusammengekniffenen dunklen Augen. Doch er bezwang seinen Zorn und sagte ruhig:

„Falsch geraten, Mann! Dieses M . . . das bedeutet einfach Merijntje . . . das ist doch wohl leicht genug?"

„Das kannst du deiner Großmutter erzählen!" sagte Teeuw. „Ich weiß genau, was es heißen soll, Bürschlein."

Merijntje war mit dem Buchstaben fertig. Er klappte sein Messer zu, steckte es in die Tasche und klopfte sich die Splitter und Späne von der Hose. Aber er antwortete nicht. Er wollte im Kreis der Arbeiter mit keinem Wort über diese Dinge sprechen. Langsam stieg ihm das Blut in den Kopf.

„Das verschlägt dir die Sprache, was?" höhnte Teeuw. „Jeden Tag nach dem Abendbrot weg – und mitten in der Nacht zurückkommen . . . Das kannst du, du Stadtfrack, du sauberer!"

Seine Stimme war immer lauter geworden, und neugierig kamen die Arbeiter und die Frauen näher. Was war da los – Streit?

Gewaltsam zwang sich Merijntje zur Ruhe.

„Nach der Arbeit bin ich mein eigener Herr, das ist doch wohl klar?" sagte er energisch.

„Nach der Arbeit! Eine schöne Arbeit ist das, die du leistest!"

Merijntje grinste. Diese Wendung war ihm lieber. Über die Arbeit mochte der Flegel nörgeln, soviel er wollte, wenn er nur Marjan aus dem Spiel ließ.

„Jeder kann schließlich nicht so tüchtig sein wie du, Teeuw!"

„Teeuw?" schrie der junge Bauer. „Was heißt hier Teeuw? Für dich bin ich Baas Teeuw – merk dir das!"

Es kam Merijntje unendlich komisch vor, daß ein Junge seines Alters von ihm „Baas" genannt werden wollte. – „Herr"! Er begriff nun, daß die Warnungen der anderen nicht grundlos waren: der Kerl suchte Streit mit ihm, und nun ahnte er auch das Motiv dafür. Dieser Bursche konnte es nicht ertragen, daß Marjan ihn, Merijntje, liebte . . . Er hatte ihm aufgelauert und war hinter das Geheimnis gekommen. Plötzlich fiel ihm der Vorfall an dem Abend ein, nachdem er gebadet hatte . . . der wegschleichende Schatten, Marjans Verlegenheit, der Stein gegen die Fensterläden ... Das war also dieser Bursche gewesen! Der war hinter Marjan her. Und weil er ein Bauernsohn war, glaubte er das Recht zu haben, sich Marjan einfach zu nehmen ... sie ihm wegzunehmen. Na, da war er an den Falschen geraten!

Er riß einen Grashalm ab, schob ihn zwischen die Zähne und kaute darauf herum. Dann zuckte er spöttisch die Achseln.

„Ich wußte gar nicht, daß heutzutage die halbwüchsigen Schnösel hierzulande auch schon Herren genannt werden."

Ein Ruck ging durch die Umstehenden. Das hatte gesessen! Der Junge ließ sich nicht auf der Nase herumtanzen. Aber nun würde es ihn bestimmt die Arbeit kosten!

Teeuw wurde weiß bis in die Lippen.

„Unverschämter Flegel!" stotterte er wütend.

„Stimmt, das bist du schon immer gewesen", erwiderte Merijntje. „Laß mich in Ruhe, Mann! Für dich ist mir jedes Wort zu schade!"

„Du!" schrie Teeuw mit überschlagender Stimme. „Was hast du gesagt? Aus was für einem Nest bist du denn gekrochen, du verfluchter Landstreicher? Willst du dein loses Maul an einem Bauernsohn wetzen? Das will ich dir heimzahlen! Das hast du wohl im Bett dieser verdammten Hure gelernt, was?"

Eine Sekunde schloß Merijntje die Augen. Das Wort fiel ihm wie ein Stein auf die Brust. Verdammte Hure ... damit war Marjanneke gemeint! Dieser Kerl schrie das einfach brutal heraus, dreißig Menschen standen dabei, und Marjan selber auch ... Und nichts geschah? Die Welt stürzte nicht ein, Teeuw brach nicht zusammen vor Scham über seine eigenen Worte? Marjan – eine verdammte Hure ...

Teeuw begriff Merijntjes Schweigen nicht, er hielt es für Angst und Feigheit. Und deshalb peitschte er sich in immer größere Wut hinein. Er tat einen Schritt vorwärts und versetzte Merijntje einen Tritt.

Mit einem Sprung war der hoch und stand dicht vor seinem Quälgeist. Beide waren kreideweiß. Atemlos warteten die Umstehenden, was nun geschehen werde. Das gab eine Schlägerei.

„Sag das letzte noch mal!" zischte Merijntje ihm dicht in die Augen.

Teeuw lachte höhnisch.

„Das weiß doch jeder ... der ist ihr Kerl nicht umsonst durchgegangen!"

Da schoß Merijntjes Arm vor, und mit der flachen Hand gab er dem jungen Bauern einen klatschenden Schlag ins Gesicht. Teeuw flog zur Seite, klammerte sich an den Stamm der Kopfweide. Bewunderndes Gemurmel lief durch den Kreis der Arbeiter. Die Frauen sahen ängstlich zu.

Marjan sprang vor, flog zwischen die Kampfhähne.

„Hört auf! Hört doch auf!"

Teeuw hatte sich emporgerichtet und ballte die Fäuste. Merijntje schob Marjan entschlossen zur Seite.

„Weg, das ist meine Sache!"

Mit einem Wutschrei stürzte sich Teeuw auf Merijntje, die langen Arme wie Windmühlenflügel schwenkend, und begann blindwütig auf ihn loszudreschen. Doch Merijntje hatte in Rotterdam das methodische Schlagen der Seeleute gesehen und sich mit seinen Kameraden eifrig darin geübt. Er sprang in Boxstellung und wehrte ohne große Mühe die mähenden Hiebe des anderen ab. Er sprang zurück und wieder vor, und da saß seine Faust auf Teeuws linkem Auge, das sofort zuschwoll ... Rasende Wut durchfuhr ihn. Haha, Bürschchen ... diese verdammte Hure, was? Dafür sollst du mir büßen, Schuft!

Teeuw trat nach ihm und traf ihn an der Hüfte; der Stoß war heftig, doch er spürte ihn kaum, und abermals sauste seine Faust blitzschnell in das knallrote Gesicht, das er haßte und vernichten wollte. Teeuw stürzte hintenüber, das Blut strömte ihm überreich aus der Nase. Doch mit einem Schrei war er wieder hoch und kam auf Merijntje losgestürmt.

„Paß auf, Merijntje! Er hat ein Messer!"

Merijntje sah das Messer in der erhobenen Faust blitzen. Wenn das zustieß und traf ... Sollte er sich von diesem Kerl einfach über den Haufen stechen lassen? Blitzschnell schossen die Gedanken durch seinen Kopf, während er einen winzigen Augenblick wie gelähmt nach der Spitze des blinkenden Messers starrte. Dann sprang er geschmeidig wie eine Katze zur Seite, der Stich ging ins Leere, und Merijntjes Faust schlug hart wie ein Hammer gegen Teeuws Kiefer ... Der Bauer wankte und fiel rücklings ins Gras, wo er mit geschlossenen Augen liegenblieb. Die Frauen schrien, die Männer murmelten beifällig.

Da stieß eine Faust sie heftig zur Seite, und eine böse Stimme brüllte:

„Was ist denn hier los, Himmeldonnerwetternocheinmal! Seid ihr denn alle miteinander verrückt geworden?"

Es war Bauer Meesters. Seine Stimme stockte, als er seinen Sohn da mit blutigem Gesicht und geschlossenen Augen auf dem Boden liegen sah. Wild flogen seine Blicke durch den Kreis. Vor Schreck erstarrt blieben sie auf Merijntje haften, der noch mit geballten Fäusten dastand, einen harten, bösen Zug um den verbissenen Mund.

„Du?" fragte er halblaut.

Merijntje sah ihn an. „Ja ... ich", erwiderte er.

Der Bauer hob den Stock. Merijntje fuhr zusammen. Wenn der Bauer ihn zu schlagen wagte ... Da stellte sich Kiske Baks rasch zwischen ihn und Meesters.

„Es ist Teeuws Schuld", sagte er beschwichtigend. „Er hat den Jungen gereizt, daß es eine Schande war ... Dafür sind wir alle Zeugen. Und seht Euch doch an, was er da in der Hand hält!"

Meesters blickte auf die Hand, die kraftlos neben dem erschlafften Körper lag; ein Schauder durchfuhr ihn, als er das blanke Messer sah. Rasch kniete er neben Teeuw nieder, zog ihm die Waffe aus der Hand und blickte mit großen, starren Augen in das fahle Gesicht. In dem Moment kam Teeuw wieder zu sich. Nase und Mund zuckten, die Augen öffneten sich, und mit einem unendlich verblüfften Blick sah er in das Gesicht seines Vaters. Dann fuhr er mit einem Ruck hoch, schaute sich ängstlich um und ergriff wie schutzsuchend den Bauern am Arm.

„Vater", flüsterte er.

Meesters seufzte tief vor Erleichterung. Er schüttelte den Jungen an der Schulter.

„Verdammter Lausebengel, was hast du angestellt?" stieß er mit heiserer Stimme hervor. „Bist du denn verrückt geworden?"

Er wischte Teeuw mit seinem roten Taschentuch das Blut vom Gesicht, stand dann auf und zog ihn hoch. Der junge Bauer taumelte auf den Beinen, hielt sich an der Schulter seines Vaters fest, murmelte etwas und sah mit einem Blick, in dem sich Haß und Furcht mischten, auf Merijntje.

„Geht wieder an die Arbeit!" befahl der Bauer. Dann wandte er sich an Merijntje. „Du kannst dir gleich auf dem Hof dein Geld holen ..."

„Natürlich!" sagte Merijntje erbittert. „Ich soll die Zeche bezahlen. So ist's richtig ..."

Der Bauer stapfte mit seinem Sohn, den er leicht unter dem Arm stützte, davon. Als er ein Stück entfernt war, brach die Empörung in Merijntje los.

„Solche Hunde! Der saubere Sohn rückt einem mit dem Messer zu Leibe, und der Alte erwartet, daß man sich auch noch dafür bedankt ... Schöne Welt!"

„Du hast recht, Merijntje. Schade, daß du ihn nicht ganz und gar kurz und klein geschlagen hast, diesen erbärmlichen Schuft! Weshalb seid ihr eigentlich aneinandergeraten?"

Merijntje antwortete nicht. Abwesend sah er sich im Kreis um. Wo war Marjan? Er sah sie nirgends. Sie war auch nicht auf dem Acker. Schweigend drehte er sich um und lief über das Feld. Bei der Gerste nahm er sein Gerät auf, seine Jacke und seine Mütze. Die anderen waren ihm gefolgt. Sie sahen ihn an, ein wenig erstaunt über sein Schweigen, ein wenig respektvoll, weil er diesen Flegel Teeuw so schön zu Boden geschlagen hatte trotz des Messers und allem ... In dem stillen Jungen steckte Schneid.

„Mach dir nichts draus, Merijntje!" Das war Peer van Til, der ihm ermunternd zunickte. „Arbeit gibt's genug auf der Welt!"

Arbeit . . . Merijntje lächelte. An Arbeit hatte er am allerwenigsten gedacht . . . Wo war Marjan?

Er drehte sich um, winkte mit der Sichel.

„Lebt wohl, alle miteinander!"

„Leb wohl, Merijntje, laß es dir gut gehen!"

Darüber mußte er wieder lachen. So herzlich grüßten sie ihn
alle. Plötzlich mochten sie ihn leiden . . . bloß weil er dem verwöhnten Karrenhengst eine Tracht Prügel versetzt hatte. Zuerst
hatten sie ihn als fremde Ente im Teich betrachtet und ihn am
liebsten vom Feld gebissen. Nun hatte er eine erfolgreiche Prügelei geliefert, und schon war er ihr Mann; sie würden es im Dorf
verbreiten, ausgeschmückt mit allerlei köstlichem, selbsterfunde-
nem Beiwerk. Ja, ja . . .

Er schüttelte den Kopf und lief mit großen Schritten übers Feld.
Am Damm zögerte er und machte dann, statt gleich auf den Hof
zu gehen, den kleinen Umweg zu Marjans Häuschen.

Doch er fand die Tür verschlossen und hörte keinen Laut. Wo
war sie denn in Gottes Namen geblieben? Überlegend stand er an
der Hintertür. Na, er konnte ja später noch einmal herkommen . . .

Mit hängenden Schultern ging er auf den Hof zu. Auf halbem
Weg kam Flierefluiter ihm entgegen. Er schlug den Jungen kräftig
ins Kreuz.

„Gut so, Merijntje! Das war ordentliche Arbeit! Ich hab seine
Visage gesehen. Hätte ich dir nicht zugetraut. Das Auge ist geschlossen wie ein Kochtopf, und die Nase sieht aus wie eine Wein-
traube. Was hast du denn mit dem Rotzjungen gehabt?"

„Er hat was gesagt, was mir nicht paßte."

Flierefluiter blickte ihn voll ehrlicher Bewunderung an.

„Oh!" machte er. „Etwas gesagt, was dir nicht paßte . . . Und
dann hast du dich ein bißchen um seine Erziehung bemüht. Ja, ja,
das leuchtet mir ein. Es ist wohl zuviel verlangt, wenn ich fragen
würde, was er gesagt hat?"

Störrisch blickte Merijntje vor sich hin. Nie würde er die Worte
wiederholen können, die Teeuw gesprochen hatte und die ihn
plötzlich losschlagen ließen.

„Ach, alles mögliche!" erklärte er abwehrend. „Dieser Kaffer
bildet sich ein, er darf alles tun, weil sein Vater Bauer ist . . . Und
dann hat er das Messer gezogen."

Flierefluiter erschrak. „Wahrhaftig?"

„Ja, aber er hatte keine Chance . . ."

„So ein Dreckskerl! Na ja, so kommen wir wenigstens von diesem Hof weg. Ich hab mich sowieso schon gelangweilt."

„Ich nicht!" rief Merijntje. „Mir hat's ganz gut gefallen. Ich wäre
gern noch ein bißchen geblieben."

Flierefluiter schüttelte den Kopf.

„Glaub mir, Merijntje, es ist besser, wenn wir hier verschwinden", sagte er nachdenklich. „Wenn du irgendwo gern noch ein bißchen bleiben möchtest, dann tust du am besten, so rasch wie möglich wegzugehen."

„Was ist das nun wieder für eine Torheit?"

„Die Torheit eines Weisen, glaub mir, Merijntje!"

„Ach, du! Warum denn?"

„Weil es in der Nähe von Leimruten gefährlich für die Vögel ist . . . darum!"

Merijntje sah ihn an, dachte nach und fing an zu lachen.

„Ich weiß noch gar nicht, ob ich weggehe", sagte er. „Das wird sich erst zeigen."

„Mach, was du willst!" erwiderte Flierefluiter bekümmert. „Die Jugend will es immer besser wissen – bis sie sich den Hintern verbrennt. Und dann ist sie noch böse, weil sie auf den Blasen sitzen muß . . ."

4

Bei Meesters mußte er zum Abrechnen in die gute Stube kommen. Der Bauer gab ihm sein Geld in einem Umschlag. Merijntje steckte ihn unbesehen ein.

„Zähl's nach!" sagte der Bauer.

Der Junge zuckte die Achseln. „Es wird schon stimmen", erwiderte er gleichgültig.

Meesters sah ihn eine Weile an.

„Worüber hattet ihr Streit?" fragte er dann.

„Teeuw warf mir vor, ich arbeite nicht gut und wäre ein Stadt-frack."

„Und um solche Kindereien müßt ihr euch fast totschlagen?"

„Ich hab nicht angefangen", verteidigte sich Merijntje störrisch, „ich laß mich nicht treten – auch nicht von einem Bauernsohn!"

„Da hat's bestimmt noch was andres gegeben", sagte Meesters argwöhnisch nach kurzem Schweigen. „Teeuw ist kein solcher Kampfhahn . . ."

Doch Merijntje hätte sich lieber die Zunge abgebissen als zu erzählen, warum er so rasend geworden war. Das würde der Bauer vielleicht rasch genug von anderen hören.

„Es tut mir leid, Merijntje, daß das passiert ist", fuhr der Bauer fort. „Teeuw hatte unrecht, aber ich kann dich jetzt nicht mehr halten. Das wirst du verstehen, und wir wollen alle froh sein, daß es noch so gut abgelaufen ist."

Er starrte vor sich hin, und ein Schauder lief ihm über den Rücken.

„Guten Tag, Baas!" grüßte Merijntje steif.

Draußen fand er Flierefluiter, der sein Bündel auf dem Stock über der Schulter trug und über das ganze Gesicht schmunzelte.

„Fertig?"

„Ja, natürlich."

„Kommst du mit?"

„Noch nicht, ich hab erst noch was zu erledigen."

Flierefluiter sah ihn forschend an.

„Gut", sagte er dann. „Ich gehe . . . Bei Birres kannst du mich treffen. Aber bleib nicht acht Tage, sonst finden wir uns nicht wieder."

Er klopfte ihm auf die Schulter, schüttelte den Kopf und sagte gerührt:

„So ein Mordskerl! Besorgt dem Sohn vom Bauern einfach eine saftige Tracht Prügel! Der wird noch ein berühmter Mann, der Merijntje!"

Dann drehte er sich um und trabte davon.

Der Junge blickte ihm nach. Flierefluiter entfernte sich mit seinem leichten, langen Schritt, den er einen ganzen Tag durchhalten konnte. Da ging er nun, seine Siebensachen in dem roten Sacktuch über der Schulter . . . allein, ohne ihn! Er blieb zurück, weil er zu Marjan mußte . . . Der Kummer brannte in ihm. Er liebte Flierefluiter unmenschlich, das spürte er jetzt erst richtig – es war eine ganz andere Liebe als die zu Marjan. Aber welche ging tiefer? Wenn er einmal wählen müßte – würde er von Flierefluiter lassen können?

Er seufzte. Unsinn, er brauchte nicht zu wählen!

Langsam wandte er sich um und ging den Weg zum Seedeich entlang. Nun mußte er mit Marjan reden ... Es war etwas geschehen in dem Verhältnis zwischen ihnen beiden. Der Bauernflegel hatte etwas zerbrochen mit seinen schmutzigen, rohen Worten. Er mußte mit ihr sprechen. Es mußte wieder in Ordnung gebracht werden. Das konnte er nicht ertragen! Von neuem sprang die Wut in ihm auf, jene unsägliche Wut, vernichtend, zerstörerisch, die seinen Fäusten die eiserne Kraft verliehen hatte, als er Teeuw gegenüberstand. Der Gedanke, daß jemand so etwas über sie gesagt hatte, daß diese Worte stehenblieben, daß andere sich ihrer erinnerten und sie weitererzählen würden ... das war unerträglich, das verleitete ihn fast, auf der Stelle umzukehren und diesen dummen Trampel zu ermorden. Die verdammte Hure ... die verdammte Hure ... Marjan ...

Er klopfte an ihre Tür, doch es rührte sich nichts. Er lief zurück zum Feld, spähte aus der Ferne, ob sie wieder unter den Frauen war. Nichts!

Dann stieg er auf den Seedeich und blickte über das Vorland. Der Strom hatte sich hinter das Watt zurückgezogen. Es war Ebbe. Ein Schäfer weidete seine Herde vor dem Deich, er sah den Hund eifrig herumlaufen, um die Einzelgänger zum großen Trupp zurückzuholen. Am Horizont kroch ein Unwetter vom Wasser in den Himmel hinauf, schwarze Ballen mit drohenden Ausläufern. Mit halb zugekniffenen Augen spähte er nach allen Seiten über das Vorland. Dort hinten, wo der Treideldamm ins Schlickland hinauslief, schien eine kleine Gestalt zu sitzen, dicht bei den ersten Baken ... sonst war alles verlassen. Ob sie es war? Vor Scham davongelaufen, weil sie nicht wußte, wohin?

Hastig sprang er den Deich hinab und über das Vorland. Immer wieder mußte er wegen eines sich krümmenden, weit ins Land springenden Wattgrabens einen Umweg machen. Und immer wieder blieb er stehen, um nach der kleinen, unbeweglichen Gestalt zu spähen. Sie mußte es sein. Die rote Jacke hatte sie vorhin auch schon an, und jetzt sah er die Sonne auf ihrem blonden Haar leuchten. Sie war es ... Beim Näherkommen erkannte er, daß sie, die Hände um die Knie gelegt, unbeweglich über das weite Watt und den funkelnden Strom in der Ferne starrte ...

Mit einem Stich im Herzen spürte Merijntje, woran sie dachte ... Auch in ihr spukten die harten, gemeinen Worte Teeuws – jene Worte, die er ihm vom brutalen Mund hatte wegschlagen können, gegen die sie jedoch wehrlos war. Armes Mädchen, arme kleine Marjanneke – warum tat das deiner Seele so weh?

Schnell lief er weiter. Schon aus der Ferne rief er ihren Namen. Erschrocken blickte sie sich um. Ihre Augen öffneten sich weit und starr, dann ließ sie den Kopf vornüber fallen; die Stirn ruhte auf ihren Knien, und er sah, wie die Schultern von unaufhaltsamem

Schluchzen geschüttelt wurden. Mit einem Sprung war er bei ihr, kniete neben ihr nieder, legte die Arme um sie und zog sie an sich. Sie widersetzte sich, wendete den Kopf ab und versuchte mit einem Arm ihr Gesicht zu verdecken. Er wollte lachen, aber seine Stimme versagte ihm, und mit Mühe gelang es ihm, ihren Namen zu stammeln: „Marjan . . . Marjanneke . . .“

Sie antwortete nicht, schüttelte nur den Kopf und versuchte, sich loszumachen. Merijntje ermannte sich, schluckte seine Bewegung hinunter und sprach zu ihr wie zu einem Kind:

„Was ist denn, Marjan? Warum weinst du? Es ist doch nichts geschehen . . .“

Er setzte sich neben sie, den Arm um ihre Schultern gelegt, und drückte sie fest an sich. Ihr Schluchzen wurde leiser. Schweigend ließ er sie sich ausweinen. Er blickte auf das blonde Haar hernieder, das wirr um ihren Kopf hing, und strich es ihr mit langsamer Gebärde liebkosend aus dem Gesicht. Sie ließ ihn gewähren.

„Marjan!“

Endlich hob sie den Kopf zu ihm auf. Wieder füllten sich ihre Augen mit Tränen. Er wischte sie behutsam weg.

„Nicht mehr weinen . . . Dafür ist doch kein Grund!“

„Ich habe mich so gefürchtet, Merijntje!“

„Gefürchtet? Aber wovor denn?“

„Als ich sah, daß er ein Messer hatte! Ich bin weggelaufen. Erst oben auf dem Deich habe ich mich umgedreht. Da sah ich dich stehen, und er lag auf der Erde . . .“

„Na“, sagte Merijntje lächelnd, „das war doch gut? Ich habe ihm einen Klaps gegeben, daß er mit seinem Messer umfiel.“

„Ich dachte . . . ich dachte . . .“

„Was hast du gedacht?“

„Ich dachte, daß du ihn erstochen hättest . . .“

„Ach, Unsinn!“

„Du hattest doch das Messer von mir. Ich wußte mir keinen Rat. Dann wärst du ins Gefängnis gekommen. Gott weiß wie lange . . .“

Sie zitterte. Er drückte sie fester an sich.

„Kleine Närrin! Ich brauche kein Messer. Ich schaff's schon mit den Händen!“

Durch Tränen lächelnd, blickte sie ihn bewundernd an. Plötzlich fühlte er sich als Held, aber er mußte darüber lachen und sagte verlegen:

„So eine dumme Prügelei . . . verdammt!“

„Dieser . . . dieser Schmutzfink!“ stieß sie hervor.

Merijntje sah sie an und schwieg. Das Schimpfwort hatte ihn wieder an das erinnert, was Teeuw gesagt hatte. Er saß neben ihr, den Arm fest um ihre Schulter gelegt, und blickte über das graue Watt, über das hier und da Vögel mit stelzenden Schritten liefen und mit langen gebogenen Schnäbeln ihre Beute aus dem Schlick zogen. Der Horizont verdunkelte sich unter den heraufschiebenden Wolken. Das Wasser färbte sich düsterer, und die Sonne stach. Ein leichter Windhauch kam über den Strom zu ihnen herüber, eine salzige Kühle, kaum spürbar. Die Wärme war drückend.

„Warum sagst du nichts, Merijntje? Woran denkst du denn?"

„Es gibt ein Gewitter", wich er ihrer Frage aus. „Da, wie sich die Wolken heraufschieben..."

„Was kümmert mich das Gewitter!" rief Marjan plötzlich erregt. „Ich frage, woran du denkst!"

„Woran soll ich denn denken, Marjan?"

Sie wandte den Kopf ab.

„Du denkst immer an das, was Teeuw gesagt hat... und an diesen einen Abend, als der Stein ans Fenster flog... und als ich erst glaubte, es wäre jemand anders draußen... Du denkst, ob Teeuw vielleicht doch die Wahrheit gesagt hat!"

„Das ist nicht wahr!" rief Merijntje entrüstet. „Ich hab ihn doch gerade deshalb angegriffen, weil er das gesagt hat. Und wenn ich könnte, schlüge ich ihn jetzt noch dafür tot!"

Marjan nickte traurig.

„Man kann einen auch totschlagen wollen, weil man die Wahrheit lieber nicht gehört hätte..."

Langsam glitt Merijntjes Hand von ihrer Schulter. Vor seinen Augen drehte es sich. Stotternd wiederholte er:

„Die Wahrheit... die Wahrheit?"

Marjans Kopf sank tiefer auf ihre Knie.

„Siehst du?" sagte sie leise und bekümmert. „Du bist schon bereit, es zu glauben."

„Nein!" schrie er wütend. „Nie! Kein Wort glaube ich davon. Aber du tust so seltsam, so fremd... Was kann es dir denn ausmachen, was dieser gemeine Bauernesel wiehert? Laß ihn doch reden – das ist vorbei!"

Marjan schüttelte den Kopf.

„Das ist nicht vorbei, Merijntje. Das kommt immer wieder."

Betreten blickte der Junge auf sie hinunter. Dann wiederholte er fassungslos:

„Das kommt immer wieder... Was meinst du damit?"

„Sie sagen es doch alle."

„Daß du..."

„Daß ich eine Hure bin, ja... und daß mein Mann deshalb weggelaufen ist!"

Mit einer hastigen, entsetzten Bewegung legte er ihr die Hand auf den Mund. „Nicht, Marjan, nicht!"

Sie schob seine Hand weg.

„Es hilft doch nichts, Junge. Wenn ich es nicht sage, sagen es die andern – sie brauchen jemand, den sie durch den Dreck ziehen können."

Mit dem Arm, den er um ihren Hals gelegt hatte, zwang er ihr Gesicht zu sich und erschrak über den gequälten Ausdruck darin. Wie schwer mußte das alles für sie sein, wie demütigend! Daß er daran noch gar nicht gedacht hatte ... Sie hatten nur zusammen gelacht und gespielt, den Augenblick genossen wie sorglose Kinder. Sie war für ihn ein Mädchen gewesen, ein kleines, junges Mädchen, und nun sah er plötzlich, daß sie eine Frau war – älter als er, an Erfahrung viel älter ... Er hätte gern in ihr Leben hineingeschaut, aber es war ein geschlossenes Buch, und er konnte es nicht öffnen.

Marjan wandte die Augen wieder ab, griff nach seiner Hand und streichelte sie.

„Mit dir war es so schön", sagte sie leise, „ich habe nie geglaubt, daß es so schön sein könne. Aber vielleicht habe ich das nicht verdient – wenn man so einen Ruf hat wie ich ..."

Merijntje unterbrach sie heftig:

„Was kümmert mich denn dein Ruf! Ich weiß doch, wer du bist ... und was du bist."

Sie schüttelte den Kopf, während sie seine Hand immer weiter streichelte.

„Nein, Merijntje", sagte sie, „es nützt nichts ... Du bist ein lieber Junge, aber du weißt nichts von mir ... von mir – und von der Welt! Wenn wir nicht solch arme Würstchen wären, ja, dann sähe manches anders aus. Was die großen Bauern und die reichen Leute machen, das kann immer hübsch vertuscht und bemäntelt werden – die dürfen alles. Und ein schlechter Ruf, der raubt ihnen nicht die Ruhe. Aber unsereins ..."

„Was soll das heißen – schlechter Ruf?"

„Mein Mann ist mir doch weggelaufen ..."

„Quatsch!"

Sie lächelte ein wenig, doch dann verdunkelte sich ihr Gesicht, und mit abwesendem Blick starrte sie eine Weile vor sich hin. Dann fing sie wieder an:

„Du weißt nicht, wie das ist, wenn man von allen Seiten bedrängt wird und nicht mehr aus noch ein weiß. Wenn man einen Mann heiraten soll, den man nicht ausstehen kann, nur damit ein Esser weniger in der Familie ist. Ich konnte ihn nicht ansehen, so widerlich war er mir, aber er spürte nicht einmal, daß ich kalt blieb wie Eis ... und tat mit mir, was er wollte. Hinterher hätte ich ihn anspucken mögen. Aber es half nichts. Er zwang mich jedesmal von neuem. Bis ich es nicht mehr aushalten konnte und um mich schlug. Aber er war ein Bär und schlug zurück, und dann trieb er es mit andern Weibern. Mir war es gleich, ich war froh, daß ich Ruhe vor ihm hatte und meine eigenen Wege gehen konnte. Nur manchmal stach mich der Hafer, und um ihn zu ärgern, lachte ich mal mit dem einen, mal mit dem andern, einfach nur so.

Es hat mich keiner auch nur mit einem Finger angerührt. Aber da wurde er eifersüchtig. Er fluchte und schrie, und manchmal weinte er wie ein kleiner Junge. Als ich mich nicht darum kümmerte, schlug er mich wieder und drohte, er wolle mich umbringen. Kirmes sind's zwei Jahr gewesen, da hat er mich so geschlagen, daß ich ohnmächtig auf dem Boden liegenblieb, und dann ist er weggegangen, und ich hab ihn nicht mehr gesehen ... Sie sagen, er ist in Antwerpen."

Krampfhaft hatte sich Merijntjes Hand um ihre Finger geschlossen. Er spürte, wie ihm bei ihrer verbitterten Erzählung eiskalt wurde ... Marjanneke, das kleine blonde Mädchen, seine liebe Marjan hatte dies alles erlebt? Das hatte sie durchgemacht? So etwas konnte geschehen – unmittelbar neben einem, inmitten des Bauernvolks eines kleinen Dorfes? Und man hatte nichts davon gewußt, gedankenlos darüber hinweggelebt – hätte es auch gar nicht glauben können ... Armes, kleines Mädchen, wie schwer sie's gehabt hat! Er konnte nicht sprechen. Seine Kehle war zugeschwollen. Er preßte ihre Hand in der seinen, beugte das Gesicht zu ihrem Kopf und legte seine Wange auf ihr Haar.

„Und dann", fuhr sie noch leiser fort, „kam eine Zeit, da mir alles gleichgültig war. Meine Familie wollte nichts mehr mit mir zu schaffen haben ... und die seine beschimpfte mich, ich sei ein Flittchen, und nicht umsonst wäre der Mann mir davongelaufen. Sie erzählten es im ganzen Dorf herum, und alle glaubten es. Niemand wollte etwas mit mir zu tun haben. Nur die Männer dachten anders. Wenn du wüßtest, wie sie plötzlich alle heimlich hinter mir her waren ... abends, wenn ich allein zu Haus saß, wie eine Meute Rüden strichen sie um mich herum. Ich habe nur darüber gelacht. Aber je weniger Hoffnung ich ihnen machte, desto schlechter wurde mein Ruf – bis ich es satt hatte ..."

Sie stockte.

„Nun sei doch still, Marjan!" flehte Merijntje. „Sag nichts, ich will nichts mehr hören!"

Doch mit einer seltsamen Sucht, sich zu quälen, fuhr sie mit erstickter Stimme fort:

„Mir war alles gleichgültig geworden. Was kam es noch darauf an, sie ließen ja doch kein gutes Haar an mir, ganz egal, was ich tat! Und da hab ich ein paarmal abends die Tür aufgeriegelt ..."

Sie schwieg eine Weile und starrte in die Luft, als müsse sie ihren Worten nachspüren – und plötzlich mit einem trockenen Schluchzen:

„Die letzten Tage habe ich darüber geweint, weil ich erkannte, was ich verspielt habe ..."

Ihre Schultern bebten unter Merijntjes Arm.

Unendliches Mitleid bewegte ihn. So ein armseliges Leben! Schweigend blickte er auf ihren gesenkten Kopf nieder. Verwunderung stieg in ihm auf. War das seine Marjanneke – die ausgelassene, lachende Marjanneke der glühenden Liebesstunden? Wie kam es, daß er sie plötzlich ganz anders sah, fast wie eine Fremde? Er fand doch nichts Schlechtes in dem, was sie erzählt hatte. Es war entsetzlich für sie ... Aber er konnte es so gut verstehen: sie war unglücklich gewesen, tief zu bedauern ... Aber schuld? Schuld hatten die anderen. Und doch, es war ein Schatten über das strahlende Bild gefallen. Ein Schatten? Wirklich? Wieso? Gingen ihn denn all diese Dinge aus einer unseligen Vergangenheit etwas an? Sie waren geschehen, ehe sie sich kannten. Jetzt war es doch vorbei, es gab nur das Heute ...

Heftiger drückte er sie an sich. „Marjan ... Mädchen ...“

Sie schüttelte abwehrend den Kopf. „Laß mich nur!“

Er fühlte sich hilflos. Was sollte er sagen angesichts soviel Kummers?

Schweigend starrte er vor sich hin. Die Sonne war weg, und das langsam steigende Wasser lag pechschwarz unter den bleigrau herantreibenden Wolken. Ein Windstoß peitschte kräuselnde Wellen über den glatten Strom, jagte wütend durch das zitternde Gras ... Die Bake schüttelte ihre kahlen Markierungsäste, in der Ferne zuckte ein Blitzstrahl grellweiß durch die dunklen Wolken, langgezogen polterte der Donner. Ein großer Tropfen spritzte auf Merijntjes Hand auseinander. Er hob den Kopf ... Die Wolken schoben sich über ihnen zusammen, schwarz und drohend, schmutziggraue Fetzen jagten dahin ...

„Komm, Marjan, wir müssen gehen. Das Gewitter ist ganz nah.“

Unwillig blickte sie auf. „Was denn ...“

„Los, komm mit! Wir werden klitschnaß!“

Er stand auf und zog sie hoch. Sie taumelte einen Augenblick, stand mit geschlossenen Augen an ihn gelehnt, beide Hände um seine Arme gekrampft. Dann heulte unerwartet eine Sturmböe über ihre Köpfe hinweg, ein Blitz zuckte auf, und grollender Donnerschlag rollte über den Himmel ... Große warme Regentropfen fielen klatschend hernieder und spritzten auf dem harten Boden auseinander. Von jenseits des Stromes kam ein langsam anschwellendes Rauschen ...

„Komm rasch!“

Er nahm sie an der Hand und zog sie mit sich. Gehorsam folgte sie ihm. Dichter fielen die Tropfen, und plötzlich war es eine wilde Sturzflut, die mit schwerem Rauschen über sie herniederbrach. Bläuliche Flammen schossen zuckend zur Erde, und der Wind schlug das Gras flach gegen den Boden.

Wie zwei erschrockene Kinder rannten sie Hand in Hand, geduckt unter diesem Unwetter weg, über Erdschollen und Löcher strauchelnd. Nie war ihnen das Deichvorland so ausgedehnt erschienen, der Deich so weit vom Strom entfernt ...

Als sie endlich keuchend und völlig erschöpft in Marjans Zimmerchen standen, troff das Wasser aus ihren Kleidern. Zu ihren Füßen bildeten sich rasch größer werdende Pfützen. Sie waren bis auf die Haut durchnäßt.

Ratlos schauten sie sich an, noch keuchend von der übergroßen Anstrengung. Plötzlich mußten sie beide lachen – ein nervöses, befreiendes Lachen, das kein Ende nehmen wollte.

„Oh, wie du aussiehst, Marjan!" rief Merijntje. „Wie eine nasse Katze!"

„Und du erst!" triumphierte sie. „Du tropfst wie ein aufgespannter Regenschirm!"

Er streckte die Arme von sich, spreizte die Hände, und von allen Fingern fielen große Tropfen auf den Boden wie die Perlen einer zerrissenen Kette.

„Ich bin pitschenaß bis auf die Knochen!"

„Na, ich vielleicht nicht?"

Mit gespielter Entrüstung zeigte sie auf die Pfütze zu seinen Füßen und rief fröhlich:

„Mein ganzes Zimmer setzt du unter Wasser!"

Merijntje machte ein dummes Gesicht.

„Was soll ich denn tun?"

„Wir müssen uns ausziehen. Wenn du länger so rumläufst, holst du dir eine Lungenentzündung."

„Ausziehen?" fragte er. Ich hab doch nichts anderes bei mir..."

„Du kriegst so lange ein Hemd und einen Rock von mir. Mach rasch! Und dann steck den Ofen an!"

Es wurde ein ausgelassenes Spiel. Sie warfen die Kleider ab, rieben sich gegenseitig trocken, küßten und kabbelten sich und vergaßen, was sie bedrückt hatte. Sie half ihm in eines ihrer Hemden, warf ihm einen Rock über den Kopf und zog die Bänder fest zu.

„Du hast aber auch gar keine Hüften, Junge!" lachte sie.

„Ich bin doch keine Frau!"

„Wirklich nicht, Merijntje?"

Drollig schauten seine bloßen Knöchel und Füße unter dem kurzen Rock hervor. Marjan lachte aus vollem Halse. Rasch kleidete auch sie sich an.

Merijntje machte Feuer und hängte seine klitschnassen Sachen an die Eisenstange um den Herd. Dann setzte er sich auf den Stuhl daneben und dehnte sich behaglich in der Wärme.

Draußen rauschte noch der Regen, und es rumorte der Donner. Dämmerlicht lag auf allen Gegenständen. Der ganze Raum atmete Geborgenheit, so eigen und doch vertraut, daß es nicht schwerfiel, sich vorzustellen, hier immer schon gewesen zu sein und immer bleiben zu wollen. Der kupferne Teekessel, in dem das Wasser jetzt zu sieden begann, warf seinen glimmenden Wider-

schein zwinkernd auf Merijntjes träumerisch schläfriges Gesicht ...
Die Welt ringsum wurde verschlungen von einer Sintflut, wurde
zertrümmert von der rollenden Kanonade des Unwetters. Hier
indes fühlte man sich sicher, hier war es warm und trocken. Und
Marjan, die liebe, sie mahlte Kaffee und brach immer wieder in
Lachen aus, wenn sie zu ihm hinschaute ...

„Marjan?"

„Ja?"

„Ich wünschte, das Gewitter würde nie aufhören – du auch?"

„Was bist du doch für ein dummer Junge! Wie alt bist du eigentlich?"

„Zehn Jahre, gnädiges Fräulein."

„Oh, dafür hast du schon eine ganz ansehnliche Statur, kleines
Kerlchen."

Sie lachten wieder ... Ach, was war das alles verrückt und
schön! Weit, weit weg waren Menschen und Welt ... niemand
konnte sie hier stören, niemand vermutete, daß sie hier friedlich
beisammensaßen – inmitten des rasenden Sturms, der über die
Erde tobte und sie nicht zu treffen vermochte. Der Wind heulte
zausend und stoßend um die Ecken des Hauses, fuhr fauchend in
die nassen Blätter des Holunders, rüttelte an den Fenstern; der
Regen trommelte dumpf auf die Ziegel des niedrigen Daches, und
bläulichweißes Licht zuckte immer wieder in die Stube hinein, hob
die Dinge grell aus dem Dämmer und ließ schwärzere Finsternis
zurück als zuvor. Der Donner dröhnte dunkel und böse. Doch hier
drinnen war es so wohlig und schön ... man hätte sich wie ein
Kätzchen zusammenrollen und schnurrend vor dem Ofen auf den
Fußboden hinstrecken mögen ...

Allmählich zog das Unwetter ab, und der Wind legte sich, doch
der Himmel blieb dunkel, und träge plätscherte der Sommerregen
an die Fensterscheiben.

Sie tranken Kaffee und aßen Brot, das Marjan schnitt. Es war
ein Festmahl. Sie freuten sich wie die Kinder. Marjan nannte ihn
„Dorfschöne", und er sprach mit alberner, hoher Stimme. Dann
räumten sie zusammen ab und setzten sich ans Fenster, Hand in
Hand, schwiegen und sahen den Abend über die dampfenden Felder daherkommen. Zwischen den schweren Wolken fegte ein wildes und blutiges Rot ... Langsam versank die Welt in der Dunkelheit der Regennacht.

Sie zündeten kein Licht an. Lange standen sie in der offenen
Tür und atmeten die kühle Luft ein, die saubere, nasse Luft. Schwarz
war der Himmel, kein Stern schimmerte durch die dichtgeschlos-
sene Wolkendecke hindurch. Am Horizont flackerte ab und an der
Glanz eines fernen Blitzes. Matte, müde Stille hatte sich über die
erschöpfte Natur gelegt. Der Regen rieselte sanft, große Tropfen
fielen leise klopfend vom Dach auf die Erde, im Regenfang sang

der einströmende Strahl mit eigentümlich melodiös plätscherndem Ton. Ein einsamer Wasservogel schrie hoch in der Luft, jenseits des Seedeiches ... Und wie ihre Körper einander berührten, zitterten beide, als schüttelte sie ein innerer Sturm.

Dann lagen sie beieinander und hatten sich noch nie so sehr geliebt. Doch in beiden war eine Unruhe, eine Bitterkeit, gegen die sie nicht ankonnten. Müde schliefen sie ein, die Arme umeinander geschlungen, und wurden von kurzen, heftigen Träumen gequält.

Als der bleiche Morgen vor dem Fenster stand, weckte Marjan den Jungen. Mit einem tiefen Seufzer öffnete er die Augen und blickte in ihr verstörtes Gesicht.

„Nun mußt du gehen, Merijntje. Es wird hell ...“

„Ja ...“

Nun mußte er gehen ... Wie wußte er es plötzlich so sicher, daß er nie wieder hierherkommen würde?

Er setzte sich auf, zog sie an seine Schulter, küßte ihren warmen Hals.

„Marjanneke!“

„Lieber Junge!“

Wort und Gegenwort ...

Ein Strom tiefer, quellender Zärtlichkeit ... dankbare Innigkeit – und doch ... vorbei ...

Warum?

„Du mußt gehen, Merijntje.“

„Ja, ich muß wohl gehen.“

Er stieg aus dem Bett und wusch sich an der Regentonne. Müde zog er die getrockneten Sachen an, die sich steif und grob anfühlten. Vom Bett schaute ihm Marjan mit großen, stillen Augen zu. Sie saß aufrecht, die dünne Decke bis zum Hals hochgezogen. Sie dachte daran, daß sie Kaffee für ihn machen und mit ihm frühstücken wollte, aber sie hatte nicht die Kraft dazu. Eine entsetzliche Müdigkeit lähmte sie. Sie wußte, daß sie diesen Jungen mit jeder Faser ihres Herzens liebte – aber sie wußte auch, daß es vorbei war, unwiderruflich vorbei ... Besudelt durch eine nicht wiedergutzumachende Vergangenheit, die sich zwischen ihnen erhoben hatte und die wie ein Krebsgeschwür alles zerfressen würde, wenn sie nun nicht ein Ende machte. Stark sein, die Zähne zusammenbeißen, damit die glückliche Erinnerung blieb ...

Merijntje spürte ihre Blicke. Er erwiderte sie nicht. Er wagte es nicht. Mit einer seltsamen, schmerzenden Klarheit wußte er, daß das der Abschied war. Sie konnten nicht anders. Die Worte Teeuws ... Damit hatte es begonnen – das hatte den Stein ins Rollen gebracht. Und Marjan selber hatte ihn weitergestoßen. Nun war etwas zwischen sie getreten, etwas Unbegreifliches, eine Traurigkeit – ein Widerwille? Nein, das nicht. Er liebte sie noch ebensosehr wie früher. Er wußte sie ohne Schuld. Aber das Geheimnisvolle stand zwischen ihnen, schob sie auseinander... Vorbei, du mußt gehen... Er war zu müde, sich noch aufzulehnen.

Leise ging er auf sie zu.

„Marjan..."

Er beugte sich über sie. Sie schlang die Arme um seinen Hals, drückte seinen Kopf an ihre Brüste.

„Leb wohl, Merijntje, lieber Junge!"

Mit Gewalt verbiß er die Tränen, machte ihre Arme los und küßte sie.

„Leb wohl, Marjanneke! Ich danke dir..."

„Nein, ich dir! Es war so schön, du bist so lieb gewesen!"

Seine Kehle war zugeschnürt. Er konnte nicht antworten.

„Wohin gehst du jetzt, Merijntje?"

„Ich weiß nicht..."

So traurig, so unendlich traurig war alles...

Langsam, streichelnd glitt seine Hand an ihrem bloßen Arm entlang. Weich war er, warm und seidig... Dann kehrte er sich brüsk um, schob den Riegel zurück und war verschwunden.

Mit großen erschrockenen Augen sah Marjan nach der Tür, die mit einem harten Geräusch der eisernen Klinke hinter ihm zugefallen war. Dann warf sie sich auf die Seite, verbarg das Gesicht in dem Kissen, auf dem sein Kopf geruht hatte, und weinte, weinte, wie sie in ihrem Leben noch nicht geweint hatte...

Mit gesenktem Kopf, die geballten Fäuste in der Tasche, ging Merijntje durch den kühlen Morgen. Er hatte die Zähne krampfhaft zusammengebissen, um nicht in wildem Schluchzen aufzuschreien. Warum hatte es so kommen müssen? Warum? Nun war die Welt ohne Glanz, und alles wurde schwarz. Unwiderruflich... Das Wort verbiß sich in seinem Hirn. Unwiderruflich vorbei...

Voll unsinnigen Hasses hob er den Kopf, blickte nach dem Hof von Meesters, der im Schutz seiner Baumgruppe verborgen lag, behaglich und in gelassener Selbstsicherheit. Drohend schüttelte er die Fäuste und murmelte einen Fluch. Warum hatten die Blitze diesen erbärmlichen Schuppen mit allem lebenden und toten Zubehör nicht in Stücke geschlagen?

Er schritt jetzt kräftiger aus. Als er auf den Deich stieg, der zum Dorf führte, blieb er stehen. Er mußte die Augen schließen vor der Glut der Sonnenscheibe, die feurig und mit seltsam gemessener Behendigkeit am Horizont aufging. Ein ganzes Meer luftiger Schäfchenwolken erglühte rosenrot auf dem frischgewaschenen Blau des Himmels. Über die Felder breitete sich rötlicher Schein, weiße Schleier sinkenden Nebels hingen über den Gräben, und in den Weiden glitzerten Wassertropfen in allen Farben des Regenbogens – grün und gelb und scharlachrot sprühende Funken. Die Ferne verschwamm in träumerisch blauer Trübung... Irgendwo hinter ihm begann eine Amsel zu singen, mit samtweichen, langgezogenen Tönen voll überschäumender Freude. Andere Vögel fielen ein. Ein Pferd wieherte laut auf – es klang wie das närrische Lachen eines Riesen.

Tief atmete Merijntje die kühle Morgenluft ein. Wie hell und sauber dieser frühe Tag war! Plötzlich sprang heimliche Freude in ihm auf.

Es war alles anders! Es mußte alles anders sein! Nichts war unwiderruflich. Die Sonne ging jeden Tag neu über einer Welt voller Wunder auf...

Hastig schritt er weiter auf das Dorf zu, das in der Ferne sein spitzes Türmchen in den Himmel reckte; auf dem Wetterhahn stand eine kleine goldene Flamme... Er wollte Flierefluiter suchen. Ihn würde er um eine Erklärung fragen. Flierefluiter wußte doch alles!

Vorbei? War jemals etwas vorbei, was so warm und heftig in einem lebte?

Marjan ... das konnte nicht vorbeigehen ...

· Viertes Kapitel ·

I

Seltsame Tage ziehen vorüber. Merijntje und Flierefluiter wandern über dichtbewaldete Deiche, über lange, schattenlose Polderwege zwischen Äckern, die nach der zerstörerischen Arbeit der Ernte kahl geworden sind. Wie ein Schwarm Heuschrecken sind die Menschen darüber hergefallen und haben die Felder öde und leer zurückgelassen. In der Luft hängt der Geruch von dem Rauch, der aus dem schwelenden Brand des geplünderten Bohnenstrohs steigt. Quietschend und knarrend bringen die hochbeladenen Wagen in langsamer, schwankender Fahrt das Getreide in die Scheunen. Die Bauern lachen vor Zufriedenheit, weil die Ernte rasch und trocken hereinkommt. Der zweite Kleeschnitt blüht, süße Gerüche treiben darüber hin, und Schwärme von Bienen fliegen von Blüte zu Blüte.

Merijntje bestimmt jetzt das Tempo ihrer Wanderschaft – aber er ist sich dessen nicht bewußt. Flierefluiter läuft an seiner Seite, ein heimliches Lachen in den Mundwinkeln. Von Zeit zu Zeit äugt er verstohlen nach dem grüblerischen, verträumten Gesicht neben sich. Er hat diesen ernsten Jungen gern, so gern, als wär's sein eigenes Kind. Und ist er das nicht auch? Ist Merijntje nicht gewissermaßen sein Sohn? Hat er nicht – wie auch immer – seinen Samen in den fruchtbaren Boden dieser Menschenseele gelegt? Er ist eifersüchtig auf ihn, eifersüchtig auf seinen ersten Liebeskummer, auf seine ungestümen Freuden, auf seine Jugend und auf die Jahre, die ihn erwarten. Er hat Mitleid mit ihm, weil er nicht leichtfertig genug ist; doch auch in dieses Mitleid mischt sich ein Hauch Eifersucht. Er mag ihn sehr, empfindet eine starke, aufrichtige, umsorgende Zuneigung für ihn. Freundschaft geht höher und tiefer als Liebe, denkt der Landstreicher – das eine ist ein robuster Vogel, das andere ein flatternder Schmetterling, der nur den Honig sucht und in der Sonne gaukeln will ... Dann lächelt er aber, weil dieser Vergleich vielleicht doch nicht ganz hieb- und stichfest ist ...

Merijntje stapft schweigend neben ihm her und blickt mit großen, fragenden Augen in die Welt und auf die Bilder, die sich aus seiner verstörten Erinnerung dazwischenschieben. Es ist schwierig, dies alles in Begriffe zu fassen. Wie kann es zugehen, daß soviel Liebreiz zu einer schier unheilbaren Wunde aufgerissen wird? Wie kann soviel Zärtlichkeit und Reinheit mit Füßen getreten werden, ohne daß es ihm aufgefallen wäre? Durch ein lockeres Vorleben ... Doch ohne Schuld! Was dies alles womöglich nur noch quälender und schmerzvoller macht?

Jeder Schritt trägt ihn weiter von seinen Sorgen fort, und deshalb will er tüchtig vorankommen. Manchmal beim Erwachen in einem Heuhaufen oder unter den vom frühen Sonnenschein durchleuchteten Sträuchern des Waldes, springt in ihm das Bedürfnis auf, sich in schwerer Arbeit müde zu machen. Dann verdingen sie sich als Tagelöhner bei dem einen oder anderen Bauern. In diesen fieberhaften Tagen wird jede willige Hand gebraucht. Sie raufen Flachs, sie ernten Hafer und Gerste, sie schneiden den Klee, der frisch und üppig unter den mähenden Sensen duftet, sie roden Frühkartoffeln. Doch nach ein, zwei Tagen steigt die Unruhe wieder in ihm auf. Er hält es nicht mehr aus, er will weiter, und ohne auf die verwunderten Blicke und die unfreundlichen Worte zu achten, ziehen sie davon.

Flierefluiter spielt zum Tanz bei einer Hochzeit und trägt alberne Verschen vor, über die die Männer polternd lachen und die Frauen geniert kichern, errötend – wofür sie Spott ernten, weil ihre Röte zu erkennen gibt, daß sie sehr wohl begriffen haben.

Merijntje sitzt irgendwo in einem stillen Winkel und vergißt, an seiner Festzigarre zu ziehen und das Glas gezuckerten Johannisbeerschnaps zu leeren. Nachdenklich betrachtet er Braut und Bräutigam, die vornweg tanzen und herzhaft lachen und nach allen Seiten nicken und auf die gepfefferten Witze der bezechten Hochzeitsgäste antworten. Braut und Bräutigam ... Von nun an Frau und Mann. Sie sollten lieber gleich in ihr Häuschen gehen, irgendwo an einer Dorfstraße oder an einem Überlandweg in den Feldern. Ein Stübchen mit einem kitschig verschnörkelten Kachelofen, einem lackierten Tisch, Stühlen mit Rohrsitzen, Heiligenbildchen aus Gips am Kamin und auf der Kommode, grellfarbige Stiche an der Wand, Kruzifix und Weihwasserkessel über dem Bett. Sie sollten gemeinsam Brot essen und Kaffee trinken und schlafen gehen und glücklich sein wie Mann und Frau ... grenzenlos und leidenschaftlich glücklich. Oder ... oder würde diese Ehe auch von der ersten Nacht an Plage und Verdruß, Elend und Unglück sein? Ergeht es diesem Mädchen dort wie Marjan, die in die Verbindung hineingetrieben wurde durch den Zwang anderer? Hat er wirklich den Ausdruck von Angst und Widerstreben gesehen hinter dem kalten Lachen, mit dem sie wie leblos vor sich hinzustarren schien, weit entrückt von dem tosenden Trubel ... War es auch ihr vorherbestimmt, gleichgültig und ewig streitend mit diesem fremden Mann zusammenzuleben und erst dann jemand zu finden, mit dem alles schön und gut sein konnte nach langen bitteren Jahren, wenn es zu spät war, wenn es nicht mehr lohnte, nicht mehr ging? Was erwartete diese Menschen? Glück? Ständiger Ärger? Und warum spielten all die fröhlichen Gäste immer nur auf das gemeinsame Schlafen an, kam niemandem der Gedanke an weniger erfreuliche Aussichten, die diese Stunde in sich barg? Oder hatten sie Angst vor diesem Gedanken und verdrängten ihn, um sich selbst und andere nicht zu erschrecken? Spielten sie eine klägliche Komödie? Lachten sie einfach ihre Unsicherheit, ihren Zweifel, ihre Furcht heraus? Dann sah er die heimlich lauernden Blicke der Männer, die begierig auf die wiegenden Hüften der Braut gerichtet waren, auf ihre runden, sich unter der blauen Schoßbluse prall hervorhebenden Brüste, auf ihren schmächtigen, roten Hals, an dessen naßgeschwitztem Fleisch lose Haarsträhnen klebten. Sie gafften nach anderen Frauen, nach einem lockenden Gesicht, einem Bein, das unter einem aufschwebenden Rocksaum zum Vorschein kam, sie grinsten schlüpfrig, schnalzten mit der Zunge und benahmen sich durch und durch widerwärtig. Marjans Worte kamen ihm in den Sinn: wie eine Meute Rüden ... Er mußte bitter lachen und spuckte vor seinen Füßen auf den Boden. Zornig steckte er sich wieder die Zigarre an und trank sein Glas in einem Zug leer. Schmutzfinkerei war dies alles, dumm und geistlos, der Beachtung nicht wert ...

„Willst du denn gar nicht tanzen?"

Ein Mädchen setzte sich zu ihm und blickte ihn lachend und verführerisch an. Ein dralles Ding mit roten Wangen, stechenden dunklen Augen und schwarzem, glattem Haar. Sie trug ein weißes, mit Perlmuttknöpfen besetztes Kleid. Auf ihrer Oberlippe glitzerten winzige Schweißtropfen zwischen dunklen Flaumhärchen ... Oh, die bekam später einen Bart!

„Du sitzt hier so still! Geht's dir nicht gut?"

„Darüber mach dir mal keine Sorgen!"

„Willst du mit mir tanzen? Sie fangen gerade wieder an."

„Na gut – warum nicht?"

Er legte seine Zigarre ab und begab sich mit ihr unter die anderen Tänzer. Sie tanzten draußen auf dem Bleichplatz, hinter dem ein kleiner Obstgarten lag. Das Mädchen war dick. Es bewegte sich unbeholfen, drückte sich steif gegen ihn; er spürte die Berührung ihrer vollen Brüste. Bei jedem verkehrten Schritt lachte sie und ließ ihre gelben Zähne in dem großen gierigen Mund mit seinen wulstigen Lippen sehen; sie roch nach Schnaps und Schweiß, und unter ihren Achseln schimmerten dunkle, feuchte Flecken. Sie schmiegte die Stirn an sein Gesicht. Ihre Haare kitzelten seine Nase, und er wandte den Kopf ab. Schamlos erhitzt preßte sie sich noch enger an ihn. Bettelnd warfen ihm ihre dunklen Augen lockende Blicke zu. Wenn er sie jetzt küßte, würde sie den Kuß sofort erwidern und schwer in seinen Armen hängen und zu allem bereit sein . . . Fast mußte er darüber lachen, aber leichte Übelkeit stieg ihm in den Hals. Nein, Mädchen, da bist du an den Falschen geraten – such dir einen anderen! Sie fühlte seine trotzige Abwehr, das Lachen verschwand aus ihrem Gesicht, die Augen leuchteten falsch und boshaft. Als die Musik schwieg, standen sie still. Sie lehnte an ihm mit ihrer ganzen Körperfülle. Er faßte sie bei den Schultern und schob sie von sich. Gekränkt und verärgert keifte sie leise: „Öder Kerl!" Dann lief sie weg und warf sich einem anderen Mann an den Hals. „Onkel Nol", rief sie, „die nächste Polka tanz ich mit dir!"

Merijntje murmelte: „Wohl bekomm's, Onkel Nol!" – und trödelte zu seiner Zigarre zurück. Sein Glas war frisch gefüllt; er setzte sich wieder dazu, beschämt und betrübt, weil alles so häßlich war und niemand daran Anstoß nahm. Er sah, wie das Mädchen mit Onkel Nol tanzte, ihn mit jeder Bewegung ihres üppigen Körpers lockte und erregte, bis seine Schweinsäuglein nur noch Schlitze waren im rotangelaufenen Gesicht; die ungeschlachten Pranken strichen begierig über ihren runden Rücken, über ihre breiten, gewölbten Hüften. Rüden und Hündinnen . . . Besser, er machte sich davon – er war ein zu trauriger Hochzeitsgast, und ihm drohte schlecht zu werden, wenn er das noch länger mit ansehen mußte . . .

Einige Stunden liegt er draußen vor dem Dorf an einem Deichhang im Gras, die Hände unter dem Kopf, zerkaut einen Halm nach dem anderen. Zwischen den Bäumen hindurch schaut er über das Land, wo Feuer von trockenem Laub schwelen und sich kleine schwarze Gestalten bewegen. Er sieht, wie die hohen weißen Wolken von der sinkenden Sonne vergoldet werden, wie sie alsbald verblassen, wie die Luft ringsum ergraut und im Abenddunkel verfließt. Ein letzter Wagen mit Getreide wackelt polternd hinter ihm über den Weg. Der Fuhrknecht ruft den Pferden etwas zu.

Von oben klingt Gelächter. Dort liegt bestimmt ein Pärchen auf den zusammengepreßten Garben.

Eine große Stille fällt raunend über die Welt. Wie ein Labsal sinkt sie in Merijntje hernieder – Ruhe, unendliche Ruhe. Ihm wird weit in der Brust, und er seufzt tief. Er fühlt sich nicht verlassen, nicht unglücklich. Eine seltsam ungewohnte Empfindung von Dankbarkeit bewegt und erstaunt ihn. Er lächelt darüber. Ja, es ist seltsam, aber es tut gut. Er ist froh, daß er hier liegt und daß er lebt. Das muß auf geheimnisvolle Weise mit Marjan zusammenhängen ... ihr verdankt er dies. Doch wie? Das ist nicht festzustellen, aber es hat etwas damit zu tun. Er wird mit Flierefluiter darüber sprechen. Bislang freilich ist Marjans Name zwischen ihnen noch nicht gefallen. Flierefluiter weiß nicht, was mit ihm und Marjan geschehen ist. Doch nun wird er es ihm erzählen, denn er muß wissen, er, Merijntje, was dies alles zu bedeuten hat, welcher Sinn dahintersteckt. Vielleicht kann es Flierefluiter ihm erklären – der hat ihm schon so viele Ungereimtheiten begreiflich gemacht. Verrückt ist das! Erst will Merijntje nie so recht akzeptieren, was Flierefluiter sagt, und später dann leuchtet ihm alles von selber ein: es ist so einfach, so plausibel, so wahr! Er hält viel, sehr viel von Flierefluiter – er ist sein bester Freund und bester Lehrmeister in einer ganzen Reihe von Fragen ...

Träge schlendert Merijntje ins Dorf zurück, zur Hochzeit. Flierefluiter sitzt auf dem Tisch, die Beine überkreuz, und spielt auf einer Harmonika. Er singt eine alte rührselige Ballade dazu, die alle kennen. Doch Flierefluiter singt sie so herzzerreißend, daß niemandem der Gedanke kommt, mit einzustimmen; sie hören alle atemlos zu und kämpfen vor Ergriffenheit mit den Tränen. Flierefluiter sieht Merijntje hereinkommen und zwinkert ihm zu, verzieht seinen großen Mund sogar zu einer Grimasse, singt dann in langgezogenen, bebenden Tönen von dem düsteren Kirchhof, auf dem des Nachts im langsam fallenden Schnee ein Mädchen niedersank und von dem Totengräber gefunden wurde, als es Gott flehentlich anrief, ihm das liebe Mütterlein wiederzugeben.

Merijntje kennt das Lied, seine Mutter sang es früher sehr oft, und er hat es als kleiner Junge nie ohne ein Würgen in seiner Kehle hören können. Aber nun muß er sich zusammenreißen, um nicht in lautes Lachen auszubrechen. Es ist zu närrisch! Mitten in der ausgelassensten Hochzeitsmunterkeit setzt ihnen Flierefluiter ein trauriges Lied vor! Er tut es, um sie zum Besten zu halten – das erkennt er deutlich genug an seiner Unschuldsmiene und dem Zwinkern seiner spöttischen Augen. Und wie er sie zu packen versteht! Sie sind tief beeindruckt.

Eine Frau schnuffelt: „Es ist doch ein Elend – so ein junges Blut ..."

Ein stämmiger Bauernbursche mit erhitztem Trinkergesicht und wäßrigen Augen beißt die Zähne so stark aufeinander, daß seine kräftigen Backenmuskeln wie dicke Knollen unter der Haut hervorkugeln. Gleich bricht der in Tränen aus, denkt Merijntje, dann kann ich mich aber nicht mehr halten, dann erstick ich vor Lachen. Und dieser alberne Flierefluiter gibt sich immer trübseliger; Schauder grenzenlosen Mitleids durchzucken die Hochzeitsgesellschaft. Zugleich mit dem Applaus erhebt sich ein Seufzer, als er endlich fertig ist und mit einem langen Zug an der Harmonika sein Melodram beschließt.

„Ach, die Ärmste . . ."

„Menschenskinder, wie der Kerl singen kann!"

Verstohlen werden Tränen weggewischt.

Flierefluiter verbeugt sich dankend, spricht mit finsterem Gesicht:

„Ja, ja, ihr Lieben, es gibt viel Leid auf dieser Welt! Das wollen wir getrost bedenken, wenn wir hier so lustig beieinandersitzen . . ."

Ein junger Pferdeknecht, der tüchtig über den Durst getrunken hat, verkündet heulend die Absicht, mit seiner Mütze herumzugehen und für das arme Waisenkind zu sammeln. Sie haben viel Mühe, ihn zur Vernunft zu bringen und ihm klarzumachen, daß es sich nur um ein Lied handelt. Es dauert lange, bis er es begriffen hat – doch da wird er böse auf Flierefluiter.

„Was, nur ein Liedchen? Warum erzählst du's denn, verdammter Faselhans?"

Er wird von allen Seiten ausgelacht. Merijntje kann fast nicht mehr. Der beleidigte Knecht stolpert grimmig aus dem Kreis heraus, mit einem rachsüchtigen Blick auf den Sänger, der ihm spöttisch zunickt.

Flierefluiter springt auf den Tisch, fuchtelt mit den Armen und ruft:

„Silentium, Bauer, Bürger, Bettelmann! Wir sind nicht zusammengekommen, um zu jammern. Ich werde euch jetzt eine schöne Begebenheit vortragen, ein anderes Drama, das nicht so traurig ist: ‚Der Zwiebelkuchen' heißt es."

Ein paar kennen die Einlage, stimmen lärmend zu und lachen schon im voraus begeistert. Flierefluiter hüstelt, gebärdet sich wie ein Pfarrer auf der Kanzel, der die Ärmel seines Chorhemdes hochstreift, und beginnt mit eigentümlich näselnder Stimme die unsinnige Geschichte von dem Studenten, der einen Zwiebelkuchen mit geräuchertem Schinken gegessen hat und seine ganze Umgebung an den unglückseligen Folgen des Schmauses teilhaben läßt.

Es ist eine maßlos übertriebene Geschichte. Feinfühlig kann man sie nicht nennen. Sie qualmt und pufft geradezu vor gräßlichstem Gestank. Menschen fallen in Ohnmacht, und Winde knallen wie Pistolenschüsse. Der Mann, der den Zwiebelkuchen gegessen hat, zieht herum wie eine wandelnde Katastrophe, und überall, wo er auftaucht, entsteht Panik. Die Wortwahl des Dichters zeichnet sich eher durch drastisches Darstellungsvermögen als durch Zurückhaltung aus. Doch die Gäste schätzen dies gewaltig. Sie krümmen sich vor Lachen, kreischen, jauchzen, wiehern, und bei jeder neuen Zwiebelgasexplosion brüllen sie schallend los, daß der Vortragskünstler seinen Bericht unterbrechen muß, bis er sich wieder verständlich machen kann.

Merijntje lacht mit, unbändig, bekommt Krämpfe davon in den Bauchmuskeln. Er kennt die läppische Geschichte schon lange; aber die Art, wie Flierefluiter beim Singen den Zustand des bedauernswerten Studenten mimt, ist unwiderstehlich. Sein bewegliches Gesicht verzieht sich und wirft die kuriosesten Falten, der lange Körper krümmt sich bei den konvulsischen Blähungen; man sieht, wie die unerträglichen Schmerzen den Leib förmlich durchschneiden, wie die donnernde Entladung, die Schrecken und Abscheu verbreitet, ihm deutlich Erleichterung verschafft.

Merijntje muß aber auch aus einem anderen Grund lachen. Er war doch eigentlich hierher zurückgekehrt, um mit Flierefluiter zu sprechen und ihn um Rat zu bitten. Und nun trifft er ihn in diesem Zustand an – ein toller Hanswurst, ein Komödiant durch und durch, der den Bauern mit den blödsinnigsten Kamellen wahre Lachorgien bereitet. Man wußte nie, was man von diesem absonderlichen Zeitgenossen zu erwarten hatte.

Aber gern haben mußte man ihn, wie immer man ihn antreffen mochte, was immer er trieb ... ein Zauberer schien er zu sein: er tat mit den Menschen, was er wollte, machte sie traurig oder fröhlich, gerade wie es ihm einfiel; er konnte sie lachen oder weinen lassen, konnte sie bis zur Wut reizen und verstand es, sie sacht und mit Bedacht wieder in friedfertige Stimmung zu versetzen – und er fuhr immer gut dabei. Er hielt jeden zum Narren und verdiente sich damit obendrein sein täglich Brot. Und trotzdem war er nicht schlecht. In seinem Herzen war er gut. Er konnte keine Tränen sehen und kein Leid. Um sich herum wollte er nur glückliche Menschen dulden, und wenn das nicht klappte, wurde er schwermütig oder kratzbürstig, begann Streit und schlug mit der Faust auf den Tisch. Später mußte er dann wieder darüber lachen: „Der Mensch wird nicht klüger, Merijntje!"

Sie hängen alle an Flierefluiter, alle haben sie ihm etwas abzubetteln, ein Liedchen, eine Geschichte, eine Melodie auf seiner Flöte oder auf der Harmonika. Sie wollen mit ihm plaudern und trinken, er muß etwas erzählen, und eine taufrische Tante der Braut, eine kinderlose Witwe, ist nicht von seiner Seite zu bringen. Ihre Augen leuchten, und sie lacht, und sie muß ihn alleweil begrabbeln, muß ihn stupsen und an seinen Schultern rütteln und ihn ausschelten, weil er ein viel zu loses Mundwerk gegenüber einer ehrbaren Witwe hat, die immer noch um ihren vor zwei Jahren heimgegangenen Mann trauert. Flierefluiter blinzelt Merijntje zu, stößt mit der Witwe an und läßt seinen Blick über den Rand des Glases schmachtend auf ihr ruhen; die junge Frau muß tief seufzen, schlägt die Augen nieder und errötet. Merijntje schüttelt weise sein Haupt – er durchschaut solcherart Späßchen inzwischen recht gut. Dieser verflixte Weiberheld! Er wickelt die Frauen um den kleinen Finger, so wie ihm die Lust danach steht – und macht sich alsdann postwendend aus dem Staube.

Gegen Mitternacht flaut das Fest ab. Braut und Bräutigam sind schon ein Weilchen fort. Nun nehmen die Gäste Abschied und torkeln davon, schwatzend und singend. Das Haus sieht plötzlich rattenkahl und verlassen aus, wüst und trist. Merijntje ist eben draußen gewesen, sucht Flierefluiter, aber findet ihn nicht. Die wenigen Zurückgebliebenen wissen auch nicht, wo er steckt. Also begibt sich Merijntje zum Gasthaus, in dem sie wohnen. Aber auch dort ist der Freund nicht, und so kriecht er allein in sein Lager und wartet und denkt an mancherlei und ist einsam und betrübt, doch nicht schmerzlich betrübt, sondern wohltuend erleichternd . . .

Und als er spät am Morgen aufwacht und ausgeruht aus dem Bett springt, ist er noch immer allein. Plötzlich lacht er laut auf. Flierefluiter hat heute nacht natürlich die ehrbare Witwe getröstet – dieser unverbesserliche Bandit!

2

Sie sitzen zusammen auf einer Waldlichtung. Die Mittagssonne
glitzert mit tausend wimmelnden Funken über dem schwarzen
Wasser des Moorsees, an dessen Ufer die harten Halme des Schilf-
rohrs raschelnd aneinanderscheuern. Finken schlagen laut ihr Lied
in den hohen Buchen.

Flierefluiter schneidet Scheiben von einer Wurst und legt sie auf
die Stullen, die er aus seinem Wandersack zum Vorschein gebracht
hat. Er seufzt dabei und kaut wehmütig, aber appetitvoll auf den
Resten des zuletzt verzehrten Kanten Brots. Merijntje ist schon
fertig mit der Mahlzeit, raucht sein Pfeifchen und blickt dem
Freund aufmerksam ins Gesicht. Er kann nicht so recht schlau daraus werden. Was ist es nun – die Trauer in den Augen oder der
spöttische Zug um den Mund? Blufft er – ja, aber wen denn? Ihn,
Merijntje, oder sich selbst? Stunden sind sie gelaufen, nachdem
Flierefluiter mit harmloser Miene ins Gasthaus zurückgekehrt war.
Sie haben wenig geredet, nicht einmal miteinander besprochen,
wohin sie aufbrechen wollten. Der Zufall hat sie in dieses stille
Wäldchen geführt auf einem großen Landgut, wo sich irgendwo in
einem Kastell ein reicher Herr langweilen soll.

„Schmeckt's dir noch immer?" fragt Merijntje endlich, fast ein
wenig feindselig.

Flierefluiter blickt ihn vorwurfsvoll an, nimmt einen großen Bissen, schüttelt den Kopf und sagt mit vollem Mund:

„Das Brot der Witwe liegt bitter auf der Zunge, doch die Wurst
von Baas Zegers – hm, die zergeht darauf!"

„Hast du von dem Bauern Wurst bekommen?"

„Bekommen?" Flierefluiter seufzt tief und zuckt die Schultern. „Du mußt mal probieren, von einem Bauern Wurst zu bekommen! Ich war fünf Minuten allein im Wirtschaftshaus, in der Küche, dicht beim Herd . . ."

„Du hast geklaut?"

Flierefluiter nickt schweigend und blickt mit halbgeschlossenen Augen zu Merijntje hinüber, freut sich insgeheim auf den empörten Protest, der unweigerlich folgen muß.

Der Junge schüttelt den Kopf und sagt unmutig:

„Du leidest keinen Mangel, verhungerst nicht! Warum tust du das denn? Erst gestern auf der Hochzeit hast du dir ein fürstliches Taschengeld verdient. Gemeiner Dieb!"

Wieder nickt der Landstreicher, seelenruhig und vergnügt.

„Ja, sieh mal", entschuldigt er sich gelassen, „ich mag diese Sorte Wurst eigentlich gar nicht. Deshalb kommt mir auch nie der Gedanke, sie zu kaufen. Aber wenn ich sie bei einem Bauern mopsen kann, dann schmeckt sie dreimal so gut – dann hat der Geist sie gewürzt. Verstehst du?"

Merijntje schnauft geringschätzig. „Wie ein Wilder benimmst du dich!" tadelt er.

„Die Wilden sind unschuldige Menschen", murmelte Flierefluiter. „Die wissen's nicht besser."

„Aber du weißt es besser."

„Ja, aus Erfahrung – und eben deshalb schmeckt die Wurst so fein."

„Aber warum denn nur?"

„Tja, sie ist jetzt gesalzen mit dem Ärger des Bauern, gepfeffert mit der Anmut seines Weibes, gewürzt mit dem Gedanken, daß sie dafür geschuftet haben und nun in den Mond sehen dürfen. Christenseele, das macht aus einer harmlosen, ganz ordinären Bauernwurst wahrhaft angenehme Kost – eine Delikatesse, Menschenskind!"

Und aus purer Begeisterung beißt er ein riesiges Stück ab und kaut mit himmlisch verzücktem Gesicht darauf herum, bis Merijntje doch wieder über diesen ausgelassenen Lausebengel lachen muß, dessen Haar schon fast ganz ergraut ist . . .

Eine Zeitlang sitzen sie schweigend beieinander, jeder mit seinen eigenen Gedanken beschäftigt. Dann sagt Flierefluiter plötzlich, als wollte er das Fazit aus einem philosophischen Disput ziehen: „Ja, ja, Merijntje, eines aber ist sicher: die Frauen sind viel besser und größer als die Männer – und werden doch nicht danach behandelt . . ."

Nach all dem vielen Reden fühlt sich Merijntje durch diesen unerwarteten Ausspruch sehr befriedigt. Er nickt bedächtig und fragt dann:

„Warum, Flierefluiter?"

Der andere antwortet, ohne zu zögern:

„Weil sie immer nur geben, Junge, und wir Mannskerle, wir nehmen nur ..."

Abermals nickt Merijntje, bedrückt und mit einem unruhigen Schuldgefühl. Wir nehmen nur ... Dennoch lehnt sich etwas in ihm auf. Wir nehmen nur? Hat er Marjan wirklich nur genommen – ihren schönen Körper, ihre Güte, ihre Liebe? Dann widerspricht er:

„Das ist nicht wahr! Ich ... ich möchte ihnen alles geben!"

„Wenn du könntest, ja", lächelt Flierefluiter. „Aber das ist es ja gerade, Junge, du kannst nicht. Irgendein Grund ist immer da, weshalb man nicht kann ... weil man zufällig gerade weiter muß oder weil etwas geschehen ist, was sich nicht ändern läßt. In jedem Fall nimmt man und geht, und während man noch glaubt, es zerreißt einem das Herz vor Kummer und Traurigkeit, sucht man bereits bei einer anderen Trost in seinem selbstsüchtigen Schmerz. Aber eine Frau, die gibt und die bleibt. Die guckt dir nur mit großen Augen nach, weil es so schön war ... und weil ein Mann nicht anders kann."

Merijntje hätte weinen mögen. Ist es wirklich so, wie Flierefluiter sagt? Ist er auch so ein Mann, der nur nimmt und dann davonzieht? Nein, das weiß er gewiß: so ist er nicht! Er hätte doch zu gerne bleiben mögen! Aber er mußte wirklich gehen – ob er wollte oder nicht. Und genau dies hat Flierefluiter ja ganz richtig bemerkt – waren es dann doch keine billigen Ausflüchte?

Ärgerlich sagt Merijntje: „Rede nicht von dir – die Männer sind nicht alle über einen Kamm zu scheren ... Solche Frauenhelden wie dich gibt's glücklicherweise nicht allzu viel."

Flierefluiter geht überhaupt nicht darauf ein. Ruhig spricht er weiter und verstrickt Merijntje schonungslos in seine Philosophie:

„Dabei sind wir noch rühmliche Ausnahmen ... Wenn wir nämlich weiterziehen, dann sind wir traurig, und wir sind dankbar für das, was wir erhalten haben, und wir müssen gegen uns selber kämpfen, gegen unsere Reue und gegen unser Mitleid. Wir denken daran zurück, wie lieb und gut sie gewesen ist – und daß sie etwas Besseres verdient hätte, als Gestalten wie unsereins zu begegnen. Aber das Ergebnis? Das Ergebnis ist das gleiche wie bei allen anderen – schließlich gehen wir doch!"

„Hast du nicht geheiratet?" fragt Merijntje herausfordernd. „Und andere Männer heiraten doch auch ..."

„Das stimmt schon", nickt Flierefluiter, „aber das ändert nichts daran. Man geht trotzdem weiter, wenn nicht in Wirklichkeit, dann mit seinen Gedanken, seiner Phantasie, mit allen seinen Wünschen – und das kommt auf dasselbe heraus."

Merijntje könnte verzweifeln! Er wird aus seinen eigenen Gedanken nicht mehr schlau. Meint er noch alles ernst oder sucht er nicht doch nach Vorwänden und Beschönigungen, und denkt er nicht insgeheim genauso, wie Flierefluiter es darstellt? Er kann nicht darüber hinwegkommen. Er will es nicht glauben. Und leidenschaftlich empört er sich:

„Jetzt lügst du auch noch! So ein Streunertyp wie du – das mag freilich sein! Lebst drauflos wie Gott in Frankreich. Wenn ich aber ein Mädchen richtig gern habe, dann will ich bei ihr bleiben – dann will ich nicht nehmen, sondern geben, dann will ich gut zu ihr sein, dafür sorgen, daß sie froh und glücklich ist. Das ist doch so klar wie nur irgendwas. Du mit deinem ewigen Geschwafel!"

„Natürlich", lacht Flierefluiter, „das wollen wir alle, denn Unholde sind wir ja nun auch wieder nicht! Und wenn eine Frau zufrieden ist, dann gibt sie noch mehr – und wenn sie glücklich ist, dann gibt sie so viel, daß du dir keinen Rat mehr weißt... Aber weiter ziehst du doch, immer wieder weiter..."

„Ja, ja", schimpft Merijntje voller Zorn, „solange bis du eine aufgabelst, die selber macht, was sie will – und dann ist Holland in Not!"

Flierefluiter schweigt. Ein schmerzliches Lächeln zuckt um den schiefen Mund. Seine Hände fingern nervös an der Schnur des Wandersackes.

„Au!" jammert er leise. „Das hat gesessen!"

Merijntje erschrickt vor seinen eigenen Worten und ihrer Wirkung. Verlegen brummt er:

„So darfst du das nicht verstehen – ich meinte nichts Bestimmtes..."

„Schade", knurrt Flierefluiter, wieder einigermaßen bei Fassung, „es war ein so ungemein schönes, erbauliches Beispiel. Und es stimmt sogar. Den Strafen für seine Jugendtorheiten entgeht niemand. Und du irrst, wenn du denkst, ich nehme die Männer in Schutz... Schweinigel und Hornochsen sind sie, Schmutzfinken und Schafsköpfe, aber sie können nichts dafür. Die Früchte, die sie ernten, schmecken meist bitter und gallig – früher oder später."

Merijntje starrt vor sich hin über das blinkende Wasser des Sees, auf dem weiße Blüten mit goldenen Herzen zwischen runden, sattgrünen Blättern treiben und ein silbern glänzender Fisch eben in die Luft springt, um sogleich in einer feuerspeienden Kaskade funkelnder Tropfen ins Wasser zurückzufallen. Warum ist das alles so, wie Flierefluiter sagt? Das ist doch verkehrt und bringt nur Kummer – „früher oder später"... Und wenn die Menschen das wissen, warum tun sie es trotzdem? Und Flierefluiter? Wenn er das selber so klug erklären kann – warum richtet er sich nicht danach? An seinen Augen hat er erkannt, daß er voller Zärtlichkeit an die Frau dachte, über die er unausgesetzt redet, ohne ihren Namen zu nennen.

Weshalb ist Flierefluiter so eilig von ihr gegangen, mit großen, langen Schritten, als ob er nicht schnell genug Raum zwischen sich und sie bringen könnte? Und warum ist er selber – er, Merijntje – von Marjan gegangen? Ohne Auflehnung, ohne allem zu trotzen? Hatte er also heimlich doch schon die Neigung, „weiterzuziehen", und war das ganze häßliche Geschehen nur ein willkommener Vorwand gewesen, ein Grund, der ihn entschuldigte und nach dem er suchte, ohne es zu wissen und zu wollen? Es stimmte ihn traurig. Es machte alles so sinnlos. Es ließ ihn daran zweifeln, ob es das große, tiefe Glück, von dem er eben noch so unbeschwert geträumt hatte, denn wirklich gab.

Das Licht über dem Wasser und in den grünen Laubkronen erlischt. Das Rauschen des Windes in den Bäumen ist jetzt nur noch ein fernes, wehmütiges Klagen, der nicht endenwollende Seufzer einer freudlos gewordenen Welt. Der Finkenschlag hat seinen frohen Klang verloren – es könnte ebenso ein Schmerzensruf sein ...

„Flierefluiter?"

„Ja, Junge?"

„Gibt es das Glück?"

Flierefluiter wendet sich ihm zu. Sein ganzes Gesicht strahlt. Lachend stellt er die rätselhafte Gegenfrage: „Gibt es die Sonne, Merijntje?"

Befremdet sieht der Junge ihn an. Was meint er nun wieder damit? „Aber das ist doch klar!" kommt sogleich die Antwort.

„Na also, warum zweifelst du dann?"

Merijntje blickt ihn unverwandt an, fragend und ungeduldig. Doch Flierefluiter lacht nur.

„Was hat das denn damit zu tun?"

„Ach, Menschenskind, alles. Wenn du die Sonne nicht siehst, weißt du wohl trotzdem, daß sie da ist? Und wenn sie scheint, dann sitzt du doch bestimmt nicht immer gleich in der Sonne? Schatten muß auch sein – alles zu seiner Zeit: Nacht und dunkle Tage ... Nicht anders verhält es sich mit dem Glück. Man kann nicht immer in der Sonne sitzen, und dort, wohin sie ihre Strahlen schickt, da fallen auch schwarze Flecken ... Daran muß man sich gewöhnen – und hat man es begriffen, dann wandelt sich alles in Glück. Aber das dauert lange, Merijntje, verdammt lange! Für manchen reicht ein Menschenleben nicht aus, dahinterzukommen ..."

Immer noch schaut Merijntje ihn an, verwundert und nachdenklich. Den Vergleich versteht er, aber die Nutzanwendung hält er für ziemlich unangebracht und an den Haaren herbeigezogen. So kann man sich letztlich alles zurechtbiegen. Was hat man schon von der Erkenntnis, daß die Sonne da ist, wenn man in Kälte und Nässe und Nacht steht, erstarrt, verfroren, richtungslos – voll sehnsüchtigen Verlangens nach Licht und Wärme eben jener Sonne, die

da ist und einmal gewiß zurückkehren wird, Trost geben? Ja, Trost
verschwunden ist? Kann einem der Gedanke, daß die Sonne doch
vielleicht ... ein wenig. Aber gleichwohl verharrt man einsam und
verloren in der Finsternis, durchkältet, kümmerlich, verzweifelt.
Und man vermag sich durchaus vorzustellen, daß einen die furchtbare Gewißheit beschleicht: nun wird es sich nie mehr ändern,
jetzt bleibt es ewig dunkel, die Sonne kehrt nicht mehr zurück! Er
kennt doch die beklemmende Angst vor dem Unwiderruflichen.
Er weiß, daß dieser Gedanke, diese Empfindung, die träge fort-
wuchernde Furcht, unvermeidlich kommt, wenn man so allein, so
kalt im Dunkeln hockt ... Ja, aber er weiß doch auch, daß Sonne
und Wärme stets wiedergekehrt sind – da hat Flierefluiter recht.
So muß man sich's auch mit dem Glück vorstellen? Aber das Glück
– das ist etwas gänzlich anderes! Ob die Sonne da ist oder nicht,
gut, das läßt sich nicht beeinflussen. Aber das Glück? Das Glück
ist die Liebe zu einer Frau, die Freundschaft mit einem Mann, das
Leben unter Menschen, die man gern hat. Das ist doch etwas völlig anderes. Das kann man für sich selber festhalten, wenn man
nur will. Man muß es einfach tief in sich erfassen und nie mehr
loslassen wollen. Dieser Sonne kann man selber gebieten, still-
zustehen und unaufhörlich zu scheinen. Ja, ja, spottet eine Stimme
in ihm, natürlich kann man das. Nur – warum hab ich das nicht
getan? Warum bin ich dann doch in den Schatten gerannt? Warum
bin ich nicht bei Marjan geblieben?

Mutlos sprach er die Frage aus:
„Flierefluiter, warum bin ich von Marjan weggegangen?"
Es dauerte eine Weile, ehe die Antwort kam. Flierefluiter sah ihn
mit warmen Augen und einem leisen Lächeln um den Mund an.
„Vielleicht, weil deine Zeit gekommen war."
„Was soll denn das heißen?" sagte Merijntje aufgebracht. „Meine
Zeit war gekommen ..."
„Das weißt du selber, sag es nur!"
Zögernd wandte der Junge die Augen ab. Konnte er darüber
sprechen?
Aber plötzlich sprach er doch. Stammelnd und stockend, nach
Worten suchend, die andeuten sollten, was man nicht ausdrücken
konnte, fühlbar machen, was man nicht zu sagen wagte ... Mit
gequältem Blick schaute er in die Dunkelheit. Die Worte schweb-
ten in der Luft, wie für sich selber. Der sie sprach, sagte sie vor
sich, der zuhörte, konnte sie auffangen oder sie vorüberziehen lassen. Still irrten sie herum, tonlos fast, wurden heftiger bei der
Erinnerung an Teeuws schändliches Dazwischentreten, trübe und
klanglos wieder bei der scheuen Andeutung des Endes, dem jähen
Abschied, früh am Morgen.
Und Flierefluiter hörte gut zu.

Er wußte vorher, daß er es nicht schlimm finden würde, daß er darüber würde lächeln können. Es war nicht welterschütternd, keine Sache auf Leben und Tod, nur das alltägliche Liebesabenteuer eines grünen Jungen, nicht wichtiger als tausend andere solcher Kälberrührungen, an denen jeden Tag naive Herzen zu zerbrechen glauben. Ein ergrauter Mann mit seinen Erfahrungen und Erkenntnissen konnte nur darüber lächeln ... Aber das wurde nicht von ihm erwartet!

Aus Merijntjes Stimme klang die Bitte um Hilfe aus einer Seelennot, die zu tief war, als daß man sie mit einem Lächeln abtun konnte. Und wenn das alles auch nicht welterschütternd war, Merijntjes Welt war erschüttert worden. Und bei Gott, das war nicht unwichtig! Am Anfang eines Menschenlebens standen nun einmal solche Probleme – und man konnte recht gut daran zugrunde gehen oder zerbrechen. Und waren sie weniger verhängnisvoll, so mochten sie doch das weitere Leben beherrschen. Ja, das taten sie in jedem Fall – ob im Guten, ob im Bösen, das blieb eine Frage der richtigen oder falschen Interpretation.

Der Junge war tief getroffen, seine Stimme bebte, seine Worte zögerten, es sang noch ein verhaltenes Entzücken darin nach ... Merkwürdig, dachte Flierefluiter plötzlich, und eine Freude schwang durch sein Herz, es war kein Kind mehr, das jetzt sprach, sondern ein Mann. Ein junger Mann, halb unwissend, halb wissend, der die Frucht des Lebens zum erstenmal gekostet hatte und erschrocken war über den herben Nachgeschmack des süßen Saftes, der ihm so reichlich über die gierigen Zähne gelaufen war ... Den Jungen, der in tödlichem Entsetzen vor der schrecklichen Sünde geflohen war, zu der Bets ihn hatte verführen wollen – diesen Jungen gab es nicht mehr. Aber der junge Mann, der durch die Liebe auf ganz andere, neue Weise beunruhigt wurde, war nicht minder genauen Gewissens als damals der Knabe ... Wie sollte er ihm aus seinen Schwierigkeiten heraushelfen?

Merijntjes Erzählung war längst zu Ende. Und dauernd hing die Frage zwischen ihnen: Warum, Flierefluiter?

Endlich sagte dieser leise: „Ich habe einmal einen Mann gekannt, der hatte ein kleines Figürchen aus schimmerndem Marmor. Es stand auf dem Kaminsims, und zehnmal am Tag nahm er es in die Hand, um es zu betrachten, und jedesmal freute er sich von neuem daran. Doch eines Tages war plötzlich ein Fleck auf dem Figürchen, ein häßlicher schwarzer Fleck. Er wußte nicht, wie oder durch wen er dahin gekommen war. Aber der Fleck war da, und das konnte er nicht mit ansehen. Das arme schöne Figürchen konnte nichts dafür, und der Mann ebensowenig. Aber er hat es doch weggetan – es tat ihm weh, jedesmal, wenn sein Auge daraufjiel. Er hatte Furcht, daß er es einmal entzweiwerfen würde, aus Kummer über den Fleck, und das wollte er nicht. Später hat er mir

noch oft von dem Figürchen erzählt ... wie schön es war, und wie
gern er es mochte, und daß es eine seiner liebsten Erinnerungen
sei. Doch über den schwarzen Fleck sprach er nie – der war vergessen. Er dachte nur an das Schöne ... weil er ein kluger Mensch
war, der zu leben verstand."

Merijntje sah ihn mit großen Augen an. Dann fragte er:

„Und das Figürchen?"

Flierefluiter nickte lächelnd. Diese Frage hatte er erwartet. Die
konnte bei Merijntje nicht ausbleiben. Er dachte eine Weile nach
und sagte dann:

„Dem ist es gut ergangen. Es ist einem anderen Mann in die
Hände gefallen; der hatte es nie ohne den schwarzen Fleck gesehen
und fand ihn gar nicht so schlimm. Er liebte das Figürchen so, wie
es war – im Gegenteil, wenn der schwarze Fleck nicht gewesen
wäre, hätte er wohl etwas daran vermißt. Das geht einem manchmal so bei Dingen, die man sehr gern hat."

„Glaubst du?" fragte Merijntje verwundert und betrübt.

„Sicher glaube ich das", antwortete Flierefluiter ernst. „Glücklicherweise!"

Nachdenklich blickte der Junge vor sich hin. Dieser Mann war
ein Narr! Warum machte ihm der schwarze Fleck soviel aus? Und
er? War er wirklich von Marjan fortgegangen, weil sie ... Nein,
nein, ganz gewiß nicht! Er fand nichts Schlimmes an dem, was sie
getan hatte, bevor er sie kennenlernte. Er hatte alles verstanden,
gut verstanden. Und doch, die letzte Nacht, die er bei ihr gewesen
war – hatte ihn da nicht der Gedanke an die anderen Männer, an
diese lechzenden Rüden, irgendwie gelähmt? Und hatte dieser Gedanke nicht so klar zwischen ihnen gestanden, daß auch sie ihn gespürt hatte? War er nicht von ihr deshalb geradezu gezwungen
worden, weiterzuziehen? War er nicht gegangen, weil diese Vorstellung ihm gleichermaßen unerträglich erschien – trotz des schweren Abschieds, der ihm so ans Herz griff, daß er den Schmerz jetzt
noch fühlte? Hatte Flierefluiter recht mit seiner kleinen Geschichte? Aber der Schluß? Dann kam das Figürchen in die Hände eines
anderen Mannes, der es nicht schlimm fand, daß ein schwarzer
Fleck darauf war ... Heftige Eifersucht quälte ihn. Dieser Mann
hätte er sein wollen! Aber er – er war der Mann, der das Figürchen ohne Fleck gesehen hatte. Vorbei ... verloren ... aus ...

„Und trotzdem, Flierefluiter ... als ich da frühmorgens auf dem
Deich stand, da hatte ich das Gefühl: es ist nicht vorbei, es kann
nicht für immer vorbei sein!"

Flierefluiter schnaubte verächtlich.

„Vorbei?" wiederholte er. „Warum denn auch vorbei? Wie kann
so etwas vorbei sein, Junge? Alles, was dir das Leben schenkt,
bleibt für immer in deinem Herzen. Vielleicht wirst du später einmal begreifen, wie sicher und geborgen es da liegt – auch deine

Gemeinschaft mit Marjanneke ... der Kummer und alles dies, ob nun Sonnenschein, in dem du standest, oder die dunklen Schatten. Das Figürchen bleibt in deinem Erinnern, von dem Fleck weißt du nichts mehr. Sei dankbar, Junge! Du bist zu beneiden, daß du so vor dem Wind segeln darfst – du hast das große Los gezogen: der Bursche weiß noch nicht, was eine Frau ist, und stößt auf einen Engel wie Marjanneke! Und sieht nicht ein, daß er dem Herrgott auf nackten Knien für solche Gnade danken muß!"

„Ist es eine Gnade, heute etwas Schönes zu finden, das man morgen schon verliert?"

„Dummer Kerl, das geht nie mehr verloren! Ich sag doch, es steckt unverrückbar in Herz und Sinn, und dein ganzes Leben lang darfst du, so oft du daran denkst, froh darüber sein! Du mußt es nicht krampfhaft festhalten wollen, wenn das Leben dich zwingt, es loszulassen. Das tun nur Schwachköpfe, die glauben, den größten Spaß daran zu finden, ihren Gulden verbissen in der hohlen Hand zu drücken. Doch der Spaß sitzt im Einwechseln des Guldenstücks, du Tropf! Merijntje, die reichsten Menschen sind nicht die, die das meiste Geld haben und horten, sondern die, die es ohne Bedauern ausgeben."

„Geld! Wer spricht von Geld!" murrte Merijntje. „Das ist ganz was anderes."

„Nein, mit dem Gefühl verhält es sich genauso ... mit der Gutherzigkeit, mit der Freundschaft, mit der Liebe, mit allem. Leben ist Bewegung, es fließt, muß immer weiter fließen, wie ein Strom – steht er still, wird das Wasser brackig, trübe und zäh, und es fängt an zu stinken. Bah! Sorg nur dafür, daß der Strom am Fließen bleibt, sonst bringst du nichts zustande!"

Merijntje läßt sich hintenüber ins Moos fallen und schließt die Augen. Er muß über all das nachsinnen, was Flierefluiter gesagt hat. Die Worte wirbeln wild durch seinen Kopf – dabei ist es nicht einmal schwer, ihren Sinn zu erfassen, schwieriger ist es, sie zu akzeptieren. Langsam wird es aber lichter. Er fühlt, wie sich vor ihm Raum und Zeit öffnen, der geschlossene Horizont bricht auf, er schaut viel weiter jetzt. Seltsam ist es, er blickt wahrhaftig in ein neues Land. Noch ist es nicht ganz hell. Nebelschwaden verschleiern es, aber es ist grenzenlos, ein hoher Himmel spannt sich darüber, und man spürt schon, wie tief und frei es sich atmen lassen wird. Reich sein bedeutet, Geld und Gut fortgeben ohne Reue. Und mit dem Gefühl ist es nicht anders – Leben bedeutet, weiterfließen, nicht stillstehen. Er sieht, wie sich der blinkende Strom des Lebens durch das neue, große, weite Land schlängelt. Nichts ist vorbei, in der Erinnerung bleibt alles bestehen, und man darf sich immer wieder daran erfreuen. Wundersam ist das – und herrlich dazu!

Er richtet sich ein wenig auf und sagt: „Flierefluiter!"

Aber er bekommt keine Antwort. Als er sich ganz aufgesetzt hat, stellt er fest, daß Flierefluiter verschwunden ist. Unbemerkt hat er sich ausgezogen und schwimmt im See. Merijntje sieht seinen Kopf wie eine seltene Frucht über das schwarze Wasser treiben. Dann wirft er den Kopf in den Nacken und lacht, lange und laut. In dem Baum über ihm fliegt erschrocken ein Vogel auf. Wenig später schwimmt Merijntje mit kräftigen Stößen hinter Flierefluiter her; vor lauter Übermut beißt er eine Wasserlilie vom Stengel und trägt sie zwischen den Zähnen wie eine Trophäe vor sich her. Nicht stillstehen, immerfort strömen. Weiterreichen ohne Bedauern. Und Marjan! Marjan ist ein makelloses Figürchen, und er weiß nichts von einem schwarzen Fleck. Liebe, kleine Marjanneke!

3

„Am liebsten wär's mir, wenn ich noch im Pfarrhaus wohnte", sagte Flierefluiter, als sie bei hereinbrechendem Abend einen von mächtigen Bäumen dicht umsäumten Weg entlangzogen. „Ich habe nicht die geringste Lust, im Heuschober zu schlafen oder im Unterholz am Waldrand."

„Mir ist es egal", antwortete Merijntje gleichgültig. „Ich bin so müde, daß ich überall schlafen kann."

Sie hatten an diesem Tag einem Bauern geholfen, eine Feldeinfassung Eichenschälholz zu fällen und die toten Stubben auszugraben. Merijntje hatte sich gewaltig ins Zeug gelegt. Flierefluiter hatte ihn wiederholt ernsthaft vermahnt, mit seinen Kräften sparsamer umzugehen: dieser Bauer wäre doch wohl schon reich genug – wozu also diese sinnlose Rackerei ... Aber der Junge war nicht zu bremsen gewesen. Sein Klappmesser sauste durch die Luft, mit hastigen Bewegungen zerrte er die abgeschlagenen Äste beiseite; seinen Spaten stieß er so wütend durch die zähen Wurzeln der Baumstümpfe, als gelte es eine alte Rechnung zu begleichen und an ihnen ganz persönlich Rache zu nehmen. Und Flierefluiter hatte kopfschüttelnd dabeigestanden, Pfeife auf Pfeife geraucht und mit seinem törichten Geschwätz alle anderen von der Arbeit abgehalten, um das durch Merijntjes unverantwortlichen Einsatz gestörte Gleichgewicht einigermaßen wiederherzustellen.

Merijntje litt in den letzten Tagen an einem Gefühl überschüssiger Kraft. Er hatte das Empfinden, ihm habe irgendwas oder irgendwer einen mächtigen Stoß in den Rücken versetzt und nun müsse er unaufhörlich laufen, ganz schnell, ohne Verschnaufen. Ja, vorwärts mußte er. Das Land hinter dem Horizont, das er mit geschlossenen Augen erblickt hatte, lockte und zog. Dorthin mußte er – es drang darauf, entdeckt, freigelegt, durchforscht zu werden. Unbändige Kraft war in ihm aufgebrochen, die genutzt, verschwendet sein wollte. Das hatte Flierefluiter getan. Flierefluiter mit seinen wunderlich erregenden Worten am Fenn. Merijntje war davon seltsam berührt worden, war wachgerüttelt worden, und immer tiefer und weiter, bis ins Unermeßliche öffnete sich alles vor ihm. Noch peinigten ihn Spuren von Verdruß und nagendem Kummer, die vage Lust, umzukehren und das Verlorene wiederzugewinnen. Aber die drängende Kraft in seinem Rücken war stärker, er mußte fort, hinein in die Welt und das Leben darin – da gab es kein Halten. Und es war gut, herrlich sogar. Jeder neue Tag war eine einzige Lust, war fiebernde, ungeduldige Freude, in die er sich stürzte wie ein Schwimmer in den reißenden Strom. Kämpfen gegen das wilde Wasser, doch unaufhaltsam vorankommen ... Fühlen, daß man der Herr bleibt, den Widerstand bricht, stärker ist als das, was einem entgegenschwillt, einen abzutreiben versucht ...

Ja, er rührte sich. Jeder Tag brachte andere Arbeit. Und Merijntje packte alles mit dem gleichen Schwung an. Beim Einfahren des Getreides stach er die Garben mit solcher Geschwindigkeit auf, daß der Knecht auf dem Wagen nicht nachkam und ihn anfauchte, er solle gefälligst langsamer arbeiten. Aber Merijntje hatte nur gelacht und ihn unter den anfliegenden Kornbündeln fast begraben. Bei der Kartoffelernte riß er die Pflanzen aus der Erde und schüttelte die Knollen von den Wurzelfäden, als ob sie ihn schwer beleidigt hätten und er sie aus purer Rachsucht vernichten wolle. Beim Stellmacher, dessen Gehilfe krank geworden war, zog er die schwere Säge mit dem Meister zusammen durch den harten Balken und strapazierte sich derart, daß der alte Mann es aufgeben mußte, seufzend sein schweißnasses Gesicht trocknete und fragte, ob der Teufel in ihn gefahren sei.

Doch er wollte nirgends bleiben, er drang in Flierefluiter, nach einem Tag, manchmal auch schon nach einem halben, weiterzuziehen. Und sein Freund gehorchte, schüttelte den Kopf und brummte: „So eilig haben wir's doch nicht?" Merijntje zeigte sich unerbittlich – sie mußten weiter, es langweilte ihn hier schon, er konnte diese dummen Quadratschädel nicht mehr sehen.

„Du hast deinen Körper voll kleiner Triebwerke", schimpfte Flierefluiter. „Und da wirft man mir vor, daß ich ein unruhiger Geist bin!"

Merijntje lachte und lief voraus. „Komm, hol auf, quengel nicht, es geht weiter!"

„Ich mach mir Sorgen um dich", klagte der Landstreicher. „Du bist wohl nicht mehr ganz richtig im Kopf! Was hast du denn bloß!"

„Es ist deine eigene Schuld", grinste der Junge. „Du selber hast gesagt, daß man nicht stillstehen darf – und da bin ich eben auf den Beinen . . ."

„Deshalb brauchst du doch nicht gleich wie ein brüllender Löwe durch die Welt zu toben!" rief der andere verzweifelt. „Man kann mit dir ja nicht reden – bei dir gibt's immer nur Entweder-Oder: Treiben oder Bleiben."

„Das mag schon sein! Und nun will ich treiben. Treib mal mit!"

Flierefluiter schmunzelte still vor sich hin. Er empörte sich nur aus Lust am Widerspruch. Ihm gefiel das so durchaus. Der Junge war auf dem richtigen Weg – auf dem Weg, den zu gehen er ihn gelehrt hatte. Er war ja willig, man konnte ihm alles nahebringen. Man mußte es nur mit Umsicht tun, denn er hatte die Neigung, von einem Extrem ins andere zu fallen. Was mochte aus diesem Jungen einst werden! Es lohnte die Mühe, ihn im Auge zu behalten und ihm ab und an auf die Sprünge zu helfen, wenn es galt, über das eine oder andere Hindernis zu steigen. Und wie er dann weiterraste, stolpernd vor Hast – bis er vor einer neuen Barriere stand . . . Dann zögerte er, wollte umkehren, konnte seine Füße nicht heben. Ein seltsamer Bursche!

Plötzlich blieb Flierefluiter stehen. Er hörte ein wütendes, vielstimmiges Gekläff und blickte in die Richtung, aus der es kam. Da lag ein Landhaus inmitten von Obstbäumen in einem großen Garten. Auf dem niedrigen, mit roten Schindeln gedeckten Dach stand ein drolliges, nach allen Seiten offenes Türmchen, in dem eine Glocke hing. Flierefluiter stieß einen Freudenschrei aus.

„Merijntje, warte mal!"

Der Junge drehte sich um.

„Was ist?"

Flierefluiter wies mit seinem Stock auf das Haus.

„Da haben wir unser Nachtlager, Mann. Verflixt, daß ich nicht eher daran gedacht habe, daß wir hier in der Nähe von Doktor Presco sind!"

„Kennst du den?"

Flierefluiter warf seine langen Arme in die Höhe und lachte.

„Da fragt er, ob ich den kenne! Mann, das ist einer meiner teuersten Freunde – und da schlafen wir heute nacht. Und satt wie eine Nudelgans gehe ich ins Bett, müde von aller Lust und aller Last. Troll dich! Wir kommen gerade noch richtig zum Abendessen."

Schulterzuckend heftete sich Merijntje an die Fersen seines Kameraden, der mit großen Schritten den Feldweg zum Häuschen hinaufstieg. Freunde von Flierefluiter? Doktor Presco? Ein Doktor – der Freund dieses ewigen Stromers? Merijntje hielt nichts davon, auf Besuch zu vornehmen Leuten zu gehen. Man fühlte sich da immer so unfrei, eingezwängt, wußte nicht recht, wie man sich verhalten sollte.

Bei dem schief in seinen Angeln hängenden Gittertor, das Zutritt zu einem unbeschreiblich verwahrlosten und verwilderten Vorgarten verschaffte, blieb Flierefluiter stehen.

„Nun paß auf", warnte er, „jetzt sollst du was erleben!"

Er holte seine Flöte aus der Innentasche, steckte die einzelnen Teile ineinander und begann zu spielen, eine geschwinde, schnell auf- und niederhüpfende Melodie, ein Wasserfall perlender Töne. Kaum hatte er angefangen, als von neuem das wütende Gebell erklang – da mußte hinter dem Haus doch eine ganze Meute von Hunden sein! Aber der Aufruhr störte Flierefluiter nicht; alles Gekläff und Gejaule war ihm egal. Er blies nur um so kräftiger, und schrill erhoben sich die Töne seines Instruments über dem Lärm. Merijntje hielt sich die Ohren zu und mußte lachen.

Dann flog krachend die Haustür auf, und ein sonderbares Männchen stürzte über den mit Gras und Unkraut überwucherten Weg auf das Tor zu. Es hatte einen viel zu großen Kopf für seine gedrungene Gestalt – einen Kopf, der oben spiegelblank und kahl und an den Schläfen von langen, schwarzen, mit viel Weiß durchzogenen Haaren umwallt war. Unter den buschigen Augenbrauen funkelten kleine, kohlschwarze Äuglein hinter einem Zwicker, der spaßig auf einer überlangen, fleischigen Nase wackelte. Das Männlein hatte einen wahren Walroßschnurrbart, der seinen Mund völlig verdeckte, und große Segelohren mit seltsam flachen, eingerollten Rändern, aus denen sonderbare Höcker und Knubbelchen kugelartig hervorquollen. Büschel widerborstiger, steifer Haare drangen aus den Nasenlöchern. Es war ganz in Schwarz gekleidet. Die

Schöße eines altmodischen Gehrockes flatterten wie schlappe Flügel hinter ihm her.

„Flierefluiter!" rief der Doktor mit tiefem, polterndem Baß. „Heiliger Strohsack, du hast mir gerade noch gefehlt! Wo hast du denn die ganze Zeit gesteckt, verfluchte Schurkenseele?"

„Im Käfig! Im Käfig!" schrie Flierefluiter genauso laut zurück, und begleitet von dem ohrenbetäubenden Spektakel der Hunde standen die beiden da und schüttelten einander die Hände, als wollten sie sich gegenseitig die Arme aus dem Leib reißen.

Verblüfft schaute Merijntje zu. Ein komischer Kauz! Sein schwarzer Anzug war grünlich verfärbt und glänzte voll speckiger Flecken. Er trug ein Paar bestickter Pantoffeln, aus denen seine Zehen hervorstachen, und über den Hacken schlotterten die Fransen seiner zerschlissenen, abgetretenen Hosenbeine. Er reichte kaum an Flierefluiters Brust; beim Lachen blickte er mit aufgerissenem Mund zu ihm hinauf, daß man hinter dem Schnurrbartwust eine Reihe bröckliger, rußschwarzer Zähne sehen konnte. Ein merkwürdiges Exemplar von Doktor! dachte Merijntje. Verkommen und verdreckt – nicht mit der Zange mochte man den Kerl anfassen! Von Doktoren hatte er jedenfalls eine andere Vorstellung.

Auf einmal drehte der Doktor seinen Kopf halb zur Seite und bullerte:

„Maul halten da, verdammt noch mal!"

Augenblicklich verstummte das Gekläff.

„Halunken, verfluchte!" schnaubte das Männchen. „Man kann ja sein eigenes Wort nicht verstehen. Los denn, komm herein! Du stirbst natürlich vor Hunger – da kenn ich dich doch..."

Da fiel sein Auge auf Merijntje.

„Was hast du denn da für einen Taugenichts bei dir?"

„Das ist mein Pflegesohn Merijntje Gijzen."

„Unterweist du ihn in deinem ehrbaren Gewerbe?"

„Ich versuche ihm ein wenig davon beizubringen, was das betrifft... Das hier ist Doktor Presco, Merijntje. Du erinnerst dich – der Mann, von dem ich dir soviel erzählt habe."

Merijntje wurde rot bei diesen schamlosen Lügen. Er hatte den Namen nie zuvor gehört. Doktor Presco grinste und gab ihm die Hand. Der Junge hatte das Empfinden, mit seinen Fingern in einen Schraubstock geraten zu sein. Das kleine Männchen war offenbar ungewöhnlich stark und scheute sich nicht, es fühlen zu lassen.

„Komm mit herein!" brummte der Doktor und stieß dabei wieder eine derbe Verwünschung aus. Er schien sich nicht anders verständlich machen zu können, als nach jedem dritten Wort einen Fluch in seine Rede einzuflechten – wovon ihm übrigens ein schier unbegrenzter und äußerst variabler Vorrat zur Verfügung stand, den er mit Geschick und unleugbarer Überzeugung anzuwenden wußte.

Durch einen unaufgeräumten Korridor führte er seine Gäste in ein großes Zimmer. Es stand voll alter, wuchtiger Möbel; in einer Ecke kreischte ein Papagei in seinem Bauer, eine riesige Deutsche Dogge lag zusammengerollt auf mehreren übereinandergelegten verdreckten Wolldecken, und an die sieben, acht Katzen in allen Farben kauerten auf Tisch und Stühlen oder schlichen unhörbar über den staubigen Teppich. Am Fenster saß eine alte Frau in einem lila Kleid; eine schmutzigweiße Krause am Hals spendete den Eindruck eines letzten armseligen Restchens von Koketterie. Auf ihrem grauen strähnigen Haar trug sie ein schwarzes Spitzenhäubchen; aus dem blassen, scharfkantigen Gesicht blickten matte grünliche Augen den Eintretenden mißmutig und abgespannt entgegen. Ein beklemmendes Gefühl bemächtigte sich Merijntjes. Das Zimmer machte auf ihn einen unwirklichen, gespenstischen Eindruck. Durch schmierige Scheiben fiel das späte Tageslicht fahl und verschleiert herein. In der Luft hing ein Geruch von Kampfer, von Hunden und Katzen, von muffigem Stoff und Spinnenweben. Erinnerungen an Kinderträume von Schlössern und Burgen, in denen alles in hundertjährigen Schlaf gesunken war, tauchten auf – so mußte es dort auch gerochen haben.

Die schwere Stimme des Doktors knurrte der Frau am Fenster zu: „Net, ich bring hier zwei Besucher. Gib Kee Bescheid, daß sie über Nacht bleiben und bei uns essen. Kennst du Flierefluiter noch?"

„Guten Tag, Mevrouw", grüßte Flierefluiter höflich und gab ihr die Hand. „Wie geht's denn so? Sie sehen blendend aus."

Lügensack! dachte Merijntje. Sie sieht exakt so aus, als ob sie halb schon unter dem Rasen liegt.

Mevrouw lächelte schwach und antwortete: „Es geht so leidlich, Flierefluiter, schönen Dank!"

Sie sprach holländisch – und das sogar mit recht vornehmem Akzent. Ohne abzuwarten, ob sich Merijntje ihr vielleicht auch vorstellen wollte, stand sie auf, nickte nur flüchtig in seine Richtung und glitt auf leisen Sohlen aus dem Zimmer. Verdutzt schaute ihr der Junge nach. Eine lange, hagere Frau, ein dunkler Schemen, genau die Gestalt aus einer Spukgeschichte.

Der Doktor schenkte dem Abgang seiner Frau keinerlei Aufmerksamkeit. Er riß die Tür eines alten Spindes auf und rief Flierefluiter geräuschvoll zu: „Du säufst gewiß noch mit derselben Gottesfurcht wie früher, nicht wahr?" Und als der andere begeistert zustimmte, sagte er düster: „Nun, ich nicht . . . da gibt's Geschöpfe auf der Welt, die haben's wahrhaftig geschafft, daß man kein Vergnügen mehr am Schnaps findet."

Er seufzte wie ein Blasebalg und murmelte eine kleine Litanei ausgewählter Flüche und Verwünschungen. Merijntje sah, daß das Schränkchen bis oben hin mit Flaschen gefüllt war – wie der

Schanktisch einer Kneipe! Einem solch raren Typ von Doktor war er noch nie begegnet!

„Trinkt diese Rotznase auch schon Fusel?"

„Lieber nicht, Doktor", sagte Merijntje halb lachend, halb beleidigt.

„Wie rühmlich!" lobte Presco. „Dafür ist noch Zeit genug, wenn dir erst mal ein bissiges Weib am Halse hängt, gottverflucht..."

Mit einer viereckigen Flasche und zwei großen Schnapsgläsern schlorrte er auf den Tisch zu, stieß böse eine Katze aus dem Weg, die mit gräßlichem Gemaunze unter den Schrank flog, und fegte eine andere vom Tisch, auch nicht auf die behutsamste Weise.

Sogleich erschien die hagere schwarze Frauengestalt in der Tür. Ihre matten Augen blitzten jetzt vor Zorn, und mit verhaltener, wutbebender Stimme zischte sie ihren Mann an:

„Bist du noch bei Trost, Unmensch du! Was haben dir die lieben armen Tierchen getan!"

„Verreck mir mit deinen lieben armen Tierchen!" blaffte der Doktor. „Diese Brut läuft einem doch ewig vor die Füße!"

„Und wenn ich deine stinkigen Tölen auch so mißhandeln würde?"

„Sieh zu, daß du verschwindest, aber hopp! Nero!"

Majestätisch erhob sich die große Dogge von ihrem Lager, stellte sich in Positur und blickte forschend ihren Herrn an.

„Geh zu der Frau dort, Nero, geh hin, sie will dich treten!"

Er wies zur Tür. Da kam ein falsches Licht in die braunen Augen des Hundes. Die Nackenhaare sträubten sich; langsam und mit steifen Pfoten verließ er die Decken und bewegte sich auf die Frau zu. Mit einem Angstschrei sprang sie auf den Flur und schlug dröhnend die Tür zu.

Der Doktor lachte vor sich hin, schenkte die Gläser voll und zog ein paar große Stühle heran, ohne sich darum zu kümmern, daß sich der Teppich in Falten und Wülsten mitschob.

„Setzt euch, Leute!"

Merijntje fühlte sich unbehaglich. Er schielte verstohlen nach Flierefluiter, aber der achtete nicht auf ihn, schien sich überhaupt die ganze Peinlichkeit der Situation nicht im geringsten zu Herzen zu nehmen und hob strahlenden Gesichtes sein Glas dem Gastgeber entgegen. Schweigend stießen sie an, setzten das Gefäß an den Mund und kippten den Inhalt mit einem Zug herunter. Krachend stellten sie das leere Glas auf den Tisch zurück, musterten einander und lachten.

„Es schmeckt noch", sagte der Doktor. „Ich mach mir ja nicht mehr viel draus – aber wenn man einmal was Gutes gelernt hat, vergißt man's auch nicht so schnell."

„Oh, was das betrifft, so sind Sie immer schon ein Meister dieses Faches gewesen", pries Flierefluiter respektvoll die Verdienste des

Doktors. „Das letzte Mal, als ich bei Ihnen war, da liefen meine Beine noch nach drei Tagen wie besoffen herum."

Presco lachte, schob eine Kiste Zigarren herüber, machte eine auffordernde Handbewegung und füllte erneut die Gläser.

„Das ist lange her", sagte er dann und dachte nach. „Vier, fünf Jahre ... Aber was erzähltest du da von einem Käfig? Hast du etwa hinter Gittern gesessen?"

„Viel schlimmer, Doktor", jammerte Flierefluiter, „ach, viel schlimmer – ich war verheiratet!"

Vor Schreck ließ der Doktor seine Zigarre fallen. Er starrte den anderen mit Stielaugen an, rückte den Kneifer zurecht und kam lange Zeit von seinem Erstaunen, das wohl mehr Entsetzen war, nicht los. Endlich stotterte er:

„Du ... du Dusselkopf! Was flunkerst du mir da vor? Verfluchter Kerl, willst mir einen Bären aufbinden! Lügst du nicht wieder schamlos?"

„Nein, nein, Mann. Das ist die reine Wahrheit! Verheiratet und in Rotterdam gewohnt. In der Sieben-Häuser-Gasse. Wasser-und-Feuer-Handel im Luftschloß. Stimmt's, Merijntje?"

Der Junge nickte dem Doktor zu, dessen erstarrtes Gesicht nach wie vor Unglauben verriet.

„Wirklich wahr, Doktor ..."

Hastig griff Presco nach seinem Glas und leerte es wieder mit einem Zug. Dann wischte er sich mit einem schmutziggrauen Taschentuch die Stirn ab, blickte abermals von einem zum anderen und brach unvermittelt in ein polterndes Lachen aus, daß die Scheiben klirrten.

Flierefluiter blickte gekränkt drein, nippte von seinem Glas und sagte, als sich der kleine Doktor ein wenig beruhigt hatte: „Ja, und dafür müssen Sie mich nun auch noch auslachen! Als ob es nicht so schon arg genug ist ..."

Presco faltete die Hände über seinem hervorquellenden Bäuchlein, grinste leicht, trocknete sich die Tränen und antwortete:

„Menschenskind, hör doch auf, sonst fang ich wieder an! Flierefluiter – ausgerechnet Flierefluiter, der fliegt in den Käfig! Hätte ich das von jemand anders gehört, so hätte ich's nicht geglaubt."

Flierefluiter zog eine Grimasse, blies große Rauchwolken zum Fenster und schwieg.

Ungeduldig fragte der Doktor: „Los, erzähl schon mehr ... ich platze vor Neugier!"

„Da gibt's nicht viel zu erzählen", entgegnete der Landstreicher. „Kennengelernt, verliebt, weggelaufen, Gift geleckt, reumütig zurückgekehrt und geheiratet. Geturtelt, dann gezankt, versöhnt, betrogen, wieder gezankt – und endlich die Freiheit gewonnen ..."

„Die Frau ist tot?"

„Nein, die hab ich im Luftschloß gelassen. Aber wir wollen jetzt besser nicht mehr davon reden – es macht wohl niemandem Spaß, die eigene Schande an den Pranger gestellt zu sehen."

Doktor Presco schüttelte den Kopf, kratzte sich grimmig unter der Achsel, fluchte kräftig und sagte wohl an die dutzendmal: „Nun, nun, nun . . ." – womit er seine Verwirrung einigermaßen gemeistert zu haben schien.

Dann ging die Tür einen Spalt auf. Mevrouw Presco machte girrende Geräusche im Korridor, und alle Katzen, die im Zimmer waren, huschten in leisem, unauffälligem Zug zur Tür und verschwanden ohne Eile eine nach der anderen durch die schmale Öffnung. Merijntje stellte amüsiert fest, daß sie einen großen Bogen um die Füße des Doktors machten, darauf bedacht, respektvollen Abstand zu halten. Mürrisch schaute Presco den geschmeidig schleichenden Körpern nach, einen Ausdruck von Widerwillen im Gesicht.

„Bah!" sagte er erleichtert, als die letzte Katze aus dem Zimmer geschlüpft war und sich die Tür mit einem bösen, heftigen Knall schloß. Und es blieb unklar, ob dies den Katzen oder seiner Frau galt.

„Wie geht's denn hier?" fragte Flierefluiter überflüssigerweise.

„Das siehst du doch. Immer dasselbe. Und das wird auch so bleiben. Sie ist ein holländischer Katzenmensch, und ich bin ein brabantischer Hundemensch. So ist's nun einmal – und damit ist alles gesagt. Unverträgliche Mischung."

„Praktizieren Sie noch fleißig?"

„Ich hab keine Praxis mehr, schon seit drei Jahren nicht. Da ist jetzt ein junger Tierarzt, frisch vermählt. Was soll ich ihm ins Handwerk pfuschen? Ich hab's nicht nötig, und ich werde alt . . ."

„Das werden Ihre Bauern aber bestimmt bedauert haben."

„Meine Bauern?" fragte Presco argwöhnisch. „Die können mir den Hobel blasen!"

„Na, na!" beschwichtigte Flierefluiter, um ihn aus der Reserve zu locken. „Da sind doch auch ganz anständige Burschen dabei."

Über den Brillengläsern begannen die schwarzen Äuglein unheilkündend zu funkeln.

„So?" schnauzte er. „Denkst du? Da mußt du mir erst mal einen vorweisen. Das wäre der erste, den ich in meinem Leben zu Gesicht bekäme . . . Gut genug, um aufgeknüpft zu werden. Freundchen, du kennst sie nicht, die Großbauern . . . ich hab über dreißig Jahre zwischen ihnen gesessen – sie sind und bleiben nun einmal, wie sie sind: geizig, raffig, grob und filzig, stets bereit, die eigene Familie, ja den lieben Herrgott selbst, zu verraten um des geringsten Vorteils willen. Sie vertrauen keinem Menschen, weil sie sich selber gut genug kennen, um zu wissen, daß auf sie auch nicht für einen halben Cent Verlaß ist. Alles in allem: Kroppzeug, Gesindel, Abschaum – keine Menschen sind das, diese Bauern. Und wäre da nicht die unschuldige stumme Kreatur gewesen, so hätte ich – Teufel auch! – schon vor fünfundzwanzig Jahren die Arbeit hingeschmissen."

Merijntje hörte aufmerksam zu und blickte voller Befremden in das große Gesicht, das einen immer grimmigeren Ausdruck annahm, je mehr sich das Männchen in Rage redete. Wie konnte man nur so entsetzlich böse werden! Was gab es doch für seltsame Menschen auf der Welt! Dieser Doktor Presco glich einem Vulkan. Nach allen Seiten schlugen die Flammen heraus ... Freundschaft, Frohsinn, Haß, Zorn ... sein ganzes Innere entlud sich in feuerspeienden Explosionen.

„Ein Glück nur, daß es wenigstens mit dem lieben Geld gestimmt hat!" sagte Flierefluiter scheinheilig.

„Mit dem lieben Geld?" tobte der Doktor. „Diesem Mistgeld? Das hätte ich nicht mit dem kleinen Finger angefaßt – und wenn's vorher in Seifenlauge gewesen wär! Hier, wenn sie bezahlen kamen, mußten sie die Münzen in diese Schale werfen, möglichst weit weg von mir. Irgendwann mußte ich natürlich doch ran. Aber ich ekelte mich so vor dem Bauerngeld, daß ich's vom Mädchen abwaschen ließ, ehe ich's in die Kasse tat. Bitte, so viel hielt ich von den Bauern – nun weißt du's!"

Und er bullerte noch eine Reihe saftiger Flüche hinterdrein.

Merijntje mußte innerlich fast ersticken vor Lachen, so erheiterte ihn die verzweifelte Wut, mit der der einstige Tierarzt über die Bauern sprach. Als Kind einer Landarbeiterfamilie hielt auch er nicht allzu viel von den Großbauern, aber diese wilde, ungezügelte Verachtung war ihm fremd. Denn in seinem Herzen lag neben Unmut und instinktiver Abneigung doch auch so etwas wie scheue Ehrfurcht vor dem allgewaltigen Herrn, der Arbeit und Brot zu vergeben hatte und eine gefürchtete Macht bedeutete im Leben der von ihm abhängigen Menschen. So wie jetzt aus dem Munde Doktor Prescos, so verbohrt und drastisch, hatte er noch nie über die Bauern sprechen hören. Und dabei war das ein studierter Mann! Ein Veterinär. Der stand über den Bauern, auch wenn er auf sie – als seine „Kunden" – angewiesen war. Er blieb der Herr und brauchte vor ihnen keine Angst zu haben. Er haßte sie offenbar nur wegen ihres absonderlichen Wesens, wegen ihres sturen Bauernschädels, ihres raffigen Geizes.

Flierefluiter aber stichelte sanft weiter, indem er frank und frei behauptete, daß die Bauern doch eigentlich die nützlichsten Glieder der menschlichen Gesellschaft seien.

„Ja, richtig", brummte der Doktor, „plapperst du diesen Schwachsinn auch schon nach? Ohne die Bauern kein Brot, he? Wenn du wenigstens die Feldarbeiter meinen würdest – aber die Bauern selbst? Die wollen kein Brot aus der Erde holen, die wollen nur Geld, Mann! Geld, immer mehr Geld! Ich hab ein Jahr erlebt, in dem die weißen Zwiebeln sogar Gold brachten... Was denkst du! Die Bauern, die die Welt mit Brot, Zucker, Bohnen und allen anderen Arten von Gemüse beglücken wollen... diese Wohltäter der Menschheit, die warfen das Getreide, die Zuckerrüben und den ganzen Krempel rigoros vom Feld, pflügten alles um und bauten Zwiebeln an. Zwiebeln, Zwiebeln, nichts als weiße Zwiebeln. Denn die brachten pures Gold! Und die Welt, die Brot und Zucker und Flachs brauchte, die konnte verrecken..."

Er lachte hart und spöttisch.

„Ha, da haben sie sich aber gewaltig angeschmiert!" brüllte er. „Menschenskinder, was ich da gejubelt habe! Diese dummen Esel hatten sich total verrechnet. Denn als die schließlich mit ihren köstlichen Zwiebelchen rausrückten, waren die keinen Cent mehr wert... völlig verfault waren die. So gut wie nichts bekamen sie dafür, nicht einmal soviel, wie sie bezahlt hatten, um sie aus der Erde klauben zu lassen. In die Jauchegrube durften sie ihre Schätze werfen... Die ganze Gegend stank nach Zwiebeln, und die Bauern erlebten eine Pleite, daß sie Mühe hatten, überhaupt noch einmal auf die Beine zu kommen. Einige von ihnen haben bankrott gemacht, andere haben sich dem Trunk ergeben... Die nützlichsten Glieder der Gesellschaft... jawohl! Die größten Geldfresser – Köpfe von Eisen, Herzen von Stein – plump wie der Hintern einer Mastsau... Alles muß so bleiben, wie es zu Zeiten des seligen Großvaters war. Und wer sich was Neues, was Besseres einfallen läßt, den schlägt man am besten tot. Bauern? Red mir nicht von Bauern, dann schmeckt mir mein Schnaps heute noch nach Pferdemist. Bah!"

Im Zwielicht des hereinbrechenden Abends sah Merijntje die schwarzen Augen in dem großen, bleichen Oval des Gesichtes wie zwei grelle Pünktchen blitzen, und der Walroßschnurrbart zuckte bösartig bei der grimmigen Beweisführung.

„Ja, es sind Armleuchter!" seufzte Flierefluiter und trank sein Glas aus. „Aber ich hab doch einen gekannt – nein, wenn ich ehrlich sein soll, wenigstens sechs, sieben..."

„Keinen einzigen hast du gekannt!" schrie der Doktor. „Ich hab sie gekannt, verdammt! Hat man sie einmal bei Lichte besehen, dann reicht's... Sie kriechen vor dir, wenn sie dich brauchen, aber wehe, du willst was von ihnen! Da kannst du tot umfallen – nichts tut sich, es sei denn, sie wittern eine Chance, ordentlich daran zu verdienen. Ich habe dem Vorsitzenden vom Bauernbund erzählt, wie ich über ihn und seinen ehrenwerten Stand denke. Tiest, sagte ich, so viel halte ich von den Bauern: Wenn du sie totschlägst, he, und zerreibst sie zu Pulver und streust's über ein Feld, auf dem die schönsten Kartoffeln gedeihen, dann kannst du hernach nur noch den gemeinsten Schweinefraß aus der Erde pulen – Kartoffeln, na, wie du sie nirgends sonst auf der Welt findest! So ist das.

Die schönen Kartoffeln! Trotzdem würde ich mich nicht scheuen, alle Bauern samt und sonders zu pulverisieren ..."

Merijntje und Flierefluiter brachen in schallendes Gelächter aus – die wüsten Übertreibungen des Doktors klangen allzu vergnüglich.

„Und was sagte Tiest?"

„Der grinste nur, denn diese Salamander glauben doch nie, daß man's ernst meint", knurrte Presco, nachträglich noch enttäuscht. „Dafür sind sie zu dumm. Wenn sie kranke Tiere haben, müssen sie immer erst selber quacksalbern, um die paar Gulden für den Arzt zu sparen. Sie quälen die armen Viecher und machen sie nur noch kränker, sie pfuschen mit allerhand Kräutern und Hausmittelchen, mit Besprechen und ähnlichem faulem Zauber. Und wenn dann gar nichts hilft, dann rennen sie zum Doktor. Der muß ihr Viehzeug am besten gleich auf Anhieb gesundmachen, weil's sonst zu teuer wird. Na, ich hab ihnen vielleicht Grobheiten gesagt, diesen Schofelbrüdern, weil sie ihre kranken Tiere so malträtiert haben! Ich hab gesagt, daß ich's nur für die armen Tiere tue, bestimmt nicht für sie, die alten Raffzähne, Himmeldonnerwetternochmal! Sonst hätte ich's schon längst aufgegeben. Ich werd doch nicht für euch Pomuchelsköppe meine Seele verkaufen, hab ich gesagt, mich versündigen ... Soweit kommt's noch!"

„Sie sind doch erst richtiger Arzt gewesen?" fragte Flierefluiter auf seine bekannte Art. „Warum sind Sie das nicht geblieben?"

Dröhnend schlug Presco mit der Faust auf den Tisch.

„Da hatte ich's doch nur mit den Bauern zu tun – sie, sie selber mußte ich da ja behandeln!" schrie er. „Das konnte ich einfach nicht mehr. Ich hatte Angst, daß ich sie eines Tages vergiften würde. Deshalb bin ich Vieharzt geworden. Die Tiere sind unschuldige Geschöpfe. Die muß man gern haben. Aber die Menschen, diese Bande ... in den meisten steckt ohnehin ein kleiner Bauer ..."

„Und die Katzen? Die sind Ihnen so eklig ... aber das sind doch auch Tiere! Oder?"

„Die ähneln viel zu sehr den Menschen", räsonierte der Doktor, „und den Frauen ganz besonders ..." Er dachte nach und ergänzte: „Ach, wenn Net nicht so närrisch nach ihnen wäre, dann könnte ich sie vielleicht auch ganz gut leiden."

Net – das war seine Frau, überlegte Merijntje. Und nur, weil sie die Katzen mochte, konnte er sie nicht ausstehen. Und diese Menschen waren miteinander verheiratet – und wie lange schon! Alte Leute ... Sie hockten hier in dem einsamen, verwühlten und verdreckten Haus mit ihren Katzen und Hunden und konnten einander nicht riechen, sie ärgerten sich gegenseitig, wo sie nur konnten. Sie haßten, was der andere liebte. Wie ließ sich ein solches Leben ertragen? Dieser Doktor unterstand sich nicht, wie ein Verrückter auf die törichten, selbstsüchtigen, bösartigen Bauern zu schimpfen. Aber war er nicht selber auf seine Art ein Bösewicht? Er quälte die eigene Frau, trat ihre Katzen, begegnete ihr unverschämt im Beisein von Fremden. Und er, ausgerechnet er, konnte die Menschen nicht ausstehen? Sicher weil er dachte, daß sie alle so waren wie er? Nein, Merijntje vermochte diesem unheimlichen Doktor nicht allzuviel Positives abzugewinnen. Er fürchtete sich sogar ein wenig vor ihm, wie er da, ins Dämmerlicht getaucht, auf seinem Stuhl saß, und sich in verschwommenen Umrissen gegen das immer dunkler werdende Fenster abzeichnete: der große Kopf, das Glitzerspiel seines Zwickers, die schemenhaft sichtbaren Hände, die wie Klauen die Armlehne des Stuhles umspannten. Wie ein böser Zwerg, wie ein Gnom aus einem Gruselmärchen. Oder vielleicht . . . vielleicht war dieser Doktor nicht ganz richtig im Kopf? Befanden sie sich im Haus eines Irren? Mußten sie hier tatsächlich übernachten? Schweiß prickelte in Merijntjes Nacken, unter seinen Haaren. Natürlich war der Doktor verrückt! Daß ihm das nicht eher aufgefallen war! Und Flierefluiter trieb mit dessen Krankheit gewissenlos Mißbrauch, amüsierte sich über die Wutanfälle, trank mit ihm und rechnete sich vergnügte Tage aus. So ein Lumpenkerl!

Es wurde ihm recht beklommen zumute in diesem eigenartigen Zimmer, wo ab und an der Papagei sein wildes Gekreisch in den Spektakel der Männerstimmen gellte und die Dämmerung allen Dingen phantastische Formen verlieh. So war er heilfroh, als bald darauf die Magd mit einer großen Petroleumlampe hereinkam und auch die Hängelampe über dem Tisch ansteckte.

Neugierig blickte Merijntje nach der alten Frau. In dem verkniffenen, bräunlich verwitterten Gesicht mit der schiefen Nase saß ein Paar großer, unheimlicher, dunkler Augen, in denen eine tiefe Glut brannte. Ihre ganze Erscheinung, so meinte Merijntje, war bestens geeignet, die makabre Gesellschaft in diesem Hause zu vervollständigen.

Als sie zur Tür hinaus war, sagte Doktor Presco grinsend:

„Hast du sie dir gut angesehen, junger Freund? Der Anblick lohnt sich. Doppelter Kindermord . . . achtzehn Jahre hat sie im Gefängnis gesessen."

Merijntje wurde bleich. Es überlief ihn heiß und kalt. Wahrhaftig – er war in einem Tollhaus gelandet . . . Da gab's nun keinen Zweifel mehr!

4

Kee hatte das Abendessen aufgetragen. Kartoffeln mit Endivien-
salat, Brot und Buttermilchbrei. Eine große Kanne Bier stand zwischen den Tellern, und sowohl der Doktor als auch Flierefluiter
schenkten sich eifrig ein. Merijntje verspürte wenig Lust zu essen.
Ihm war hier gar nicht wohl zumute. Die Doppelmörderin mit
ihren achtzehn Jahren Gefängnis hatte ihm allen Appetit verdorben. Während des Bedienens sah sie ihn immer wieder verstohlen an. Und die Glut in ihren Augen war so frisch und sengend,
so fremd und dämonisch, daß er zwangsläufig die Überzeugung
gewinnen mußte, auch sie habe nicht alle Sinne beieinander. Mevrouw kam nicht zu Tisch. Sie war ins Bett gegangen, wie Kee berichtete. Höhnisch hatte der Doktor gelacht.

„Die liegt mit ihren Katzen im stinkenden Nest", sagte er grinsend. „Nun, um so besser, meine lieben Freunde, so brauchen wir
uns wenigstens nicht ihr Geplärre anzuhören."

Während des Essens fragte Flierefluiter: „Langweilen Sie sich
eigentlich nicht, Doktor? Ich meine, wo Sie nun Ihren Beruf nicht
mehr ausüben . . ."

„Bewahre!" rief Presco mit vollem Mund. „Ich treibe meine besonderen Studien über die Menschheit. Eine hübsche Sache. Ich
lese Bücher über das Geschlechtsleben der Menschen und über
sexuelle Gewohnheiten in allen Ländern und allen Epochen. Ich
wußte davon eigentlich schon so manches von früheren Studien –
aber so schlimm hatte ich's mir doch nicht vorgestellt. Na, ich kann
nur sagen, eine bestialische Wirtschaft. Halt, die Tiere darf man

damit gar nicht in Zusammenhang bringen, so was Übles kennen die nicht! Ich hab sowieso nicht viel auf die Menschen gegeben, das weißt du, aber jetzt werden sie mir von Tag zu Tag noch widerwärtiger."

„Aber warum lesen Sie das überhaupt?" fragte Merijntje zaghaft.

„Weil's mir Spaß macht!" polterte Presco. „Und weil ich immer schon gewußt habe, daß die Menschen der Abschaum der Schöpfung sind ... und weil ich's mir jetzt täglich neu beweisen lassen will."

Er verfing sich in einem ellenlangen, kunstvollen Fluch und fixierte Merijntje mit seinen glitzernden, schwarzen Äuglein, als ob er auch ihn mitsamt dem übrigen menschlichen Auswurf vom Erdboden vertilgen wolle.

Der Junge fühlte sich klein und nichtig unter diesem bedrohlich bohrenden Blick und räusperte sich verlegen. Flierefluiter spülte sich unbekümmert die Kehle mit einem Glas Bier, lud sich neuen Vorrat auf den Teller und sagte lässig:

„Deshalb haben Sie wohl auch so ein liebes Dienstmädchen genommen?"

Der Doktor verschluckte sich an dem Bissen Salat, den er gerade verarbeitete, schlug mit der Faust, die fest die Gabel umklammert hielt, auf den Tisch, daß die Kartoffelkrümel meterweit sprangen, und krähte hustend: „Da hast du ins Schwarze getroffen! Kennst du sie?"

„Ich glaub, ich hab schon von ihr gehört ..."

„Sie war gerade achtzehn, als sie ein uneheliches Kind bekam. Das hat sie um die Ecke gebracht und den Schweinen hingeworfen. Aber es kam raus. Zu jener Zeit waren sie mit so was nicht zimperlich. Sie bekam sechs Jahre. Als sie die rum hatte, kriegte sie binnen einem Jahr wieder was Kleines. Auch das wurde ermordet. Dafür bekam sie doppelt soviel, zwölf Jahre. Kaum war sie frei, wurde sie wieder dick. Aber diesmal saß ihr der Schreck so in den Gliedern, daß sie den Säugling leben ließ. Ein Mädchen. Das ist jetzt um die neunzehn, glaub ich, und sie sagen, es hat die Art seiner Mutter."

Merijntje starrte ihn entsetzt an. Wie konnte dieser Mann das alles so heiter lärmend und sorglos erzählen? Ohne Frage, er war völlig übergeschnappt. Er plauderte über dieses fürchterliche Frauenschicksal, als handele es sich um etwas ganz Harmloses, Alltägliches.

„Warum haben Sie Kee ins Haus geholt?"

Das Gesicht des Tierarztes verdüsterte sich.

„Wo sollte sie sonst unterkommen?" fragte er. „Die braven Leute wollten nichts mit ihr zu tun haben. Da mußte Doktor Presco, dieser Unmensch, sich ihrer annehmen. Für mich besteht sie ohnehin nur aus Essen und Trinken ... ein kunterbuntes Musterstück aller menschlichen Gemeinheiten, Sünden und Verfehlungen ... Sie klaut wie ein Rabe, ist stinkend faul, frißt mir die leckersten Bissen vom Munde weg, ist brutal wie ein Henker, und böse Zungen behaupten, daß sie sich ihr Lebtag nicht ein einziges Mal auch nur an einem Fitzchen Arbeit die Hände dreckig gemacht hat, die Beschäftigung mit der Männerwelt, versteht sich, ausgenommen ... Ein Prachtexemplar! Ich hab mir alles von ihr aus dem Gefängnis erzählen lassen. Sie tut nichts lieber als das. Da hab ich noch allerhand lernen können, was nicht in den Büchern steht. Dieser Unflat übersteigt jegliches Vorstellungsvermögen. Das schreib ich eines Tages auf für die Heuchler, die da lehren, der Mensch sei gut und nach Gottes Ebenbild geschaffen. Und für die Träumer, die glauben, an dem zweibeinigen Gesindel lasse sich noch was veredeln."

Er lachte dröhnend und streckte seinen Arm aus, als wollte er der ganzen Welt den Kampf ansagen. Es glomm ein derartiger Haß in seinen schwarzen Augen, daß es Merijntje angst und bange wurde. Was hatte dieser Mann nur? Was hatten ihm die Menschen angetan, daß er sie so geringschätzte, sie so niederträchtig wie möglich machte, daß er mit Fleiß alles zusammentrug, was sie als gemeine, widerwärtige Wesen zeigte; daß er ganze Studien anfertigte, nur um zu beweisen, wieviel weniger wert sie seien als Tiere; daß er ein abscheuliches Weib in seinem Haus duldete, allein aus Spaß daran, sie als Urbild der Menschen hinzustellen, wie sie in seiner kranken Phantasie existierten. Denn verrückt mußte er sein, dieser polternde Rohling! Wie hielt er sonst ein solches Leben aus?

Er hörte Flierefluiter sagen: „Was sind Sie doch für ein furchtbarer Menschenhasser!"

„Du vielleicht nicht?" rief der Doktor.

„Ich?"

„Natürlich du! Darum gehörst du ja auch zu den wenigen Zeitgenossen, die mir sympathisch sind."

„Ich ein Menschenhasser?"

Der Doktor lachte schallend.

„Gaff mich nicht so unschuldig an! Doch Theaterspielen ist ja wohl ein wenig dein Handwerk, he?"

„Sie sind nicht ganz bei Trost! Wie kommen Sie bloß darauf, daß ich ein Menschenhasser bin?"

„Viel schlimmer sogar als ich, Flierefluiter, viel schlimmer!"

Flierefluiter legte seine Gabel hin und sagte verblüfft:

„Das müssen Sie mir dann aber doch erklären, Doktor! Ich dachte bislang, daß ich die Menschen recht gerne hab."

„Du – gerade du!" Der Doktor brach in lautes Gelächter aus. „Jawohl, so siehst du aus! Du hast doch nie was anderes getan, als sie zum Narren zu halten und von ihren Ungeschicklichkeiten und Schwächen zu profitieren. Wieviel Männern hast du ein Schnipp-

chen geschlagen, und wieviel Frauen hast du Gott weiß was vor-
geflunkert, nur um deinen Willen zu kriegen! Wie bist du zu deinem Unterhalt gekommen dein Leben lang? Nur indem du die
Menschen bemogelt und beschissen hast. Du hast ihnen das Blaue
vom Himmel heruntergelogen, daß ihnen Hören und Sehen verging..."

„Und doch bin ich ein Menschenfreund", beteuerte Flierefluiter
ernst.

„Ein schöner Menschenfreund!" zeterte Presco und fluchte en-
thusiastisch über Flierefluiters vermeintliche Unverfrorenheit. „Wie
willst du die Menschen gern haben? Du kennst sie viel zu genau.
Du durchschaust sie gut, durchschaust ihre Scheinheiligkeit, ihre
Heidenangst vor Teufeln und Gespenstern, all ihren Lug und Trug
– und verdienst dir dein täglich Brot damit. Scharlatan, erbärmlicher!"

„So dürfen Sie das nicht sehen", sagte Flierefluiter und zog ein
betrübtes Gesicht. „Es ist wahr, ich beschummel die Leute ein
wenig – aber nur, weil ich ein Künstler bin."

Darauf begann der Doktor so unbändig zu lachen, daß Merijntje meinte, er müsse unweigerlich ersticken. Sein Kopf schwoll
violett an, die Adern an seinen Schläfen lagen wie kleine blaue
Schlangen unter der Haut, seine Augen quollen gefährlich hervor,
und Tränen strömten ihm über die Wangen. Er trampelte mit seinen kurzen Beinchen auf den Fußboden und machte mit beiden
Händen abwehrende Bewegungen in Richtung auf Flierefluiter.
Merijntje fand ihn widerlich und hatte nicht übel Lust, einfach zur
Tür hinauszurennen.

Endlich konnte der Doktor wieder sprechen. Atemlos sagte er:
„Ein Künstler! Das ist das schönste, was ich bisher von dir ge-
hört habe. Aber alle großen Künstler hassen die Menschen wie die
Pest. Wenn du etwas mehr Bildung hättest, wüßtest du das."

„Das ist gelogen", rief Flierefluiter aufsässig. „Das können Sie
nicht beweisen."

„Das kann ich wohl – aber ich mach's jetzt nicht. Da mußt du
mal hereinschauen, wenn ich mehr Zeit habe. Eins jedoch ist sicher
– Menschenhasser sind wir alle beide, freilich auf verschiedene
Art: Ich halte mir die Menschen vom Leibe, denn sie sind mir zu
schmutzig, um sie an mich heranzulassen. Du führst sie an der
Nase herum und sitzt obenauf, wie ein Parasit, um von ihnen zu
zehren. So steht die Sache..."

Merijntje sah, wie ein dunkles Rot langsam in Flierefluiters
Gesicht stieg. Unter halbgeschlossenen Augenlidern blickte sein
Freund nach dem höhnisch grinsenden Vieharzt, der seine Worte
mit ungestümen Kopfnicken begleitete. Er begann sich immer un-
wohler zu fühlen. Gleich bekamen sie noch Streit. Er war schwindlig von dem Disput... Ein Menschenhasser... Nun, ob dieser

Doktor einer war, das brauchte man sich wahrhaftig nicht zu fragen – den hatte sein Menschenhaß ja geradezu um den Verstand gebracht! Aber Flierefluiter? Sollte er etwa auch einen Menschenhasser abgeben? Das setzte doch allem die Krone auf!

„Sie irren sich, Doktor", sagte sein Freund dann ruhig. „Das stimmt nicht ... Aber wir können wohl ebensogut auf unsere Gesundheit trinken, denn wir hassen einander doch nicht – oder?"

„Das ist die Frage", antwortete der Doktor mit geheimnisvollem Lächeln. „Das wird sich erst zum Schluß erweisen. Aber es ist ja auch egal. Trinken können wir auf jeden Fall. Wohlsein!"

Sie tranken sich gegenseitig zu, doch das Lachen, mit dem sie einander anblickten, war befangen und mißtrauisch.

Merijntje bekam es mit der Angst und stand auf.

„Ich geh für ein Momentchen nach draußen."

„Paß auf, daß dich die Hunde nicht zerreißen!" rief ihm der Doktor nach. „Davon gibt's gerad ein Dutzend, und der kleinste ist so groß wie ein ausgewachsener Wolf."

„Aber viel blutrünstiger", fügte Flierefluiter zur Beruhigung hinzu.

Der Junge zuckte die Schultern und lief hinaus. Hinter ihm erscholl das Gelächter der Zechbrüder. Der Flur war matt erleuchtet von einem Petroleumlämpchen, das an der Wand hing. Ein großer Kasten stand darunter, voll sonderbarer Spazierstöcke und alter ausgebleichter Regenschirme mit geschnitzten Griffen. Von der Decke hing ein kleiner ausgestopfter Alligator herab, dessen grüne Glasaugen heimtückisch funkelten; das Maul mit den nadelscharfen weißen Zähnen war aufgesperrt, und Merijntje schien es, als ob das Tier mit seinen ausgestreckten Beinen durch die Luft auf ihn zugeschwommen kam. In einer Ecke saß auf einem Brett das Skelett eines Affen, in geduckter Haltung und gefährlich feixend mit seinen starken, vorstehenden Hauern. Das unstete, dann und wann flackernde Licht der kleinen Lampe machte alles noch gruseliger und geheimnisvoller. Er schauerte. Es war wirklich das reinste Gespensterhaus. Aus dem Zimmer klangen gedämpft die Stimmen der beiden Trinker. Weiter hinten im Korridor stand eine Tür halb offen. Ein Streifen goldfarbenen Lichtes fiel auf die schmierigen Marmorfliesen des Ganges. Auch von dort klang verhalten das Gemurmel schwatzender Stimmen zu ihm herüber. Zögernd lief er weiter. Sollte er es wagen, auf den Hof zu gehen? Würden ihn nicht die Hunde anfallen?

Die Tür, aus der das Licht kam, öffnete sich plötzlich, und Kee spähte in den Flur mit einem ärgerlichen, mißtrauischen Gesicht. Als sie Merijntje erkannte, grinste sie breit. Die bloßgelegten brüchigen Zähne machten sie, wenn möglich, noch mehr zur Spukgestalt einer bösen Hexe.

„Oh, du bist es? Ich dachte, das Weib wollte wieder spionie-
ren."

„Sind die Hunde los?"

Kee stand wie gebannt da und betrachtete ihn geraume Zeit,
aufmerksam und mit Wohlgefallen. Dann lachte sie und antwortete: „Meist ja. Die zerreißen jeden, der sich nach Einbruch der
Dunkelheit aufs Gelände wagt."

Unvermutet sagte eine junge muntere Stimme: „Ach, Mutter,
übertreib doch nicht so entsetzlich!" Und neben der häßlichen alten
Frau stand ein stattliches blondes Mädchen, das neugierig den
fremden Besucher anblickte.

„Guten Abend!" grüßte sie freundlich.

„Guten Abend!" antwortete Merijntje. „Tun sie nichts, die Hunde?"

„Das wäre nun auch wieder zuviel gesagt. Trauen kann man
denen nie, wenn sie einen nicht kennen – verstehst du?"

Kee faßte ihn am Arm. Mit einer erschrockenen Bewegung riß
er sich los.

„Komm lieber mit und trink ein Täßchen Kaffee bei uns in der
Küche!"

„Recht gesprochen! Ja, komm!" nötigte auch die Tochter.

Unschlüssig blickte Merijntje die beiden Frauen an, die häßliche
Schlampe von einer Mutter und die frische, wohlgeformte, fröhliche Tochter. Zu dem krakeelenden, übergeschnappten Doktor
zurückzukehren, hatte er keine Lust. Und sollte er etwa nach draußen zu den gefährlichen Bullenbeißern? Ja, was dann? In die Küche mit diesem schrecklichen Weibsbild, das zwei seiner neugebo-
renen Kinder ermordet hatte? Doch da gab's immerhin die hübsche
Tochter . . .

Er willigte ein und folgte den Frauen in die geräumig Küche.
Auch dort sah es unordentlich und schmutzig aus. Ein verrosteter
Kochherd, seit langem nicht geputzt, voller Flecken von über-
gekochter Milch und Fettspritzern, unabgewaschenes Geschirr auf
dem Spültisch . . . Ein feiner Haushalt! Schweigend setzte er sich
und musterte bänglich die Tasse, in die ihm die alte Frau jetzt den
Kaffee eingoß. Zum Glück war die einigermaßen sauber! Sie versorgte ihn freigebig mit Zucker und Milch, schob ihm eine Dose
mit Butterplätzchen zu und sagte: „Greif nur zu! Dies Haus hier
ist zwar eine Rumpelkammer, aber wir leben ganz gut darin . . ."

Sie lachten beide. Merijntje gab ein flaues Lächeln dazu. Wohl
fühlte er sich noch immer nicht. Um etwas zu sagen, fragte er:
„Warum hält sich der Doktor soviel Hunde?"

„Das sind doch nicht seine", antwortete Kee. „Die bringen sie
ihm nur, damit er sie gesundmacht. Aber es ist schwer, sie von ihm
zurückzukriegen. Er kann sich einfach nicht von ihnen trennen.
Und je größer und bösartiger die Viecher sind, um so versessener

ist er auf sie. Er sagt dann immer, daß sie noch nicht gesund sind. Einige hat er schon über ein Jahr. Nur vier gehören ihm – von dem gleichen Kaliber."

„Närrisch ist er wie ein läufiger Esel", meinte die Tochter.

Merijntje sah sie an, blickte ihr freiheraus in die dunklen Augen, die dieselbe samtene Glut zeigten wie die ihrer Mutter, warm und tief. Augen, die lockten und verhießen, in die man schauen mußte, ob man wollte oder nicht, vor denen man zugleich aber eine unerklärliche Angst empfand... Schöne Augen, denen man nicht vertrauen konnte... Warum nicht? Sie lachten doch so ermutigend!

„Närrisch?" grinste die Mutter. „Sicher ist er närrisch. Aber noch viel närrischer ist sie mit ihren Katzen. Ein schönes Paar. Möchte bloß wissen, wie die sich gefunden haben!"

„Du mußt den Zirkus mal miterleben", sagte die Tochter lächelnd. „Das ist der Mühe wert, Junge."

„Den Zirkus?" fragte Merijntje. „Welchen Zirkus?"

Sie amüsierten sich beide über sein erstauntes Gesicht.

„Den Zirkus Presco", erzählte Kee. „So nennt es der Doktor selbst... Mevrouw geht jeden Mittag im Hof spazieren, und dann laufen ihr alle Katzen hinterher und streichen ihr um die Beine. Wenn nun der Doktor gute Laune hat, läßt er die Hunde los und hetzt sie auf die Katzen. Du lieber Himmel, so was hast du noch nicht gesehen! Ein Gejage und Gehusche ist das auf dem Hof! Die Katzen schreien und fauchen, die Hunde kläffen wie verrückt. Mevrouw, die zetert und heult, schlägt mit dem Stock nach den Hunden, hüpft wie ein Floh herum – und der Doktor, der steht daneben und hält sich den Bauch vor Lachen... Und eine halbe Stunde im Umkreis kann man den Spektakel hören. Da wird wohl einer Katze das Bein angeknabbert, und die Hunde kriegen Schrammen über die Schnauze, wenn sie zuschnappen – aber man lacht sich krumm und schief."

„Und wie geht das ganze aus?"

„Die Katzen klettern auf die Bäume oder kriechen unter der Hecke durch. Und wenn keine mehr zu sehen sind, dann ruft der Doktor seine Hunde zurück und legt sie an die Kette."

„Und die Katzen?"

„Die lockt Mevrouw wieder herbei. Aber da hat sie eine kleine Ewigkeit mit zu tun, denn die Viecher haben eine Heidenangst. Der Doktor sitzt dann längst schon wieder mit seiner Nase über irgend so einem unanständigen Buch."

„Unanständigen Buch...?"

Kee feixte übers ganze Gesicht. Sie sah abstoßender aus denn je.

„Junge, es ist schlimm. Was drinsteht in solchen Büchern, weiß ich zwar nicht. Lesen kann ich sie nicht, denn sie sind alle in fremden Sprachen geschrieben. Aber die Bilder dazu! Fürchterlich! So was Unzüchtiges hast du noch nicht gesehen! Ja, die gebildeten Leute sind auch nicht gerade lilienrein und unverdorben."

„Du mußt mir diese Bücher mal zeigen, Mutter . . ."

„Schön wär's, was?" höhnte Kee. „Das ist keine Kost für junge Mädchen. Sieh zu, daß du heiratest, dann brauchst du keine Bildchen mehr."

Sie lachten beide – es war ein zweideutiges, klebriges Lachen. Merijntje schlug die Augen nieder und errötete. Er wollte weg von hier. Die Frauen waren ihm zuwider. Wenn diese verdammten Hunde nicht gewesen wären, hätte er sich längst schon aus dem Staube gemacht.

„Wo kommst du eigentlich her?" fragte ihn Kee auf einmal.

„Nicht aus dieser Gegend", erklärte der Junge schroff.

„Von wo denn?"

Er nannte sein Geburtsdorf.

„Oh, da hab ich auch Verwandtschaft. Ein gewisser Hagenier, der ist mit einer Nichte von mir verheiratet. Kennst du den?"

„Soviel ich weiß, wohnen da drei Familien Hagenier am Ort."

Die Tochter stand auf.

„So, Mutter, ich zieh jetzt los, sonst gibt's wieder Ärger."

Kee ging zu einem Schrank, holte ein in Zeitungspapier eingewickeltes Päckchen heraus und gab es ihrer Tochter.

„Hier, nimm das mit, dann hast du für die nächsten Tage was aufs Butterbrot."

Lachend nahm das Mädchen es an. „Ja, das kann der Doktor schon erübrigen."

„Was kümmert's ihn! Ist doch Jacke wie Hose, wer's kriegt. Nötig hat man's hier wie da. Oder was meinst du dazu, Junge?"

Merijntje zuckte die Schultern. Das konnte ihm doch schnurz sein – er hatte die Nase voll von diesem verrückten Doktor, dem Diebsgesindel hier und dem ganzen Idiotenhaus. Sollten sie doch machen, was sie wollten!

„Begleitest du mich ein Stückchen?"

Erschrocken blickte er auf.

Die Tochter nickte ihm lachend zu. Kee grinste belustigt: „Er sieht ganz so aus, als hättest du ihm den letzten Cent abgeschwatzt."

Merijntje tat gleichgültig. „Na ja, warum auch nicht . . ."

„Also los!"

„Und die Hunde?"

„Die liegen fest, du Träumerchen. Ihr zwei könnt getrost euren Spaziergang antreten."

Sie lachten beide. Merijntje war böse: sie hatten ihn zum besten gehalten . . . Dreicksweiber! Aber er sagte nichts. Auf jeden Fall kam er jetzt heraus. Nur fort aus diesem Stinkloch mit seinen gräßlichen Bewohnern!

Kee stupste ihn an die Schulter: „Und anständig bleiben, he! Daß du nichts kaputtmachst an ihr, verstanden?"

Merijntje wandte sich ungeduldig ab. Die beängstigende Glut in diesen dunklen Augen, das lüsterne Grinsen um den eingefallenen Geifermund flößten ihm unsäglichen Abscheu ein. Hinter sich hörte er das Mädchen kichern.

„Nun werd bloß nicht eifersüchtig, Mutter! So ist der Kleine nicht. Der kann doch noch gar nicht zwischen Jungen und Mädchen unterscheiden. Meinst du nicht auch?"

Rutscht mit den Buckel runter! dachte Merijntje wütend und lief mit hochgezogenen Schultern auf den Korridor. Er hörte die Frauen in der Küche unterdrückt lachen und tuscheln. Geld klimperte. Dann kam die Tochter eilig hinterher, strich mit der Schulter an seinem Arm vorbei und öffnete die Haustür.

„Komm!"

Im Garten war es stockfinster. Sie hakte sich bei ihm unter.

„Laß dich führen, ich finde den Weg mit verbundenen Augen."

Sie preßte seinen Arm fest an sich. Er fühlte den warmen Leib, die Weichheit ihrer Brust. Aber sein Blut antwortete nicht. Er blieb lustlos und unzugänglich. Ein grimmiger Widerwille kroch in seine Kehle. Schweigend lief er neben ihr her.

„Wie heißt du eigentlich?"

„Gijzen."

„Und mit Vornamen?"

Er zögerte ein wenig, dann sagte er ruhig: „Tinus."

„Tinus? Das ist kein schöner Name."

„Dafür kann ich nichts."

Es klang schroff und abweisend.

„Ich heiße Mieke."

„Aha."

Dann schwieg er wieder. Nach einer Weile rüttelte sie ihn am Arm und lachte leise.

„Du bist ja ungeheuer gesellig. Sag mal, bist du manchmal schüchtern?"

„Manchmal schon, aber jetzt nicht."

„Mir gegenüber brauchst du jedenfalls nicht schüchtern zu sein. Ich vertrage allerhand."

Und wieder dieses scheußliche Lachen – tief in der Kehle, spöttisch und lockend zugleich. Sie lief ganz dicht neben ihm. Bei jedem Schritt spürte er ihre Hüfte an der seinen.

„Hast du's weit?"

„Bis ins Dorf . . . eine halbe Stunde."

Unmerklich seufzte er.

„Ich arbeite beim Schulvorsteher. Er ist Witwer . . ."

„Soso."

Was scherte ihn der Schulvorsteher, ob Witwer oder nicht!

Wenn er nur ein bißchen dichter bei wohnte! Mieke schwatzte und schwatzte. Ihre Stimme wehte an seine Ohren, doch die Worte drangen nur verschwommen zu ihm hindurch – er hörte nicht zu. Sie beklagte sich, daß der Rektor so komisch sei, die Hände nicht stillhalten könne und sie ewig begrabbeln müsse – er zähle ja auch noch keine dreißig Jahre. Merijntje biß nicht an. Es interessierte ihn nicht. Sie wurde immer deutlicher mit ihren Anspielungen, aber es gelang ihr nicht, ihn zu reizen. Er war mit seinen Gedanken weit fort, weilte in dem unheilverheißenden Haus. Verwirrt durchdachte er noch einmal alles, was er an diesem Abend gehört und gesehen hatte. Daß es solche Menschen, solches Leben gab! Und neben ihm lief die Tochter einer Kindesmörderin ... vielleicht hatte ihr Leben auch an einem seidenen Faden gehangen! Für einen Augenblick verdrängte inniges Mitleid seinen Verdruß. Waschlappen, verdammter! Sie schien das überhaupt nicht zu jukken. Sie gackerte und schnatterte ohne Punkt und Komma. Worum ging es jetzt? Oh, der Schulvorsteher, der entwöhnte Witwer, wollte dauernd zu ihr ins Bett kriechen. Auch nicht schlecht. Das mußten sie untereinander aushandeln ... Ihn erschütterte viel mehr die alte Kee – da begriff er rein gar nichts. Achtzehn Jahre im Gefängnis ... zweimal Kindermord verübt ... normalerweise durfte man doch einen gebrochenen, zerknirschten Menschen erwarten, gedemütigt, zerschmettert, der seine Augen nicht aufzuheben wagt, sich immerfort schämt, unablässig gequält von Gewissensbissen ob seiner Untat, bußfertig Reue zeigend für sein verschleudertes, auf ewig beflecktes Leben ... Aber sie lief umher mit einem heimlichen, spöttischen Lächeln, frische Glut in den Augen, blickte einem dreist ins Gesicht, bestahl ihren Brotherrn und genierte sich vor niemandem. Sie zeigte sich durchaus nicht gebrochen. So ein Leben – wie war das möglich? War das überhaupt noch ein Mensch? Und neben ihm lief ihre Tochter, dicht an ihn geschmiegt, erzählte zutraulich, als hätte sie ihn schon immer gekannt. Ein gewaltiger Schreck durchfuhr ihn: sie ähnelte ihrer Mutter – sie hatte auch die ausgeprägte krumme Nase, den eigensinnigen spöttischen Zug um den Mund, die gleichen Augen, diese seltsame lockende und abstoßende Glut darin, die man unbewußt als gefährlich empfand ... dieselbe Besessenheit ... Was war das nur! Ein schönes Mädchen – doch sie konnte ihn nicht fesseln. Er verspürte nicht einmal Lust, sie zu küssen.

„Tinus?"

„Was ist?"

„Warum sagst du nichts?"

„Wenn du redest, kann ich doch nicht."

Unterdrücktes Lachen, das ihn irritierte. Sie preßte sich noch enger an ihn.

„Ich sag nichts mehr, Junge ..."

„Oh, meinetwegen."

„Ich bin müde. Wollen wir uns nicht ein bißchen ins Gras setzen?"

„Wenn's denn sein muß..."

An der sanft abfallenden Böschung des Deiches saßen sie nebeneinander unter einem Baum, der leise über ihren Köpfen rauschte. Der Mond war noch nicht aufgegangen. Einzig die Sterne sandten ihr matt schimmerndes Licht herab. Mieke lehnte sich mit ihrer Schulter leicht gegen seinen Arm. Die Hand hatte sie auf sein Knie gelegt. Er schwieg, starrte vor sich in die Finsternis, in der Visionen spukten von dem wunderlichen, verkümmerten Leben im Hause des Doktor Presco ... jenes Doktors, der Tierarzt geworden war, weil er die Menschen haßte. Es machte ihn traurig, daran zu denken. Ein Menschenhasser... Und Flierefluiter sollte nach Meinung des fremden Doktors auch ein Menschenhasser sein – aber das war purer Unsinn!

Mieke drängte sich schwerer gegen ihn, kniff ihn ins Knie und schüttelte ungeduldig sein Bein.

„Sag doch was!"

„Was soll ich denn sagen?"

Es klang verdrossen und hilflos. Mieke lachte und packte ihn mit beiden Händen am Arm.

„Dann gib mir wenigstens einen Kuß!"

Er spürte ihr Gesicht dicht über sich, lose Haare kribbelten an seiner Wange. Er wandte den Kopf ab.

„Tu nicht so spröde!"

Sie zog ihn mit einer heftigen Bewegung zu sich. Ihre heiße Flüsterstimme kroch unmittelbar an sein Ohr; ein leichtes Keuchen verlieh den leidenschaftlichen Worten einen schwebenden, sphärischen Klang: „Komm, Tinus, du bist ein hübscher Junge! Komm doch! Du darfst mit mir machen, was du willst! Alles darfst du tun ... alles ... Aber komm!"

Grenzenloses Erstaunen durchfuhr Merijntje. Daß ein Mädchen sich so vergessen konnte! Begierde erwachte in seinem Blut – doch dann glitt ein Name durch seine Erinnerung: Marjanneke... Mit einem wütenden Ruck befreite er sich aus ihrer Umklammerung und richtete sich auf. Mieke fiel durch den jähen Stoß zur Seite und umkrallte sein Bein. Er machte ihre Hände los; sie fühlten sich feucht und heiß an. Sein Abscheu wuchs. Mit einer rohen Bewegung stieß er sie noch weiter von sich und stand auf.

„Nein", sagte er hart; seine Stimme klang heiser vor Erregung.

Hastig eilte er auf den Weg zurück und entfernte sich. Plötzlich vernahm er ein markerschütterndes Heulen in seinem Rücken. Deutlich hörte er ihr Lamento und dazwischen immer wieder das Schimpfwort: „Schmutzfink!"

Da mußte er laut lachen und lief schnell und entschlossen davon. Schmutzfink! Das war das Lächerlichste, was man sich vorstellen konnte. Nun wurde er als Schmutzfink beschimpft, weil er kein Schmutzfink hatte sein wollen. Das Mädchen mochte getrost ersticken! Noch hörte er sie heulen – was für ein seltsames Geschöpf! Dann, ohne Übergang, lachte sie ihm hinterher, schrill und höhnisch, rief noch etwas, was er nicht verstand. Kälte schüttelte sein Herz, Ekel mußte er hinunterschlucken, seine Hände ballten sich vor sinnloser Wut zu Fäusten. Er fühlte sich gedemütigt, beleidigt, beschmutzt, als hätte ihn jemand mit Unrat beworfen. Bah! Sein Herz schlug wie rasend. Keuchend rannte er weiter, immer schneller, um so rasch wie möglich dem Ort zu entfliehen, wo dieses Mädchen kreischte und vor Wut und Enttäuschung mit den Füßen trampelte. Er lief die Böschung hinunter, bog in einen Sandweg ein, der schwer an seinen müden Füßen haftete; zu beiden Seiten spukten schwarz die Schemen von Erlenbüschen in der Finsternis. Er trat auf eine fette Kröte, die unter der gleitenden Sohle laut quarrte. Pfui Teufel! Mit einem unterdrückten Fluch sprang er zur Seite. Ein Nachtkäfer surrte dicht an seinem Kopf vorbei, und wie stets zuckte ein kalter Schauer über seinen Rücken. Noch hastiger stürmte er durch den lockeren Sand, blind in der undurchdringlichen Dunkelheit dieser mondlosen Sommernacht. Dann kam der Wald, wo das Rauschen des Windes einsamer und stiller klang. An dem Hang eines kleinen Hügels ließ er sich ins Moos fallen, das weich und warm war wie ein Daunenbett. Hier fühlte er sich wohl. Die Erregung wich. Sein Herz schlug ruhiger. Die Nerven entspannten sich, und er seufzte tief. Hier war es wirklich gut.

Er schloß die Augen und versuchte, an nichts zu denken, sich einlullen zu lassen von dem lieblichen Gesäusel in den Baumkronen ... man konnte sich vorstellen, es sei plätscherndes Wasser, dessen sanft auf- und niederwallende Dünung einen unverwandt begleitet, langsam und schwebend ... einschläfernd. Aber es währte nicht lange – dann schienen Stimmen hindurchzuklingen: die schwere brummige Stimme des Doktors, die wilde Worte sprach, boshaft und verstümmelt, das spöttische Lachen Flierefluiters, das unangenehm scharfe Organ von Kee, die ihre schlüpfrigen Witze bekicherte, das heiße Flüstern Miekes ...

Hartnäckig klammerten sich seine Gedanken wieder an die Gestalt dieses fremden, üppigen Mädchens mit den dunklen, vor allzu williger Verheißung glühenden Augen. Daß es solche Frauen gab, die sich an den ersten besten wegwarfen, den sie kaum eine Stunde kannten! Keine Menschen waren das – und doch bedauernswerte Geschöpfe! Die konnten doch nicht ahnen, wie schön das war, was sie da so achtlos vor die Hunde schmissen. Das Bild der Nächte voller Zärtlichkeit und geheimnisvollen Glückes erhob sich vor seinem inneren Auge. Ein so inniges und herrliches Geschehnis sollte man, ohne mit der Wimper zu zucken, nur um der nackten Lust willen, mit jedem anderen nacherleben können? Niemals – er nicht! Es war zu kostbar dafür ... zu schön, zu zart und heilig. Man konnte in unbändige Wut geraten, wenn man daran dachte, daß es einem Mädchen wie Mieke gelingen mochte, einen ins Wanken zu bringen.

Marjanneke! Seine Seele lechzte nach der Wonne, in ihren guten, behütenden Armen ruhen zu dürfen.

Er wußte nun, warum er sich vor Mieke einen anderen Namen gegeben hatte. Er konnte dieses Mädchen nicht ausstehen. Er hatte an ihr etwas Abstoßendes verspürt – etwas, das schmutzig war, klebrig und häßlich... Er hätte es nicht ertragen, wenn sie ihn Merijntje genannt hätte mit ihrem girrenden, betörenden Lachen ... Merijntje ... mit dem gleichen verführerischen Timbre, mit dem gleichen zärtlichen, verlangenden Klang wie Marjan... Nein! Tinus war gut genug für sie. Und eigentlich hieß er ja auch Martinus – so hatte er noch nicht einmal gelogen. Leise belachte er seine eigene Schläue ... Nein, Mieke, du bleibst draußen!

Behaglich reckte er sich, schob die Hände unter den Kopf und gähnte. Ach, was war er müde! Und immer und immerfort dieser stille Wind, der durch die Bäume rauschte. Ein paar Vögelchen tschilpten träumend im Schlaf. Wo kam der Wind her? Über Länder und Seen kam er gefahren und glitt hier durch die Blätter der Bäume und erzählte ihnen, was er auf seiner weiten Reise gesehen hatte. Vielleicht war er auch über Marjans Häuschen gestrichen, hatte im Apfelbaum geflüstert, unter dem Dach geseufzt? Vielleicht hatte er sie in der Tür stehen sehen, hatte sich durch das blonde Nackenhaar gewühlt, hatte ihre Wangen gestreichelt ...

Liebe Marjanneke! Glücklicher Wind!

Tief atmete Merijntje die würzige Waldluft ein, lächelte und fiel in Schlaf.

Als die ersten Sonnenstrahlen durch das Laub drangen und auf
seinem Gesicht spielten, war Merijntje wach geworden, fröstelnd
in der Morgenkühle. Er befand sich ganz nahe am Moorsee vom
gestrigen Tag. Ohne lange zu fackeln, hatte er seine Kleider abgestreift und sich in die Fluten gestürzt. Das Wasser schlug eiskalt
an seine klamme Haut. Aber man wurde wieder lebendig davon;
das Blut strömte gewaltig durch den Körper, und die Muskeln
spannten sich und verlangten, tüchtig in Dienst genommen zu werden. Ein übers andere Mal schoß er Purzelbäume wie ein Braun-
fisch, prustete und schnaufte wie ein Molch. Er jauchzte vor Freude
über das pechschwarze Naß und schwamm mit langen, weit ausholenden Schlägen; voll Wohlbehagen fühlte er, wie das Wasser
vor Brust und Hals gurgelnd aufschäumte. Dann ließ er sich auf
dem Rücken treiben, blickte zu den hoch oben segelnden weißen
Wolkenschiffchen im blauen Himmelsmeer empor und fühlte sich,
als sei er ohne Körper und schwebe genauso gewichtslos und
still wie diese Wölkchen irgendwo durch den unendlichen Raum.
Wenn es doch so bleiben könnte – ohne Schwere, ohne Körper,
ohne Verlangen, Bedürfnis . . . nur dieses zufriedene Vorwärtstrei-
ben . . . wie schön, sich so gehen zu lassen, nichts zu wissen, nichts
zu wollen . . . ein Wölkchen zu sein in blauer Endlosigkeit . . .
Aber so blieb es nicht – das war einem nicht vergönnt. Man fühlte
zum Beispiel plötzlich, daß es so etwas wie Magenknurren gab.
Man erschrak gewaltig, mußte gar darüber lachen, daß man sich
von solch fürchterlichem Hunger peinigen ließ, der natürlich mit

jedem Augenblick – hatte man ihn erst einmal bemerkt – unerträglicher wurde.

Schnell schwamm er ans Ufer, watete durch das Ried und zog sich an. Er mußte unbedingt zurück zu Flierefluiter, der nicht erfahren durfte, wo er sich herumgetrieben hatte. Zurück ins Narrenhaus? Zum menschenhassenden Hundeherrn, zur grämlichen, jämmerlich verkümmerten Katzenfrau, zu der furchteinflößenden Kindesmörderin, die ihn mit ihrer liebebedürftigen Tochter hinaus ins Freie geschickt hatte? Besten Dank – da sahen sie ihn nicht mehr!

Eilig durchquerte er den Wald. In die erste Schenke, die am Wege lag, kehrte er ein, ließ sich Kaffee bringen, aß Brot mit harten Eiern dazu und fühlte seine Kräfte wieder erstarken. Durch die staubigen Scheiben blickte er hinaus. Ein herrlicher Tag. Die Sonne über Feldern, die kahl zu werden begannen. Das Korn war eingebracht, die Erbsen und Bohnen auch, die frühen Kartoffeln und der Flachs. Sie waren schon wieder beim Pflügen. Der Sommer ging zu Ende... In wenigen Wochen begann die Zuckerrübenernte ... dann fiel der Herbst über das Land mit schwerem düsterem Himmel, mit Stürmen aus dem Westen und klatschenden Regenschauern, kalt und rauh. Wie schnell die Zeit verging!

Faul stromerte er durch die Felder, rauchte seine Pfeife, aß Brombeeren, die im Überfluß an Waldrändern und in trockenen Gräben reiften, lag träumend an einem Deichhang und blickte über das Land, das Stück um Stück geplündert, seines vollwüchsigen Reichtums beraubt worden war und nur eine kleine Zeit ruhen durfte, von dem scharfen Pflug aufgerissen, um alsbald neue Saat zu empfangen. Der ewige Kreislauf. Jahreszeiten kamen und gingen, die Erde, sie blieb bestehen, nahm auf, brachte hervor. Und so wie Frühling, Sommer, Herbst und Winter gingen, so gingen auch Jahrzehnte, Jahrhunderte – und so wie Saat und Ernte gingen, so gingen auch die Menschen. Sie wurden geboren, wuchsen heran, plackten sich redlich auf der geduldigen Erde, die fort und fort bestand, und starben. Dann wurden wieder neue Geschlechter groß, die ihren Vorfahren das Werk aus den erstarrten Händen nahmen, sich weitermühten und ihrerseits starben. Wieviel Jahrhunderte, wieviel Jahrtausende schon?

Nun saß er hier und war jung und stark und gesund, neunzehn Jahre hatte er gelebt, neunzehn Sommer ... neunzehn von tausenden und abertausenden, die über die Erde gegangen waren, neunzehn von tausenden und abertausenden, die noch folgen würden und von denen er ebenso wenig hätte wie von den vorangegangenen ... Es war ein wehmütiger, betrüblicher Gedanke ... Eines Morgens würde er nicht mehr dabeisein. Und doch war die Erde da, der blaue Himmel, die Bäume, die Sonne, der Wind, alles wie von jeher, wie immer. Das Gras gedieh, trug seine zitternden Rispen, duftete, war kühl und weich – für andere Hände und Wangen. Vögel schwärmten über die Felder, sangen im Grünen, Menschen liefen über die Äcker, die Erde wimmelte von tausendfältigem Leben, selbst die blinden Würmer schlängelten sich durch ihre kleinen engen Gräben – aber du gehörtest nicht mehr dazu, du lagst steif und starr, erloschenen Auges, kalt und fühllos da, und sie scharrten dich unter den Rasen wie einen wertlosen Gegenstand, damit du wieder zu Staub würdest. Denn aus Staub und Asche bist du gemacht. Nach diesen kümmerlichen Jährchen Leben . . . Neunzehn davon hatte er, Merijntje Gijzen, gelebt – plötzlich schien es ihm, als seien diese neunzehn Jahre ein Tag, als seien sie wie ein Pfeil vorbeigeschossen . . . Noch so ein Pfeil, und noch einer vielleicht – und er war ein alter Mann. Vorbei. Wozu diente das alles? Es war so entmutigend, daran zu denken... Zum erstenmal tauchten Zweifel in ihm auf an dem Fortbestehen nach dem Tode. Die Seele, sie sollte unsterblich sein? Sie ging ein in die ewige Seligkeit oder in die ewige Verdammnis . . . nur für dieses bißchen irdische Sein, für die halbe Minute Leben auf Erden in der Unendlichkeit der Zeiten, für das unnütze Vorwärtsstolpern über all die beunruhigenden Rätsel zwischen Himmel und Erde, die man das Leben nannte? Und wenn es nun nicht stimmte, wenn es ein Märchen unter anderen war, ein Phantasiespiel der Menschen, die gern Dinge, fern jeder Wirklichkeit, ersannen? Flierefluiter lächelte darüber – aber was er tatsächlich davon hielt, das hatte Merijntje noch nicht mitbekommen. Vielleicht wußte es sein Freund selber nicht . . .

Ein kalter Schauder der Einsamkeit überfiel ihn. Mit der Seele zugleich – würde da nicht auch noch mehr verschwinden: der Himmel . . . und Gott? Wo blieb Gott dann? Es gab Menschen genug, die nichts von Gott wissen wollten und sein Vorhandensein leugneten. Er hatte vor diesen Menschen und ihren Gedanken stets Angst gehabt. Auch jetzt irrte eine unbestimmte Scheu durch sein Bewußtsein – aber es war mehr Kummer als Angst dabei. Und die Angst bezog sich vornehmlich auf das unerträgliche Gefühl grenzenloser Vereinsamung und Verlassenheit, nicht so sehr auf die überkommenen Skrupel vor gotteslästerlichen, entheiligenden Anschauungen. Dennoch war es freventlich, an Gottes Existenz auch nur den allergeringsten Zweifel zu hegen – das allein konnte schon Verdammnis bedeuten. Wenn es Gott nämlich so gab, wie Pastor van Gils und Großmutter ihn sich vorstellten, dann quälten ihn heimlich schleichende Bedenken. Er wünschte sich sehnlich, bei Pastor Ramakers zu sein und ihn um Rat fragen zu können. Aber wenn er dort wäre, würde er sich wahrscheinlich wieder nicht trauen?

Gewaltsam riß er sich los von seinen beschwerlichen Gedanken. Was hatte er heute nur! Das lag gewiß daran, daß er so allein war. Er mußte Flierefluiter finden. Er stand auf, blickte über Äcker und Weiden, auf denen Wolkenschatten wie sonderbare, formlose, monströse Tiere dahinirrten, von Feld zu Feld flogen und durch nichts aufzuhalten waren. Er reckte sich, stellte sich auf die Zehen und streckte die Arme über den Kopf. Sein Stoßseufzer endete in Lachen. Die Welt war doch schön, und die kurze Zeit eines Menschenlebens sollte man so gründlich wie möglich genießen... Das war Flierefluiter, der ihm dies einflüsterte – auch wenn er nicht hier war... Und er begann rasch in die Richtung zu laufen, wo Doktor Prescos Narrenhaus liegen mußte.

Er fand Flierefluiter spät am Nachmittag, wie er mit dem Doktor am Fuße eines mit hohen Pappeln bewachsenen Deiches spazierenging. Um sie herum streunten ein Dutzend große Hunde von den unterschiedlichsten Rassen. Sie schnüffelten am Grabenrand, einige von ihnen tollten auch auf der Deichböschung herum, und einer machte entschiedene Jagd auf Maulwürfe; er stand wachsam vor dem aufgeworfenen Erdhäufchen und lauerte auf die kleinste Bewegung. Als Merijntje den Hang hinabstieg, hörte er die polternde Stimme des Doktors, der Flierefluiter zuschrie: „Du bist ein noch viel größerer Narr, als ich gedacht habe!"

„Das mag sein", räumte Flierefluiter großmütig ein.

„Vertrauen in die Menschen!" brüllte Presco. „Hoffnung oder Glaube sogar, daß sie allmählich besser werden! Junge, Junge! Entweder bist du total verrückt, oder du bist genauso bigott wie die alten Kirchenschachteln."

„Es ist schon ziemlich kompliziert", grinste Flierefluiter. „Aber beides könnte stimmen. Könnte genauso wahr sein wie das, was ich sage. Doch die Zeit wird es lehren..."

„Die Zeit hat es bereits gelehrt, verflixter blinder Maulwurf, du!" wetterte der Doktor.

„Ah, da haben wir ja unseren Ausreißer!" rief Flierefluiter erfreut, als er Merijntje den Deich herabkommen sah. „Wo in Gottes Namen bist du gewesen?"

„Überall und nirgends. Ich habe im Wald geschlafen."

Flierefluiter lächelte. Der Doktor putzte mit seinem Rockzipfel das Lorgnon blank und durchdrang Merijntje mit bohrenden Augen. Er grinste und sagte:

„Und ich rechnete fest damit, daß du zu Mieke gekrochen bist. Aber die Jugend von heute hat auch nicht mehr den rechten Mumm..."

„Nichts für mich", versuchte Merijntje lässig abzuwehren, aber er konnte es nicht verhindern, daß er feuerrot wurde.

„Jeder nach seinem Geschmack", gab der Doktor zu. „Aber ein leckerer Happen ist sie – und ich hätte sie an deiner Stelle nicht verschmäht. Doch vielleicht hast du auch recht, himmelkreuzdonnerwetternocheinmal!"

Merijntje begriff nicht, warum dieser Doktor jetzt wieder so fluchen mußte. Er zuckte die Schultern. Presco setzte sich an den Grabenrand, zog den Zweig eines Brombeerstrauches zu sich heran und begann von den reifen Früchten zu essen. Flierefluiter setzte sich neben ihn. Merijntje blieb abseits, ließ sich an einem Baumstamm nieder und stopfte seine Pfeife. Die riesige Deutsche Dogge kam ihn beschnüffeln, leckte schließlich seinen Hals und legte sich zu ihm, den schweren Kopf auf seinen Knien, die Augen fragend zu ihm aufgeschlagen. Merijntje lächelte, streichelte dem Tier über den Kopf und kraulte es hinter den spitz zugeschnittenen Ohren. Die anderen Hunde legten sich zum Doktor, bis auf ein paar, die weiter herumliefen.

Ein ungewohnter Anblick – soviel große Hunde, alle auf einem Haufen, rund um das winzige Männlein geschart. Er schien wahrhaftig ein Tierbändiger zu sein.

„Barbaren sind es!" blaffte Presco Flierefluiter an und nahm damit das unterbrochene Gespräch wieder auf. „Sieh das doch endlich ein! Und wenn sie auch noch so schöne Kleider tragen und Stehkragen und Zylinder, und wenn sie auch zwanzig feierliche Gottesdienste hintereinander abhalten und tausend prächtige Kirchen haben ... noch so gebildet sind und von der eigenen kultivierten Gesittung überzeugt – im Herzen sind sie Wilde geblieben, doch um vieles boshafter und schuldiger, denn sie hätten es besser wissen können. Ihr Gottesdienst ist Aberglaube und lächerlicher Hochmut ..."

„Hat das Christentum die Menschen nicht besser gemacht?"

„Das Christentum? Woran willst du das erkennen? Gibt es mal einen unter Millionen, der ein wenig danach lebt, wird er prompt heiliggesprochen – so selten kommt das vor. Seit zweitausend Jahren wird den Menschen gepredigt, daß Gott es will, daß sie ihren Nächsten lieben wie sich selbst – und immer noch bitten sie Gott, bevor sie in den Krieg ziehen, ihnen dabei zu helfen, diesem ihrem Nächsten ein Bajonett durch den Wanst zu stechen ... Da flehen sie Gott um den großen Sieg an, Gott, der ihnen geboten hat: Liebet eure Feinde, und wenn sie euch auf die rechte Wange schlagen, so kehret ihnen die linke zu! Nein, sprich mir nicht vom Christentum, Mann – das gibt es vorläufig noch nicht."

„Sie müssen es eben immer wieder von neuem verkündigen!"

„Schönen Dank! Ich sterbe lieber in meinem Bett als am Kreuz."

Flierefluiter seufzte: „Dann sind Sie auch nicht der wahre Menschenfreund."

„Wahrhaftig nicht!" gab der Doktor mit dröhnendem Lachen zu. „Wie sollte ich das auch sein! Ich bin doch selbst ein Mensch, auch so ein Stück Selbstsucht und Schmutz. Ich mag mich noch so sehr darüber ärgern – ändern läßt sich's nicht. Ich wär viel lieber ein Hund ..."

„Da gibt's genug, die Sie für einen Hund halten", grinste Flierefluiter.

Der Doktor überhörte die Beleidigung. Er wies auf die Dogge,
die zutraulich bei Merijntje lag und zu ihm emporblinzelte.

„Schau dir das Tier an", brummte er böse, „dann siehst du, wie
barbarisch die Menschen sind. Diese Dogge hat lange, seidige
Ohren, die harmlos an ihrem Kopf herabhängen – ein Kopf übrigens, der ganz zu ihrer friedfertigen Gemütsart paßt: ein lieber
Kerl, ein gutmütiger Riese, in dem kein Falsch ist. Aber das gefällt den Menschen nicht. Die Ohren müssen ab, die werden mit
einer Schere dreieckig zugestutzt, daß sie aufrechtstehen. Dann hat
das Tier den Kopf eines Tigers – und das finden sie schön. Ich
rede gar nicht von dem fürchterlichen Schmerz, den sie einem so
jungen wehrlosen Wesen zufügen, aber daß sie aus einem sanft-
mütigen, freundlichen Hund ein Raubtier machen, das kennzeich-
net sie hinreichend – damit verraten sie sich selbst..."

„Ja, so kann man alles zum Schlechten kehren!" protestierte
Flierefluiter. Aber Merijntje merkte am Funkeln seiner Augen, daß
er nur so empört tat, um den Doktor zu reizen.

„Wenn du was von Seelenlehre verstündest, würdest du mich
eher begreifen", knurrte Presco, hieb ärgerlich mit seinem Stock
durch das Gras und schwieg.

Seelenlehre? dachte Merijntje. Was war das? Und ehe er sich
so recht darüber klargeworden war, hatte er schon gefragt: „Was
ist das, Seelenlehre, Doktor?"

„Psychologie – ein wenig die Kenntnis von dem, was in der
Seele des Menschen vorgeht", antwortete der Doktor. „Das ist gar
nichts Besonderes, doch wenn man die Menschen verstehen will,
kann es einem durchaus von Nutzen sein."

„Wie lernt man das?"

Presco lachte.

„Du kannst mit Büchern beginnen", erklärte er. „Aber wenn du
dreist auch alles im Kopf hast, was da drinsteht, dann weißt du
immer noch so gut wie nichts – es sei denn, du verstehst es, deinen lieben Zeitgenossen gewissenhaft auf die Finger zu schauen.
Eigentlich geht's also um Menschenkenntnis, aber das klingt nicht
gelehrt genug. Das ist keine Wissenschaft – die kann kein Doktor
oder Professor durcheinanderbringen. Also taugt das ganze nichts.
Diese gescheiten Herren sind doch immer erst zufrieden, wenn sie
einen Ring in der Nase haben und Federn in der Perücke..."

Er grinste vor sich hin und schüttelte den Kopf. Merijntje verstand ihn nicht und fand ihn verrückter denn je. Alles drehte er so,
daß es falsch und gemein erschien. Wozu sollte das gut sein?

Dann stieß er auf das Wort, das diesen merkwürdigen Mann
charakterisierte: lieblos. Doktor Presco war ein liebloser Mensch –
deshalb sah er alles so schwarz und trübe. Wie verschroben und

häßlich mußte es in seinem Innern beschaffen sein! Ein Menschenverächter ... ein Wesen, vor dem einem nur grauen konnte – und Doktor Presco hielt sich gar noch etwas darauf zugute, so und nicht anders zu sein.

Flierefluiter stopfte seine Pfeife, steckte sie in Brand und schmauchte genüßlich.

„Sie mit Ihren Wilden und Barbaren immer!" spottete er dann. „Sie müssen sich mal die Maschinen in den Fabriken dieser Barbaren ansehen: die Lokomotiven, die Dampfboote, Elektrizität – tausend wunderbare Erfindungen..."

„Und die Schnellfeuerkanonen und die Granaten und die Gewehre und Revolver, die Bomben und Kriegsschiffe. Unter See können sie fahren, und in Kürze fliegen sie auch durch die Luft. Dann können sie einander von allen Seiten abmurksen. Menschenskind, wer wirkliche Kultur besitzt, der mordet doch wohl nicht? Mit schönen Reden, mit raffinierten Maschinen, mit feierlichen Gebeten beweist man noch keine Kultur – die beweist man mit guten Taten, mit nobler, verantwortlicher Anwendung seiner Kenntnisse, indem man alles unternimmt, um die Welt tatsächlich ein Stück weiterzubringen. Aber die Menschen mißbrauchen ihr Wissen, um Böses zu tun. Sie verwandeln den Segen in Fluch. Kultur und Zivilisation sind nur Firnis, gleich darunter liegt der Barbar, der Wilde, der seine törichte Leidenschaft nicht zügeln kann, der nie und nirgends an etwas anderes denkt als an Fressen, Saufen, Huren. Und er versucht, sich alles unter den Nagel zu reißen, was in Reichweite seiner langen Finger gerät. Mit friedlichen oder unfriedlichen Mitteln – das bleibt sich gleich. Das Leben der Menschheit ist ohnehin ein einziger Krieg, ein immerwährender Krieg. Hunderttausend Arten gibt's, Krieg zu führen. Der Mensch beherrscht sie alle und versäumt keine Gelegenheit dazu. Kultiviert wie er ist, kennt er nur das Recht des Stärkeren. In einer wirklich zivilisierten Gesellschaft sollte eigentlich mehr vom Recht des Schwachen die Rede sein. Dem Schwachen muß geholfen werden – der Starke verschafft sich seinen Anteil von allein."

„Ein guter christlicher Grundsatz!" pries Flierefluiter.

Doktor Presco nickte. „Buddha könnte das auch gedacht haben oder Konfuzius oder Mohammed. Es nachzuplappern, ist keine Kunst – aber danach zu leben, das ist etwas anderes. Dann muß der Mensch erst aufhören, sich wie ein wildes Tier zu gebärden. Und das will er verflucht ungern, denn es macht ihm viel zuviel Spaß..."

Lieblos? ging es Merijntje durch den Kopf. War Doktor Presco ein liebloser Mensch? Alles, was er sagte, klang zwar hart und unschön, aber was er meinte, das war Güte, Freundlichkeit... Er tadelte der Menschen Boshaftigkeit, Zerstörungslust und Brutalität. Bewies nicht ebendies, daß er sie mit Freuden gut, friedfertig und gesittet gesehen hätte? Kein Krieg, kein Stehlen und Morden, nichts, was dem anderen das Leben unerträglich machte ... Nein, dieser durchgedrehte, aufgeregte Doktor mit seinen zornigen Ausfällen, seinen donnernden Flüchen und dem zügellosen Aufbegehren gegen die Menschheit war nicht lieblos. Vermutlich war er nur ganz tüchtig übergeschnappt, doch was er wollte, war etwas sehr Vernünftiges: Liebe, Redlichkeit, Güte ...

Flierefluiter war aufgestanden. Er zeigte auf Presco und sagte zu Merijntje:

„Schau ihn dir gut an und behalt sein Bild im Gedächtnis, Junge! Du siehst hier eine seltene Erscheinung: einen echten Christen, einen wahren Menschenfreund. So was findet man nicht mehr oft."

Merijntje nickte verlegen. Hatte er nicht eben genau dasselbe gedacht?

Der Doktor aber war mit einem Satz aufgesprungen. Er fuchtelte mit beiden Armen und trampelte mit seinen kurzen Beinchen. Der Gehrock schlotterte kläglich um seinen Leib, der Zwicker war von der Nase gerutscht und hüpfte an der fettigen Kordel auf seinem Bauch. Sein kantiges Gesicht war eine einzige Demonstration von Schrecken und Abscheu. Die stechenden schwarzen Äuglein blitzten vor Wut unter gerunzelten Brauen, zwischen denen eine zornige Falte stand.

„Schweig!" schrie er, und seine dröhnende Stimme schallte weit über die Felder. „Du weißt nicht, was du redest, verdammter Idiot! Ich will nicht Christ genannt werden – das bin ich nicht. Und die Menschen, das Vieh auf zwei Pfoten, die haß ich, weil sie schlechter sind, als das Wasser tief ist!"

„Ja, ja", murmelte Flierefluiter. „Wenn man's unbedingt so sehen will ... Deshalb geben Sie sich auch selbst so giftig, damit sie bloß nicht glücklicher leben sollen ... Wundervoll ist das!"

Doktor Presco stand plötzlich still und blickte ihn an. Darauf schüttelte er den Kopf und sagte langsam: „Du begreifst aber auch gar nichts. Du bist ein noch viel größeres Kind als das dort ..." Er wies mit dem Daumen auf Merijntje.

Flierefluiter lachte leichthin.

„Oh, das ist kein Kind mehr", entgegnete er. „Das ist ein ausgewachsener junger Mann – der bringt Bauernlümmel zur Strecke, wenn sie dumme Sachen über Frauen sagen."

Merijntje bekam einen roten Kopf und sah seinen Freund zornig an.

Presco hob die Schultern. „Das ist verdienstvoll ... unter Barbaren", sagte er unwirsch.

Dann richtete er sich höher auf, schob sein zerknautschtes Hütchen in den Nacken und sagte:

„Nun, gute Reise denn – und auf Wiedersehen!"

Er pfiff den Hunden, die sogleich auf ihn zustoben, drehte sich um und lief eilig den Deich hinunter, ohne den Zurückbleibenden die Hand gegeben zu haben oder überhaupt weiter Notiz von ihnen zu nehmen. Merijntje blickte ihm verwundert nach, wie er da, umsprungen von seinen Hunden, mit kurzen, schnellen Schritten am Deich entlanglief und jedem Baum, an dem er vorbeikam, einen ärgerlichen Schlag mit dem Stock versetzte.

„So, das hätten wir wieder geschafft", sagte Flierefluiter und fuhr sich mit der Hand über die Stirn. „Haha, da soll ein Mensch nun edel von werden!"

„Dieser Doktor, der ist doch bestimmt nicht ganz richtig im Oberstübchen, nicht wahr, Flierefluiter?" fragte Merijntje.

Er tippte sich an den Kopf. Der andere lachte und zuckte gelassen die Schultern.

„Die ganz Klugen sind allemal so oder so ein bißchen verrückt", antwortete er gleichmütig. „Du bist, wenn mir ein Beispiel gestattet ist, immer schon vor Bravheit verrückt gewesen – und ich vor Untugend ... Warum soll Doktor Presco auf seine Art nicht auch ein bißchen verrückt sein dürfen?"

„Ein bißchen?" rief der Junge. „Der ist total verrückt!"

„Wie kommst du darauf?"

„Na, wie lebt der denn in seinem Drecknest? Wie führt er sich gegenüber seiner Frau auf? Warum duldet er diese gräßliche Person in seinem Haus, die Mörderin, die ihn bestiehlt und betrügt? Und ewig dieses Gebrülle und Gefluche! Es mag schon sein, daß er alles nicht so böse meint ... Aber verrückt ist er wie nur irgendwas – da beißt die Maus keinen Faden ab!"

„Tja, wenn deine keinen abbeißt, dann muß es wohl so sein", seufzte Flierefluiter und verzog den Mund.

Er nahm seinen Stock mit dem Wandersack aus dem Gras, hob ihn sich über die Schulter und wandte sich um.

Merijntje schloß sich ihm an. Der Ton, in dem ihm sein Freund geantwortet hatte, gehörte sich nicht. Aber er war zu störrisch, um von ihm jetzt Aufklärung zu verlangen. Mißmutig schüttelte der den Kopf und erklomm den Weg, der auf den Kamm des Deiches zurückführte. Da liefen sie schweigend einer hinter dem anderen, lange Zeit in Gedanken vertieft, die sie voreinander nicht aussprechen konnten. Sie liefen, so wie der Weg sie wies, schlugen einen Landweg zwischen den Feldern ein, bestiegen einen anderen Deich und folgten ihm und wußten nicht, wohin sie gingen ... Der Abend würde es zeigen.

6

In der Dunkelheit, die sich samtweich herniedersenkte, lagen die beiden Freunde am Hang des Krähenberges und schwiegen. Über ihnen am violetten Himmel ging Stern für Stern auf, immer zahlreicher leuchteten sie auf dem Mantel der lauen Sommernacht. Fern über der Schelde verweilte noch der späte, bleiche Schein des gestorbenen Tages, glitt tief über den Horizont und mischte sich, matter und matter werdend, in verschwimmenden Konturen mit dem Dunststrich der langsam versinkenden Küstenlinie Seelands. Hoch oben in der raunenden Stille irrten die leisen, melancholischen Stimmchen der Brachvögel und Uferschnepfen, zart und hilflos wie die schläfrigen Schreie eines ängstlichen Kindes. Ein wundersam warmer Wind strich von Zeit zu Zeit mit Seidenhänden über ihre erhobenen Gesichter, rauschte durch die Ginsterstauden mit ihren schwarzverdorrten Schoten, verlor sich heimlich flüsternd im Laubwerk des groben, struppigen Schlagholzes hinter ihnen. Über den Eisenbahndamm glitt die Lichterkette eines Zuges mit einem fernen, hellen Rattern von Stahl auf Stahl. Ein Hofhund bellte erschreckt.

Ein überwältigendes Gefühl vollkommener Zufriedenheit spannte Merijntjes Brust. Die letzten Tage, in denen sie zumeist schweigend nebeneinander durchs Land gezogen waren, hatten ihn mehr und mehr erfüllt und bedrängten ihn nun fast wie eine ständig wachsende, unermeßliche Freude, die nicht zum Ausbruch kommen will. Dieser Abend war allzu schön, allzu groß. Unaussprechlich herrlich war er ...

Mit weitgeöffneten Augen schaute er in den Himmel empor und suchte in dem Gewimmel ungezählter Sterne die Augen Marjans. Doch er fand keine, die schön genug waren, um mit ihnen verglichen zu werden. Er hatte eine Hand unter den Kopf geschoben, und seine Finger strichen spielerisch durch sein dichtes Haar, vom Hals aufwärts bis zur Wölbung des harten Schädels – und wieder hinab, immerfort, ohne Ende. Denn so hatte seine Hand auch in Marjans weichen, blonden Locken gekrault, vom warmen Hals zur Wölbung ihres Hinterkopfes hinauf, immerfort, ohne Ende. Ein berauschendes Spielchen. Und zurück zur zarten Rundung der Schulter, die sich dicht an die seine schmiegte, so vertraut, so selbstverständlich, als ob es so sein müsse, als ob es nie anders gewesen wäre, nie anders sein könne. Daß ihm das vergönnt gewesen war! Daß es aber eine Zeit ohne Marjan gegeben hatte, eine Zeit, in der ihm fremd geblieben war, wie schön eine Frau sein kann – so voll und weich und warm, ein lauteres Glück! Daß diese Zeit des Glückes noch keinen Monat hinter ihm lag, und daß er von ihr gegangen war nach so kurzer Zeit, unter solch seltsamem, traurigem Zwang, und jetzt doch keinen Kummer mehr spürte, nicht untröstlich war vor Verlassenheit, nur mit einem stillen, schwachen Schmerz in der Brust, einem Schmerz zudem, der nicht einmal unangenehm war – wie unbegreiflich! Selbst Flierefluiter wußte nichts davon, höchstens von einigen groben, mehr äußerlichen Zeichen des wahrnehmbaren Geschehens – von dem langsamen Wachsen ihrer Beziehungen, von der schier unerträglichen und zugleich so herrlichen Spannung zwischen ihnen hatte er keine Ahnung. Nur gut! So konnte niemand darüber sprechen. Auch das vorsichtigste Wort würde alles zerstören, verblassen lassen, zunichte machen. Niemand durfte davon erfahren, auch Flierefluiter nicht, der liebste seiner Freunde, der ihm dies alles geschenkt hatte, dieses Land, diesen staunenerregenden Sommer, dieses Mädchen, diesen großen, weiten Abend, in dem er verloren schien wie ein unendlich kleines Staubkörnchen, sich gleichwohl groß, unbegreiflich groß dünkte vor lauter Glück, von dem er randvoll war bis zum Platzen.

Wie konnte jener Vogel, der dort in der Ferne trieb, so jämmerlich rufen? Ach, er hatte keine Marjan, von der er träumen durfte – Grund genug zum Klagen! Denn was war sein bisheriges Leben eigentlich anderes gewesen als ein ergebenes, träges, gelangweiltes Warten auf Marjan, ab und an vielleicht mit der unbestimmten Ahnung künftiger Freuden. Warten auf Marjan? Darüber mußte er dann doch heimlich lachen. Das war natürlich purer Unsinn. Die unbestimmte Ahnung – da war freilich etwas dran. Er hatte früher schon ein solches Vorgefühl gekannt, klein und schwebend, matt und schüchtern, doch stets mit einem Anflug ruhelosen Schuldbewußtseins behaftet. In weiter Ferne schimmerte die schwache Erinnerung an ein Paar ernster, dunkler, verträumter Augen in dem blassen Oval eines Kindergesichtes ... die kleine Esther vom Nachbarn. Sie hatte ihm ein Heiratsversprechen abgerungen – hunderttausend Jahre oder mehr lag das zurück. Nichts, das war alles nichts. Kindereien. Alberne, sinnlose Späßchen. Jetzt erst hatte sich ihm offenbart, warum der Mensch lebte. Strahlend war die Blüte aufgesprungen und kehrte ihr glühendes Herz der Sonne zu – Marjan ...

Er hörte, wie Flierefluiter sich neben ihm leise im raschelnden Gras bewegte und tief seufzte. Lächelnd fragte Merijntje:

„Hast du so geseufzt, Flierefluiter?"

Er wandte den Kopf zur Seite und sah die dämmerigen Umrisse der Gestalt, die sich halb auf dem Ellbogen aufgerichtet hatte.

„Ja."

„Warum?"

„Weil ich nicht du bin", antwortete Flierefluiter mit einem weichen, tiefen Lachen.

Merijntje lachte im stillen mit. Die Antwort verwunderte ihn keine Sekunde. Er konnte sich recht gut vorstellen, daß Flierefluiter gern an seiner Stelle wäre – weshalb es sich aber ganz besonders lohnte, würde er seinem Freund nicht verraten.

„Siehst du nun, endlich unseren Herrgott, Merijntje?" ertönte Flierefluiters Stimme – diese still aus einem tiefen Quell geheimnisvoller Freude aufsteigende Stimme, die jetzt wie eine liebe Erinnerung aus fernen, fernen Zeiten an Merijntjes Herz schlug.

Er antwortete nicht. Einen kleinen Schreck hatte er doch bekommen, auch wußte er nicht so recht, worauf Flierefluiter hinaus wollte.

Dann fuhr die Stimme fort, mit unterdrücktem Lachen, das Spott bedeuten konnte, aber auch unwiderstehliche Zärtlichkeit:

„Wenn du ihn an diesem Abend nicht siehst, Junge, dann mußt du schon verflucht weit laufen, um ihn überhaupt zu entdecken ..."

Beunruhigt wandte sich der Junge ihm näher zu, forschte im Gesicht des Freundes, begegnete jedoch nur einem blassen Widerschein, in dem er keinen bestimmten Ausdruck erkennen konnte. Leise und mit zaudernder Stimme fragte er:

„Warum ausgerechnet heute abend, Flierefluiter?"

„Das solltest du wohl wissen, Merijntje! Du sitzt mitten drin – merkst du das denn nicht? Mir wär gar nicht bange, wenn ich hier und jetzt davon müßte und du nichts mehr von mir fändest, falls du nach mir suchen würdest – wenn ich hinwegtriebe, in die Luft hinein, oder im Nichts verginge ... Deshalb seufzte ich eben."

Ein Schauer lief über Merijntjes Rücken. Was doch Flierefluiter manchmal für sonderbare Sachen von sich gab! Man wußte nie genau, was er damit beabsichtigte. Es war schwer auszumachen, ob er mit Menschen und Dingen seinen Spott trieb oder ob er wirklich meinte, was er sagte. Merijntje war schon lange nicht mehr der kleine arglose, niemals zweifelnde Gottgläubige aus seinen Dorfjahren, aber leichtes Geplauder über das unergründliche Wesen Gottes beunruhigte ihn noch immer.

„Du darfst darüber nicht lachen, Flierefluiter", sagte er unsicher und fast flehend.

Aber jetzt lachte Flierefluiter erst recht, ganz leise und mit einem tiefen, hellen Klang.

Dann sagte er: „Ja, ja, natürlich, du denkst, der liebe Gott kann nirgendwo anders sein als in Marjannekes Augen. Doch das ist ein Irrtum. Ihn gibt es auch dicht daneben . . ."

„Ach, du!" grollte Merijntje, unangenehm berührt durch die Entdeckung, daß Flierefluiter doch durchschaut hatte, was in seinem Innern vorging und was er vor jedermann hatte verborgen halten wollen.

„Nun, das ist doch kein Grund, sich zu wundern", fuhr Flierefluiter fort. „Jeder schafft sich einen Gott aus dem, was er am meisten liebt – oder wovor er die größte Angst hat . . ."

„Einen Abgott, meinst du!" schnauzte Merijntje nach einem Augenblick Überlegen.

„Egal, wie du's nennen willst – der Unterschied ist gering."

„Kein Unterschied zwischen Gott und einem Abgott?"

„Sehr richtig. Auf den Glauben allein kommt es an, Junge, und auf dessen Kraft."

Traurigkeit befiel Merijntje. Da wankten Dinge, die er nur zu gern für unerschütterlich gehalten hätte. Matt sagte er:

„Ach, du bist ja verrückt!"

„Mag sein", grinste Flierefluiter. „Aber lange nicht so verrückt wie du, Merijntje. Die Zeiten sind vorbei. Schade drum!"

Ein so inniges Bedauern klang aus diesen Worten, daß Merijntjes Herz warm wurde vor Mitleid. Auf einmal begriff er, daß neben ihm ein alter, müder Mann lag, der das Leben hinter sich hatte. Das Leben – das bedeutete: Marjanneke und ihre wohlriechenden Locken, ihre glatte, runde Schulter dicht an der seinen, ihr warmer, hellbrauner Nacken und die Wölbung des Hinterkopfes unter der Berührung seiner liebkosenden Hand, ihre Küsse, die nach dem Duft reifen Kornes und aufblühender Klatschrosen schmeckten, die taumelnmachende Erregung, die keine Sünde mehr war, einzig ein fast unerträgliches Entzücken, das ihn über die Erde erhob, forttrug von allem, was schwer und bedrückend war. Das Leben, das sich in diesem wunderbaren Sommer vor Merijntje zu nie erträumter Herrlichkeit geöffnet hatte – das Leben, das Flierefluiter hinter sich hatte und von dem er „Schade drum!" sagte mit jener merkwürdigen, bitter spottenden Stimme.

Merijntje streckte sich am Deichhang aus. Er war so unbeschreiblich jung, gesund und stark. Mit seltsamer Wollust spürte er die harten Brocken der trockenen Erde an seinen Muskeln. Die Hände ballten sich zu Fäusten in dem Gefühl unüberwindlicher Kraft. Ein alter Mann ... das mußte furchtbar sein ...

„Aber Gott bleibt, Merijntje. Er weiß von keiner Zeit und keinem grauen Haar. Dies gilt nichts bei ihm. Das ist alles Humbug – flaue Erfindung der Menschen, Junge."

Aus Flierefluiters Stimme war alle Verdrießlichkeit, aller Kummer verschwunden.

Tiefes Erstaunen bemächtigte sich Merijntjes und verwirrte ihn. Nie würde er diesen sonderbaren Menschen begreifen. Den einen Augenblick klagte er darüber, daß er alt war, das Leben hinter sich hatte, und gleich darauf beruhigte er sich und fand Trost in dem Wesen eines Gottes, von dem sich Merijntje keine rechte Vorstellung machen konnte, weil er so völlig anders war als der Gott, den man ihm von frühester Jugend an nahegebracht hatte. Was stellte sich Flierefluiter eigentlich vor, wenn er „Gott" sagte? Mitunter schien es, als meine er damit alles, was es um ihn herum gab, alles, was überhaupt existierte, die Natur, jedes Leben – bisweilen konnte man aber auch glauben, er meine es mehr im geistlichen Sinne. Wie kam dieser leichtfertige, spottsüchtige Stromer auf die Idee, daß es einen Gott gab, der nicht der Schulgott von Kirche und Glaubenslehre war und deshalb ein so bedingungsloses Vertrauen verdiente? Ein so großes Vertrauen, daß er allen Kummer und Verdruß über seine verlorene Jugend auf einen Schlag vergessen konnte?

Ärgerlich fragte der Junge: „Du bildest dir wohl ein, den lieben Gott für dich gepachtet zu haben, he?"

„Stimmt, Merijntje, und was noch viel schöner ist, Gott nimmt mich genauso in Beschlag, zu seinem Vergnügen sogar."

Sein stilles Lachen drang aus der Dunkelheit an Merijntjes Ohr – und dieser wußte nicht, wie er sich dazu stellen sollte. Einerseits ließ ihn die unverantwortliche Sprache erschauern, andererseits mochte er fast lachen über die komische Idee, daß sein Freund einen Privatgott hatte, der an ihm Vergnügen fand. Ihn irritierte, daß Flierefluiters Lachen nicht leichtfertig oder spöttisch klang, sondern aus echter, tiefer Freude quoll, und seine Worte durchaus ernst gemeint schienen.

Unsicher brummte er: „Du bildest dir ja allerhand ein."

„Wieso, Merijntje?"

„Na, du mit deinem separaten Herrgott, der seine helle Freude an dir hat..."

„Hätte er sie nicht, dann wäre mir nicht soviel Gutes von ihm geschehen."

„Bets zum Beispiel?"

Flierefluiter kratzte sich hörbar den Schädel.

„Die muß mir der Teufel gebracht haben", sagte er verlegen.

„Und früher hast du erzählt, daß es keinen Teufel gibt."

„Da war ich auch noch nicht mit einem bösen Weib verheiratet – das darfst du nicht vergessen."

„Du drehst dich wie ein Wetterhahn."

„Weil du mich abklopfst wie ein unnachsichtiger Priester – immer diese Gewissensfragen!"

„Du schwatzt ganz schön herum. Was weißt du nun eigentlich von Gott?"

„Nicht mehr als du und genauso wenig wie der Papst – überhaupt nichts."

„Dann rede auch nicht darüber!"

„Aber ich fühl ihn doch, Junge!"

Einen Augenblick blieb es still. Dann platzte Merijntje mit kurzem, heftigem Lachen verächtlich heraus: „Hm, er fühlt ihn! Ich wüßte zu gern, wie . . ."

„Das kann ich nicht erklären. Das wirst du vielleicht später selber einmal erfahren, wenn du ihn ähnlich spürst wie ich. Das passiert nicht alle naselang. Zeiten gehen darüber hin, in denen man nichts weiter ist als Staub und Asche, nur Essen und Trinken kennt, Lieben und Lachen, ganz Fleisch und Blut ist. Doch unvermutet ist etwas anderes da . . ."

Seine Stimme klang verträumt, wie aus weiter Ferne. Ein Entzücken schwang darin, das Merijntje still machte und in noch tieferes Erstaunen versetzte. Gespannt wartete er auf die Fortsetzung, doch Flierefluiter schwieg.

„Nun", fragte der Junge nach einer Weile ungeduldig, „nun, was ist denn auf einmal da?"

„Dann ist Gott da."

Erneut fühlte Merijntje einen Schauer über den Rücken laufen. Eine alte, fast vergessene Angst scheuchte ihn auf. Es hätte nicht viel gefehlt, und er wäre Hals über Kopf davongerannt vor dieser unerlaubten Rede. Aber er bezwang sich und fragte streng:

„Wie denn? Wo denn?"

„Wie denn? Wo denn?" wiederholte Flierefluiter lächelnd und mit derselben träumerischen, fröhlichen Stimme. „Das läßt sich nicht so leicht in Worte fassen, Merijntje. Das muß man einfach fühlen. Du erkennst dich dann selber nicht mehr – bist ohne Gewicht, ohne Körperlast, bist Luft geworden, ein Vogel, eine Blume, ein Feld. Das bist du immer schon gewesen und sollst es immer bleiben. Und die ganze Welt ist nichts als ein kleiner Klumpen Erde, den du in deine Hand nehmen kannst. Du bist nichts und bist doch alles. Das mag über dich kommen, wenn du im Gras sitzt und nach den Sternen schaust. Oder wenn du in den Armen einer Frau liegst. Oder wenn du das Brot riechst, das der Bäcker eben aus dem Ofen geholt hat. Oder wenn du eine schöne Stimme singen hörst. Oder wenn ein Kindergesichtchen dich anblickt. Wenn du die Sonne in einem Tautropfen glitzern siehst. Oder wenn du einen Bauernschlingel mit einem Schlag zu Boden streckst. Man kann nie wissen, wie und wo . . . In der Kirche nennen sie es Gnade – aber dies ist noch etwas anderes als das, was sie darunter verstehen . . ."

In der Stille, die nach den seltsamen Worten Flierefluiters eintrat, hob Merijntje seine Augen zu dem schwarz gewordenen Himmel empor, an dem die Sterne wie helle Juwelen funkelten. Er forschte nach dem tieferen Sinn all dessen, was er da vernommen hatte. Es klang so ernst, so ehrfürchtig, wenn sich auch Vorstellungen hineinmischten, die nichts Erhabenes oder Feierliches an sich hatten. Doch Spott war gewiß nicht dabei.

Endlich fragte er leise: „Also ist Gott . . . ist Gott das Glück?"

„So ungefähr, Merijntje, und noch etwas mehr."

„Das verstehe ich nicht."

„Brauchst du auch nicht – das kommt noch."

Das Glück, grübelte Merijntje, Gott ist das Glück – und noch etwas mehr. Das war ein herrlicher, ein glänzender Gedanke. Es klang so schön, so tröstlich. Dann brauchte man auch keine Angst vor Gott zu haben, durfte ohne Furcht nach ihm verlangen.

„Aber", warf er dann bedrückt ein, „so entspringt das Verlangen nach Gott doch reiner Selbstsucht!"

„Und was ist dabei?" lachte Flierefluiter unbefangen. „Glückliche Menschen sind die schönsten – und die besten. Die wollen andere auch glücklich sehen. Was die Christen übrigens aus ihrem Glauben an Gott machen, ist das vielleicht etwas anderes als Selbstsucht? Flehen sie nicht um Regen, den ein anderer nicht gebrauchen kann, um Glück, das einem anderen zum Verhängnis wird? Rechnen sie sich nicht genau aus, was sie alles tun und lassen müssen, um die ewige Seligkeit zu gewinnen? Bitten sie Gott und alle Heiligen nicht Tag für Tag um Gunst und reichen Segen?"

„Sie sprechen dabei: ‚Auf daß ich die Seligkeit erlange!'" warf Merijntje ein.

„Ist denn die Seligkeit nicht die größte Gunst – und zwar Gnade, kein Verdienst?"

Die Frage blieb zwischen ihnen stehen. Merijntje wollte nicht darauf antworten.

„Aber dieser dein Gott", fragte er ratlos, „was ist das für ein Gott? Ich verstehe nichts! Ich kann mir kein Bild von ihm machen."

„Ich auch nicht. Wer kann sich überhaupt ein Bild von Gott machen? Ist das nicht kindisch, ja geradezu lächerlich? Ein Geheimnis jenseits alles Begreifbaren, alles dessen, was Menschenverstand je zu erfassen, die reichste Phantasie sich vorzustellen vermag. Groß ist er . . . so gewaltig, Junge, daß wir vor seinem Angesicht überhaupt keine Rolle spielen, mit unseren guten und unseren schlechten Taten nicht. Wir sind nur Staub, nichts weiter als Eintagsfliegen oder Würmlein unter der Borke eines Baumes. Wenn der Mensch seinen Dünkel ablegt, daß Gott allein für ihn da ist und daß er, der Mensch, Mittelpunkt und Krone aller Schöpfung ist, dann kann der Mensch auch glücklich werden, genauso glücklich wie ein Geißlein oder die Blüte eines Fliederstrauches. Und dann hat Gott einen Sinn."

Merijntje lächelte still vor sich hin. Spöttisch sagte er:

„Du schiltst die Menschen, weil sie meinen, von Gott alles zu wissen. Aber selber stellst du dich hin und hältst lange Reden und weißt es noch viel besser. Da stimmt doch was nicht!"

Flierefluiter lachte.

„Du hast wieder einmal recht", sagte er dann. „Aber in Wirklichkeit weiß ich gar nichts von Gott – nur daß es ihn gibt und daß er sich mit uns gar nicht einläßt. Wir sind ihm viel zu mies dafür. Aber ich kann ihn ab und an in mir fühlen – oder vielleicht einen Teil von ihm ... Wie soll man das nun präzise wissen? Und wenn ich ihn fühle, ist alles gut. Der ganze Rest – Märchen und Aberglaube ..."

„Und doch kann man ihm nicht entwischen!" rief Merijntje.

„Darüber brauchst du gar nicht zu triumphieren", lachte Flierefluiter, „das weiß ich ebensogut wie du. Es ist auch kein Wunder. Um ihm zu entwischen, müßte man selber schon Gott sein – und soviel Anmaßung überlaß ich lieber den Gottesgelehrten vom Schlage eines Janus van Gils seligen Angedenkens. Oder deiner Großmutter ..."

Merijntje lachte mit. Ein Gefühl von Weite und Befreiung drang in sein Herz. Beklemmungen wichen. Tief atmete er die kühle Luft in seine Lungen. Ah, wie groß und schön der Abend war! Und wie gern er Flierefluiter hatte, den lässigen Vagabunden, der einen Banditenstreich nach dem anderen ersann und dennoch über Gott sprach wie ein großmütiger Priester – mit verhaltener Ehrfurcht, die um so stärker berührte, als alle Angst und Bangigkeit ihr fremd waren ... Ein Gott, so gewaltig, daß die ganze Menschenwelt für ihn ein unbedeutender Ameisenhaufen war, der keinerlei Beachtung verdiente. Und doch ... doch war Gott das Glück? Wie denn nur? Das klang wie ein Mysterium, das unbegreiflich war und stets unbegreiflich bleiben mußte. Auf irgendeine Weise aber hatte man dieses Mysterium zu bedenken – Flierefluiters genauso wie das der Menschen, die an den Kirchengott glaubten. Nur: vor Flierefluiters Mysterium brauchte man keine Angst zu haben – es erpreßte einen nicht mit unerfüllbaren Ansprüchen; es fragte einen nichts. Es war da, irgendwo in weiter Ferne, jenseits der Grenzen menschlicher Vernunft. Es hatte dich vielleicht in Bewegung gesetzt, aber es belästigte dich nicht weiter ... War das nun eine besorgniserregende oder eine beruhigende Vorstellung?

Plötzlich rief er: „Ach, was soll's mich kümmern! Ich bin sowieso zu dumm, das zu begreifen!"

„Du beginnst allmählich, verdammt weise zu werden!" sagte Flierefluiter herzlich. „Gratuliere!"

Darauf lachten sie beide und schwiegen alsdann lange Zeit. Merijntje bewegte im Dunklen die Lippen und sprach lautlos Marjans Namen. Er dachte an sie als an das Schönste, was das Leben ihm gebracht hatte. Er liebte sie so sehr, daß sein Herz zu klein war, all seine Empfindungen zu bergen, und Tränen ihm in die Augen traten. Und doch war er nicht traurig.

Schließlich fragte Flierefluiter: „Wo wollen wir heute nacht schlafen?"

Ohne zu zögern antwortete Merijntje: „Hier natürlich."

„Einverstanden", sagte Flierefluiter gelassen. „Lange wird's ja nicht mehr möglich sein. Der Sommer neigt sich bedrohlich seinem Ende zu, Merijntje."

„Da kommen noch genug andere", meinte der Junge gleichgültig.

Flierefluiter seufzte, drehte sich auf die Seite, bettete seinen Kopf in die Armbeuge und schloß die Augen. Der Wind strich über das Wasser und schmeckte bitter auf seinen zusammengepreßten Lippen.

· Fünftes Kapitel ·

I

Der Sommer, der sich matt und schwer seinem Ende zuneigte, verblühte in ausladender Schönheit, einer Schönheit, die verwirrend, fast beängstigend war, doch fesselnd zugleich und auf wehmütige Weise unwiderstehlich. Die warme Schönheit einer vollreifen Frau, die langsam daherschreitet unter der Bürde erster Anzeichen einer Ermüdung des Lebens; ihre Augen, noch voll Glut, blicken groß und nachdenklich aus einem hellen, verwunderten Antlitz, auf dem das befriedigte Lächeln von der Lust der vergangenen Jahre steht, die ihr den Überfluß des Lebens brachten; die üppigeren Formen bergen leidenschaftliche Erinnerungen an die Erfüllung vieler Träume; das sanfte Wiegen ihrer Hüften ist voll brennenden Reizes, den sie unbewußt durch heimliche Verheißungen bei denen weckt, die ihrer satten Reife erliegen. Aber in ihrem Blick taucht dann und wann der stille Schreck über die Erkenntnis auf, daß die unaufhaltsame Reise ins Alter begonnen hat und die Zeit des Verzichts naht; ein erster weißer Faden schimmert in den glänzenden Haaren, und eine erste kleine Runzel faltet sich unter dem Auge.

Noch stäubte eine warme Sonne die Erde, aber die Abende wurden kühler. Auch die Sterne funkelten kälter an dem tiefschwarzen Himmel. Gräben und Teiche dampften in der Dämmerung;

dichter, grauer, fröstelnmachender Nebel legte sich über die abgeernteten Felder. Unruhe ergriff die Zugvögel, die in immer grö
ßeren Scharen zueinandertrieben und fächerförmig ausschwärmend
in die stahlblaue Luft hinaufflatterten. Ihr lärmendes Gezwitscher
war angenehme, ferne Musik.

Auch Merijntje und Flierefluiter, die mit wechselnden Launen
durch die trägen, warmen Tage irrten, quälte eine unbestimmte
Unruhe. Sie hing unleugbar mit dem Niedergang dieses strahlenden Sommers zusammen. Für sie beide hatte er Erlösung bedeutet
– für jeden von ihnen auf besondere Weise. Wehmut legte sich auf
ihre Seelen: Bald würde der Sommer vorbeisein, der große Sommer ... Und etwas sagte ihnen, daß damit auch ihr unstetes Wandern unwiderruflich ein Ende finden werde ...

Zögernd sprach Merijntje es aus, als sie eines Tages um die
Mittagsstunde am Rande eines hohen Waldes saßen und lange
Zeit schweigend über die kleine bucklige Heide geschaut hatten,
wo die violetten Blüten mattbraun verblaßten und die Sandflekken weiß und blank im gleißenden Sonnenschein flimmerten.

„Es müßte eigentlich immer Sommer bleiben, Flierefluiter ...“

Der Vagabund seufzte tief, sah nur flüchtig von der Seite in die
fragenden Augen des Jungen, lächelte matt und sagte, indem er
seinen Blick wieder zur fahl leuchtenden Heide zurückwandte:

„Das wäre nicht gut, Merijntje.“

„Warum nicht?“

Es klang trotzig und empört.

Flierefluiter schüttelte den Kopf. „Alles zu seiner Zeit, Junge.
Zuviel Gutes, zuviel Wärme – das verträgt der Mensch nicht.“

Merijntje schien das wenig einsichtig.

„Warum nicht?“ wiederholte er ärgerlich.

Sein Freund lachte.

„Warum mokierst du dich nun wieder?“

„Ich muß immer lachen, Merijntje, wenn ich zehn Jahre zurückdenke und den Knirps vor mir sehe, den kleinen Meßdiener, der
alles so genau wußte und doch alle Augenblick fragte: Warum,
Flierefluiter?“

„Aber es gibt doch auch alle Augenblick etwas, was man nicht
begreift!“ rief Merijntje ungeduldig. „Da wird man doch wohl
fragen dürfen!“

„Die meisten Menschen begreifen noch weniger als du – und
fragen trotzdem nicht ...“

„Warum nicht?“

Nun brach Flierefluiter in helles Lachen aus; der Junge blickte
ihn erst böse an, dann aber lachte er verlegen mit.

„Da haben sie nicht genügend Grips für, glaub ich. Die Kühe
fragen doch auch nicht, warum sie Gras fressen müssen, während
wir die Rahmbutter und das Fleisch von ihnen kriegen.“

„Das weißt du ja gar nicht. Da müßtest du die Kuhsprache verstehen."

„Auf jeden Fall, Merijntje, zählst du zu den Gesegneten, die ihr Leben lang nicht aufhören zu fragen: Warum denn dies – und warum denn das nicht?"

„Ich ein Gesegneter? Warum gesegnet?"

Flierefluiter blickte ihn durchdringend an, bezwang sich und sagte streng:

„Du brauchst auch kein Gesellschaftsspiel daraus zu machen, Merijntje. Wenn du noch ein einziges Mal ‚warum' sagst, explodiere ich."

„Du immer mit deinen Abgeschmacktheiten, deinen faulen Ausreden!" schimpfte Merijntje. „Geht das heute schon wieder los? Du plapperst irgendwas daher – und wenn ich frage, was das bedeutet, fängst du an zu lachen. Ich bin doch kein Kind mehr!"

Flierefluiter legte einen Arm um die Schulter des Jungen und schüttelte ihn tüchtig.

„Du kein Kind mehr?" rief er. „Und wenn du hundert Jahre alt wirst, bist du immer noch ein Kind – auch dann wirst du tausendmal noch fragen: Warum denn nur? Eben das ist der Segen. Denn wenn du nichts mehr zu fragen hast, dann siehst du auch nichts mehr, entdeckst nirgends mehr etwas, und das Leben muß dann wohl schauderhaft langweilig sein."

„Gibt es für dich denn noch Entdeckungen?"

„Für mich? Na hör mal, den ganzen Tag! Deshalb hab ich soviel Spaß am Leben und an den Menschen. Alles ist jeden Tag wieder neu. Nichts kommt so, wie man's erwartet – und womit man überhaupt nicht rechnet, das passiert garantiert. Gib nur acht!"

„Aber daß der Sommer zu Ende geht – das steht doch wohl fest."

„Ein paar andere Dinge auch: unsere Geburt, daß wir mit jedem Tag älter werden und sterben müssen ... Doch was dazwischenliegt, läßt sich nicht vorhersehen – das Leben ist wechselhaft."

„Und doch wünschte ich, ich könnte diesen Sommer noch ein bißchen aufhalten."

Flierefluiters Gesicht wurde nachdenklich.

„Das Gefühl hab ich auch gehabt, als ich so jung war wie du. Dann bin ich dem Sommer hinterhergezogen, in den Süden ... nach Frankreich, nach Italien, nach Nordafrika ..."

„Und dann?"

„Dann? Dann hab ich mich im Sommer festgerannt. Und immer, wenn mir wieder mal nach ein wenig Kühle zumute war, dann wurde es besonders schön, und ich hatte einfach keine Möglichkeit umzukehren ..."

„Wieso nicht?"

Flierefluiter murmelte leise vor sich hin: „Ach, da gab es ein paar Arme, die mich nicht gehen lassen wollten – und ich hatte die Kraft nicht, mich loszureißen. Wahrhaftig nicht, Merijntje! Es waren runde, braune Arme, Junge, glatt wie Seide und warm wie Blut – die konnten ziehen! Das vermagst du dir gar nicht vorzustellen."

Merijntje dachte selig lächelnd an Marjan. Er nickte stumm.

„Und dann?"

„Ja, dann ließen sie mich auf einmal doch los – und ich habe mich eiligst davongestohlen. Und wenn ich dann hierher zurückkehrte, war der Sommer wieder so drückend heiß, daß man sich tatsächlich wie geschmort vorkam. Und vom ersten Schnee habe ich gekostet, als wär's das erlesenste Gebäck. Hm, das schmeckte lecker! Der ganze glühende Sommer von zwei Jahren schmolz auf meiner Zunge und zerrann in meiner Kehle. Wie im Himmel fühlte ich mich dann."

„Du bist ja schon recht oft im Himmel gewesen, alter Freund!"

Flierefluiter richtete die Augen mit frommem Aufschlag empor und breitete die Arme aus.

„Ja", sagte er mit einem Stoßseufzer, „da hast du recht, Merijntje. Ich bin immer ein begnadeter Mensch gewesen, ich weiß. Aber ich hab's auch verdient – das mußt du zugeben."

„Warum?"

„Weil ich alles gottesfürchtig annehme, du Döskopf, und nie frage, warum . . . Darum!"

Er lachte laut. Merijntje zuckte ärgerlich mit den Schultern.

„Erzähl mir lieber, was sich in den fremden Ländern zugetragen hat", sagte er mürrisch.

„O ja, das will ich gern . . . Bei den Mohren, Junge, na, da kannst du was erleben!"

Merijntje suchte sich ein besonders gemütliches Plätzchen, um die Geschichte recht genießen zu können, und Flierefluiter legte los. Er berichtete vom Bey von Tunis und seinem Harem, und wie sich die schönste und reizendste aller Frauen des Mohrenkönigs in ihn verliebt und ihn als Doktor in den Palast und in die Gunst des Beys geschmuggelt habe, und wie er erst ein halbes Dutzend verschnittener Haremswächter niederstrecken und bewußtlos machen mußte, ehe er in ihr Zaubergemach gelangen konnte.

Er verstand es, mit ganz vergnüglich funkelnden Äuglein so schamlos und unverfroren zu lügen, daß ihm Merijntje unvermutet ins Genick sprang, ein Handgemenge begann und mit ihm den Abhang hinunter ins struppige Heidekraut rollte, wo er ihn schimpfend hin- und herzerrte. Flierefluiter mußte so lachen, daß er sich nicht wehren konnte; er begnügte sich damit, zu winseln wie ein junger Hund, der sich seinen Schwanz eingeklemmt hat.

„Du solltest dich eigentlich schämen!" tobte Merijntje lachend und nach Atem schnappend. „So ein großer Kerl – und führt sich auf wie ein Rotzjunge!"

„Du bist ein Unmensch!" schluchzte Flierefluiter. „Du läßt einen ja gar nicht aussprechen! Ich wollte gerade zu schwelgen beginnen – ein Stückchen Himmel öffnete sich wieder vor mir. Du aber hast mich brutal in die Tiefe gerissen. Das verzeih ich dir nie und nimmer!"

„Du lügst ja, daß sich die Balken biegen!"

„Na und? Was ist dabei? Die Bücher strotzen von Lügen – und trotzdem lesen die Leute sie und finden sie schön. Das ganze Leben ist doch eine einzige schöne oder auch häßliche Lüge!"

„Das ist auch wieder gelogen!" brauste Merijntje auf.

„Das wirst du schon noch erfahren... Ohne Schwindel, ohne Lügen kein Erfolg und kein Vergnügen. Eine schäbige, unverhüllte Komödie..."

Der Junge blickte ihn mißtrauisch an. Die hitzige Antwort, die ihm auf der Zunge lag, verbiß er sich: er sah die blitzenden Lichter in den schelmischen Augen und zuckte mit den Schultern.

„Du bringst mich nicht auf die Palme!" sagte er entschlossen. „Red nur ins Blaue hinein!"

„Wie schade!" klagte Flierefluiter. „Du pflegst am amüsantesten zu sein, wenn du böse wirst und Bußpredigten hältst. An dir ist ein großer Passionsprediger verlorengegangen – weißt du das? Du hättest einen prachtvollen Benediktinerpater abgegeben, Merijntje."

„Ach, halt an dich!"

„Ich würd's mir an deiner Stelle gut überlegen, ehe du wieder mit einem lieben Mädchen anbändelst – dann ist's nämlich ein für allemal um dich geschehen, denk dran!"

„Glaubst du, das läßt sich so beiläufig abtun?"

„Nun, ich mein's gut mit dir. Es ist doch so übel nicht: hübsch allein in einer kühlen Zelle, mit kahlgeschorenem Kopf und langem Bart. Und stets in Tuchfühlung mit dem Herrgott durch unablässiges Grübeln über die Schlechtigkeit der Welt und wie man die armen Mitmenschen von ihrem sündigen Wesen erlösen kann. Andere Sorgen hast du nicht. Dein Essen wird dir vorgesetzt – üppig ist's freilich nicht. Du kriegst ein molliges Bretterbett, um darauf zu schlafen, und einen daunenweichen Stein, um deinen kahlen Kopf daraufzulegen. Und wenn du tüchtig von deiner Kanzel herabdonnerst, dann kommen dir die lieben Frauchen erzählen, wie schändlich sie gesündigt haben mit solchen liederlichen Lumpen wie unsereins – und dann spürst du erst so richtig, was für ein auserwählter Heiliger du bist. Hätte ich ein bißchen anderes Blut gehabt, wäre ich schon längst im Kloster gelandet."

Merijntje kniff die Lippen zusammen. Er wollte über die leichtfertige Spöttelei seines Freundes nicht lachen – ihn schockierte es stets von neuem, wenn er erleben mußte, daß dieser Vagabund buchstäblich vor nichts Respekt hatte, ohne Gnade mit allem und jedem seinen Spott trieb und keine Angst vor den eigenen Worten kannte. Wie kam es nur, daß dieser feixende Landstreicher mit seiner dreisten Rede und seinem foppenden Blick zu anderen Zeiten doch so demütig von Gott sprechen konnte, so still, so innig und mit grenzenloser Ehrfurcht, wenn er jetzt alles, was im menschlichen Leben mit Gott zusammenhing, so zügellos verlachte? Doch richtig, sein Gott war ja was anderes – kein Weltenlenker auf einem Thron über den Wolken, den man dermaleinst nach dem Tode schauen würde beim Jüngsten Gericht oder wenn man in den Himmel kam. Mönche und Patres paßten nicht zu Flierefluiters Gott. Trotzdem brauchte er sich aber nicht über sie lustig zu machen!

„Glaubst du nicht, daß es auch manchmal Ordensbrüder gibt, die es gut meinen?"

„Was?" rief Flierefluiter erschrocken. „Mann, da sind Heilige darunter, vor denen ich ein Dreck bin, nicht wert, ihnen den Saum ihrer Kutte zu küssen."

„Na bitte..."

„Ja, ein Heiliger hat darum noch lange nicht die Wahrheit und Weisheit für sich gepachtet. Heilige, Merijntje, sind allezeit Narren gewesen, die fernab vom Leben stehen. Schön und rein, aber so töricht, Junge, so fremd vor der Welt, fremd vor Gott, wenn du's mal mit ihnen zu tun kriegst..."

„Da hat er's wieder mit seinem Gott! Wenn ich doch bloß dahinterkäme, was er damit eigentlich meint."

„Wenn du dahinterkommst, Merijntje", sagte Flierefluiter treuherzig, „vergiß bitte nicht, es mir zu erzählen. Dann werde ich vielleicht selber auch ein wenig klüger..."

Merijntje blickte ihn prüfend an. Die Spottfünkchen sprühten noch immer aus seinen Augen. Es war mit diesem Burschen einfach nicht zu reden. Nie bekam man ihn fest in die Finger. Wenn man dachte, daß er einem nicht mehr entschlüpfen konnte, glitt er davon wie ein Aal, ließ einen vor ungelösten Rätseln sitzen und spielte irgendeine träumerisch tändelnde Weise auf seiner Flöte. Aber er brachte doch einiges ins Wanken mit seinen losen Reden, die vielleicht gar nicht so lose waren, wie es zunächst den Anschein haben mochte. Alte Bilder verblichen, alte Vorstellungen verloren ihren Inhalt, alte Ehrfurcht erstarb, alte Ängste schwanden; alter Kinderglaube, angenagt und erschüttert, vermorschte und fiel langsam in sich zusammen. Was trat an die Stelle? Angst vor den früheren Möglichkeiten. Eine Leere, die bisweilen unausfüllbar schien. Einsamkeit, die unerträglich war. Der vage Schimmer, ganz fern und undeutlich, diffus und formlos, von etwas anderem, etwas Neuem, über dem auch ein Schauer des ewig Unbegreiflichen schwebte, das jedoch erreichbar sein mußte, hatte man einmal den richtigen Weg gewählt. Wie Flierefluiter... Der gab einem mit seinem überlegenen Lächeln und feinen Spott das Gefühl, daß er den Weg, den er betreten hatte, auch genau kannte, ihn ohne Furcht und Zagen ging und dem Mysterium unerschrokken und lachend gerade in die Augen blicken konnte. Wie lernte man das? Wie ließ sich dieser Weg finden? Warum erklärte es ihm Flierefluiter nicht? Sah er nicht, wie er mit seiner ganzen Seele danach lechzte, die Wahrheit zu erkennen, auch diese Ruhe, diese Sicherheit zu erlangen und ohne Angst dem Unsichtbaren, dem Rätsel, dem Geheimnis gegenüberzustehen? Gott – gleich, wie er beschaffen war, was oder wer auch immer es sein mochte...

Leise fragte er: „Willst du mir nicht sagen, wie ich deinen Gott finden kann?"

Es klang wie eine Klage.

Er schaute wieder in Flierefluiters Augen, aus denen plötzlich aller Spott und alle Quälsucht verschwunden waren. Sie blickten ernst und gut, nur der Mund lächelte.

Bedächtig schüttelte der Landstreicher den Kopf.

„Nein, Merijntje, diesen Weg kann keiner einem anderen zeigen – den muß jeder für sich selber finden."

„In der Kirche zeigen sie aber doch auch den Weg?"

„Den Weg, der zu dem Kirchengott führt, ja. Aber damit gibt sich unsereins nicht zufrieden..."

Merijntje starrte ihn mit großen Augen an.

„Ist dein Gott denn soviel besser als der Gott der Kirche?"

„Das kann ich nicht sagen. Aber für mich ist er ein guter Gott, genau der richtige – weil ich ihn nämlich selber gefunden habe. Sei unbesorgt, Merijntje, warte die Zeit ab! Du wirst auch noch deinen Gott finden. Vielleicht sieht er wieder ganz anders aus als meiner, anders auch als der Gott der Kirche... aber du wirst zufrieden mit ihm sein."

Der Junge sah vor sich hin, ein schwaches Lächeln um die Lippen.

Neunzehn Jahre, dachte Flierefluiter, der ihn still betrachtete, neunzehn Jahre – und ein solches Gesicht bei solchen Gedanken. Bets und Marjan als Vergangenheit – und immer noch dieses Gesicht, immer noch diese Gedanken. Was sollte nur aus dem Jungen werden!

Merijntje holte tief Luft und ließ sich hintenüberfallen. Mit den Händen unter dem Kopf schaute er in den leuchtend blauen Himmel. Ein Bussard schwebte mit gespreizten Flügeln in weiten Kreisen über dem Wald und spähte nach Beute. Schade, daß man das nicht auch konnte – daß es nur im Traum geschah! Herrlich mußte es sein, so hoch über der Welt in der blauen Luft zu treiben, einzig die großen Flügel auszubreiten und dahinzuschweben, lautlos, frei in der stillen Unendlichkeit. Wenn man tot war, wurde man vielleicht ein Engel – dann hatte man Flügel, dann konnte man fliegen. Wenn man tot war – dann wurde alles gut. Alles, wonach die Menschen hier verlangten, erhofften sie sich für das Jenseits – eine unvorstellbar schöne Himmelsstadt, blinkend von Marmor und Gold und Licht, rauschend von herrlichster Musik, wahrhaft fürstlich! Keine Sorgen mehr, kein Unterschied zwischen den Seelen – kein anderer jedenfalls als der, den die Belohnung der Tugend wirkt. Ein armer Flickschuster vielleicht hatte seinen Platz weit vor einem erhabenen König, aber der König würde nicht neidisch, der Schuster nicht hoffärtig sein. Doch wenn die Menschen das nun allesamt so schön, so begehrenswert, so großartig und gut fanden, warum richteten sie nicht das Leben auf Erden bereits danach ein?

Hier unten sah alles ganz anders aus. Dabei hatte es Menschen gegeben, die hatten sich darum bemüht, die Erde zum Paradies zu machen – kein Unterschied sollte sein, keine Begünstigung, auch der Besten und Tüchtigsten nicht, kein Vorrecht durch Geburt oder Geld. Aber daraus war nie etwas geworden. Christus, der Sohn Gottes, hatte es auch so gewollt – sie hatten ihn ans Kreuz geschlagen. Seine Lehre – sie war geblieben. Tagaus, tagein wurde sie immer noch gepredigt. Aber wer lebte danach, heute nach fast zweitausend Jahren Christentum? Er dachte an die leidenschaftlichen Ausfälle Doktor Prescos, die vielleicht doch nicht ganz so verrückt waren, wie sie klangen. Er erinnerte sich an die Passionspredigt eines Paters vor etlichen Jahren in einer ins Dämmerlicht getauchten Abendkirche, deren Säulen und Gewölbe sich in der Finsternis verloren – ein Pater mit spitzem, glänzend kahlem Schädel, grauem Bart und edlem Gesicht, in dem die hellen Augen vor heiligem, verzehrendem Feuer blitzten; mit schwerer Stimme hatte er über die dichtgedrängte Menge gerufen, daß sie alle tagtäglich aufs neue den Herrn Jesus kreuzigten durch ihre Sünden, ihre Scheinheiligkeit, ihren Kleinglauben, ihre hartnäckige Weigerung, nach den Geboten zu leben, die sie für sich als Christen angenommen hätten und in denen sie von der Kirche unterwiesen worden seien, mit denen sie sich sogar vor der Welt brüsteten – und die sie verrieten, mit Füßen traten, zu jeder Stunde ihres Daseins... Eiskalt war es Merijntje über den Rücken gelaufen, und er hatte im Sturm des heiligen Zorns, den der Pater über die verschüchterten Zuhörer wirbeln ließ, gezittert.

Aber stärker als damals fühlte er sich jetzt zu dem armen Herrn Jesus hingezogen, enger, menschlicher ihm verbunden in schmerzlichem Mitleid: das Opfer war vergeblich gebracht – die Menschen hatten sich nicht geändert, sie gaben sich heute noch so wie ehedem, da er über die Erde ging, um sie von ihrer Verworfenheit, ihrem Irrtum zu erlösen. Die Juden hatten nicht auf ihn hören wollen; auf ihr Drängen hatten die Römer ihn ans Kreuz geschlagen. Die wenigen, die ihn begriffen hatten und ihm gefolgt waren, hatten seinen Tod beweint, hatten seine Lehre auch weitergetragen und waren einer nach dem anderen verfolgt, gemartert und getötet worden. Hatte Presco nicht recht? War irgendeine Wandlung geschehen, seitdem aus Heiden Christen geworden waren? Wer tat, was Christus verkündigt hatte? Sie kämpften und raubten, schlemmten, unterdrückten die Niedrigen, die Wehrlosen, sie schacherten und jagten nach Reichtum und Macht – genau wie einst die Heiden. Christus war für nichts und wieder nichts den Kreuzestod gestorben; das Christentum war machtlos, niemand lebte danach, es war ein Wort geblieben, ein bloßes Wort, es hatte Heuchelei auf den Plan gerufen.

Und Gott ließ das alles zu? Niemand vermochte das zu begreifen. Warum gebrauchte er nicht seine Allmacht, um die Menschen zur Besinnung zu bringen? Man kannte keine andere Erklärung als immer wieder den einen Spruch: Gottes Wege sind unbegreiflich. Was hatte man nun von all diesen Worten? Damit kam man auch nicht weiter, nicht näher an Gott heran. Er wurde nur kleiner dadurch, bedauernswert, vernachlässigt und hintergangen von den Menschen. Ein Gott, der sich beleidigen und betrügen ließ? Ein machtloser Gott, dem nichts anderes einfiel, als sich hinterher zu rächen? Nein, dafür hatte er nichts übrig . . .

Er schreckte sofort wieder vor der Logik seiner unerhörten Gedanken zurück. Das grenzte ja regelrecht an Gotteslästerung! Das wollte und durfte er nicht auf sich laden – wie sehr auch aus der Ferne jener wunderliche Gott Flierefluiters lockte, dem sein Freund all seinen Frohsinn und seine Kraft verdankte. Wer war er, Flierefluiter, daß ihn solche Gedanken überhaupt beschäftigen durften? Warum ließ er die Ideen des wilden Doktor Presco gelten, eines Mannes, der zwar ein Gelehrter, trotzdem auch nur ein Mensch war? Und die anderen, warb eine Stimme in ihm, die Gott darstellten, wie die Kirche ihn sah, waren das keine Menschen, konnten die nicht auch irren? Nein, sagte die Kirche, hierin können sie nicht irren.

In allem anderen wohl – aber hierin nicht? Wenn man das so einfach glauben könnte! Ach, früher fügte sich alles fest und unzerstörbar zueinander. Es war so klar, so selbstverständlich. Wie hatte es bloß geschehen können, daß überall Risse entstanden waren, daß da nach und nach etwas abbröckelte und das ganze einst so stabile Gebäude wankte und ineinanderzufallen drohte?

Seufzend richtete er sich auf. Dicht neben ihm hob ein hellblauer Enzian seinen gestülpten Kelch aus der Heide. Eine bronzefarbene Schwebfliege stand flügelschwirrend darüber. Welch feines, graziles Tierlein! So schnell bewegten sich die hauchzarten Flügelchen, daß nur ein verschwommenes Glitzern um den braunen Leib zu sehen war. Da schoß eine giftige, gelbe Wespe heran, kreiste über der arglosen Schwebfliege, ließ sich plötzlich auf sie fallen und zwängte den schlanken Leib zwischen ihre schwarzen, spitzigen Beine. Zusammen stürzten sie zu Boden, wälzten und rollten sich dort wie zwei Ringer. Gespannt verfolgte Merijntje den Kampf: Wer würde gewinnen? Da sah er, wie die Wespe den Hinterleib krümmte und ihren giftigen Stachel zwei-, drei-, viermal hintereinander in die sich ohnmächtig windende Schwebfliege bohrte. Der Widerstand erschlaffte, der bronzene Leib zitterte und fiel zur Seite, bog und streckte sich in krampfartigem Schmerz. Emsig machte sich die Wespe über ihr wehrloses Opfer, und mit Entsetzen sah Merijntje, daß sie Flügel und Beine abbiß und geschickt den Rumpf vom Hals trennte. Und immer noch regte sich das gequälte, verstümmelte Tier in unmerklich schwächer werdenden Zuckungen. Bei lebendigem Leibe wurde die zierliche Schwebfliege von der Wespe zerrissen. Und während er noch voll Schrecken und Abscheu zusah, klemmte die gelbe Mörderin den Hinterleib der zerstückelten Fliege zwischen ihre Beine und surrte davon. Ekel kroch in Merijntjes Kehle. Wie abscheulich grausam und gemein war das! Eine hilflose Schwebfliege, die von einer mit einem giftigen Stachel ausgerüsteten, schwerbewaffneten Wespe überfallen, durch den lähmenden, brutalen Stich kampfunfähig gemacht und lebendig zerbissen und zersägt wurde! Rasch sprangen seine Gedanken zu den Überlegungen von vorhin zurück.

Voller Wut stampfte er mit den Füßen auf und sagte verdrossen:

„Nein, Gott ist nicht gut und nicht gerecht. Dann dürfte er so etwas nicht zulassen, dann hätte er so etwas nicht geschaffen!"

Flierefluiter hatte das Drama mit angesehen. Er lachte bitter und sagte:

„Es kommt alles auf die eigene Perspektive an, Merijntje. Wenn die Wespen eine Kirche hätten, ich geb dir Brief und Siegel drauf, dann würde darin gelehrt, daß sie vor den Schwebfliegen auserkoren seien, weil sie stärker sind und gut bewaffnet – womit ihrer Meinung nach bewiesen wäre, wie gerecht Gott ist und weise und gut."

Merijntje blickte ihn einen Moment wie versteinert an. Zorn und Verzweiflung stürmten auf ihn ein. Da kehrte die Wespe zurück, brummte dicht an seinem Ohr vorbei und setzte sich auf Rumpf und Kopf der abgestochenen Schwebfliege, um auch diese Teile in ihr Loch zu schleppen. Merijntje hob seinen Fuß und zertrat das Insekt.

Flierefluiter sagte sarkastisch: „Wenn du alle Schlächter tottrampeln wolltest, gäb's keinen Feierabend mehr für dich, Merijntje!"

Schlächter! Ach ja, die Menschen schlachteten ja auch wehrlose

Tiere ... Und in der Kirche wurde gelehrt, daß der Mensch das auserwählte Wesen seines Schöpfers sei – als Herr über alle Tiere des Feldes bestellt. Und Gott war unendlich gerecht, unendlich gut, unendlich weise, weil er für die Menschen alles so unendlich angenehm eingerichtet hatte. In der Wespenkirche mußte wohl dasselbe Lob, derselbe Dank gesummt werden. Merijntje warf den Kopf in den Nacken und lachte laut. Aber es war kein fröhliches Lachen. Es war ein schmerzliches Lachen, ein Lachen ratlosen Grimms. Eine tiefe Kluft hatte sich aufgetan, ein weiteres Stück war abgebröckelt – und ärger denn je tobte der Zweifel in Merijntjes Seele, die so gern vorbehaltlos glauben wollte, doch nun so hart ringen mußte, die auseinanderstrebenden Teile zusammen-zuhalten. Wohin trieb er ab?

„Komm", sagte er unwillig und drehte sich brüsk um, „gehen wir weiter!"

Er lief in die Heide hinein, und Fieriefluiter folgte ihm. Seufzend sagte er:

„O ja, Merijntje, da hilft nichts. Ein Mensch muß immer weiter-gehen!"

2

Und sie zogen immer weiter – immer weiter in den langsam ster-
benden Sommer.

Sie arbeiteten ein wenig bei den Bauern in den Scheunen, halfen
bei allem, was nach der Ernte zu tun ist, buddelten Kartoffeln aus,
spielten bei den letzten Kirmesfesten zum Tanz, und Flierefluiter
quacksalberte munter an Tieren und Menschen herum und verord-
nete den gutgläubigen Bauern die verrücktesten Kuren.

Das Wetter wurde launisch. Feuchte Winde aus Westen trieben
schmutziggraue Wolken über einen niedrigen Himmel. Wütend
stürzten kalte Regenschauer hernieder, durchweichten die gepflügten Felder und füllten die Wagenspuren auf den Landstraßen mit
gelben Pfützen. Das Grün der Bäume verlor seinen Glanz, die
rauschenden Kronen lichteten sich, es schimmerte braun und golden am Waldessaum, die ersten Blätter schwirrten zögernd auf
den Grund, der wilde Wein blutete in schreiendem Rot an den
Häusermauern. Kurze, heftige Unwetter brachen aus gespenstischen Wolkenbänken hervor, die sich dunkel und drohend, mit
weißen fetzigen Nebelwimpeln an den Rändern, übereinander-
türmten. Tagelang lag die Welt unter einem trüben Schleier verborgen, in dem alle Laute seltsam erstickt wie aus der Ferne
kamen und Bäume und Häuser zu spukhaften Schemen wurden,
verschwommen umrissen und ohne erkennbaren Übergang ver-
schwindend, wie aufgelöst von einem geheimnisvollen Zauber.

Dann sprang der Wind über Norden nach Osten um, fegte Nebel und Wolken heftig vor sich her, und hell wölbte sich der blaue

Himmel über die saubergewaschene nasse Erde. Der Sommer schien zurückgekehrt, die Sonne lachte und leuchtete und goß ihre Glut über die blitzenden Felder. Das Wasser dampfte aus dem Boden, die Schollen fielen auseinander, locker und hellgrau lagen die Äcker in dem warmen heißen Licht. Aber das Laub blieb matt, verwelkte und nahm weiter die Herbstfarben an, und das Gras an den Grabenrändern wurde gelb. Raschelnd jagte der spielerische Wind die gefallenen Blätter über die Waldwege, und unter den Buchen legte das späte Jahr den goldbraunen Teppich aus, der in der Sonne mit rötlichem Feuer glühte. Zwischen den Bäumen schwebten lange silberne Fäden, und bei Tagesanbruch spannten sich auf der Heide die zahllosen rundgewebten Spinnennetze über das Heidekraut und vibrierten, dicht beperlt mit Tau, in der kühlen Morgenbrise. Die abgeschlaffte Erde rekelte sich träge in der Glut der aufsteigenden Sonne, deren Bahn von Tag zu Tag niedriger und kürzer wurde und die sich schlaftrunken auf ihren Scheintod im Winter rüstete, um neue Kraft zu sammeln für die schwere Anspannung in der kommenden Saison.

Die ersten Rübenstecher zogen auf die Felder, mit selbstgemachten, plumpen Gamaschen an den Beinen, blitzenden schmalen Spaten auf der Schulter und langen scharfen Messern, mit denen sie das Laub von den Wurzeln schlugen. Die Schlacht begann.

Flierefluiter war voll ausgelassener Freude. Er behauptete, das komme von der Klarheit der kühlen, frischen Luft, die sein Blut dünner mache und schneller strömen lasse. Er ging mit federnden, tanzenden Schritten, während er seiner Flöte hüpfende Melodien entlockte, redete und sang, blieb dann plötzlich auf einem hohen Deich stehen und schwieg lange, in die goldglühende Pracht der nachsommerlichen Landschaft versunken. Ein bläulicher, durchsichtiger Dunst hing über dem Horizont – ein zartes Pastell, dessen Farben verträumt aufschimmerten, dessen Formen sanft verflossen. Elstern flogen schräg hintereinander her, und wehmütig klagte der Kuckuck in der Ferne seinen Abschied an den Sommer.

„Es ist das schönste Land, das ich kenne", seufzte Flierefluiter hingerissen. „Und jetzt ist es noch viel schöner als im Sommer."

„Du findest immer das am schönsten, was du gerade vor der Nase hast!" warf Merijntje ihm vor.

Betroffen sah Flierefluiter ihn an, dann nickte er und lachte.

„Das stimmt!" rief er fröhlich. „Aber ist das nicht eine besondere Gabe, Merijntje, sich immer gerade an dem zu freuen, was der Augenblick bereithält?"

Nachdenklich schüttelte Merijntje den Kopf. Er empfand die Dinge ganz anders.

„Aber du läßt doch sofort alles im Stich, wenn du etwas Neues hast, was dir gefällt?" sagte er verdrossen. „Ich kann das nicht..."

„Das ist auch wieder wahr", gab Flierefluiter zu. „Ich bin treulos wie der Wind. Aber du, Merijntje, du bist viel zu treu! Du hängst an Dingen, die endgültig vorbei sind – und dann versäumst du, die neuen zu genießen. Damit mußt du vorsichtig sein, Junge!"

„Laß mich nur meinen Weg gehen", erwiderte Merijntje störrisch, „so wie du werde ich nie."

„Schade", bedauerte der Landstreicher, „aber manches hast du doch schon von mir gelernt, Merijntje – das mußt du zugeben."

Der Junge nickte lachend. „Das stimmt", sagte er spöttisch, „aber ob es viel Gutes ist, muß sich noch zeigen."

Flierefluiter sah ihn beleidigt an.

„Du bist noch ein ganz gewaltiger Schafskopf, daran liegt's", folgerte er erbost. „Du mußt noch viel lernen, ehe du klug genug wirst, von deinem Leben zu profitieren – und dafür, verflixt noch mal, hast du's doch bekommen!"

Seine Stimme klang so ratlos, daß Merijntje erneut in helles Lachen ausbrach.

Diesen Abend verbrachten sie in einem großen Dorf. Es hatte eine Versteigerung gegeben, und im Wirtshaus saßen die Leute beisammen und feierten das Ereignis noch ein wenig nach. Flierefluiter war bekannt und wurde lärmend willkommen geheißen. Sie waren weit gelaufen; an diesem Nachmittag hatte sich ein kalter Wind erhoben und Regen gebracht. Die Dämmerung war früh hereingebrochen. In der verräucherten Wärme der Schankstube konnte man sich behaglich fühlen.

Merijntje streckte die Beine unter den Tisch in der Ecke, strich sich die nassen Haare aus der Stirn und schaute lächelnd zu, wie Flierefluiter Hände schüttelte, Rücken und Schultern beklopfte und so erfreut tat, als hätte er liebe Familienangehörige nach langer Zeit endlich wiedergefunden. Er hatte sich vorgenommen, heute abend auf fremde Kosten ausgiebig Reichtum und Wohlleben dieser Erde zu genießen. Wie er die Menschen um den Finger zu wickeln verstand – dem knauserigsten Bauern schwindelte er noch ein Gläschen Schnaps ab . . .

Ein Mädchen mit weißer Schürze trat auf seinen Tisch zu, das Tablett in der Hand.

„Was darf's sein?"

Er sah sie an. In ihren braunen Augen war ein keckes, übermütiges Funkeln. Ein reizendes Mädchen. Er lachte ihr zu, und sie lachte zurück, wobei ihre gesunden weißen Zähne blitzten.

„Ich hab Hunger", bekannte er. „Kann ich Kaffee und Brot bekommen?"

„O ja, du hast Glück. Es sind eine Menge Brötchen übrig und Eier und so . . ."

„Das hör ich gern", sagte Flierefluiter hinter ihr, „dann stell den Tisch nur gehörig voll, Mieke!"

„Ist gut – aber ich heiße Anneke."

„Ach ja, richtig, die hübsche Anneke!" rief der Landstreicher und schlang den Arm um ihre Taille; doch sie drehte sich kichernd weg und entwischte ihm.

Alles grinste am Mitteltisch.

„Lacht nicht über das Unglück eures Nächsten!" polterte Flierefluiter. „Was seid ihr für schlechte Menschen!"

Er setzte sich zu Merijntje und blickte dem Mädchen nach.

„Donner!" rief er und verdrehte die Augen. „Wie unser lieber Herrgott die hat wachsen lassen!"

Der Junge versetzte ihm einen Stoß in die Seite. „Halt doch den Mund, du Narr!" sagte er gedämpft.

Flierefluiter war entrüstet. „Na, ist's vielleicht nicht so?" rief er und fügte verächtlich hinzu: „Aber davon verstehst du ja nichts, langweiliger Leimsieder, du!"

Es dauerte nur ein paar Minuten, da kam Anneke mit Kaffee und Brot. Sie lachte verhalten über Flierefluiters Komplimente und blinzelte Merijntje verständnisvoll zu, als ob er ein heimlicher Bundesgenosse wäre. Das erzeugte ein behagliches Gefühl von Vertraulichkeit, und er lächelte ihr mit pfiffigem Gesicht zu, als hätten sie wirklich ein Geheimnis miteinander.

„Ich hab schon gemerkt", murrte Flierefluiter, als sie mit ihrem wiegenden Gang zum Büfett zurückging, „ich bin abgeblitzt. Das junge Volk hat keinen Respekt mehr vor dem Alter."

„Ja, Großvater", antwortete Merijntje untertänig.

„Erlaube mal", brummte der andere gekränkt, „wenn's auch nachgelassen hat – noch reicht's aus!"

Dann fielen sie lachend über das Brot her.

Als sie fertig waren, blieb Merijntje in seiner Ecke und hielt sich dem geräuschvollen Treiben fern, während Flierefluiter lärmend und musizierend mitten in der Schankstube saß und bei diesem immer lauter und vergnügter werdenden Abend den Ton angab. Der Wirt rieb sich erfreut die Hände: durch das Zutun dieses verrückten Musikanten machte er gute Geschäfte . . .

Der Junge saß da, schaute und hörte zu, rauchte die Zigarren, die ihm gebracht wurden, und trank die Runden mit, die einer nach dem andern ausgab. Anneke blieb immer wieder bei ihm stehen, redete ein wenig und lachte über Flierefluiters tolle Einfälle. Heimlich strich Merijntjes Hand über ihren bloßen Arm, und beim Weggehen streichelte sie ihm unerwartet über die Wange. Ihre Hand war warm und trocken. Ein Verlangen sprang in ihm auf.

Verstohlen blickte er ihr nach, immer wieder trafen sich ihre Augen, und ihr Lächeln lockte und versprach. Unruhig rückte er auf seinem Stuhl hin und her. Schön war sie. Der geschmeidige Leib lockte. Schneller pulste sein Blut.

Als sie ihm ein neues Glas Bier brachte, sagte sie leise:

„Ihr schlaft auch auf dem Boden – in der Kammer nebenan . . ."
Ihr Blick glitt über sein still gewordenes Gesicht, dann ging sie
mit einem kleinen Auflachen an den Mitteltisch zurück, wo sie
gerufen wurde.

Plötzlich war der Lärm in der Schankstube nur noch ein verschwommenes Durcheinander an Merijntjes Ohren. Er unterschied
keine Worte mehr. Das Liedchen, das Flierefluiter sang, drang
nicht in ihn hinein. Ihr schlaft auf dem Boden . . . Anneke schlief
auf dem Boden. Warum hatte sie das gesagt? Wegen nichts und
wieder nichts? War es vielleicht nur eine harmlose, sachliche Mit-
teilung im Auftrag des Wirts? Oder . . .

Und wo war sie? Schon eine ganze Zeit sah er sie nicht mehr –
der Wirt bediente allein, seine dicke Frau stand hinter der Theke.

Langsam stand Merijntje auf, reckte sich, gähnte und schlenderte gelassen auf die Theke zu. Niemand beachtete ihn. Flierefluiter erzählte gerade eine Geschichte, der sie alle mit schafsähn-
lich aufmerksamen Gesichtern lauschten.

Zu der Wirtin sagte er: „Ich bin müde, ich gehe schlafen."

Schweigend reichte ihm die Frau einen Leuchter mit einer Kerze
und zeigte auf eine Tür im Gang zum Hinterzimmer. Aber sie
wandte kein Auge von Flierefluiter, aus Furcht, es könne ihr ein
Wort von der aufregenden Erzählung entgehen. Merijntje steckte
die Kerze an, öffnete die angedeutete Tür und lief leise die
knarrenden Stufen hinauf. Sein flackerndes Kerzenflämmchen verbreitete in dem großen dunklen Bodenraum, wo es nach Äpfeln
und Gerstenstroh roch, einen schwachen Schein, und phantastische
Schatten spukten über die Dachsparren.

Aus einer spaltbreit geöffneten Tür fiel ein Lichtstreifen. Leise
schlich er sich hin. Er sah ein weißes Bett, und auf dem Kissen
Annekes Kopf im Kranz ihres krausen Haars. Sie schaute ihn aus
feucht schimmernden Augen an, und ihr Mund lachte.

„Komm rasch!" flüsterte sie. „Mach das Licht aus!"

Schnell schob er sich hinein, schloß die Tür und löschte die Kerzen. Zwei weiche Arme umschlangen seinen Hals. Er wurde wie
ein großes Feuer und vergaß alles in der lodernden Glut dieser
plötzlich aufgebrochenen Leidenschaft.

Bei Morgengrauen erwachte er allein in einem breiten Bett.
Er erinnerte sich, daß er von dem Trubel unten in der Schankstube
nichts mehr gehört hatte, als er spät nachts in dieses Kämmerchen
geschlichen war. Flierefluiter hatte er nicht gesehen, er war auch
jetzt noch nicht da. Gott mochte wissen, wo der Vagabund die
Nacht zugebracht hatte. Und er . . .

Rasch sprang er aus dem Bett, wusch sich an dem wackligen
Eisenständer in der Ecke und tauchte sein heißes Gesicht in das
kalte Wasser. Mit heftigen Bewegungen rieb er sich trocken und

zog sich wütend an wie ein kleiner Junge, der mit dem linken Fuß zuerst aufgestanden ist. Als er fertig war, blieb er eine Weile zögernd an dem kleinen Fenster stehen, hob die Gardine und blickte hinaus. Es regnete nicht mehr. Über das kalte Blau des Morgenhimmels trieben schwere Wolken. Der Wind riß an den Baumkronen und jagte die losen Blätter vor sich her, die wie erschreckte Schmetterlinge dahintaumelten. Ein rauher Herbsttag.

Mutlos ließ er die Gardine sinken und ging hinunter. Der Wirt saß mit seiner Frau und Anneke beim Frühstück.

„Guten Morgen!"

„Guten Morgen! Rück heran und iß mit ... Gieß ihm eine Schale Kaffee ein, Anneke!"

Anneke gehorchte gähnend mit lässigen, trägen Bewegungen. Sie schaute Merijntje nicht an, lachte ihm nicht zu, tat kühl, als hätte sie ihn noch nie gesehen – einen gleichgültigen, zufälligen Logiergast ... Wie oft mochte sie diese Komödie schon gespielt haben? dachte er, plötzlich von Ärger und Wut erfüllt.

Er aß ohne Appetit, trank ein paar Schalen heißen Kaffee und hörte zerstreut auf die lächerliche Geschichte des Wirts: wie der Polizist um zehn Uhr gekommen sei, um Feierabend zu gebieten, und wie er dann – gegen zwölf Uhr – mit Flierefluiter und fünf, sechs anderen unverbesserlichen Wirtshaushockern auf die Straße schwankte, Gott weiß, wohin ... Es war ein goldener Abend gewesen – und, nein, Merijntje brauche keinen Cent zu bezahlen.

„Bist du denn dumm? Es ist mehr als genug hereingekommen ..."

Und nun lief Merijntje unten am Deich entlang, die Hände in der Tasche, die Mütze tief in die Augen gezogen, einen verbissenen Zug um den Mund. Er hatte einen Ekel vor sich selber. Wie hatte er das nur tun können? Es war so gemein und niedrig ... War er betrunken gewesen? Nein, das war er nicht. Er hatte genau gewußt, was er tat. Er hatte nur nicht widerstehen können. Sie war so schön, so verführerisch – und er, er war stolz wie ein Hahn gewesen, daß sie etwas für ihn übrig hatte. Und dennoch hätte er es nicht tun dürfen ... Es war so traurig. Er hatte das mit Marjan dadurch in den Dreck gezogen, und das verursachte ihm einen nagenden, quälenden Kummer. Alles, was mit Marjan schön und beglückend gewesen war, das war mit Anneke ... zur Sünde geworden. Ja, Sünde ... Noch nie war ihm das Wort in seiner bedrückenden Bedeutung so aufgegangen.

Eine Sünde mit bitterem Nachgeschmack. Oh, es hatte ihm brennenden Genuß verursacht, einen betäubenden Genuß, aber gleich danach waren Widerwille und Bedauern aufgestiegen. Er hatte etwas zerstört – er war ein Schmutzfink. Doch diese Anneke – was war die eigentlich? Sie war älter als er und weitaus erfahrener. Sie hatte ihn zu sich gezogen, als wollte sie ihn verschlingen. Er hatte das Empfinden gehabt, nur ein belangloses Werkzeug ihrer glühenden Lust zu sein. Gedemütigt hatte er sich gefühlt – und war schließlich von ihr weggegangen, angeekelt von allem und besonders von sich selbst. Es war zu schade! Hatte er nicht an Marjan gedacht, als sie ihn im Dunkeln an sich riß und Gesicht und Hals mit heißen Küssen bedeckte? War er nicht voller Zärtlichkeit gewesen, sanft und so innig wie in der ersten Nacht mit Marjan? Und dann hatte sich unversehens der feurige Sturm über ihn hergemacht, die Raserei dieses unersättlichen, wilden Mädchens, die zerstörungswütige Lust, die erst kein Ende nehmen wollte und plötzlich umschlug in Enttäuschung, Ärger und tiefe, fast bösartige Abneigung. Es war unschön geworden und gehässig, finster und bitter wie Galle – Sünde war es, Verbotenes ... Sünde gegen Marjan und gegen sich selbst. Er hätte es nicht tun dürfen. Ein Schwächling, der sich von dem ersten besten Mädchen herumkriegen ließ – nicht anders als all diese anzüglich grinsenden Jungen, die sich solcher Abenteuer rühmten und vor denen er stets Abscheu empfunden hatte, einen Abscheu voller Verachtung und Widerwillen.

Doch bei Marjan hatte er gewußt, daß er im Recht gewesen war mit seinem Gefühl. Mit Marjan war es schön gewesen und gut, so lieb und völlig ohne Sünde. Nun war er aber auch nicht um ein Haar besser als all diese prahlenden Lümmel – ein schnuppernder Rüde, der gierig einer läufigen Hündin nachrennt, die Zunge aus dem Maul, seibernd und mit glasigem Blick. Bah! Er fand sich selber fies. Flierefluiter würde ihn auslachen, wenn er wüßte, was geschehen war, wenn er von seinen Gedanken erführe, seiner Verwirrung und der Bitterkeit, die sein Herz quälte. Mit tausend spottenden Sprüchen, mit tausend Argumenten würde er ihm beweisen, wie kindisch, weltfremd und naiv er sei, ja daß er dankbar sein sollte für ein solches Abenteuer auf der Strecke; daß man diese Dinge ganz anders betrachten müsse, daß tief empfundener Genuß immer schön sei und Sünde nur ein bequemes Hilfswort für die schwachen Seelen furchtsamer Mucker oder heuchlerischer Pharisäer, die die Katze im Dunklen kniffen oder zu schlapp und feige waren, das zu tun, wonach ihnen der Sinn stand.

Trugschluß! Er war kein Mucker, kein Pharisäer, aber er wußte, daß er schwer gesündigt hatte, und schämte sich, schämte sich entsetzlich vor seinem Gewissen und vor dem Andenken an Marjan ...

Ach, das Leben war mühselig! Man war noch nicht ins reine gekommen mit dem einen Problem, schon wurde man mit einem anderen konfrontiert. Dann mußte er auf einmal doch lachen. Wie diese Anneke sich vorhin beim Frühstück benommen hatte – als ob sie ihn gar nicht kannte! Mit keinem Blick, mit keinem Lächeln hatte sie etwas davon merken lassen, was zwischen ihnen geschehen war. So ein Luder! Und er wußte nicht einmal, ob sie die Tochter oder das Dienstmädchen des Wirtes war. Nun, das konnte ihm jetzt auch egal sein – er würde sie sowieso nicht wiedersehen.

Er blieb stehen – ihm war ein bestürzender Einfall gekommen: Wie konnte sie so etwas überhaupt tun? Sie war doch sicher gut katholisch – richtiger jedenfalls, als er von sich behaupten durfte. Für sie war es doch in jeder Hinsicht eine schreckliche Sünde! Aber es war für sie alles so einfach gewesen – ohne jedes Zögern ... und auch hinterher ohne irgendein Zeichen von Bestürzung oder Reue. Es war ihm, als höre er Flierefluiter lachen ... „Sie konnte eben nicht anders, Junge! Unser Herrgott hat sie nun einmal so geschaffen!“

Der Herrgott? Seltsam! An ihn hatte er überhaupt noch nicht gedacht. Er fühlte sich vor seinem Gewissen schuldig – und Marjan gegenüber. Aber sonst ... Er war also wohl schon ein ganzes Stück von Gott abgeirrt. Glaubte er eigentlich noch an ihn, an seine Existenz? Er wagte nicht, weiterzudenken ... Wütend schlug er mit der Faust in die leere Luft. Dann setzte er hastig seinen Weg fort. Er geriet immer tiefer in Verwirrung. So kam man niemals heraus ... Die Gedanken sprangen von einem zum anderen, und überall lagen Fußangeln und Fallen versteckt.

Am Anfang eines Feldes rannte er fast gegen einen Bauern, der gerade über den Damm kam. Es wurden Rüben gerodet.

„Kann ich mitarbeiten, Baas?“

Der musterte ihn von Kopf bis Fuß.

„Schwere Arbeit“, sagte er, „hast du es schon mal gemacht?“

„Nein, aber so ein Hexenkunststück wird es gewiß nicht sein.“

Der Bauer lächelte. „Na, versuch's mal – mir sind ein paar weggelaufen. Sag dem Aufseher, er soll dir einen Spaten geben.“

„Schönen Dank, Baas“, sagte Merijntje höflich, „allerbesten Dank!“ Und er trabte aufs Feld.

3

Schwere Arbeit ... Der Bauer hatte recht. Hartnäckig wehrt sich der fette, vom Nachtregen durchweichte Lehmboden, die Rüben herzugeben. Es muß gerüttelt und gerissen werden, um sie freizubekommen und herauszuholen: vorsichtig, denn die Wurzeln durften nicht abbrechen, dann lief zuviel Saft heraus, und sie wurden wertlos.

Schwer atmend, keuchend und stöhnend steht Merijntje auf dem Feld und arbeitet. Er ist eigentlich nicht danach angezogen. Seine Schuhe bleiben immer wieder in dem saugenden Boden stecken. Bis an die Knie ist seine Hose durchweicht und beschmutzt. Er hat die Jacke ausgezogen, die Ärmel des Unterhemdes aufgekrempelt und die Mütze hingeworfen. Der Schweiß tropft ihm in die Augen, in den Nacken, über Rücken und Brust. Der scharfe Nordwind stürzt sich kalt und beißend über seinen gebückten Körper. Er bemerkt es nicht, er achtet auf nichts. Mit einem verbissenen Zug um den zusammengekniffenen Mund tritt er den scharfen Spaten in den Boden, zieht, rüttelt und holt die Zuckerrüben heraus, eine nach der anderen. Frauen heben sie auf, klopfen die fetten Lehmbrokken ab, trennen mit einem gutgezielten Schlag ihres Messers das Kraut von der Wurzel und werfen die kahle Rübe zu den anderen auf die Haufen.

Wenn Merijntje sich einmal aufrichtet, um Luft zu schöpfen und sich mit dem Rücken seiner lehmigen Hand die Haare aus der Stirn zu streichen, fühlt er den Wind eisig durch seine dünnen Kleider fahren.

„Du mußt die Jacke anbehalten, Mann!" warnt ihn der Aufseher. „Du holst dir ja den Tod bei dem Wetter."

Achtlos wirft der Junge die Jacke über die Schultern und streift sie beim Weiterarbeiten sofort wieder ab.

Eine Wollust ist ihm dieses schwere Schuften. Er bestraft sich selber. Er malträtiert seinen lüsternen Körper, der ihn in Annekes Arme getrieben hat. Er muß nun erst einmal büßen für seinen schuldigen Genuß und dafür, daß er, dieser versuchliche Körper, Merijntje in Schwierigkeiten und Not gebracht hat. Er wird es ihm schon gehörig austreiben, sich gedankenlos der heftig aufflammenden Leidenschaft hinzugeben, die nur ein Gefühl von Unwürdigkeit und Erniedrigung schafft und den Menschen zum Tier macht. Er muß nun erst einmal erfahren, daß es noch etwas anderes gibt als das Vergnügen des Fleisches, daß der Wille eines Menschen stärker sein kann als die Lust des Leibes. In ihm lebt die unbestimmte Vorstellung von Versöhnung und Läuterung: diese rückenbrecherische Arbeit ist die Pönitenz, die ihm die Absolution für die begangene Sünde bringen soll. Deshalb schuftet er mit einer Schnelligkeit und Ausdauer, die die anderen um ihn her in Erstaunen versetzt und den Aufseher beifällig nicken läßt.

Aber er denkt nicht an die anderen, er bemerkt sie nicht, er ist allein auf dem Feld, allein mit sich selber, und er peitscht seinen nichtswürdigen Körper zu immer größerer Anspannung. Er hat das Gefühl, hinter diesem Körper zu stehen, ihn zu kommandieren und zu beschimpfen: „Los, verfluchter Schurke! Voran, zupakken! Du hast eine Menge zu büßen, verdammter Quertreiber... Schmutzfink... Dreckskerl! Mit einem wildfremden Mädchen ins Bett! Das werde ich dir austreiben! Ackern sollst du, daß die Schwarte knackt!"

Es verschaffte ihm ein Gefühl der Befriedigung, der Erleichterung. Das brennende Stechen seines Rückens, der Schmerz in den Lenden, das krampfartige Ziehen durch die Beinmuskeln, das Empfinden, als risse das Fleisch seiner Arme bei jedem Spatenhieb weiter auf – dies alles bereitete ihm ein grimmiges Vergnügen. Es machte ihm Spaß, zu sehen, wie der Lehmschlamm immer dicker an Schuhen und Hose klumpte. Schinden wollte er diesen verdammten Leib, mochte er getrost dreckig werden, er wollte ihn erniedrigen und quälen, wie er ihn durch seine ungezügelte Leidenschaft erniedrigt und gequält, besudelt und verstört hatte... Büßen mußte er, die Strafe erleiden für die Sünde, die Kränkung, für sein unwürdiges Verhalten. Vorwärts! Tüchtig zusammenreißen und noch kräftiger ins Geschirr gehen!

Dann fielen mit harten Schlägen kalte Tropfen in seinen Nakken. Er blickte auf. Der Himmel war dunkel, mit schweren Wolken verhangen. Unerwartet prasselte ein rauschender Regen herab, peitschte unter der Gewalt des starken Windes schräg über die

Felder und versteckte die Welt ringsherum hinter einem Vorhang wütend niederstürzenden Wassers. Die Spaten wurden in die Erde gestochen, die Frauen schlugen sich den Oberrock über den Kopf; alles rannte vom Acker zu den Erlengehölzen, die sich am Rand erhoben. Die klobigen Schuhe platschten durch den Modder, machten schmatzende Geräusche im fetten, nassen Boden. Es wurde geschrien und gelacht; dann hockte alles beieinander unter den tropfenden Erlen, wohlgeborgen unter Regendecken, Ballensäcken und Segeltuch. Der Aufseher hatte Merijntje einen großen Kartoffelsack gegeben. Den hatte er sich jetzt wie einen Mantel umgehängt. Seinen Kopf verbarg er unter der umgekrempelten Spitze, die wie eine Zipfelmütze emporstand. Er lehnte sich in leicht gebückter Haltung gegen die hochstämmigen Äste des Erlenholzes und spähte unter dem Rand des überhängenden Sackes in die Landschaft hinaus, die im Regen verschwamm. Auf dem Deich schritt eine einsame Gestalt gegen den Wind an; von Baum zu Baum wurden ihre grau verschatteten Umrisse deutlicher sichtbar ... Die Männer steckten sich rasch ein Pfeifchen an, und die Frauen, in engem Kreis aneinandergedrängt, schwatzten munter drauflos wie schnatternde Vögel. Immer stärker rauschte der Regen auf die übriggebliebenen, spärlichen Blätter der Erlen nieder, an denen die Fruchtkügelchen schwarz blinkten – jener Affentabak, den die Knirpse großspurig kauten, wobei sie sich einbildeten, echt zu priemen; natürlich probierten sie auch, ihn so weit wie möglich zu spucken – unerhört lässig, versteht sich.

Sie war doch recht gemütlich, diese erzwungene Rast. Merijntjes Körper glühte unter den feuchten Kleidungsstücken ... Der Mann auf dem Deich blieb jetzt im Windschatten eines Baumes stehen, fröstelnd hatte er die Hände unter die Achseln gesteckt, den tropfnassen Hut weit ins Gesicht gezogen. In Merijntjes Waden und Knöcheln begann es zu prickeln, seine Muskeln gingen schlafen, eisige Kälte drang aus dem nassen Boden in die Füße. Mit einem Ruck sprang er auf, unterdrückte einen Schmerzensschrei – sein Rücken tat weh, als habe ihn ein Messer durchstoßen. Eine Fracht schwerer Tropfen fiel von Zweigen und Blättern auf ihn hernieder.

Es wurde heller am Himmel, der Regen ließ nach und hörte ebenso plötzlich wieder auf, wie er aus den jagenden Wolken hervorgebrochen war. Der Aufseher rief die Kolonne zur Arbeit. Sich müde reckend kehrten sie mit schwerem, mattem Schritt aufs Feld zurück, das den Regen noch nicht geschluckt hatte und voller Pfützen stand. Grell blinkte das gelbfleckige Rübenkraut mit seinen hellgrünen Stengeln. Nur zögernd langten die Hände nach dem Werkzeug, um die Rackerei fortzusetzen; die Spatengriffe fühlten sich in den steifgewordenen Fingern naß und glitschig an.

Merijntje stürzte sich mit Inbrunst auf die Arbeit – sie tat ihm doch so wohl, weil sie ihn ermattete und er in dieser Ermattung eine wunderbare Befriedigung entdeckte, Buße, Vergeltung und Vergebung...

Die Hand über den Augen, hielt der Mann auf dem Deich nach den Rübenstechern Ausschau; die Sonne blendete ihn. Plötzlich eilte er mit kleinen Sprüngen, rutschend und gleitend, den Hang hinunter auf den Acker zu.

Merijntje bemerkte ihn erst, als er ihm einen derben Schlag auf die Schulter gab. Er richtete sich auf und sah seinen Freund an. Der war graubleich und hatte tiefe, blaue Ringe unter den Augen. Sein Gesicht drückte Abscheu und Entrüstung aus.

„Was ist denn los?" fragte Merijntje verwundert.

„Du rodest Rüben?" Flierefluiters Stimme klang heiser und empört.

„Das siehst du doch..."

„Du bist wohl nicht bei Trost, du Nikolaus!"

„Warum denn nicht?"

„Rüben stechen!" wiederholte Flierefluiter voller Abscheu. „So eine Schinderarbeit! Wer macht denn das? Du solltest wahrhaftig klüger sein! Wirf den verfluchten Spaten hin und komm mit – rasch!"

Merijntje sah ihn an und lachte.

„Du bist sicher noch betrunken von gestern abend, was?" rief er. „Laß mich in Ruhe, Mann! Schlaf erst mal deinen Rausch aus!"

„Du brauchst mich nicht zu beschimpfen, wenn ich dir einen guten Rat gebe", ereiferte sich Flierefluiter. „Das ist mir Himmeldonnerwetter gerade das Rechte!"

Plötzlich brach er in einen bellenden Husten aus und legte die Hand auf die Brust. Sein fahles Gesicht verzog sich vor Schmerzen. Prüfend schaute Merijntje ihn an.

„Dich hat's ja ordentlich gepackt", sagte er bißbilligend. „Du siehst grau aus wie ein schmutziges Hemd. Du hast es gestern abend mal wieder schön getrieben, Saufbold, alter!"

Kläglich sah Flierefluiter ihn an, dann wandte er den trüben Blick ab und sagte ergeben:

„Es können nicht alle so brav sein wie du."

Flammende Röte stieg Merijntje in die Wangen. Ausgerechnet jetzt mußte der ihm seine Bravheit vorhalten! Oder – wußte Flierefluiter etwas? Nein, das war unmöglich. Er warf ihm einen mißtrauischen Blick zu. Wie sah der denn aus!

Kopfschüttelnd sagte er: „Ich glaube, du bist krank, Mann. Du solltest dich lieber ins Bett legen."

Flierefluiter winkte ab. „Im Bett sterben die meisten Menschen... Aber wie ist das nun? Kommst du mit oder nicht?"

„Nein, ich arbeite weiter."

„Pfui Teufel! Was bist du doch für ein unnatürlicher Junge! Rüben stechen! Schämst du dich denn gar nicht?"

„Keineswegs. Mach du nur, daß du weiterkommst!‘

„Den Henker werde ich tun. Wenn du hierbleibst, bleibe ich
auch. Ich habe versprochen, über dich zu wachen."

Merijntje lachte laut und grimmig ... Schön hatte Flierefluiter
über ihn gewacht!

Der Aufseher kam mißbilligend herbeigeschlendert.

„Was ist denn los? Wird hier noch gearbeitet oder werden Witz-
chen erzählt?"

Flierefluiter wollte ihm eine spöttische Antwort geben, doch er
wurde von einem neuen Hustenanfall geschüttelt; und als es vorbei war, hatte er es sich überlegt. Höflich fragte er:

„Hast du nicht für mich auch was zu tun?"

Der Vorarbeiter sah sich um.

„Du kannst die Rüben dort in der Ecke zu einem Haufen fahren", bot er ihm an. „Da ist eine Schubkarre und eine Gabel. Aber
stich so wenig wie möglich in die Rüben!"

„Ausgezeichnet!" sagte Flierefluiter und heuchelte in übertrie-
bener Weise Zufriedenheit. „Das ist ein gutes Stück Arbeit für
mich ... Bis gleich, Merijntje!"

Vor lauter Arbeitseifer spuckte er in die Hände, trabte zu der
Karre und schob damit ab. Merijntje lachte leise vor sich hin. So
ein Taugenichts! Wie der aussah! Er hatte bestimmt die ganze
Nacht verbummelt ... Unverbesserlich war dieser Herumtreiber –
und unbegreiflich! So vernünftig konnte er mit einem über erhabene Dinge sprechen, freilich recht wunderlich mitunter, aber doch
auf seine Weise sehr ernst – und in der nächsten Stunde schon
konnte er mit ein paar angeschossenen Kerls saufen, schwatzte er
den grausamsten Unsinn, log und betrog die halbe Welt und lachte
schamlos über seine eigenen Gaunertricks. Merijntje wurde aus
diesem lockeren Vogel nie klug!

Das Wetter klärte sich auf. Die Sonne brach durch die Wolken.
Einige Stunden später war es strahlend blau, und die Sonne brannte heiß auf die gebeugten Rücken der Rübenstecher nieder. Das
Feld dampfte, langsam trockneten die Pfützen ein. Es war ungewöhnlich schwül.

Am Nachmittag zog mit unheildrohender Geschwindigkeit ein
schweres Unwetter am Himmel auf und entlud sich mit unbändiger, elementarer Gewalt; der Regen prasselte in wahren Sturz-
bächen herab. Wieder saßen sie im Erlengehölz zusammen. Als es
heller wurde und der Regen aufhörte, sahen sie in weiter Ferne
den starken Rauch eines Brandes – irgendwo war der Blitz eingeschlagen. Sie ergingen sich in allerlei Vermutungen, wen es erwischt haben könnte; aber der Aufseher trieb sie zur Arbeit an: es
war trocken, und in einigen Stunden wurde es dunkel – es hatte
zuviel Verzug gegeben. Also vorwärts!

Abends aßen Merijntje und Flierefluiter bei dem Bauern und schliefen auf dem Heuboden.

Merijntje fühlte sich wie gerädert, doch ohne die mindeste Neigung, sich zu beklagen. Er fand es gut so, er hatte es selber gewollt, und mit Genugtuung spürte er, wie all seine Muskeln bei jeder Bewegung weh taten. Erleichtert war er – und was da geschehen war, das schien auf einmal weniger schlimm, weniger unüberwindlich. Es blieb häßlich und bedauerlich, aber er hatte es in seinem Wesen erkannt und Bereitschaft gezeigt, dafür zu büßen. Das befreite sein Gewissen, und behaglich dehnte er sich im Heu, während er nach dem matten Schimmer des halbrunden Fensterchens blickte, durch das manchmal für einen Augenblick ein Stern funkelte, wenn die Wolken sich auseinanderschoben. Wie lange war es schon her, seit er zum erstenmal mit Flierefluiter auf einem Heuboden geschlafen hatte? Endlos lange. Ach, nicht länger als vier Monate ... Wirklich erst vier Monate? War das möglich? Konnte man in so kurzer Zeit so unendlich vieles in sich aufnehmen? Ihm kam es vor, als habe er in diesem Sommer mehr erlebt als in seinem gesamten Leben bisher. Er war Jahre älter geworden. Als kleiner Junge war er mit Flierefluiter aus Rotterdam fortgezogen – nun fühlte er sich ganz als Mann. Er hatte manches gelernt, manches entdeckt, Schönes und weniger Schönes. Ein bißchen weiser war er wohl auch geworden ...

Neben ihm warf sich Flierefluiter unruhig von einer Seite auf die andere. Immer wieder hörte er ihn husten, trocken und bellend, trotz seiner Versuche, es zu unterdrücken. Manchmal fluchte er danach leise mit einer Stimme, die bewies, daß er Schmerzen hatte.

„Ich glaube, dich hat es häßlich gepackt."

„Und wie! Meine ganze Brust tut weh."

„Das kommt davon, wenn man nachts herumstromert ..."

„Verbindlichen Dank, du bist wirklich freundlich zu mir."

Merijntje lachte und scheuerte sich behaglich im Heu.

„Wohl zu ruhen", sagte er, „sieh zu, daß du einschläfst!"

Flierefluiters rauhe Stimme brummte etwas Unverständliches. Merijntje wollte noch eine kleine Gemeinheit loswerden, war aber zu faul dazu, drehte sich um und fiel sogleich in Schlaf.

In der Nacht wurde er ein paarmal von Flierefluiters keuchendem Husten wach, doch es ging ihm nicht deutlich auf; er war zu verschlafen, zu erschöpft und seine Zunge zu schwer, als daß er etwas hätte fragen oder sagen können, und müde schlief er sofort wieder ein.

Kaum warf das erste Licht des Tages seinen fahlen Schein durchs Fenster, als sie gerufen wurden. Seufzend und gähnend richtete Merijntje sich auf und kratzte sich verdrießlich mit beiden Händen im wirren Haar, in dem das Heu prickelte.

„He!" schrie der Knecht von unten. „Aufstehn!"

„Ja, Mann!" rief Merijntje ärgerlich zurück. „Wir kommen ja schon. Die Arbeit läuft doch nicht weg!"

Der Knecht brummte etwas und trottete davon.

Aus dem Pferdestall hörte man das dumpfe Stampfen schwerer Hufe und das Klirren der Geschirrketten.

Flierefluiter rührte sich nicht. Sein Atem rasselte, und er schien nur mit Mühe Luft zu bekommen. Merijntje rüttelte ihn an der Schulter.

„Tempo, Flierefluiter! Raus, es ist Zeit!"

Brummend drehte sein Freund sich um.

„Laß mich in Ruhe, verdammt noch mal!" krächzte er heiser.

Lachend stieß Merijntje ihn abermals an. „Los, komm, du fauler Tagedieb!"

Doch Flierefluiter stöhnte und hustete heftig und blieb liegen. Der Junge stand auf.

„Na schön, ich geh mich waschen. Aber wenn ich wiederkomme, gieß ich dir einen Eimer Wasser über den Kopf."

Über dem Hof dämmerte ein feuchter, grauer Morgen. Merijntje klapperte vor Kälte mit den Zähnen, als das eisige Pumpenwasser seine Haut benetzte. Er trocknete sich flüchtig mit seinem großen Taschentuch ab, zog den Kamm durchs Haar und schlüpfte, so schnell er konnte, wieder in seine Jacke.

Der Knecht kam vorbei. „Beeil dich", rief er, „der Kaffee ist fertig!"

„Gleich, ich will nur noch rasch meinen Kameraden rufen."

Er lief wieder in die Scheune und schrie unten an der Leiter, bis er eine brummige, unverständliche Antwort bekam.

„Los, wir müssen frühstücken! Mach, daß du fertig wirst!"

Ein erneutes Gegrunze, das gewiß einen langatmigen Fluch bedeutete...

In sich hineinlachend trottete Merijntje über den hellerwerdenden Hof zum Hinterhaus, in dem die Petroleumlampe noch brannte. Flierefluiter mußte ganz schön elend sein, sonst wäre er längst unten gewesen.

Hungrig griff er in den Stapel Butterbrote, bekam seine Portion gebratenen Speck und trank den kochendheißen Kaffee dazu. Das tat gut, davon wurde man wieder lebendig, eine wohltuende Wärme lief einem durch den Leib. Der Knecht schob ihm seinen Tabakbeutel hin, er nickte, stopfte sich die Pfeife, und gemeinsam rauchten sie noch eine Weile, ehe sie das schwere Tagewerk begannen. Sie redeten ein paar Worte über die Rüben, der Knecht sprach von Gewicht und Preisen: dieses Jahr schien es nicht schlecht auszusehen.

Merijntje hörte mit halbem Ohr zu. Wo blieb Flierefluiter nur? Gleich mußten sie weg, und er hatte nicht einmal gefrühstückt...

Er stand auf. „Ich will meinen Freund noch mal rufen."

Der Knecht kam mit, um die Pferde anzuschirren.

Diesmal begann Merijntje schon in der Nähe des Scheunentors zu rufen: „He, Langschläfer! Wird's denn nun bald?"

In der Scheune war es noch dämmerig. Merijntje lief auf die Leiter zu. Plötzlich blieb er erschrocken stehen: am Fuß der Leiter lag eine dunkle Gestalt, schlaff zusammengesunken. Mit einem Schrei stürzte er darauf zu.

Flierefluiter hing schräg über den Holmen. Seine Augen waren geschlossen, und sein Atem ging schwer und stoßweise. Auf Merijntjes Schrei kam der Knecht angelaufen.

„Was ist denn los? Ist er vom Boden gefallen?"

Mit zitternden Händen zog Merijntje seinen Freund ein wenig höher, setzte ihn mit dem Rücken gegen die Leiter. Er betastete Arme und Beine, blickte in das rot angelaufene Gesicht.

Er schüttelte den Kopf. „Das glaub ich nicht", sagte er. „Wahrscheinlich ist er unten zusammengebrochen. Er ist bestimmt krank."

„Wer ist hier krank?"

Der Junge sah auf. Der Bauer war mit einem alten Arbeiter hereingekommen, der ein repariertes Kumt über der Schulter trug.

„Mein Freund."

„Flierefluiter?"

Er kam näher, hockte sich nieder und faßte nach der schlaff auf den Boden hängenden Hand; sie fühlte sich heiß und trocken an.

„Der hat Fieber", sagte er und richtete sich wieder auf; er schaute in seiner ganzen Größe auf den Mann an der Leiter herab.

Merijntje sah ihn ängstlich an.

„Schöne Bescherung!" brummte der Bauer mürrisch. „Was mag ihm denn fehlen?"

„Ich weiß nicht", erwiderte Merijntje, „er muß sich erkältet haben."

Der Bauer sog dicke Rauchwolken aus seiner Pfeife, kratzte sich unter der Seidenmütze und blickte fragend und unentschlossen von einem zum anderen.

„Er ist ohne Bewußtsein", brummte er, „da muß ein Doktor gerufen werden." Dann wandte er sich an Merijntje: „Habt ihr Geld?"

Merijntje blickte ihn von der Seite an. Worte von Doktor Presco über die Großbauern gingen ihm durch den Kopf. Da stand nun so einer. Ein Mensch war todkrank in sich zusammengesackt – und er fragte nach lumpigen Cents und runzelte die Stirn vor Ärger über die Last, die ihm da zugemutet wurde. Ein reicher Bauer ...

Wütend und verächtlich erwiderte er: „Geld genug, um uns selber zu helfen!"

„Aber hier kann er doch nicht liegenbleiben", gab der junge

Knecht zu bedenken und schaute fragend zu dem Bauern auf. „Sollen wir ihn nicht reintragen?"

Unwillig wandte sich der Bauer ab. „Reintragen?" wiederholte er zögernd. „Ein Hof ist doch kein Krankenhaus. Und außerdem ... die Frau würde mich schön ansehen!"

Bei dem letzten Argument wurde seine Stimme fester: er hatte jemand gefunden, auf den er die Verantwortung abschieben konnte.

Feigling! dachte Merijntje, verkriecht sich hinter den Röcken seiner Frau. Unruhig gingen seine Augen zurück zu Flierefluiters Gesicht. Was sollte nun geschehen?

Doch da mischte sich der alte Arbeiter ein: „Dann bringen wir ihn eben zu mir. Wir haben ja ein Bett frei."

„Das ist ein guter Gedanke", stimmte der Bauer eifrig zu, „dann ist er auch unter Leuten seines Schlages."

„Ja", sagte Merijntje laut, und seine Stimme bebte vor Empörung, „unter Leuten mit einem Herz im Leib."

Er blickte den dümmlich herablassenden Bauern haßerfüllt an; am liebsten hätte er ihm in sein aufgedunsenes Gesicht geschlagen.

Zu dritt hoben sie Flierefluiter vom Boden auf und stützten ihn unter den Armen. Auf halbem Wege merkten sie, daß er zu sich kam. Er öffnete die Augen und fragte fast unverständlich:

„Was ist denn geschehen?"

„Du bist krank, Flierefluiter", erwiderte Merijntje, „du mußt ins Bett."

Ein mattes, schmerzliches Lachen verzog Flierefluiters Mundwinkel.

„Ich – krank?" Er hustete, keuchte, versuchte sich aufzurichten und flüsterte: „Tja, dann nur los!"

Von den dreien gestützt, tat er ein paar taumelnde Schritte, doch dann sank der Kopf wieder auf die Brust, und die Füße rutschten kraftlos auseinander. Rasch faßten die Männer fester zu und trugen ihn an dem betreten dreinblickenden Bauern vorbei aus der Scheune hinaus. Dann gingen sie mit ihm den Damm entlang, der auf das armselige Häuschen des alten Arbeiters führte.

Seine Frau trat aus der Tür, ihr blasses Vogelgesicht unter der weißen Spitzenhaube blickte dem Zug erschrocken entgegen. Als sie ihren Mann sah, atmete sie erleichtert auf und kam schlurfend näher.

„Ist ein Unglück passiert?"

„Nein, aber Flierefluiter ist krank geworden. Auf dem Hof konnte er nicht bleiben. Mach das Bett, daß wir ihn hinlegen können."

Ohne ein Wort trippelte die Alte vor ihnen ins Haus. Während sie die Vorhänge vom Alkoven zur Seite schob, die Decken zurückschlug und die Kissen aufschüttelte, zogen die Männer Flierefluiter aus und legten ihn ins Bett. Sorgfältig stopfte die Frau die

Decken um ihn fest, dann stand sie da und blickte kopfschüttelnd auf das graue Gesicht des Kranken. Mit einer mütterlichen Bewegung wischte sie ihm mit dem Zipfel der bunten Schürze die Schweißtropfen von Stirn und Oberlippe ab.

„Es muß aber gleich einer zum Doktor", sagte der alte Arbeiter. Er keuchte noch von der Anstrengung und trocknete sich Stirn und Hals mit einem großen roten Taschentuch.

„Ich laufe schnell", erklärte Merijntje, „wenn ihr mir nur sagt, wo er wohnt."

Er hatte fast eine halbe Stunde zu gehen – bis ans jenseitige Ende des Nachbardorfs. Der Arzt war noch ein junger Mann, und Merijntje stellte ihm Flierefluiters plötzlichen Zusammenbruch so eindringlich vor Augen, daß dieser sofort seinen kleinen Wagen anspannen ließ und mit dem Jungen zurückfuhr. Sie fanden die alte Frau am Bett, während sie gerade einen zusammengefalteten nassen Lappen auf Flierefluiters glühende Stirn legte. Sein Gesicht war rot und verschwollen, und die trockenen Lippen bewegten sich in unverständlichem Gemurmel.

Nach der Untersuchung wiegte der Arzt bedenklich den Kopf.

„Es sieht recht böse aus, Mutter", sagte er. „Er wird Euch allerhand Mühe machen. Am besten wäre es, ihn ins Krankenhaus in der Stadt zu bringen, aber ich weiß nicht, ob man es in diesem Zustand riskieren kann."

„Dann laßt ihn nur hier", sagte die Alte, „wir werden es schon schaffen. Was fehlt ihm denn?"

„Schwere Erkältung . . . ich fürchte, es wird eine Lungenentzündung."

„Na, nur gut, daß er so ein kräftiger Kerl ist! Der hält schon was aus."

Der Arzt hob zweifelnd die Schultern. „Vielleicht", sagte er unbestimmt, und dann traf er seine Anordnungen. Er schrieb ein Rezept aus, mit dem Merijntje zu ihm nach Hause gehen und bei seiner Frau eine Medizin holen sollte. Er schaute noch einmal kopfschüttelnd auf Flierefluiter, der leise murmelnd vor sich hin redete, dann ging er.

Merijntje fühlte sich dumpf und niedergeschlagen. Flierefluiter gefährlich krank? Flierefluiter . . . nein, nicht daran denken! So schlimm würde es schon nicht werden . . .

Eilig rannte er die Straße entlang. Der Himmel war sattblau, und weiß lag der Sonnenschein über dem Land. Ein kalter Wind fegte über die kahlen Äcker, wo nur noch auf den Rübenfeldern Grün leuchtete. Wie winzige Pünktchen bewegten sich die Pflüger, und bald würde auch hier alles ausgeplündert und aufgerissen sein. Hoch über ihm schrien die schwärmenden Zugvögel auf ihrem Weg zu den neuen Nistplätzen, getrieben von einem geheimnisvollen inneren Ruf. Sehnsüchtig blickte ihnen der Junge nach.

Könnte er doch auch mit! Dann verdrängte er rasch den Gedanken: jetzt galt es nur an Flierefluiter zu denken und dafür Sorge zu tragen, daß er bald wieder auf die Beine kam...

Als er eine Stunde später mit der Medizin zurückkehrte, lag Flierefluiter noch genauso in den Kissen; ab und zu bewegten sich seine Lippen, doch man hörte keinen Laut, nur den pfeifenden Atem und hin und wieder einen kurzen, rauhen Husten. Die alte Frau saß neben dem Alkoven und betete; langsam glitten die abgegriffenen Perlen des Rosenkranzes durch ihre dürren, knochigen Finger. Auf Merijntjes Lippen trat ein verwirrtes Lächeln: sie saß da, als sei es eine Selbstverständlichkeit, einen wildfremden Menschen in ihr Haus zu nehmen und zu pflegen, als ob es der eigene Sohn wäre. Sie warf einen flüchtigen Blick zu ihm hinüber und legte den Finger an den Mund; dann wandte sie ihr Gesicht wieder dem Kranken zu und betete leise weiter.

Ein Gefühl von Wärme stieg in ihm auf. Das hätte Doktor Presco miterleben müssen – dieser Schwarzmaler mit seinem Menschenhaß! Da sollte er noch einmal sagen, es gäbe keine Güte, keine Nächstenliebe und keine guten Christen! Dieses zerfurchte alte Weiblein und der gebeugte Landarbeiter mit seinem faltigen Stoppelgesicht und seinen geflickten Kleidern ... zwei arme Menschen, die gewiß kümmerlich von ihrem kargen Lohn lebten – sie hatten keinen Augenblick gezögert, Flierefluiter aufzunehmen. Ohne kluge Erwägungen, ohne hundert Rückfragen hatten sie den sterbenskranken Fremden in ihr Häuschen geholt und ins Bett gelegt. Der Mann war zu seiner Arbeit zurückgekehrt, die Frau saß bei dem Kranken, versorgte ihn und betete um seine Genesung. Gute barmherzige Menschen ... Er wurde bitter, wenn er dagegen an den Bauern dachte. Wie dieser lediglich Unmut gezeigt hatte, böse war über die Belästigung, die ihm zuteil wurde, Angst hatte vor dem, was noch kommen mochte ... die Mühe, die Kosten vielleicht ... Auf dem Hof durfte er nicht bleiben. Was für ein erbärmlicher Hund! Ob der Kerl sich denn gar nicht schämte! Einem Todkranken einfach sein Haus zu verschließen, nur weil er fürchtete, Last mit ihm zu haben, vielleicht ein paar Cent für ihn ausgeben zu müssen. Ein gläubiger Bauer, wahrscheinlich ein Kirchenvorsteher, ein Eckstein in der Welt der Untadeligen. Er würde gewiß verächtlich herabsehen auf die beiden armen Alten, die so wenig, so gar nichts waren oder hatten. Aber sie waren tausendmal mehr als er – und reicher zudem! Die Barmherzigkeit machte sie zu reichen Menschen, die geben konnten, obgleich sie nichts besaßen. Schade, daß Doktor Presco nicht hier war und sehen konnte, was da geschah: er hätte sich bei seinen Beweisführungen recht kurios winden müssen, um hier das Gift herauszuargumentieren, womit er seine Theorien zu würzen pflegte.

4

In der Nacht saß Merijntje still am Bett seines Freundes. Es müsse jemand bei ihm bleiben, hatte der Arzt gesagt, als er gegen Abend wiederkam, und Merijntje hatte die Nachtwache übernommen. Um neun Uhr hatten der Landarbeiter und seine Frau gemeinsam den Rosenkranz gebetet, und Merijntje hatte mitgetan. Das eintönige Gemurmel der beiden Alten, die hingebend ein Vaterunser, ein Ave-Maria nach dem anderen sprachen, erinnerte ihn an längst vergangene Zeiten; und etwas von dem alten Vertrauen auf den himmlischen Vater, der gütig über die Menschen wacht und jeden Augenblick in ihr Schicksal eingreift, war in sein Herz zurückgeströmt. Die fünf Vaterunser, die dem Rosenkranz eigens für die Genesung des kranken Mannes im Alkoven hinzugefügt wurden, hatte er besonders andächtig und voller Hingabe mitgebetet. Dann hatten sie noch kopfschüttelnd bei Flierefluiter gestanden, dessen rotes Gesicht noch dunkler erschien im schwachen, feuergelben Schein der Petroleumlampe. Danach waren die alten Leute in das kleine Vorderzimmer gegangen und dort ins Bett gestiegen.

Auf dem Herd stand eine Kanne Kaffee, die helfen sollte, Merijntje wachzuhalten. Nun saß er da und schaute in Flierefluiters Gesicht. Ein armes, gequältes, wehrloses Gesicht war es geworden. vom Fieber der bösartigen Krankheit gezeichnet. Er war nicht bei Besinnung, und dennoch spiegelte dieses Gesicht die Schmerzen wider, die den bewußtlosen Körper peinigten. Lungenentzündung. Eine gefährliche Krankheit, an der man sterben konnte ...

Sterben? Sollte Flierefluiter wirklich sterben, so unerwartet, so plötzlich – überrumpelt von dieser heimtückischen Krankheit? Der Gedanke schien Merijntje unmöglich, einfach undenkbar. Flierefluiter, der war doch das Leben selbst . . . Er hatte noch niemals einen Menschen gesehen, der so lebendig war wie Flierefluiter. Alles an ihm war lebendig – überlebendig, sein ganzer Körper, sein ausdrucksvolles Gesicht, sein Gang, seine Gebärden, seine Stimme, seine leuchtenden Augen . . . Konnte das alles denn einfach erlöschen, verzehrt von der Glut des Fiebers, verstummen und erstarren? Dieser eisenstarke Körper mit den beweglichen Muskeln, dieser lebendige Geist mit dem fröhlichen Herzen, der Kopf, durch den die wunderlichsten Gedanken liefen, verwirrend und verblüffend in ihrem rasch wechselnden Spiel . . . das alles sollte durch eine Lungenentzündung hinweggerafft werden?

Was war das denn eigentlich – eine Lungenentzündung? Neugierig ließ er seine Augen über die Erhöhung unter den Decken schweifen, wo Flierefluiters kranker Körper schwer atmete. Welche geheimnisvollen und gruseligen Dinge geschahen in diesem Leib? Was tat die Krankheit in den Lungen? Wenn die Ärzte das so genau wußten, warum konnten sie ihr dann nicht schnell und wirkungsvoll ein Ende bereiten? Die Vorstellung, daß die Krankheit als Wesen für sich in den Lungen saß und an ihnen nagte, um sie zu vernichten, erfüllte ihn mit Grauen. Doch das war natürlich Unfug! Die Hände des Kranken fuhren suchend über die Decken, der trockene Mund murmelte wieder unverständliche Worte. Ab und an öffneten sich die Augen einen Spalt, verdrehten sich glasig und zeigten das bläuliche Weiße, mit blutroten Äderchen marmoriert. Ein ekliger Anblick – es schien, ja, es schien, als ob er schon im Sterben läge. Gespannt beobachtete Merijntje ihn, jederzeit auf dem Sprung, Alarm zu schlagen, wenn die Angst ihn überwältigen sollte. Aber dann wurde Flierefluiter wieder ruhiger. Fast unbeweglich lag er da; es war – beklemmend genug – nur das Röcheln seines unregelmäßigen Atems zu hören.

In der Stille der Nacht summte leise die Petroleumflamme, ab und an brutzelte und zischte sie schwach auf. Draußen raschelte der Wind in den dürren Blättern des Holunders. Schwarz stand die Nacht vor dem kleinen Fenster. Es war ein wunderlicher Gedanke, daß alles schlief, daß sich die Nacht überwältigend groß und dunkel wie eine Kuppel über die Welt gespannt hatte und daß er allein wachte in dem kleinen, matt erhellten Kubus dieses Stübchens, in dem sein leidender Freund ohne Bewußtsein lag und mit der schweren Krankheit rang – ja, ein bedrückender Gedanke. Leise und eintönig tickte die kleine Uhr auf dem Tisch die Sekunden weg. Für jemand, der sich zum Sterben anschickte, war dieses Ticken ungeheuer bedeutungsschwer, jeder Schlag hatte sein Gewicht, mit jeder Sekunde tickte da etwas von dem kurzen Leben weg, mit jeder Sekunde kam der Tod ein Stückchen näher. Machte der Sensenmann mit seinen Knochenzehen nicht selber das Geräusch? Huh! Auf welch unheimliche, gruselige Ideen man beim schweigenden Wachen in der unsäglichen Stille einer Nacht am Krankenbett kommen konnte!

Er schob den Stuhl zurück, erschrak von dem leichten Schurren der Beine über den Fußboden, das ihm wie ohrenbetäubender Lärm erschien. Aber es rührte sich nichts, niemand hatte etwas gehört. Auf Zehenspitzen ging er zum Herd, warf so geräuschlos wie möglich eine Schaufel Kohlen auf, goß sich eine Schale Kaffee ein und trank sie gierig aus. Er fühlte sich erfrischt. Wenn es nur nicht so dumpf und drückend in dem niedrigen Zimmer gewesen wäre! Am liebsten hätte er ein Fenster geöffnet und frische Luft hereingelassen, aber das ging Flierefluiters wegen nicht. Seufzend blickte er auf die Uhr: erst kurz nach zwei ...

Dann setzte er sich wieder auf den Stuhl und schaute Flierefluiter an. Sein Gesicht erschien ihm weniger rot, auch der Atem klang regelmäßiger und rasselte nicht so sehr. Ob es ihm schon besser ging? Jetzt sah er genau aus, als schliefe er nur, vielleicht ein wenig von unruhigen Träumen gequält, doch sonst ganz wie immer. Er legte die Hand auf Flierefluiters Stirn: sie fühlte sich nicht mehr so heiß an. Gewiß ging es ihm schon besser! Eine große Freude erfüllte sein Herz, und wie eine Last fiel es von ihm ab. Da war es wohl doch nicht so schlimm, wie der Doktor sagte. Klar, so leicht ließ Flierefluiter sich nicht unterkriegen! Das wäre ja auch noch schöner, der wurde mindestens hundert Jahre alt! Merijntje war so dankbar, daß er am liebsten laut gejubelt hätte. Fest preßte er die Hände zwischen den Knien zusammen und lächelte.

Wie schön wäre es, wenn man glauben könnte, daß diese Wendung eingetreten war, weil sie am Abend so inbrünstig für seine Genesung gebetet hatten! Aber das konnte er nun nicht mehr. Und dennoch ... beim Beten hatte er gespürt, wie trostreich und stärkend es war, wenn man einen Gott hatte, den man in solch schweren Stunden anrufen konnte. Dann war alles gleich viel leichter, viel einfacher zu ertragen. Man legte es in die Hände einer höheren Macht, eines Stärkeren, und überließ die Entscheidung ihm – und dann brauchte man nur geduldig zu warten, was beschlossen wurde ... Wie kam es nur, daß er daran nicht zu glauben vermochte? Glaubte er denn überhaupt noch an Gott? An einen Gott, der jedem zukommen ließ, was ihm zur Seligkeit diente? Nein, das mußte er vor sich selber wohl zugeben: den Glauben an einen solchen Gott hatte er verloren. Aber froh konnte er über diesen Verlust nicht sein. Was war an seine Stelle getreten? Ein verschwommenes Etwas. Flierefluiter sagte: Vor dem man sich nicht zu fürchten braucht ... Gewiß, zu dem man aber auch nicht beten konnte, wenn man in Not und Angst war ... es gab sich nicht mit den kleinen und großen Nöten der Menschen ab, es ließ einen schrecklich fern und einsam, machte einen müde und blieb dunkel und unverständlich.

Wieviel besser dagegen war es, Gott den Vater zu haben, in dessen Hand das Leben eines jeden Menschen lag, der einen führte und leitete, wenn man sich ihm in Demut und Treue hingab ... es war viel einfacher und leichter. Merijntje seufzte tief auf. Wenn er nur dorthin zurückkönnte! Aber es war gewiß so, wie Flierefluiter gesagt hatte: wenn man erst einmal angefangen hatte, über das Wesen Gottes zu grübeln, dann verlor man seine bequeme Sicherheit, und das war kein Wunder, denn wie wollte ein armseliger Mensch versuchen, Gott zu ergründen! Vielleicht daß man später, nach einem halben Menschenleben, wieder einen so starken Halt fand – eine Hand, die einem den Weg wies ... Vielleicht – vielleicht aber auch nicht ...

Hatte er lange geschlafen, oder war er eben erst eingenickt? Erschrocken fuhr er hoch. Er schaute nach Flierefluiter und wurde vor Erstaunen und Freude ganz wach. Sein Freund lag da und sah ihn mit hellen Augen an, ein spöttisches Lächeln um den noch ein wenig schmerzhaft verzogenen Mund ... das teure Lächeln, über das er so oft böse geworden war und von dem er jetzt erst wußte, wie sehr er es liebte.

„Warum weinst du, Merijntje?"

Hastig wischte der Junge die zwei großen Tränen weg, die über seine Wangen rannen, und protestierte:

„Ich weine nicht ... Wie kommst du darauf?"

Flierefluiter sah ihn unverwandt an, blieb still liegen, die Hände über der rauhen, geflickten Decke gefaltet.

„Wo in Gottes Namen sind wir denn hier?" Die Stimme klang fremd, heiser und ohne Kraft.

„Bei Nol Aapers und seiner Frau. Du weißt schon, der alte Arbeiter. Du bist krank, Mann, und du mußt ganz still liegenbleiben."

Das Lächeln auf Flierefluiters Lippen vertiefte sich.

„Bei dem alten Nol und seiner Sjoke? Brave Menschen ..."

Er schwieg, schloß eine Weile die Augen, keuchte leicht, und ein Zug von Schmerz flog über sein Gesicht, das jetzt blaß und eingefallen aussah. Er drückte die Hände auf die Brust und sagte dann:

„Ich glaube, ich habe schlimm geträumt, Merijntje. Ich hab es auf der Brust. Gib mir was zu trinken!"

Merijntje ging zum Wasserfaß, brachte ihm eine große Schale voll und half ihm beim Trinken. Flierefluiter ließ es willig zu, daß er ihm den Kopf stützte und ihm die Schale an die Lippen hielt – er mußte arg erschöpft sein.

„Ah, gut!" seufzte der Kranke und ließ den Kopf ermattet zurücksinken: „Ich habe das Wasser in meinem Leben vielleicht doch unterschätzt, Merijntje. Es ist wirklich ein Labsal auf der Zunge."

Der Junge lachte. Das war wieder der alte Flierefluiter. Doch besorgt fiel er ein:

„Nun red nicht so viel! Der Doktor hat gesagt, du mußt dich stillverhalten."

Flierefluiter wandte ihm langsam den Kopf zu und blickte ihn eine ganze Weile schweigend an, als müsse er erst nachdenken, was Merijntjes Worte bedeuteten. Endlich sagte er matt:

„Ach so, ist ein Arzt dagewesen? Und was hat er gesagt?"

„Daß du krank bist..."

„Das muß ein sehr tüchtiger Arzt gewesen sein", gab Flierefluiter mit müdem Spott zurück.

Verlegen wandte Merijntje die Augen ab.

„Nun mal los, du Weihnachtsmann", lächelte der Kranke, „tu nicht, als hättest du ein kleines Kind vor dir! Ich weiß allein, daß es mich häßlich gepackt hat. Was fehlt mir?"

Seine grauen Augen waren zwingend. Zögernd bekannte Merijntje:

„Er meinte, daß es vielleicht ... eine Lungenentzündung sein könnte..."

Eine Weile blieb es still. Die Finger von Flierefluiters Händen schlossen sich fester zusammen. Dann sagte er ruhig:

„So, meinte er das? Na ja..."

„Aber es geht dir ja schon besser, Mann!" ereiferte sich Merijntje. „Halt nur den Mund und schlaf ein!"

Flierefluiter schwieg und schloß die Augen, als wollte er dem Befehl gehorchen. Erschrocken sah Merijntje, wie blaß und verfallen sein Gesicht aussah. Er mußte wohl doch sehr krank sein – oder wenigstens gewesen sein... Nach einer Weile steckte Flierefluiter eine Hand unter die Decke, wühlte dort herum und brachte eine alte, zerschlissene Brieftasche zum Vorschein.

„Steck das ein", sagte er, „es ist etwas Geld darin. Wenn ich vielleicht... hm... man kann nie wissen... wenn ich vielleicht ... dann ist das für die Kosten. Von dem Rest nimmst du dir die Hälfte, und die andere Hälfte... die gibst du Pfarrer Ramakers für die armen Schlucker seiner Gemeinde. Wenn er eine Messe für mich lesen will, soll er's umsonst tun. Vergiß nicht, ihm das zu sagen..."

„Hör doch auf!" schimpfte Merijntje mit erstickter Stimme. „Du bist doch schon fast wieder gesund!"

„Ja, aber ich bin immer ein ordentlicher Mensch gewesen", murmelte Flierefluiter, „und was macht das für einen Eindruck, wenn ich ohne Testament in die Ewigkeit einginge? Das würde ich mir nie verzeihen. Wirst du dir auch merken, was ich gesagt habe?"

Merijntje hatte alle Mühe, seiner Bewegung Herr zu werden, als Flierefluiter bereits wieder anfing:

„Weißt du, Merijntje, ein Vagabund mehr oder weniger auf der Welt – was macht das schon aus?"

Doch da fuhr der Junge auf. „Wenn du den Mund nicht hältst, lauf ich weg!" rief er verzweifelt. Ärgerlich stopfte er die Brieftasche in seinen Beutel.

Flierefluiter sah ihn an, und seine Augen waren voller Liebe.

„So ist's gut", sagte er seufzend und ließ den Kopf müde in die Kissen sinken. Er schloß die Augen, gähnte und war plötzlich wieder eingeschlafen.

Merijntje spürte sein Herz in der Brust mit langsamen, schweren Schlägen hämmern. Er war erschrocken, wie gleichmütig Flierefluiter über den Tod gesprochen hatte. Es schien, als sei das Ende dadurch viel näher gekommen, sei unausweichlich geworden. Wie kam er nur zu diesem Gedanken? Was war das für Unsinn? Flierefluiter ging es doch schon besser, er war bei Bewußtsein, redete vernünftig und schien auch kaum noch Fieber zu haben. Was machte er sich da wieder für dumme Vorstellungen? In ein paar Tagen, höchstens in einer Woche, gingen sie wieder zusammen durch die Polder. So ein Bär, wie Flierefluiter war!

Erschrocken sprang er von seinem Stuhl auf. Im Nebenzimmer rasselte der Wecker mit einer Heftigkeit, die die Stille zerriß. Ängstlich sah Merijntje nach Flierefluiter, doch der hörte nichts. Mit geschlossenen Augen lag er da, sein Gesicht glühte wieder. Der Mund bewegte sich, als bete er leise, und immer wieder fuhr die Zungenspitze über die trockenen Lippen.

Der Morgen graute hinter den kleinen beschlagenen Fensterscheiben, von denen helle Tränen herabliefen. Ein neuer Tag begann ... Ob es Flierefluiter am Abend schon besser gehen würde? Ob er morgen vielleicht schon ein bißchen aufstehen durfte? Er mußte sich beeilen, wenn er von den letzten schönen Tagen noch etwas haben wollte. Der große Sommer ging zu Ende ...

Oh, wie müde er war! Er fühlte sich wie gerädert. Daß eine Nachtwache so anstrengend sein konnte!

Hustend und stöhnend kam Sjoke hereingeschlurft. Sie gähnte und strich sich mit dem hageren Handrücken eine graue Haarsträhne aus der Stirn.

„Guten Morgen", sagte sie leise, „wie steht es mit ihm?"

„Vorhin war er wach", berichtete Merijntje, ebenfalls flüsternd. „Er hat getrunken und geredet wie immer."

Sjoke nickte. „Na, Gott sei Dank! Er wird's schon schaffen ..."

„Bestimmt, so ein kräftiger Kerl!" sagte Merijntje hoffnungsvoll, und in seinem Herzen wurde es viel leichter.

5

Doch als der Arzt kam, zeigte er sich besorgt. Er bedeutete der
alten Frau, die am Bett saß, daß sie gut auf den Patienten acht-
zugeben habe. Wenn er zu wühlen und zu strampeln beginne, solle
sie Merijntje zu Hilfe holen; denn Flierefluiter könnte versuchen
wollen, aus dem Bett zu steigen – und das wäre auf jeden Fall
verhängnisvoll. Er solle soviel wie möglich flach auf dem Rücken
gehalten werden. Und ob der Junge nicht lieber den Pfarrer holen
wolle . . . Es bestehe zwar keine unmittelbare Gefahr – aber sicher
sei sicher . . .

Sjoke erschrak, als sie das hörte. Den Pfarrer holen! Das war
ein schlechtes Zeichen. Auch wenn der Doktor zehnmal sagte, es
sei keine Gefahr . . . Nervös trippelte sie durch die Kammer, fröstelnd in ihr schwarzwollenes Tuch gehüllt, und machte sich mit
bebenden Händen an der Kaffeekanne und den Näpfen zu schaffen, setzte sich dann wieder mit ihrem Rosenkranz ans Bett und
betete eifrig. Sie dachte an ihre beiden Söhne, auch große, starke
Kerls, die, liebevoll gepflegt von ihr, in demselben Bett gelegen
hatten und darin gestorben waren. Der eine hatte Typhus gehabt,
der andere war einige Tage, nachdem ihn ein Pferd in den Unter-
leib getreten hatte, unter schrecklichen Qualen gestorben. Nun lag
da wieder so ein großer, starker Kerl auf der Bettstatt, grub seinen
rotglühenden Kopf in das heiße Kissen, murmelte unverständliche
Laute aus trockenen Lippen und wimmerte wie ein Kind – und
der Herr Pfarrer sollte kommen, und Flierefluiter mußte gewiß
sterben . . . Und sie saß jetzt abermals neben diesem Bett, ein ver-

hutzeltes altes Weiblein, gebeugt unter der Last eines langen und mühseligen Lebens. Viel lieber wollte sie sterben, als dies noch einmal mitanzusehen – aber sie mußte bleiben ... Der Herrgott wollte sie noch nicht in den Himmel holen, ihre Zeit war noch nicht gekommen. Sie hatte noch einmal nachzuerleben, bei diesem Dritten hier, wie sich damals ihre beiden Kinder, die zwei großen, starken Jungen, im Todeskampf gewehrt hatten und nicht fort wollten und doch fort mußten. Langsam tropfte Träne für Träne aus den glanzlosen Augen und fiel auf die Hände, die vergessen hatten, die Perlen weiterzuschieben. Der eingefallene Mund mümmelte mechanisch die Gebete, und das Herz zog sich ihr in der schmalen, eingesunkenen Brust schmerzhaft zusammen. Nein, so durfte man nicht denken ... das war Sünde. Hatte sie nicht für ihren armen alten Mann zu sorgen? Kein Mensch durfte nur an sich selber denken. Gott hatte es ihr so auferlegt. Er würde schon wissen, warum ... und vielleicht war er ja auch gnädig und ließ den armen Flierefluiter noch ein wenig auf seiner schönen Erde herumlaufen.

Gegen Mittag mußte Merijntje, der im Vorderzimmer auf einem Feldbett schlief, zu Hilfe kommen. Flierefluiter war unruhig, drehte sich und wühlte und versuchte immer wieder aufzustehen. Ängstlich hielt Merijntje ihn an der Schulter fest. Er brauchte nicht viel Kraft anzuwenden, bald lag der Kranke wieder leise röchelnd da, ohne sich zu bewegen. Der Junge saß bei ihm, während Sjoke auf dem Herd die karge Mahlzeit aus Kartoffeln, Mus von Falläpfeln und einem Stück Speck bereitete. Flierefluiters flüsternde Simme wurde dann und wann deutlicher, aber es waren zusammenhanglose Sätze, manchmal in einer fremden Sprache; dann wieder schnappte Merijntje seinen eigenen Namen auf – was darauf jedoch folgte, verlor sich in unverständlichem Gemurmel.

Am Nachmittag kam der Pfarrer. Es war ein kleiner schmächtiger Mann mit scharfen, grauen Augen und einem freundlichen Mund. Er grüßte leise und trat ans Bett. Er legte sogleich die Hand auf Augen und Stirn des Kranken, dann fühlte er den Puls; zum Schluß neigte er sich über ihn und horchte, das Ohr dicht an der keuchenden, röchelnden Brust. Dann richtete er sich auf, schüttelte den Kopf und sagte mitleidig:

„Ich glaube, es sieht schlimm aus ...“

„Meint Ihr, Herr Pfarrer?“ fragte Merijntje schüchtern.

Der Priester nickte und blickte teilnahmsvoll in das verstörte Gesicht des Jungen.

„Ja, ich bin sehr in Sorge ... Wie kommt es eigentlich, daß du mit Flierefluiter unterwegs bist?“

„Ich war arbeitslos ... und da sind wir den ganzen Sommer herumgezogen und haben unser Brot verdient.“

Der Pfarrer strich sich über das zerzauste, angegraute Haar.

„Ach so ... Ist dir bekannt, ob er katholisch ist?"

„Ich glaube wohl, Herr Pfarrer. Nur ... hm ... er tat nicht viel dazu ..."

„Ja, ja, ich weiß ..."

Nachdenklich trat er an das kleine Fenster, starrte hinaus, kam dann wieder zum Bett zurück und blickte lange in das gequälte, fiebrige Gesicht des Kranken.

„Braucht ihr irgend etwas ... stärkende Mittel oder so? Ihr seid hier nicht bei reichen Leuten ..."

„Nein, Herr Pfarrer, danke! Wir haben tüchtig verdient. Es ist Geld da für alles."

„Dann ist's gut ... Willst du mich rufen lassen, wenn er bei Bewußtsein ist?"

„Ja, Herr Pfarrer."

Kopfschüttelnd wandte sich der Priester ab. „Flierefluiter", sagte er leise vor sich hin. „Ein wunderlicher Mensch ... Was man von dem nicht alles erzählt!"

„Ein guter Mensch!" rief Merijntje leidenschaftlich.

Der Pfarrer sah ihn an, nickte, grüßte dann freundlich und ging davon. Merijntje blieb ein wenig ratlos zurück. Er wußte nicht, was er tun sollte.

Ein Geistlicher bei Flierefluiter? Würde sein Freund den Priester nicht zum besten halten und von seinem Gott erzählen, der nur für ihn, eigens zu seinem Vergnügen, da war? Nein, das würde er nicht tun. So spottlustig er auch war – Merijntje hatte eigentlich noch nie erlebt, daß er lieblos neckend über einen Pfarrer hergezogen war. Und wer weiß ... wenn er spürte, wie ernst sein Zustand war – vielleicht änderte er sich dann auch?

Kurz darauf erschien der Arzt. Er untersuchte den Patienten aufs neue. Sein Gesicht verriet große Besorgnis. Er erteilte allerhand Anweisungen, schrieb auch ein neues Rezept aus, knabberte nervös an seinem Bleistift und wiegte den Kopf.

„Steht es schlecht, Herr Doktor?"

„In keinem Fall gut, Junge! Das hohe Fieber ... die beunruhigend sprunghafte Entwicklung im Krankheitsprozeß ... Ja, wenn er die Krisis übersteht – aber das ist noch weit hin ... Er hat zwar einen robusten Körper ... das läßt natürlich hoffen. Wir müssen abwarten ..."

Er ging. Niedergeschlagen saß Merijntje am Bett. Sie waren alle so ängstlich, so ohne Hoffnung, der Pfarrer, der Arzt. Es mußte sehr schlimm stehen. Ob er wirklich rettungslos verloren war? Wie konnte das nur sein? Vor ein paar Tagen noch voller Lebenslust und Kraft und nun todkrank und vielleicht nicht mehr ... Er schauderte bei diesen Gedanken. Nein, er wollte es nicht glauben! Flierefluiter konnte ... durfte nicht sterben ... Er wollte nicht, daß Flierefluiter starb!

An diesen Gedanken mußte er sich festklammern. Mit aller Macht mußte er sich gegen den Tod zur Wehr setzen, der seinen Freund bedrohte. Vielleicht half das ... Dann nickte er auf seinem Stuhl ein.

Im Traum rang er mit einer dunklen Gestalt, die an das Bett seines Freundes wollte. Er wußte: das ist der Tod. Er versuchte ihn zurückzuhalten, ihn abzuwehren, aber in dieser düsteren Erscheinung war grauenerregende Kraft. Er spürte, daß er nicht lange Widerstand würde leisten können. Ein kalter Atem wehte ihm von dem finsteren Gegner ins Gesicht.

Fröstelnd und mit heftig klopfendem Herzen schrak er auf. Er vermochte die zusammengebissenen Zähne kaum auseinanderzubringen, und auf seinen Wangen war eine kühle Spur von Tränen. Flierefluiter redete immer noch im Fieber; er hörte den Namen Bets ...

Bets ... Bets ... immer wieder kam es über die murmelnden Lippen, flehend, voll Liebe und Verlangen, dann wieder kurz und bissig, warnend, verzweifelt, wie in ohnmächtiger Leidenschaft. Vergessen hatte er sie nicht, sie lebte noch in seinem Geist. Andere Namen tauchten auf, bekannte und unbekannte. Wörter in fremden Sprachen ... Geheimnisvoll war das und beängstigend. Was geschah mit einem Menschen, wenn er so dalag wie Flierefluiter jetzt?

Der Körper röchelte, litt Qualen, und unterdessen irrte der Geist in die Vergangenheit, fand Bruchstücke des verflossenen Lebens, sprang hierhin und dorthin, begegnete Freunden und Frauen von früher.

Und er saß dabei und hörte zu. Aber er hatte kein Teil daran.

Erst gegen Abend ließ das Fieber ein wenig nach, und der Kranke wurde ruhiger. Merijntje hatte geschlafen, bis die beiden Alten ins Bett gingen, dann hatte er seine Nachtwache wieder aufgenommen. Er sah, wie Flierefluiter die Augen öffnete und sein Blick durch die Kammer irrte, die von dem schwachen Schein der Petroleumlampe nur spärlich erhellt war.

„Bist du noch da, Merijntje?" sagte er mit matter Stimme.

„Natürlich, ich muß doch auf dich aufpassen."

Der Kranke sah ihn an. Für einen Moment schien ein hungriger Blick in seine flackernden Augen zu kommen; dann wurden sie wieder sanft und gut. Er fuhr sich mit der Hand über die Brust.

„Schmerzen, Junge ... gemeine Schmerzen! Und müde, so müde ..."

„Dann rede doch nicht!"

„Laß mich ein bißchen mit dir sprechen. Oft werde ich es vielleicht nicht mehr können."

„Hör doch auf damit!"

Flierefluiter schüttelte langsam den Kopf und versuchte, tief

Luft zu holen, doch es wurde nur ein schmerzhaftes Röcheln, das sein Gesicht verzerrte. Eine Weile blieb es still. Merijntje bemühte sich verzweifelt, ruhig zu bleiben und zu tun, als sei alles beim alten.

Nach einer Zeit sagte er: „Heute nachmittag war der Pfarrer hier. Er fragte, ob er wiederkommen könne, wenn du wach bist."

Flierefluiter überlegte. Dann lächelte er, und in seinen Augen blitzte ein wenig von dem alten Schalk, als er kaum hörbar flüsterte: „Kann er ja ruhig, bitte ... warum nicht ..."

Weder Angst noch Unruhe war in seiner Antwort, eher ein huldvolles Entgegenkommen, der Wunsch, jemand eine Freundlichkeit zu erweisen, fand Merijntje. Ob er gar nicht ahnte, daß er in Todesgefahr schwebte? Doch nach dem, was er vorher gesagt hatte, konnte er darüber nicht im Zweifel sein. Merijntje hätte ihn gern gefragt, ob er sich nicht fürchte und wie das komme – doch er wagte es nicht. Und Flierefluiter hatte die Augen geschlossen und schien bereits wieder zu schlafen.

Wie sich das Gesicht in den zwei Tagen verändert hatte! Gelbgrau spannte sich die Haut über die Backenknochen, die Augen waren tief in die Höhlen gesunken, ein rauher Stoppelbart bedeckte die eingefallenen Wangen, und um die Schläfen, auf denen kleine Schweißtropfen glänzten, lagen blaue Schatten. Es war schon fast das Gesicht eines Toten.

Sterben ... Da lag Flierefluiter – und vielleicht mußte er fort, auf immer. Wie war das? Nicht mehr leben, nichts mehr sehen, hören, fühlen, wissen ... Für alle Zeit still. Und dann? Was kam dann? Nichts mehr? Verwesen ... vergehen ... Staub? Oder blieb doch etwas übrig? Was war das Leben in einem Menschen, und wo blieb es? Das konnte doch nicht so einfach aufhören ... Er dachte an vieles, was ihn die letzte Zeit begeistert oder bedrückt hatte, und plötzlich erschien ihm das alles so unendlich unwichtig. Was kam es schon darauf an, wenn man doch sterben mußte? Was hatte es dann für einen Sinn, dem Leben nachzujagen? Wenn man dem Tod Auge in Auge gegenüberstand, wurde alles ganz klein, es schrumpfte zusammen zu einem lächerlichen, törichten Nichts – und das einzige, was blieb, groß und gewichtig ... war der Tod.

Langsam und qualvoll zogen die Tage dahin. Der Kranke litt schwer, stöhnte und schlug manchmal mit den Armen um sich, weinte leise in halb bewußtloser Abwehr gegen den unerträglichen Schmerz, wurde dann wieder still, schlief und hatte lichte Augenblicke, in denen er sich verwundert umblickte und dankbar dem zulächelte, der ihm zu trinken gab und ihm half.

Der Pfarrer kam und sprach leise mit ihm, blieb lange bei ihm sitzen und ging bewegt davon. Abends kam er mit dem Küster zurück, und Flierefluiter erhielt, zu Merijntjes größtem Erstaunen, feierlich die Sakramente. Beim Licht der beiden Kerzen auf dem weißgedeckten Tisch beteten sie gemeinsam, und Flierefluiter lag da, etwas wie Triumph in den erlöschenden Augen . . .

Danach kam das Fieber rasch wieder, und mit ihm der wütende, zerreißende Schmerz und die Atemnot. Im Delirium stieß der Kranke einen schweren Fluch zwischen den zusammengebissenen Zähnen hervor.

Der Pfarrer bekreuzigte sich und sagte leise: „Nun ist er wieder bewußtlos, aber seine Seele ist gerettet . . ."

„Gelobt sei Jesus Christus!" antwortete Nol und senkte tief den Kopf, und alle schlugen langsam und feierlich ein Kreuz. Dann kehrten Pfarrer und Küster ins Dorf zurück.

Merijntje schaute ihnen nach, wie die schaukelnde Laterne durch die Felder verschwand; leise klingelte von Zeit zu Zeit noch das Glöckchen aus der Ferne.

Als Merijntje in dieser Nacht aus seinem schmerzlichen Grübeln aufschreckte, weil Flierefluiter seinen Namen mit einer fast ebenso kräftigen Stimme wie früher rief, ging es auf fünf . . .

„Merijntje!"

Der Junge fuhr auf, starrte mit großen Augen in das bleiche, hohle Gesicht seines Freundes.

„Hilf mir ein bißchen hoch, Merijntje! Ich kann es nicht allein."

„Der Doktor hat's verboten."

„Mach dir keine Sorgen, Junge! Mir kann nichts mehr passieren, ich habe keine Schmerzen, und mein Atem geht ganz leicht."

Verblüfft schaute Merijntje den Kranken an. Sein Gesicht leuchtete und sah so unbekümmert aus. Die grauen Augen zwangen zum Gehorchen. Vorsichtig half er dem Freund, schob ihm die Kissen in den Rücken und lehnte ihn in halb sitzender Stellung dagegen. Dann gab er ihm zu trinken, zog seinen Stuhl wieder näher und setzte sich hin. Lange blickten sie sich an.

Merijntje brannte eine Frage auf der Zunge. Endlich sagte er zögernd: „Du hast das Abendmahl empfangen . . ."

„Ja."

„Glaubst du denn nun wieder an Gott?"

„Das habe ich doch immer getan . . ."

„Ja, aber doch nicht an den Gott der Kirche?"

„Nein, an den nicht."

Er lächelte unbestimmt. Merijntje war empört.

„Ja, aber . . . aber warum hast du dann kommuniziert?"

„Der Pfarrer wollte es so gern, Merijntje. Ich konnte es nicht mit ansehen, wie unruhig er um meine arme Seele war. Und nachher war er so froh, Junge . . . Man soll nie versäumen, den Menschen eine Freude zu machen."

Merijntje wurde rot. Er wußte nicht, was er davon halten sollte.

Flierefluiters Ton war so gut und völlig ohne Spott. Doch erschien es ihm unstatthaft, was sein Freund getan hatte.

„Du bist mir der Rechte!" grollte er.

„Das weiß ich . . ." Flierefluiter lachte leise, und Merijntje mußte wohl oder übel mitlachen. Dann fragte er mit vollkommen ruhiger Stimme: „Was wirst du tun, wenn ich nicht mehr da bin?"

Der Junge wurde blaß. Entsetzen stand in seinen Augen, und seine Stimme bebte.

„Red doch nicht so, du Narr! Du wirst bald wieder gesund sein."

Flierefluiter schüttelte den Kopf. Das Lächeln wich nicht von seinen Lippen.

„Nein, Merijntje, darauf brauchen wir nicht zu rechnen. Mit Flierefluiter ist es aus."

„Hör doch endlich auf!" Die Stimme des Jungen versagte. Er hustete, wischte sich den Tränenschleier von den Augen weg und fluchte leidenschaftlich: „Verdammt!"

Der Kranke streckte seine Hand aus, eine hagere, gelbe Hand voller Falten. Merijntje nahm sie zwischen seine beiden Hände.

„Du gehst nicht fort, Flierefluiter!"

„Doch, doch, Merijntje. Aber deshalb darfst du nicht traurig sein. Es ist gut so. Ich gehe nun noch in voller Kraft davon – aber ich habe in der letzten Zeit schon gespürt, daß der Sommer vorüber war. Die grauen Jahre sollten kommen . . . und ich bin nicht der Kerl danach, um als altes Männchen herumzulaufen. Dann wäre ich allmählich vor Kummer gestorben. So ist's viel besser."

„Aber ich kann dich nicht entbehren, Flierefluiter!"

„Du wirst noch ganz andere Menschen entbehren müssen, Junge, die viel mehr für dich bedeuten. Aber ich bin sehr froh, daß wir zusammen auf Wanderschaft gegangen sind diesen Sommer. Du hast viel gesehen und erlebt, was? Und für mich ist es ein herrlicher Schluß gewesen."

Er schwieg und blickte vor sich hin in die dämmerige Ecke des Alkovens. Er hatte ein so zufriedenes und befriedigtes Lächeln . . . wie ein Spieler, der hoch gesetzt und viel gewonnen hat.

In der Dunkelheit des Alkovenwinkels drängte sich ein ganzes Leben, ein wildbewegtes, launiges und sonniges Leben . . . so viele Gesichter geliebter Menschen, so viele Wechselfälle, so viel Neues Tag um Tag . . .

Heiße Tropfen fielen auf sein Handgelenk, Tränen aus Merijntjes dunklen Augen. Langsam wandte er ihm das Gesicht wieder zu.

„Du mußt nun nach Haus zurückgehen, Merijntje. Für dich ist dieses Leben nichts. Du bist anders als ich . . . besser. Doktor Presco hat wohl recht: ich habe die Menschen zuviel zum Narren gehalten, zu sehr zu meinem eigenen Vergnügen gelebt. Ich bin nun einmal so. Du würdest das nicht können. Ich habe mein Leben lang nichts anderes im Sinn gehabt, als Blumen pflücken und Beeren essen ... Aber du – du bist zum Apostel geboren!" Er zögerte ein wenig und blickte bekümmert vor sich hin. Dann seufzte er leise und sagte mit einer Stimme voll tiefen Mitleids: „Armer Kerl!"

Merijntje hob den Kopf und sah ihn an. Warum: armer Kerl? Zu ihm, einem jungen, gesunden Burschen, der gerade auf der Schwelle des Lebens stand ... Wie konnte ein Sterbender ihn bedauern? Was meinte er damit? „Ich verstehe dich nicht", sagte er.

„Das macht nichts, Merijntje. Du wirst ein gutes Leben haben, aber du selber wirst es vielleicht am wenigsten begreifen ... Versuch, es nicht allzu schwerzunehmen. Denk manchmal an Flierefluiter: der lebte einfach drauflos – und genauso stirbt er auch."

Er lachte wieder sein leises, zufriedenes Lachen.

„Ich habe wahrscheinlich auch mancherlei Verkehrtes getan in meinem Leben, Merijntje. Aber ich bilde mir ein, mich stets rechtzeitig besonnen und die Lehren daraus gezogen zu haben. Das ist viel wert, Junge ... Ach, verflixt!"

Mit großen Augen sah Merijntje ihn an. Das blasse, verfallene Gesicht mit den dunklen Ringen unter den Augen und den bläulichen Schatten um Schläfen und Wangen war plötzlich wieder unheimlich lebendig, die Augen hell und strahlend, und der breite Mund mit den bläulichen Lippen lachte unbesorgt und übermütig. Konnte ein Mensch, der wußte, daß er sterben sollte, so blicken und lachen? Unmöglich ... Flierefluiter lag nicht im Sterben. Er wollte ihn nur, wie so oft schon, ärgerlich machen, um sich dann über seinen heftigen Widerspruch zu amüsieren. Er spürte sicher, daß es ihm viel besser ging, daß er gesund wurde. Und nun hielt er ihn mit seinem Gerede über den Tod zum Narren. Unsinn! Flierefluiter starb noch nicht!

Merijntje lachte ein wenig gezwungen. Dann sagte er: „Schon gut, du Schwätzer! Aber nun halt den Mund und leg dich hin, du bist hundemüde. Der Schweiß steht dir schon wieder auf dem Gesicht."

Flierefluiter drückte ihm fest die Hand und nickte. Dann bettete Merijntje ihn um, so daß er wieder flach lag, schüttelte die Kissen auf und deckte ihn zu. Noch einmal sahen die lachenden Augen ihn schläfrig an.

„Wohl zu ruhen, Merijntje!"

„Wohl zu ruhen, Flierefluiter!"

Der Kranke nickte ein paarmal nachdrücklich mit dem Kopf, dann glätteten sich seine Züge wie nach einer heftigen Anstrengung, aber das Gesicht blieb so lebendig wie zuvor.

Und nun war Merijntje fest überzeugt: Flierefluiter würde nicht sterben.

6

Doch Flierefluiter starb am nächsten Mittag, dem siebenten Tag seiner Krankheit.

Merijntje saß am Bett und sah zu, wie sich die Decke über der Brust immer langsamer und schwächer hob und senkte. Von den betenden Stimmen neben sich hörte er nichts. Er schaute nur angespannt hin und konnte sich nicht vorstellen, daß dieses leise Auf- und Niedergehen der Decke ein Ende haben könne ... Dann hörte er ein seltsames Geräusch, er blickte auf das Gesicht, sah, daß der Mund sich öffnete, wieder schloß und der Kopf leicht zurücksank. Als er die Augen wieder auf die Decke richtete, war sie ohne Bewegung. Starr blieb sein brennender Blick darauf haften: es war eine Bewegungslosigkeit, von der man schwindlig wurde, so als ob man in einen dunklen, bodenlosen Abgrund hinuntersähe ...

Nun war Flierefluiter doch gestorben – und alles, was er in dieser Nacht zu ihm gesagt hatte, war ernst gewesen.

Der Pfarrer betete. Sjoke weinte in ihre kleinen, verrunzelten Hände, als ob ihr eigener Sohn gestorben wäre. Es sah aus, als lägen sie zu dritt nebeneinander ...

Leise stand Merijntje auf und schlich aus der Tür. Kühler Wind wehte durch sein Haar. Die Sonne schien hell, und gleichgültig lag die Welt da wie gestern, wie vorgestern, wie vor zehn Tagen, als er singend mit Flierefluiter durch den Wald gegangen war ... Tod oder Leben eines Menschen, was kam es darauf an – die Welt wurde dadurch nicht erschüttert. Mußte die Erde nicht auch einmal sterben? Er lief durch die Felder. Flierefluiter war tot. Die

Menschen stachen die Rüben aus dem Boden, fuhren sie in den knarrenden Wagen zum Kai, man brauchte Zucker. Flierefluiter war tot. Sie rodeten die späten Kartoffeln, die Menschen brauchten Essen. Aber Flierefluiter hatte an dem allen keinen Teil mehr – Flierefluiter war tot...

Wie ein Irrer streifte er durch das Land, über die Deiche. Es war Abend, als er wieder zurückkam.

Flierefluiter war aufgebahrt. Er lag gewaschen und rasiert auf einer niedrigen Bank, ein Laken über sich, und wartete auf seinen Sarg. Ihm zu Häupten brannten Kerzen. Merijntje schlug das Tuch behutsam zurück. Ein Schock durchfuhr ihn. So schön war Flierefluiter? So edel? So zufrieden und froh? Aber was war dann der Tod? Dieses stille weiße Gesicht sah so glücklich aus, fast mußte man sagen: triumphierend... Nirgends war etwas von Angst oder Erschrecken. Und plötzlich fiel ihm jenes Gedicht ein, das er damals bei Pfarrer Ramakers vernommen hatte, die Worte, die ihm so unverständlich geblieben waren:

> Das Schönste, das die Welt kann geben,
> ist wohl der Weg, der zu ihm führt.
> Erst jenes Leben ist mein Leben,
> das einst der gute Tod berührt.

Nun begriff er sie, diese Zeilen, nun waren sie Wirklichkeit geworden. Ja, die Dichter, sie wissen wohl doch mehr als wir...

Lange saß Merijntje an der Bahre seines Freundes und konnte sich nicht sattsehen an diesem großherzigen Gesicht, über das sich ein so weiser, milder Friede gesenkt hatte.

„Er liegt da wie ein Heiliger", flüsterte Sjoke.

Merijntje nickte. Er konnte nicht weinen. Ein schwerer Druck war von ihm genommen. Flierefluiter war zufrieden, befreit... Durfte er dann trauern? Still saß er an der Bahre, versunken in die Gewalt des Todes, mit dem er sich auf unerklärliche Weise versöhnt fühlte.

Drei Tage später wurde Flierefluiter auf dem kleinen Kirchhof unten am Deich beerdigt. Dicht über ihm rauschten die Zweige einer alten Trauerweide, leise und wehmütig. Und am Kopfende seines Grabes hob ein Rosenstock drei große, glühend rote Blüten ins Licht der Sonne, die keine Sommersonne mehr war.

Merijntje hatte alles geregelt und bezahlt. Als die Feierlichkeit vorüber war und die Menschen hinter dem Pfarrer her den Friedhof verließen, stand er noch eine Weile an der offenen Grube und blickte auf den einfachen Sarg, auf den kleine Erdhäufchen gestreut waren. Er mußte ihn zurücklassen und weitergehen...

Leise sagte er: „Auf Wiedersehen, Flierefluiter!"

Doch die Stimme des Freundes antwortete nicht mehr. Seine Augen füllten sich mit Tränen, er wischte sie heftig weg – es gab nichts zu weinen ... Flierefluiter war mit dem guten Tod dahingegangen, und die Lebenden mußten nun zusehen, wie sie allein fertig wurden.

Mit einem Ruck drehte er sich um, ging vom Kirchhof und erstieg den Deich. Kühl wehte der Wind ihm um den Kopf. Kühl war die reine Luft, die ihm in die Lungen drang. Auf der Schulter trug er Flierefluiters Knotenstock mit dem Bündel daran, und in der Innentasche seiner Jacke, dicht am Herzen, fühlte er die Flöte seines großen Freundes, die alte schwarze Flöte, auf der er in den letzten Monaten spielen gelernt hatte.

Höher richtete Merijntje sich auf und betrat die Straße, die zu seinem Heimatdorf führte. Er ging mit dem schwingenden, gleichmäßigen Schritt, der Flierefluiter so lang und so weit über die Welt getragen hatte.

Drittes Buch · Das böse Gerücht

· Erstes Kapitel ·

I

An diesem Morgen lag die Welt in einem dichten grauen Nebel
versunken, der die Erde mit seiner fahlen Flut überströmte. Die
schief gewachsenen Kopfweiden unten am Deich standen wie
schreckenerregende Spukgestalten dunkel und verwischt in der
dunstigen Atmosphäre. Tief in Gedanken verloren stapfte Merijntje über den Kiesweg dahin, der von den knarrenden Acker-
wagen mit ihrer schweren Zuckerrübenlast völlig zerfahren war.
Seine durchweichten Sohlen glitschten immer wieder auf den platt-
gewalzten Klumpen fetten Lehms aus, die von den Rädern abgefallen waren und die Straße fast unbegehbar machten. Strauchelnd
geriet er hier und da in ein Loch oder eine tiefe Wagenspur voll
schmutziggelbem Schlammwasser, das um seine Knöchel spritzte
und kalt in seine Schuhe drang. Die alten Ulmen auf der Deichkrone erhoben sich nur als schattenhafte Säulen am Wegrand.
Ihre unsichtbaren Wipfel schienen sich im Nebel aufgelöst zu haben, doch aus dem undurchdringlichen Grau fiel hin und wieder
ein schwerer Tropfen von den fast kahlen Zweigen; manchmal
zerspritzte einer klatschend in Merijntjes Nacken und rann ihm
eisig den verschwitzten Rücken hinunter.

Die Rufe eines Knechts, der seine Pferde antrieb, klangen hohl
und gedämpft an sein Ohr. Dann dämmerten aus dem Nebel die
gewaltigen Schemen der dampfenden Tiere und des großen, schwe-

ren Wagens auf, hoch beladen mit lehmigen Rüben, von denen ein widerlich süßer Geruch ausging. Schärfer umrissen schob sich das Gefährt an ihm vorüber und verschwamm sofort wieder in dem undurchdringlichen Grau. Dann war nichts mehr als das Quietschen der Räder, des Knarren des Wagens auf ungefederten Achsen, die rauhe Stimme des Fuhrmanns und dünner Peitschenknall. Aber rasch erstickten auch diese Laute in der dämpfenden Wattierung des grauen Nebeltages. Und Merijntje lief verloren weiter über den matschigen Weg, einsam wie vorher in der grenzenlosen Umfassung der undurchdringlichen Zauberhülle.

Manchmal wehte ein schwaches Gemurmel von Stimmen zu ihm herüber, aber er konnte die Arbeiter auf den Feldern nicht sehen. Das machte ihn verdrossen – es ließ einen die eigene Ohnmacht spüren. Der große Bauernhof dort hinten in der Krümmung des Deiches zeigte sich nur als zerstreuter Fleck, aus dem sich eine Baumgruppe und die gewaltige Silhouette des massiven Kornspeichers undeutlich herausschälten – gänzlich ohne Konturen, nur ins Unbestimmte zerfließend, unbehaglich erregend wie im Halbschlaf zwischen Wachen und Träumen, höchst geheimnisvoll, bis zur Unkenntlichkeit verfremdet. Ganz aus der Ferne begann die Mittagsglocke zu läuten. Helle Töne, die er so gut kannte und so sehr liebte, doch jetzt klangen sie unwirklich, als irrten sie in diesem Meer von Nebel suchend umher. Zwölf Uhr ... in einer guten Viertelstunde würde er im Dorf sein. Ermüdet blieb er stehen, seufzte tief, schob die Mütze zurück und wischte sich mit dem Handrücken den brennenden Schweiß aus den Augen.

Der dumpfe Tag bedrückte ihn. Er kam sich unendlich verlassen vor. So deutlich hatte er den leeren Platz neben sich noch nie gespürt. Ein rauher Schmerz würgte ihn in der Kehle. Es wäre gut gewesen, wenn er sich einmal hemmungslos hätte ausweinen können – aber dazu war er jetzt zu groß. Die letzte Nacht hatte er schlecht geschlafen und immer wieder von Flierefluiter geträumt, bis er mit pochendem Herzen und feuchten Wimpern hochgefahren war. Dann hatte er ins Dunkel gestarrt, nach dem Bild des Freundes gesucht, das plötzlich verschwunden war und das er sich auf keine Weise wieder vor Augen zu holen vermochte, das jedoch sofort sprühend vor Leben auftauchte, sobald er müde von neuem in Schlummer sank. Zu lebendig jedoch, um es lange ertragen zu können, denn auch in seinen Träumen wußte er, daß Flierefluiter tot war – er hatte die frische, doch so trügerische Gegenwärtigkeit nicht ausgehalten und sich gewaltsam aus dem Schlaf gerissen ...

Scheu blickte er sich jetzt um. Wie trostlos war es, so einsam zu sein, allein auf weiter Flur im undurchdringlichen Dämmer des grauen Tages, von nichts anderem umgeben als von einem Stück feucht schimmernden, aufgeweichten Weges, schmalen Randstreifen vergilbten Grases und ein paar blassen, zerfließenden, durchscheinenden Baumstümpfen – gefangengehalten in der Umklammerung dieses unsprengbaren Nebelringes. Rechts und links, vor sich und hinter sich wußte er die Welt mit Menschen und Dingen, die er kannte. Ihre fernen Geräusche drangen zu ihm herüber, aber er konnte nichts von ihnen sehen, er hatte keine Gemeinschaft mit ihnen, wie tief und schmerzlich es ihn auch danach verlangte. Er stand allein, sehnsüchtig inmitten des unwirklichen Gefängnisses der grauen Mauern, die doch keine Mauern waren. Er konnte die anderen nicht erreichen – sie waren ebenso wie er von Nebelmauern eingeschlossen: eine schaudererregende, spukhafte Welt, unergründlich und voller Geheimnisse ... Es hätte ihn nicht einmal verwundert, wenn Flierefluiters Schatten in diesen Nebelkreis hereinglitte, um ihn zu erschrecken oder zu verspotten.

Heiser krächzte eine Krähe in dem unsichtbaren Baumwipfel über seinem Kopf. Erschrocken fuhr er zusammen und setzte sich fröstelnd wieder in Bewegung. Jähe Angst trieb ihn voran. Sein Herz hämmerte, und Schweiß juckte auf der Kopfhaut unter seinem Haar – fast wäre er gefallen, als er auf einer halb zermatschten, vom Wagen verlorenen Zuckerrübe ausrutschte. Wütend murmelte er zwischen den Zähnen einen Fluch, stellte, über eine Pfütze springend, sein Gleichgewicht wieder her und verwünschte sich. Da war doch nichts! Gar nichts war da – nur ganz gewöhnlicher Wasserdampf, überhaupt nichts Geheimnisvolles: dicker, kalter, nasser Nebel, wie er häufig im Spätjahr und im Winter auf die Welt herabsinkt. Warum mußte er sich dabei wieder allerhand alberne gespenstische Gedanken machen? Andere taten das doch auch nicht? Über die Zeit kindlichen Aberglaubens war er wohl längst hinaus! Nebel war einfach eine tiefhängende Wolke, die irgendwann auch wieder aufstieg – und dann zeigte sich alles wie eh und je ... Aber weil es jetzt neblig war, dachte er an Höllenwesen und flüchtete vor einer ordinären, in einer unsichtbaren Baumkrone verborgenen Krähe und ihrem frechen Gekrächze, das ihn wie ein rauher Schrei aus der Geisterwelt erschreckt hatte. Ein flinker, tapferer Bursche war er, in der Tat, ein Held, ein Musterschüler des lässigen Flierefluiter, der Tod und Teufel nicht fürchtete – weil er an keinen von beiden glaubte ...

Es gab überhaupt keinen Grund für diese irrsinnige Angst – sein Verstand sagte ihm das klipp und klar. Doch er war durch die ungewohnte Einsamkeit, die er im übrigen selber gesucht hatte, irgendwie kopflos geworden. Die überspannt heitere Stimmung, in der er vom Friedhof aufgebrochen war, hatte nicht lange gedauert. In der Gastwirtschaft, wo er zu Mittag an einem Tisch für sich speiste, hatte ihn das Fehlen seines munteren Freundes mit seinen ironischen, spöttischen Weisheiten plötzlich arg bedrückt. Leben war genug in der verräucherten Schankstube, wo zufriedene Bauern, die vom Stadtmarkt zurückkehrten, ihr soundsovieltes Gläschen Schnaps hinunterkippten und auf taumeligen Beinen das heillos in Unordnung gebrachte Billardbrett umlagerten und nicht geringen Krach schlugen. Aber Merijntje hatte das bedrückende Gefühl, daß in ihm eine große tödliche Stille herrschte, die nicht gestört werden durfte. Er ertrug die Menschen auf einmal nicht mehr. Warum trauerten sie nicht? Wie konnten sie sich so fröhlich und unbeschwert geben? Flierefluiter war doch tot! Und er saß hier ohne seinen Gefährten und wußte nicht, was er beginnen sollte. Die Welt hatte sich verfinstert, war leer, lichtlos und trübselig geworden, und Merijntje litt schwer unter der schmerzlichen Gewißheit, daß es für ihn nunmehr endgültig aus war mit allem Lachen und aller Fröhlichkeit. Und dieses ungehobelte Volk führte sich gänzlich unangemessen auf, trank, spielte, schrie sich aus weitaufgerissenen Mäulern derbe Späße zu, amüsierte sich, als sei nichts geschehen, als sei schließlich nicht alles ringsum dunkel, farblos und traurig geworden mit dem Tode Flierefluiters. Hastig hatte er das Weite gesucht. Es erschien ihm selbst wie eine Flucht, doch er konnte nicht anders – es war ihm unmöglich, länger unter diesen stumpfsinnigen Radaubrüdern zu weilen, denen es bislang verborgen geblieben war, daß sich Welt und Leben mit einem Schlag verwandelt hatten, blind geworden, ja zu einer einzigen großen Betrübnis erloschen waren. Unwiderruflich! Aber niemand merkte das außer ihm. Plötzlich gehörte er nicht mehr zu den Menschen, die er gestern noch verstanden hatte.

Den Plan, geradewegs in sein Heimatdorf zu gehen, hatte er aufgegeben. Die Vorstellung, mit den Menschen zusammensein zu müssen, die seinen Freund so gut gekannt hatten, die Stätten wiederzusehen, wo er so verwirrend viel mit ihm erlebt und erlitten hatte, war einfach unerträglich. Niedergeschlagen und ziellos schweifte er durch Wälder und Felder, und so oft und eindringlich er sich auch vorhielt, daß Flierefluiter selbst immer wieder behauptet hatte, froh darüber zu sein, jetzt schon sterben zu dürfen – zu einem Zeitpunkt, da er die Schwelle zur Hinfälligkeit noch nicht überschritten hatte –, diesen Frohsinn vermochte er beim besten Willen weder zu teilen noch zu verstehen. Er trug es mit jedem Tag schwerer, daß sein Freund nicht mehr an seiner Seite ging. Der Erinnerung an diesen wunderlichen Menschen konnte er nicht entfliehen. Wo ihn seine Beine auch hintrugen – die ganze Gegend erzählte von seiner Anwesenheit! Überall war Merijntje mit ihm gewesen: an diesem Waldrand hatte er neben ihm gelegen und geschlafen, gemeinsam waren sie diesen Weg singend entlanggezogen, in diesem Moorsee hatte er mit ihm ein Bad genommen, auf diesen Feldern mit ihm gearbeitet, hier an diesem Deich seine erste Stunde im Flötenspiel erhalten ... Flierefluiter war allgegenwärtig, er tauchte überall auf – aber er tauchte auf als gähnende Leere, als würgender Gram.

So hatte er dann endlich doch den Entschluß gefaßt, ins Dorf zurückzukehren – unter guten Bekannten war es gewiß leichter zu ertragen. Der Entschluß hatte ihn ein wenig ruhiger gestimmt, der Kummer sengte nicht mehr so heiß. So etwas wie eine Vorahnung von der unaufhaltsam heranrückenden Ergebung ins Unabänderliche hatte sich langsam seiner aufsässigen und erschrockenen Gedanken bemächtigt. Nun hatte der verfluchte Nebel heute das beklemmende Gefühl seiner Einsamkeit maßlos in ihm wachsen lassen, zugleich aber stärker als zuvor das Bedürfnis geweckt, unter Menschen zu sein, unter Bekannten, unter Freunden, die Flierefluiter geschätzt hatten.

Während der ganzen Woche, die er nach Flierefluiters Tod umhergeirrt war, hatte er dessen Namen nicht ein einziges Mal ausgesprochen, sondern seine Verlassenheit und seinen Kummer krampfhaft in sich verschlossen gehalten – nun lag alles schwer wie Blei auf seinem einsamen Herzen. Er hielt das Alleinsein nicht mehr aus. Und die dunstige Gefängnismauer dieses Nebelkreises steigerte die Furcht davor ins Unerträgliche. Er mußte Verbindung mit der unsichtbar gewordenen Welt dort draußen haben, unter Menschen sein, fühlen, daß er zu ihnen gehörte...

Immer eiliger lief er weiter, rutschend und stolpernd. Er erkannte die verschwommen sichtbaren Dinge längs des Weges: da war das Wirtshaus von Ko Gillemans, dort die Hecke mit dem hohen Tor und den Totenschädeln auf den Pfeilern vom kleinen Friedhof, dann führte der Weg schräg vom Deich ins Polderland hinunter. An der Wegegabel die große alte Linde, die struppig kahlen Sträucher am Grabenrand mit dem dunklen Brombeergestrüpp dazwischen.

Hier war er zu Haus. Er hörte das helle Klingklang des Hammers auf dem Amboß in Wildenbergs Schmiede. Laut und herrisch krähte auf dem Hof von Timmers ein Hahn: Wo blieben Sonne und grelles Tageslicht? Erleichtert atmete Merijntje auf. Jetzt fühlte er sich nicht mehr einsam. Hier war die Wärme der Zuneigung von Freunden und Verwandten, der alte Kreis von Zusammengehörigkeit, von Abenteuern und Erinnerungen.

Auf der Dorfstraße knirschte der Kies ganz anders unter seinen Sohlen – ein liebes, vertrautes Geräusch, so sicher und bekannt. Etwas Gutes war in der Nähe, es verhieß Frieden für seine verwirrten Gedanken, Ruhe für seinen ermüdeten Körper, Wärme für sein erstarrtes Herz, ein gutes Mahl für seinen plötzlich so hungrigen Magen. Roch er nicht schon den herrlichen Duft von frischgebackenem Brot, das de Foep aus dem glühenden Ofen auf die Trockenbretter schob? Nein, das war unmöglich, es war noch zu weit weg, und um diese Tageszeit wurde kein Brot gebacken. Aber es roch trotzdem, und das beschleunigte seine Schritte, die auf den ersten Pflastersteinen der Dorfstraße heller klangen.

2

Als Merijntje, der wie früher durch den Hintereingang gekommen war, die Klinke heruntergedrückt hatte, sah er Nele und den Pfarrer am Küchentisch sitzen. Die Lampe brannte. Sein zaghafter Gruß verlor sich in dem Ausruf der Überraschung, den beide zugleich ausstießen.

„Merijntje!"

„Ja, ich bin es . . ."

Es klang bedrückt. Der Pfarrer war aufgestanden, und der Junge fühlte sich winzig neben der mächtigen Gestalt in dem geblümten Morgenrock. Der Geistliche sah, wie Merijntje blaß wurde und die bebenden Lippen mühsam zu einem Lächeln verzog, das aussah wie eine Grimasse des Schmerzes. Er schüttelte ihm die Hand, schlug ihm kräftig auf die Schulter und rief lärmend:

„Nele, stell rasch einen Teller dazu, der arme Kerl ist völlig ausgehungert . . . Rasch, rasch! Schlag dir erst mal den Bauch voll, Junge! Reden können wir immer noch . . ."

Er drückte ihn auf einen Stuhl. Nele stellte einen Teller vor ihn hin, schöpfte eine ungeheure Portion zusammengekochte Mohrrüben und Kartoffeln darauf und legte ein großes Stück Fleisch dazu.

„Iß, Junge, iß! Das ist gerade das Richtige bei diesem Wetter!"

Der würzige Duft des Essens machte Merijntje schwindlig. Er spürte jetzt erst richtig, wie ausgehungert er war, und ließ sich nicht lange nötigen. Die Wärme der Küche umfing ihn behaglich.

Hier war es gut. Herrlich war es hier. Neles blitzsaubere Küche, Nele selber mit ihren freundlichen Augen, des Pfarrers respektein-flößende, aber beruhigende Persönlichkeit – alles war so wunder-bar nach der kalten Einsamkeit der vergangenen Tage. Der letzte Rest seiner unbestimmten Ängste schwand dahin. Mochte draußen der eisige Nebel dämmern, hier drinnen war es warm und licht, und alle Dinge standen hell im goldenen Schein der Petroleum-lampe abgezeichnet. Hier gab es keinen Nebel, keinen beklemmen-den Dunstkreis.

Schweigend aßen sie. Neles Augen ruhten voller Zuneigung auf seinem abgemagerten Gesicht, auf das die Wärme rote Flecke brannte. Nele warf dem Pfarrer einen Blick zu, doch der schüt-telte kaum merklich den Kopf.

Als der Junge den Teller geleert hatte, schob er ihn von sich, lehnte sich auf dem Stuhl zurück und seufzte befriedigt:

„Das hat aber geschmeckt! Du kannst wirklich kochen, Nele!"

Die Haushälterin lächelte: „Soll das heißen, daß du noch mehr magst?"

„Nein, danke, bestimmt nicht, ich kann nicht mehr."

Plötzlich fiel ihm wieder der Grund seines Kommens ein. Un-sicher sagte er:

„Ist es hier schon bekannt . . .?"

Pfarrer Ramakers winkte mit der Hand.

„Ja, ja, sei nur still! Solche Nachrichten machen rasch genug die Runde . . ."

Er erhob sich.

„Komm mit ins Zimmer, dann kannst du mir alles erzählen . . . Nele bringt uns wohl gleich eine Schale Kaffee."

„Der Herr Pfarrer ißt oft in der Küche, wenn niemand da ist", erklärte Nele ungefragt. „Dann kann in seinem Zimmer alles lie-genbleiben, weißt du . . ."

Merijntje nickte. Die Erklärung war überflüssig. Warum sollte der Pfarrer nicht bei Nele in der gemütlichen, warmen Küche es-sen? Als er vom Tisch aufstand, schlug Nele die Hände zusam-men. „Meine Güte!" rief sie. „Wie siehst du bloß aus!"

Betreten sah der Junge an sich herab. Er bot wahrhaftig keinen schönen Anblick: seine Schuhe starrten vor Schmutz, und die Hosenbeine waren von oben bis unten voller Lehm- und Schlamm-spritzer. Doch der Pfarrer lachte nur.

„Das macht der Herbst", sagte er gleichmütig. „Gib ihm ein Paar Pantoffeln von mir. Das übrige trocknet von selber . . ."

Damit ging er aus der Küche.

Merijntje zog die durchweichten Schuhe aus. Aber Nele ließ ihm keine Ruhe, ehe er nicht auch die Strümpfe gewechselt hatte. Dann schlurfte er in viel zu großen Pantoffeln durch den Korridor ins Studierzimmer.

Der Pfarrer hatte die Gardinen zugezogen und die Stehlampe auf dem Schreibtisch angezündet. Der Kanonenofen glühte rot in der warmen Dämmerung, und das Gold auf den Buchrücken leuchtete. Auf den gestreiften Teppich fiel ein Halbkreis gelben Lichts. Plötzlich brannten Tränen hinter Merijntjes Lidern. So herrlich still war dieses Zimmer, so sicher und warm und voller Erinnerungen an fröhliche Stunden mit Flierefluiter ... Er preßte die Zähne zusammen, um ein Schluchzen zu verbeißen. Nie wieder würde Flierefluiter hier sitzen und mit dem Pfarrer Wein trinken, ihm freche Dinge sagen und Musik mit ihm machen. Das war vorbei, versunken in dem schwindelerregenden Geheimnis des rätselhaften Todes. Und wie wenig Zeit war seitdem erst verstrichen – drei Monate ... und vor knapp drei Wochen war er noch unbekümmert mit ihm über die Straßen gezogen und hatte über Gott und tausend andere Fragen gestritten.

Pfarrer Ramakers saß in seinem Lehnstuhl am Ofen, die Füße auf dem sauber gescheuerten Kasten, den Rücken der Lampe zugekehrt, eine ungeheure Silhouette vor dem goldenen Licht. Er rauchte seine große Meerschaumpfeife. Mit einer unbestimmten Handbewegung sagte er: „Nimm dir eine Zigarre und setz dich!"

Merijntje zog einen Stuhl an den Ofen, dem Pfarrer gegenüber, steckte sich die Zigarre an und starrte schweigend vor sich hin. Kummer und Trauer drohten ihn zu überwältigen, doch er wollte nicht weinen – auf keinen Fall! Was sollte der Herr Pfarrer von ihm denken ...

Der warf einen Blick in das blasse Gesicht, in dem die Augen verräterisch glänzten. Er sah, wie sich der Junge die Tränen verbiß, wandte sich ab, lächelte und schwieg. Er sollte erst einmal zu sich kommen, die aufsteigenden Erinnerungen verwinden.

Draußen gingen Leute vorüber. Die Holzschuhe klapperten dumpf auf den Pflastersteinen. Eine laute Männerstimme redete unverständliche Worte, und hinter der Kirche johlten ein paar Kinder. Nur in dem Zimmer mit dem goldenen Lampenlicht war es still und friedlich – genau wie im Sommer, als sie zu dritt hier saßen. Wieder überfiel Merijntje ein Gefühl von Verwunderung, Schrecken und Kummer: zu dritt. Und nun war Flierefluiter tot ... tot ... Das Unwiderrufliche dieses Wortes quälte ihn und rief eine seltsame Ungläubigkeit in ihm hervor.

Wenn er die Augen schloß, konnte er Flierefluiter neben dem Pfarrer sitzen sehen, konnte seine Stimme hören, die über Verwirrung, Verwunderung und Kummer spottete. Doch Flierefluiter war gestorben. Er lag in einer Ecke des fernen, fremden Friedhofs in dem kalten Boden unter der Trauerweide ... Sie beide waren geblieben – alles war geblieben: das Dorf, dieses Zimmer, das Lampenlicht, die Bücher. Nur Flierefluiter war nicht mehr da, würde nie wieder dasein ...

Langsam liefen ihm zwei helle Tränen über die Wangen. Er spürte den salzigen Geschmack in den zuckenden Mundwinkeln, und plötzlich wurde er von einem so unerträglichen Kummer überwältigt, daß er den Kopf sinken ließ und schluchzte. Es war Mitleid, Mitleid mit dem armen Fierefluiter, Mitleid mit den Menschen, deren Leben von dem geheimnisvollen, gnadenlosen Tod vernichtet wurde, Mitleid mit sich selber wegen seiner eigenen Verlassenheit, wegen der Hilflosigkeit, mit der er eine ganze Woche einsam umhergeirrt war, ehe er hier landete, durchfroren bis ins Mark seiner Knochen.

Er schämte sich seiner Schwäche. Was würde der Pfarrer von ihm denken? Er schluckte einige Male heftig, biß die Zähne zusammen, rieb sich die Augen am rauhen Stoff seines Ärmels trocken und richtete sich langsam auf, voller Furcht vor dem Blick des Geistlichen. Mitleid oder Spott würde er darin sehen, und keins von beiden konnte er jetzt ertragen. Doch der Pfarrer hatte ihm den Rücken zugekehrt und stand am Schreibtisch, um sich eine neue Pfeife zu stopfen.

Merijntje putzte sich die Nase, wischte die Tränen von den Wangen, hustete ein paarmal, und als der Pfarrer sich ihm wieder zuwandte, saß er in seinem Stuhl zurückgelehnt und rauchte mit blassem, verbissenem Gesicht.

Ruhig setzte sich Pfarrer Ramakers ihm gegenüber, eine blaue Wolke Tabaksrauch um den Kopf. Und mit einer Stimme, die ganz sanft klang, fragte er:

„Hat er viel auszustehen gehabt?"

Mit einemmal konnte Merijntje wieder sprechen. Es klang noch etwas unsicher und heiser, doch die Beklemmung war aus seiner Kehle verschwunden.

„Ich glaube, er hat große Schmerzen gehabt, Herr Pfarrer. Aber er war oft ohne Bewußtsein, und wenn er zu sich kam, klagte er nie . . ."

„Erzähl doch mal, wie das so plötzlich gekommen ist!"

Der Junge schwieg eine Weile, dann begann er langsam zu erzählen. Als er gerade angefangen hatte, brachte Nele den Kaffee herein. Sie stellte die Kanne auf den Tisch, setzte sich auf die Ecke eines Stuhls und hörte zu. Merijntjes bewegte Stimme klang gepreßt, doch je weiter er kam, desto leichter wurde ihm zumute. Die Worte machten die Eindrücke wieder lebendig, die ihm kurz vor und gleich nach der Beerdigung ein so ruhiges, fast frohes Gefühl gegeben hatten.

Schweigend saßen die beiden anderen da und lauschten der wunderlichen Erzählung von diesem Krankenlager und dem stillen, frohmütigen Tod. Das Lächeln wich nicht von Pfarrer Ramakers' Lippen. Nele wischte sich hin und wieder verstohlen mit dem Schürzenzipfel über die Augen. Als Merijntje schwieg, blieb es lange still. Alle drei blickten vor sich hin ... auf das Bild des fröhlichen Menschen, dessen Tod ein so harmonischer Abschluß seines Lebens geworden war.

Endlich seufzte Nele, stand langsam auf und sagte still: „Ja, ja ..."

Sie goß den Kaffee in die weißen Schalen und ging leise aus dem Zimmer.

Der Pfarrer nickte. „Er hat uns ein gutes Vorbild gegeben, Merijntje. Wenn wir dem folgen, stehen wir gar nicht schlecht da ..."

Heiße Dankbarkeit erfüllte Merijntjes Herz: Pfarrer Ramakers dachte gut von Flierefluiter ... Gleichzeitig stiegen hundert Fragen in ihm auf. Er verstand nicht, wie ein Geistlicher so über Flierefluiter urteilen konnte. Denn eigentlich war er doch ein Heide gewesen. Er hatte nichts von dem geglaubt, was die Priester lehrten, und war nie in die Kirche gegangen.

Verlegen fragte er: „War denn das richtig, Herr Pfarrer, daß er noch beichtete und das Abendmahl empfing, nur weil er den Pfarrer nicht betrüben wollte? Ist das nicht Lästerung gewesen?"

Pfarrer Ramakers lächelte und sah den Jungen groß an.

„Glaubst du wirklich, daß unser lieber Herrgott auf einen Menschen böse sein könnte, der mit einer so freundlichen Tat in den Tod geht?"

Merijntje runzelte die Stirn und senkte die Augen. Er wagte dem Pfarrer nicht ins Gesicht zu blicken. Gewiß, er war nicht mehr der leichtgläubige kleine Junge, der alles wortwörtlich auffaßte, und Flierefluiter hatte nicht viel in ihm übriggelassen von dem alten Katechismusglauben. Doch immer wieder, wenn er der schwarzen Soutane gegenüberstand, spürte er den Druck der Vergangenheit und erwartete eine strenge Auffassung und die heftige Bekämpfung von Flierefluiters ketzerischen Vorstellungen. Er wußte längst, daß Pfarrer Ramakers manchmal seltsam einig mit Flierefluiter war, und trotzdem verwirrte und beunruhigte ihn das, was der Geistliche gesagt hatte. Es paßte so ganz und gar nicht zu dem Bild eines Priesters, das er auf Grund seiner Erziehung und Erfahrung kannte. Ein Pfarrer mochte gut und freundlich sein und leicht zur Vergebung bereit, so wie es früher der alte geistliche Herr gewesen war, die liebste Erinnerung aus seinen Kinderjahren, aber es gab doch Dinge, die er streng verurteilen mußte. Und er hatte bestimmt geglaubt, daß Flierefluiters Beichte und Kommunion, bloß aus Nächstenliebe auf dem Sterbebett empfangen, von Pfarrer Ramakers als unverzeihliche Sünde betrachtet werden würde. Und jetzt sprach der nicht anders darüber als Flierefluiter selbst!

Der Geistliche hatte seine Schale Kaffee ausgetrunken und war aufgestanden. Nun ging er im Zimmer auf und ab und sagte mit seiner tiefen, dunklen Stimme:

„Flierefluiter, der glaubte an einen Gott, so groß und so weit, daß ein einfältiges Menschlein ihn gar nicht beleidigen kann. Er sagte bisweilen Dinge, die schrecklich unehrerbietig klangen – Aber vielleicht steckte darin mehr Ehrfurcht vor Gott als in dem strengsten Leben jener, die sich vor der Strafe des Fegefeuers und vor der Hölle fürchten... Gott will, daß jeder ihm auf seine Weise dient, Merijntje. Das hast du doch bestimmt von Flierefluiter gelernt?"

Kalt lief es dem Jungen über den Rücken. Spottete der Pfarrer? Würde er gleich mit donnernden Vorwürfen losbrechen, wenn er zugab, daß er auf das gottlose Geschwätz des Landstreichers gehört hatte und dadurch in seinem alten und einzig wahren Glauben erschüttert worden war?

Fast flüsternd fragte er: „Kann man Gott denn auf verschiedene Weise dienen, Herr Pfarrer? Ist die Art, in der man ihm dienen muß, nicht ganz fest vorgeschrieben?"

Nachdenklich und ohne jede Erregung kam die ruhige Antwort: „Jeder Mensch kann Gott in seiner Art auf eine andere Weise erleben – und darauf kommt es an."

Merijntje wagte nicht weiterzufragen. Er verstand es nicht recht. Ein wenig ängstlich blickte er auf den großen Mann, der am Fenster stand, die Gardine zur Seite schob und in das dämmerige Grau des nebligen Gartens starrte. Daß ein Pfarrer so etwas sagen konnte! Wenn Flierefluiter solche Dinge verkündete, mochte es noch angehen, aber ein Priester! Der mußte sich doch an das Wort halten, an die Lehre, die Schrift? Was meinte er eigentlich mit seinen rätselhaften Bemerkungen?

Der Pfarrer trat ins Zimmer zurück. Nachdenklich ließ er sich im Stuhl vor dem Schreibtisch nieder. Sein Gesicht verdüsterte sich, nahm einen fast zornigen Ausdruck an, und tief zogen sich die buschigen Brauen über die Augen. Die große Hand auf der Tischplatte ballte sich zur Faust.

„Die Menschen", sagte er in grimmigem Ton, „ruhen nicht eher, als bis sie genau ausgeklügelt haben, wie Gott aussieht und was er von ihnen verlangt, wie man ihm dienen soll und wie er die Ungehorsamen bestraft, wenn sie nicht am Schnürchen bleiben..." Seine Stimme wurde zu einem tiefen Brummen. „Man kann darüber nur lachen! Ich sehe sie am Strand entlanglaufen mit Schäufelchen und kleinen Eimern – genau wie einfältige Kinder... Sie bauen Deiche von einem Daumen Höhe, und dann glauben sie, sie hätten den Ozean eingedämmt und wüßten nun alles über ihn. Dabei können sie nicht ein Tausendstel von seiner Oberfläche übersehen, und von dem, was in seiner Tiefe lebt, werden sie ihr ganzes Leben nichts erfahren!"

Er schwieg und blickte vor sich hin auf die geballte Faust, die mächtig und drohend auf dem Tisch lag.

Betreten fragte Merijntje: „Sprecht Ihr über die Christen, Herr Pfarrer?"

Der Geistliche kehrte ihm das Gesicht zu. Der Grimm wich von seinen Zügen. Er lachte und sagte:

„Ich spreche von den Menschen und von Gott, Junge – von Flöhen und von dem Berg, der sein Haupt weit in die Wolken hebt. Flierefluiter war auf seine Weise ein Heiliger, denn er hat sich mit Haut und Haaren dem Gott hingegeben, an den er glaubte. Und mehr wird unser lieber Herrgott sicher von keinem Sterblichen verlangen ..."

Befangen blickte Merijntje ihn an. Dann mußte er aber doch lachen.

„Ein schöner Heiliger!" sagte er, als er an die vielen tollen Abenteuer und das leichtsinnige Gerede über Frauen und alle Freuden des Lebens dachte.

„Tja", seufzte der Pfarrer, „es wird gewiß ein Weilchen dauern, bis man ihn in der Kirche auf eine Säule hebt – aber man kann nie wissen!"

„Der heilige Flierefluiter", dachte Merijntje laut, „das würde nicht schlecht klingen ..."

„Wo er doch soviel Verehrer hatte", sagte der Pfarrer verschmitzt, „und Verehrerinnen noch viel mehr ... ein echter Heiliger für Frauen!"

Merijntje blickte scheu zu ihm auf und errötete. Aber das Gesicht des Pfarrers zeigte ein so vergnügtes Schmunzeln, daß auch er wieder strahlen mußte.

„Wunder hat er ja genug getan!" rief er, und an die geheimnisumwitterten Quacksalberstreiche denkend fügte er begeistert hinzu: „Wirklich wunderbare Heilungen, Herr Pfarrer! Da ist man ganz erstaunt."

„Na, siehst du!" lachte der andere. „Wenn wir lange genug darüber reden, wird er immer heiliger ... Du wirst es noch erleben, daß man Wallfahrten zu seinem Grabe macht. Aber dann muß sein Leben beschrieben werden – und das wirst du wohl tun müssen."

„Ich?" rief Merijntje erschrocken. „Ich kann doch keine Bücher schreiben!"

„Dann lern's nur ... So viel mußt du für Flierefluiter schon übrig haben. Außerdem kann es eine sehr schöne Geschichte werden."

„Das würde es bestimmt. Aber nicht feierlich genug ... Oder was meint Ihr, Herr Pfarrer? Die Leute werden wohl zuviel dabei lachen müssen ..."

„Ja", seufzte Pfarrer Ramakers, „das ist die Schwierigkeit. Die meisten Leute meinen, bei etwas Heiligem dürfe nicht gelacht werden. Nun, dann wollen wir vorläufig davon absehen, Flierefluiter zu kanonisieren ..."

„Bis die Menschen klüger geworden sind", vollendete Merijntje.

Überrascht sah der Pfarrer ihn an. Dann schlug er ihm auf die Schulter und sagte spottend:

„Du erweist dich als gelehriger Schüler, Merijntje. Das hätte Flierefluiter nicht besser sagen können ... Wie ist es – willst du mit auf Krankenbesuch gehen?"

„Zu wem, Herr Pfarrer?"

„Zu deiner Großmutter."

„Ist Großmutter krank?"

„Ja, aber es geht ihr schon besser ... Komm nur mit!"

3

Zwei alte Weiblein, die Wollhauben tief über die Ohren gezogen und fröstelnd in das Umschlagtuch gehüllt, traten aus der Hintertür, als Merijntje und der Pfarrer um die Ecke des Häuschens bogen. Mit scheuem Gruß schoben sie sich an der mächtigen Gestalt vorbei, die in dem dämmerigen Nebel noch größer wirkte. Pfarrer Ramakers lachte auf und brummte etwas vor sich hin. Dann drückte er die niedrige Tür auf, beugte den Kopf und trat ein. Der Junge ging hinter ihm her. In dem kleinen Zimmer war es fast dunkel, nur die Glut des eisernen Ofens verbreitete ein schwaches rötliches Licht. Die alte Frau saß in dem Binsenlehnstuhl zwischen Tisch und Ofen, eine kaum erkennbare Gestalt in der Umrahmung der weißen Spitzenhaube.

„Guten Tag, Frau Gijzen", grüßte der Pfarrer, „du rätst nicht, wen ich mitgebracht habe . . ."

„Wird schon was Rechtes sein", krächzte die giftige alte Stimme, und Merijntje mußte in sich hineinlachen, wenn er sich auch gleichzeitig über ihren streitsüchtigen Ton ärgerte.

„Tag, Großmutter", sagte er ein wenig herausfordernd, „wie geht's denn so?"

„Lieber Herrgott, ist der Tippelbruder auch wieder mal da!" rief die Alte. „Wie es geht, fragt er . . . Ich hätte genausogut unter dem grünen Rasen liegen können – aber darum kümmert er sich nicht. Ich bin ja nur seine Großmutter!"

„Ich hab doch nicht gewußt, daß du krank warst."

„Nein, nein, du ziehst lieber mit wildfremden Narren herum."

Die dunkle Stimme des Pfarrers fiel ihr ins Wort: „Ist es nicht genug, sich an den Lebenden die Zähne zu wetzen, Großmutter Gijzen? Laß wenigstens die Toten ruhen!"

„Was heißt, Zähne wetzen?" keifte das alte Weiblein. „Stimmt es vielleicht nicht? Flierefluiter war dem Jungen ein Wildfremder und ein Narr dazu, das weiß jeder . . . Ich wetze mir an keinem die Zähne."

Der Pfarrer lachte leise. Sein großer Schatten verdunkelte das schwache Licht, das durch das kleine Fenster dämmerte. Merijntje saß da und trommelte mit den Fingern auf die Tischplatte. Er war wütend. Die ungerechten Ausfälle seiner Großmutter empörten ihn jedesmal aufs neue.

Als niemand der Alten antwortete, fuhr sie fort: „Aber ich kenne meine Christenpflichten. Ich bete jeden Abend ein Rosenkranzgesetz für die Ruhe seiner sündigen Seele – auch wenn's nicht viel helfen wird."

„Setzt du so wenig Vertrauen in die Kraft deines Gebets?" fragte der Pfarrer anzüglich.

Gut so! dachte Merijntje. Das hat gesessen.

Doch Großmutter war nicht so leicht aus dem Feld zu schlagen. Sie stieß verächtlich den Atem durch die Nase und gab höhnisch zurück:

„Wenn der nicht in der Hölle brennt, dann weiß ich's nicht!"

Merijntje verspürte die fast unüberwindliche Neigung, aufzuspringen und sie zu schlagen. Doch die spöttische Stimme des Pfarrers hielt ihn zurück.

„Du und ein paar andere Betschwestern, ihr habt gewiß dabeigesessen, als Gott das Urteil über ihn sprach, stimmt's?"

„Das tat gar nicht not – ich weiß, was ich weiß . . ."

„So, so, du weißt, was du weißt? Und ich sage dir, du stinkst Gott in den Nasenlöchern mit deiner Scheinheiligkeit, mit deiner ruchlosen Art, zu verurteilen, als ob du der Herrgott selber wärst. Du und das ganze Häuflein klatschender alter Weiber . . . Schäm

dich, Frau, und kümmre dich um deine eigenen Sünden. Damit
hast du genug zu schaffen! Mit einem Fuß stehst du im Grab –
und kannst deinen Nächsten immer noch nicht in Frieden lassen.
Du bist mir der rechte Christenmensch, wahrhaftig!"

Seine dunkle Stimme dröhnte durch das kleine Zimmer. Merijntje war es eine Genugtuung, daß der Pfarrer ihr so unbarmherzig die Leviten las. Aber sie schien ganz und gar nicht niedergeschlagen. Schneidend und feindselig gab sie zurück:

„Ja, ich weiß, Ihr seid mehr auf die Landstreicher und Tage-
diebe eingestellt, die weder Gott noch Gebot kennen, die Ehebruch begehen, als ob das gar nichts wäre."

„Da hast du wohl auch mit deiner Nase dringesteckt?"
Großmutter fauchte vor Wut. Merijntje mußte sich in die Finger
beißen, um nicht laut loszulachen: an Pfarrer Ramakers hatte die
alte Frau ihren Meister gefunden!

„Aber leider gibt es heutzutage auch Pfarrer, die nichts wert
sind!" keifte sie die große, dunkle Gestalt am Fenster an.

„Selbstverständlich", sagte der Geistliche wieder etwas ruhiger,
„und das sind genau die Pfarrer, denen nichts sympathischer ist,
als sich mit Leuten deines Schlages rumzuärgern ... Ich kann dir
nur raten: wenn du noch in den Himmel kommen willst, Großmutter Gijzen, dann beeil dich, dein Leben zu bessern. Giftspinnen
kann Gott nicht brauchen – er verlangt Liebe, falls du das noch
nicht wußtest ..."

„Ich tue meine Pflicht."

„Deine erste Pflicht ist die Liebe – und daran fehlt es dir."

„Ich kenne viele, die aus lauter Liebe eine Todsünde nach der
andern begehen, Herr Pfarrer."

„Das mußt du Gott erzählen, wenn's binnen kurzem so weit ist."

„Das werde ich tun, darauf könnt Ihr Euch verlassen!"

Eine Weile blieb es still. Dann stampfte Pfarrer Ramakers mit
den Füßen auf und brach in schallendes Gelächter aus, daß
die Fensterscheiben klirrten. Merijntje konnte nicht mitlachen. Er
war verblüfft und verwirrt über die unglaubliche Frechheit seiner
Großmutter, über ihre verbissene Auflehnung, so grimmig und entschieden, als stünde sie gleich zu gleich einem verhaßten Feind gegenüber. Das Lachen des Pfarrers klang auch eher bösartig und herausfordernd als fröhlich. Irgend etwas bedrückte ihn dabei. In der
Dämmerung konnte er den Ausdruck der Gesichter nicht sehen,
und das machte alles noch geheimnisvoller und beklemmender.

Dann ließ sich der Pfarrer vernehmen. „Das war mal wieder ein
schöner Krankenbesuch, Merijntje", sagte er. „Deine Großmutter
ist wieder gesund wie ein Fisch. Ich zieh jetzt weiter. Dich muß
ich aber noch sprechen ... Bis nachher also! Du kannst wieder im
Pfarrhaus schlafen ... Auf Wiedersehen, Großmutter Gijzen, und
gute Besserung auch!"

Lachend lief er zur Tür hinaus. Als seine dröhnenden Schritte verklungen waren, brummte die Alte böse:

„So ein Schuft! Aber das wird ihm noch vergehen, wart's ab! Der Herrgott kommt schon zur Zeit..."

Stumm vor Verblüffung saß Merijntje da. Wie wagte sie solche Dinge über den Herrn Pfarrer zu sagen? Aber komisch war es doch: dieses kraftlose, spitzzüngige, alte Weiblein kam ihm vor wie ein kleiner lächerlicher Straßenköter, der einen stattlichen Bernhardiner ankläfft. Er mußte fast darüber lachen, aber gleichzeitig war er empört, als er sagte:

„Ich verstehe nicht, wie man so mit einem Pfarrer reden kann. Das gehört sich nicht!"

Großmutter steckte nicht zurück. Grimmig antwortete sie:

„Was gehört sich nicht? Daß so ein Schnieps wie du seine Großmutter abkanzelt, das gehört sich nicht! Hast du denn allen Anstand verloren, nichtsnutziger Flegel?"

„Du hast mich doch selber gelehrt, daß man Ehrfurcht vor einem Priester haben muß."

„Ja, aber nicht vor so einem..."

„Was heißt hier ,so einem'?"

„So einem wie der Ramakers."

„Was ist er denn für einer?"

Gespannt erwartete Merijntje ihre Antwort. Doch sie schwieg. Er konnte ihr Gesicht nicht sehen und hörte in der Stille nur das Geräusch der Perlen ihres Rosenkranzes. Betete sie etwa dabei, während sie den Namen des Pfarrers durch den Schmutz zog? Böse wiederholte er seine Frage:

„Was ist denn gegen Pfarrer Ramakers einzuwenden?"

Er hörte, wie sie leise vor sich hin lachte, ein boshaftes, häßliches Kichern – genau wie früher, wenn es ihr gelungen war, seinen Vater mit ihren Sticheleien wütend zu machen und ihm oder Arjaan eine Strafe zu verschaffen. Ah, er haßte sie...

Dann kam ihre Stimme, spöttisch und scharf: „Was gegen ihn einzuwenden ist? Was ist nicht gegen ihn einzuwenden? Ist das ein Pfarrer? Ein Geistlicher? Ein Seelenhirte? Grob wie ein Polderarbeiter – und setzt sich für jeden Taugenichts und Dreckfink ein. Die braven Leute zählen nicht bei ihm. Von der Kanzel hat er gerufen, der Teufel hätte gesagt: Die Feinen sind die meinen! Ist das eine Art für einen Pfarrer?"

„Aber mit diesen Feinen meint er doch nur die Schönredner, die Pharisäer und Leisetreter, die die Katze im Dunkeln in den Schwanz kneifen."

„Ja, natürlich, du Neunmalkluger. Aber du bist ja auch so ein leichtfertiger Bruder geworden, genau wie dieser Vagabund von Fleefluiter... Liederliches Volk, und für so etwas nimmt er Partei. Und dieses Gelichter nimmt natürlich für ihn dann Partei.

Aber das dicke Ende kommt zum Schluß – worauf du dich verlassen kannst!"

Nun mußte Merijntje innerlich doch lachen. Wie wütend sie auf Pfarrer Ramakers waren, diese scheinheiligen Klatschmäuler! Aber sie konnten ihn nicht treffen mit ihrem Giftgespritze.

Um die Großmutter noch ein wenig zu piesacken, sagte er: „Nun ja, liederliches Volk ... liederliches Volk ... ich kann mir schon vorstellen, was du so unter liederlichem Volk verstehst..."

Großmutter schnaufte verächtlich. „Wenn ich nur daran denke, wie er sich neulich für diese Hure von der Schleuse, die Marjan Bedaf, eingesetzt hat, als man sie mit Steinen aus dem Dorf hinaustrieb! Drei Mann hat er halbtot geschlagen... Und am Sonntag hat er von der Kanzel gewettert, daß es eine Sünde und eine Schande war. Er wagte sogar die heilige Magdalena und Christus selber heranzuziehen. Mir ist ganz kalt dabei geworden... Der Herrgott ist viel zu langmütig – der hätte ihn zu Boden schlagen sollen. So muß ja die Religion vor die Hunde gehen..."

Merijntje verstand schon lange nichts mehr von ihrem boshaften Gemurmel. Gelähmt vor Entsetzen saß er da. Marjan mit Steinen aus dem Dorf getrieben? Marjan? Vor seinen weitgeöffneten, ins Dunkel starrenden Augen sah er, wie sie grölend hinter ihr her rannten ... Eine johlende Meute halbwüchsiger Bengel, die mit Steinen nach ihr warfen ... die ermunternden Blicke der Frauen, die den Krawall mit ihrem niederträchtigen, aufwieglerischen Geschwätz entfacht hatten ... das rohe Lachen und die schlüpfrigen Bemerkungen der feigen Männer, die tatenlos zusahen und ihr schändliches Vergnügen daran hatten ... und Marjan, die lief, rannte um ihr Leben, mit wehenden Röcken, die Hände schützend um den Kopf gelegt, laut schreiend vor Angst, das Gesicht bleich und verzerrt, die irren Augen weitaufgerissen in rasendem Entsetzen vor den niederhagelnden Steinen in ihrem Rücken. Lumpen! Schmutzige, feige Hunde! Eine wehrlose Frau mit einem ganzen Trupp zu verfolgen! Sein Herz tat ihm weh vor ohnmächtiger Wut. Er preßte die Fäuste zwischen die Knie – nur für einen Augenblick, aus Furcht, er könnte seiner alten Großmutter auf dem Stuhl dort den Schädel einschlagen... Marjan, liebe Marjan, Marjanneke ...

Und das war geschehen, während er, Gott weiß wo, seinem Vergnügen nachging, auf einer Kirmes tanzte ... Er mußte jetzt ruhig bleiben, genau erfahren, was geschehen war und warum. Er holte tief Luft, zwang seine Stimme zur Festigkeit und fragte:

„Warum haben sie denn diese Marjan Bedaf aus dem Dorf gejagt?"

Die Großmutter stieß wieder ihr verächtliches Schnaufen aus.

„Warum? Weil kein gutes Haar an ihr ist, das weiß doch jeder im Dorf. Die hängt sich an Hinz und Kunz – ein himmelschreiender Skandal. Und dann hat man den Sohn von Bauer Meesters bewußtlos vor ihrer Tür gefunden. Ein paar andere Dreckfinken, die bei ihr waren, sollen ihn halbtot geschlagen haben, heißt es. Na, und da war das Maß voll. Leider hat sie nicht eine einzige Schramme abgekriegt, diese gottverdammte Hündin, denn dein sauberer Pfarrer sprang dazwischen wie ein brüllender Löwe."

Der junge Meesters, dieser Strolch, der steckte natürlich dahinter. Der hatte das Gerede kolportiert, das Feuerchen geschürt. Bewußtlos geschlagen von ein paar anderen Kerls, die bei ihr waren... Man wird unempfindlich, hatte sie gesagt. Zuletzt kann man sich gar nicht mehr dagegen wehren – wenn sie's doch immer wieder von einem erzählen... Man wird so müde... Hatten sie seine Marjan wieder soweit gekriegt? In ihm kribbelte es – zum Mörder könnte er werden, verflucht! Dieser junge Bauer ... wenn der ihm begegnete! Und die Halunken, die mit Steinen nach ihr geworfen hatten...

Doch was murmelte Großmutter jetzt wieder Böses vor sich hin? Er lauschte:

„Aber er wird wohl wissen, warum... Und so was will Pfarrer sein!"

„Was hat denn das mit dem Pfarrer zu tun?" fragte Merijntje grob.

„Das kann ich dir nicht erzählen, dazu bist du noch zu rotznäsig. Aber heut oder morgen kommt alles heraus, und dann wirst du was erleben", orakelte das alte Weiblein mit ihrer scharfen Stimme.

In der schwachen Glut des roten Kanonenofens sah er nur verschwommen die Umrisse ihres Gesichts, doch in ihren Augen standen kleine rote Funken, wild und giftig. Oh, wie er sie haßte, diese verschrumpelte kleine Schlange. Sie spie Gift, sobald sie den Mund auftat, und immer gegen die Menschen, die er liebte: Flierefluiter, Marjan, den Pfarrer... Was für gemeine Verleumdungen mochte sie sich nun wieder zusammenreimen? Doch er wollte ihr nicht die Befriedigung geben, danach zu fragen. Er suchte rachsüchtig nach etwas, womit er sie verletzen, sie quälen konnte. Plötzlich sagte er triumphierend:

„Für Flierefluiter brauchst du nicht zu beten, Großmutter. Der ist im Zustand der Gnade gestorben, mit allen Sakramenten versehen. Du kannst ihn höchstens darum bitten, daß er bei Gott ein gutes Wort für dich einlegt – das hast du bitternötig mit deinen häßlichen Gedanken und deiner üblen Zunge... Leb wohl!"

Hastig stand er auf, stieß den Stuhl mit dem Fuß zurück und lief davon, kaum daß er sie eines Grußes würdigte. Draußen legte sich der nasse Nebel kalt um sein erhitztes Gesicht. Einen Augenblick blieb er vor dem Haus stehen, schlug den Kragen hoch und zog die Mütze tiefer in die Augen. Befriedigt dachte er: Meinetwegen kann ihr jetzt vor Schreck die Luft wegbleiben – so ein heimtückischer Drachen!

Dann trat er auf die Dorfstraße, die dunkel im Nebel lag. Eine Laterne streute glanzlosen, rötlichen Schimmer um ihr Petroleumflämmchen – ein trüb starrendes, wäßriges Auge. Sein Schritt klang hohl zu den Häusern auf. Hinter dem Fenster der Schmiede leuchtete flackernde Glut, von gespenstisch huschenden Schatten unterbrochen, ein Hammer dröhnte auf dem klingenden Amboß. Aus unsichtbarer Höhe fielen die ersten Schläge der Glocke: der Küster läutete den Engel des Herrn ... sechs Uhr. Wie lange hatte er bei der Großmutter gesessen? Und was hatte sie alles erzählt?

Zerschlagen hatte sie die gute Stille, den Frieden in seinem Herzen, der während des Gesprächs mit dem Pfarrer in ihm aufgestiegen war ... Marjan ... Teeuw Meesters ... die Bande Dreckfinken mit ihren Steinen und Schimpfworten ...

Das war also das geliebte Dörfchen, in dem er sich so herrlich zu Hause dünkte – Freunde und gute Bekannte, brave Leute ... Er verspürte einen bitteren Geschmack im Mund, und eine große Müdigkeit überfiel ihn. Zum erstenmal beschlich ihn der Gedanke, daß Flierefluiter glücklich dran sei: er hatte mit all diesen Schmierfinken nichts mehr zu schaffen, er war fort, erlöst ... Man konnte ihn beneiden und sich selber wünschen ... Nein, doch nicht! Er hatte ja noch etwas zu tun. Er mußte erst einmal mit diesem Teeuw Meesters und ein paar anderen abrechnen.

Eilig lief er weiter, aus dem Dorf, den Deich hinan, ohne viel zu überlegen, auf die große Schleuse zu ...

4

In Marjans Häuschen brannte kein Licht. Der schmale Weg über den Damm war schmutzig und ungepflegt. Merijntje polterte an der verschlossenen Tür. In den Pfosten war ein Krampen geschlagen, daran hing eine Kette mit einem Vorhängeschloß. Langsam tastete er sich um das Haus. Einer der Fensterläden stand offen und schwang mit trübseligem Quietschen im Wind hin und her. Merijntje steckte ein Streichholz an. Eine Scheibe war zerschlagen, es waren Steine hindurchgeflogen. Hinter den Löchern gähnte schwarze, leere Düsterkeit. Das Haus war verlassen. Marjan wohnte nicht mehr hier. Er wunderte sich nicht, denn eigentlich hatte er es schon die ganze Zeit gewußt.

Sie war weggegangen, sie hatte es aufgegeben. Arme, liebe Marjan ... Wo mochte sie sein? Er setzte sich auf die kleine Bank unter dem Fliederstrauch, spürte die feuchte Kälte, stand wieder auf, drehte sich um und ging zurück zum Weg.

Der Hof von Meesters lag als dunkler Schatten in dem nebligen Abend. Ein paar erleuchtete Fenster warfen rötlichen Schein, und durch die dumpfe Stille kamen verschwommene Laute. Ein Pferd stampfte im Stall, eine Kette klirrte, jemand drückte den knarrenden Pumpenschwengel herunter. Merijntje hörte das Wasser in den Eimer platschen. Eine Stimme hinter der Scheune rief etwas Unverständliches, dann kläffte der Hund ...

Wenn es jetzt wie in alten Zeiten wäre, könnte man sich mit ein paar anderen zusammenrotten, den Bauernhof überfallen, das Gesindel abkehlen und ihnen den roten Hahn aufs Scheunendach setzen ... das Dorf bestrafen, plündern und niederbrennen. Er mußte über die närrischen Gedanken lachen – ein verächtliches, schmerzhaftes Lachen. Die Rache des Räuberhauptmanns ... ein schöner Titel für einen Roman in Teillieferungen, auf den sie zu Hause abonniert waren. Aber immerhin, wenn dieser Teeuw jetzt ganz zufällig herauskäme, hätte er Aussichten, morgen früh ertrunken im Graben gefunden zu werden.

Mit einem Ruck drehte sich der Junge um und ging den Polderweg hinunter zum Deich. Er mußte sehr aufpassen, um nicht bei jedem Schritt auszurutschen. Der Weg war zerfahren, und überall lagen Stücke von Zuckerrüben und glitschige Blätter.

Sein Herz bäumte sich auf vor Wut und unbefriedigter Rachsucht und zog sich schmerzhaft zusammen, wenn er an Marjan dachte. Nie zuvor war es ihm so deutlich bewußt geworden, wie sehr er sie liebte. Es war eine brennende Zärtlichkeit, ein unerträgliches Mitleid mit ihrer Hilflosigkeit, ihrem Unglück, ihrer Einsamkeit inmitten einer feindlichen Welt. Er konnte nicht mehr begreifen, daß er von ihr weggegangen war. Er hätte bleiben müssen, um für sie zu sorgen, sie zu beschützen.

Aber wenn man im Dorf erfahren hätte, wie es um ihn und Marjan stand ... Heiße Angst durchfuhr ihn. Dann hätten sie auch ihn hinausgejagt, vielleicht wären sie um Marjans Haus zusammengelaufen, hätten alles kurz und klein geschlagen und sie beide der Schande preisgegeben. Und ob er bereit gewesen wäre, sich um Marjans willen einer solchen Schmach auszusetzen? Er wußte es nicht. Er hätte gern ja gesagt, aber er war nicht überzeugt davon und beschimpfte sich selber wegen seiner Feigheit.

Plötzlich wurde ihm klar, daß Marjan das alles vorhergesehen hatte. Sie hatte ihm Schimpf und Schande ersparen wollen und ihn darum weggeschickt! Sie kannte die Menschen besser und dachte weiter als er, der nur für den Augenblick lebte und meinte, alles könne bleiben, wie es war, nur weil es ihm so gefiel. Sie wußte, wie die Familie ihres Mannes, die eigenen Angehörigen und andere Mißgünstige sie belauerten, über sie klatschten und sie nach Strich und Faden in den Schmutz zogen. Sie hatte die Folgen vorausgesehen und sich deshalb von ihm getrennt – so früh schon, weil sie womöglich fürchtete, später nicht mehr die Kraft dafür zu haben. Er war für sie der einzige Mensch auf der Welt gewesen, dem sie ihre Liebe anvertraut hatte.

Diese Gedanken machten ihn schwindlig. Er fühlte, daß er strauchelte und schwankte wie ein Betrunkener. Mit einem rohen Fluch blieb er stehen und schüttelte beide Fäuste, als wollte er die ganze Welt bedrohen und herausfordern. Dann ging er weiter. Aber er verachtete sich maßlos. Marjan war größer, stärker, besser als er. Er war ein Feigling. Allzu bereitwillig hatte er das Feld geräumt, als Gefahr drohte. Hatte sie allein gelassen, weil ein ein-

ziger bitterer Tropfen in die Süße ihres Zusammenseins gefallen
war. Er war ein Hosenscheißer, ein erbärmlicher Kneifer, wie er
es seit jeher gewesen war – Blosekriekske hatte es ihm als Kind
schon vorgeworfen: er könne sich nie dazu aufraffen, etwas Großartiges zu tun ...

Etwas in ihm empörte sich gegen diese Vorstellung. Er wollte
doch das Große und das Gute, aber konnte man denn immer, wie
man wollte? Was hätte er tun sollen? Tun können? Bei Marjan
bleiben, gewiß. Aber wie? Er konnte sie doch nicht heiraten! Und
er war noch nicht einmal zwanzig. Hatte keine feste Arbeit, um für
ihren Unterhalt zu sorgen ... Wie hätte er mit ihr leben können?
Die ganze Welt gegen sich: seine Familie, die ihre, das Dorf –
jeder hätte ach und weh gerufen und es schändlich gefunden. Sie
hätten wegziehen müssen. Doch wie und wohin? Nein, es war
keine Feigheit gewesen, sondern einfach eine Notwendigkeit. Das
andere war unmöglich, und Marjan war die Verständigere und
hatte ihn weggeschickt. Es hätte zu nichts geführt; alles wäre nur
noch verwirrter, noch unglücklicher geworden.

So redete sein Verstand. Aber das Herz wollte ihn nicht frei-
sprechen. Marjan hatte ihm so viel geschenkt. Durch sie hatte sein
Leben einen ganz neuen Glanz erhalten. Alles hatte sich durch das
Wunder ihrer Hingabe verändert. Er hätte bei ihr bleiben, notfalls
mit ihr weggehen müssen, irgendwohin, wo niemand sie kannte.
Arm waren sie beide schon immer gewesen, doch verhungert wären sie gewiß nicht. Auch Arbeit hätte er bestimmt gefunden. Aber
er war zu feige gewesen und im stillen ganz froh darüber, daß sie
ihn in die Freiheit zurückschickte. Das war viel bequemer für ihn
als ein schwieriges und gefahrvolles Leben mit ihr zusammen. Er
wählte immer gern den bequemsten Teil und ließ die anderen zahlen. Und dafür wurde man dann zur rechten Zeit bestraft ... Deshalb also stolperte er hier in Finsternis und Nebel und Kälte allein
über den Deich, mit einem Herzen voller Verdruß und Schmerz
und Selbstvorwürfen, einsam und unglücklich, nicht wissend, was
aus Marjan geworden war – seiner Marjan, die, wie er jetzt fühlte,
sein Einundalles war. Wenn er tapfer gewesen wäre, lebte er jetzt
vielleicht mit ihr irgendwo in einem ebenso warmen kleinen Häuschen wie dem an der Schleuse, säße unter der Lampe, und sie
schnitte Brot und reichte es ihm mit liebender, mütterlicher Gebärde ... Und sie wäre seine Frau und er ihr Mann ... Es gäbe
keine grausige Erinnerung an einen Nachmittag, da sie mit Steinen
aus dem Dorf hinausgejagt worden war als verkommenes Subjekt,
nicht wert, die Gesellschaft anständiger Menschen zu genießen.
Und in ihm würde die Wut nicht rasen, die das Blut wie einen
reißenden Strom durch sein Herz fluten ließ, weil er das schändliche Unrecht nicht ahnden konnte. Gemeinsam hätten sie die törichten Menschen verachtet und verlacht. So aber mußte jeder für

sich leiden unter der Bosheit dieser Heuchler, unter ihren niederträchtigen Anschlägen, die als Ausdruck der Tugendhaftigkeit galten. Marjan hatte fliehen müssen, und er konnte nichts tun, um ihr zu helfen ...

Wenn er nur wüßte, wo sie war! Ob er das wohl erfahren würde? Vielleicht konnte der Herr Pfarrer es ihm sagen – der hatte sich ja für sie eingesetzt.

Möglicherweise konnte er doch noch etwas wiedergutmachen?

Als er in die Küche trat, räumte Nele gerade den Tisch ab.

„Oh, da bist du ja. Du hast gewiß bei deiner Großmutter ein Butterbrot gegessen?"

„Bei Großmutter? Ich? Nein, ich habe Streit mit ihr gehabt, und danach bin ich ein wenig herumgelaufen ..."

Nele sah ihn an, ein Lächeln auf den Lippen, ein schalkhaftes Licht in den Augen.

„Streit mit deiner Großmutter? So etwas tut man doch nicht ... Komm, setz dich, es ist wohl noch etwas übriggeblieben."

Gute Nele! Sie fragte nicht, worüber er Streit hatte, noch wo er bei diesem Schmutzwetter herumgebummelt war. Wenn alle Menschen so wären wie Nele, wäre das Leben viel leichter. Sie kümmerte sich nicht um Dinge, die sie nichts angingen, und nie hörte man sie über andere Menschen reden, außer wenn sie etwas Gutes von ihnen sagte.

Nele saß ihm gegenüber und strickte, während er aß. Wenn er ihrem Blick begegnete, nickte sie ihm ermunternd zu: Iß nur tüchtig! Er verspürte das Bedürfnis, mit ihr zu sprechen.

„Großmutter hat wieder gepredigt. Du weißt schon: über Landstreicher und Leichtfuß und so etwas ... und daß die ganze Welt schlecht ist – außer ihr selber und noch so ein paar Betschwestern hier ... Nicht einmal am Pfarrer ließ sie ein gutes Haar. Verdammt noch mal, bloß über dich hat sie nicht geredet! Du stehst doch nicht etwa in Gunst bei ihr? Das würde ich dir nämlich nie verzeihen!"

Nele lächelte und schüttelte den Kopf.

„Beruhige dich ... Als sie krank lag, habe ich ihr manchmal etwas zu essen gebracht, da mußte ich auch einiges einstecken. Die früheren Pfarrmädchen seien viel gottesfürchtiger gewesen als ich ..."

„Mach dir nichts draus, Nele, du bist doch die beste und liebste von allen."

Nele wurde rot und blickte auf ihre Arbeit. Merijntje lachte, weil er sie verlegen gemacht hatte. Leise fragte sie dann:

„Was hatte sie denn gegen den Herrn Pfarrer zu sagen?"

Ihre Stimme klang besorgt. Doch Merijntje erwiderte obenhin:

„Ach, lauter dummes Zeug. Genau wie sie sich immer über

Flierefluiter aufgeregt hat. Du weißt doch, sie muß über alle Menschen herziehen, sonst ist ihr nicht wohl. Na, ich habe ihr gesagt, daß Flierefluiter christlich ins andere Leben eingegangen ist und sie ihn zu ihrem Fürsprecher machen soll . . ."

Er erwartete, daß Nele lachen würde, doch statt dessen sagte sie heftig:

„Der Herr Pfarrer ist der beste Mensch, den es gibt!"

Verwundert sah der Junge sie an. Sie hatte ihre Arbeit in den Schoß fallen lassen und schaute ihm gerade ins Gesicht. In ihren Augen standen Tränen. Merijntje beeilte sich, ihr beizupflichten.

„Sicher", sagte er, „aber die alten Weiber müssen eben tratschen."

„Es sind nicht nur die alten Weiber. Ich weiß genau, daß im ganzen Dorf über ihn gesprochen wird, aber ich kann mir nicht vorstellen, warum und weshalb."

„Das werde ich schon noch herausfinden", versprach der Junge eifrig, „mach dir keine Sorgen! Es muß ja immer jemand geben, über den man schlecht sprechen kann – sonst lohnt sich's nicht zu leben . . ."

„Manchmal habe ich richtig Angst", gestand Nele leise. „Der Pfarrer ist so heftig, und wenn er böse ist, kennt er seine eigene Kraft nicht mehr."

„Das ist doch nur gut!" lachte Merijntje. „Im Sommer hab ich mal gesehen, wie er ein paar Schlägertypen mit den Köpfen zusammengerammelt hat. Verdammt noch mal, das hat gekracht – und gleich war Ruhe!"

Nele nickte bedrückt und begann wieder mit ihrer Strickerei. Merijntje verstand nicht, weshalb sie sich Sorgen machte: der Pfarrer kam schon allein zurecht. Das Gequatsche der Dorfbewohner war doch lächerlich!

„Wenn er nur nicht so störrisch wäre", seufzte Nele, „das Gerede allenthalben ist nämlich viel gefährlicher, als du denkst."

„Ach", meinte der Junge beschwichtigend, „was können sie denn schon von ihm sagen? Daß er keine Frömmelei verträgt . . . daß er ganz schön brüllen kann . . . daß er zu Hause statt der Soutane manchmal einen geblümten Morgenrock trägt und ein rotes Mützchen mit einer Quaste dran . . . Das ist doch nicht schlimm. Und daß er die Sünder den Pharisäern vorzieht . . . Das ist meines Erachtens das beste, was man einem Pfarrer nachsagen kann. Oder etwa nicht?"

„Ich weiß nicht, was sie erzählen – aber ich bin wirklich sehr in Unruhe."

„Ich nicht – sie können doch gar nicht ran an ihn . . . Ist er zu Hause? Ich möchte gern mal mit ihm sprechen."

Nele lächelte. Plötzlich waren ihre Augen wieder freundlich und froh.

„Du hast wohl großes Vertrauen zum Herrn Pfarrer?" fragte sie.

„Klar, und wie!" rief Merijntje begeistert. „Zu so einem **Mann**! Und wenn sie nicht aufhören, dummes Zeug über ihn in Umlauf zu setzen, dann schlag ich zu! Zufrieden?"

„Geh nur hinein!" lachte Nele. „Er sitzt in seinem Zimmer und liest."

Kopfschüttelnd sah sie ihm mit einem Blick herzlicher Zuneigung nach. Doch als er aus der Küche gegangen war, verschwand das Lächeln von ihrem Gesicht, und seufzend deckte sie den Tisch ab.

Merijntje hatte Flierefluiters Vermächtnis für die Armen in **Pfarrer** Ramakers Gemeinde auf den Tisch gelegt ... über dreihundert Gulden. Und selber hatte er ebensoviel in der Innentasche seiner Jacke. Der Geistliche betrachtete die zerknitterten, schmutzigen Geldscheine mit rätselhaftem Lächeln. Endlich sagte er:

„Wie ist er in Himmels Namen an soviel Geld gekommen? Er wird doch nicht etwa bei dem einen oder andern Bauern ..." Und dabei machte er eine bezeichnende Bewegung.

Entsetzt schüttelte Merijntje den Kopf. Aber der Pfarrer lachte.

„Ich möchte meine Hand nicht dafür ins Feuer legen, denn **er** war immer für das Gleichgewicht, wie er es nannte. Zu viel für die einen und zu wenig für die anderen – das machte ihn betrübt und kribblig . . ."

Merijntje wurde rot. Er dachte an die Würste und andere bewegliche und profitable Habe, die sich Flierefluiter schamlos und ohne die geringsten Gewissensbisse unter den Nagel gerissen hatte. Aber Geld? Soviel Geld?

„Woran denkst du denn jetzt, Merijntje? Sparen lag ja nicht gerade in seiner Art."

„Ich glaube eher", sagte er, „daß er das von seiner Frau mitgenommen hat, Herr Pfarrer."

„Von seiner Frau? In Rotterdam?"

„Ja, am letzten Tag bei dem Streit und der Prügelei . . ."

Er erzählte die ganze Geschichte, verschwieg jedoch seine eigene entscheidende Rolle in dem Drama. Der Pfarrer hörte aufmerksam zu. Er blies große Rauchwolken aus der Pfeife zur Lampe, und seine Augen leuchteten, als brenne Feuer darin. Als Merijntje schwieg, lachte er laut und dröhnend.

„Das sieht ihm ähnlich!" rief er endlich. „Menschenskinder, was für ein Spaß!" Plötzlich wurde er ernst und zog ein bedenkliches Gesicht. „Eigentlich dürfen wir dieses Geld gar nicht annehmen, Junge, es steht seiner Frau zu – die ist Erbin."

„Er hat es uns aber selber vermacht."

„Nach dem Gesetz muß es seine Frau erben."

Merijntje wurde rot vor Ärger. „Dieses durchtriebene Luder?" rief er. „Dann fängt sie sofort wieder an, Wucher damit zu treiben! Nein, lieber verbrenn ich's."

„Ja, und außerdem", sagte der Pfarrer mit feinem Lächeln, „muß man vielleicht auch die Absichten des Erblassers berücksichtigen. Er hat sicher so gedacht: Es ist den Armen abgenommen worden, also muß es auch an die Armen zurückgegeben werden . . . Was meinst du?"

„Natürlich, Herr Pfarrer!" stimmte Merijntje ihm überzeugt zu. „Schließlich darf er mit seinem Geld machen, was er will."

„Das ist nur recht und billig", schmunzelte Pfarrer Ramakers, „und ich möchte nicht gern der Anlaß dazu sein, daß sich Flierefluiter im Grab umdreht. Dieser Quirl soll ja endlich seine Ruhe haben!"

Er stand auf und schob das Geld zusammen.

„Was machst du mit deinem Anteil?"

„Den nehm ich mit nach Haus . . . Himmel, wird sich meine Mutter freuen!"

„Du mußt morgen in die Stadt und dir erst einmal Wintersachen kaufen."

Merijntje blickte an seinen zerschlissenen, dünnen Plünnen herab. Pfarrer Ramakers hatte recht. Er nickte und sah zu, wie der

Geistliche das Geld in der Schublade des Schreibtisches verwahrte. Er überlegte angestrengt, wie er das Gespräch auf Marjan bringen könnte ... Er mußte versuchen, vom Pfarrer zu erfahren, wohin sie gegangen war. Er konnte den Gedanken nicht ertragen, daß sie irgendwo, von Gott und den Menschen verlassen, verzweifelt dasäß – er mußte ihr helfen.

Pfarrer Ramakers ging zum Schrank und kam mit einer Flasche Wein zurück.

„Wir wollen ein Glas zur Erinnerung an unsern großen Freund trinken, Merijntje ... Weißt du noch, wie er das Lob dieses edlen Tropfens sang? Wenn er ein Gläschen Wein vor sich stehen hatte, zeigte sich erst so recht, was für eine gottesfürchtige Natur er im Grunde war."

Merijntje nickte zerstreut. Er fand es seltsam, daß Pfarrer Ramakers Flierefluiter eine gottesfürchtige Natur nannte – aber vielleicht sollte auch das ein Spaß sein; und er dachte an andere Dinge, kämpfte mit seiner Befangenheit und versuchte Mut zu fassen, die Rede auf Marjan zu bringen. Der Pfarrer füllte den großen Römer, hob das Glas gegen die Lampe und blickte in das tiefe, rote Gefunkel des Weins im Kristall. Dann brachte er das Glas unter die Nase, schnoberte den schweren Duft ein, seufzte und sagte voller Wehmut:

„Ja, ja, Junge, so geht's nun einmal zu mit uns ... Wer aber ein Leben gehabt hat wie Flierefluiter, der ist nicht zu bedauern. Komm, trinken wir auf ihn – er soll unvergessen sein!"

Sie stießen an und tranken. Dann starrten sie schweigend auf das Bild ihres verstorbenen Freundes, wie es vor ihrem inneren Auge lebendig war. Leise sagte der Pfarrer:

„Weißt du noch, wie ich ihn in den Teich geworfen hab?"

Ein schwaches Lächeln trat auf Pfarrer Ramakers' Lippen. Er schüttelte den Kopf.

„Es ist merkwürdig", sagte er, „an ihn kann man eigentlich nicht lange mit betrübtem Gesicht denken. Sobald man sich an ihn erinnert, sieht man ihn einen Dummenjungenstreich verüben oder hört ihn Witze erzählen. Ich seh ihn noch, wie er sich deine Großmutter vorgeknöpft hat."

Er brach in Gelächter aus. Merijntje lachte mit und nahm noch einen Schluck aus seinem Glas. Der Wein rann warm und mild in den Magen hinab und gab ihm sogleich ein angenehm leichtes Gefühl im Kopf.

„Dieser Wein ist älter als du, Mann", erzählte der Pfarrer. „Trink ihn mit Andacht, er verdient es!"

Er leerte das Glas in einem Zug. Dann füllte er es wieder.

Der kann trinken! dachte Merijntje. Wenn ich das versuchte, läge ich in einer halben Stunde unterm Tisch. Aber ich muß doch ein bißchen mehr trinken, vielleicht traue ich mich dann eher, nach

Marjan zu fragen... Er nahm noch einen Schluck aus seinem Glas.

Der Pfarrer nickte zustimmend. Darauf fragte er spöttisch:

„Was hast du so lange bei der Großmutter getan? War's denn so gemütlich dort?"

Merijntje winkte ab: „Keine Viertelstunde hab ich's mehr ausgehalten, als Ihr gegangen wart."

„Und wo hast du so lange gesteckt? Im Wirtshaus?"

„Nein, Herr Pfarrer ... ich mußte noch ein bißchen herumlaufen."

Argwöhnisch sah der andere ihn an. „Besonders passend bei diesem Nebel", sagte er harmlos. „Streit gehabt?"

Merijntje nickte und schwieg.

Pfarrer Ramakers schwieg auch, blickte den Jungen aus den Augenwinkeln an und schnitt bedächtig die Spitze von einer großen schwarzen Zigarre ab.

„Rauchen?" Er schob ihm die Kiste näher.

„Ja, bitte, Herr Pfarrer."

Beide rauchten schweigend. Es war bedrückend still. Merijntje trank sein Glas aus und sah mit gequältem Gesicht zu, wie der Pfarrer es aufs neue füllte. Sofort griff er wieder danach, doch der Geistliche hielt ihm die Hand fest.

„Nicht so hastig, Junge... Ist es denn so schwer?"

Unsicher blickte Merijntje ihn an, zog beschämt die Hand zurück und zuckte verlegen die Achseln.

„Heraus mit der Sprache!"

„Herr Pfarrer..."

„Na, nun los!"

„Herr Pfarrer ... wißt Ihr ... wißt Ihr, wo Marjan Bedaf geblieben ist?"

Der Priester lehnte sich im Sessel zurück, blickte den Jungen aus halb zugekniffenen Augen an und blies eine große Rauchwolke zur Lampe hin.

„Ach so", sagte er gedehnt, „stimmt ja auch, das hatte ich ganz vergessen... Darüber hattest du also Streit mit deiner Großmutter. Und dann bist du zur Schleuse gelaufen und hast den Käfig leer gefunden ... Ja, ja, du bist schon ein treuer Bursche!"

„Wo ist sie, Herr Pfarrer? Wißt Ihr es?"

Der Pfarrer nickte. Langsam sagte er: „Sie ist in Antwerpen."

Merijntje setzte sich auf. Seine Augen wurden groß.

„In Antwerpen?"

„Ja ... bei ihrem Mann."

Der Junge sprang vom Stuhl und wurde blaß.

„Bei diesem Schuft?"

Das Wort war heraus, ehe er es wußte. Er erschrak, vergaß dann alles und fuhr fort:

„Bei diesem Kerl, der sie geprügelt und dann im Stich gelassen hat? Das ist doch nicht möglich!"

„Setz dich hin und trink einen Schluck!" wehrte der Pfarrer ab. Merijntje nahm gehorsam Platz, griff mit zitternder Hand nach seinem Glas und trank es in einem Zug halb aus. Mit heimlichem Lächeln schaute der andere ihm in das entsetzte Gesicht.

Abscheu jagte durch Merijntjes Herz. Zurück zu diesem rohen Flegel? Bei ihm wohnen, für ihn sorgen, mit ihm schlafen ... Marjan, die ihm gehört hatte ... Er sah ihren Leib, fühlte die kühle, seidige Haut an seinen Handflächen. Das – das hatte sie ihm weggenommen und diesem schmutzigen Kerl geschenkt? Hilflos richtete er die Augen wieder auf den Geistlichen.

„Aber ... wie ist denn das gekommen?"

„Ich habe dafür gesorgt."

„Ihr?"

Aus Merijntjes Augen schoß ein so wütender Blick, daß Pfarrer Ramakers Mühe hatte, sich das Lachen zu verkneifen. Doch er bezwang sich und sagte in ruhigem Ton, während er Merijntjes Glas nachfüllte und es ihm ermunternd zuschob:

„Natürlich, was hätte ich denn sonst tun sollen, närrischer Junge? Deine Großmutter hat dir sicher erzählt, was passiert ist. Kein Mensch wollte etwas mit ihr zu tun haben, weder ihre Familie noch sonst jemand. Sie gehöre zu ihrem Mann, hieß es. Daraufhin habe ich den Burschen in Antwerpen aufgesucht, um einmal mit ihm zu reden. Ich habe ihm ordentlich den Kopf gewaschen, aber das war eigentlich nicht mehr nötig: er war klein und still wie eine Maus. Es tat ihm leid, daß alles so gekommen war. Denn im Grunde ist er noch genauso verrückt nach seiner Frau wie früher und wollte sie durchaus wieder bei sich haben."

„Und sie ist einfach hingegangen?"

Bestürzt, mit zitternden Lippen blickte Merijntje auf den Pfarrer, der die Achseln zuckte.

„Einfach hingegangen?" wiederholte er die Frage. „Das kann man nicht gut sagen. Sie hat sich tagelang gewehrt, hat mich beschimpft, mir Szenen gemacht. Aber ich habe nicht nachgegeben. Wohin sollte ich mit ihr? Ich konnte sie doch nicht ins Pfarrhaus holen ... Und endlich hat sie eingewilligt und ist gefahren."

„Und jetzt?"

„Jetzt ... Ich habe schon ein paarmal Nachricht bekommen. Es geht gut, schreibt sie."

Der Junge blickte ihn verwirrt an.

„Es geht gut?" wiederholte er fassungslos. „Es geht gut? Wie ist denn das möglich?"

Sein Gesicht sah so dumm und bestürzt aus, daß Pfarrer Ramakers nun doch lachen mußte. Der Junge rieb sich mit der Hand über die Stirn, als müsse er sich auf etwas besinnen.

„Ich begreife das nicht", murmelte er. „Wie kann das denn gut gehen? Sie hat doch gesagt..."

„Wenn man alles glauben wollte, was Frauen sagen, Merijntje ... besonders was sie in bestimmten Augenblicken sagen, dann würde es in der Welt noch weit verrückter zugehen, als es jetzt schon der Fall ist."

„Aber sie kann ihn doch nicht ausstehen!" brauste Merijntje auf.

„Sie ist mit ihm verheiratet!" erwiderte der Pfarrer, und sein Gesicht verfinsterte sich. Er dachte an den mutlosen Ton der Briefe, in denen Marjan ihm geschrieben hatte, daß alles gut gehe, und fühlte sich unsicher.

Störrisch sagte Merijntje: „Das mag ja sein, aber sie liebt ihn nicht."

„Das geschieht öfter", brummte der Geistliche, „aber wenn man verheiratet ist, muß man's ertragen. Mann und Frau gehören zusammen – sonst sollen sie, verflixt noch mal, gar nicht erst heiraten ... Trink aus!"

Folgsam hob der Junge das Glas und ließ den Wein durch die Kehle rinnen. Er hatte das Bedürfnis, alles zu vernichten, angefangen mit dem Wein, der ein bequemes Opfer seiner Rachsucht war. Er fühlte sich sehr kampflustig. Die Flasche war leer, und der Pfarrer holte eine zweite. Merijntje sah düster vor sich hin. Plötzlich sagte er:

„Das ist eine verdammte Gemeinheit!"

„Nur zu!" ermunterte ihn der Pfarrer. „Mach deinem Herzen ruhig Luft!"

„Das hätte ich nie von ihr gedacht, Herr Pfarrer!" rief Merijntje. „Ich habe ihr so fest vertraut ... Darauf war ich nicht gefaßt."

Der andere blickte ihn an. Er sah die ratlose Bestürzung, den Schrecken, die Verwirrung und das Leid auf dem kindlichen, fleckig roten Gesicht. Und er begriff, daß die Begegnung mit diesem Mädchen den Jungen tief bewegt hatte. Sie war die erste Frau in seinem Leben. Niemand konnte ergründen, was das für die Entwicklung eines heranwachsenden Mannes bedeutete – aber zweifellos sehr viel. Was konnte er tun? Nur keine Torheiten, keine Sentimentalität! Dieser junge Mensch war noch so unerfahren und so gefährlich unverdorben. Das beste würde sein, dem Rippenstoß des Lebens noch ein wenig mehr Nachdruck zu verleihen. Weder für ihn noch für das arme Mädchen konnte etwas Gutes dabei herauskommen, wenn sie das Verhältnis wieder anknüpften. Ein bißchen Grausamkeit, ein bißchen Stichelei war für beide das beste. Gar nicht erst versuchen, den sanften Arzt zu spielen ...

Er lachte spöttisch und erwiderte auf Merijntjes Seufzer:

„Bei Frauen muß man auf alles gefaßt sein, Junge! Das solltest du längst wissen. Die verlassen sich nur auf ihr Gefühl – das liegt nun einmal in ihrer Natur. Aber standhaft sind sie selten. Darauf darf man nicht rechnen. Das bringt nur Schwierigkeiten, Kummer und Streit – und führt zu nichts ..."

Merijntje saß da, drehte den Stiel des Weinglases zwischen den Fingern und starrte in die rote Glut, ohne etwas zu sehen. Die Worte des Pfarrers summten ihm in den Ohren, doch ihr Sinn wurde ihm nicht gleich klar. Verwunderung schmerzte ihn wie eine offene Wunde. Langsam verdunkelte sich das strahlende Bild, das von Marjan in ihm lebte. Hatte es denn so wenig Gewicht gehabt, was zwischen ihnen geschehen war? Er sah immer noch ihre Augen vor sich, als er sie in den Armen hielt ... hörte ihre Stimme, die „lieber Junge" zu ihm sagte ... erinnerte sich an ihr Gesicht, als sie von ihrem verpfuschten Leben sprach und wie erst mit ihm alles gut und schön geworden sei ... Sollte das wirklich nur Komödie gewesen sein – Theater, weil es ihr schmeichelte, einen neuen Geliebten zu haben? Bei den Frauen mußt du auf alles gefaßt sein? Ja, wenn Marjan ihn bereits vergessen hatte, in den Armen eines solchen Kerls liegen konnte und ihm vielleicht die gleichen betörenden Worte sagte – Marjan, seine Marjanneke aus dem glühenden Traum –, dann stimmte das wohl, dann mußte man bei den Frauen wahrhaftig auf alles gefaßt sein, auf jeden Betrug, jede Grausamkeit, auf die schändlichsten Lügen ...

Tiefe Scham stieg in ihm auf. Und er war so töricht gewesen, alles für bare Münze zu nehmen. Und sie? Sollte es wirklich wahr sein, daß sie alles nur für ein vorübergehendes Spiel gehalten hatte, eine Augenblicksanwandlung, eine flüchtige Verlockung, die ihr recht bald schal und fade erschien? Konnte sie so lügen und betrügen? Unbegreiflich! Sie hatte doch geweint, sich an ihn geklammert, ihn beschworen, daß er der erste und einzige sei, den sie richtig liebe. Aber jetzt lebte sie in Antwerpen mit diesem Strolch, von dem sie soviel Böses berichtet hatte, und sie schrieb dem Pfarrer, daß alles gut gehe ... Alles gut! Sie mußte bei diesem Halunken liegen – und alles ging gut! Ja bitte, warum eigentlich nicht? Ihn hatte sie weitergeschickt ... dann waren andere gekommen – dieses ganze Pack, das Teeuw Meesters zu Boden geschlagen hatte ... Und darauf nun hatte er seinen herrlichen Traum gegründet! All die Tage und Wochen hatte er das unbeschreiblich schöne, warme, strahlende Bild in seiner Seele getragen, das Bild der reinen Marjan, eines Mädchens, schlicht und einfach eines Mädchens, aber eines so lieben, so schwindelerregend lieben Mädchens – seine Marjanneke ... Wie ein dummer kleiner Junge hatte er sich zum Narren halten, sich von ihr in die Wüste jagen lassen ... Wer weiß, ob sie sich hinter seinem Rücken nicht auch noch über ihn lustig gemacht hatte ... Verflucht, was war er für ein grüner Esel gewesen!

Er trank einen Schluck Wein. Das war gut, das war auch Feuer, aber es betrog einen nicht. Das heckte keine hinterhältigen Gemeinheiten aus ... Was sagte der Pfarrer jetzt? Er wandte den trüben Blick zu dem großen Gesicht, in dem die Augen unter den dichten Brauen lustig zwinkerten.

„Du mußt noch viel lernen, Merijntje. So ernst sind diese Dinge gar nicht. Außerdem bist du viel zu jung, um dich endgültig an jemand zu binden. Frauen sind ein bißchen geheimnisvoll – daran muß man sich gewöhnen. Man darf nicht gleich auf ihre schönen Augen hereinfallen. Und überhaupt – laß die Frauen ruhig noch ein bißchen laufen, bis du mehr vom Leben gesehen hast, sonst verbrennst du dir nur die Finger."

„Von mir aus können sie in der Hölle schmoren!" sagte Merijntje rachsüchtig.

„Na also!" schmunzelte der Pfarrer. „Das ist ein Männerwort. Darauf können wir ruhig noch ein Glas trinken ... Wohlsein!"

Sie tranken. Merijntje verschluckte sich vor Aufregung, hustete und wischte sich das betropfte Kinn mit dem Taschentuch ab.

„Ihr braucht nicht zu denken, daß ich's mir zu Herzen nehme, Herr Pfarrer, versteht Ihr?" erklärte er mannhaft. „Meinetwegen soll sie machen, wozu sie Lust hat! Hab ich nicht recht?"

„Selbstverständlich!" bekräftigte der Pfarrer.

„Der Teufel soll sie holen!" fluchte Merijntje gewaltig. „Von mir aus kann sie mit ihrem Kerl nach Amerika gehen. Mich werden sie nicht mehr hinters Licht führen, die Weiber ... Himmelkreuzdonnerwetternocheinmal ... Den Hals könnte ich ihnen umdrehen!"

„Lieber nicht!" lachte der Pfarrer. „Sie sind nun mal nicht anders."

„Das ist es ja!" rief der Junge und schwang die Faust durch die Luft. „Erst locken sie einen in die Falle, und dann kriegt man einen Tritt in den Hintern. Aber ich fliege nicht wieder darauf rein! Sie sind alle ein Kuck und ein Ei – genau wie Blosekriekske ..."

„Wer ist denn das?"

„Nelleke Besjane. Die kennt Ihr doch?"

„Ach so ... Und was ist mit Nelleke?"

Merijntje mußte plötzlich furchtbar lachen. „Der hab ich mal das ganze Haus zusammengetreten!" grölte er.

„Gar nicht schlecht ..."

„Ihr Spielzeughaus, versteht Ihr?"

Und dann erzählte er die Geschichte von Blosekriekske und ihrem Scherbenhaushalt im Schweinestall, und wie sie ihn überredet hatte, zu Hause die prächtigste Tasse von dem Service mit dem Soldatenmuster zu zerschlagen. Und als er endlich mit den begehrten Scherben ankam, hatte sie ihn beschimpft und verhöhnt, weil sie inzwischen von einem anderen Verehrer etwas Schöneres bekommen hatte ... Der Erfolg war ein blutender Finger gewesen und eine Tracht Prügel von seiner Mutter. Aber er hatte sich nicht einfach damit abgefunden, beim Teufel nicht! Kurz und klein geschlagen hatte er ihr den ganzen klirrenden Scherbenhaushalt ...

Er schwieg und starrte rachsüchtig in die Vergangenheit. Das hatte er gut gemacht. Und wenn er die Möglichkeit hätte, würde er mit Marjan nicht anders verfahren: kaputtmachen, was sie am liebsten hatte ... Wenn er sie nur erreichen könnte! Sie würde ihr Teil schon kriegen – und ihren Kerl, den würde er in Stücke reißen!

„So muß man sie anpacken!" brummte er böse. „Dann gewöhnen sie sich ihre Gemeinheiten schon ab!"

Doch plötzlich zweifelte er: Vielleicht auch nicht, denn wenn er an Blosekriekske dachte, die war noch genauso eine kleine Schlange wie früher ... Mit einem Schlag war sein Ärger verflogen, und er mußte lachen: Schlange hin, Schlange her, aber lieb war sie doch! Man mußte sich nur vor ihr in acht nehmen. Marjan war ganz und gar keine Schlange – wenigstens hatte er das nie geglaubt. Und gerade deshalb war sie viel gefährlicher, viel gemeiner.

„Sie sind alle gleich, verdammter Mist!" schloß er grimmig und hob dem Pfarrer sein Glas entgegen. „Prost, Herr Pfarrer!"

„Du hast wirklich schon was mitgemacht!" lachte der.

„O je!" prahlte Merijntje. „Einmal hätte ich beinah ein Judenmädchen geheiratet. Damals war ich zwölf ..."

Er lachte schallend, doch dann beugte er sich über den Tisch und sah plötzlich Esthers ovales, mattbraunes Gesicht vor sich, so lieb und so sanft, daß seine Augen sich mit Tränen füllten, und mit weinerlicher Stimme jammerte er:

„Verdammt noch mal, warum sind sie auch immer so lieb?"

„Ja, das ist auch wieder wahr", sagte der Pfarrer. „Wenn sie alle mordsböse wären, dann wär's nicht schwer. Der Teufel versteht seine Fallen gut aufzustellen, verlaß dich drauf!"

„Der Teufel?" schrie Merijntje wütend. „Die Frauen sind selber allesamt Teufel!"

„Na, na", beschwichtigte der andere. „Ab und zu ist wohl auch ein Engel darunter. Und die größte Kunst ist es, den herauszufinden ..."

Darüber dachte Merijntje eine Weile nach. Plötzlich sagte er:

„Ihr habt einen gefunden, Herr Pfarrer ... Nele – das ist einer!"

Lachend nickte der Pfarrer. Merijntje betrachtete ihn angestrengt. Warum lachte der jetzt? Daran war doch nichts Lächerliches. Nele war zum Donnerwetter ein Engel ... Doch was war das? Deutlich sah er auf der anderen Seite des Tisches zwei Pfarrer nebeneinander sitzen, zwei genau gleiche Pfarrer ... Er stand auf. Das Zimmer schwankte. Der Boden wogte, und seine Beine vermochten der Bewegung nur schwer zu folgen. Er hielt sich mit der einen Hand am Tischrand fest und zeigte mit unsicherem Finger auf seinen Gastgeber.

„Wo kommt bloß der andere Pfarrer plötzlich her?" kicherte er töricht. „Da sitzt noch einer neben dir ... Verdammt, das ist aber wirklich ein Spaß!"

Dann standen beide Pfarrer gleichzeitig auf und kamen um den Tisch auf ihn zu. Doch auf halbem Weg verschwammen sie zu einer dunstigen Masse, gerade als sei der Nebel von draußen ins Zimmer gedrungen. Das machte einen so verrückten Eindruck, daß Merijntje vor Lachen laut kreischte. Er lachte noch, als er am Arm des Pfarrers die Treppe hinaufstolperte, die auch verrückt geworden war und störrisch unter seinen Füßen bockte. Doch als er im Fremdenzimmer auf dem Bettrand saß, schlug seine Stimmung mit einemmal um; ohne Übergang liefen ihm Tränenströme über die Wangen, und mit kleiner, betretener Stimme rief er:

„Und doch ist es gemein, Herr Pfarrer. Das hätte ich nie von ihr gedacht ... Herr Pfarrer?"

Er bekam keine Antwort, blickte sich um und sah, daß er allein war. Das erschien ihm sonderbar und unfreundlich. Voller Groll brummte er:

„Ach, von mir aus könnt ihr alle bleiben, wo der Pfeffer wächst!"

Dann kroch er völlig angezogen unter die Decke.

Unten stand Nele in der Küchentür, als der Pfarrer vor sich hin lachend die Treppe herabkam.

„Was war denn das für ein Krach? Habt Ihr den Jungen betrunken gemacht?"

Pfarrer Ramakers legte ihr die beiden großen Hände schwer auf die Schultern.

„Wein ist manchmal ein gutes Gegengift", sagte er rätselhaft. „Verstehst du?"

Nele schüttelte den Kopf. „Kein Wort."

Der Pfarrer ließ die Hände herabfallen.

„Das ist auch besser", lachte er. „Frauen brauchen nicht alles zu verstehen, und aus der Beichte darf man nicht schwatzen ..."

Er ging in sein Zimmer. Verblüfft schaute Nele ihm nach und sah, wie seine breiten Schultern zuckten. Kopfschüttelnd kehrte sie in ihre warme Küche zurück.

Manchmal kam ihr der Pfarrer wie ein großer Lausbub vor ...

· Zweites Kapitel ·

I

Seit Tagen war Merijntje wieder im Dorf. Bei schlechtem Wetter arbeitete er im Schuppen der Pfarrei. Der Pfarrer hatte eine Weile gezimmert und dann damit aufgehört, weil er sich an seinem Arbeitsplatz nicht mehr umdrehen konnte. Alles lag durcheinander – Werkzeug und Holzteile, die ein großer Küchenschrank werden sollten, aber nicht zu der Zeichnung paßten, die er dafür angefertigt hatte. Nun mußte Merijntje erst einmal aufräumen, bevor er selber daran ging, den Schrank für Nele fertigzumachen. Obendrein war im Garten eine Buche vom Sturm umgerissen worden; an schönen Tagen zerhackte er sie zu Brennholz.

Die grobe und schwere Arbeit war jetzt das Rechte für ihn. Mit aufgekrempelten Ärmeln stand er im dünnen Licht der Nachmittagssonne und ging mit der blitzenden Axt auf den Baum los, als wolle er einen verhaßten Feind in Stücke schlagen.

Merijntje war düster gestimmt. Er fühlte sich vom Leben betrogen, vom Unglück verfolgt und vermißte Flierefluiter mehr denn je: gerade jetzt hätte er seinen Rat und seine Erklärungen so nötig gehabt. Er vermochte kaum aus seinen Gefühlen klug zu werden. Die Geschichte mit Marjan belastete ihn schwer, und eine große, quälende Verbitterung hatte sich seiner bemächtigt. Sein Vertrauen zu dem Schönsten und Liebsten war zerstört – durch ihre Schuld! Er wußte, daß er nie wieder einer Frau glauben würde. Grausam war das – doch das hatte *sie* ihm angetan. Manchmal bildete er sich ein, er sei nur deshalb in dieses Dorf zurückgekehrt, um bei ihr Trost zu suchen, da Flierefluiter tot war. Es war so schwer, allein zu sein. Und nun war sie fort ... bei diesem ekligen Kerl, den sie niemals geliebt hatte. Sie mochte nur ihn – ihn, Merijntje, ihren lieben Jungen ... mit ihm allein war alles schön und lieb und gut ... Pah, wie diese Weiber salbadern und lobhudeln konnten! Ein alberner Dummkopf, der ihren Worten Glauben schenkte!

Wütend schwang er die Axt hoch über den Kopf und ließ sie sausend in die Achsel des dicken Astes niederfallen, der vom Stamm getrennt werden sollte. Ein scharfer Holzsplitter flog ihm an die Stirn. Mit grimmigem Genuß spürte er den kurzen Schmerz – der war ihm lieber als der im Herzen ... Er verspottete sich selbst bei dem verrückten Gedanken, daß dort das Gefühl für Marjan gesessen hatte; jetzt war es herausgerissen, und geblieben war eine Wunde, die wie Feuer brannte, sobald er an sie dachte. Wenn er es nur fertigbrächte, die Gedanken an sie zu ersticken! Aber das ging nicht. Irgend etwas in ihm dachte ganz von selbst immer wieder an sie. Und das machte ihn zornig, aber man kam nicht dagegen an.

Das Schlimmste von allem aber war auf die Dauer die Scham. Denn Merijntje schämte sich. Er schämte sich schrecklich. Aus mehreren Gründen. Weil er an ihre lieben Worte geglaubt hatte, an ihr Gefühl, an die Echtheit ihrer Umarmungen. Weil er sie in diesem seinem rückhaltlosen Glauben so ungeheuer hoch gestellt hatte ... so weit über alle anderen. Wie ein Schwärmer kam er sich vor, der einen Gott angebetet hatte und entdeckte, daß es nur ein seelenloser Abgott war, ein Stück Holz ohne Leben und Macht. Er schämte sich für seine Dummheit. Er schämte sich, weil er seine Empfindungen für sie, die ihn im Lachen und im Weinen betrog, so groß, so glühend hatte werden lassen. Es war so schrecklich demütigend. Er hatte eine durch und durch lächerliche Rolle gespielt. Doch am meisten schämte er sich, weil er nicht ohne Schmerz und Kummer an sie denken konnte. Daß er es einfach nicht schaffte, von ihr loszukommen, daß er nicht mit einem Schlag diese ganze Geschichte und diese Frau vergessen, aus seinem Gedächtnis, aus seinem Gefühl streichen konnte. Ja, das war die tiefste, ihn am stärksten erniedrigende Beschämung: wenn er in stillen Augenblicken an sie dachte, sah er ihr Bild vor sich – ihr schönes, sanftes Gesicht, die blonden Locken, den strahlenden Blick. Dann füllte sich sein Herz mit Zärtlichkeit, und er konnte nicht glauben, daß sie anders war, als sie sich gegeben hatte. Er liebte sie immer noch! Auch wenn sie ihn betrogen hatte ... Die Tatsachen hatten es bewiesen, und er würde sich nicht ein zweites Mal betrügen lassen, sich blenden lassen vom schönen Schein, auch nicht seinem viel zu weichen Herzen erliegen.

Jetzt begriff er, was Flierefluiter einmal in Rotterdam in betrunkener Verzweiflung über Bets gesagt hatte: daß sie ihn betrüge, daß sie schlecht, gemein und grausam sei – und daß er trotzdem nicht von ihr loskommen könne. Genauso ging es ihm mit Marjan. Aber er würde sich zu wehren wissen. Er war gewarnt durch das abscheuliche Beispiel von Bets, und er würde stark bleiben. Es war aus – für immer und ewig. Sie war zu diesem erbärmlichen Lump zurückgegangen. Schön, dann sollte sie dort bleiben! Doch es war mißlich, sich eingestehen zu müssen, daß es immer wieder Momente gab, in denen man am liebsten auf der Stelle losgestürmt wäre, hin nach Antwerpen, um sie von diesem Menschen wegzuholen – obwohl man wußte, daß sie einen behandelt hatte wie einen dummen Jungen, beschummelt hatte wie einen Einfaltspinsel, ein unerfahrenes Greenhorn. Man konnte schon vor sich selber ausspucken!

Sprechen darüber war unmöglich. Flierefluiter war tot, der einzige, mit dem er sich über solche Dinge hatte austauschen können. Viel geholfen hätte es gewiß auch nicht, denn hier gab es eigentlich gar nichts zu besprechen – hier sprachen die Tatsachen für sich, und zwar so deutlich, daß jede weitere Erörterung überflüssig war. Nun mochten sie sich getrost alle miteinander zur Hölle scheren, die Frauen mit ihrer Zärtlichkeit und ihren netten Worten! Vielleicht würde er ab und an noch mit der einen oder anderen ein kleines Verhältnis anknüpfen – aber glauben und vertrauen? Nein, keiner mehr! Jetzt würde *er* mit ihnen sein Spielchen treiben ... Es gab einem eigentlich ein erhebendes Gefühl, soviel weiser geworden zu sein: ein für allemal gewitzt, fortan gut gewappnet, den Gefahren und Ränken zu begegnen, die von den anderen ausgingen. Aber froh machte es einen doch nicht. Es stimmte traurig und verbitterte. Warum konnten sich die Menschen nicht daran gewöhnen, aufrichtig zu sein, einander geradsinnig gegenüberzutreten? Warum hielten sie sich immer ein Hintertürchen offen, gaben sich anders als sie waren, machten sich gegenseitig etwas mit schönen Worten vor, die ihnen nichts bedeuteten und nach denen sie schon gar nicht handelten! Warum intrigierten sie hinterrücks, warum versuchten sie einander schlecht zu machen und Schaden zuzufügen? Warum spielten sie eine so häßliche Komödie?

Grimmig trieb er die Axt tief in den Stamm der gefallenen Buche, ohne sie wieder herauszuziehen. Dann richtete er sich stöhnend auf und wischte sich mit seinem roten Taschentuch den beißenden Schweiß vom Gesicht. Arme, Schultern und Rücken schmerzten von der ungewohnten Anstrengung. Sogar die Muskeln seiner Schenkel wirkten steif und geschwollen durch die starre Haltung beim Schwingen und Zuschlagen mit der schweren Axt. Er steckte sich eine Pfeife an, hängte sich die Jacke um und setzte sich eine Weile auf den Baum, um zu verschnaufen.

Die Welt war schon eine komische Sache, und mit den Menschen im allgemeinen war's auch nicht weit her. Der verrückte Doktor Presco hatte gar nicht einmal so ganz unrecht... Im Dorf herrschte auch so eine gespannte Stimmung. Überall wurde geflüstert und getuschelt. Er wußte zwar nicht was, aber es war ihm klar, daß es um den Pfarrer ging. Zwei Parteien gab es, für und gegen Pfarrer Ramakers – doch niemand ließ sich öffentlich darüber aus; denn sobald Merijntje dazukam, hielten die Leute sofort den Mund: er wohnte ja wieder im Pfarrhaus, da wollte man natürlich vorsichtig sein. Sicher waren sie fest davon überzeugt, daß er dem Pfarrer jeden Klatsch hinterbrachte, und die Angst vor dessen entschlossenem Auftreten saß den Gemeindegliedern tief in den Knochen. Auch wieder so etwas Niederträchtiges: das Getuschel und Gehechel über Verdächtigungen, die niemand geäußert haben wollte, wenn es darauf ankam. Keiner sprach ein offenes Wort, niemand sagte freiheraus, was er meinte. Heimlich schleichende, im Zwielicht kriechende Verleumdungen, falsch Zeugnis, gemeine, dumme Unterstellungen... Gott weiß, was die Schmutzfinken und Berufsheiligen untereinander ausheckten! Sie hatten einen Heidenrespekt vor ihrem Pfarrer, begriffen absolut nichts von seiner klotzigen Art, den Heuchlern die Wahrheit zu sagen, von seiner Abneigung gegen fromme Wichtigtuerei, hinter der sich die unheiligste Gaunerei versteckte. Sie hatten Angst vor seinem donnernden Spott, vor den scharfen Augen, mit denen er ihre Verlogenheit durchschaute, vor der Erbarmungslosigkeit, mit der er ihr wahres Wesen an den Pranger stellte, ihre Unchristlichkeit anklagte. Seinem schonungslosen Willen zur Wahrheit vermochten sie nichts entgegenzustellen – höchstens das Getratsche hinter der vorgehaltenen Hand. Doch was konnten sie ihm vorwerfen? Was gab es denn schon über ihn zu erzählen? Daß sie nichts von dem kapierten, was er tat und sagte – sonst nichts. Alberne Leute! Und trotzdem war Nele beunruhigt, hatte Angst. Die gute Nele! Was kümmerte sie's, was diese Tröpfe in ihrer Ohnmacht untereinander auskasperten? Wer ließ sich denn von solchen Quatschtanten brüskieren? Merijntje würde schon noch in Erfahrung bringen, was sie sich da ewig zu erzählen hatten. Und dann konnten sie zusammen darüber tüchtig lachen...

Ein Schauder durchzitterte den sich geschwind abkühlenden Rücken. Es war kalt, echtes Novemberwetter. Frost und Schnee lagen in der Luft. Er warf die Jacke ab, riß die Axt aus dem Stamm und fing wieder an zu arbeiten. Er wollte nicht mehr daran denken, weder an Marjan und die Kränkungen, die sie ihm zugefügt hatte, noch an das dumme Gerede im Dorf.

Er hielt Wettstreit mit sich selbst. Berechnete jedesmal, mit wieviel Axtschlägen er einen Ast vom Stamm trennen konnte, freute sich, wenn es ihm mit weniger glückte, geriet in Zorn, wenn er mehr brauchte. Er blieb hart bei der Arbeit. Das tat gut! Es bereitete einen einzigartigen Genuß zu fühlen, wie der Körper dem Willen gehorsam war: wie die Füße sich fest in den weichen Boden rammten, wie die Muskeln sich krümmten und streckten, zu prallen Paketen sich spannten und am Schluß einer jeden Bewegung wieder erschlafften. Wie die Axt nach dem gewaltigen Schwung durch die Luft haarscharf an der Stelle niederging, die das Auge erwählt hatte! Man fühlte sich förmlich wachsen, größer, stärker werden bei dieser Arbeit, bei diesem Kampf mit der Arbeit. Klipp ... klapp ... klipp ... klapp ... Zischend flogen die Späne, und krachend sank ein abgehauener Ast seitlich vom Stamm mit dem leichten Rascheln brechender Zweige zu Boden.

Merijntje schrak zusammen. Hinter sich hörte er die Stimme des Pfarrers sagen:

„Aber, aber! Du gehst ja ran wie Hektor an die Buletten!"

Der Junge drehte sich um, setzte die Axt mit dem Rücken nach unten ab und lachte.

„Hilft ja alles nichts, Herr Pfarrer, da muß man schon Federn lassen!"

Wie sah er wieder unpastörlich aus! Ohne Soutane, in kurzer Hose und mit einer Ärmelweste aus grobem Barchent, wie die Bauern sie tragen, und natürlich ohne Kopfbedeckung.

„Wer von uns beiden ist der bessere Holzhacker – was meinst du?"

Merijntje maß mit den Augen die breite Gestalt mit der stark gewölbten Brust und den knochigen Schultern. Lachend sagte er:

„Wir können ja wetten ..."

„Können wir. Wenn ich verliere, bekommst du eine gute Zigarre, und wenn ich gewinne, bekommst du zwei. Einverstanden?"

„Keine schlechten Bedingungen", grinste Merijntje. „Wer beginnt?"

„Fang du mal an!"

Sie markierten zwei ungefähr gleich dicke Äste, die vom Stamm getrennt werden mußten. Dann begann Merijntje, und sie zählten die Axtschläge. Der Junge tat sein Bestes, um die Eisenschneide so tief wie möglich ins Holz zu treiben. Er legte all seine Kraft in Arme, Schultern und Rücken. Bei jedem Schlag sagte er: „Khhh!" Der Pfarrer schaute schmunzelnd zu, die Hände auf dem Rücken, die Zigarre in den Mundwinkel gebissen, und lobte die gelungensten Hiebe, die große Späne aufstieben ließen und die keilförmige Wunde vertieften: „Gut so, Merijntje, das war ein Treffer!"

Dann fiel der Ast mit trockenem Krachen, und mit einem letzten kräftigen Schlag zerschnitt Merijntje die splitternden Fasern.

„Sechsunddreißig", zählte der Pfarrer. „Nicht schlecht ... Und jetzt ich."

Keuchend trat Merijntje zur Seite und sah lachend zu, wie der

Pfarrer in der Art eines zünftigen Holzhackers in die Hände spuckte und das Gewicht seines Werkzeugs prüfte. Dann schwang er die schwere Axt so mühelos über den Kopf, als sei sie ein Schilfrohr; der Schlag sauste dumpf dröhnend nieder, und mit Erstaunen gewahrte der Junge, wie tief das blinkende Metall in das harte Holz gebissen hatte, dessen Zähigkeit er nur zu gut kannte... Welch zertrümmernde Kraft steckte hinter diesen Hieben! Und er sah sehr wohl, daß sich der Pfarrer nicht einmal besonders anstrengte. Er hielt die ganze Zeit die Zigarre zwischen den Zähnen und tat alle zwei, drei Schläge einen Zug daran. Riesige Späne stoben herum. Beim zwölften Schlag fiel der Ast. Merijntje blickte in das triumphierende Gesicht des Siegers und klatschte bewundernd in die Hände. Auf einmal hörte er hämisches Lachen, sah zur Seite und entdeckte zwei Frauenköpfe, die durch ein Loch in der Hecke gafften und sich – augenscheinlich nicht in der liebenswürdigsten Weise – über den holzhackenden Seelenhirten und dessen unstandesgemäße Bekleidung lustig machten... zwei der ärgsten Lästerzungen des Dorfes.

In plötzlicher Wut griff Merijntje ein Stück Holz vom Boden und schleuderte es in die Hecke. Im letzten Moment verschwanden die Gesichter, so blitzschnell und zu Tode erschrocken, daß der Pfarrer in lautes Gelächter ausbrach. Der Ast blieb in der Hecke hängen. Bleich vor Zorn starrte Merijntje auf die Stelle.

„Bist du verrückt geworden?" verwahrte sich der Pfarrer. „Du hättest sie ja fast unter die Erde befördert!"

„Das wollte ich auch", brummte der Junge. „Die brauchen hier ja schließlich nicht herumzuspionieren – diese alten Kirchenkrähen!"

Der Geistliche stimmte ein schallendes Gelächter an – so amüsierte ihn dieses, weiß Gott, ungerechtfertigte Schimpfwort. Er packte den zornigen Jungen bei den Schultern, schüttelte ihn tüchtig und sagte:

„Du möchtest bitte bedenken, junger Freund, daß du auf dem Pfarrhof stehst! Auf geweihter Erde sozusagen. Es schickt sich nicht, den Leuten Knüppel an den Kopf zu schmeißen und ihnen dann noch Schmähungen hinterherzurufen!"

Merijntje lachte mit, aber es kam nicht von Herzen. Er fand, der Pfarrer war viel zu gutmütig gegenüber dieser Sorte Schnüffelweiber, die natürlich wieder überall herumtratschen würden, daß sie ihn in skandalösem Aufzug im Garten hatten Holz hacken sehen. Und so harmlos es war – auf jeden Fall würde wieder Gift daraus gewonnen und der Respekt vor dem geistlichen Oberhaupt der Gemeinde weiter untergraben. Merijntje sagte aber nichts. Bei einem Menschen wie Pfarrer Ramakers war das ja völlig nutzlos. Der stand zu fern und zu hoch, um durch dieses Geschwätz getroffen oder in irgendeiner Weise behelligt zu werden. Doch Nele

fühlte sich behelligt – und das genügte Merijntje für den festen
Vorsatz, der Sache ein Ende zu bereiten. Der Pfarrer selbst wurde
davon nicht berührt. Der lachte nur darüber, und wenn es ihm
dann doch einmal zu bunt wurde, rummste er womöglich ein paar
seiner Schäfchen mit den Köpfen aneinander, daß es nur so krachte, und sogleich war die Angelegenheit für ihn erledigt. Nele litt
regelrecht darunter. Frauen waren so. Sie horchten auf den Klatsch
und nahmen sich alles sehr zu Herzen.

„Komm", sagte der Pfarrer, „wir holen jetzt den Preis und trinken ein Schälchen Kaffee bei Nele . . . Laß die alten Kirchenkrähen Kirchenkrähen sein!"

Wieder mußte Ramakers über die komische Bezeichnung lauthals lachen. Und jetzt mußte sogar Merijntje lachen, wo er das
Wort aus dem Munde des Pfarrers hörte.

Ja, warum war Nele eigentlich so schrecklich beunruhigt? Warum war er, Merijntje, so böse? Ein bißchen Genörgel und Gekrächze schwatzhafter Kirchenkrähen – mehr war's doch nicht . . .

2

Am Sonntag nach dem Hochamt war Merijntje kaum auf der Stra
ße, als ihn jemand am Arm faßte. Er sah zur Seite. Es war Nellekes Mutter.

„Ach, Frau Besjane ... Wie geht es denn?"

Ihr freundliches Gesicht unter der Faltenhaube war blaß.

„Gut – und dir? Hast du Lust, heute nachmittag eine Tasse
Kaffee bei uns zu trinken?"

„O ja, doch ... ich will mal sehen."

Sie nickte und schob sich zwischen den anderen Kirchgängern
davon. Merijntje blickte ihr zerstreut nach und lächelte, weil er
plötzlich daran dachte, daß er sie Frau Besjane genannt hatte; dabei hieß sie schon lange Apers! Aber sie hatte nichts dazu gesagt.

Ein paar Kameraden begrüßten ihn lärmend, und er mußte mitgehen, ein Glas trinken und eine Partie Billard spielen. Überall
wurde er angesprochen, und alle wollten Einzelheiten über Flierefluiters Tod wissen. Er war ergriffen. Mit jedem Mal geriet seine
Geschichte knapper und schroffer, doch spürte er in den Fragen
mehr als nur törichte Neugier. Man merkte, daß sie Flierefluiter
aufrichtig gern gehabt hatten. Es war ein lebendiges Mitleid, das
unverkennbar echt wirkte. Doch immer verfloß die Rührung zu
einem Lächeln. Man erinnerte sich an allerlei Ereignisse, bei denen
der unverbesserliche Vagabund die Hauptrolle gespielt hatte –
und stets war es eine Eulenspiegelrolle gewesen. Du lieber Gott,
nein, dieser Unfug, den der unermüdliche Possenreißer angestellt
hatte! Er schreckte vor nichts zurück, hatte vor niemandem Re-

spekt und ließ sich jeden Augenblick etwas Neues einfallen. Sie vergaßen ihr Billardspiel, erzählten und vertieften sich in die Vergangenheit. Die Beklemmung, die Flierefluiters früher Tod hervorrief, löste sich in dem lebhaften, lockeren Gespräch; jedesmal erschallte tosendes Gelächter, wenn man wieder bei der Pointe der einen oder anderen tollen Geschichte angelangt war. „Wißt ihr noch, damals..."

Und dann wurde eine neue, irrsinnig komische Geschichte dröhnend aufgetischt; Merijntje saß dabei und lächelte, aber er wurde immer trauriger und dachte: Den anderen Flierefluiter, den habt ihr nicht gekannt – nur den ausgelassenen Spaßmacher. Der echte, der wahre Flierefluiter, der einen Gott ganz für sich allein hatte, der ist euch entgangen, von dem habt ihr nicht einmal von ferne etwas geahnt... Darüber brauchte er auch nicht mit ihnen zu sprechen. Dieser Flierefluiter hätte sie sowieso nicht interessiert. Vielleicht wären sie erschrocken, hätten Angst vor ihm gehabt. Den ungläubigen Spötter konnten sie noch gelten lassen, weil er sie zum Lachen brachte. Den Mann aber, der einen eigenen Gott besaß und davon mit träumerischen Augen und ehrfürchtiger Stimme zu sprechen wußte, den hätten sie als gefährlichen Irrlehrer gemieden, der ihr Seelenheil bedrohte und sie in Gedanken verstrickte, die geradewegs zur Hölle führten. Und doch empfand es Merijntje mit jedem Tag deutlicher, daß Flierefluiter eigentlich frommer gewesen war als all die kreuzbraven Kirchgänger, die allesamt treu „ihre Pflicht" erfüllten.

Er schaute sich die schwatzende, trinkende und lachende Gesellschaft an. Er kannte sie alle. Das waren sie nun, die guten Christenmenschen, die eben noch in der Kirche gesessen hatten, weil man eben sonntags zur Kirche mußte, die gebeichtet hatten und zum Abendmahl gegangen waren, weil es so erwartet wurde, die sich als Kinder Gottes fühlten, weil sie vorzeiten getauft worden waren und fristgemäß mehr schlecht als recht den Katechismus auswendig gelernt und die Erstkommunion empfangen hatten. Auserwählt waren sie, weil sie die Gnade des einzig seligmachenden Glaubens, der eine Gabe Gottes ist, erfahren hatten. Sie standen haushoch über den Protestanten, jenen verachteten Ketzern; die Juden waren ohnehin verflucht, und die Heiden, diese bedauernswerten Dummerchen, zählten schon gar nicht – zu denen mußten erst Missionare geschickt werden, um sie zu bekehren. Vorbildliche Christen! Jawohl. Wie hielten sie die Gebote, die nicht jedermann kontrollieren konnte? Marjan hatten sie mit Steinen aus dem Dorf vertrieben, weil sie eine schlechte Frau war, eine Ehebrecherin... Eines hätte er allerdings zu gern gewußt: wieviel von diesen Männern hier entrüstet und voller Abscheu fortgelaufen wären, wenn sie Gelegenheit gehabt hätten, mit einer Frau wie Marjan Ehebruch zu begehen. Und wie begegneten sie sich untereinander? Wie urteilten sie? Was wurde nicht alles über den Pfarrer gemunkelt von den Rechtschaffensten unter den Rechtschaffenen, den Auserwählten unter den Auserwählten vom Schlage seiner verehrungswürdigen Großmutter! Vergib uns unsere Schuld, wie auch wir vergeben unseren Schuldigern. Ja, ja ... Und dafür nun war der Sohn Gottes am Kreuz gestorben, vor neunzehnhundert Jahren. Es mochte getrost ein zweites Mal geschehen – die Menschen hatten verflucht wenig Kenntnis davon genommen! Ihm wurde richtig übel, wenn er daran dachte.

Aber dann sah er Flierefluiters lächelndes Gesicht. Der Freund blinzelte ihm vielsagend zu, ein spöttisches Zucken um den schiefen Mund. Nimm sie nicht so ernst, Merijntje, die Biedermänner. Sie haben so wenig in der Welt – was bleibt da übrig, wenn du ihnen ihre Sünden nicht gönnst, das einzige, was diesen armen Existenzen noch ein wenig Saft und Kraft und Auftrieb gibt ...

Flierefluiters Geist war mitten unter ihnen. Noch nach seinem Tod wirkte er wie ein schäumender Trunk, der ungestüme Freude schenkt. Sie hatten völlig vergessen, daß sie eigentlich mit trauernden Mienen hier hätten sitzen müssen, um eines Verstorbenen zu gedenken: mit einem Seufzer, einem unbestimmt schweifenden Blick, einem mitleidig frommen Wort. Gott sei seiner Seele gnädig! Er war ein großer Sünder, aber Gott der Herr ist barmherzig ... Statt dessen tranken sie ein Glas nach dem anderen. Flierefluiters Name feuerte sie an, die Erinnerung an sein übermütiges Leben machte sie selbst übermütig, und sie feierten sein Andenken in immer lärmenderer Freude. Der verewigte Zauberer beherrschte sie auch noch nach seinem Tode, und dankbar prosteten sie einander auf sein Gedächtnis zu. Flierefluiter hätte sein Vergnügen daran gehabt ...

Nur Merijntje wurde nicht froh. Unauffällig erhob er sich und verließ das Gasthaus mit seinem erregten Stimmengewirr und Gelächter. Sie merkten nicht einmal, daß er schweigend aus ihrer Mitte verschwand.

In der Pfarrei schrieb er wie immer am Sonntag einen Brief nach Hause und teilte seinen Eltern mit, daß er nun wohl bald wieder in Rotterdam sein werde, er müsse nur noch etwas für Pfarrer Ramakers arbeiten. Über Großmutter brauchten sie sich keine Sorgen zu machen; sie sei wieder ganz gesund und genauso eine Giftspinne wie in ihren besten Tagen ...

Nach dem Mittagessen brachte er den Brief zum Postboten und wanderte aus dem Dorf hinaus, in den Polder, um bei Frau Besjane, die jetzt Frau Apers hieß, Kaffee zu trinken. Er hatte keine Lust, im Dorf zu bleiben und immer wieder über Flierefluiter zu sprechen, denn im Grunde verspürte er eine heftige Feindseligkeit gegen jene Menschen, die Marjan so gemein behandelt hatten und die über den Pfarrer klatschten, nur weil er größer, stärker und gerechter war als sie alle miteinander.

Es war ein heller Tag – Frühwinter. Der Himmel war von durchsichtigem Blau, und die blasse Sonne warf silbernen Glanz über die kahlen Felder, die aufgerissen lagen und auf die Saat des neuen Frühjahrs warteten. Aber das hatte noch Zeit. Erst würde die Erde angestampft unter dem Wirbel des ungestüm niedertrommelnden Regens, harschgefroren durch den Frost, zugedeckt von einer daunenweichen Schneedecke, sattgetränkt vom Tauwetter ... die Natur wirtschaftete eifrig mit. Hier und da lag ein samtener Teppich über den Äckern: frisch aufgeschossenes Wintergetreide, das vor dem Frühling nicht mehr viel höher wachsen würde und jetzt wie breitblättriges, saftig grünes Gras aussah.

Kalt strich der Wind über das Land, doch in den warmen Wintersachen, die sich Merijntje von Flierefluiters Geld in der Stadt gekauft hatte, vermochte ihm die Kälte nichts anzuhaben. Er sah aus wie ein Schiffer in seiner Düffeljoppe über dem blauen Anzug und der Mütze mit dem schwarzen, geblümten Band um Rand und Schirm. Er hatte die Schifferkleidung stets bewundert, es haftete ihr etwas von Reisen und Abenteuern an, und sie paßte zu dem Schiffervolk, das unstet umherzog und anders lebte als die übrigen Menschen. Sie segelten aus der Ferne herbei, waren einen Augenblick da und zogen wieder dahin in unbekannte Fernen.

Merijntje wäre für sein Leben gern Schiffer geworden und fühlte sich sehr wohl in dieser Bekleidung. Doch plötzlich wurde er sich bewußt, daß es eigentlich alberne Prahlerei war, sich so herauszustaffieren. Er hatte das Gefühl, mit fremden Federn geschmückt zu sein, und kam sich auf einmal lächerlich vor. Was war er für ein eitler Fatzke! Da glaubte er, vor Kummer und Verbitterung nicht ein noch aus zu wissen, und hatte nichts Besseres zu tun, als sich in seiner Trauer eine Maskerade auszudenken. Das war wirklich ein starkes Stück! Doch bei all seinen Selbstvorwürfen konnte er es nicht verhindern, daß sich ein Gefühl von Befriedigung und Wohlbefinden in ihm breitmachte. Es ließ sich nicht vertreiben, mochte er auch noch so viel grübeln und sich beschimpfen ...

Selten hatte er sich so stark, so frisch und gesund gefühlt. Seine Muskeln waren fest und geschmeidig, sein Blut strömte warm und leidenschaftlich durch den Körper, die in den Taschen zu Fäusten geballten Hände waren schwielig und verlangten nach schwerem Werkzeug; die Beine wollten wieder auf die große Straße, lange Märsche machen ohne ein anderes Ziel als einen Heuhaufen oder ein schmales Bett in einer Herberge für die Nacht. Seine breite Brust atmete voller Wohlbehagen die kalte Frostluft ein, und seine Augen blickten über die weite Landschaft und freuten sich über die Sonne, die offenen Felder, die Baumreihen an den Deichen, die verstreuten Kirchtürme mit dem goldenen Funkeln ihrer Wetterhähne ... Schade, daß sein Kopf die vielen Schatten kannte, die diese helle Welt verdüsterten, und daß in sein Herz so viel Trübes geschlichen war, den Genuß des starken und schönen Lebens zu verderben.

Er fand Blosekriekskes Mutter damit beschäftigt, den Kaffee aufzubrühen. Das ganze freundliche Zimmer roch danach. Der Ofen verbreitete angenehme Wärme. Sofort umfing ihn der Reiz der gemütlichen Häuslichkeit. Frau Apers nickte ihm zu, als er eintrat. Plötzlich erinnerte er sich, daß sie Marjanne hieß ... Flierefluiter hatte sie so genannt, und er wurde blutrot vor Befangenheit und Verwirrung.

„Zieh die Jacke aus, Merijntje, häng sie dort an den Nagel! Komm, setz dich hier ans Fenster! Du kriegst gleich Kaffee, er muß noch ein bißchen ziehen ... Schön, daß du gekommen bist!"

„Ach, ich hatte ja nichts anderes vor ..."

Er empfand plötzlich selber, daß seine Worte unhöflich waren, aber die Frau schien es nicht zu bemerken. Sie stellte die Tassen auf den sonntäglich gedeckten Tisch, in die Mitte eine Zuckerschale aus blauem Glas ... Ob das noch dieselbe war, aus der er früher so oft Butterplätzchen genascht hatte?

„Ist Nelleke nicht zu Haus?"

„Nein, die mußte zur Andacht. Und Apers sitzt weit weg, in Overijsel. Da graben sie einen Kanal oder so etwas."

Apers ... sagte sie. Nicht: mein Mann oder Teeuw. Das klang seltsam, aber verheiratete Leute hatten manchmal eine merkwürdige Art, voneinander zu sprechen. In Rotterdam hatten sie eine Nachbarin gehabt, die gern ein bißchen vornehm tat, und wenn geklingelt und nach ihrem Mann gefragt wurde, sagte sie jedesmal: „Mijnheer van Dam ist nicht zu Hause." Das ganze Viertel lachte darüber ...

Frau Apers bestrich Zwiebäcke mit Butter und streute reichlich Zucker darauf, dann goß sie den Kaffee ein und nötigte den Gast, zuzugreifen. Sie setzte sich ihm gegenüber an den Tisch und sah zu, wie er den Zwieback knabberte und seinen Kaffee trank.

„Das schmeckt!" sagte er lobend. „Draußen ist's kalt ... Es wird Frost geben."

Sie nickte zerstreut und sah ihm dauernd ins Gesicht; doch ihr Blick war abwesend. Nervös rutschte Merijntje auf seinem Stuhl hin und her, holte dann eine Zigarre heraus und steckte sie an. Um den Mund der Frau zuckte ein flüchtiges Lächeln. Leise sagte sie:

„Da sitzt nun so ein großer Kerl ... Ich sehe dich noch vor mir, wie du zum erstenmal mit Flierefluiter hier hereinkamst ... gerade als wäre es gestern gewesen. Wo die Zeit bleibt!"

„Ja", seufzte Merijntje, „da haben Sie recht, Frau Apers. Das ist wohl zehn, elf Jahre her."

Sie nickte und schwieg wieder. Die späte Sonne fiel durchs Fenster auf ihr dunkles Haar, durch das sich graue Strähnen zogen. Die Augen standen müde und glanzlos in einem Netz kleiner Falten. Von den Nasenflügeln lief eine gerade Linie zu den Mundwinkeln, und die Lippen waren zusammengepreßt und verliehen dem Gesicht etwas Ältliches. Und doch konnte sie noch nicht alt sein, vierzig höchstens. Ein liebes Gesicht. Sie mußte einmal ein schönes Mädchen gewesen sein. Nun war sie müde, verdrießlich und streng... Streng? Wie kam er nur auf diesen Gedanken? Vielleicht wegen des verkniffenen Mundes und der scharfen Linien unter der Nase?

„Hat Flierefluiter einen schweren Tod gehabt, Merijntje?"

Die Frage kam unerwartet und überrumpelte ihn. Er spürte ein Würgen im Hals und wurde rot. Plötzlich war ihm klar, daß die Frau ihn nur deshalb hatte herkommen lassen, um nach Flierefluiter zu fragen. Natürlich... Er erinnerte sich, wie er vor einigen Monaten mit ihm hier gewesen war, und dachte an das Gespräch, das er darauf mit seinem Freund geführt hatte. Flierefluiter hatte diese Frau sehr gern gehabt – und sie ihn... Hin und wieder hatten sie heimlich miteinander gelebt. Und dann war plötzlich jeder mit einem anderen verheiratet. Verrückt! Wie das alles durcheinanderging, immer anders, als es gut gewesen wäre und als die Menschen es wollten. Vielleicht hatte sie nur deshalb diesen Polderburschen geheiratet, um Flierefluiter zu beweisen, wie wenig sie sich daraus machte, daß er mit so einem Kirmesfrauenzimmer durchgegangen war.

Aber Flierefluiter hatte sie weiter geliebt. Und sie selbst liebte ihn jetzt noch und war voller Kummer, weil er gestorben war. Sie würde es nicht aussprechen, aber es war deutlich auf ihrem Gesicht mit den müden, stumpfen Augen und dem traurigen Zug um den starren Mund zu lesen. Er fühlte sich ihr auf eine seltsame Weise verbunden. Hatten sie den wunderlichen Landstreicher nicht beide geliebt? In ihrer beider Leben hatte sein Tod eine große schwarze Leere geschlagen... Mit Gewalt unterdrückte er seine Bewegung, kniff die Lider zusammen, schluckte mehrmals und blies dichte Wolken aus seiner Zigarre. Dann begann er zu erzählen. Und so, wie er es ihr erzählte, hatte er es noch keinem sagen können, auch dem Pfarrer nicht...

Er sah die Frau nur undeutlich vor sich. Immer wieder trübte ein Tränenschleier seine Augen, und er mußte sich Mühe geben, seine stockende Stimme zu beherrschen; doch die Worte kamen so leicht von seinen Lippen, als ob er sie nur zu denken brauchte.

Unbeweglich, die Hände im Schoß, saß die Frau ihm gegenüber am Tisch und hörte zu. Ihre großen stillen Augen hingen an seinem Mund. Und als er schwieg, liefen zwei helle Tränen über ihre Wangen in die Falten neben der Nase. Sie wischte die feuchte

Spur nicht weg. Endlich lehnte sie sich auf dem Stuhl zurück, strich sich mit der Hand über die Stirn und stöhnte mit einem Laut wie ein gequältes Tier. Darauf sagte sie leise:

„Er ist gut gestorben. Aber gut gelebt – das hat er nicht!"

Es klang nicht wie ein Vorwurf. Es war nur eine hilflose Klage.

Wie mußte sie Flierefluiter geliebt haben! durchfuhr es Merijntje. Und er hatte sie immer und immer wieder im Stich gelassen.

„Sind Sie ihm noch böse?" fragte er.

Sie sah ihn verwundert an, als ob er sie aus tiefem Schlaf geweckt hätte. Ein stilles Lächeln war auf ihren Lippen, langsam schüttelte sie den Kopf.

„Nein, wie könnte ich? Das hab ich eigentlich nie getan – wenn ich es manchmal . . . auch gesollt hätte . . ."

Sie stockte. Nachdenkliche Falten traten auf ihre Stirn. Dann fragte sie:

„Hat er denn manchmal darüber gesprochen . . . über uns . . . über mich?"

Ihr Blick war hungrig und verlangend.

Ja, wie mußte diese Frau Flierefluiter geliebt haben! Und er hatte sie so schlecht behandelt. Ein seltsam erschreckender Mensch war er doch gewesen, denn er hatte sie ja auch geliebt. Das durfte Merijntje ihr mit ruhigem Gewissen versichern. Er nickte eifrig.

„Er hat viel über Sie gesprochen. Oft . . . Es hat ihm auch immer sehr leid getan. Er hätte sich manchmal am liebsten selber eins um die Ohren geschlagen, sagte er, weil er so ein Lump war . . . Aber er konnte es nicht ändern, verstehen Sie? Er war nun einmal so. Er hatte keine Ruhe im Leib, er mußte immer weiter, es war gerade, als wäre er verhext. Aber oft ist es ihm schwer genug gefallen, und nirgends wäre er so gern geblieben wie hier."

Marjanne nickte mit zusammengepreßten Lippen. Ein Haß stieg in ihr auf, der Haß, der sie so oft zur Verzweiflung getrieben hatte: ein Haß, der nicht den Mann betraf, sondern das Geheimnisvolle, Unwiderstehliche in seiner Natur, das Gift in seinem Blut, die Unstetigkeit, die ihn von ihr trieb. Der ohnmächtige Haß, der hilflos machte und einen nie Ruhe finden ließ.

Sie nickte. „Ich weiß", sagte sie tonlos, „es war stärker als er selbst. Er hat es mir oft genug erklärt. Aber es war schwer zu ertragen."

Eine Weile blickte sie starr vor sich hin. Dann seufzte sie und sagte:

„Und jetzt ist alles vorbei . . . Unser lieber Herrgott wird ihm wohl vergeben, denn er hat es nie böse gemeint – wenn er den Menschen auch viel Kummer gemacht hat."

„Aber er hat ihnen auch viel Schönes gegeben", sagte Merijntje überzeugt.

Marjannes Augen belebten sich im Glanz der Erinnerung. Sie lächelte, und ein leichtes Rot stieg in ihre blassen Wangen. Plötzlich wirkte sie viel jünger.

„Das ist wahr", sagte sie herzlich, „das ist wirklich wahr. Viel Schönes. Er war ein prächtiger Mensch, Merijntje. Da hast du recht."

Nun war alles gut. Sie liebten Flierefluiter beide. Sie wußten, daß er niemals jemand hatte Kummer bereiten wollen. Alles war ihm verziehen. Er war der große Freund, der unvergleichliche Geliebte, der kluge Lehrmeister . . . Marjannes Gesicht war weich geworden. Ihre dunklen Augen sahen mit einem warmen Blick in die Vergangenheit, und Dankbarkeit strömte durch ihr Herz. Worte von Flierefluiter schwebten durch die Stille . . . die Zwecklosigkeit von Kummer und Verzweiflung, die Liebenswürdigkeit der Erinnerung an Freude und Lust, die das Leben gebracht hatte.

Draußen ging die Sonne unter. Am Horizont lag rostiges Rot, und darüber glänzte der Himmel wie Perlmutt. Der Schatten des nahenden Abends machte die Felder grau, und die Bäume wurden schwarz.

Die Frau dachte an Abende, vor langer Zeit, Abende wie diesen, die langsam vom Himmel herniedersanken. Dämmerung im Zimmer, und über ihr ein zärtliches Gesicht mit dem Leuchten lachender, verliebter Augen. Wie schnell das Leben dahinging . . .

Merijntje blickte verträumt durch das Fenster auf die düsteren Farben am Horizont. Es wurde Abend, aber am Morgen stand die Sonne wieder über dem Garten des Pfarrhofes und machte das Wasser in Flierefluiters Teich durchsichtig bis auf den Grund. Der Winter strich mit seiner kalten Hand über die Welt, doch dann kam der neue Frühling mit prallen Knospen und sprießenden Blüten. Wo würde er dann sein?

Vor seinen Augen glitt eine schlanke blonde Gestalt vorüber: das Ladenfräulein aus der Taktstraat. Ein Lächeln hob seine Mundwinkel, doch er preßte die Lippen aufeinander . . . Nein, mit Frauen war er fertig.

3

Als Nelleke nach Hause kam, fand sie Merijntje in eifrigem Gespräch mit ihrer Mutter. Sie kniff die Augen zusammen, um schärfer sehen zu können im Zwielicht.

„Ach, sieh mal an", rief sie überrascht, „da ist er ja wieder, dieser Querkopf!"

„Wo steckst du denn so lange?" Frau Apers Stimme klang ärgerlich.

Nelleke zuckte die Achseln. „Ich bin noch ein Stück mit Sjoke spazierengegangen", erwiderte sie gleichgültig.

Sie trug keine Haube, sondern ein städtisches Hütchen und einen Mantel, der ihre Figur eng umspannte. Wie groß sie geworden ist! dachte Merijntje verwundert.

„Soll ich die Lampe anstecken?"

„Meinetwegen."

„Mach du dann die Läden zu, Merijntje!"

Es war der alte herrische Kommandoton. Merijntje lachte leise und ging hinaus, ohne zu widersprechen.

„Kommandier nicht so herum, freches Ding!" tadelte die Mutter.

„Ach, er kann doch auch was tun! Ist das denn schlimm?"

Als Merijntje wieder hereinkam, lag das kleine Zimmer warm und gemütlich im gelben Schein der Petroleumlampe. Nelleke stand vor dem Spiegel und schob mit beiden Händen die ungebärdigen Locken zurecht.

„Bleib ruhig da und iß ein Butterbrot mit uns, Merijntje!" lud ihn die Hausfrau ein.

Er sah im Spiegel Nellekes Bild, das ihn mit lustigem Zwinkern wie in geheimem Einvernehmen anlachte. Ihre Wangen waren rot von dem kalten Wind, und ihre Augen funkelten wie Sterne. Blosekriekske – Pfirsichblüte ... Der Name paßte noch immer zu ihr.

„Ja, danke, Frau Apers."

„Und dann spielen wir ein bißchen Karten", schlug Nelleke vor. Eifrig half sie ihrer Mutter den Abendbrottisch decken. Mit der Hüfte stieß sie Merijntje gegen die Schulter.

„Rück ein bißchen, damit ich die Messer aus der Schublade nehmen kann!"

Doch er rührte sich nicht.

„He, langsam!" sagte er lachend, zog die Tischschublade selber auf und nahm die Messer heraus.

Giftig kniff sie ihn in die Backe und sprang rasch zur Seite, um der Vergeltung zu entgehen. „Scheusal, du!"

„Was stellt sie denn wieder an?" fragte Marjanne, die mit dem Brot vom Schrank zurückkam.

„Nichts", erwiderte Nelleke schnippisch, „er ärgert mich."

Die Mutter schüttelte den Kopf.

Merijntje lachte. Natürlich gab sie wieder ihm die Schuld. So war es immer gewesen.

Als sie bei Tisch saßen, sagte Nelleke: „Flierefluiter ist tot, was? Der Arme ..."

Merijntje nickte schweigend.

„Die Leute sagen, er hätte es an der Lunge gehabt und hätte noch kommuniziert. Ist das wahr?"

„Ja."

„Hast du ihn sterben sehen?"

„Ja."

„Hu, fürchterlich!"

Sie biß ein großes Stück von ihrer Butterschnitte und kaute nervös. Ein Schauder lief ihr über den Rücken. Aber gleich darauf fing sie an, eifrig zu erzählen: über ihre Freundinnen, und was die von den verschiedensten Liebesaffären wußten, wer mit wem gesehen worden war und was die oder jene darüber gesagt hatte. Ihre Mutter saß kauend da und starrte vor sich hin. Merijntje lachte ab und zu, machte eine spöttische Bemerkung und dachte, daß Mädchen doch rechte Schnattergänse seien – sie hatten nichts anderes im Kopf als Kokettieren und Klatschen. Aber dennoch hörte er mit Vergnügen dem Geschnatter zu.

Er schaute auf ihre runden Arme, die sich in den eng anliegenden Ärmeln ihres dunkelgrünen Kleides so reizvoll bewegten, auf die kräftigen, doch schmalen Schultern – ganz anders als die kantige Statur der Jungen – und die sanfte Wölbung der Brust, auf der sich das silberne Kreuz bei jedem Atemzug bewegte. Ein unbestimmtes Verlangen erfüllte ihn. Diese lachenden roten Lippen hatten ihn gierig geküßt. Reizend war ein Mädchen, wenn es einen so küßte; dann hatte man das Empfinden von etwas Vertrautem ... So herrlich war es, als würde man betrunken davon. Aber es führte ja zu nichts. Man wußte nie, ob sie es ernst meinten. Sie ließen sich einfach küssen, genossen es, und dann liefen sie zu einem andern und schrieben, es gehe alles gut. Und man selber stand in der Kälte und konnte verrecken! Schlangen ...

„Du wohnst wieder im Pfarrhaus, Merijntje?"

„Ja. Warum?"

„Ist der Herr Pfarrer wirklich so merkwürdig?"

„Wieso?"

„Na, es heißt, er läuft zu Haus mit einer roten Mütze und einem geblümten Rock herum."

„Genau!" sagte Merijntje wütend. „Und im Garten arbeitet er manchmal ohne Soutane, in Kniehosen und mit einer Barchentweste. Ist das vielleicht verboten?"

Nelleke lachte boshaft. Sie hörte den Ärger in Merijntjes Stimme und legte es darauf an, ihn noch mehr zu reizen.

„Von mir aus", kicherte sie, „aber für einen Priester ist es doch merkwürdig. Und sie sagen, daß er im Sommer jeden Morgen vor der Frühmesse hinter der Schleuse in einem Graben schwimmt, nur so ein kleines Badehöschen an ..."

„Halt deinen Mund, Klatschliese!" schalt ihre Mutter. „Du brauchst die dummen Redereien nicht auch noch weiterzutragen."

„Pah, was das schon ausmacht! Das weiß doch jeder!"

„Na, und?" fuhr Merijntje hoch. „Darf ein Pfarrer vielleicht nicht schwimmen, wenn er es gern tut? Und soll er dann etwa Soutane und Schuhe anbehalten?"

„Na, hör mal!" entrüstete sich Nelleke mit großen, runden Augen. „Du bist mir einer! Ein Priester, der fast nackend baden geht! Das gehört sich doch wirklich nicht!"

Sie schürzte die Lippen, schlug sittsam die Augen nieder, und glühendes Rot stieg ihr in die Wangen.

Merijntje wußte einen Augenblick nicht, was er lieber täte: ihr eins um die Ohren schlagen oder ihr einen Kuß auf das scheinheilige Mäulchen geben. Diese verfluchten Mädchen! Dauernd brachten sie einen in Verwirrung.

„Und warum nicht?" rief er, ebenso verärgert über ihre alberne Kritik wie über seine eigene Unsicherheit. „Außerhalb der Kirche ist ein Pfarrer doch genauso ein Mensch wie jeder andere. Aber Dreckfinken suchen hinter allem Schmutz. Sie sollten lieber vor der eigenen Tür fegen, dann haben sie genug zu tun ... Himmelkruzitürken!"

„Mit Fluchen änderst du auch nichts daran!" sagte Nelleke mit überlegener Herausforderung. „Man erzählt nämlich noch ganz andere Geschichten über ihn. Mit dieser Marjan Bedaf, das war auch keine saubere Sache, sagen sie, sonst hätte er sich nicht für sie eingesetzt, für so eine Schlampe ..."

Merijntje mußte die Augen schließen. Er fühlte sich plötzlich müde. Müde und schmutzig, als hätte er etwas Klebriges angefaßt. Das meinten sie also ... der Pfarrer hätte es mit Marjan gehalten! Oh, wenn er so stark wäre wie Simson oder wenigstens so stark wie Pfarrer Ramakers! Wie ein Gewitter würde er über das Dorf kommen und all die dummen Lästermäuler mit den Köpfen gegeneinanderschmettern – die Dreckfinken! Was für gemeines Vieh mußte man sein, um auf solche Gedanken zu kommen!

Da rief Frau Apers mit zornrotem Gesicht:

„Willst du nun endlich den Mund halten, albernes Gör! Schämst du dich denn gar nicht?"

„Wieso? Sie sagen es doch alle! Warum hat Pfarrer Ramakers das Weibsbild denn sonst so rasch nach Antwerpen gebracht? Und Merijntje hat doch selber gesagt, daß ein Priester außerhalb der Kirche genauso ein Mensch ist wie jeder andere."

„So hat er das nicht gemeint. Das weißt du genau. Ich begreife nicht, daß du die schmutzigen Redereien von diesen Lästerzungen auch nur in den Mund nehmen magst."

„Sie erzählen noch viel mehr", murrte Nelleke.

„Was denn noch?" fragte Merijntje hastig.

„Das sag ich nicht."

„Dein Glück!" rief ihre Mutter, mit der flachen Hand auf den Tisch schlagend. „Ich will nichts mehr davon hören. Es ist eine Schande, die Leute so durch den Schmutz zu ziehen! Und laß dir ja nicht einfallen, noch ein einziges Mal darüber zu reden, verstanden? Wer so etwas herumerzählt, muß es vielleicht heut oder morgen einmal verantworten."

„Der Pfarrer ist viel zu gut", grollte Merijntje, „viel zu gerecht. Scheinheiligkeit ist ihm zuwider. Er kann die leisen Schleicher nicht ausstehen mit ihrer Frömmelei und den fiesen Tricks im Dunkeln. So sieht's nämlich aus. Er durchschaut sie glasklar und schmiert's ihnen dick aufs Butterbrot. Sie haben Angst vor ihm, und deshalb machen sie ihn schlecht. Aber es nützt ihnen nichts – wart's nur ab. Ich erwisch sie noch, die Giftmischer!"

„Deine Großmutter geifert am kräftigsten über ihn."

Merijntje lachte höhnisch.

„Großmutter?" wiederholte er. „Die ist ja auch die größte Tugendtante und häßlichste Ohrenbläserin im ganzen Dorf. Wenn die jemand auf dem Kieker hat, kann man sicher sein, daß es der anständigste Mensch ist. Wer diesem Friedensengelchen vertraut, gerät weiß Gott in Teufels Küche!"

Nun lachte Nelleke hell auf.

„Du sprichst ja schön über deine eigene Großmutter! Jetzt hältst du selber üble Nachrede, Mensch!"

„Ich sage die Wahrheit", biß Merijntje zurück.

„Na, mir kann's gleich sein. Es muß jeder für sich wissen, was er tut, auch ein Pfarrer ... Sollen wir abdecken und gemütlich Karten spielen?"

„Füttere erst das Vieh! Ich wasche derweil ab."

„Wenn Merijntje mir hilft ..."

„Dann komm! Los!"

Sie band eine bunte Schürze um und steckte die Stallaterne an. Dann lief sie vor ihm her aus der Tür, zum Schuppen. Sie fröstelte.

„Hu! Was ist es kalt geworden!"

Ein eisiger Wind blies um die Hausecke. Die blätterlosen Zweige des Holunders schlugen leise raschelnd aneinander. Am schwarzen Himmel funkelten die Sterne ... der erste Winterabend ...

Im Schuppen meckerten die Ziegen und stießen dumpf mit den Hörnern gegen die Holzwand. Die Kaninchen kratzten heftig an den Gittern ihrer Käfige, und das Schwein grunzte unzufrieden und scheuerte sich die grobe Haut an einem Pfahl des Kobens.

„Gib du der Sau zu trinken und ein paar Futterrüben, dann versorg ich die Ziegen und die Kaninchen."

Im Stall hing trübe Dämmerung. Alles war undeutlich und geheimnisvoll. In den Ecken und unter dem Dach gähnte schwarze Finsternis. Der Heurechen an der Wand zeigte drohend seine hölzernen Zähne, und auf dem Rand eines Spatens funkelten listige Äuglein, rötlich und falsch. Ein Steintopf mit Eingelegtem streckte seinen Bauch aus dem Dunkel heraus wie ein würdiges Bürgermeisterchen. Zwiebelzöpfe hingen wie spukhafte Fische mit geschwollenen Köpfen und fasrigen Flossen und Schwänzen an einem Balken. Die sanft schwingende Laterne am Haken in der Mauer aber zauberte Bewegung in die Schatten – unheimlich wie in einem bedrückenden Traum ...

Das Schwein schlabberte den dicken Brei aus Kartoffeln, Kleie und Wasser und zerkrachte die saftigen Rüben zwischen den gierig mahlenden Zähnen. Merijntje betrachtete den monströsen Körper des schweren Tieres in dem dunklen, stinkenden Koben. Der alte Abscheu vor diesen gefräßigen, schmutzigen Schlemmern würgte ihn in der Kehle. Nelleke hatte den anderen Tieren ihr Futter gegeben und stellte sich mit der Laterne neben ihn. Sie leuchtete über den Verschlag.

„Ein appetitliches Schwein, was? Das hat gut seine drei Zentner!"

Das Tier hob den Kopf und stierte in das Licht. Seine kleinen Augen funkelten. Dann beugte es sich wieder über den Trog und schlabberte gierig schmatzend weiter.

„Gefräßiges Vieh!" sagte Merijntje angewidert.

Nelleke lachte:

„Lange wird es nicht mehr gefräßig sein. In einer Woche muß es dran glauben."

„Wie kannst du nur darüber lachen?" fragte der Junge ärgerlich. „Das ganze Jahr hast du für das Tier gesorgt, und jetzt wird's geschlachtet."

Nelleke zuckte die Achseln und sah ihn geringschätzig an.

„Dazu ist es doch da", sagte sie nüchtern. „Was sollte man denn sonst damit machen?"

„Das ist mir gleich", entgegnete er mürrisch, „aber du hast kein Gefühl."

„Und du bist ein Schlappschwanz!" trumpfte sie verächtlich auf. „Noch genau wie früher: ein Hosenscheißer . . ."

„Immer noch besser als eine Frau ohne Herz."

„Ohne Herz!"

Ihn beklemmte die unangenehme Empfindung, hier wiederhole sich etwas . . . Das war ein alter Streit.

Sie lachte spöttisch, blickte ihm herausfordernd in die Augen und stieß ihn mit der Schulter an den Oberarm. Er wandte den Blick ab und rückte ein Stück zur Seite.

„Du wagst mich ja nicht einmal zu küssen!"

Er lachte abfällig. „Dazu gehört auch schon was!"

„Dann tu's doch!"

Herausfordernd stand sie vor ihm, die Laterne am ausgestreckten Arm, als wollte sie ihn damit bedrohen. Ihr Mund war halb geöffnet, die weißen Zähne blitzten, und in ihren Augen funkelte ein schelmisches, spöttisches Licht. Heftige Lust sprang den Jungen an, sie in die Arme zu reißen, ihre weichen Brüste an seinem Körper zu spüren, diesen roten Mund, den üppigen weißen Hals zu küssen . . . küssen bis zur Betäubung. Sie würde so tun, als ob sie sich wehre, und ihn doch genauso begehrlich wiederküssen. Aber er wollte nicht. Er wollte nicht von neuem weichwerden und sich von der falschen Zärtlichkeit eines Mädchens betören lassen. Großartig sagte er:

„Ich küsse Mädchen nur, wenn ich es selber will."

Enttäuschung und Wut sprangen in ihr auf. Am liebsten hätte sie ihm die Laterne an den Kopf geworfen. Was bildete sich dieser Affe eigentlich ein? Aber die Lust, ihn zu ärgern und zu zähmen, gewann die Oberhand. Er war ein stattlicher Junge geworden, groß und breit, aber doch ganz anders als die Jungen aus dem Dorf. Er hatte andere Augen, einen anderen Ausdruck im Gesicht. Sanft und doch voll verborgener Kraft, und er konnte so herrlich böse blicken! Dann wurden seine Augen schwarz wie Kohlen, und man hatte das Gefühl, gleich einen Schlag zu bekommen. Aber er würde nie schlagen – oder doch?

Nelleke spielte gern mit dem Feuer. Sie wußte noch kaum, was Liebe war, aber sie spürte, daß sie mit den Jungen tun konnte, was sie wollte, sie reizen, ärgern, eifersüchtig machen, sie an sich lok- ken, bis sie verrückt und toll wurden. Und wenn sie glaubten, sie hätten gewonnen, plötzlich gleichgültig tun und sie einfach stehen- lassen; denn im Grunde fand sie sie langweilig, roh und unge- schickt, nicht der Mühe wert, sich lange mit ihnen abzugeben. Aber Merijntje fesselte sie auf unwiderstehliche Weise.

Sie hatte seine Küsse noch nicht vergessen. Es waren die einzi- gen, die eine Erinnerung, ein Verlangen in ihr hinterlassen hatten. Er war anders. Sie wußte einiges über sein Verhältnis zu Marjan und war heimlich eifersüchtig. Und was mochte er alles angestellt haben, als er mit diesem wilden Spielmann umhergezogen war? Gott weiß, wieviel Mädchen er da geküßt, mit wie vielen er am Deich gelegen hatte! Das hatte sie noch nie getan. So eine war sie nicht. Sie kabbelte sich gern mit den Jungen, schäkerte mit ihnen und ließ sich küssen, aber im Dunkeln mit einem Jungen im Gras liegen – nein, darauf verzichtete sie. Nur mit Merijntje würde sie es vielleicht wollen ... vielleicht!

Aber ausgerechnet der ging nicht auf ihr Spiel ein. Wilde Be- gierde stieg in ihr auf, ihn zu besiegen, seinen Mund auf dem ihren zu spüren ... Sie ließ die Laterne sinken und sagte schmollend:

„Angsthase!"

Der Junge lachte wieder geringschätzig.

„Immer schimpf!" höhnte er. „Schimpfe tut nicht weh."

„Warum hast du so eine Abneigung gegen mich, Merijntje? Ich hab dir doch nichts getan!"

„Ich hab keine Abneigung gegen dich – wie kommst du darauf?"

„Du lügst. Du kannst mich nicht leiden, sonst würdest du mich küssen."

„Wieso? Ich denke, du hast diesen Bauernsohn? Den von der Mühle ..."

Nelleke triumphierte im Innern. Aha, er war eifersüchtig! Doch laut sagte sie:

„Ach, du meinst Toon de Wit? Ja, der läuft mir immer noch nach. Aber ich mag ihn nicht, er ist ein richtiger Schürzenjäger und riecht immer so nach Pferden und Mist."

„Das ist doch ein ganz gesunder Geruch", spottete Merijntje. „Komm, wir wollen ins Haus gehen. Deine Mutter wird sich wun- dern, wo wir so lange bleiben."

Nelleke stellte die Laterne neben sich auf einen Stuhl und warf sich ihm mit einer katzenartigen Bewegung an den Hals. Sie zog seinen Kopf herab und preßte ihre Lippen auf seinen Mund. Sein Widerstand brach. Er drückte sie an sich und küßte sie heiß und leidenschaftlich wieder. Das Gesicht an seinem Hals, flüsterte sie:

„Du bist der einzige, den ich mag ..."

Über ihren Kopf hinweg blickte er in den dunklen Schuppen. Deutlich hörte er aus der schwarzen Finsternis Marjans Stimme:

„Du bist der einzige, den ich mag!" Das klang ganz schön, aber er wußte jetzt, was es wert war.

Entschlossen schob er Nelleke zurück, strich sich das Haar aus der Stirn und sagte grimmig:

„Na also, nun hast du deinen Willen gehabt. Komm jetzt!"

Rasch ging er aus dem Schuppen.

Nelleke stand da mit hängenden Armen und einem törichten Ausdruck auf dem Gesicht. Dann trat ein triumphierendes Lächeln auf ihre Lippen. Mit beiden Händen strich sie sich die Locken aus der Stirn, nahm die Laterne auf und lief eilig hinter ihm her.

4

Durch die helle Mondnacht ging Merijntje zum Dorf zurück. Seine Schritte klangen metallisch auf dem hartgefrorenen Kiesweg. Es war schneidend kalt, doch der Wind hatte sich gelegt, und Merijntje spürte mit Wohlbehagen, wie der Frost an seinen Ohren biß. Er war froh, nicht mehr in Nellekes Nähe zu sein, denn sie hatte den ganzen Abend weiter versucht, ihn auf jede mögliche Weise zu reizen. Unter dem Tisch preßte sich ihr Knie gegen das seine, und wenn er das Bein wegzog, stand einen Augenblick später ihr Fuß auf seinem Spann. Sie lachte ihm zu, als ob sie wer weiß was für ein Geheimnis miteinander hätten, und ihre herausfordernde Art, aus den Augenwinkeln nach ihm zu schielen, hatte ihn halb verrückt gemacht. Beim Kartenspielen hatte sie sich so dumm wie möglich angestellt und immer wieder nach seiner Hand mit den Karten gegriffen, scheinbar, um einen Blick hineinzuwerfen, in Wirklichkeit jedoch nur, um ihn zu berühren, ihn zu reizen und in Verwirrung zu bringen. Er hatte sie heftig abgewehrt, um so heftiger, als er immer wieder spürte, daß dieses begehrliche Spiel ihn eigentlich doch anzog und daß sein Blut rascher zu fließen begann. Und das wollte er nicht. Er hatte sich vorgenommen, mit Frauen nichts mehr zu schaffen zu haben und sich schon gar nicht durch Blosekriekses Verlockungen überrumpeln zu lassen. Schönen Dank! Von Frauen wußte er fürs erste genug... Und doch brannte der Kuß, den sie ihm beim Weggehen im dunklen Hausflur rasch noch aufgedrängt hatte, wie Feuer auf seinen Lippen. An seinen Fingern fühlte er die warmen, weichen, runden Oberarme, an denen er sich von ihr abgestoßen hatte. Denn er wollte es nicht! Sein Blut, seine Sinne wünschten es wohl, doch er wollte sich beherrschen!

Jetzt hinterher mußte er darüber lachen. „Bin ich nun dein Mädchen?" hatte sie an der Haustür dicht an seinem Ohr geflüstert. Und er hatte laut und tapfer gesagt: „Kein Gedanke!" Da hatte sie ihn giftig in den Arm gekniffen. „Bin ich wohl, du häßlicher Kerl!" – „Nie im Leben!" Aber gleich war sie ihm zärtlich über die Wange gefahren: „Und du bist doch mein lieber Merijntje!" Als er sich losgerissen hatte und weggerannt war, hatte sie ihm noch nachgerufen: „Denk dran, hörst du?"

So ein eigensinniges, herrisches Ding! Sie drohte ihm einfach, als wäre er ihr Diener, ihr Hündchen, ihr Eigentum. Bitte sehr, sollte sie drohen, bis ihr die Puste wegblieb! Sie tat, verdammt noch mal, als ob er ein Stück aus ihrem früheren Haushalt wäre, eine Topfscherbe oder eine Kaffeekanne ohne Henkel.

Und doch war sie reizend! Dieser weiche, warme Mund, die lachenden, verschmitzten Augen... Und wie sie es verstand, einen um den Finger zu wickeln! Noch vor einem halben Jahr wäre er ihr mit Haut und Haaren zum Opfer gefallen, verliebt wie ein Kakerlak. Doch jetzt war er durch bittere Erfahrung klug geworden – jetzt würde sie ihn mit ihren verführerischen Katzenmanieren nicht mehr übertölpeln. Er wußte ganz genau, worauf sie es anlegte. Wer weiß, vielleicht sammelte sie jetzt Liebhaber wie früher Scherben! Einfach so, rein aus Laune, um damit zu spielen und zu prahlen. Aber er würde kein Stück ihrer Sammlung werden, das sollte sie nur nicht glauben: Er kam nicht mehr zu ihr. Fertig. Er würde Nelleke beharrlich aus dem Weg gehen. Doch da hörte er Flierefluiters Stimme zu ihm sagen: „Schade!"

Schade? Fand er es selbst denn auch schade? Wieso schade? Ja, ja, er wußte schon – Flierefluiter hatte es ihm hundertmal gesagt, hatte ihn hundertmal bedauert, beschimpft und ausgelacht: er war nicht leichtsinnig genug, er nahm alles viel zu sehr von der ernsthaften Seite. Wenn sich ein Mädchen nun einmal anbot, sich ihm mit aller Gewalt aufdrängte, warum sollte er dann nicht zugreifen, eine hübsche Zeit mit der Kleinen haben, daß jeder auf seine Kosten kam, und weiterziehen, wenn man fand, daß es schön genug gewesen war? Das Leben war so kurz und die Liebe so schön! Nur wenn man Ernst damit machte, wurde es gefährlich und man kam ins Gedränge. Nicht Ernst mit diesen Dingen machen! Das Vergnügen genießen – und dann wie der Wind davon, ehe die Klappe hinter einem zufällt. Flierefluiter konnte das. Vielleicht konnte er das, weil er eben in dieser seiner Haut steckte ... Hm. Und doch war er bei Bets aufgelaufen. Eine Frau aber wie Nellekes Mutter hatte er im Stich gelassen – eine Frau, die ihn schrecklich geliebt haben mußte und der er dauerhaftes Glück zu geben nicht imstande gewesen war. Flierefluiter selbst hatte zuweilen darüber Kummer und Verdruß empfunden, sonst hätte er sich nicht so schwere Vorwürfe gemacht.

Es war schwierig. Er, Merijntje, würde nie auf Flierefluiters Art mit Frauen und Mädchen umspringen können. Er schaffte es nicht anders, als von vornherein Ernst zu machen. Doch das Dumme war, daß es ja meist nicht nur eine war, die ihren Zauber auf ihn ausübte. Man konnte doch nicht mit mehreren zugleich Ernst machen? Er war bestimmt noch viel schlimmer als Flierefluiter? Aber gerade deshalb mußte er vorsichtig sein, denn es lag auf der Hand: Wer Ernst machte, verlor.

Nein, Blosekriekske sollte ihn nicht bekommen. Und wenn sie noch so sehr schmeichelte und um ihn herumgirrte! Aber sie verstand sich ja auch auf andere Sachen ... Wie leichtfertig hatte sie diese dummen und gemeinen Klatschereien über den Pfarrer dahingeplappert. Am liebsten hätte er sie dafür geschlagen. Wie war es eigentlich möglich, daß er danach wieder freundlich zu ihr gewesen war, sie geküßt und Zärtlichkeit für sie verspürt hatte? Wäre sie ein Junge, hätte er ihr gewiß und wahrhaftig eine Tracht Prügel verabreicht und sich nicht weiter mit ihr abgegeben. Aber so war das! Sobald es sich um ein Mädchen handelte, wurde alles anders, falsch, dumm und verworren. Ein widerliches Balg war sie, die ganze Nelleke, ein falsches Klatschmaul, eine Heuchlerin, die schöntat, um bei Leuten ihrer Wahl in Gunst zu kommen – aber wenn man den Kopf verlor und sich ihr auf Gedeih und Verderb auslieferte, Hilfe, da konnte man was erleben!

Dieses schlüpfrige Gerede über den Pfarrer! Was hatten die Leute nur für ein Herz! Wie konnten sie solche Dinge ersinnen? Der Pfarrer mit Marjan ... Nur weil er sie verteidigt hatte, als sie in ihrer Einsamkeit angefallen, beleidigt und mit Steinen beworfen wurde von einer ganzen Horde Feiglinge! Und daraus wurde sogleich diese schändliche Schlußfolgerung gezogen. Wie war so etwas möglich? Wer Pfarrer Ramakers nur ein wenig kannte, der mußte doch wissen, daß er für einen Wildfremden genauso in die Bresche springen würde wie für diese von einer Meute Wüstlinge überfallene Frau. Wer wagte da, die Unterstellung zu äußern, daß er, ein Pfarrer, etwas mit Marjan gehabt hatte? Nein, was waren die Menschen doch für unbegreifliche Wesen – gemein, niederträchtig... Sie wirkten so freundlich, gutmütig, so harmlos fröhlich und herzlich. Brave Katholiken waren sie, erfüllten ihre Pflichten, beherrschten den Katechismus, wußten, was Sünde war. Sie hatten blindgläubige Ehrfurcht vor dem Priester, der ein geweihter Mann war, ein Gesalbter, Mittler zwischen ihnen und Gott. Aber kaum geschah etwas, was ihren seltsamen Auffassungen zuwiderlief, so schlug der treuherzige Respekt im Handumdrehen um in heimlichen Haß, der in übelsten Verleumdungen gipfelte und vor dem widerwärtigsten Tratsch nicht zurückschreckte. Glaubten sie diesen Wahnsinn denn selber? Wahrscheinlich. Denn inwendig waren sie nicht ganz so brav und fromm, wie sie es zu sein vorgaben. Sie steckten voll Sünde und Niedertracht. Jeder für sich würde gar zu gern die vielgeschmähte Verfehlung mit einer so schlechten Frau begehen, die sie in ihrem edlen und ausgeprägten Sinn für mitmenschliche Verantwortung aus dem Dorf hinausgesteinigt hatten. Und wenn jemand öffentlich und notfalls mit der Faust für sie einzutreten wagte, dann bewies das augenfällig genug, daß er's mit ihr trieb – Pfarrer hin, Pfarrer her! Ein Geistlicher, der auf dem festen Boden der Heiligen Schrift stand und streng auf die Einhaltung der guten Sitten achtete, hätte dem entschlossenen Auftreten seiner wachsamen Gemeinde den Beifall nicht versagt. Wenn dies aber nicht geschah, dann mußte etwas dahinterstecken. Uneigennützige Gefühle vermuten hinter einer Tat, die ihnen schandbar erschien? Wie das? Wenn ihnen jemand in die Quere kam, hatte er unlautere Absichten, war nicht ganz astrein. In ihren Herzen waren sie zu jeder Teufelei imstande und bereit – warum sollten sie das bei einem anderen nicht auch für möglich halten? Und wenn sie nun einmal so dachten und dem anderen weh tun und ihm schaden wollten und sich nicht in der Öffentlichkeit an ihn heranwagten, ja, warum sollten sie dann nicht mit heimlichem Geschwätz seinen Namen durch den Kot ziehen? Wenn es darauf ankam, hatte jeder es gehört – aber wer hatte es gesagt? Niemand, immer niemand... Es gab ein Sprichwort, das bewies, daß sie durchaus wußten, wie allmächtig und gefährlich üble Nachrede ist: „Ich werde dich nicht stoßen, nicht beißen noch schlagen, aber ich werde dir einen schlechten Namen geben." Die Rache der Feiglinge – diese Rache war gegenüber dem Pfarrer in vollem Gange. Wer vermochte zu sagen, wann und an welchem Punkt sie haltmachen würde?

Natürlich konnten sie dem Geistlichen nicht ernstlich an den

Wagen fahren. Sie tuschelten und hechelten nur so bösartig, um ihr überfrachtetes Herz zu erleichtern, ihre ohnmächtige Wut abzulassen. Nele fing davon ein vages Echo auf und geriet ganz aus der Fassung. Pfarrer Ramakers selbst nahm es gar nicht zur Kenntnis. Es berührte ihn einfach nicht; er war viel zu groß, fand Merijntje, viel zu stolz, um das tratschende Gesindel überhaupt merken zu lassen, daß er von der Munkelei wußte. Falls er mal jemand auf frischer Tat ertappte, würde er ihm vielleicht einen Kinnhaken versetzen, daß ihm Hören und Sehen verging, aber weiter kümmern würde er sich nicht darum. Das Geschwätz würde sich schon totlaufen. Wenn sie lange genug von der Schweinerei genossen hatten, würde die Sache ihren Reiz verlieren, und sie hielten von selbst den Mund. Oder es kam eine andere Skandalgeschichte in Umlauf, und dann dachte niemand mehr daran.

Nelleke hatte gesagt, sie wisse noch schlimmere Dinge über den Herrn Pfarrer. Was in Himmels Namen mochte das bloß wieder sein? Eigentlich sollte man darüber lachen. Was für eine blühende Phantasie die Menschen doch hatten, wenn es sich darum handelte, jemand etwas auszuwischen ... Das beste war wirklich, zu tun, als ginge einen das alles nichts an, genau wie Pfarrer Ramakers es machte. Ein Riese, der von ein paar Zwergen bedroht wird; ein Löwe, den eine Mäuseschar anpiept ... Ein Schlag, und alles war vorbei. Man konnte es dem Pfarrer ruhig überlassen. Und doch blieb eine unbestimmte Unruhe, eine heimliche Furcht in ihm. Er fühlte instinktiv die gefährliche Kraft dieser feigen Wühlmäuse ... „Ich werde dich nicht stoßen, nicht beißen noch schlagen, aber ich werde dir einen schlechten Namen geben."

Als er den Deich hinabschritt, kam aus der entgegengesetzten Richtung jemand, leise vor sich hinsingend, aufs Dorf zu. Der war gewiß in der Stadt gewesen und hatte einen hinter die Binde gegossen. Nun hatte der andere ihn auch gesehen und winkte mit dem Arm. Lachend ging Merijntje ihm entgegen, bis sie plötzlich beide wie angewurzelt stehen blieben. Sie hatten einander erkannt: der andere war Teeuw Meesters, der Bauernsohn, den er Marjans wegen zu Boden geschlagen hatte.

Im hellen Mondlicht sah er deutlich Bestürzung und Schrecken auf Teeuws Gesicht. Der junge Bauer hielt sich krampfhaft senkrecht, schwankte aber dennoch leicht hin und her; er war ziemlich betrunken. Dann trat er einen Schritt näher. Anscheinend hatte er einen Entschluß gefaßt. Weglaufen wollte und konnte er nicht. Das einzige war, gelassenen Mut zu zeigen.

„Du willst sicher mit mir abrechnen, was?" fragte er mit stokkender Stimme.

Er schien zu glauben, daß Merijntje ihm aufgelauert hatte. Der stand breitbeinig da, die Hände in den Taschen. Die jähe Wut, die blitzartig in ihm aufgestiegen war, als er Teeuw erkannte, hatte sich ebenso rasch wieder gelegt. Was hatte es für einen Sinn, sich um Marjan in eine Prügelei einzulassen – und schon gar mit Teeuw Meesters? Er mußte lachen. Teeuw hatte wenig Freude an ihr gehabt: zweimal war er ihretwegen bewußtlos geschlagen worden!

Ruhig erwiderte er: „Keine Angst, Mann, ich bin nur zufällig hier entlanggekommen."

Teeuw blickte ihn argwöhnisch aus trüben Augen an. Er glaubte es immer noch nicht und blieb vor einem plötzlichen Angriff auf der Hut.

„Soll nicht gekämpft werden?"

„Ich wüßte nicht, warum. Dieser Unsinn ist vorbei."

„Das ist wahr", sagte Teeuw, und man merkte ihm die Erleichterung deutlich an.

Dann loderte sein Mut gewaltig auf, und mit versoffenem Pathos versicherte er:

„Wenn nicht, brauchst du's nur zu sagen, verstehst du? Wenn gekämpft werden soll, bin ich dein Mann!"

Und er schlug sich dröhnend mit der Faust auf die Brust.

„Ja, ich weiß, daß du dich nicht fürchtest", beschwichtigte Merijntje ihn. „Aber ich hab im Augenblick keine Lust."

„So ist's gut", nickte Teeuw zufrieden. „Vorwärts, dann gehen wir zusammen weiter!"

Er schob seinen Arm unter den von Merijntje und torkelte neben ihm dahin. Ab und zu stolperte er.

„Verflucht, es ist, als ob ich sechs Beine hätte", kicherte er, „dauernd verwickeln sie sich."

Plötzlich blieb er stehen, legte beide Hände auf Merijntjes Schultern, schaute ihn aufmerksam an und schüttelte den Kopf.

„Das ist doch komisch", sagte er verblüfft, „ich hab immer gedacht: Wenn du dem noch mal begegnest, steckst du ihn dir sofort aufs Messer! Und jetzt bin ich, verdammt, überhaupt nicht mehr böse auf dich. Wie kommt das?"

Merijntje lächelte ihm in das gerötete Gesicht. „Es ist ja kein Grund mehr zum Bösesein", sagte er.

Teeuw stierte ihn an, während er über die Antwort nachdachte. Endlich hatte er begriffen.

„Das ist wahr", sagte er mutlos. „Sie ist weg. Wir können beide sehen, wo wir bleiben."

Er ließ die Hände sinken. Seine Augen füllten sich mit Tränen.

„Von mir hat sie nie was wissen wollen", gestand er mit weinerlicher Stimme. „Es ist zum Verrücktwerden! Und ich war wahrhaftig verschossen in sie, Mann, total verschossen! Zu Hause können sie ein Lied davon singen. Und ich kann sie immer noch nicht vergessen, dieses Aas!"

„Na, na", sagte Merijntje kühl, „halt deine Zunge ein bißchen im Zaum!"

Der junge Bauer schwieg kopfschüttelnd und trottete eine Weile in grübelndem Schweigen dahin. Dann grinste er.

„Die Leute sagen, wir hätten einen gewaltigen Konkurrenten gehabt, Merijntje."

„Halt dein Maul über den Klatsch!" fuhr Merijntje ihn an. „Du bist doch kein altes Weib."

Teeuw blickte ihm von der Seite in das zornige Gesicht. Er fuchtelte mit der Hand und sagte begütigend:

„Bravo, das ist wahr! Du bist ja mit dem Pfarrer gut Freund. Es ehrt dich, daß du für ihn eintrittst! Und, unter uns gesagt, Mann, ich glaube auch kein Wort davon, verstehst du ..."

„Dein Glück!" schloß Merijntje drohend.

„Aber eins ist sicher", rief Teeuw, „schuld sind immer die Weiber, die bringen alles durcheinander – soviel ist klar! Am besten, wir genehmigen uns jetzt ein Glas und trinken auf die Freundschaft! Na?"

„Dazu ist es zu spät, die Wirtschaften sind geschlossen."

„Zum Teufel, so ein Dreckdorf!"

Er schimpfte noch eine Weile über das Kuhkaff, wo die Kneipen gerade dann zu seien, wenn er Lust hatte, auf die Versöhnung zu trinken. Plötzlich sagte er prahlerisch:

„Willst du bei uns auf dem Hof Großknecht werden?"

Merijntje mußte über die Großspurigkeit des Betrunkenen lachen.

„Besten Dank", lehnte er ab, „ich gehe bald nach Rotterdam zurück."

„Dann komm ich dich besuchen", versprach Teeuw. „Hölle, Tod und Teufel, Merijntje, da stellen wir die ganze Stadt auf den Kopf, was?"

„Darauf kannst du dich verlassen."

„Und trotzdem", sagte Teeuw nach einer Pause im Ton höchster Verwunderung, „und trotzdem versteh ich das nicht ..."

„Was denn nun schon wieder?"

„Das Marjan zu ihrem Kerl zurückgegangen ist ... Das will mir nicht in den Kopf."

„Manchem andern auch nicht", brummte Merijntje.

„Das wird mir eine Lehre sein", schluchzte Teeuw, abermals in Tränen aufgelöst, „von mir aus können alle Weiber aufgeknüpft werden, damit du Bescheid weißt! Alle!"

Der also auch! dachte Merijntje. Er mußte darüber lachen, doch gleichzeitig verdroß es ihn.

Teeuw rieb sich die Augen trocken und fluchte halblaut etwas von dem scharfen Wind – den es nicht gab ...

Die Dorfstraße lag im milchweißen Mondschein, einen samtigen

Schattenrand auf der einen Seite. Ein kleiner Hund schnüffelte nach vertrockneten Pfützchen. Schlafend lagen die Häuser mit den geschlossenen Augen ihrer verriegelten Fensterläden. Stille und Frieden. Reine Stille, freundlicher Friede. Alles Schein und Trug. Hinter diesen geschlossenen Läden atmete das Leben der Menschen, bereitete sich ruhend auf neue Bosheiten vor. Unheil gärte in dieser lieblichen, mondscheindurchflossenen Stille...

„Ich weiß nicht, wie du darüber denkst", brummte Teeuw neben ihm, „aber ich finde, die ganze Welt ist ein stinkender Abfallhaufen – und das ganze Leben Scheiße. Ich hab die Nase voll davon. Ich bleibe Junggeselle."

„Das ist das einzig richtige", entgegnete Merijntje. „Aber hier ist das Pfarrhaus, ich bin da. Leb wohl, Teeuw, komm gut nach Hause!"

Teeuw blieb stehen und rief mit sich überschlagender Stimme:

„Gib mir deine Hand! Du bist ein Kerl, ein ordentlicher Kerl! Du verstehst mich, was? Wir bleiben unser Leben lang Freunde, verdammt! Sind wir Freunde oder nicht?"

„Klar!" lachte Merijntje und schlug hart in die ausgestreckte Hand ein.

Der junge Bauer schwenkte seinen Arm wie einen Pumpenschwengel. Dann torkelte er auf unsicheren Beinen weiter, immer wieder vor sich hinmurmelnd. Merijntje schaute ihm nach, sah, wie er an dem breiten Graben um die Straßenecke bog, hörte ihn laut fluchen und darauf schallend auflachen.

„Voll wie eine Strandhaubitze!" schloß er und ging in den dunklen Gang hinein.

· *Drittes Kapitel* ·

I

Tagelang wehte ein schneidender Wind aus dem Osten. Das Wasser im Hafen und im Kreekgraben spiegelte tiefschwarz mit nadelspitzen Kristallen an der Oberfläche, die aufeinander zustrebten und eine dünne Eisdecke bildeten. Die Kinder am Ufer warfen kleine Steine darauf und besprachen eifrig und voller Hoffnung die Möglichkeit, am Sonntag Schlittschuh zu laufen ... vielleicht ja auch schon am Samstagnachmittag. Und zu Hause durchstöberten sie Boden und Schuppen, um Schlittschuhe und Pickschlitten zu suchen. Manchmal drehte der Wind gegen Abend nach Norden, und nachts fiel eine dünne Schicht trockener, körniger Schnee, der aus Dorf und Feldern eine feine Schwarzweißzeichnung machte. Morgens aber stand die Sonne wieder hell an dem vor Kälte blassen Himmel und entzündete glitzernde Sternfunken in dem blendend weißen Schnee.

Merijntje hatte die Buche im Garten liegenlassen und arbeitete jetzt im Schuppen an dem Schrank, sägte und hobelte, zeichnete und paßte ein und rechnete. Es war behaglich warm, denn in der Ecke stand ein Kanonenöfchen mit einem Rohr, das in den Schornstein des alten Backofens führte. Es roch nach frisch gesägtem Holz, und um Merijntjes Füße häuften sich die raschelnden Hobelspäne.

Ab und zu brachte Nele ihm ein Schälchen Kaffee. Sie trug eine dicke Wollhaube mit Kügelchen daran, die drollig in ihr Gesicht hingen, und ein Umhängetuch über den Schultern. Ihre Nase war rot, und ihre Wangen hatte die Kälte straffgespannt – der kurze Weg im eisigen Wind von der Küche zum Schuppen hatte es in sich. Sie wartete, bis er den Kaffee getrunken hatte, betrachtete sein Werk und lobte den Meister, weil alles so schön aussah; sie schüttelte lachend den Kopf, erzählte, wie sich der Pfarrer mit den Brettern und Leisten abgerackert habe, wie sie nie im Lot stehen oder das richtige Maß bekommen wollten, und wie er sie dann wütend in eine Ecke gefeuert habe, daß die Splitter und Späne nur so flogen. Bis er es schließlich seufzend und brummend aufgegeben habe ...

„Er war ganz besessen, Junge. Man konnte sich ihm in diesen Tagen überhaupt nicht nähern."

„Ein Pfarrer ist ja auch kein Zimmermann – na, das wäre was!" lachte Merijntje. „Ich seh schon den alten Veraart sonntags in der Kirche eine Predigt halten. Nein, nein, jeder in seinem Fach, bitte schön!"

„Seine Frau könnte das gewiß besser!" sagte Nele spitz.

„Die?" grinste Merijntje. „Da bleibt ja von keinem Menschen im Dorf auch nur ein Stückchen unangetastet. So ein Lästermaul! Die nannten wir früher ‚Abendstern' – nach der Tageszeitung hier. Wir sprangen auf dem Bürgersteig vor ihrem Fenster auf und ab, schwenkten eine alte Zeitung in der Hand und riefen: ‚Der Abendstern – das Neueste vom Neuesten!' Und dann kam sie rausgewatschelt in ihrem ganzen Fett, mit geschwungenem Besen – und wir, na, wir gaben Fersengeld. Himmel, hat das Spaß gemacht!"

Nele schüttelte den Kopf und lachte, aber es blieb ein gereizter Zug in ihrem Gesicht. Mit der leeren Kaffeeschale in den Händen, die sie unter der Schürze verbarg, ging sie weg. Merijntje arbeitete weiter; immer noch mußte er über diese dicke Watschelente lachen, die Frau Veraart, das berüchtigtste Quasselweib der ganzen Gegend. Nele konnte sie nicht ausstehen, das war deutlich. Der „Abendstern" hatte natürlich auch einen beachtlichen Anteil an der Klatschkampagne gegen den Pfarrer. So ein Ekelpaket! Was hatten sie bloß davon, einander das Leben zu vergällen mit all dem Gefasel? Jeden Augenblick gab es Zank und Verdruß, nur weil diese Sorte Weiberpack den Schnabel nicht halten konnte. Dem Stellmacher waren mindestens schon sechsmal die Scheiben eingeworfen worden von Leuten, die die Nase voll hatten, ewig von der dicken Kröte verleumdet zu werden. Und einmal hatten sie sogar abends vor der Hoftür ein Seil gespannt, damit sie ordentlich in den Dreck fiele, wenn sie heraustrat – prompt hatte sich Veraart selbst fast das Genick gebrochen.

Auch der Pfarrer leistete ihm dann und wann ein Weilchen Gesellschaft und staunte, wie ihm die Arbeit von der Hand ging und

Werkzeug und Material ihm zu Willen waren – hauptsächlich aber saß oder stand er ihm überall im Wege. Er wollte unbedingt mitarbeiten, und so gab Merijntje ihm einen Kantbeitel und ein Buchenbrett und ließ ihn Dübel ausstechen, die er später zum Zusammensetzen der Türrahmen und der Füllung brauchte. Pfarrer Ramakers bekam die genauen Maße und begann seelenvergnügt zu stechen und zu schnitzeln. Doch beim vierten Ansatz stach er sich mit dem scharfen Beitel tief in den Zeigefinger. Schimpfend rief er Nele, um sich verbinden zu lassen, und schwor, nie wieder Holz oder irgendein Werkzeug anzurühren. Fortan begnügte er sich damit, auf der kleinen Bank neben dem Ofen zu sitzen, die Pfeife im Mund, und dafür zu sorgen, daß das Feuer nicht ausging. Und zwischendurch ärgerte er seinen Zimmermann:

„Du bist am Sonntag zu Besuch bei Frau Apers gewesen, wie?"

„Ja, aber woher wißt Ihr das?"

Der Pfarrer lachte. „Hier im Dorf hört man das Gras wachsen, das weißt du doch."

Verächtlich stieß Merijntje die Luft aus und zog die Säge so heftig durch das Brett, daß das weiße Sägemehl nach allen Seiten stäubte.

„War sie denn ganz leidlich, deine Blosekriekske?"

Der Junge warf ihm einen vernichtenden Blick zu. Knirschend fraß sich die Säge durch die letzten Fasern. Dann trat er das abgeschnittene Stück, das ihm vor die Füße gefallen war, zur Seite und brummte:

„Ach, das ekelhafte Biest!"

Pfarrer Ramakers' Augen funkelten vor Vergnügen.

„Na, so ekelhaft finde ich sie gar nicht", schmunzelte er, „sie ist doch ein hübsches Persönchen."

„Mag sein, aber ich will nichts von ihr wissen. Von mir aus können alle Mädchen . . ."

Was sie konnten, sprach er lieber nicht aus: einem Geistlichen gegenüber schickten sich solche Ausdrücke nicht.

„Ja, ja, ich weiß", beschwichtigte der Pfarrer, „das hast du mir den ersten Abend schon erklärt. Du bist wohl gründlich geheilt, wie?"

„Ich hoffe es."

„Und ich fürchte es."

Er lachte leise über die Wut, mit der Merijntje das Werkzeug handhabe; anscheinend hatte er ins Schwarze getroffen. Lächelnd blickte er auf den breiten Rücken des störrisch schweigenden Jungen. So ein Grünschnabel, so ein Affe! Ein Glückskind! Neunzehn Jahre alt, ein Kerl von einem Jungen – und Augen, in die sich jedes Mädchen vergaffen mußte. Ein Herz voll unbestimmter Verliebtheit, aber ein anstrengendes Gewissen, das ihm unablässig zu schaffen machte. Ein tugendsames Kerlchen, das leichte Sünden

beging und schwere Reue litt. Zwar mußte er als Pfarrer ihn in
dieser inneren Redlichkeit bestärken, doch hätte er ihm am liebsten als Heilmittel so ein Geschöpf wie die kleine Blosekriekske an
den Hals gehängt. Dann würde er später gewiß Vernunft annehmen.
So ein unerfahrenes Kalb – glaubte, schon wer weiß was durchgemacht zu haben! Und so etwas bildete sich ein, den Frauen-
hasser spielen zu können – dabei zog ihn alles zu den Mädchen
hin ... und die Mädchen würden ihm wohl noch eine hilfreiche
Hand dazu leihen! Dieser Schelm – nahm sich vor, den Mönch zu
spielen, auf stoisch zu mimen! Lieber Himmel, was war der Junge
für ein Narr, für ein kindlicher! Und alles nur wegen dieser Marjan. Ein Glück, daß er ihm nicht die ganze Wahrheit über die
Angelegenheit gesagt hatte! Er wäre imstande gewesen, sofort nach
Antwerpen zu laufen, um sie von ihrem Mann wegzuholen. Wehrlos der eigenen Treue ausgeliefert ... Nein, das taugte nichts!
Männer, die ihre erste Liebe heirateten, lernten nie, was Liebe
eigentlich war, und wurden keine guten Ehepartner – und die
Sorte, zu der dieser Junge gehörte, war bereit, sich unbedacht weg-
zuwerfen, zu ertrinken, ehe sie Wasser gesehen hatten. Er mußte
erst noch tüchtig ernüchtert werden, Enttäuschungen und bittere
Erfahrungen sammeln. Hartsein war mitunter barmherzig – für
den, der ein wenig nach vorn zu schauen vermochte ...

Plötzlich mußte er laut lachen: Wenn die Spießer des Dorfes
seine Gedanken lesen könnten!

Merijntje drehte sich um: „Worüber lacht Ihr, Herr Pfarrer?“

„Das möchtest du wohl gern wissen, wie?“

Immer noch lachend stand er auf und ging hinaus. Der Junge
blickte ihm durchs Fenster nach und schüttelte den Kopf. Aus dem
konnte man auch nicht klug werden. Kein Wunder, wenn sie im
Dorf über ihn klatschten! Trotzdem brauchten sie natürlich nicht
gleich Unwahrheiten über ihn zu verbreiten – das war wieder etwas anderes. Wer mochte ihm bloß von seinem Besuch bei Nellekes Mutter erzählt haben?

Blosekriekske hatte Pfarrer Ramakers sie genannt, Pfirsichblüte ... Bestimmt um ihn zu ärgern, aber recht hatte er. Sie war
wirklich ein hübsches Mädchen. Nur vertrauen konnte man ihr
nicht. Je, o je, so ein junges Wesen – und die verstand einem um
den Bart zu streichen! Wenn man nicht aufpaßte, lag man in ihren
Fängen. Aber er kannte die Tricks jetzt – ihn angelte sie sich nicht!
So eine Kesse, wie sie ihm da im Stall plötzlich um den Hals gefallen war, als er ihr den Kuß nicht geben wollte, um den sie ihn
angebettelt hatte! Er mußte lachen, doch er fühlte sich auch ein
bißchen stolz und geschmeichelt, daß sie so frech und offen um ihn
warb. Leider kam sie zu spät. Er durchschaute ihre ganze Liebenswürdigkeit und wollte nichts mehr damit zu schaffen haben. Es
machte einen nur unruhig, wenn man so war wie er. Es gab Jungen,

die lachten darüber. Die gingen jeden Augenblick mit einem anderen Mädchen, küßten und knutschten, sobald sich die Gelegenheit bot, und hinterher grinsten sie darüber und brüsteten sich damit, wie viele Mädchen sie gehabt hatten, erzählten schamlos, wie weit sie mit dieser und jener gekommen waren ... Schmutzig war das, richtig gemein und niedrig.

Er brächte es nicht einmal fertig, auch nur den Namen eines Mädchens zu nennen, das er geliebt und geküßt hatte und mit dem es so herrlich gewesen war ... Aber das schienen die Jungen überhaupt nicht zu spüren. Merkwürdig fand er das und bedauerlich zugleich. Denn das Schöne, das war doch gerade dieses wunderbare Gefühl, ganz, ganz eng, völlig unzertrennlich mit dem Mädchen zusammen zu sein, nicht körperlich, anders ... vielleicht doch körperlich – und trotzdem irgendwie anders. Ja, das eigentlich Schöne, Unvergeßliche war etwas anderes, und darüber konnte man mit keinem reden. Und wenn man's konnte, dann war es nicht viel wert – oder verlor zumindest an Wert. Es wurde kläglich, häßlich, eine Art Allerweltsvergnügen; und das andere, das Schöne, das Warme, das einem das Gefühl von etwas Heiligem zu geben vermochte, wurde zugleich vertrieben, existierte nicht mehr ... Das empfanden die Jungen offenbar aber nicht so, sonst hätten sie den Mund gehalten. Er war nun einmal anders. Wenn er abends mit einem Mädchen ging, dann war das Mädchen für ihn unversehens etwas Besonderes, etwas Kostbares, das man behutsam behandeln mußte, etwas Schönes und Gutes, zu dem man lieb sein mußte – und er tat nichts weiter, als sie zu küssen, den Arm um ihre Hüfte zu legen, ihre Hand zu halten, sie zu streicheln. Das war auch alles – er sah sie nach diesem Abend nie wieder. Und wenn es so gewesen war wie mit Marjan, so überwältigend, daß man darin völlig unterging, dann konnte man schon gar nicht darüber sprechen, dann wurde einem angst, wenn jemand zufällig ihren Namen nannte. Die Sache mit dem Mädchen in der Herberge . . . sie war so verlockend gewesen, er hatte sich ihr einfach nicht entziehen können. Aber es hatte ihn später tief gereut, und ihm wäre nie im Traum eingefallen, sich ungeniert mit dieser Bettgeschichte zu brüsten, sie gar als „Glückstreffer" herauszustreichen. Doch gerade von solchen Abenteuern wurde immer stolz berichtet, mit Einzelheiten allerdings, die einen mehr anwiderten, als daß sie Genuß bereiteten. Und allesamt fanden es prächtig, allesamt fanden es ganz normal, allesamt schwelgten darin. Natürlich roch man die dreistesten Lügen meist schon drei Meilen gegen den Wind. Er konnte sich kaum beherrschen, wenn er dabeisaß. Es machte ihn ärgerlich, verdroß ihn, es erfüllte ihn mit Verachtung und einer merkwürdigen Art von Mitleid. Er wollte nur nicht weglaufen, um nicht ausgelacht zu werden. Doch der Gedanke allein, daß er auch einmal so reden könnte, jagte ihm einen

Schreck durch die Glieder und trieb ihm das Blut in die Wangen. Er war gewiß aus der Art geschlagen, ein Sonderling. Auch gut. Aber wenn man so war wie er, dann sollte man am besten gehörigen Abstand halten zu den Mädchen. Der Hieb, den ihm Marjan versetzt hatte, war Beweis genug dafür. Denn wenn man es selbst heilig ernst meinte und dann mit schönen Worten fortgeschickt wurde, um einem anderen Platz zu machen, und sie kehrte für immer zu einem Menschen zurück, von dem sie soviel Schlechtes erzählt hatte – nun, dann konnte man wohl auf die Gesellschaft spucken! Dann mußte man zugeben, daß die liebeshungrigen Jungen recht hatten, wenn sie alles nahmen, was auf sie zukam, wenn sie sich nicht von den falschen Tönen irreführen ließen, von dieser einzigen Komödie von Liebe und Leidenschaft – jenem angeblich so Heiligen, das es offenbar nur in seiner Einbildung gab. Also, getrost drauflos! Vielleicht sollte man selber ein bißchen Komödie spielen und genießen, was griffbereit vor einem lag, wild, gedankenlos, wie ein hungriges Tier . . .

Wenn man es nun einmal so mit Blosekriekske versuchte? Die verdiente es doch nicht besser. Die hielt jeden zum Narren, nutzte jedermann für ihr Vergnügen aus.

Er seufzte tief über dem Hobel, der nutzlos in seinen untätigen Händen lag.

Ja, bestimmt verdiente es dieses herrschsüchtige, schmeichlerische Biest nicht besser. An ihr könnte er die Niederlage und die Demütigung, die Marjan ihm zugefügt hatte, rächen. Dann hatte sie das, was ihr zukam, das freche Stück, und er könnte sich als toller Kerl fühlen. Aber nein – so etwas schaffte er nicht. Und wenn er sich auch tausendmal einredete, daß er es wollte, durfte und mußte . . . Wenn er sich dieses zärtliche kleine Persönchen vorstellte, die molligen Arme um seinen Hals, die fröhlichen, fragenden, fordernden Augen, den weichen, roten Mund . . . dann spürte er sofort wieder die unbestimmte Zärtlichkeit, die innerliche, schweigende Verehrung, den heftigen Wunsch, gut und lieb zu ihr zu sein, Mühe, Schmerz und Kummer von ihr fernzuhalten. Er war bestimmt ein bißchen verrückt . . . und in jedem Fall viel zu weich, um sich gegen die listenreichen Verlockungen dieses durchtriebenen Frauenvolks energisch zur Wehr zu setzen!

Wütend riß er die knisternden Spanlocken über dem Eisen des Holzes ab und schleuderte sie unter die Bank. Er arbeitete hastig und voll Eifer weiter, doch immer wieder wurde er gestört durch die Erinnerung an die dunklen, verlangenden Augen von Blosekriekske dicht vor den seinen . . . Und doch sollte sie ihn nicht haben, diese kleine Schlange!

2

Als er am nächsten Abend in den Laden von Nol Damme eintreten wollte, um sich Tabak zu kaufen, schwang die Tür auf, und er rannte gegen Nelleke. Sie trug einen Henkelkorb am Arm, und die Locken unter ihrem Hut leuchteten vor dem gelben Licht der großen Petroleumlampe über dem Ladentisch in dunklem Goldglanz. Von ihrem Gesicht sah er nur die funkelnden Augen. Mit einer raschen Bewegung stieß sie die Tür hinter sich zu.

„Hallo, Merijntje!" rief sie lachend. „Das trifft sich aber gut! Du bringst mich doch nach Hause?"

„Denkst du! Ich hab was anderes zu tun", erwiderte der Junge störrisch. „Du findest den Weg auch allein."

Er streckte die Hand nach der Türklinke aus, aber sie hielt seinen Arm mit einer flehenden Gebärde zurück.

„Tu's doch, Merijntje! Es ist so dunkel – ich fürchte mich."

Er lachte spöttisch. „Ach, stimmt ja, du bist schon immer so ein Angsthase gewesen."

„Wirklich wahr, Merijntje."

Sie zog ihn am Ärmel, und unwillkürlich ging er ein paar Schritte mit.

„Du hättest doch eher Grund, dich zu fürchten, wenn ich mitginge."

„Warum?"

„Na, ein Mädchen allein mit einem Mann auf so einem stillen, dunklen Weg . . . Ich könnte dir ja was tun."

Nelleke lachte hell auf.

„Du? Das möchte ich mal erleben! Du tust mir doch nichts, was ich nicht selber will. Dazu hast du mich viel zu gern."

Verblüfft und ärgerlich dachte er: Da fängt sie schon wieder an. Und von oben herab sagte er:

„Ich dich? Was bildest du dir eigentlich ein?"

„Streit's nur nicht ab! Ich weiß es doch."

„Du bist verrückt."

„Ja, auf dich."

Mit einem Ruck blieb Merijntje stehen.

„Der Teufel soll dich holen!" fuhr er sie grob an. „Ich kann das dumme Gequatsche nicht ausstehen. Tschüs!"

Er wollte umdrehen, aber Nelleke hängte sich an seinen Arm und drängte sich an ihn. Ihre Stimme flehte und schmeichelte.

„Dann wenigstens bis hinter den Kirchhof. Es ist so scheußlich, abends allein da vorbeizugehen. Komm doch, Merijntje, ich fürchte mich wirklich . . . Und vielleicht steht sogar der Lange Flatterkerl da."

Merijntje lachte verdrossen.

„Du bist richtig kindisch", sagte er. „Die Toten tun keinem was, und den Langen Flatterkerl, den gibt's überhaupt nicht."

„Aber wenn ich mich doch vor ihm fürchte!"

„Na, du bist mir ja vielleicht tapfer!" höhnte der Junge. „Bemühst dich gar nicht . . . ,Wenn ich mich doch vor ihm fürchte!' Was soll der Unfug?"

„Mädchen fürchten sich nun mal mehr als Jungen . . . Komm, nur bis hinter den Kirchhof, ja? Sei lieb!"

„Das möchtest du wohl, was?"

Es klang noch spöttisch, aber halb war er schon besiegt. Mädchen fürchten sich nun mal mehr als Jungen . . . Sie war ein Mädchen – er ein Junge. Sie hatte listig an seine Männlichkeit appelliert.

Mit einem sanften Druck auf seinen Arm drängte sie: „Du tust's doch, Merijntje, ja?"

„Los, los, dann komm! Bis hinter den Kirchhof, aber keinen Schritt weiter, verstanden?"

„Abgemacht."

Es klang richtig erleichtert. Schweigend gingen sie nebeneinander über die stille Dorfstraße. Der kalte Wind rauschte durch die kahlen flachen Kronen der gestutzten Linden vor der Schule. Kein Mensch war auf der Straße. Sobald sie an der letzten flackernden Laterne vorbei waren, schob Nelleke ihren Arm durch den seinen. Unwillig wollte er sich frei machen, aber sie drückte sich noch fester an ihn.

„Darf ich?" bat sie. „Es ist heute abend so pechfinster, und glatt ist es auch."

Er wehrte sich nicht mehr. Der warme Druck ihres weichen

Körpers lähmte seinen Widerstand. Trotzdem sagte er ärgerlich: „Hexe, du!"

Nelleke lachte leise. „Ich wollte, ich könnte dich mal verhexen!"

„Dann würdest du sicher einen Hund aus mir machen?"

„Ja, dann könntest du mich wenigstens nicht dauernd anschnauzen. Und ich könnte dich locken, soviel ich wollte. Und nachts dürftest du in meinem Bett schlafen . . ."

„Dazu brauchst du doch keinen Hund aus mir zu machen!"

„Schmutzfink!" Entrüstet stieß sie ihm den Ellbogen in die Seite. Er lachte. „Ihr müßt auch immer gleich an so was denken!" beschwerte sie sich.

Merijntje antwortete nicht. Es ärgerte ihn ein bißchen, daß sie das gesagt hatte, doch gleichzeitig stärkte es sein Gefühl der Überlegenheit. Natürlich war sie nicht böse, sie tat nur so. Er spürte genau, wie ein verhaltenes Lachen sie schüttelte.

Nun waren sie fast am Ende der Dorfstraße. Nelleke schob vorsichtig ihre Hand in die Tasche seiner Jacke und drückte sich beim Gehen fester an ihn.

„Ob der Lange Flatterkerl heute abend dort steht, Merijntje?"

„Blödsinn! Du mit deinen Altweibermärchen!"

Ihre Finger waren eiskalt, und unwillkürlich schloß sich seine derbe Faust darum. So ein kleines Händchen . . . Klagend heulte der Wind über den Rücken des Deiches und schlug die dürren, kahlen Zweige aneinander.

Ängstlich ereiferte sich Nelleke: „Ja, das sagst du so. Weißt du nicht, was mit Nilles, dem Sohn von Tante Annemie, passiert ist?"

„Nein, was denn?"

„Der war doch so ein Trunkenbold, ein richtiger Rumtreiber und Taugenichts. Einmal kam er auch wieder betrunken aus der Stadt nach Hause, und plötzlich sieht er den Langen Flatterkerl auf der Straße stehen – auf jeder Seite ein Bein . . . Nilles traute sich nicht, untendurch zu gehen, und machte einen Umweg über die Mühle. Aber der Lange Flatterkerl hatte seine Beine umgesetzt, und schon steht er wieder über dem Weg. Nilles schwitzt Blut und Wasser. Er geht noch mal zurück, probiert es von neuem . . . Wieder steht der Kerl da. Na, denkt Nilles, dann muß ich eben durch. Er schlägt ein Kreuz, betet ein Ave, und dann wagt er's. Plötzlich bekommt er einen Stoß, daß er mitten ins Dorf fliegt, bis vor die Tür seiner Mutter. Er poltert fürchterlich, um eingelassen zu werden, aber Tante Annemie wollte die Tür nicht aufmachen. ‚Geh nur dorthin schlafen, wo du hergekommen bist, du Rumtreiber', schimpfte sie. Aber er stöhnte vor Schmerzen und vor Angst: ‚Laß mich doch rein, Mutter! Es ist wirklich das letztemal gewesen.' Endlich hat sie ihn dann reingelassen. Und er hat die Wahrheit gesagt: nach einer Woche war er tot . . . Hu! Und dann behauptest du noch, daß es ihn nicht gibt, den Langen Flatterkerl."

Sie hatte halblaut gesprochen, dicht an Merijntje gedrängt, und in ihrer Stimme klangen Angst und Grausen vor diesem geheimnisvollen Wesen, das aus Nacht und Finsternis auftauchte, um Bösewichter zu strafen.

Der Pfarrer hatte ihm einmal erzählt, daß das eine alte heidnische Geschichte sei, die noch nach so vielen Jahrhunderten Christentum in der Phantasie der Bevölkerung lebe. Bei Tage spotteten sie zwar darüber und taten, als ob sie es für ein Ammenmärchen hielten. Doch abends sah es anders aus, und fast niemand aus dem Dorf ging ohne Herzklopfen hier entlang; ein jeder pflegte mit furchtsamen Augen nach den baumstarken Beinen des Langen Flatterkerls zu spähen, der ohne weiteres hier am Scheideweg lauern konnte. Vielleicht hielten die zwei uralten Linden, die zu beiden Seiten der Straße schwarz und gespenstisch ins Dunkel ragten, die Erzählung lebendig... Jedenfalls konnte die verwirrte Phantasie eines Betrunkenen ihre mächtigen Stämme durchaus für die Beine des gefürchteten Langen Flatterkerls halten.

Merijntje lachte über die verrückte Geschichte, aber sein Lachen klang nicht ganz frei. Mürrisch sagte er: „Ach, Mädchen, das sind doch alles nur Hirngespinste. Die gleiche Geschichte hat meine Mutter schon immer von Thijs, dem Wagenbauer, und meine Großmutter wieder von einem andern aus ihrer Zeit erzählt. Das kommt bloß davon, weil sich die Leute im Dunkeln graulen."

„Du nicht, was?"

„Ach Quatsch!" wehrte er beleidigt ab. „Früher vielleicht, aber jetzt...!"

Er tat sehr entrüstet, und dabei ärgerte er sich, weil er genau wußte, daß das nicht ganz stimmte.

„Na, jedenfalls bin ich froh, daß du bei mir bist. Ich hab nämlich Angst, weißt du. Aber heut hat der Lange Flatterkerl nicht dagestanden – das ist bestimmt ein gutes Zeichen..."

„Gutes Zeichen? Wofür?"

„Für uns ... daß es nichts Schlechtes ist, was wir tun."

„Wieso? Wir tun doch gar nichts. Blas dich nicht so auf!"

„Wollen wir unten am Deich entlanglaufen, Merijntje, dann sind wir vor dem Wind geschützt, es ist so hundekalt."

„Im Dunkeln kann man das nicht, es ist doch kein Weg da."

„Ach, wenn du mich festhältst, geht es."

„Unsinn! Noch fünf Minuten, dann sind wir am Kirchhof vorbei, und dann geh ich zurück."

„Ach, Merijntje, du bringst mich doch nach Haus, ja?"

„Ich denke gar nicht dran!"

„Ih, du bist mir der Richtige! Läßt dein Mädchen allein im Dunkeln und in der Kälte nach Hause gehen."

„Erstens bist du nicht mein Mädchen, und zweitens bist du alt genug, den Weg allein zu finden."

„Andere würden sich darum reißen, mich nach Haus zu bringen."

„Dann hättest du eben mit denen gehen müssen."

Sie schwieg schmollend, doch er spürte, wie sie sich immer enger an ihn drängte. Innerlich mußte er darüber lachen, doch er reagierte nicht.

„Tust du's, Merijntje?"

„Nein, ich hab's dir doch gesagt. Ich laß mich nicht tyrannisieren ..."

„Hu, du Rohling! Ich tyrannisier dich doch nicht!"

„Und wie!"

„Bestimmt nicht, ich bitte dich, so lieb ich nur kann."

„Das ist auch zwingen ... Ich kenne deine Schliche, Mädchen."

Er wollte nicht nachgeben. Er hatte sich vorgenommen, stark zu sein und Blosekriekskes Verführungskünsten zu widerstehen. Er verspürte nicht die geringste Lust, wiederum von einer Frau hin und her geschubst und schließlich in die Ecke gedrängt zu werden.

„Dickkopf, alter!" Sie kniff seine Hand, die in der Jackentasche immer noch ihre Finger umschloß. „Ich wollte dich auch noch bitten, morgen abend zu uns zu kommen."

„Warum? Was ist los?"

„Morgen wird das Schwein geschlachtet ... Und dann wird doch abends gefeiert. Pinneke Testers kommt schlachten. Du weißt ja, das gibt immer einen Heidenspaß."

„Ich hab keine Zeit."

„Keine Zeit? Du willst bloß nicht!"

„Mag sein ..."

Nelleke wurde wütend bei seinem ungewohnten und hartnäckigen Widerstand. Sie zerrte wieder an ihm herum, stieß mit der Schulter gegen seinen Oberarm und versuchte, in seinem Gesicht zu lesen, ob er es ernst meinte, aber es war zu dunkel. Vor Wut und Bedauern stiegen ihr Tränen in die Augen. Sie war erst so froh gewesen, ihn unerwartet zu treffen. Und dann war er nicht einmal stehengeblieben, um sie zu küssen. War er nun so ein öder Kerl, oder konnte er sie wirklich nicht leiden? Im Sommer hatte er sie doch so wild und herrlich geküßt ... Es schauderte sie noch, wenn sie daran dachte. Vielleicht, wenn es stimmte, was sie von ihm und dieser Marjan Bedaf erzählten, von dieser schlechten Frau, diesem raffinierten Flittchen ... Vielleicht war er immer noch in die verliebt?

Eifersüchtig bohrte sie: „Du hast sicher noch andere im Kopf, was?"

„Das kann dir doch gleich sein, nicht wahr?"

„Du bist mir der Rechte, das muß ich schon sagen. Das hätte ich nie von dir gedacht, Merijntje."

Der Junge mußte lachen. Was hatte sie nun bloß wieder vor?

Die Mädchen kamen immer vom Hundertsten ins Tausendste. Wenn's auf die eine Tour nicht glücken wollte, versuchten sie's auf die andere. Verrückt!

Er blieb stehen.

„So, wir sind ein ganzes Stück hinterm Kirchhof. Nun geh ich zurück."

Fester drückte sie seinen Arm an sich. „Bloß noch bis zum Polderweg, ja?"

„Nein, ich gehe zurück."

„Ein kleines Stückchen nur noch – bitte, bitte!"

„Keinen Schritt mehr!"

„Dann gib mir wenigstens einen Kuß!"

Das klang so unwiderstehlich drollig in dem schmollend gebieterischen Ton, daß Merijntje schallend auflachte. So ein herrschsüchtiges Ding wie diese Blosekriekske mußte erst noch geboren werden!

„Na, dann los!"

Er nahm ihren Kopf zwischen die Hände und beugte sich zu ihr. Nelleke schlang ihren freien Arm um seinen Nacken und drückte sich eng an ihn. Sie wühlte ihre Lippen auf seinen Mund, küßte und küßte ihn, bis seine Arme sich fester um sie schlossen und er ihre Küsse heiß und wild erwiderte. Das Blut klopfte in seinen Schläfen, und das Verlangen nach mehr stieg heftig in ihm auf. Doch auch die Abwehr wurde wieder wach. Er ließ sie los, streichelte noch einmal über ihre kalte Wange und drückte ihren Kopf an seinen Hals.

Ihre Stimme flüsterte dicht an seinem Ohr: „Du liebst mich ja doch, Merijntje . . ."

Er machte sich los und erwiderte schroff: „Bild dir bloß nichts ein – ich liebe keinen Menschen!"

Zu seinem Erstaunen sagte sie mit einem Seufzer der Erleichterung: „Dann ist's ja gut!"

Ihre Hand strich über den Ärmel seiner Jacke.

„Auf Wiedersehen, Merijntje! Bis morgen abend, ja? Du kriegst auch was Schönes zu essen . . ."

Die Dunkelheit verschluckte sie. Verblüfft blieb er eine Weile stehen und lauschte ihren Schritten, die sich rasch entfernten. Auf der hartgefrorenen Schlacke hatten sie einen metallischen Klang. Dann drehte er sich mit einem Ruck um, zog die Mütze tiefer ins Gesicht, steckte die Hände in die Taschen und ging ins Dorf zurück. Der Wind blies eisig in sein erhitztes Gesicht; die Kälte biß ihm in Nase und Ohren und tat ihm sogar ein wenig in den Lungen weh.

Leise fluchte er vor sich hin. Dieses Katzenaas von Nelleke! Nun hatte sie ihn wieder so weit gebracht. Wie in Gottes Namen war das nur möglich? Er hatte sich doch fest vorgenommen, sich nicht herumkriegen zu lassen und kein Mädchen mehr anzurühren. Er war schon ein Held! Faßte Vorsätze, und kaum kam die kleine freche Blosekriekske, schon ließ er sich um den Finger wickeln. Gewiß, diese Nelleke war ein Schlingel, aber darauf brauchte er doch nicht hereinzufallen! Das wußte er doch lange.

Grimmig verhöhnte er sich: Ach, Merijntje, was bist du für ein erbärmlicher Schlappschwanz! Aber das warst du schon immer und wirst du wohl auch ewig bleiben! Einfach kein Rückgrat – es braucht dir bloß jemand schöne Augen zu machen, schon ist's um dich geschehen!

Aber eine andere Stimme unterbrach seine gestrenge Predigt; Flierefluiter lachte übermütig und spottete: „Mann, was machst du wieder für ein Lamento! Die Mädchen sind doch dazu da, daß man nett zu ihnen ist. Du bist schon ein richtiger satter Bürger geworden... Sieh dir doch die Blosekriekske an, die wartet ja nur darauf, daß du ihr gibst, was sie will. Warum tust du's dann nicht? Du bist nur einmal jung..."

Ja, das war Flierefluiters Auffassung. Aber Flierefluiter wußte nicht, wie es in ihm aussah, wenn er erst mit einem Mädchen anfing... Flierefluiter blieb immer Herr der Situation, der wurde mit allem fertig. Aber er, er war zu schwach, zu weich, ließ alles mit sich geschehen – er wurde der Knecht seines Gefühls und seines Mädchens. Und dann lief alles schief, und er war todunglücklich, fühlte sich leer, gedemütigt, verlassen und niedergeschlagen und wußte nicht, wohin mit sich selbst. Er verstand eben nichts von Mädchen – und von Blosekriekske schon gar nichts. Als er damit rechnete, daß sie wütend auf ihn losschießen würde, hatte sie seelenruhig gesagt: „Dann ist's ja gut!"

Und morgen wurde er zum Schlachtfest erwartet. Aber er ging nicht. Sie konnte schlittenfahren in der Hölle mit ihren Ränken und Kniffen! Wenn er aber doch ging, dann würde er diesmal die Liebe ausschließlich zum eigenen Vergnügen treiben und zwar so, wie es ihm genehm war. Dann müßte die schlaue Blosekriekske dran glauben, und er würde sich so lange mit ihr amüsieren, bis er genug hatte, und würde sie kaltlächelnd abschieben. Er blieb ja nicht ewig ein kleiner Junge! Schließlich war er zwei Jahre älter als sie und hatte schon das eine oder andere hinter sich – er wußte, was eine Frau war und was Liebe hieß. Nelleke jedoch war nichts weiter als ein albernes, verspieltes Portiönchen – tat selbstsicher, hatte aber von Tuten und Blasen keine Ahnung. Mit ihm verglichen war sie ein unschuldiges Kind. Sie würde in ihm, dem erfahrenen Jungen, schon einen richtigen Lehrmeister finden – hoppla!

Wie er's aber auch bedachte – er fing am besten gar nicht erst damit an, denn irgendwo tief in seinem Herzen steckte ein Hauch jener verfänglichen Rührung für die blutjunge Freundin, die so leidenschaftlich auf ihn einstürmte, sich ihm blindlings anvertrauen wollte und die Gefahr nicht kannte, in die sie sich begab. Er jedoch kannte die Gefahr, die ihm drohte – und die mied er lieber aus guten Gründen. Teufel, nein, er machte es nicht! Zum Schlachtfest ging er nicht. Für sie beide war es sicherer, wenn er hübsch zu Hause bliebe!

3

Im Geschäft von Nol Damme brannte noch eine kleine Ölfunzel, als Merijntje hereinkam, um seinen Tabak zu kaufen. Nirgends auf der Welt fand man einen gemütlicheren Laden. Hier roch es nach Petroleum und Stockfisch, nach Zimt und getrockneten Äpfeln, frisch gemahlenem Senf, Bücklingen und getrockneter Scharbe, nach Seife, Sirup, Gelderländischer Rauchwurst, Käse, Pfeffer und Zigarren. Denn bei Nol Damme konnte man alles erhalten, was man brauchte, sogar Nägel, Trockenfarbe und Holzkitt. Die Wände waren bis unter die Decke mit Fächern und Schubladen vollgerückt, auf denen Zahlen und Buchstaben standen. Nol hatte nie Schwierigkeiten, sich zurechtzufinden, in Windeseile. In allen Ekken standen kleine Tonnen und Kisten, mit grell leuchtendem rotem und blauem Papier beklebt, Ballen und Dosen und Pakete. An den Balken der niedrigen Decke hingen reihenweise die Waren, und der gefliese Fußboden war vor dem langen Ladentisch abgetreten und stumpf. Zwei altmodische Waagschalen schwebten darüber an einem seltsam geformten Brett, und eine Waage neueren Datums stand zwischen den Blöcken blitzblank geputzter Gewichte.

Nol saß hinter dem Ladentisch auf einem tiefen Bänkchen dicht bei der Lampe und rechnete bewundernswert schnell mit Kreide auf einer schwarzen Tafel. Pinneke Testers sah gespannt zu; seine lange Oberlippe über den Tisch hängend, die Hände unter dem Kinn, blinzelte er nervös mit seinen Schweinsäuglein und folgte zunehmend verblüffter dem eiligen Kreidegekritzel auf seinem staunenswerten Weg. Da wimmelte es nur so von Strichen und römischen Fünfen und Zehnen, die unter Nols nassem Finger wieder verschwanden, um schiefen Nullen Platz zu machen, bis der Rechenmeister einen schweren Seufzer ausstieß, aufblickte und sagte: „Das sind zusammen sieben Gulden und dreizehn Stuiver, mein Bester."

Pinneke nickte bekümmert.

„Da hat die Frau wieder über die Verhältnisse gewirtschaftet", knurrte er.

Protestieren oder nachrechnen gab es hier nicht. Nol irrte sich nie und war grundehrlich.

„Immer mit der Ruhe!" beschwichtigte er. „Deine Frau wirft das Geld nicht zum Fenster hinaus. Da kenn ich andere ... Und du verdienst ja wohl nicht schlecht in diesen Zeiten – laß also das Jammern, Pinneke!"

„Hörst du mich jammern?" fragte Testers und richtete sich energisch auf. „Wer mich jammern hören will, muß an der Kiste horchen kommen, wenn sie mich zur Kirchenkuhle schleppen."

Er lachte herausfordernd, schnitt Merijntje eine Grimasse, zog seine Lederbörse aus der Hosentasche und bezahlte Nol die Schulden. Der strich das Geld in die Schublade, wischte mit einem schmutziggrauen Tuch die schwarze Platte blank und kreuzte mit dem Bleistift lässig die Hieroglyphen auf dem Blatt eines länglichen Buches durch, in dem die Rückstände der Pumpkunden verzeichnet waren.

„Gib mir eine halbe Unze Tabak, Nol ... ‚Goldene Bulle'!" sagte Merijntje.

Nol langte ohne aufzustehen unter den Ladentisch und brachte das Gewünschte zum Vorschein.

„Wie geht's im Pfarrhaus?"

„Gut."

„Du mußt mal dem Pfarrer sagen, daß er sich das dumme Gemaunze dieser Krümelkacker nicht allzu sehr zu Herzen nehmen darf, Merijntje. Heut oder morgen werd ich mir die schlimmsten Brüder greifen und ihnen das Fell gerben – den feigen Kneifern!"

„Das erzähl ihm mal selber", antwortete Merijntje. „Meines Wissens ist ihm noch nichts zu Ohren gekommen."

„Ja, übersehen, überhören", riet Pinneke Testers. „Das ist das Gescheiteste: übersehen, überhören . . ."

Nol und Merijntje lachten.

„Das wird der Pfarrer gewiß auch denken", vermutete Nol. „Ein Prachtmensch!"

„Gehst du morgen zu Apers' schlachten, Pinneke?" fragte Merijntje, um dem Gespräch eine andere Wendung zu geben.

„Ja . . . Woher weißt du das?"

„Ich bin zum Feiern eingeladen worden."

„So ein Glück! Du kommst doch sicher?"

„Ich weiß noch nicht, ob ich's schaffe. Mal sehen . . ."

„Hat man Töne!" rief Pinneke entrüstet. „Ein Lümmel von zwanzig – und muß sich's überlegen? Mit einer Blume im Haus wie Nelleke! Wenn ich in deinen Jahren wäre, und man würde mich einladen – natürlich würde ich gehen, und wenn's sein müßte, verflixt noch mal, auf bloßen Knien hinrutschen. Du wirst hübsch kommen und bringst ein halbes Fläschchen Schnaps mit . . . Sei doch nicht komisch!"

Dann wandte er sich an Nol Damme und sagte unwirsch und mit allen Zeichen der Verzweiflung:

„Das junge Volk von heute, Nol, das verschläft sein Glück – und dabei liegt's griffbereit, wenn man nur zuzuschlagen wagt."

Vorwurfsvoll und belehrend richtete er wieder das Wort an Merijntje: „Ach, Mann, was wißt ihr Knülche denn vom Leben, langweilige Knaben, die ihr seid! Als ich so alt war wie du, da war ich bei einem Bauern in der Nachbarschaft zum großen Festschmaus eingeladen. Den Namen will ich lieber nicht nennen, denn er lebt noch, und er hat die ganze Geschichte bestimmt schon vergessen. Bauern haben ein kurzes Gedächtnis, ha! Da gab's eine mächtige Feierei – Knechte und Mägde waren auch dabei. Mensch, was wurde da gegessen und getrunken! Ich glaub, noch mehr gegessen als getrunken. Jedenfalls, als ich am Morgen wach wurde, lag ich neben der jungen Bäuerin – und wir beide bekamen einen Mordsschreck. Sie wollte gleich zur Beichte rennen, aber ich konnte sie noch beruhigen. Dann sind wir den Bauern suchen gegangen. Na, der schnarchte zwischen zwei Mägden. Holla, das waren noch Feste – so was gibt's ja heut nicht mehr . . ."

Er schüttelte betrübt den Kopf. Nol schlug mit der flachen Hand auf den Ladentisch und lachte dröhnend.

„Und habt ihr den Bauern nett geweckt?" fragte er.

„Worauf du dich verlassen kannst!" rief Pinneke. „Solch eine einmalige Gelegenheit konnte ich mir doch nicht entgehen lassen. Die Bäuerin war höllisch böse, und ich mußte dabeibleiben, denn der Bauer hatte eine tüchtige Strafe verdient, und ich sollte dabei helfen. Ja, was macht man als armer Schlucker? Wenn der Bauer oder die Bäuerin kommandieren, dann hast du nichts zu melden.

Also haben wir denn gemeinsam dem Bauern eine Lektion erteilt – gewissenhaft, dürft ihr glauben. So richtig schön abgerieben. Und sie hörte nicht auf, ehe sie den Herrn in die Stube geprügelt hatte. Da wollte er noch Krach schlagen – aber nicht lange. Die Bäuerin machte kurzen Prozeß. Wie eine Löwin! Und ihr werdet's nicht für möglich halten, aber auf diesem Hof war ich das erste und letzte Mal zum Festschmaus eingeladen. Woran man wieder sehen kann, wie undankbar die Menschen sind – und die Bauern ganz besonders."

Nol lag halb auf dem Tisch und klatschte wiederholt mit beiden Händen auf die Holzplatte.

„Unverschämter Schwindler!" stöhnte er. „Herrliche Lügen hast du auf Lager!"

„Lügen?" schrie Pinneke. „Was heißt hier Lügen? Wenn das nicht die reinste Wahrheit ist, will ich immer und ewiglich lügen!"

„Nein, nein, ich glaub's dir", lachte Merijntje. „Aber ich muß jetzt fort. Lebt wohl!"

„Bitte, bitte nicht dem Herrn Pfarrer erzählen, hörst du, Merijntje?" rief Pinneke Testers ihm in flehend beschwörendem Ton nach; und als er schon die Straße erreicht hatte, hörte er die beiden im Laden immer noch schallend lachen.

Verrückte Kerls! Pinneke war der größte Laffe im Dorf, ein richtiger Schönling und Frauenheld, sicher schon über vierzig, denn er hatte einen Sohn, der beinahe so alt war wie Merijntje. Na, das würde morgen abend fröhlich zugehen beim Schlachtfest. Wenn Nelleke nicht dabei gewesen wäre, hätte er sich die Gelegenheit bestimmt nicht entgehen lassen. Verdammt, überall waren einem die Mädchen im Weg!

Er hatte heute abend eigentlich in dem Buch lesen wollen, das ihm Pfarrer Ramakers geliehen hatte. Doch jetzt hatte es keinen Sinn mehr. Er würde seine Gedanken doch nicht beieinanderhalten können, sie würden sich ständig zu Nelleke verirren, zu ihren listigen Streichen, ihrem schmeichlerischen Gehabe, ihren Küssen, ihren unbegreiflichen Worten, ihrer Einladung für morgen. Er ging lieber noch bei Birres vorbei und warf mal einen Blick hinein, ob jemand da war, mit dem er eine Partie Billard spielen und ein Glas Bier trinken konnte. Etwas Ablenkung wäre jetzt gar nicht übel . . .

Als er in die Gaststube trat, wurde er lärmend begrüßt: „Ah, Merijntje! Das trifft sich gut!"

Es war Teeuw Meesters, der, ein Glas Schnaps vor sich, mit einem anderen Bauernsohn an einem Tisch saß. Die Kalesche draußen vor der Tür schien dem anderen zu gehören. Merijntje grüßte ziemlich kühl, doch Teeuw stand auf, kam auf ihn zu, schüttelte ihm die Hand und zog ihn mit an seinen Tisch.

„Komm, setz dich dazu ... Hier, das ist Toon de Wit von der Mühle, mein Freund ... und dies ist Merijntje Gijzen, auch mein Freund."

Toon nickte. Er war ein großer, breitschultriger Kerl, blond, mit einem herben, hochmütigen Gesicht, ein, zwei Jahre älter als die beiden anderen. Beim Lachen entblößte er die kräftigen weißen Zähne und sagte:

„Das ist aber rasch gekommen! Ich denke, ihr habt euch geprügelt."

„Ja", erwiderte Teeuw obenhin, „aber das ist lange beigelegt. Wir müssen's nur noch begießen. Und das tun wir jetzt. Was trinkst du, Merijntje?"

„Ein Glas Braunbier, Birres!"

„Das ist gut für den Anfang", lobte Teeuw, „darauf kann man was Schärferes vertragen ... Toon hat nämlich eben einen neuen Gaul gekauft, der muß auch noch begossen werden. Stimmt's, Toon?"

„Selbstverständlich", sagte der andere. Dabei lachte er Merijntje ein bißchen zu, gleichgültig und doch verständnisinnig: Der hat einen sitzen!

Dann begann Teeuw mit einem wirren Bericht über den Kauf des Pferdes, eines Hannoveraners, der sich auch reiten ließ. Toon habe nämlich bei der Feldartillerie gedient, und nun könne er nicht mehr leben ohne einen Gaul unter dem Hintern. Bei jedem Satz rief er Toon zum Zeugen an. Der nickte nur, grinste und nippte an seinem Glas. Ab und zu blinzelte er Merijntje vertraulich zu, wenn Teeuw die Dinge besonders schlimm durcheinanderbrachte, und Merijntje lächelte zurück, stopfte sich langsam die Pfeife und wippte mit dem Stuhl.

Eigentlich gefiel ihm die ganze Sache nicht recht. Was hatte er hier mit zwei reichen Bauernsöhnen zu sitzen? Für die zählte er doch nicht, und wahrscheinlich bildeten sie sich ein, er fühle sich besonders geehrt, mit ihnen trinken zu dürfen. Man brauchte sich nur Toon de Wits hartes, hochmütiges Gesicht anzusehen: davon konnte man den Bauernstolz mit der Kelle abschöpfen. Und Teeuw Meesters – den kannte er vom Sommer her ... wenn er jetzt auch noch so katzenfreundlich tat! Sie sollten nur nicht glauben, er lege Wert darauf, bei ihnen zu hocken, da hatten sie sich geirrt! Für ihn waren Bauern schon lange keine Wesen höherer Ordnung mehr. Wenn sie mit ihm Umgang haben wollten, schön, aber nur gleich zu gleich, anders nicht.

Er winkte mit der Pfeife nach dem Wirt. „Eine Runde auf meine Rechnung, Birres!"

„Sieh an", lachte Toon, „nun werden wir auch noch freigehalten!"

Aber Teeuw schwenkte die Hand und rief: „Das macht nichts!

Er darf genauso eine Runde geben wie wir. Es dauert noch lange, ehe es Morgen ist ... und ... und Freund ist Freund ... verflucht! Stimmt das etwa nicht?"

Merijntje lachte. Der betrunkene Teeuw hatte den Spott in Toons Stimme anscheinend verstanden und trat ritterlich für seinen nagelneuen Freund ein. Aber auch das hatte nichts zu bedeuten: im Suff verhielt man sich immer anders, als wenn man nüchtern war. Doch er selber hatte keineswegs vor, sich mit diesen Brüdern zu besaufen, ganz gewiß nicht. Er würde eine Runde mittrinken – und damit aus. Dann würde er seelenruhig schlafen gehen.

Teeuw kam mit seinem Schnaps um den Tisch herum auf ihn zu, kippte die Hälfte über seine Hand und legte schwer den Arm auf Merijntjes Schulter. Dann stieß er ungeschickt mit ihm an und sagte, während er ihm starr in die Augen blickte:

„Wir ersäufen unsern Kummer, was, Merijntje? Solange es den Schnaps noch gibt, kriegen sie uns nicht unter, verdammt noch mal, bestimmt nicht!"

Toon kicherte halbblau.

„Lach nicht so dämlich!" schnauzte Teeuw ihn plötzlich an. „Davon verstehst du doch nichts, du hast ja keine Ahnung, worum es hier geht, du fauler Bauernflegel!"

Dann mußte er selber über das unerhörte Schimpfwort lachen, mit dem er seinen eigenen Stand bedachte ... rauh und unbändig.

Toon tat gleichgültig. Das alberne Gerede eines betrunkenen Fläzes vermochte ihn nicht aus der Ruhe zu bringen, es erweckte höchstens ein bißchen Neugier in ihm. Da stimmte doch etwas nicht! Im Sommer noch hatte dieser Kerl, der Bettellump, der vor Hunger aus Rotterdam weggelaufen war und nun hier in der Gegend seinen Lebensunterhalt als Tagelöhner zusammenkratzte, Teeuw in die Schnauze geschlagen, und man munkelte damals, die Frau vom Bedaf, dieses leichte Stück, habe dahintergesteckt. Und nun plötzlich so eine dicke Freundschaft? Wie kam das? Waren sie vielleicht Bettschwäger? Na, er würde es schon noch herauskriegen!

Merijntje hatte bereits eine ganze Weile verstohlen auf Toon de Wit geschaut. Toon de Wit von der Mühle ... An diesem Namen war etwas, was unbestimmte Erinnerungen in ihm hervorrief. Ein ganzer Kerl von Kopf bis Fuß, das mußte ihm der Neid lassen. Aber was der einmal in den Pfoten hatte, nahm ihm selbst der Teufel nicht mehr ab. Solche Burschen gab es unter den Bauern. Hochmütig, kalt und eingebildet – und trotzdem mußte man Respekt vor ihnen haben. Dieser Toon de Wit war so einer oder würde es bald werden: hart wie Stahl, trat vor keinem zur Seite und tat, was ihm gut dünkte ... Vorläufig war er nur der reiche Bauernsohn von der Mühle. Ah, da hatte er's! Natürlich, das mußte dieser Favorit von Blosekriekske sein, mit dem sie damals geprahlt hatte!

Er grinste vor sich hin. Da waren sie also beide seine Nebenbuhler, diese Bauernsöhne. Sieh mal an! Plötzlich hatte er einen Einfall. Er beugte sich über den Tisch und sagte:

„Männer, ich weiß was!"

„Was denn?" fragte Teeuw, sofort interessiert. „Schieß los!"

Merijntje behielt Toons Gesicht im Auge. Er wollte sehen, wie der auf seinen Vorschlag reagierte; dann würde er gleich wissen, ob Blosekriekske gelogen hatte oder nicht.

„Ich bin morgen zu einem Schlachtfest eingeladen", sagte er. „Wollen wir alle drei hingehen?"

„Das ist gut", stimmte Teeuw sogleich zu. „Bei welchem Bauern denn?"

„Bei keinem Bauern. Bei ganz gewöhnlichen Leuten, fleißigen Arbeitern – aber das können auch Menschen sein."

Toon de Wit blickte mißfällig vor sich hin. Teeuw nickte zustimmend.

„Klar, mach ich mit", sagte er. „Ich bin dein Mann, zu allen Schandtaten bereit – und wenn's zum Teufel und seiner Großmutter geht!"

„Ach, es ist bei Apers' im Polder. Ihr wißt schon, die Witwe Besjane ... sie hat eine Tochter, die Nelleke, die müßt ihr kennen."

Toon de Wit hatte sich plötzlich fast unmerklich aufgerichtet. Teeuw saß nachdenklich da, brachte die Leute aber nicht in seine Vorstellung und schüttelte den Kopf. Der andere sagte:

„Na gut, aber unter einer Bedingung: du darfst nicht verraten, daß wir kommen. Wir bringen auch einen Tropfen mit, weil sie nicht mit uns rechnen ... Wie ist's mit dir, Teeuw, kommst du auch?"

„Na, vielleicht nicht!" schrie er. „Wenn's was zu saufen gibt, bin ich nicht der Faulste, das wißt ihr doch. Wann wollen wir losgehen?"

„Na, vor acht sind sie mit dem Schwein nicht fertig ... Sagen wir Viertel vor acht, und wir treffen uns hier."

„Abgemacht." Toon stand auf. „So, Teeuw, und jetzt gehen wir. Der Gaul kann nicht so lange in der Kälte stehen."

„Schon?" rief Teeuw entrüstet. „Du bist verrückt! Fahr allein nach Haus, ich find den Weg auch ohne dich!"

„Das mußt du selber wissen. Ich gehe jedenfalls."

„Mach, daß du fortkommst, Mann! Platzen sollst du mit deinem Wagen! Ich laufe viel lieber. Bis morgen!"

„Bis morgen!" lachte Toon, bezahlte am Büfett und trat mit einem weiten Schwung des Armes aus der Tür.

4

Teeuw schaute ihm nach und horchte auf das Rasseln der abfahrenden Kalesche.

„Da geht er hin", sagte er. Dann sank er schwer auf seinen Stuhl, seufzte ein paarmal tief und fuhr nachdenklich fort: „Vor dem mußt du dich in acht nehmen, Junge. Der taugt nichts, gar nichts ... Der wird nie besoffen, und ein Weiberfresser ist er auch ..."

„Was meinst du damit?" lachte Merijntje. „Ein Weiberfresser?"

Teeuw wischte sich den Mund mit dem Handrücken, machte eine unbestimmte Bewegung und sagte geheimnisvoll:

„Gefährlich ... schreckt vor nichts zurück, macht mit den Weibern, was er will ... He, Birres! Kannst du mir was zu essen geben? Ich komme um vor Hunger!"

„Was willst du denn? Brot und Kaffee?"

„Ja. Und ein paar Eier auf Schinken."

„Gut."

Eine Zeitlang schwieg Teeuw. Grübelnd starrte er vor sich auf den Tisch, zeichnete mit dem Finger Sterne in dem ausgekippten Schnaps und kaute träge an der Zigarre, die ihm schief im Mundwinkel hing. Sein lockiges, schwarzes Haar klebte an der blassen, schweißnassen Stirn. Seine Augen waren klein und hatten rote Ränder, weil er den ganzen Tag in Wind und Kälte herumgestromert war.

Merijntje sah ihn an und verspürte ein unbestimmtes Mitleid mit ihm. Es ging ihm nicht gut, dem verwöhnten Sohn des reichsten Bauern aus der ganzen Gegend. Er war aus dem Gleichgewicht geraten und machte lauter Dummheiten. Alles wegen Marjan? Merijntje mußte selber intensiv an Marjan denken, wie er jetzt so harmlos dem ungestümen Rivalen gegenübersaß, der ihretwegen einen heftigen Zusammenstoß mit ihm heraufbeschworen hatte. Er blickte in das trübe, blasse, vom Trinken entstellte Gesicht... Wie hatte er es an jenem Mittag gehaßt! Mit welcher Wollust hatte er die Lippen zerschlagen, die das schändliche, gemeine Wort gesprochen hatten. Sie hatten gekämpft, alle beide, mit dem Gefühl, den anderen am liebsten töten zu wollen.

Danach war noch eine einzige Nacht mit Marjan gekommen, die letzte, leidenschaftlichste und süßeste... Und am Morgen hatte sie ihn weggeschickt. Aber trotzdem war damals das Schöne nicht zerbrochen. Wie beglückend war sogar die leise Trauer in ihm gewesen, die zärtliche Erinnerung und der nie ganz bewußt werdende Wille, den Weg zu ihr zurückzufinden. Jetzt wußte er, daß er das immer vorgehabt hatte: zurückzukehren und bei ihr zu bleiben oder sie mitzunehmen, gleichgültig gegen die ganze Welt. Aber es kam anders. Sie war nicht so, wie man es erträumt hatte, nicht so, wie es in seine Vorstellung paßte.

Kaum war man fort, so empfing sie schon andere. Es kam zu einem Skandal sondergleichen, bei dem es fast Mord und Totschlag gegeben hätte. Dann kehrte sie gleichgültig zu ihrem Mann zurück und schrieb seelenruhig, es gehe alles gut. Und das war keine Bets, sondern Marjan, für die er seine Hand ins Feuer gelegt hätte. Warum war er nur so lächerlich gutgläubig gewesen? Hatte sie ihn nicht schon am allerersten Abend mit nach Hause geschleppt und bei sich schlafen lassen? Das hätte ihm doch Warnung genug sein müssen! Keine Spur besser als Bets – nicht im geringsten. Dennoch mußte er auch jetzt die Zähne zusammenbeißen und sich Gewalt antun, um dies zu glauben, mußte sich zwingen, sie so zu sehen, wie sie wirklich war. Und trotzdem liebte er sie noch. Sie spukte ständig durch seine Träume als der Engel, der sie für ihn gewesen war. Doch der Engel war tief gefallen! Er wußte es, aber sein Herz konnte sich nicht damit abfinden.

Ach, was war damit verglichen sein armseliges Gefühl für Nelleke! Eine mehr oder weniger widerwillige Neigung, ein bißchen Hunger, ein schwelendes Fünkchen der Sinnlichkeit. Aber mit Marjan war es eine gewaltige Glut gewesen, lodernde Flammen bald, in denen er zu versengen meinte, aus denen er geläutert emportauchte – größer, herrlicher, glücklicher denn je... Wie war es bloß möglich, daß diese Erfahrung getrogen hatte? Es half nichts, sie hatte getrogen! Und wenn so etwas trog, worauf durfte man dann überhaupt noch vertrauen? Auf nichts. Und das würde er nun auch nicht mehr. Sein Leben wüßte er schon so einzurichten, daß auch er keinem anderen mehr Vertrauen schuldete: für sich bleiben, ein bißchen spielen und – wie sagte man? – lügen und betrügen zum eigenen Vergnügen. Wenn er das doch wenigstens könnte! Das Mißliche war, daß es bei ihm nach kurzer Zeit stets wieder ernst wurde. Aber wenn er es sich fest vornahm, nicht nachzugeben? Verflixt, das mußte ihm gelingen, er war doch kein Schlappschwanz! Nelleke spielte ihr Spielchen mit ihm. Warum sollte er nicht auch sein Spielchen mit ihr spielen? Zugegeben, sie hatte etwas an sich, was ihn weich machen konnte ... unentwegt umschlich sie ihn, selbstsicher und siegesbewußt. Was mochte sie mit ihm vorhaben? Sie war ein unzuverlässiges Balg, noch schlimmer als früher. Und wenn er sich zu seinem Unglück festnageln ließ und darauf vertraute, daß es auch für sie keinen anderen gab, dann brauchte nur irgendwer mit einem schöneren Scherbenschatz des Wegs zu kommen, und schon stand er wieder draußen vor der Tür in der Kälte ... Das war einmal gewesen – und nie wieder! Jetzt brachte er ihr den Jungen mit den schönsten Scherben selber ins Haus, und er wollte einmal sehen, wie sie sich verhielt. Toon de Wit hatte ein Auge auf sie geworfen, das war unverkennbar. Aber hatte er auch schon was mit ihr gehabt? Vielleicht gebrauchte Blosekriekske ihn, Merijntje, nur, um den großen, blonden Bauerndickkopf eifersüchtig zu machen und ihn an sich zu binden? Dieses raffinierte kleine Biest griff, wenn nötig, zu den listigsten Waffen. Jetzt war er aber kein unbeleckter Meßknabe mehr. Er würde der Sache ein für allemal auf den Grund gehen. Die Augen offenhalten, sein Gefühl zügeln, sich ihr nicht unbedacht, mit Haut und Haar, verschreiben! Mit der Wahrheit herausrücken müßte sie dann, und er würde sie auslachen und in den Mond gucken lassen!

Teeuw hatte sich wie ein Wolf auf das Essen gestürzt. Er trank eine Tasse starken Kaffee nach der anderen. Merijntje hatte es abgelehnt, mitzuessen, und starrte zerstreut vor sich hin.

„Das hat mir gutgetan", seufzte Teeuw, sich den Mund mit dem Taschentuch wischend.

Er hatte ein wenig Farbe bekommen, seine Augen waren klarer, und seine Hände zitterten nicht mehr so. Er schaute sich in der Schankstube um. Außer ihnen beiden war niemand da. Auch Birres war hinausgegangen, er saß wohl beim Abendbrot.

„Na ja", sagte Teeuw mit einem mißglückten Versuch zu scherzen, „frieren wir tot, dann frieren wir tot ..." Er beugte sich wieder über den Tisch und fragte halblaut: „Ist denn noch ein Brief aus Antwerpen im Pfarrhaus angekommen?"

Merijntje schüttelte den Kopf. „Nicht, daß ich wüßte."

„Hast du eine Ahnung, wo sie dort wohnt?"

„Nein."

„Es ist zu verrückt, Merijntje! Wenn ich bloß den Namen dieser Stadt höre, habe ich das Gefühl, ich kriegte einen Schlag. Nur weil sie dort wohnt ..."

Merijntje blickte ihn an, wie er da saß und mit stieren, törichten

Augen in unbegreiflicher Verwunderung über sich selber den Kopf
schüttelte. Ungeduldig sagte er: „Sei nicht so dumm, Junge! Wie
kannst du dir das nur so zu Herzen nehmen?"
Der Bauernsohn schaute ihn erstaunt an: „Zu Herzen nehmen?"
fragte er. „Das geht doch gar nicht anders . . ."
Er dachte eine Weile nach, dann murmelte er:
„Das verstehst du nicht . . . für dich ist ja alles halb so schlimm."
„Wieso?"
Teeuw blickte ihm lange und forschend ins Gesicht, ehe er antwortete: „Dich hat sie gern gehabt. Nach dir war sie verrückt –
das weiß ich."
Merijntje rutschte unruhig auf seinem Stuhl hin und her. Am
liebsten wäre er aufgestanden und weggegangen. Was sollte denn
dieses Gefasel über Dinge, an denen doch nichts mehr zu ändern
war? Aber er blieb, weil Teeuw Meesters ihn so trostlos ansah wie
ein Hund, der eine Tracht Prügel bekommen hat und nun mit den
Augen fragt, ob es, bitte schön, jetzt nicht genug sei . . . Das war
eine verrückte Sache, die verrückteste, die er jemals erlebt hatte.
Warum wollte Teeuw ausgerechnet mit ihm über Marjan reden?
„Für mich", sagte der junge Bauer, „für mich hat sie niemals ein
gutes Wort gehabt."
„Sie hat sich vor dir gefürchtet", sagte Merijntje.
Teeuws Augen irrten zur Seite. Er zuckte die Achseln.
„Vielleicht war ich zu ungeduldig. Ich war gewohnt, zu bekommen, was ich wollte. Ich bin sicher erst zu heftig gewesen, ich weiß
es nicht. Ich war ja kein unerfahrener Junge mehr, verstehst du,
ich habe Mädchen genug gehabt – und verheiratete auch, auf dem
Feld oder in der Scheune . . . Und wenn sie nachgegeben hätte,
wäre es vielleicht genauso gegangen. Dann hätte ich sie nach zwei,
drei Malen laufenlassen. Aber sie wollte nichts von mir wissen. Sie
hat mich ausgelacht, mich einen Rotzbengel genannt. Und ich wurde
immer verrückter nach ihr. Ich dachte nur noch an sie. Und dann
kam sie plötzlich mit dir an. Ich hab gesehen, wie du hineingegangen bist. Die halbe Nacht habe ich im Korn gesessen, um dir auf-
zulauern, aber du kamst nicht. Da wurde es erst recht schlimm,
Mann! Ich hätte dich ermorden können. Und wenn du mich damals auf dem Feld nicht zu Boden geschlagen hättest, hätte ich es
getan – bestimmt! Als du dann weg warst, hab ich alles mögliche
versucht: ich bin ihr nachgelaufen wie ein Hund, hab Briefe unter
ihrer Tür durchgeschoben. Dem alten Jacobs, unserm Knecht, hab
ich zehn Gulden gegeben, damit er mal mit ihr spricht. Aber es
hatte alles keinen Zweck. Sie wollte nicht. Und dann stand sie
eines Abends vor ihrem Haus und scheuerte Töpfe und Pfannen.
Ich bin auf sie zugegangen, hab mit ihr geredet, hab geheult wie
ein kleiner Junge, aber sie hat mich weggeschickt. Und da war's
um mich geschehen, Mann. Ich sprang auf sie zu. Aber sie war

stärker, als ich dachte. Wir haben gekämpft wie zwei Kerle. Da hat sie eine Bratpfanne zu packen gekriegt und mir eins damit über den Kopf gegeben, daß ich liegenblieb. Als ich wieder zu mir kam, war sie hineingegangen. Ich hab mich aufgerappelt und bin davongehinkt, aber bald wieder zusammengesackt. Ein paar Landarbeiter, die gerade vorbeikamen, haben mich nach Hause gebracht. Vierzehn Tage darauf ist das hier im Dorf vorgefallen, und eine Woche später war sie in Antwerpen."

Bestürzt schaute Merijntje ihn an. Er war blaß geworden, schluckte ein paarmal und fragte mit einer Stimme, die vor verhaltener Leidenschaft bebte: „Du bist also nicht von einem Burschen zusammengeschlagen worden, der bei ihr war?"

„Aber nein, das hat sie selber getan!"

Über den Tisch weg packte Merijntje ihn an der Schulter und schüttelte ihn heftig hin und her.

„Aber hier im Dorf wird erzählt, sie hätte ein paar Männer bei sich gehabt, und die hätten dich besinnungslos geschlagen."

„Ach, hier wird soviel geklatscht – was macht das schon aus?"

„Aber deshalb haben sie sie doch aus dem Dorf getrieben!"

Er fluchte zwischen den Zähnen und ließ sich auf seinen Stuhl zurückfallen.

Teeuw schüttelte den Kopf und strich sich die nach vorn gefallenen Haare aus den Augen. Düster brummte er: „Das mag sein, aber es ändert auch nichts daran, daß sie weg ist, weg für immer. Und wir sehen sie nie wieder, keiner von uns beiden."

„Dir kann das doch gleich sein, du hast sie ja doch nie gehabt!"

Teeuw zog ein geheimnisvolles Gesicht und schwenkte die Hand.

„Das darfst du nicht sagen", entgegnete er fast flüsternd. „Denn solange sie da war, war alles anders. Abends wußte ich, jetzt ist sie zu Haus, in ihrem Zimmer. Und ich konnte sie sehen, wenn sie übers Feld ging oder über den Hof, wenn sie bei uns arbeitete. Aber jetzt sehe ich sie nicht mehr, weiß nicht mehr, was sie tut."

Er murmelte noch weiter, doch Merijntje hörte nicht mehr zu. Mit finsterem Gesicht saß er da, schaute an Teeuw vorbei auf ein Reklamebild für irgendeine Geneversorte, ohne jedoch etwas zu sehen. Seine rechte Hand lag zur Faust geballt auf dem Tisch. Die Gedanken arbeiteten stürmisch. Es stimmte also nicht, daß Marjan andere Männer bei sich hatte, nachdem er weggegangen war. Sie selber hatte Teeuw zu Boden geschlagen. Es war alles nur Rederei, Rufmord . . . Früher, ja, das hatte sie selber zugegeben, früher hatte sie das wohl getan, als sie verzweifelt war und sich vor der ganzen Welt ekelte und von jedermann verlassen fühlte, verachtet und verstoßen – aber nicht mehr nach ihm, bestimmt nicht, sonst hätte sie Teeuw nicht so behandelt. Was früher geschehen war, zählte nicht – das war gebeichtet und vergeben. Und alles weitere war nur üble Verleumdung gewesen. Sie hatte in ihrem Häuschen gesessen, an ihn gedacht und sich nach ihm gesehnt. Fortgeschickt hatte sie ihn, weil sie aus bitterer Erfahrung die zerstörungswütige Schwatzlust der Leute hier kannte. Bestimmt hatte sie im stillen gehofft, daß er zurückkäme. Und dann war das Gerücht umgelaufen von den Kerls, die bei ihr gewesen waren und den jungen Meesters halb totgeschlagen hatten. Ein regelrechtes Bordell mitten im Polder – Gefahr für Männer, alte wie junge! Diese schamlose Dirne! Dagegen mußte etwas unternommen werden – es galt, die Pestbeule der Unzucht auszuschneiden. Er hörte das Geschwätz die Runde machen und unter der erhitzten Phantasie der klatschenden Dörfler immer ärger werden ... Schließlich waren sie zu ihr hinausgelaufen und hatten sie mit Steinen beworfen ... Marjan war unschuldig.

Und dieser betrunkene Bauernflegel hier, der alles ins Rollen gebracht hatte, saß wie ein Mehlsack über den Tisch gesunken da und wußte nichts Besseres als zu jammern und sich selber zu bedauern! Zu Boden schlagen sollte man den Kerl! Doch dann lächelte er spöttisch. Das wäre das dritte Mal, daß er Marjans wegen zu Boden mußte. Und was nützte es? Gar nichts ... Er schaute den anderen an.

Teeuw stierte vor sich auf den Tisch, und von seinen Wimpern tropften wahrhaftig Tränen. Ein merkwürdiger Bursche, dieser Teeuw – wie konnte man nur so unbeherrscht sein? Man plärrte doch nicht irgendwem, wildfremden Leuten womöglich, seinen grauen Kummer in die Ohren!

Verdrossen fragte er: „Stöhnst du das nun jedem vor?"

Teeuw blickte auf, wischte sich hastig die Tränen von den Wangen und sagte erschrocken: „Bist du wahnsinnig? Darüber rede ich mit keinem Menschen! Da hätte ich viel zuviel Angst, ausgelacht zu werden. Aber bei dir ist das etwas anderes. Du kennst das, dich hat sie auch enttäuscht, als sie zu ihrem Alten zurückging."

Er seufzte tief auf.

„Eigentlich müßte man böse auf sie sein, so richtig wütend, dann wäre man's los. Aber das kann ich nicht."

„Ich ja", sagte Merijntje großartig. „Glaubst du vielleicht, ich jammere einem Mädchen nach? Von mir aus kann sie zur Hölle fahren – und ihr Verehrer dazu!"

Zweifelnd sah Teeuw ihn an. „Meinst du das ernst?"

„Klar meine ich das ernst! Ich hänge einem Weib doch nicht am Schürzenzipfel. Das habe ich nicht nötig!"

„Du Glücklicher!" sagte Teeuw bewundernd.

„Ach, Mann, sei doch nicht so dumm!" prahlte Merijntje weiter. „Ich versteh das nicht. Ein Kerl wie du, ein reicher Bauernsohn, und läuft jammernd hinter einer Arbeiterfrau her ... Daß du dich nicht schämst! Es gibt doch wirklich genug Mädchen!"

Traurig blickte Teeuw ihn an.

„Ja", sagte er zögernd, „ich soll Willemiene heiraten, Toon de Wits Schwester. Mein Vater will uns einen Hof bei Prinsland kaufen..." Er senkte den Kopf wie ein Bock, der stoßen will, und schlug mit der Faust auf den Tisch. „Aber ich will nicht!" schrie er. „Verdammt noch mal, ich will nicht, ich heirate sie nicht!"

„Das ist doch ein ganz hübsches Mädchen", rühmte Merijntje.

Der andere lachte bitter. „Pah, diese Bauernjule! Die wackelt jetzt schon wie eine Gans. Neben der ist Marjan eine Prinzessin. Ich will sie nicht, und wenn sie mit Gold beschlagen wäre."

Plötzlich fragte Merijntje:

„Warum bist du dem Klatsch eigentlich nicht entgegengetreten, daß Marjan Männer bei sich hatte, als du hinkamst? Du hast doch gewußt, daß es nicht stimmte."

„Ich will auf der Stelle tot umfallen, wenn ich auch nur ein Wort davon gehört habe. Ich mußte tagelang im Nest bleiben, und als ich wieder aufstand, war sie schon in Antwerpen."

„Und trotzdem hättest du was dagegen unternehmen müssen!"

Teeuw zuckte die Achseln.

„Verlorene Mühe!" sagte er dumpf. „Wenn die Leute hier anfangen zu klatschen, kriegt der Teufel selber es nicht fertig, ihnen das Maul zu stopfen. Das siehst du schon an den Redereien über den Pfarrer. Dagegen kommt auch kein Mensch mehr an."

„Man hat sogar zu behaupten gewagt, der Pfarrer hätte es auch mit Marjan gehabt."

„Ja, ich weiß", brummte Teeuw, „daran kannst du sehen, daß sie vor nichts haltmachen, diese Schandmäuler hier. Das geht noch einmal schief, Merijntje, paß auf, was ich dir sage..."

Dann fing er wieder von Marjan an. Aber Merijntje stand auf, legte das Geld für seine Zeche auf den Tisch und knöpfte sich die Jacke zu. Plötzlich widerte ihn das alles an: der trübsinnig jammernde Bauernsohn, die Kneipe, dieses klatschende Dorf, das ganze verfluchte Durcheinander...

„Gehst du schon?"

„Ja, ich muß rechtzeitig im Haus sein. Bis morgen!"

Teeuw winkte zum Abschied betrübt mit der Hand, blickte dem Weggehenden nach, ließ sich auf den Stuhl zurücksinken und gähnte. Dann seufzte er und ließ den Kopf auf die Brust fallen. Nun saß er ganz allein mit seinem Kummer... Er war ein gescheiterter, verlorener Mensch. Sein Herz war gebrochen. Das beste war, zur Schleuse zu gehen und hineinzuspringen...

Das Mitleid mit sich selber überwältigte ihn, und als Birres wieder in die Schankstube kam, fand er seinen Gast, den Kopf auf dem Tisch, schluchzend wie ein Kind.

5

In der Nacht war der Wind nach Süden umgesprungen und hatte große, wattige Wolkenhaufen herangefegt, die, während sie aufzogen, grau wurden und den Tag verdunkelten. Als die Kinder aus der Schule kamen, fiel der erste Regenschauer und spülte ihre feurige Hoffnung auf eine Eisbahn hinweg. Betrübt schlitterten sie auf den kümmerlichen Eisresten, die noch an den Pflastersteinen klebten, nach Hause ...

Merijntje arbeitete an diesem Nachmittag wieder an dem Schrank. Der Regen trommelte auf das Dach des Schuppens und strömte in rasch sich windenden Bächen an den Scheiben nieder.

Der Junge hatte schlecht geschlafen und war immer wieder aus wirren Träumen aufgeschreckt, in denen Nelleke mit Marjans Gesicht herumlief oder Marjan mit Nellekes Stimme zu ihm sprach. Den ganzen Tag ging ihm das Gespräch mit Teeuw nicht aus dem Kopf. Er fiel von einem Wutanfall in den anderen, und schon zweimal hatte er einen Türrahmen zu tief ausgestochen, weil seine heftige Hand den Beitel zu hart ins Holz stieß. Doch allmählich legte sich die Wut, und nur ein nagender Verdruß blieb in ihm zurück. Unlustig arbeitete er weiter, durch das dämmerige Licht des Regentages noch trüber gestimmt.

Der Pfarrer war schon seit einer halben Stunde in der Werkstatt, stolperte brummend um ihn herum, stand wieder eine Weile da, um ihm zuzuschauen, und wandte sich ab, als er merkte, daß es den Jungen nervös machte. Hin und wieder versuchte er ein Gespräch zu beginnen, doch Merijntje gab kurze, schroffe Antworten und beugte sich dabei tiefer über sein Werkzeug, als dulde die Arbeit keine Ablenkung. Nun saß der Pfarrer auf der Bank am Ofen, stocherte in der Glut und warf neue Kohlen aufs Feuer. Er rauchte seine große Meerschaumpfeife, spielte mit dem Schüreisen und überlegte, was den Jungen bedrücken mochte. Er hatte das Gefühl, Merijntje wolle ihn etwas fragen, wage jedoch nicht, mit der Sprache herauszurücken.

Sollte er wieder über einem theologischen Rätsel brüten? Pfarrer Ramakers lächelte unbestimmt, als er an seine Streitgespräche mit Flierefluiter dachte, in die sich der Junge bisweilen eingemischt hatte mit einer Frage oder Bemerkung, auf die beide nur mit Schweigen zu reagieren wußten. Seltsam, die Geradlinigkeit, mit der das ungeschulte Hirn des Knaben zu denken vermochte, durch keinerlei Ballast unnützen Wissens auf diesem oder jenem Gebiet abgelenkt... Nur schade, daß der Junge so·wenig echtes Wissen erworben, nicht mehr als das Übliche gelernt hatte. Denn in dem steckte was! Er verspürte einen wahren Hunger nach Wissen. Er fraß buchstäblich die Worte auf, wenn man ihm etwas erklärte; und später bekam man manches zu hören, woraus deutlich wurde, daß er sie erstaunlich gut verarbeitet hatte. Prächtige Intelligenz ging dort verloren – dafür saß ein Haufen beschränktes Mittelmaß mit klingendem Titel hoch zu Roß, den Kopf voll unverdauter Wissenschaft, die mit Ach und Krach eingetrichtert worden war. Verrückte Welt!

„Was denkst du, Merijntje, wie lange hast du an dem Schrank noch zu arbeiten?"

„Ich weiß nicht, Herr Pfarrer, es kann rasch gehen, aber es kann auch länger dauern."

„Ja, ja, es kann frieren, und es kann tauen", lachte der Pfarrer.

Der Junge brummte nur etwas Unverständliches, ohne auf den Scherz einzugehen.

„Was hast du gesagt?"

„Nichts, Herr Pfarrer."

„Hm, du bist heute nicht sehr gesprächig."

„Ach..."

„Ist was passiert?"

„Aber nein. Was soll passiert sein?"

Pfarrer Ramakers stand auf und kam auf Merijntje zu. Er drehte ihn an der Schulter zu sich und schaute ihm lachend in die wütenden Augen. Dann packte er ihn mit seinen gewaltigen Händen an den Oberarmen, hob ihn wie ein Kind von der Erde und setzte ihn mit einem Ruck auf die Hobelbank.

Verblüfft sah Merijntje ihn an.

„So", sagte der Pfarrer, „und nun erzähl mir mal rasch, was dir über die Leber gelaufen ist!"

„Nichts, Herr Pfarrer. Wirklich nicht..."

„Jawohl, Herr Pfarrer, nein, Herr Pfarrer, wirklich nicht, Herr Pfarrer ... Nun los, heraus mit der Sprache!"

Merijntje kniff die Lippen zusammen. Ein fast feindlicher Blick trat in seine Augen. Eine Weile zögerte er noch. Dann fragte er mit harter Stimme:

„Herr Pfarrer, habt Ihr gewußt, daß es Marjan selber war, die den jungen Meesters zu Boden geschlagen hat?"

Der Pfarrer ließ ihn los, trat einen Schritt zurück und nahm die Pfeife aus dem Mund.

„Aha", sagte er überrascht, „das ist es also?"

Gespannt sah Merijntje ihn an. Es schoß ihm durch den Kopf, daß er möglicherweise nach einem Beichtgeheimnis gefragt hatte und daß er vielleicht keine Antwort bekäme. Leichtes Rot stieg ihm in die Wangen. Doch der Pfarrer nickte schon und erwiderte ruhig: „Ja, das habe ich gewußt. Das hat sie mir erzählt."

Merijntjes Farbe wurde dunkler.

„Und warum habt Ihr mir das nicht gesagt, Herr Pfarrer?"

Es klang vorwurfsvoll und verletzt.

„Weil ich es um ihretwillen für besser hielt, Merijntje."

„Für besser? Aber sie war doch ... sie hatte doch gar keine Männer bei sich. Und gerade das hat mich so kaputt gemacht."

„Ich hielt es für gut, daß du noch ein Weilchen kaputt bliebst, Merijntje ..."

„Aber die Leute im Dorf glauben es immer noch. Das ... das kann man doch nicht auf ihr sitzen lassen!"

„So ist es."

„Na, bitte!"

„Bildest du dir wahrhaftig ein, sie würden es nicht mehr glauben, wenn ich plötzlich erklärte, es sei nicht wahr? Ist dir nicht bekannt, was sie über mich und diese Frau erzählen?"

Betreten wich Merijntje dem Blick seiner scharfen Augen aus.

„Aha, du weißt es also schon ... Und?"

Merijntje dachte nach. Vielleicht hatte der Pfarrer recht, und es war besser, nicht auf die schmutzigen Verleumdungen einzugehen. Zögernd sagte er: „Aber ... aber mir hättet Ihr es doch erzählen können, Herr Pfarrer!"

„Warum?"

„Ich habe sie ... sie hat mich ..."

„Hast du sehr darunter gelitten?

„Ja."

„Und wenn ich es dir nun erzählt hätte – was hättest du dann getan?"

„Das weiß ich nicht."

„Vielleicht hätte ich es dir erzählt, wenn du etwas weniger Gewissen und Gefühl hättest."

Er wandte sich ab, ging zum Ofen, klopfte die Pfeife aus und holte seine silberne Tabaksdose aus der Tasche. Ruhig stopfte er sich die Pfeife und reichte dann Merijntje die offene Dose.

„Hier, neuer Knaster ... gutes Kraut, Mann!"

Lustlos füllte Merijntje sich die Pfeife, klappte die Dose zu und reichte sie zurück. „Danke, Herr Pfarrer."

Blauer Tabaksdunst zog durch die Werkstatt.

Der Geistliche ging langsam hin und her, trat Holzstückchen vor seinen Füßen zur Seite und dachte darüber nach, wie er dem Jungen am besten helfen könnte. Endlich blieb er vor ihm stehen und legte ihm die schwere Hand auf die Schulter.

„Hör mal zu, Merijntje", sagte er, und seine dunkle Stimme hatte einen weichen Klang. „Marjan hat mir alles über euch beide erzählt. Für einen Pfarrer ist das keine sehr hübsche Geschichte, verstehst du?"

Er lächelte ein wenig über das bedrückte Gesicht mit den niedergeschlagenen Augen, das, so heftig errötet, etwas seltsam Kindliches hatte.

„Verdammter Sünder!" brummte er und rüttelte den Jungen an der Schulter. „Da hast du was Schönes angerichtet! Na ja, darüber wollen wir jetzt nicht reden, wir sind nicht im Beichtstuhl. Wir müssen die Sache jetzt wie zwei Männer betrachten, die das Beste daraus machen wollen. Liebe und solche Dinge kann man übrigens auch im Beichtstuhl nicht mit einem Rüffel und einer Buße abtun. Wenn das so wäre, hätten wir es alle viel bequemer. Ich weiß, daß es schwierig ist, in der Liebe den Verstand zu gebrauchen – aber dazu haben wir ihn ja schließlich bekommen, nicht wahr? Und weil ich Furcht hatte, daß auch bei dir das Gefühl stärker sein würde als der Verstand, habe ich über die Geschichte mit dem jungen Meesters nicht offen gesprochen. Aber nun mußt du dich damit abfinden, Junge."

Er schwieg und ging wieder hin und her. Der Rauch seiner Pfeife zog an seinem Gesicht vorbei. Merijntje saß unbeweglich auf der Hobelbank; seine Beine hingen schlaff herab, und er sah nicht auf. Noch immer hatte er das Gefühl, Pfarrer Ramakers habe ihm und Marjan unrecht getan – und gerade von ihm konnte er das nicht ertragen.

Dann begann der Geistliche wieder zu sprechen:

„Eins können wir nicht wegreden, Merijntje: Marjan Bedaf ist verheiratet ... Und eine verheiratete Frau, die mit einem andern Mann lebt, die tut etwas, was sie versprochen hat, nicht zu tun."

„Aber ..."

„Sei erst mal einen Augenblick still, Junge, du kannst mir nichts sagen, was ich nicht schon weiß ... Marjans Ehe ist eine Ehe ohne Liebe gewesen, von der Familie erzwungen. Gut, so eine Ehe geht in den meisten Fällen schief. Aber trotzdem ist und bleibt es eine Ehe. Marjan ist eine ungewöhnlich schöne und reizvolle Frau, und sie hat einen guten Charakter. Aber sie ist heftig und eigensinnig, und es ist nicht ganz leicht mit ihr."

„Das ist . . ."

„Einen Augenblick noch . . . Damit meine ich nichts Böses. Es sind viele häßliche Dinge geschehen. Die Ehe ist zerbrochen, der Mann ist weggelaufen. Im Sommer kam das mit dir. Ich kann das alles verstehen und will jetzt auch nicht darüber urteilen. Aber daraus konnte nichts Gutes werden. Marjan hat das auch sehr rasch eingesehen und dich weggeschickt. Das war verdammt anständig von ihr, das wirst du erst später richtig begreifen – damit hat sie meinen Respekt gewonnen. Dann ist diese dumme Geschichte hier im Dorf passiert, und ich bin dazwischengesprungen. Sie hat mir damals alles ganz ehrlich erzählt, und ich sah nur einen einzigen Weg: sie mußte zurück zu ihrem Mann."

„Wäre ich hier gewesen, wäre das nicht geschehen!"

„Das fürchte ich auch. Dann wärt ihr nämlich beide aus dem Dorf gejagt worden. Und was dann? Bist du in der Lage, eine solche Verantwortung auf dich zu nehmen? Bist du so fest überzeugt, daß das zwischen dir und dieser Frau ewig gehalten hätte? Du bist noch so blutjung, Mann – in einem Alter, in dem man Lust hat, jedes reizende Mädchen zu küssen. Wenn ich recht verstehe, war Marjan die erste Frau in deinem Leben. Das geht tief, und davon bleibt immer etwas zurück. Aber ist es von Dauer? Ist es so fest, daß du ein schweres und mühsames Leben darauf aufbauen kannst? Denk doch einmal darüber nach, Junge!"

„Aber Marjan, Herr Pfarrer . . . das ist doch kein Leben, was sie führt!"

„Ich weiß es nicht, Merijntje. Sie hat zwar einen Stoß bekommen, aber sie hat etwas, worauf sie zurückblicken kann – etwas Schönes, von dem sie jedoch selber eingesehen hat, daß es nicht dauern konnte. Das mag ihr helfen. Ich behaupte nicht, daß sie glücklich sei. Wer ist schon glücklich in dieser Welt voller Verwirrung und Tränen! Glück, Merijntje, das ist nur vorübergehend. Und das ist gut so, denn wenn es zu lange währt, zerspringt es an der eigenen Spannung. Doch das verstehst du noch nicht und wirst es auch nicht glauben wollen. Aber an die Stelle des Glücks kann etwas treten, was länger anhält und das Leben doch wenigstens erträglich macht, manchmal vielleicht sogar schön . . ."

„Und was ist das?"

„Ergebung, Merijntje."

Der Junge zog ein Gesicht.

Der Pfarrer lächelte. „Da bist du nicht mit mir einig, wie?"

„Ich sehe in der Ergebung nichts Schönes – da kann man ebensogut tot sein."

„Wahrscheinlich springen deshalb die Menschen, die sich nicht ergeben wollen, ins Wasser – die Feiglinge! Aber jetzt handelt es sich um Marjan. Die bemüht sich, in die Ergebung hineinzuwachsen – ihre einzige Aussicht auf ein erträgliches Leben. Willst du es wagen, ihr diese Aussicht zu nehmen? Wenn du sie bittest, geht sie mit dir, davon bin ich überzeugt, denn so weit ist sie noch nicht, daß sie die Kraft hat, das abzuschlagen. Nun mußt du selber wissen, was du tust, ob du dich traust, dieses Leben noch einmal durcheinanderzubringen und die Verantwortung dafür auf dich zu nehmen. Ich habe getan, was ich für meine Pflicht hielt. Tu du das auch, aber denk daran, daß du für deine Taten Rechenschaft ablegen mußt... Auf Wiedersehen!"

„Auf Wiedersehen, Herr Pfarrer!"

Da saß er allein im Schuppen. Er ließ sich von der Hobelbank gleiten und setzte sich neben den Ofen, die Ellbogen auf die Knie, den Kopf in die Hände gestützt.

Das war also das Leben! Eine listig aufgestellte Mausefalle! Und wer hineingeriet, wurde nicht am nächsten Morgen ersäuft, sondern langsam totgequält mit Ergebung, wie sie es nannten. Oder man wurde freigelassen und stand vor der nächsten Mausefalle.

Wenn er zu Marjan ging, würde sie mit ihm kommen... Der Pfarrer war fest überzeugt davon. Er selber auch. Natürlich würde sie mitkommen, denn sie liebte ihn und nicht den anderen. Also mußte er gehen. Aber es war ihm sofort klar, daß er nicht gehen würde. Nicht gehen konnte. Er wagte es nicht. Er hatte Angst. Der Pfarrer hatte ihm eine Last auf die Schultern gelegt, von der er genau wußte, daß er sich nicht traute, sie zu tragen. Die Verantwortung für Marjans Leben ... dazu war er nicht stark genug, nicht tapfer genug – zu klein! Der Pfarrer hatte ihn spüren lassen, wie ohnmächtig er war; selbst wenn er den Mut fand, dieses Leben in seine Hand zu nehmen, würde er es nicht festhalten können. Erst schien alles so schrecklich einfach: man begegnete sich, fand sich reizend, flog sich in die Arme... Alles ging von selbst, man brauchte über nichts nachzudenken, es war helle Freude, Genuß und Glück. Und dann steckte man unvermutet mitten in den Schwierigkeiten, und es stellte sich heraus, daß überall Probleme waren, die man nicht zu lösen vermochte. Man konnte weder vor- noch rückwärts. Eine Mausefalle...

Marjan, arme Marjan! In der Ergebung sollte sie Frieden finden... Er liebte sie so sehr und konnte ihr doch nicht helfen. Wenn er sie wegholte, wurde alles noch schlimmer. Er mußte sie ihrer Ergebung überlassen. Tränen ohnmächtiger Wut sammelten sich hinter den Augenlidern. Der Pfarrer hatte in erschreckender, aber unanfechtbarer Weise recht: er konnte die Sache für Marjan nur schlimmer machen. Zunächst schien es anders – so klar und unkompliziert... Marjan war unschuldig. Sie liebte ihn. Unter dem Zwang widriger Umstände war sie zu ihrem Mann zurückgekehrt. Er, Merijntje, konnte sie von dort wegholen, wann und wie es ihm paßte, und sie würden zusammen unendlich glücklich sein... Doch der Pfarrer hatte ihm plötzlich die Wirklichkeit erhellt, hatte ihn auf seine Verantwortung für das angesprochen, was sich dann nicht mehr widerrufen ließe, was unumstößlich sei. Ja, vielleicht, wenn er älter wäre, eine Existenz hätte... Merijntje besaß die bittere Klugheit des Arbeiterjungen – er kannte die Not, das Elend der Armut und Arbeitslosigkeit, die nervöse Überreiztheit in Hungerzeiten, wenn der Mann den Augenblick verfluchte, in dem er eine Familie gegründet hatte, und die Frau dem Mann vorwarf, daß er nicht einmal das Brot für seine Kinder verdiente... Nein, er konnte Marjan nicht holen. Er konnte sie nicht ernähren, er war noch ein hilfloser junger Mensch – er mußte sie lassen, wo sie war: in der Ergebung, statt im Glück. Das war bitter, gallebitter. Aber er glaubte sich dieser Verantwortung nicht gewachsen.

Nun war er nicht mehr böse auf den Pfarrer. Auch nicht mehr enttäuscht von ihm. Seine Bewunderung für ihn war größer denn je. Das war ein starker Mann, klug und gerecht. Über die Sünde hatte er kaum gesprochen – und dabei war das doch keine Kleinigkeit: Ehebruch! Ein häßliches Wort, vor dem man unwillkürlich zurückschreckte. Ehebruch... Erstaunlich, daß er nicht losgedonnert und eine furchtbare Strafpredigt gehalten hatte! Nein, er hatte so menschlich darüber geredet wie über eine unglückliche Verirrung. Er warf einem nichts vor, doch er ließ einen spüren, daß es nicht sein konnte, nicht sein durfte, daß es nur Unglück bringen mußte. Deshalb lästerten die Frommen über ihn. Den Sündern gegenüber war er nicht streng genug, aber die Scheinheiligen packte er unbarmherzig am Schlafittchen. Denn Scheinheiligkeit hielt er für die größte, schändlichste Sünde. Ein merkwürdiger, unakzeptabler Seelsorger für die Gottes- und Marienkäfer, die in ihm ihren natürlichen Bundesgenossen sehen wollten und entdecken mußten, daß er ihr unnachgiebiger, grimmig spottender Gegner war. Aber niemand konnte Merijntje abstreiten, daß Pfarrer Ramakers eine imponierende Persönlichkeit war!

Lange saß er auf der kleinen Bank und versuchte, sich mit dem Gedanken vertraut zu machen, daß es mit Marjan vorbei war... Und gerade heute hatte er sich ihr so nah gefühlt, weil der ungeheuerliche Verdacht weggefallen und sie in seinem Herzen wieder die liebe Marjanneke geworden war. Vorbei... Glück war die Sache eines Augenblicks, hatte der Pfarrer gesagt. Ob das wirklich stimmte? Ob niemand sein ganzes Leben lang glücklich sein konnte?

Wenn er nun schrecklich reich wäre – oder wenigstens feste Arbeit hätte, die er nie wieder verlöre und die gutes Geld brächte, und Marjan wäre nicht mit diesem anderen, sondern mit ihm verheiratet, könnten sie dann nicht echt und leidenschaftlich glücklich sein und immer bleiben? Warum nicht? Tja, aber das war es eben – er war nicht reich, hatte keine feste Arbeit, und Marjan war mit einem anderen verheiratet. Und er, Merijntje, würde sie immerfort lieben, und sie würde für ihn unerreichbar bleiben, immerfort – und er würde nie mehr wahrhaft glücklich sein können, nie mehr so wie in jenen knappen Tagen des vergangenen Sommers.

Gab es das Glück wirklich nicht? Er dachte an seine Eltern. Die liebten sich aufrichtig, daran brauchte man nicht zu zweifeln. Aber bei all den Sorgen, den Kindern, die gestorben waren, den Vorwürfen über Kleinigkeiten... Nein, Glück war das nicht. Oder ihre Nachbarsleute in Rotterdam, van Tol und seine Frau. Die waren so verliebt ineinander, richtig närrisch vor Liebe – aber ab und zu trank er, und dann schien das Haus zu klein für ihren Streit. Wohin er auch blicken mochte... Wirkliches Glück, wie er es mit Marjan erlebt hatte, so daß jede Minute ein Fest, jeder Atemzug ein Genuß, jeder Gedanke Liebe war, das sah er nicht. Überall war etwas, was den Glanz stumpf machte, das Licht verdunkelte, das Glück zerstörte. Vielleicht für Augenblicke, aber es hielt nicht an. Und dennoch – wenn man sich große Mühe gab, es zu bewahren? Es vorsichtig aufbaute und hütete, keine Dummheiten anstellte, mit denen man es selber zunichte machte? Warum sollte es einem dann nicht gelingen, es auch zu halten?

Er glaubte nicht, daß das unmöglich sei. Er würde versuchen, das Glück zu finden, heute oder morgen, und es nicht wieder loslassen. Er hatte nun Erfahrungen gesammelt, und die wollte er sich zunutze machen. Wenn er aus Erfahrung nicht klug wurde, dann durfte er gleich einpacken! Aber hatte er nicht eben noch geglaubt, nie mehr glücklich werden zu können, weil Marjan für ihn verloren war?

Vorüber... Die Laune, die Marjan hieß, war vorüber. Da half nichts – daran mußte er sich gewöhnen. Fortan verbot es sich von selbst, Hals über Kopf voller Vertrauensseligkeit irgendwohin zu springen. Es galt, achtsam zu sein, sich nie wieder die Finger zu verbrennen!

Als er von der Bank aufstand und sich reckte, war es bereits dämmerig im Schuppen. Der kurze Wintertag war vorbei. Nun mußte er am Abend zum Schlachtfest zu Nellekes Mutter. Große Lust hatte er nicht, bei diesem Hundewetter so weit in den Polder zu laufen, bloß wegen eines kleinen Festes, das ihm im Grunde gleichgültig war. Aber es fiel ihm ein, daß er so verrückt gewesen war, sich mit Teeuw Meesters und Toon de Wit zu verabreden. Toon kam in jedem Fall, das war gewiß. Und Nelleke diesem Bruder allein überlassen – nein, ausgeschlossen! Er wollte sehen, wie Blosekriekske sich Toon gegenüber verhielt. Dann wußte er wenigstens, woran er war.

6

Teeuw Meesters und Toon de Wit waren natürlich nicht zur ab-
gesprochenen Zeit in Birres' Wirtschaft. Merijntje wartete eine
Weile, doch vergebens. Das kommt davon, dachte er erbittert,
wenn man sich mit Bauernsöhnen verabredet! Er mußte verrückt
gewesen sein, als er das tat. Die waren doch viel zu eingebildet,
um an einem lächerlichen Schlachtfest bei Arbeitersleuten teilzunehmen! Wenn sie betrunken waren, ja, dann machte es ihnen
nichts aus, sich zu verbrüdern, aber sobald sie wieder zu sich
kamen, zogen sie sich rasch in ihren Lebenskreis zurück. Nun, ihm
konnte es gleich sein – ihm lag weder etwas an Teeuw mit seinem
Gejammer über Marjan noch an diesem Toon de Wit von der
Mühle.

Er kaufte eine große Flasche Genever und machte sich allein
auf den Weg zum Haus im Polder. Glücklicherweise hatte der Regen aufgehört, aber es blies ein heftiger Wind. Die Straße war
schlammig und der Abend pechfinster. Kein schöner Weg, so allein! Und doch erfüllte ihn eine heimliche Befriedigung – vor allem, daß Toon de Wit nicht gekommen war, dieser hochmütige
Kerl. Der konnte ein Gesicht machen, als rechne er aus, ob er
genug Geld in der Tasche hätte, um die ganze Welt zu kaufen –
ein richtiger Bauerndickschädel!

Aber auf dem Polderweg überholte er jemand, der vor ihm ging.
Als er im Vorbeigehen grüßte, hörte er Toon de Wits Stimme:

„Ach, bist du's doch? Ich habe unten am Deich auf dich gewartet, aber dann dachte ich, du kämst nicht mehr."

„So ein Quatsch! Wir haben uns bei Birres verabredet."

„Ja, aber Teeuw war nicht da. Der ist noch hundeelend von gestern, und da bin ich allein gegangen." Er lachte spöttisch. „Was mit dem los ist! Der säuft, daß ihm die Läuse auf dem Kopf platzen – und dabei verträgt er nichts."

Merijntje schwieg. Er würde es Toon nicht auf die Nase binden, was mit Teeuw los war.

„Gemeines Wetter!" sagte er.

„Und dieser miserable Weg!" brummte Toon. „Meine Schuhe sind schon ganz durchgeweicht."

„Wir sind bald da."

Sie sahen bereits den Lichtschimmer der Herzen in den Fensterläden und eine Stallaterne, die schaukelnd um das kleine Haus irrte und dann um die Ecke verschwand.

„Geh du vor", sagte Toon, als sie am Damm über dem Graben standen. „Du bist eingeladen, und ich nicht."

Merijntje fand es nun plötzlich doch recht frech, daß er einfach jemand mitbrachte, und er war froh, daß wenigstens Teeuw nicht auch noch dabei war. Sie gingen am Haus entlang, über den schmalen gepflasterten Pfad zur Hintertür. Drinnen hörten sie reden und lachen. Die fröhliche Stimme von Pinneke Testers klang lärmend über alle anderen hin. Geschirr und Messer klapperten.

Merijntje öffnete die Tür und trat ein, im Lampenlicht blinzelnd. Ein Freudenschrei Nellekes hieß ihn willkommen. Sie sprang auf ihn zu, als wollte sie ihn in Gegenwart aller umarmen.

„Merijntje! Das ist aber lieb, daß du gekommen bist!"

Dann sah sie die hohe Gestalt hinter ihm.

„Wen hast du denn da mitgebracht?"

Toon trat lachend vor und gab ihr die Hand.

„Ich hörte, hier würde ein Fest gefeiert, da habe ich mich selber eingeladen."

Rasch zog Nelleke die Hand zurück. Ihr Gesicht verdunkelte sich, und sie wurde rot. Unsicher blickte sie von Merijntje zu Toon. Darauf lachte sie und schüttelte den Kopf.

„Na, dann immer herein in die gute Stube!" sagte sie. „Kommt und zieht euch die Mäntel aus!"

„Aber ja! Je mehr Seelen, desto mehr Freude, sagt der Teufel!" Pinneke Testers begrüßte sie lärmend, während er sein langes Schlachtermesser über den Wetzstahl zog, als ob die neuen Gäste daran glauben sollten.

„Wir sind nicht mit leeren Händen gekommen", sagte Merijntje und setzte die Flasche Genever auf den Tisch, der vor Fett glänzte.

Toon öffnete die Jacke und holte eine Flasche Kognak und zwei dickbauchige Flaschen Wein darunter hervor, die er mit feierlicher Miene um Merijntjes Genever gruppierte.

„Christenseelen, was soll daraus werden!" rief Nelleke und versetzte Toon einen Puff auf den Arm.

Doch Pinneke Testers lag schon mit gefalteten Händen vor dem
Tisch auf den Knien und psalmodierte: „Te Alcoholicum lauda-
mus..."

Bei dem Lärm kam Nellekes Mutter aus dem Vorderzimmer
und schlug die Hände zusammen. Erstaunt sah sie Toon und die
vielen Flaschen auf dem Tisch an.

„Gleich ist alles fertig", sagte sie aufgeregt, „in fünf Minuten
können wir anfangen... Kommt nur mit nach vorn!"

„Nicht vor einer Viertelstunde, Frau Apers!" flehte Pinneke.
„Wir müssen uns erst noch Appetit antrinken, sonst bleibst du auf
der Hälfte vom Schwein sitzen."

Im Vorderzimmer war der Tisch gedeckt. Außer Nelleke und
ihrer Mutter, Pinneke mit seinem Sohn und einem Schlachtergesellen war auch noch ein Arbeiter mit seiner Frau da, junge Leute,
die ein Stück weiter am Polderweg wohnten und sehr verlegen
taten, als sie Toon de Wit erkannten.

Nelleke lief betriebsam hin und her.

„Bleib sitzen, Kaat!" sagte sie zu der jungen Frau. „Hopp, Merijntje, hilf mir mal! Der Tisch muß noch einmal ausgezogen werden, sonst haben wir nicht alle Platz."

Mit der Hüfte schob sie Toon zur Seite.

„Geh mal weg da, du großer Lümmel! Siehst du nicht, daß ich
hier durch muß?"

Kaat, die Frau aus der Nachbarschaft, warf dem Bauernsohn
einen erschrockenen Blick zu: ob der nicht beleidigt darüber war?
Doch er klopfte Nelleke lachend auf den Rücken und trat gehorsam zur Seite.

Merijntje half beim Ausziehen des Tisches und holte dann noch
ein paar Stühle aus der Hinterstube. Frau Apers hatte Gläser auf
den Tisch gestellt, und Toon goß sie aus einer kleinen Karaffe
voll, die, wie sich herausstellte, nach einer Runde leer war.

Bald setzte sich auch Pinneke mit seinen Helfern dazu. Sie waren todmüde von der harten Arbeit an dem großen Schwein seit
dem frühen Morgen; und auch die Frauen hatten einen schweren
Tag hinter sich. Seufzend behaupteten sie, Arme und Beine nicht
mehr zu spüren.

„Aber die sind doch noch heil?" fragte Pinneke entsetzt und
streckte prüfend seine Hand nach den Beinen der jungen Nachbarin aus, die ihre Knie rasch einzog, verlegen lachte und einen
Klaps auf seine vorwitzigen Finger gab. Sie war feuerrot geworden.

Die scheint nicht viel Gutes gewöhnt zu sein, urteilte der
Schlachter für sich. Er hob das Glas und sagte:

„Wenn es so ist, Leute, dann prost! Laßt uns auf das Wohl des

Dahingeschiedenen trinken, der ein braves Schwein war! Wir wollen hoffen, daß wir eines besseren Todes sterben als er ... Amen!"

„Na, weißt du!" schauderte Nelleke. „Konntest du dir nichts Lustigeres zum Trinken ausdenken?"

Pinneke kippte das Glas hintenüber, kaute den Genever genießerisch und nickte billigend, während er ihn hinunterschluckte. Darauf sagte er belehrend:

„Du bist noch jung, Nelleke, aber lerne eins von mir: Es ist ganz egal, worauf du trinkst – wichtig ist allein, daß du trinkst! Merk dir das, es gehört zu den vornehmsten Dingen des Lebens."

„Du bist mir einer!" lachte Frau Apers. „Wie viele Gläser hast du heute beim Schlachten schon leergepichelt?"

„Das weiß ich nicht, Marjanne", lachte er. „Du hast mir keine Zeit gegönnt, sie zu zählen. Den ganzen Tag bist du hinter mir her gewesen wie ein Sklaventreiber. Aber ich schätze, so vier, fünf ..."

„Sechzehn!" sagte der Geselle trocken.

Gelächter erhob sich. Der Schlachter machte ein Gesicht, als sei ihm unrecht geschehen.

„Lügner!" schrie er. „Und du?"

„Ich nur vier."

„Da sieht man es wieder! Vier Gläser! Du solltest längst Mitglied im Blauen Kreuz sein ... dann hätte ich zwanzig gehabt."

„Hast du wirklich sechzehn Schnäpse getrunken?" fragte Merijntje entsetzt.

„Du bist wohl verrückt!" lehnte Pinneke leichthin ab. „Dann hätte ich ja meine eigenen Finger in die Wurst gehackt."

Aber Nelleke und der Geselle behaupteten steif und fest, daß es nicht weniger gewesen seien, und darauf gewährte Pinneke ihnen gütig die folgende Aufklärung:

„Seht mal, ihr müßt immer bedenken, daß ihr von den Schnäpschen, die getrunken worden sind, völlig unberührt geblieben seid. Ihr habt keinen blassen Schimmer davon, die nützen euch nichts, die sind unschädlich gemacht – von Belang sind nur die Schnäpschen, die noch getrunken werden müssen! Doch wie ist's jetzt, Marjanne? Sollen wir hier vor Hunger und Durst umkommen? Das kannst du uns nicht antun!"

Und sogleich wurde das Festessen auf den Tisch gebracht: die Pfanne mit den „Smullekes", den in Schmalz gebackenen feingeschnittenen Därmen und dem Magen, die Schüssel mit dem fetten Wellfleisch, herzhaft gebraten oder mit Kräutern und Pfeffer gekocht, und Berge dünn geschnittener Scheiben Brot. Für die Männer stellte sie einen Krug helles Bier hin. Alle schmausten, ohne viel zu reden. Die Frauen hatten rote Gesichter, und ihre Haut war prall und glänzend von dem langen Kochen und Braten vor dem heißen Feuer.

Toon de Wit aß am wenigsten. Er nahm ein bißchen von diesem

und jenem, jedoch ohne großen Appetit, und vor allem ohne den freudigen Genuß, mit dem die anderen dem festlichen Essen zusprachen. Für sie war es eine Mahlzeit von ungewohnter Üppigkeit. So aßen sie nur einmal im Jahr, am Schlachttag, weil sie gezwungen waren, nichts verderben zu lassen. Morgen begann wieder das Haushalten: Fleisch und Speck mußten ein ganzes Jahr reichen, und einer der Schinken wurde verkauft. Rindfleisch gönnten sie sich öfter, zu Ostern und Weihnachten und manchmal auch bei ganz besonderen Gelegenheiten, einer Hochzeit oder so.

„Schmeckt's dir nicht?" fragte Nelleke den jungen Bauern ein wenig verärgert.

Ihre Mutter sah sie strafend an, doch Toon lachte und erwiderte:

„Es geht runter wie Glockenspeise, Mädchen."

„Na, davon merkt man aber nichts. Du hast noch kaum was gegessen."

„Da täuschst du dich, ich esse schneller als ihr."

„Ich auch", sagte Pinneke mit vollem Mund. „Meine Mutter hat mir beigebracht, daß man immer davon ausgehen muß: Es braucht gar nicht so wenig zu sein, wenn's nur gut ist. Und daran halte ich mich."

Es war ihm anzusehen. Sein Mund und Kinn glänzten vor Fett, während er mit vollen Backen kaute, als habe er tagelang hungern müssen.

„Ein guter Hahn wird nicht fett", gab Pinneke zum besten, blinzelte der jungen, hübschen Kaat zu und warf einen vielsagenden Blick auf Janus, ihren spindeldürren Mann, der sich an einem Stück Fleisch verschluckte, hustete, daß sein Gesicht blau anlief, und auch noch ausgelacht wurde, weil seine aufgeregte Frau ihm je länger je kräftiger auf den dumpf klingenden Rücken schlug, bis er sich mit einer heftigen Bewegung ihrer derben Hilfe entzog.

Als alle Schüsseln leer waren, saßen sie eine Weile satt und zufrieden da. Pinneke Testers stöhnte vor Behagen.

„Und es gibt doch glückliche Momente in eines Menschen Leben", philosophierte er und ließ einen gewaltigen Rülpser folgen, für den er sich sogleich mit übertrieben verlegenem Gesicht, den Finger im Mund, entschuldigte: „Nimm's mir nicht übel, Marjanne, aber es ist deine Schuld – du hättest mir nicht soviel auflegen dürfen! Es ist eine Schande, wie du anständige Menschen in Versuchung führst!"

„Am besten trinken wir ein Gläschen Kognak auf den Schrekken!" lachte Toon de Wit. „Dann macht Nelleke vielleicht auch wieder ein munteres Gesicht."

„Was?" schrie Pinneke. „Schielt es schief, das häßliche junge Entlein? Himmelarschundzwirn, das ist stark an solch einem Abend!"

Nelleke schrak auf. Sie hatte eben Merijntje in Gedanken angestarrt. Unter dem Tisch spürte sie Toons Knie und wußte nicht, ob sie es schön oder abscheulich fand. Bei Merijntje wäre es herrlich gewesen, aber warum hatte der sich nun ausgerechnet auf die andere Seite des Tisches gesetzt? Vielleicht um sie besser sehen zu können ... oder etwa, um ihr nicht so nahe zu sein? Aber dann sollte er zum Mond gehen! Es gab außer ihm auch noch andere Jungen – einer saß dicht neben ihr, und der war nicht zu faul, seinen Platz einzunehmen. Doch sie fand Toon de Wit nicht mehr nett, ja, sie fürchtete sich sogar ein wenig vor ihm. Er war so stark und konnte einen so aufregen, daß man seinem Drängen fast nicht zu widerstehen vermochte. Und nachgeben wollte sie nicht – nie! Sie war doch nicht verrückt!

Warum tat Merijntje bloß so mürrisch und abwesend? Er saß nur da, drehte das Bierglas in den Händen und stierte auf seinen leeren Teller. Er tat, als wäre er auf einem Leichenschmaus und nicht auf einem Schlachtfest.

Merijntje war ein wenig aus der Fassung geraten: immer wieder hörte er, wie Pinneke Testers Nellekes Mutter mit ihrem Vornamen ansprach ... Marjanne, Marjan ... Er mußte an die andere Marjan denken, und schon ihr Name versetzte ihn in eine seltsam weiche Stimmung. Da bekam er unter dem Tisch einen heftigen Tritt gegen das Schienbein. Erschrocken fuhr er hoch und schaute in Nellekes herausforderndes Gesicht mit den funkelnden Augen.

Sie hob ihm ihr Kognakglas entgegen: „Wohlsein!"

Er griff nach seinem Glas und stieß mit ihr an: „Gesundheit!"

Toons Arm lag hinter ihrem Rücken auf der Stuhllehne, achtlos, aber mit einer Besitzergebärde, die Merijntje reizte. Und dabei bemühte sich der Bursche nicht einmal um Nelleke; er saß der hübschen jungen Kaat zugewandt, hob ihr das Glas entgegen und sagte dicht an ihrem Ohr etwas Unverständliches. Sie kreischte auf und stieß ihm mit dem Ellbogen leicht in die Seite. Sie war schon längst nicht mehr verlegen wie zu Anfang; der Alkohol hatte sie erregt, sie wurde ein übers andere Mal rot, und ihre Augen blitzten den jungen Bauern an. Er schien ihr keineswegs unangenehm zu sein ... Ihr Mann saß dabei und schaute mit einem töricht verlegenen Lachen und unsicherem Blick von einem zum anderen.

Doch der Bauernsohn tat, als sei der Ehemann der jungen Kaat gar nicht da. Merijntje verspürte ein ärgerliches Mitleid mit dem Übertölpelten: Warum benahm sich dieser Schlappschwanz nicht ein bißchen wie ein Mann?

Es wurde ein lärmender Abend. Pinneke Testers schien unerschöpflich in Witzen und verrückten Geschichten, die keineswegs immer erbaulich waren, und Marjanne winkte ihm mehr als einmal, sich Nellekes wegen zu mäßigen. Doch das Mädchen lachte als erste und am lautesten über seine gewagten Scherze, wenn sie auch immer rot wie Feuer dabei wurde.

Zu Ehren der Flaschen Burgunder führte Pinneke den „Windhosentanz" auf, und die ganze Gesellschaft lachte sich krumm und bucklig über das komisch besessene Gedrehe um die eigene Achse, wobei er den einen Daumen auf den Scheitel, den anderen gegen sein Hinterteil drückte. Er stieß wüste, schrille Schreie aus, stampfte rhythmisch, schneller und immer schneller werdend, mit einem Fuß auf die Erde, bis er plötzlich außer Atem und lautlos lachend unter dem stürmischen Beifall der anderen auf seinen Stuhl niedersank.

Der Burgunder war schwer und zog einem den Mund zusammen, aber die Männer schnalzten mit der Zunge und schworen, daß es ein Göttertrank sei; die Frauen löffelten Zucker hinein und gossen den feurigen Wein hinunter wie Pumpenwasser.

Merijntje trank nicht viel. Er saß zurückgelehnt auf seinem Stuhl und sah ein wenig teilnahmslos zu. Allmählich bekamen sie alle einen hübschen Rausch. Der junge Arbeiter hatte eine rote Stirn, der verlegene Zug im Gesicht war verschwunden, und seine hervorquellenden runden Augen hatten einen gläsernen Blick. Er achtete auch nicht mehr auf seine Frau, die mit der Schulter fast an Toons Arm lehnte und jedesmal, wenn der etwas zu ihr sagte, mit verwirrtem Blick zu ihm aufsah.

Nelleke redete lebhaft nach allen Seiten, lachte unbändig und hob immer wieder aufmunternd das Glas, um mit irgendeinem anzustoßen. Die braunen Locken hingen ihr wirr um die Schläfen, und sie sah herausfordernd und unternehmungslustig aus. Ab und zu umfaßte Toons große Hand ihre Schulter, wenn er sie etwas fragte; sie gab dem Druck willig nach und fuhr ihm neckend mit der Hand übers Gesicht.

In dem kleinen Zimmer war es drückend warm, der Tabaksqualm hing wie blauer Nebel unter der niedrigen Decke, und es roch nach Alkohol und schwitzenden Menschen.

Sie begannen eine Art Pfänderspiel – „Kneifen ohne zu lachen" –, wobei das Gesicht des Gesellen bei jedem Kniff von Pinnekes Hand finsterer und finsterer wurde und die Frauen so lachen mußten, daß sie kaum mehr Luft bekamen. Zur Strafe mußten sie dann die Runde küssen, und Pinneke selbst, der sein Lachen auch nicht mehr unterdrücken konnte, lief reumütig auf seinen Händen um die Stühle herum – zum großen Erstaunen der Frauen, die vor respektvoller Bewunderung angesichts der jünglinghaften Gelenkigkeit eines Mannes in diesen Jahren laut kreischten; aber als er bei Toon vorbeikam, gab dieser ihm einen schallenden Klaps auf seinen Hosenboden. Pinneke verlor jämmerlich das Gleichgewicht, knickte auf den Ellbogen ein und fiel auf die Nase. Sein übertriebenes Geheul weckte noch größere Fröhlichkeit, und Kaat lehnte sich schlaff gegen Toon, der zärtlich ihren Rücken tätschelte und ihr durch die losen, lockigen Haare etwas zuflü-

sterte, worauf sie ihm lauthals lachend einen Schubs gab, eine noch
dunklere Farbe bekam und unter Mühe und mit viel Gestöhne
eben noch auf ihrem Stuhl Halt fand. Ihr Mann wollte nun auch
unbedingt auf den Händen laufen und keilte unter den anfeuern-
den Rufen Pinnekes wie ein bockendes Pferd mit seinen Hacken
in der Luft – aber es gelang ihm nicht hochzukommen. Ehe er
sich's versah, rollte er unter den Tisch; dort klammerte er sich an
Marjannes Beinen fest, die kreischend in die Höhe schnellte und
– die Hände gegen ihr vor Schreck wild pochendes Herz gepreßt –
unhörbar aufschluchzte vor Lachen. Und als der Nachbar mit be-
drippstem Gesicht unter dem Tisch hervorkroch, mit Müh und Not
auf die Beine krabbelte und sich stotternd entschuldigte, wollte
das gellende Gelächter gar kein Ende nehmen.

Nelleke umfaßte mit beiden Händen Toons Arm und rieb ihr
Gesicht an seiner Schulter; ihr Rücken bebte, und Toon beugte
sich so weit zu dem Mädchen hinüber, daß sein Gesicht ihre Haare
berührte. Kaat drückte ihren Mann auf den Stuhl zurück, wo er
schniefend und albern lachend mit blödem Ausdruck herumgaffte
und genoß, was ihm als Beifall für den Erfolg seiner Heldentat
erschien. Der Frau war das alles ziemlich fatal, sein Benehmen
und die Reaktion der anderen verstimmten sie. Aber Toon zerrte
sie am Arm auf den Stuhl neben sich und sagte:

„Laß sie, Mädchen, diese verfluchten Salamander hier – sollen
sie doch ihren Spaß haben!"

Er kniff ihr mit der Hand, die er auf ihre Schulter gelegt hatte,
in den Oberarm; und sie vergaß sich und lachte ihm zu und strich
sich eine lose Locke aus der Stirn.

Merijntje fühlte allmählich Wut in sich aufsteigen. Aber auch
Erstaunen war dabei. Wie dieser junge Spund so dreist zugleich
nach links und rechts liebäugeln konnte! Nelleke schien völlig vergessen zu haben, daß Merijntje ihretwegen gekommen war. Sie
schwatzte und lachte ununterbrochen mit Toon, stieß ihn an und
schaute immer verliebter in sein starkes, freches Gesicht mit den
harten blauen Augen, die begehrlich auf sie niederblickten. Sollte
sie wirklich nicht bemerken, daß er neben ihr auch mit dieser halb
betrunkenen Frau des jungen Arbeiters schöntat? Ihre Hand war
unter dem Tisch – und seine auch... Man brauchte nur zu sehen,
wie sie sich ab und zu anschauten, dann wußte man Bescheid.

Düster betrachtete Merijntje das Bild und trank sein Glas aus.
Na, ihm konnte es gleich sein. Er hatte ja geahnt, was das geben
würde. Dieses mannstolle Ding, die Nelleke, verschlang den Kerl
geradezu mit ihren funkelnden Augen und merkte nicht einmal,
wie sie zum Narren gehalten wurde – das dumme Schaf! Aber
recht geschah ihr! So ein Theater – man konnte sich halb totlachen! Doch er lachte nicht. Er war böse, böse auf den unverschämten jungen Bauern, der da hemmungslos mit zwei Frauen spielte,

eine mit der anderen betrog und beide, wenn sich die Möglichkeit bot, mit einem ´Geschenk ausstatten würde, an dem sie lange ihre Freude haben konnten! So ein Schmutzfink! Rüden und Hündinnen ... Wer hatte das doch noch gesagt? Ach, es war egal – hier gab es jedenfalls ein exzellentes Beispiel.

Und diese Blosekriekske wollte ihn glauben machen, daß sie etwas für ihn übrig hatte! Ja, vielleicht um sich mit Küssen und Umarmungen an ihm aufzuregen – und hinterher mit einem anderen ... Pfui Teufel! Aber dieser Kerl machte es ihr auch leichter als er. Er selber war ja verrückt mit seinem dauernden Grübeln und dem Bedürfnis, alles ernst zu nehmen. Besser, man tat wie Toon und machte ein Spielchen zu seinem eigenen Vergnügen daraus. Die Mädchen wollten es ja nicht anders, warum sollte man ihnen nicht den Willen tun und die Gelegenheit nutzen? Es lohnte wahrhaftig nicht, sich Gewissensbisse deswegen zu machen – sie selber hatten doch auch kein Gewissen.

Man brauchte sich nur die verheiratete Frau da anzusehen. Die dachte überhaupt nicht mehr daran, daß sie einen Mann hatte ...

Plötzlich saß Nellekes Mutter neben ihm und sagte, in dem Lärm der anderen kaum zu verstehen:

„Jetzt fehlte nur noch Flierefluiter, was, Merijntje? Dann würde es anders zugehen!"

Merijntje schaute sie von der Seite an. Die Augen in ihrem erhitzten Gesicht waren trüb und müde, und ihre Finger spielten nervös mit dem Schürzenband in ihrem Schoß. Mürrisch erwiderte der Junge:

„Ich finde, es geht auch ohne ihn ganz munter zu."

Sie sah ihn an und lächelte traurig.

„Gewiß, aber mit Flierefluiter war es doch was anderes."

„Ach, wenn's darauf ankommt, ist es immer das gleiche: Essen und Saufen, Witze erzählen und Rumknutschen. Das ist alles."

Verwundert schaute Marjanne ihn an. Es klang so greisenhaft für einen Jungen in seinem Alter. Ob er wahrhaftig keinen Spaß daran hatte? Er blickte so finster und streng aus den dunklen Augen. Dann glaubte sie die Lösung gefunden zu haben: Er hatte sicher die Trauer über Flierefluiters Tod noch nicht verwunden ...

Sie legte ihm die Hand auf die Schulter und sagte freundlich:

„Du mußt dich nicht so darüber grämen, Merijntje, das hätte er selber bestimmt nicht gewollt!"

Da klang Nellekes kreischende Stimme von der anderen Seite des Tisches her:

„Na, na, ihr beiden, was habt ihr denn da zu tuscheln? Daß du mir ja keine Dummheiten machst, Mutter ..."

Marjanne wurde rot und wollte gegen das freche Gör aufbegehren, aber sie konnte sich in dem Lärm der Feiernden nicht verständlich machen und lachte deshalb nur.

Nelleke streckte Merijntje die Zunge heraus und begann ungeniert zu singen:

„Merijntje soll wissen, er darf gratis küssen, falderali und falde-
rala!"

Gackernd und kichernd fielen die anderen ein; doch Merijntje
zog ein verächtliches Gesicht, winkte ab, hielt sich störrisch zurück
und wurde dröhnend ausgelacht.

„Wir sind dir wohl nicht gut genug?" rief Nelleke spitz. „Aber
ich weiß ja, du hast ganz andere im Kopf. Prost, Merijntje!"

Sie hob das Glas und trank ihm herausfordernd zu.

„Gut geraten", gab der Junge zurück. „Vorige Woche bin ich
noch mit der Prinzessin von England aus gewesen."

Da erhob sich der junge Nachbar schwankend von seinem Stuhl,
streckte den Zeigefinger weit aus, stierte Merijntje aus glasigen
Augen an und rief lallend: „Das hast du gut gesagt, Himmelherr-
gott! Ich würde mich auch nicht schurigeln lassen! Ich . . : ich . . ."

Seine Stimme verlor sich in unverständlichem Gemurmel, er
lachte blöde vor sich hin, sank auf seinen Stuhl zurück, legte den
Kopf auf die Arme, und nach wenigen Sekunden war er eingeschlafen. Seine Frau rüttelte ihn an der Schulter, aber es war keine
Bewegung mehr in ihn hineinzubringen.

„Verflixt!" sagte sie halb lachend, halb heulend. „Er will immer
mitmachen, und dabei verträgt er nichts! Was soll ich jetzt bloß
mit ihm anfangen?"

„Ich kann dir helfen, ihn nach Hause zu bringen", erbot sich
Toon de Wit. „Zwischen uns beiden wird er es schon schaffen."

Die Frau sah ihn mit einem unbestimmten Lächeln an, nickte
und schlug dann die Augen nieder.

„Das ist nett . . . vielen Dank . . ."

„Wahrhaftig, da gibt's keinen Grund zum Klagen!" sagte Pinneke Testers im Brustton der Überzeugung, doch ließ er offen,
wen er da so glücklich pries.

Nellekes Gesicht erstarrte. Mit einem wütenden Blick schaute
sie auf Toon und dann auf die junge Frau, die versuchte, ihren
Mann an den Schultern hochzuzerren. Das Mädchen kam um den
Tisch auf Merijntje zu und sagte:

„Willst du Kaat nicht auch helfen, ihren Mann nach Hause zu
bringen?"

Der Junge lachte höhnisch auf und schüttelte den Kopf.

„Danke bestens! Das kriegen die beiden schon allein fertig, verstehst du? Die brauchen keinen Aufpasser."

Nelleke stieß ihn mit der Schulter an. Halblaut und mit funkelnden Augen zischte sie:

„Häßlicher Kerl! Du hast mir den ganzen Abend verdorben!"

„Wirklich?" fragte er spöttisch. „Das tut mir leid. Aber ich habe
gar nichts davon gemerkt."

„Ich glaube, es ist jetzt an der Zeit aufzubrechen", schlug Pinneke Testers vor. „Die Flaschen sind leer, und es ist elf durch."

Plötzlich war die Stimmung ernüchtert, wie häufig beim Abschied nach einem Fest. Unter Scherzen, die nicht echt klangen, würde der schlafende Nachbar hochgehoben, in seine Jacke gesteckt und, zwischen Toon de Wit und Kaat hängend, aus der Tür auf den Weg gebracht. Sie blickten dem schwankend dahinstolpernden Dreigespann im unbestimmten Schimmer des halb hinter den Wolken verborgenen Mondes nach und lachten über seine verrückten Bewegungen. Dann gingen sie wieder hinein.

Nelleke hielt Merijntje im dunklen Gang zurück und flüsterte an seinem Ohr: „Warum hast du diesen widerlichen Burschen mitgebracht? Du Dämlack!"

„Bedauerst du's etwa?"

„Natürlich, ich könnte platzen vor Wut."

„Davon hat man vorhin aber nichts gemerkt."

„Du bist ein Dickkopf!"

„Möglich... So, jetzt laß mich durch, ich muß meinen Mantel holen."

„Hör mal, Merijntje, Mutter geht am Sonntagnachmittag zur Andacht, und nachher bleibt sie zum Kaffee bei Tante Joane... Kommst du mir ein bißchen Gesellschaft leisten?"

„Dazu lad dir Toon ein!"

Wütend kniff sie ihn in den Arm.

„Wenn du nicht kommst, dann... dann tue ich es auch..."

„Sei aber vorsichtig, Mädchen!"

„Kommst du?"

„Ach..."

„Ich bin auch ganz lieb zu dir, du wirst sehen... Wir trinken zusammen Kaffee... Tust du's? Sag doch ja!"

„Mal sehen..."

„Also um halb vier, ja?"

„Rechne nicht zu fest darauf!"

Plötzlich lagen ihre Arme um seinen Hals, sie zog seinen Kopf herunter und küßte ihn fest und heftig auf den Mund. Er hätte sich am liebsten abgewendet, konnte aber nicht – er mußte ihre Küsse einfach erwidern. Dann ließ sie ihn befriedigt durch den Gang gehen. Beim Abschied sah sie ihn an und zwinkerte ihm kaum merklich zu: eine Erinnerung an sein Versprechen, Sonntag zu kommen.

Darauf trat er mit den drei anderen, Pinneke, seinem Sohn und dem Schlachtergesellen, aus der Tür, in die Nacht hinein...

Lachend rief ihnen Nelleke noch etwas zu, dann verschwand die schräge gelbe Lichtbahn mit dem Schließen der Haustür. Im ersten Moment schien es stockdunkel; doch der Mond brach eben durch, und sie liefen hintereinander über den Damm zum Polderweg.

7

Pinneke Testers schwatzte ohne Punkt und Komma und ereiferte sich über das gesellige Fest, schüttete sich aus vor Lachen über Johan, diesen schlappen Waschlappen, der so sternhagelvoll war, daß er von seiner Frau und Toon de Wit nach Hause geschleift werden mußte.

„Seine Frau wird's heute nacht besser haben als er", lärmte der Schlachter. „Verflucht, so ein Schöps! Hast du den Ulk mitgekriegt? Na, die Sache ist den Kummer wert – der Mensch lebt ja nur einmal, soviel steht fest ..."

Aber niemand ging auf den Unsinn ein. Sein Sohn und der Geselle waren müde und dösig vom Trinken, und Merijntje hatte keine Lust zu reden. Er war verärgert und unzufrieden mit sich selbst, unzufrieden über den Abend, über Nelleke und die ganze verdammte, unredliche, verworrene Welt. Pinnekes Stimme verwehte im kalten Nachtwind, und es drang Merijntje nicht ins Bewußtsein, was er sagte; das überdrehte Geplapper des launigen Schlachters war ihm ohnehin ziemlich gleichgültig.

Die Hände tief in die Taschen seines Mantels vergraben, den Kopf gegen den starken, feuchten Wind gebeugt, stapfte er vorwärts. Die Kälte vertrieb rasch die Schwindligkeit, die durch sein Gehirn rauschte, obwohl er wenig getrunken hatte.

Nelleke hätte es also gern, wenn er Sonntag nachmittag zu ihr käme. Sie würde ihm Kaffee und Brot vorsetzen. Er wäre mit ihr allein im Haus, und sie sorgte für den Kaffeetisch ... Wie im Sommer mit Marjan ...

Er wollte es nicht und schwor sich, im Dorf zu bleiben. Er wußte jetzt, daß er schwach war, daß er wider besseres Wissen, gegen den eigenen Willen in solche Abenteuer getrieben wurde: durch den Drang seines Blutes, die unbefriedigte Leidenschaft der Sinne. Mit Liebe hatte das nichts zu tun. Zwischen Marjan und ihm – ja, das war Liebe gewesen. Und das andere, das war daraus gefolgt und darin aufgegangen. Nichts Abseitiges, denkbar etwa ohne das eine – oder umgekehrt das eine ohne dies andere. Es gehörte einfach dazu. Wenn er mit einem Mädchen nur Befriedigung für das ungestüme Wallen seines Blutes suchte, wurde er hernach so unausstehlich häßlich und niederträchtig – wie damals, als er mit dem kleinen Schankfräulein in der Herberge zusammen war, in der Nacht, bevor Flierefluiter krank wurde. Wie kam das bloß? Das Wort „Sünde" in seiner alten Bedeutung sagte ihm schon geraume Zeit nichts mehr. Und trotzdem hatte er es als echte Sünde empfunden und den Körper für sein Vergehen durch übermäßig schwere Arbeit gestraft. Nun war es Nelleke, die lockte. Ein junges Mädchen. Ein junger, starker, schmiegsamer Leib. Weiche Arme. Lachende Augen, ein verlangender Mund, runde Brüste, die sich unter der engen Bluse spannten. Schmeichlerische Zärtlichkeit, Lockung, immerwährender Reiz... Aber er hielt nichts von ihr, jedenfalls nicht soviel, daß er sie in seine Arme oder sein Herz hätte schließen und die ganze Welt vergessen mögen. Wie bei Marjan seinerzeit.

Und Nelleke? Die hielt wohl auch nicht allzuviel von ihm. Toon gegenüber hatte sie sich genauso zärtlich und aufreizend verhalten wie ihm gegenüber und Gott weiß wieviel anderen Jungen. Sie konnte es nicht lassen. Sie mußte jeden, der ihr gefiel, mit ihrem Lachen, ihrem Schäkern und ihrem selbstherrlichen Geplapper quälen. Vielleicht meinte sie nicht einmal das, woran er oder andere Jungen dachten – immerhin wurde man aber zu diesen Vorstellungen angeregt. Er wußte, daß er sich später darüber ärgern würde; er wußte indes auch, daß es unwiderstehlich werden konnte, auch wenn man sich noch so fest vorgenommen hatte, nicht nachzugeben.

Da hörte er Pinneke Testers mit einem tiefen Seufzer sagen:

„Wenn die Männer keine Männchen und die Frauen keine Weibchen wären, sähe alles viel freundlicher aus..."

„Rüden und Hündinnen meinst du bestimmt", brummte Merijntje.

„Kater und Katzen, Böcke und Ziegen, Hengste und Stuten!" lachte Pinneke. „Es ist überall das gleiche – solange es Männchen und Weibchen gibt, ist das Leben voller Haken und Ösen."

„Du tust gerade so, als ob dies das Allerwichtigste auf der Welt ist!" verwies ihn Merijntje zornig. Pinneke brach in schallendes Gelächter aus und schlug ihm schwer auf die Schulter.

„Na, was dachtest du denn?" fragte er spöttisch. „Gibt's vielleicht noch Wichtigeres? Darum dreht sich doch alles, Junge. Liebe
nennt sich das. Ein großes Wort für etwas, was nicht mehr und
nicht weniger wert ist als Essen und Trinken. Kost zum Gedeihen.
Das ganze Leben kreist darum. Laß dir nichts weismachen, Menschenskind, zum Schluß packt's dich auch noch."

„Eine schöne Einstellung", widersprach Merijntje störrisch. „Da
kommst du weit mit. Den Teufel auch, ich will damit nichts zu tun
haben!"

„Das mußt du wissen", grinste Pinneke. „Und trotzdem denkst
du fortwährend an die Mädchen – und je mehr du dich wider-
setzt, um so schlimmer wird es. Du kennst den Spruch: Wer am
meisten die Unschuld beschwört, hat die Unschuld am meisten zerstört! Das reimt sich auch noch – wunderbar... Aber es ist die
Wahrheit. Die Spießer und Pharisäer ... eujeujeujeu! Wenn man
denen ins Herz blicken könnte, wenn man die bei ihrem heimlichen Treiben beobachten könnte, Himmel, da würde man das
Staunen kriegen! Ich weiß sicher, daß ich für meine Person von
denen noch manches hätte abgucken können – dabei bin ich doch
wahrhaftig mein ganzes Leben ein erstklassiger Herzensbrecher gewesen –, aber auf deren Lehren verzichte ich gern..."

„Dein gutes Recht", antwortete Merijntje lakonisch; trotzdem
mußte er über die Inbrunst lachen, mit der sich Pinneke verteidigte.

„Wenn man jung ist", philosophierte der Schlachter weiter,
„dann muß man nehmen, was zu nehmen ist. Die Jugend kehrt
nicht wieder. Die wilden Jahre wollen erst einmal genossen sein.
Diese verrückte Neugier muß gestillt werden – sonst kommt man
nie zur Ruhe. Erst wer alles davon weiß, kann mitreden. Dann
läßt man sich auch nicht mehr so leicht fangen. Zieht unbekümmert los, sage ich immer, stoßt euch beizeiten die Hörner ab, sonst
werdet ihr später zu heimlichen Schmutzfinken!"

„Du willst sicher sagen: Ihr dürft schon in eurer Jugend Schmutzfinken sein – ohne Scheu, in aller Öffentlichkeit!"

„Sehr richtig, Junge, du nimmst mir das Wort aus dem Munde.
Dann ist man später – verflixt noch mal – kein verklemmter Muk-
ker, Ducker, Fenstergucker. Dann kannst du die Sonne im Wasser
scheinen sehen und gönnst auch einem anderen sein Teil. Dann begreifst du, daß ein Mensch kein Götterwesen ist, auch keine Stroh-
puppe. Kurz und gut, dann wirst du so wie Pfarrer Ramakers oder
Pinneke Testers."

Nun mußte Merijntje lauthals lachen. Die Frechheit, mit der
sich Pinneke mit dem Herrn Pfarrer verglich, war zu toll. Sogleich
aber schöpfte er Argwohn.

„Willst du damit sagen, daß Pfarrer Ramakers..."

„Schweig!" rief Pinneke barsch. „Was Pfarrer Ramakers tut

oder läßt, interessiert mich nicht. Pfarrer Ramakers ist ein großer Mann, und er ist ein heiliger Mann – damit basta! Und wer was anderes behauptet, kriegt's mit mir zu tun!"

„Weißt du eigentlich Genaueres, was sie über den Pfarrer zu hecheln haben und überall herumtratschen, Pinneke?"

„Genaueres nicht", antwortete der Schlachter. „Ich bin bei weitem nicht anständig genug, um von der feinen Gesellschaft ins Vertrauen gezogen zu werden. Aber viel Gutes ist es bestimmt nicht – da kannst du Gift drauf nehmen. Doch wir kommen schon noch dahinter – früher oder später blüht denen was! Wir dulden's nicht, daß unser Pfarrer durch den Dreck gezogen wird. Darauf können die sich verlassen!"

„Da möcht ich dabei sein", sagte Merijntje hart. „Wenn's soweit ist, gib mir Bescheid!"

Pinneke Testers lachte.

„Du mußt es nicht zu ernst nehmen", sagte er leicht. „So ein Klatschklüngel auf dem Dorf redet sich selbst meistenteils am tiefsten in die Jauche – aber klüger werden sie natürlich auch nicht davon ... Gib mir ein Gläschen Klaren und ein hübsches Weib ins Bett, dann können sie über mich tuscheln, was sie wollen ..."

„Windhund!" lachte Merijntje.

„Ja", seufzte der andere. „So bin ich. Wenn sie über mich sprechen, brauchen sie wenigstens nicht zu lügen, um Skandalgeschichten erzählen zu können."

Und aus vollem Halse begann er das Liedchen vom Fischerlein zu singen, das zum Fischen auszog. Und im Refrain hieß es, daß jeder auf seine Weise fischt und jeder Spaß am Fischen hat. Es war ein ziemlich schamloses Lied, und Merijntje verstand nicht, wie jemand solch schlüpfrige Verse zusammenreimen und Pinneke Testers sie, ein Mann immerhin in reifen Jahren, mit sichtlichem Behagen mitten in der Nacht brüllen konnte. Aber Pinneke war ein wilder Bursche, eine Art rauherer Bruder von Flierefluiter, für den er übrigens grenzenlose Bewunderung und Freundschaft empfunden hatte. Pinneke Testers hatte sonderbare Vorstellungen – die hier und da vielleicht nicht gar so verrückt waren, wie sie wirkten. Aber wenn man danach leben wollte, mußte man herzlich wenig Verantwortungsgefühl haben und ein Gewissen aus Gummi.

Vor dem Dorf blieb Pinneke stehen und wies auf die Fensterläden eines kleinen Hauses: durch die herzförmigen Öffnungen drang Licht.

„Volles Licht bei An Nollebart", sagte er leise. „Da wird gewiß was ausgeheckt."

„Tiest ist mächtig krank", erzählte sein Sohn. „Sie wacht bestimmt bei ihm."

„Ich muß mal nachsehen", beschloß Pinneke neugierig.

Er lief auf Zehenspitzen am Zaun entlang, trat durch das Pförtchen, postierte sich vor dem Fenster und reckte seinen langen Hals, so daß er mit den Augen vor das Lichtloch kam. Dann ging er wieder leise auf die Straße zurück.

„Ich wußte es doch", sagte er. „Tiest liegt im Bett, und um den Tisch klucken An Nollebart, Schele Trien, Kee Neus und der Abendstern. Ein großer Pott Kaffee in der Mitte. Und nur Geschnatter, Jungens, nichts als Geschnatter. Bestimmt ist der Pfarrer wieder Zielscheibe – da könnt ihr ganz sicher sein!"

„Sollen sie doch machen, was sie wollen", sagte der Geselle schläfrig. „Ich hau mich aufs Ohr."

„Ich würd denen gern eins auswischen", grollte Pinneke. „Soll man sich denn so was kommentarlos ansehen? Hast du keine Idee, Merijntje? Du bist doch sonst so ein findiges Kerlchen..."

Aber Merijntje wollte ganz und gar nichts einfallen, und er schüttelte den Kopf.

„Das kann ich doch nicht so laufenlassen", klagte Testers aufgeregt. „Ich muß diesen Klatschmäulern ein Schnippchen schlagen, sonst bekomm ich die ganze Nacht kein Auge zu."

Er trat unruhig von einem Fuß auf den anderen, hielt dann plötzlich inne und kicherte leise.

„Willst du mir helfen, Merijntje?" fragte er.

„Meinetwegen", antwortete der, „wenn du nicht auf Mord aus bist!"

„Was führst du da wieder im Schilde, Vater?" fragte Pinnekes Sohn mürrisch.

„Das wirst du schon sehen, du Tugendbold."

„Das werde ich nicht sehen, denn ich geh nach Hause... Laß das jetzt, Vater! Ist dein Ruf nicht schon schlecht genug?"

„Da sind diese vier Klapperschlangen nicht ganz unschuldig dran", grinste Pinneke. „Vielleicht sollten sie mal erfahren, daß sie gar nicht so schrecklich geschwindelt haben."

Brummend wandte sich sein Sohn ab und schritt davon. Der Geselle schloß sich ihm an.

„Komm", sagte Pinneke, „wir werden sie ein wenig frischmachen, die vertrockneten Krämerseelen!"

Neugierig folgte Merijntje ihm. Pinneke lief zunächst hinter das Haus des Bäckers und holte sich dort ein fast mannshohes Reisigbündel. Dann kehrten sie zu An Nollebarts Häuschen zurück und schlichen an der Giebelseite vorbei in den Garten. Gegen den Schuppen lehnte das kleine Holzklosett, und Merijntje sah mit Erstaunen, daß Pinneke die Bretter hochob, die die Abtrittgrube bedeckten.

„Was machst du denn?" fragte er flüsternd, als Testers ein Streichholz anzündete.

Der Schlachter feixte.

„Klappt ja wunderbar", entgegnete er nur. „Randvoll ist das Loch."

Mit gewaltigem Schwung nahm er das Reisigbündel auf und tunkte es mit einer kräftigen Bewegung tief in die Kloake, worauf er es tropfend und greulich stinkend wieder zum Vorschein brachte. Merijntje sprang zur Seite und hielt sich voller Abscheu die Nase zu.

„Was hast du bloß vor, du Ferkel?" fragte er besorgt. „Das stinkt ja widerlich!"

„Lange nicht so widerlich wie das Geschwätz dieser Weiber", sagte Pinneke und erstickte fast vor Lachen. „Nun wirst du einen Spaß erleben, Merijntje! Komm, jetzt geht's zurück zur Vordertür. Du stellst dich am besten neben Jaanses Haus, damit sie dich nicht sehen."

Merijntje war froh, aus der Nähe dieses alles verpestenden Hauches verschwinden zu können, und eilte auf Zehenspitzen über die Straße zu seinem Beobachtungsposten, von wo aus er alles sehen konnte, ohne selbst gesehen zu werden. Pinneke Testers bewegte sich als dunkler Schatten im schwachen Schimmer der Mondnacht. Behutsam stellte er das verjauchte Reisigbündel gegen die Haustür. Dann ging er ans Fenster und klopfte leise an die Scheiben, ein paarmal hintereinander. Darauf hörte Merijntje ihn sagen:

„Mach rasch auf, Nachbarin! Nein, was ich jetzt gesehen habe – es ist unfaßlich! Komm schnell!"

Merijntje biß sich auf die Lippen, um nicht laut loslachen zu müssen. Wenn er's nicht besser gewußt hätte, so hätte er schwören mögen, das sei die Stimme von Mieke gewesen, der Küstersfrau, dieser zerknautschten alten Schachtel – eine der übelsten Zuträgerinnen im Dorf. Derweil lief Pinneke mit großen, geräuschlosen Schritten über die Straße und nahm hinter Merijntje in dem dunklen Gang zwischen den beiden Häusern Aufstellung. Er kniff den Jungen in die Schulter und flüsterte:

„Gib acht jetzt – gleich passiert's!"

Im selben Augenblick wurde die Tür von An Nollebart mit großem Schwung geöffnet... Sie war sehr gespannt, die überwältigende Neuigkeit zu erfahren, die ihr da mitten in der Nacht zuteil werden sollte; denn es mußte schon etwas ganz Ungewöhnliches sein, wenn Mieke so spät noch angerannt kam.

Aber ihr wurde etwas anderes zuteil. Dieses andere fiel gegen sie, und da sie vor Schreck stolperte, fuchtelte sie haltsuchend mit den Armen herum, stürzte rücklings in den Korridor, das Reisigbündel fest an sich gepreßt, und begann mörderisch zu schreien. Hastig krabbelte sie hervor und richtete sich auf; die Freundinnen ließen sich nicht blicken, um ihr aus Todesnot zu helfen – die saßen natürlich entnervt vor Angst und mit leichenblassen Gesichtern um ihren Kaffeetopf. Jammernd und zeternd lief An Nollebart ins Haus zurück, und ein wenig später kamen die anderen dann doch, mit einem Lämpchen. Und so standen sie zu viert da und riefen Ach und Weh ob der ruchlosen Tat, die irgendein Unhold ersonnen hatte. Doch sie wollten es beeiden, Miekes Stimme gehört zu haben. Aber Mieke konnte das doch unmöglich gewesen sein?

Ein abscheulicher Gestank wehte über die Straße zu den zweien in ihrem dunklen Schlupfwinkel herüber. Merijntje lehnte sich, krummgebogen vor unterdrücktem Lachen, gegen die Mauer und biß in sein Taschentuch. Sein ganzer Körper schüttelte sich, und er hatte große Mühe, nicht laut herauszuplatzen. Pinneke hatte sich neben ihn gesetzt, preßte den Kopf zwischen die Knie und trampelte leise mit den Füßen auf die feuchte kalte Erde. Tränen kollerten ihm über die Wangen.

An Nollebart stieß das schmierige Reisigbündel aus dem Hausflur auf die blitzblank gescheuerte Außentreppe und schrie mit ihrer gellenden Altfrauenstimme über die Straße:

„Gottlose Strolche! Der liebe Heiland wird's euch heimzahlen!"

Dann warf sie dröhnend die Tür zu, und alles war wieder still.

„So", raunte Pinneke befriedigt, „nun haben sie erst mal was anderes zu tun, als zu klatschen und zu tratschen."

Er stand auf und stieß Merijntje an, der immer noch an der Häuserwand lehnte und nach Atem rang.

„Warum lachst du so?" fragte Pinneke unschuldig. „Ist was passiert?"

Dann hielten sie es beide nicht mehr aus. Das Lachen ließ sich einfach nicht mehr unterdrücken – es brach mit aller Macht heraus. Sie schlugen sich vor lauter Begeisterung gegenseitig kräftig auf die Schulter und fluchten leise vor sich hin.

„Komm jetzt", krächzte Pinneke schließlich. „Wir laufen querfeldein. Man kann ja nicht wissen . . ."

Sie nahmen den Weg hinter dem Haus entlang, über eine Bohle, die den Wassergraben überbrückte, und dann durch den gemeinschaftlichen Küchengarten zum Deich, worauf sie von der anderen Seite wieder ins Dorf kamen. Vorsichtig blieben sie im Schatten. Vor dem Pfarrhaus verabschiedeten sie sich.

Ein wenig reumütig sagte Pinneke:

„Für Tiest ist es vielleicht nicht gut gewesen . . . Aber ach – wenn der draufgeht, ist er wenigstens von dieser Schlange erlöst. Im Fegefeuer kann er's auch nicht schlechter haben als bei diesem Ungeheuer. Vielleicht kommt er aber auch in den Himmel für all seine Leiden hinieden in dem irdischen Tränental . . . Was meinst du?"

„Laß uns jetzt lieber Schluß machen", sagte Merijntje, gab ihm einen letzten freundschaftlichen Puff und lief leise um das Pfarrhaus herum zur Hintertür.

· Viertes Kapitel ·

I

An diesem Sonntag war Merijntje sofort nach der Frühmesse aus dem Dorf gewandert. Er hatte sich fest entschlossen, am Nachmittag nicht zu Nelleke zu gehen. Er mußte dauernd an Marjan denken, bekümmert und mit dem Gefühl, ihm sei unrecht geschehen. Doch immer wieder tauchte dazwischen das Bild Blosekriekskes auf, und ein unbestimmtes Verlangen nach ihrem Mund und ihren Armen erfüllte ihn. Durch seine Erinnerung irrten Worte von Flierefluiter und Pinneke Testers – verlockende, gleichmütige Worte, die obenhin über die Dinge sprachen, die für ihn so schwer wogen. Er glaubte wohl, daß die meisten Menschen nach dieser Auffassung handelten, doch er war zu der Überzeugung gekommen, daß er es nicht konnte. Für ihn galten solche Prinzipien nicht. Er vermochte nicht so oberflächlich über diese Dinge hinwegzugehen. Er verspürte ein Bedauern, ja Reue über etwas, was noch nicht einmal geschehen war, das Empfinden, etwas Kostbares zu vergeuden. Durfte man denn etwas so Schönes und Teures einfach achtlos behandeln, entzweimachen, in den Schmutz werfen und gleichgültig hinter sich liegen lassen? So war er nicht. Andere konnten das offenbar – ihm schmeckte es nicht. Besser gar nicht erst probieren und von vornherein einen anderen Weg einschlagen!

Es war ein heller Tag mit leichtem Frost in der Luft, einem tiefblauen Himmel und einer Sonne, die behaglich wärmte. Das Winterkorn breitete seine samtigen, lichtgrünen Teppiche zwischen den braunen Flächen der gepflügten und brachliegenden Äcker aus. In den kahlen Erlensträuchern pickten zwitschernde Meisen an den schwarzen Früchten. Der Bach schlängelte sich dahin wie ein lässig hingeworfenes Silberband, das der spielerische Wind in leichte Bewegung bringt. Jenseits der Schleuse lag der breite Strom hinter dem weiten Vorland und dem Watt und glänzte wie eine riesige Perlmuttmuschel. Die roten Dächer der Bauern- und Arbeiterhäuser im Polder, die weiße Mühle auf dem Hügel, die Kirchtürme mit ihren goldenen Wetterhähnen, alles schien frischgewaschen und geputzt wie zu einem Fest. Die Felder lagen verlassen da, und über die Wege trabten stolze Gäule vor den leichten Sandschneidern, in denen die Bauern zur Kirche fuhren. Hier und da leuchtete eine weiße Falbelhaube wie ein lustiger Schmetterling zwischen den Äckern: eine Frau unterwegs zum Dorf. Überall war Sonntag. Die ganze Welt schien für den Sonntag zurechtgeputzt. Selbst die Segel der Schiffe auf dem Strom hatten etwas Festliches, als wären sie zu Vergnügungsfahrten unterwegs.

Gegen Mittag kam Merijntje in ein Dorf, wo er einem alten Freund seines Vaters begegnete, der ihn zum Essen mit nach Hause nahm. Eine ruhige Familie mit drei erwachsenen, unverheirateten Söhnen, mächtigen Burschen, die ihrer Mutter wie gutmütige Riesen jeden Wunsch von den Augen ablasen und sich wie Kinder bedienen und verwöhnen ließen. Merijntje mußte von Rotterdam erzählen und von ihrem Leben in der großen Stadt. Seine anfänglich flotte Prahlerei stieß auf schweigenden Unglauben und auf die stille Verachtung dieser mit dem Land verwachsenen Menschen. Doch allmählich wurde er zurückhaltender und begann wahrheitsgemäß zu berichten, wie schwer erst alles für sie gewesen sei, wie sie das Leben zwischen den grauen Häusermauern und unter lauter Fremden bedrückt habe und wie oft sie Heimweh nach dem Dorf und dem weiten Himmel über den Feldern gehabt hätten. Dann nickten die anderen voll freundlichem Verständnis, und der Junge fühlte sich ihnen viel näher. Der Alte erzählte aus seiner Jugend, wie er mit Merijntjes Vater zusammen bei der Infanterie gedient habe, und von spaßigen Vorfällen in der Kaserne oder beim Manöver. Die Söhne lachten gutmütig und gehorsam bei den hundertmal gehörten Geschichten und blickten auf ihren Vater wie auf einen Helden. Es waren gute Menschen, aber in dem Haus und um ihre schwerfälligen Gestalten hing ein dumpfer Geruch von modriger Erde, und Merijntje war froh, als er sich verabschieden und seine Wanderung fortsetzen konnte.

Voller Genuß atmete er die frische Luft ein, als er hinter dem Dorf wieder in den Polder zog. Hier roch es auch nach Erde, aber nicht dumpf und modrig, sondern kräftig, gesund und nach etwas wie Freiheit und Mut. Zum erstenmal seit Flierefluiters Heimgang fühlte er wieder, wie sehr er dieses Land mit seinem hohen Himmel, den ruhigen Feldern, den baumbestandenen Deichen und den zurückweichenden Horizonten liebte, die in der Ferne immer grauer, deren Bläue immer dünner wurde; wieviel ihm auch die freundlichen Türmchen bedeuteten, die er allesamt nach den Dörfern benennen konnte, über denen sie ihre Spitzen in den Himmel reckten. Das war sein Land. Er besaß zwar keinen Zollbreit davon, aber es war trotzdem sein Land, und er liebte es, als sei es sein teuerster Besitz ... Er konnte es sich nicht erklären, aber es war so.

Rotterdam war auch schön, die Maas, die Häfen, das unabsehbare Weideland ringsum, das Kralingwasser ... Aber es war anders. Es war nicht so eigen und vertraut. Man blieb dort ein Fremder, man kam nicht nach Haus ... Sein Zuhause in Rotterdam lag im dritten Stockwerk am Prinz-Hendrik-Kai, mit einer herrlichen Aussicht über die Brücken und den Königinhafen. Dort wohnte die ganze Familie. Aber hier zwischen den einsamen Feldern und auch unter den Menschen, die ringsum lebten, fühlte er sich mehr zu Hause.

Er liebte diese Menschen. Er sprach ihre Sprache, kannte ihre Sehnsüchte, ihre Ängste, ihre Freuden und ihre Armut, ihre Feste und ihren Streit. Eine heimliche Zärtlichkeit hatte ihn beschlichen. Es war so still und friedlich in diesem saubergewaschenen sonntäglichen Land. Selbst den Lästerzungen aus dem Dorf konnte er nicht mehr ernstlich böse sein. Es war alles so unbedeutend, so kindlich harmlos ...

Plötzlich mußte er stehenbleiben und lauthals lachen: er dachte an Pinneke Testers und das Reisigbündel, das der Taugenichts in Kloake getaucht und gegen An Nollebarts Tür gestellt hatte. Himmel, hatte das ein Theater gegeben! Sie war zum Wachtmeister gelaufen, um sich zu beklagen und zu verlangen, daß der Täter gefaßt würde. Und den ganzen Tag war der arme Mann schnaufend herumgerannt und hatte den Vorfall an allen Türen und in allen Schenken haarklein und ohne Abstriche erzählt. Abends war er dann sternhagelvoll bei An Nollebart erschienen und hatte ihr stotternd berichtet, daß der Schuldige nicht zu finden sei und daß es sich gewiß um einen Streich von Joosje Pek, dem Teufel, handele, der seine alte Hexenfreundin auf diese originelle Weise habe begrüßen wollen. An war fast vom Schlag gerührt worden vor Wut, hatte ihn unmäßig beschimpft und mit dem Besen aus dem Haus gejagt. Aber da hatte der Gesetzeshüter seinen Säbel gezogen, und An Nollebart war in ihre vier Wände geflüchtet. Und der Wachtmeister hatte Strafanzeige erstatten wollen wegen Beleidigung einer Amtsperson in Ausübung ihres Dienstes und wegen Beamtennötigung – darauf stand „Sondergefängnis", und An hätte ins Spinnhaus gemußt. Es war ein unbeschreibliches Gaudium gewesen, und das ganze Dorf schüttete sich aus vor Lachen, denn jeder wußte natürlich längst, daß Pinneke Testers der Schurke gewesen war. Und für Tiest hatte der Vorfall heilsame Folgen gehabt: er war nachts durch das Gekreische und Geschimpfe des Klatschkränzchens munter geworden; und als er mitbekam, welcher Schabernack seiner Ehehälfte gespielt worden war, hatte er so gewaltig und anhaltend gelacht, daß die Frauen meinten, er würde gar nicht mehr aufhören. Doch von diesem Augenblick an befand er sich auf dem Wege der Besserung. Er erzählte selbst, daß die Sache ganz einfach gewesen sei: da habe in ihm etwas festgesteckt – die Ursache seines Unwohlseins, seiner schrecklichen Beklemmungen; durch das Lachen jedoch habe es sich gelöst, das sei deutlich zu spüren gewesen, und nun fühle er sich schon viel wohler. Sie könnten sagen, was sie wollten, aber er werde An noch unter die Erde bringen – wahrscheinlich hoffte er, daß dies recht bald geschehen möge...

Na, und da gab es Leute in der Stadt, die behaupteten, in so einem Kuhkaff sei nichts los!

Irgendwo läutete eine Glocke zur Nachmittagsandacht. Jetzt war Frau Apers auf dem Weg zur Kirche, und Nelleke saß allein zu Haus, wartete, ob er käme. Den ganzen Nachmittag würde sie warten, bis zur Dämmerung. Aber er würde nicht kommen... Ach, was würde sie böse sein! Sie konnte es nun einmal nicht ertragen, daß jemand ihre Pläne durchkreuzte. Wütend würde sie sein, platzen vor Wut, wie sie neulich sagte. Er mußte nun doch darüber lachen. Das war das Verrückte bei Blosekriekske: er vermochte ihr niemals lange böse zu sein. Böse werden, ja – denn sie konnte einen wahrhaftig rasend machen mit ihrem herrischen Wesen und ihrer Art, über ihn zu verfügen, seinen Widerstand mit ihrem Schmeicheln und der Berufung auf seine beschirmende Männlichkeit zu brechen. Er ärgerte sich jedesmal grün und blau darüber und war immer wieder von neuem böse auf sie, aber es dauerte niemals lange.

Manchmal kam er sich vor wie ein alter Onkel seiner unnützen, launischen kleinen Nichte gegenüber: eben noch hatte sie ihn mit ihrem Eigensinn rein aus dem Häuschen gebracht, und schon war er wieder zärtlich gestimmt, und statt der Tracht Prügel, die sie verdient hätte, bekam das ungezogene Ding eine Tüte Karamelbonbons. Das lag wohl daran, daß sie im Grunde doch nicht falsch oder hinterhältig war – nur ein bißchen launenhaft, ein bißchen herrisch und ruppig; aber gleich darauf konnte sie wieder richtig lieb und reizend sein, genau wie ein verspieltes junges Kätzchen. Das strich einem auch so mit seinem weichen Fell um die Beine, sprang einem auf die Schulter, um sich an Gesicht und Hals zu schmiegen, oder kroch einem unter die Jacke, um sich zu wärmen und vor purem Glück und himmlischer Zufriedenheit zu schnurren. Es lockte und schmeichelte, als wäre man der Beste und Liebste, der einzige – und eine halbe Stunde später wurde ein anderer genauso umgarnt. Doch wer wollte es dem Kätzchen verdenken, daß es tat, wie die Natur es ihm eingab? Oder wer besaß den Mut, es zu enttäuschen, wenn es eine Weile später wiederkam, einem mit erhobenem Schwanz um die Beine strich, leise miaute und darum bettelte, doch bitte gestreichelt zu werden? Er nicht!

Neulich abends hatte Blosekriekske Toon de Wit mit ihrem aufreizenden Spiel verlockt. Doch ebenso hatte sie, ehe er wegging, im dunklen Flur an seinem Hals gehangen, ihm einen Kuß abgeschmeichelt und das Versprechen erpreßt, daß er heute nachmittag zu ihr kommen würde. Vielleicht hatte sie es nur getan, weil es ärgerte, daß Toon sich immer mehr um die junge Frau bemüht hatte und schließlich mit ihr gegangen war. Ob sie eigentlich begriffen hatte, was dieser Bursche im Schilde führte? Wahrscheinlich nicht – so ein junges Ding! Aber eifersüchtig war sie bestimmt gewesen, und deshalb hatte sie hinterher sofort einen Sturmangriff auf ihn begonnen, die kleine Katze ...

Heute würde sie einen sauren Nachmittag haben, weil er nicht kam. Aber ihre erregenden Zärtlichkeiten waren nichts für ihn, das hatte er schon gemerkt; und vor allem hatte er keine Lust, als Notnagel zu dienen, bloß weil zufällig kein anderer da war. Es tat ihm zwar Nellekes wegen leid, daß er die Dinge so schwer nahm, aber das konnte er nicht ändern. Er ärgerte sich ja selbst darüber, denn wenn er tief in sein Herz hineinschaute, mußte er zugeben, daß wohl doch ein heimliches Verlangen nach Blosekriekske darin steckte – eine ganz alte Zuneigung, die sich nicht so leicht ausrotten ließ.

Sie war seine erste kleine Freundin gewesen. Und wenn sie ihn auch noch so sehr drangsaliert hatte und mit ihm umgesprungen war, wie es ihr paßte, die alte Zuneigung war trotzdem geblieben. Nelleke würde ihn vielleicht noch hunderttausendmal ärgern und wütend machen, aber er würde es immer wieder vergessen, und die leise Zärtlichkeit in ihm würde ihn jedesmal wieder zu ihr treiben, zu dieser genußsüchtigen jungen Schmeichelkatze. Er seufzte tief. Wenn er junge Katzen nur nicht so hoffnungslos gern hätte!

Plötzlich war er spinnefeind mit sich selber. Was wollte er denn nun eigentlich? Wütend schob er die Schiffermütze in den Nacken und fuhr sich mit der Hand über die Stirn. Doch zu Blosekriekske gehen? Trotz seines festen Entschlusses, es nicht zu tun? Obwohl er wußte, daß sie mit ihm wie mit einer Marionette umgesprungen war? Und wenn er es also wollte, wozu dann dieses lange Hin und Her? Verdammt! So etwas Schlimmes war es ja schließlich nicht... Warum mußte er sich auch immer alles so schwer machen und jede Sache tausendmal überlegen, überall Sünde sehen und Bedenken haben? Das taten die anderen doch auch nicht. Wenn er das jemand erzählen würde, daß ihn ein Mädchen eingeladen habe und daß er nicht hingegangen sei, würde man schön über ihn lachen.

Und er empfand ja nicht einmal Widerwillen gegen sie. Im Gegenteil, er mochte sie – sie war doch ein Mädchen ... Sein Blut verlangte nach ihr, nach diesem verführerischen Geschöpf mit den feuchten Augen und den krausen Haaren, mit dem weichen, kühlen Mund, der zum Küssen zwang, verlangte nach dem schmiegsamen Leib, der nachgiebig und doch voller Spannkraft war, wenn seine Hände ihn umfingen. Sie wollte, daß er kam. Sie wollte, daß er sie küßte und an sich drückte und streichelte. Und er sehnte sich danach, sie zu küssen, ihren Körper zu spüren und über ihre Hüften und ihre Brüste zu streicheln. Er war ganz wild vor Verlangen nach dem allen ... War er nicht verrückt, allein in der Gegend herumzuirren, während ein warmer, verlockender Mädchenleib auf ihn wartete? Warum mußte er den unbefleckten Sittenwächter spielen, das unschuldige Seelchen, den keuschen Josef? Was scherte es ihn, wenn sich Blosekriekske mit ihm vergnügen wollte? Er konnte sich ebensogut mit ihr vergnügen. Dann waren sie beide quitt, dann war einer wie der andere auf seine Kosten gekommen. Ewig dies verfluchte grämliche Gepieke und Gebohre von ihm!

Eilig lief er vom Polderweg auf einen Deich und blickte, oben angekommen, auf das tiefe Land hinab. Er mußte lachen: das war ja der Polder, wo Nelleke wohnte ... Er sah das Häuschen vor sich liegen, und drüben hinter dem nächsten Deich reckte der Kirchturm seinen spitzen Finger spöttisch in die Höhe: Ach, Merijntje, du bist mir einer!

Er lachte sich selber aus. Dazu hatte er nun die große Wanderung unternommen! War es ein Zufall, daß er ausgerechnet hier gelandet war, am anderen Ende des Polderwegs, oder hatte er den ganzen Tag nur diesen Umweg gesucht, um schließlich doch bei Nelleke aufzulaufen? Ein ganz gerissener Heuchler war er, ein Biedermann, wie er leibt und lebt. Den lieben langen Sonntag war er mutterseelenallein unterwegs gewesen – und doch hatte er getan, wozu sein Herz ihn trieb. Die Füße waren gescheiter gewesen als sein törichter Eselskopf. Nun würde er also doch zu Nelleke gehen ...

Noch immer lachend setzte er die Mütze schief, lief den Deichhang hinab und bog pfeifend in den Polderweg ein. Er mußte am Haus von Kaat und dem jungen Arbeiter vorbei, das fünf-, sechshundert Meter vor dem der Apers' lag. Als er ganz in der Nähe war, hörte er die Frau reden. Dann klang fröhliches Männerlachen, und eine Stimme sagte laut: „Das hast du dir verdammt gut ausgedacht. Du bist Gold wert, Kaat!"

Aber das war nicht ihr Mann, das war die Stimme von Toon de Wit ... Lieber Himmel, der versuchte bestimmt, sich bei beiden lieb Kind zu machen. Ein schöner Hausfreund! Na, wenn er an

Stelle Johans, des Ehemanns, wäre, würde er ihm so schnell wie möglich den Spaß verderben. Doch der saß sicher wieder verlegen dabei und grinste bloß zu allem – genau wie neulich abends beim Schlachtfest. Aber sie mußten ja wissen, was sie taten.

Rasch ging er weiter, lächelnd über die drei dort in dem kleinen Haus, das halb hinter einem Erlengebüsch versteckt lag.

2

Als er in die Hintertür trat, fiel Nelleke ihm um den Hals und küßte ihn mit so viel Selbstverständlichkeit, daß er darüber lachen mußte: genau als ob sie verheiratet wären.

„Ach, ich dachte, du kämst nicht mehr. Es ist schon so spät!"

„Ich war spazierengegangen und ein bißchen vom Weg abgekommen, aber dann bin ich gelaufen, daß mir die Zunge zum Hals heraushing."

Sie strich ihm über die Wange.

„Mein liebes Schifferchen!"

Darauf zog sie ihn in die Stube.

„Komm rein, setz dich dort in den Sorgenstuhl, da kannst du dich ausruhen. Gleich gibt's eine gute Schale Kaffee mit viel Zucker und Milch. Bist du immer noch so ein Süßmaul?"

„Ich war nie ein Süßmaul."

Er erwartete, daß sie ihm widersprechen werde, doch sie sagte nichts, machte sich am Herd zu schaffen und kam mit der Kaffeekanne an den Tisch. Er beobachtete ihre Bewegungen. Es war doch etwas Schönes, zu sehen, wie sich eine Frau um einen drehte, und zu wissen, daß man sie nur an sich zu ziehen brauchte, um sie zu küssen und zu streicheln. Es war gerade, als beginne etwas im Blut zu singen, wenn man daran dachte. Ein paar Stunden würde er allein mit ihr im Haus sein ... Eigentlich wagte sie eine ganze Menge, diese Blosekriekske. Deshalb war sie wohl auch ein bißchen still. Ihre Augen waren nachdenklich, und von der Nasenwurzel sprang eine drollige kleine Falte aufwärts.

Der Kaffee duftete. Behaglich streckte Merijntje die Beine unter den Tisch und lehnte sich faul in dem knarrenden Korbsessel zurück. Nelleke schob ihm eine Schale Kaffee hin und die blaue Zuckerdose mit den selbstgebackenen Butterkeksen.

„Bitte, laß es dir gut schmecken!"

„Danke", sagte er freundlich.

Er faßte nach ihrer Hand, als sie die Kaffeeschale losließ, und küßte ihr Handgelenk. Sie fuhr ihm durch das Haar und schaute zerstreut zum Fenster hinaus. Er folgte ihrem Blick, sah jedoch nichts als eine Ecke des Schuppens und die einsamen Sonntagsfelder, die in der bereits sinkenden Sonne eine violette Glut annahmen.

„Ist etwas, Blosekriekske?"

Langsam wandte sie ihm die Augen wieder zu.

„Warum?"

„Du bist so still. Das bin ich gar nicht von dir gewöhnt."

Einen Augenblick schien sie zu zögern. Dann fragte sie ruhig:

„Warum hast du Toon vorige Woche mitgebracht?"

Merijntje fühlte sich ertappt. Er lachte etwas zu laut und sagte halb frech, halb verlegen:

„Es war dir doch sicher nicht unangenehm?"

„Du wußtest doch, daß er mir früher nachgelaufen ist."

„Na und? Damit hast du immer sehr großgetan."

„Ja, aber jetzt kann ich ihn nicht mehr ausstehen. Er ist ein gemeiner Kerl. Ich finde ihn ekelhaft, und außerdem habe ich Angst vor ihm."

„Das hat man auf dem Schlachtfest gesehen!"

„Wieso?"

„Na, Mädchen, ich hab doch Augen im Kopf."

Da hatte man's wieder! Schon steckten sie mitten im schönsten Streit!

Nun würde sie natürlich gleich auf ihn losfahren. Aber das tat sie nicht. Sie lächelte unbestimmt und sagte leise:

„Das hab ich nur getan, um dich zu ärgern. Du hast mir den Abend verdorben, und da wollte ich mich rächen. Übrigens warst du eifersüchtig wie ein Affe."

„Ich?"

Er wurde rot vor Ärger. Sie nickte, ohne etwas zu sagen.

„Bild dir das bloß nicht ein, sonst hol ich den Kerl sofort wieder her und laß euch beide allein. Dann kannst du sehen, wie eifersüchtig ich bin!"

Neugierig schaute sie ihn an.

„Wo willst du ihn denn so rasch herholen?"

„Da braucht man nicht weit zu gehen", erwiderte er triumphierend. „Er ist zu Besuch bei euren Nachbarn da hinten. Ich hab ihn reden und lachen hören, als ich vorbeikam."

Nelleke nickte. „Ich weiß", sagte sie gleichmütig. „Aber ich fürchte, du wirst ihn dort nicht wegbekommen."

„Warum denn nicht?"

„Johan ist mit meiner Mutter ins Dorf gegangen..."

Mit einem Ruck setzte der Junge sich aufrecht und sah ihr verblüfft ins Gesicht, während Nelleke böse fortfuhr:

„Sie hat ihm doppeltes Sonntagsgeld gegeben. Er soll ein Glas Bier trinken und eine Partie Billard spielen, hat sie gesagt, er hätte doch sonst nie eine Abwechslung. Und der dumme Kerl freute sich noch darüber wie ein Kind! So ein gutes Weib wie seins, das muß erst geboren werden, sagte er, die weiß, was einem Mann zusteht! Du hättest ihn sehen sollen, wie er neben Mutter loszog, Junge – wie ein Pfau. So ein Trottel! Eine halbe Stunde später war Toon da."

Sie stieß verächtlich die Luft durch die Nase. Merijntje schlug sich aufs Knie und lachte laut. Doch Nelleke fuhr ihn ärgerlich an:

„Und du lachst noch darüber!" sagte sie. „Schön ist das, wirklich..."

„Wenn du willst, kann ich auch weinen", schnauzte der Junge. „Oder soll ich vielleicht eifersüchtig sein?"

„Nein, du bist ja nicht Kaats Mann."

„Und auch nicht Nelleke..."

Sie lachte, zauste ihn an den Haaren und sagte: „Ach, Junge, hör doch damit auf! Was geht mich denn das an? Ich bin viel zu froh, daß du hier bist. Sollen die andern machen, wozu sie Lust haben!"

Sie setzte sich auf seinen Schoß, schlang ihm die Arme um den Hals und drückte seinen Kopf an ihre Brust.

„Mein liebes Schifferchen!"

Er umfaßte ihre runden Hüften, zog sie fester an sich, hob seinen Kopf zu ihrem Gesicht und küßte sie auf den Mund. Sie schloß die Augen und seufzte, ihre Lippen öffneten sich, er spürte die scharfen Zähne, und das Blut schoß ihm wie Feuer durch den Körper. Immer wilder küßten sie sich. Sie glitt von seinem Schoß, kniete vor ihm, umschlang seine Hüften; und er fuhr liebkosend über ihren Kopf, schaute ihr tief in die braunen Augen, die einen betörten, trunkenen Blick hatten, und sie flüsterten unsinnige Worte und konnten nicht genug voneinander bekommen.

Stöhnend vor Genuß ließ sie sich streicheln und wehrte sich nicht, als seine heißen Hände immer dreister wurden. Die Dämmerung kroch ins Zimmer, der frühe Abend hatte sich auf die Felder gelegt. Sie sahen einander nur noch als undeutliche Schatten mit einem hellen Oval der Gesichter.

Merijntje ließ sich vom Stuhl gleiten, zog sie mit sich zu Boden, hielt ihren hintenüberhängenden Körper im Arm und küßte sie gierig auf die klopfende Kehle. Dann ließ er sie flach auf die Erde hinunter, beugte sich über sie und flüsterte stammelnd ihren Namen: „Nelleke? Blosekriekske?"

Sie zog seinen Kopf zu sich nieder, küßte ihn wild und biß ihn in die Lippen. Er stöhnte leise vor Schmerz und Lust und preßte sie fester an sich. Doch mit einer flinken Bewegung wandte sie sich zur Seite, richtete sich empor und sprang dann auf. Flehend umfaßte Merijntje ihre Beine, doch sie machte sich los, lachte leise und wühlte mit den Händen durch sein wirres Haar.

„Komm, Junge, sei vernünftig!"

„Blosekriekske!"

„Nein, das geht nicht. Laß mich los . . . wenn jemand kommt . . ."

Seine Hand streichelte über ihr Bein. Er spürte, wie sie vor Erregung am ganzen Körper zitterte, doch sie trat rasch einen Schritt zurück. „Merijntje, jetzt ist's genug . . ."

Er kam sich unsagbar lächerlich vor, wie er dasaß, die Beine untergeschlagen, mit hämmernden Schläfen und heißen Händen, die noch verlangend ausgestreckt waren. Er sah, wie sich ihr Schatten durch die Dämmerung bewegte. Dann kam ihre Stimme, noch ein wenig keuchend und unsicher:

„Machst du die Läden zu, Merijntje, dann steck ich die Lampe an . . ."

Träge stand er auf und spürte, wie sich die Erregung in ihm allmählich legte und nur ein seltsam entnervendes Gefühl zurückblieb. Ärgerlich und gekränkt ging er aus der Hintertür und klappte mit heftiger Bewegung die Läden zu. Der Wind blies eiskalt auf seine erhitzten Wangen. Als er wieder hineinkam, brannte die Lampe über dem Tisch.

Nelleke kämmte sich. Sie lachte ihm im Spiegel zu, ein paar Haarnadeln zwischen den weißen Zähnen. Wie weit war sie nun plötzlich von ihm entfernt! Mit nervösen Fingern stopfte er sich die Pfeife und setzte sich dann an den Tisch. Nelleke trat hinter ihn und zog ihm den Kamm durchs Haar. Unwillig drehte er den Kopf weg, doch sie hielt ihn fest, lachte und kämmte ihn wie einen kleinen Jungen. Dann legte sie die Hände um seine Wangen, beugte seinen widerstrebenden Kopf zurück und schaute ihm lachend in die Augen.

„Oh, was macht mein Schifferchen für ein böses Gesicht!"

„Laß mich in Ruhe!"

Mit einer ungeduldigen Bewegung machte er sich frei. Doch schon saß sie wieder auf seinen Knien, einen Arm um seinen Hals gelegt.

„Nicht böse sein, Merijntje, es geht doch nicht, dummer Junge! Was denkst du dir denn?"

„Ich denke gar nichts."

„Dann sei auch nicht böse!"

„Ich bin nicht böse."

„Dann lach mal!"

Sie kitzelte ihn an der Kehle, und er mußte lachen; aber die Falte zwischen seinen Augenbrauen verschwand nicht.

„So ist's gut", sagte sie fröhlich. „Und weißt du, was ich jetzt mache? Ich schneide Brot und brate ein ordentliches Stück Wurst ... von der neuen. Was willst du: Blutwurst oder andere?"

„Ganz egal."

„Dann nehm ich Blutwurst, die esse ich lieber."

Merijntje lachte nun schon ein wenig unbefangener. Das war wieder echt Nelleke: immer mußte es das sein, was ihr behagte.

Aber es war gemütlich, sie so betriebsam durch das Zimmer gehen und alles zurechtmachen zu sehen. Geschickt schnitt sie Brot, legte die langen, dünnen Scheiben auf einen Teller und schwatzte dabei ununterbrochen. Es war, als sei nicht das mindeste geschehen. Nur wenn ihre Blicke sich zufällig begegneten, wurde sie rot und lächelte halb verlegen mit einem fast schüchternen Ausdruck im Gesicht, was ihn zärtlich stimmte und versöhnte. Ein wunderliches Mädchen war sie doch ... man wurde nicht klug aus ihr.

Als die Blutwurst in der Pfanne zischte und der würzige Duft durchs Zimmer zog, spürte er, daß er Hunger hatte. Das Wasser lief ihm im Mund zusammen. Händereibend trat er zum Herd und sah zu, wie sie die dicken Scheiben mit der Gabel wendete. Sie wurden fast schwarz, und schrumpelnd löste sich die Haut. Solche Blutwurst bekam man nur hier – die gab es in Rotterdam nicht. Er küßte Nelleke in den Nacken. Sie lachte leise und rieb ihre Schulter an ihm, ohne die Wurst aus dem Auge zu lassen.

Dann setzten sie sich zu Tisch. Nelleke goß Kaffee ein, und sie aßen die heiße Blutwurst aus der Pfanne, die auf einem Untersatz zwischen ihnen auf dem Tisch stand.

„Haben wir's nicht gemütlich?" sagte Nelleke zufrieden. „Genau wie Vater und Mutter."

„Ja, wie früher im Schuppen ... Weißt du noch?"

„Und ob ich das weiß! Was haben wir da für Spaß gehabt!"

„Und Streit."

„Das versteht sich von selbst – du suchst ja immer Streit ... Sag, was habt ihr da eigentlich mit An Nollebart angestellt?"

„Wir? Wieso wir?"

„Natürlich ihr... Pinneke Testers und du bestimmt. Erzähl mal!"

Merijntje schlug mit der flachen Hand auf den Tisch und fing an zu lachen.

„Verdammt, Mädchen, das war ein Jux!"

Stockend und stammelnd, immer wieder von Lachanfällen unterbrochen, berichtete er von Pinnekes Heldentat. Nelleke schrie vor Abscheu und Vergnügen und fiel fast vom Stuhl, so mußte sie über den Auftritt des Wachtmeisters und Tiest Nollebarts wundersame Genesung lachen. Darüber würde noch nach Jahren gelacht und gespottet werden. Pinneke selbst würde dafür sorgen, daß es nicht in Vergessenheit geriet.

Sie räumten zusammen das Geschirr weg, und als sie es abgewaschen und in den Schrank gestellt hatten, setzte Nelleke sich wieder auf Merijntjes Schoß und begann, ihm eine endlose Reihe kleiner Küsse auf Gesicht und Hals zu geben. Er hielt sie locker um die Hüften, schloß die Augen und ließ sie lachend gewähren. Plötzlich hörte sie auf und sagte leise:

„Was werden Kaat und Toon jetzt tun?"

„Meinetwegen können sie verrecken!" entgegnete Merijntje wütend. „Was kümmert uns das?"

Er war ärgerlich. Sie dachte also doch an diesen Lümmel. Eifersucht stach ihn.

„Dieser Kerl geht dir wohl nicht aus dem Kopf?"

„Weshalb? Wie kommst du darauf?"

„Du hast bestimmt bei ihm das Küssen gelernt, was?"

Sie lachte spöttisch. „Das ist doch egal, bei wem ich's gelernt habe. Hauptsache, du profitierst davon. Kann ich's gut, Merijntje?"

„Ach, Mädchen!"

Er wollte sie von sich schieben, aber sie klammerte sich an seinem Hals fest, drängte sich näher an ihn und schloß ihm den Mund mit langen, gierigen Küssen. Sein Widerstand erschlaffte, und mit einer seltsamen Wut, die unter seiner verliebten Leidenschaft ständig spürbar blieb, begann er sie von neuem zu küssen und zu streicheln.

Seufzend überließ sie sich seinem Mund und seinen Händen. Die Wimpern ihrer geschlossenen Augen zitterten auf den geröteten Wangen. Aber als er immer heftiger wurde und mit heiserer Stimme flehend ihren Namen flüsterte, den Mund an ihren warmen Hals gedrückt, schob sie sanft seine Hände zurück, umfaßte sie und sagte leise:

„Nein, Schifferchen, nicht... das nicht."

Es klang weich und nicht so überzeugt wie vorhin. Noch wehrte sie sich, doch auch in ihr wuchs unwiderstehlich das große Verlangen. Wenn er jetzt versuchen würde, sie zu zwingen, würde sie sich vielleicht gehenlassen, denn so toll wie nach diesem Jungen war sie noch nach keinem gewesen. Und der Gedanke an Toon und Kaat im Nachbarhaus hatte sie unsagbar erregt. Doch Merijntje drängte nicht. Ihr Widerstand lähmte und ernüchterte ihn. Wenn sie es nicht selber wollte, würde er sie nicht zwingen. Das konnte er nicht. Wieder quälte ihn das leere, verdrießliche Gefühl, betrogen worden zu sein.

Er ließ sie los, und während sie aufstand, überlegte sie, ob sie zufrieden oder enttäuscht, froh oder böse war. Er hatte wohl zu rasch aufgegeben. Mit ihm brauchte sie nicht zu ringen und zu kämpfen wie mit Toon. Und dabei hätte sie sich heute vielleicht nicht mehr lange gewehrt, gerade bei ihm nicht ... Aber dieser Merijntje war ein seltsamer Junge – zwar leidenschaftlich, doch nicht frech und zwingend. Und sie wollte bezwungen werden. Ohne Widerstand würde sie sich niemals hingeben. Und nun wußte sie nicht: hatte sie gewollt, daß Merijntje ihren erschlaffenden Widerstand brach – oder nicht? War sie froh, daß sie die Überlegene geblieben war? Natürlich war sie das ... Nein, vielleicht doch nicht! Es war besser so, aber tief in ihrem Herzen saß ein Groll, als sei ihr Unrecht angetan worden.

Sie sah Merijntje an und hatte Lust, ihn zu kränken, doch gleichzeitig wunderte sie sich über diesen Wunsch, denn sie liebte ihn doch ...

Merijntje war aufgestanden und reckte sich mit mürrisch verschlossenem Gesicht. Er strich die Jacke glatt und sah sich nach Mantel und Mütze um. Er hatte genug davon, wild gemacht und dann zurückgestoßen zu werden.

Plötzlich kam Nellekes schmeichelnde Stimme: „Sag mal, Merijntje ..."

„Ja?"

„Ist das wirklich wahr, daß der Pfarrer im Sommer so schändlich mit Flierefluiter gesoffen hat?"

Verwundert sah er sie an.

„Wie kommst du denn darauf?"

„Na, das sagen doch alle. Ich hab gehört, daß einer den andern unter den Tisch getrunken haben soll, und dann hätten sie wüste Lieder gesungen ..."

Merijntje war glühend rot geworden. Seine Augen funkelten vor Wut.

„Sagen sie alle ... sagen sie alle ..." Haßerfüllt äffte er ihre Worte nach. „Sagen sie vielleicht noch was?"

„Ich weiß nicht, aber du bist ja dabeigewesen, du mußt es doch wissen. Stimmt das, daß der Pfarrer manchmal in Unterhosen durch den Garten läuft?"

Sie kicherte hinter der vorgehaltenen Hand. Bestürzt sah Merijntje sie an.

„In Unterhosen?" Plötzlich lachte er laut auf. „Klar, in schwarzen Unterhosen!" sagte er grimmig.

„Nein, wahrhaftig?" Nelleke riß die Augen weit auf vor Entrüstung. „Das geht aber wirklich zu weit, finde ich!"

„Ach, du dumme Pute! Du bist ja vollkommen verrückt! Ich hab dir doch schon mal erklärt, daß das eine schwarze Kniehose aus Tuch ist – die tragen alle Pfarrer unter der Soutane. Jetzt fängst du auch schon mit diesen albernen Klatschereien an . . ."

Nelleke warf ihm aus halb zugekniffenen Augen einen Blick zu.

„Und wie ist das", fragte sie zögernd, doch voll lästerlicher Neugier, „sieht . . . sieht Nele ihn dann auch in . . . in diesen kurzen Hosen? Erzähl doch mal!"

Blaß vor Wut fuhr Merijntje auf.

„Halt's Maul, Himmeldonnerwetter!" schrie er. „Du solltest dich schämen, solch gemeinen Schmutz herumzutragen!"

„Da soll sich erst mal der Herr Pfarrer schämen!"

„Das hat er nicht nötig, verstehst du? Ich wünschte, du wärst ein Junge, dann schlüg ich dir links und rechts ein paar um die Ohren!"

Nelleke wich vor seiner Wut zurück.

„Wieso denn? Was hab ich denn gesagt?"

„Siehst du, da hast du's! Was hab ich gesagt . . . was hab ich gesagt . . . Kein Mensch sagt was, aber jedes Klatschmaul trägt's weiter. Und du gibst dich auch noch zu so was her!"

„Das ist gut – jetzt bekomm ich sogar noch die Schuld! Was kann ich denn dafür? Was soll ich dagegen tun?"

„Deinen losen Mund halten!"

„Na schön, meinetwegen sprech ich mit keinem Menschen mehr darüber. Wenn du sagst, es ist nicht wahr . . ."

„Lügen sind das, lauter Lügen, die sich die verdammten Mucker ausgedacht haben, weil sie sich vor Pfarrer Ramakers fürchten. Kein Wort ist wahr von all den widerlichen Klatschereien!"

„Na, reg dich nicht auf! Ich rede auch nie wieder darüber. Ist's nun gut?"

„Hm . . ."

„Komm, sei nicht mehr böse auf Blosekriekske, mein Schifferchen! Wollen wir's wegküssen?"

„Ach, dummes Zeug!"

„Von wegen!"

Sie faßte ihn an den Schultern, hob sich auf die Zehenspitzen und streckte ihm die Lippen hin. Widerstrebend küßte er sie. Gegen seinen Willen mußte er dann doch wieder über ihr harmlos unschuldiges Gesichtchen mit den blitzenden Augen und dem schlauen Zug um den Mund lachen.

„Ich gehe jetzt."

„Ja, es wird Zeit. In einer halben Stunde ist meine Mutter da."

Er zog seinen Mantel an und setzte die Mütze auf.

Sie küßte ihn lange und ließ ihn dann mit einem Seufzer los.

„Auf Wiedersehen, liebes Schifferchen! Hat's dir bei mir gefallen?"

„Doch, es geht."

„Kommst du auch bald wieder?"

„Vielleicht ... Wiedersehen, Blosekriekske!"

„Auf Wiedersehen, Schifferchen!"

Sie blieb mitten im Zimmer stehen und sah lächelnd, wie sich die Tür hinter ihm schloß. Dann lauschte sie auf seine Schritte über den Klinkerweg am Haus entlang. In ihren Augenwinkeln prickelte es – vielleicht hätte sie doch besser getan, nicht vom Pfarrer anzufangen ... Was war er rasend geworden! Dann zuckte sie die Achseln und drehte sich zum Spiegel. Sie kämmte sich die Haare und lachte ihrem Bild zu. Ihr Blut war zur Ruhe gekommen.

„Beinah, Nelleke, beinah ...", sagte sie leise zu dem Mädchen im Glas, „du mußt aufpassen mit dem Schifferchen!"

3

In den folgenden Tagen war das Wetter regnerisch, kalt und trübe – später Tag und früher Abend. Merijntje arbeitete weiter an dem Schrank. Er hatte sich eine Verzierung für die Rahmen ausgedacht – der Pfarrer hatte sie gutgeheißen, und Nele war ganz begeistert davon. Nun saß er auf einem hohen Schemel vor der Hobelbank und stach das Ornament mit verschiedenen Beiteln aus. Es war eine schöne Arbeit. Das Holz glänzte so seidig, und das Licht spielte reizvoll in dem Hoch und Tief des einfachen Musters.

Wenn man erst einmal in Gang gekommen war, ging die Arbeit fast mechanisch von der Hand, und man konnte seine Gedanken getrost schweifen lassen. Dennoch war Merijntje in gedrückter Stimmung, unzufrieden mit sich selber und in ziemlicher Verwirrung. Er wußte weniger denn je, was er von sich halten sollte. Er wußte nur, daß er nicht so war, wie er zu sein wünschte. Dieser Nachmittag mit Blosekriekske machte ihm schwer zu schaffen. Er hätte sich gern vorgenommen, nie wieder mit ihr zusammenzutreffen, doch er tat es nicht, weil er kein Vertrauen zu seiner Willenskraft hatte, solch einen Vorsatz auch zu halten. Unzufrieden, enttäuscht und verärgert war er nach Hause gekommen. Er war böse über sich selbst, weil er sich so ungezügelt mit ihr herumgedrückt und sie angebettelt hatte, ihm alles zu geben; und böse war er auch über Nelleke, weil sie ihm den Wunsch nicht erfüllt hatte. Da stimmte etwas nicht. Denn wenn er an die leidenschaftlichen Augenblicke mit ihr dachte, in denen sein Herz vor Erregung fast zersprungen war, sehnte er sich begierig danach zurück, und gleichzeitig haßte er diese Sehnsucht, weil er zugeben mußte, daß er das Mädchen doch nicht ehrlich liebte. Er hatte stets nur Verachtung für jene Jungen und Mädchen übrig gehabt, die schamlos ihr Liebesspiel miteinander trieben. Seit Marjan wußte er, wie verächtlich diese heißen Spiele waren, wenn keine alles beherrschende Liebe dazu drängte. Und trotzdem wünschte er sie sich und war böse, weil das Mädchen ihm nicht das Letzte gab.

Wie konnte man so jemals in Frieden mit sich selber leben? Wenn man genau wußte, was gut war, und doch das Falsche tat? Und wenn man wußte, daß man das Falsche jederzeit wieder tun würde, sobald die Gelegenheit günstig wäre ... sie notfalls suchen würde. Was war das bloß mit ihm? Da mußte etwas abgrundtief Schlechtes in ihm stecken. Oh, andere taten es auch, aber an ihren lachenden und spöttischen, ganz unverhohlen genüßlichen Reden merkte man, daß sie dies alles nicht schlimm, sondern völlig normal fanden. Es war darum nicht weniger häßlich, aber sie sahen es nicht so. Er wohl. Er fand es abscheulich – und doch tat er es und würde es wieder tun. Und das konnte ihn eben so wütend machen, daß er so ein Schwächling war und der Versuchung jedesmal erliegen mußte. Der Versuchung? Hatte Nelleke ihn denn versucht, verführt? Jedem, den es interessierte, hätte er erzählt, daß er sie verführt hatte – Mädchen wurden verführt, und Jungen waren die Verführer ... Nein, so stand die Sache nicht. Er hatte Nelleke nicht verführt – und Nelleke ihn nicht. Es saß in ihnen beiden. Und wenn die Erfahrung wuchs, so wuchs auch die Versuchlichkeit, sie wurde eher stärker als schwächer – die Phantasie spielte mit der Erinnerung und stachelte das Verlangen nach neuen Erlebnissen immer weiter auf. Die Vorstellung, daß man ein Junge war und sie ein Mädchen, gab einem stets ein warmes Gefühl, machte einen seltsam schwach gegenüber dem eigenen Willen, den besten Vorsätzen. Man fühlte sich zueinander hingezogen, unwiderstehlich fast – und wenn es einem nicht gelang, sich loszureißen und rechtzeitig das Weite zu suchen, dann wurde man von einer Entdeckung zur anderen getrieben und mußte schließlich bis zum Äußersten vorstoßen, ob man wollte oder nicht, ob man das Mädchen liebte oder nicht, ob man wußte, daß man's später bitter bereuen würde, oder nicht ... Er würde immer Reue empfinden, tief und schmerzlich, weil er durch Marjan wußte, daß es auch anders sein konnte, daß jede Erinnerung schön, sauber und gut sein durfte, selbst wenn es nach außen hin als Ehebruch galt ... Das Qualvolle war nur, daß einem diese Erkenntnis nicht helfen konnte, daß der unbezähmbare Drang des Blutes jedes Wollen und Wissen lähmte und einen atemlos vorantrieb zu einer Befriedigung, die dauerndes Unbefriedigtsein hinterließ, voller Verdruß, voller Selbstverachtung – wahrhaft unerträglich, weil es sich endlos wiederholte ...

Immer wieder, wenn dieses Verlangen nach Nelleke, mit unverkennbarer Zärtlichkeit gemischt, in ihm aufstieg, fragte er sich, ob er sie vielleicht doch liebe. Aber er mußte die Frage verneinen. Er liebte Marjan und sonst niemand. Er vermochte sich nichts Herrlicheres vorzustellen, als dauernd mit Marjan zusammenzusein. Aber mit Nelleke? O nein, niemals! Mit ihr konnte man lachen und streiten, sich glühend an ihr erregen; aber bloß der Gedanke, mit ihr leben zu sollen, schreckte ihn ab, ließ ihn in Schweiß geraten vor Angst: er würde sie eines Tages totschlagen für all ihre Ränke und ihr unbedachtes Geschnatter, womit sie sich die Zeit verkürzte.

Es würde ihm auch gar nichts ausmachen, sie nicht mehr wiederzusehen, ja, es wäre ihm ein leichtes, sie von heut auf morgen zu vergessen. Und dennoch ... wenn sie ihn jetzt wissen ließe, daß sie allein zu Hause säße, würde er alles hinwerfen und zu ihr gehen, um seinen Willen bei ihr durchzusetzen. Warum nur? Er wußte doch genau, daß das schlecht und häßlich war.

Wenn er nur jemand hätte, mit dem er über diese Dinge sprechen könnte ... der ihm zu sagen vermochte, ob es auch noch andere gab, die ähnlich wie er waren; der wußte, wie weisere Menschen, die das Leben gut kannten, darüber dachten. Pinneke Testers' freches, leichtfertiges Gerede war kein Maßstab, und Flierefluiters Auffassung in diesen Fragen erschien ihm auch nicht eben vertrauenswürdig. Vielleicht gab es wirklich ein Rezept, anders zu werden. Er wollte es liebend gern – doch die Mittel, die man ihm empfohlen hatte, waren sämtlich untauglich. Er hätte gern den Pfarrer gefragt, aber mit einem Geistlichen konnte man doch über solche Erlebnisse nicht gut reden. Im Beichtstuhl, ja ... Und dann bekam man zu hören, daß man's nicht wieder tun dürfe, erhielt seine Pönitenz – und alles war vergeben. Tausend Jahre schon gingen die Menschen beichten und hörten, daß sie's nicht wieder tun dürften, und nahmen sich's vielleicht auch fest vor, es fortan zu lassen – aber sie taten es doch, und sie taten es noch heute, genau wie er, der es auch nicht wollte ... Er wußte zwar, daß Pfarrer Ramakers sehr menschlich über alles dachte, trotzdem würde er kaum den Mut finden, mit ihm solche Probleme durchzusprechen – die mußten dem Wesen eines Geistlichen doch ziemlich fremd sein! Pinneke Testers behauptete, das ganze Leben drehe sich darum: ob es einem passe oder nicht, es sei das Allerwichtigste und stecke hinter allem, auch wenn man's nicht wahrhaben wolle ... Wenn das wirklich stimmte! Es machte einen so mutlos – es schien so platt, so niedrig, so vordergründig ... Es gab doch soviel anderes: die Religion zum Beispiel, die sich gerade von diesen Dingen abwandte, sie verbot und streng verurteilte. Aber – die Religion hatte sie doch auch nicht überwinden oder beseitigen können. Sie blieben bestehen und trieben die Menschen zu Handlungen, die sie selber nicht wollten – sie machten das Leben ruhelos und häßlich.

Schweigend tat er seine Arbeit weiter, und schweigend saß er nachher bei Tisch. Der Pfarrer sah ihn forschend an, fragte und sagte jedoch nichts. Was mochte Flierefluiters jungen Freund nun wieder bedrücken? Ob er immer noch über Marjan nachgrübelte?

An den Abenden saß Merijntje im warmen Zimmer des Pfarrers und las. Der Geistliche las auch oder schrieb Briefe an seinem Schreibtisch; manchmal studierte er in dicken Pergamentfolianten und machte sich Notizen. Es waren friedliche Abende, und Merijntje überkam der Gedanke, daß er sie eigentlich gar nicht verdiente. Ob er wohl auch dann noch dableiben dürfte, wenn der Pfarrer wüßte, wie er lebte, daß er sogar manchmal hier im Zimmer an die glühenden Augenblicke mit Nelleke dachte und sich danach sehnte, sie wiederzuerleben?

An solch einem stillen, ruhigen Abend wurde geklingelt. Es war erst halb neun, aber für das Dorf schon recht spät. Nele öffnete. Sie hörten, wie eine rauhe Männerstimme nach dem Herrn Pfarrer fragte. Der stand gerade an der Zimmertür und stieß sie auf.

„Wer ist denn da, Nele?"

„Peer van Til, Herr Pfarrer . . . Er fragt, ob er Euch einen Augenblick sprechen kann."

„Komm nur herein, Peer!"

Die große, breitschultrige Gestalt schob sich ins Zimmer. Peer sah blaß aus und hatte eine blaue Beule über dem Auge. Er drehte die Mütze zwischen den Fingern, und seine dunkle, ein wenig heisere Stimme war unsicher, als er plötzlich anfing:

„Ihr müßt mir helfen, Herr Pfarrer . . . Das geht nicht so weiter. Es muß etwas geschehen, sonst passiert ein Unglück . . . Ich lasse mir das nicht gefallen!"

„Setz dich erst mal hin, Peer, und erzähl, was los ist."

„Ich bin beim Bauern stehenden Fußes davongejagt worden. Zu Sankt Andreas war ich dort fester Knecht geworden."

„Das weiß ich. Bei de Wit von der Mühle . . . Was ist denn geschehen?"

„Es ist Toons Schuld. Der Lump kann keine Frau in Ruhe lassen! Kee hat mir schon ein paarmal erzählt, daß er es mit ihr auch anfangen wollte. Und sie ist im dritten Monat mit unserm zweiten, Herr Pfarrer . . . Sie arbeitet auf dem Hof, sie kommt auch abends zum Melken hin. Und als ich vorhin die Pferde abfütterte, hörte ich sie im Kuhstall rufen. Und da erwischte ich den Dreckkerl gerade dabei, wie er sie packte . . ."

Er schwieg keuchend. Seine Augen traten fast aus dem Kopf vor Zorn und Erregung.

„Und dann?"

„Dann hab ich ihm einen Tritt versetzt, daß er aus dem Kuhstall flog, aber er war sofort wieder da, und da haben wir uns geschlagen. Der Bauer kam dazu – und da war's aus. Aber das geht
nicht, Herr Pfarrer, das lasse ich mir nicht gefallen . . ."

„Nun sei mal einen Augenblick still und reg dich nicht auf!"
sagte Pfarrer Ramakers beschwichtigend.

Er ging zum Eckschrank und goß Peer ein Glas Schnaps ein.

„Hier, trink erst mal auf den Schreck, und denk nicht gleich an
Mord und Totschlag!"

„Wo soll ich denn mitten im Winter so plötzlich hin?" fragte
Peer, während er mit zitternden Fingern das Glas entgegennahm.
„Es ging gerade alles so gut . . ."

„Wo ist deine Frau?"

„Zu Haus, Herr Pfarrer."

„Dann trink dein Glas aus und geh zu ihr. Sie wird auch ziemlich durcheinander sein . . . Und alles andere überlaß mir."

„Werdet Ihr denn etwas tun können?"

„Wenn du daran zweifelst, hättest du nicht herzukommen brauchen", lachte der Geistliche. „Sei nur ruhig, ich bring das schon in
Ordnung!"

Peer stand auf. „Nehmt's mir nicht übel, Herr Pfarrer, daß ich
hier so hereingestürmt bin", stammelte er. „Aber es stand mir bis
hier . . . und ich wußte mir keinen Rat. Und sonst – wer weiß,
dann hätte es vielleicht Tote gegeben . . ."

Der Priester schlug ihm lachend auf die Schulter.

„Es wird nichts so heiß gegessen, wie es gekocht wird", sagte er.
„Aber gut, daß du an mich gedacht hast. Wozu hat man schließlich
seinen Pfarrer, was?"

„Das hab ich auch zu Kee gesagt", gestand Peer treuherzig und
begriff nicht, daß der Pfarrer darüber lachte.

„Geh jetzt zu deiner Frau und sag ihr, sie soll sich keine Sorgen
machen."

„Vielen Dank, Herr Pfarrer! Und dann also guten Abend!"

„Guten Abend, Peer! Ich komme morgen nach der Frühmesse zu
euch."

„Aber ich muß schon zeitig auf den Hof, wenn . . ."

„Du gehst nicht auf den Hof, ehe du mit mir gesprochen hast."

„Dann ist's gut."

Als der Arbeiter fort war, sagte Merijntje verlegen:

„Ich konnte nicht so rasch hinaus . . ."

Pfarrer Ramakers drehte sich nach ihm um. Sein Gesicht war
finster und verkniffen, und die Augen, die Peer eben noch so
freundlich angesehen hatten, sprühten Funken. Er machte eine abwehrende Handbewegung.

„Komm mit, zieh dich an! Wir gehen gleich hin", sagte er barsch.

„Jetzt noch? Der Bauer liegt vielleicht schon im Bett, bis wir da sind."

„Dann holen sie ihn eben wieder heraus ... Oder willst du lieber hierbleiben? Dann geh ich allein."

„Nein, nein, Herr Pfarrer!"

Sie zogen ihre Schuhe und Jacken an. Mit einigen kurzen Worten wurde Nele verständigt. Sie schlug die Hände zusammen, sagte aber nichts, weil sie aus Erfahrung wußte, daß es völlig sinnlos war, dem Pfarrer zu widersprechen, wenn er einen festen Entschluß gefaßt hatte. Er nahm ihr nicht einmal den Wollschal ab, den sie ihm in den Korridor hinterhertrug.

Es war dunkel, der Mond stand noch nicht am Himmel. Mit großen Schritten ging der Pfarrer vorneweg, und Merijntje hatte Mühe mitzukommen. Ab und zu hörte er ihn murmeln. Es würde hart hergehen bei dem Bauern. Der Pfarrer war wütend. Aber der Bauer war Herr auf seinem Hof. Wenn der einen Knecht rauswerfen wollte, dann warf er ihn raus, und keiner konnte ihn zwingen, den Burschen zurückzuholen – auch der Pfarrer nicht ... Oder vielleicht doch? Er war neugierig, wie es auslaufen würde. Die ganze halbe Stunde auf dem Weg zum Hof wurde kein Wort gesprochen.

Als sie durchs Tor traten, schlug der Hund scharf an und zerrte an seiner Kette. Durch die Fensterläden eines Zimmers an der Vorderseite fiel Licht. Der Geistliche klopfte mit dem Stock an die Tür, die Koos, der älteste Sohn des Bauern, kurz darauf öffnete.

„Herr Pfarrer? So spät am Abend?"

„Ist dein Vater noch auf?"

„Ja, gewiß ... Aber kommt doch herein!"

Der Pfarrer ging über die Diele und winkte Merijntje, ihm zu folgen. Die Bäuerin kam erstaunt herausgeeilt.

„Oh, Herr Pfarrer!"

„Ich muß mit dem Bauern sprechen, Frau de Wit!"

„Er ist im Zimmer, wir haben noch ein bißchen Karten gespielt."

Ungeduldig schob der Geistliche sie und ihren Sohn ins Zimmer und folgte, während Merijntje betreten auf der Schwelle stehenblieb und durch die offene Tür, die in der Verwirrung niemand schloß, in die Stube blickte.

Am Tisch saßen Bauer de Wit neben seiner Tochter Willemien und Toon ihnen gegenüber. Er hatte eine stark geschwollene Oberlippe, ein Pflaster auf der Stirn, und sein rechtes Auge war geschlossen; es sah aus wie eine große Beule mit einem kleinen Spalt in der Mitte. Das hat Peer gar nicht schlecht gemacht, dachte Merijntje befriedigt. Auf dem Tisch standen Gläser mit dampfendem Rotwein und eine kristallene Keksdose.

Sie begrüßten den Pfarrer und wollten aufstehen, doch er winkte ab.

„Bleibt sitzen!" sagte er.

Das klang nicht wie eine Freundlichkeit, sondern wie ein Befehl, so mürrisch und kurz abgehackt, daß die drei wie Puppen auf die Stühle zurückfielen.

„Setzt Euch doch, Herr Pfarrer!"

Die Bäuerin schob einen Stuhl heran.

„Was ich hier zu tun habe, kann ich auch im Stehen erledigen."

Da schlich sich Koos auf Zehenspitzen zu seinem Platz zurück, und die Bäuerin setzte sich auf die Kante ihres Stuhles, nervös an dem goldenen Kreuz fingernd, das auf ihrer Brust hing. Groß und drohend stand die schwarze Gestalt des Geistlichen im Zimmer. Er hatte den Hut noch auf dem Kopf und den Stock überm Arm.

Der Bauer ermannte sich und fragte: „Was führt Euch her, Herr Pfarrer?"

„Ein Unrecht, Bauer de Wit."

„Unrecht? Ich versteh Euch nicht."

„Du verstehst mich ganz genau! Du hast deinen Knecht Peer van Til fristlos entlassen."

Seine Stimme klang drohend und hart.

Eine bedrückende Stille trat ein. Der Bauer hatte die Augen niedergeschlagen und spielte mit dem Häufchen Karten, das vor ihm lag. Endlich sagte er mit einem Versuch, gleichgültig zu tun:

„Tja, Knechte, die sich mit den Söhnen vom Hof prügeln, die behalte ich nicht. Seht Euch doch an, was er mit Toon gemacht hat!"

Der Pfarrer richtete die durchdringenden Augen auf Toon.

„Wenn die Söhne vom Hof ihre Finger nicht von den Frauen der Knechte lassen können, müssen sie die verdienten Prügel in Kauf nehmen", sagte er grimmig.

„Was?" rief die Bäuerin erschrocken. „Hat Toon . . ."

„Halt du den Mund!" fuhr der Bauer sie an.

Willemien hatte den Kopf gesenkt und sah mit feuerrotem Gesicht in ihren Schoß, während Koos dem jüngeren Bruder einen verächtlichen Blick zuwarf.

Da versuchte der Bauer mit einer forschen Handbewegung den Vorgang abzutun.

„Was geschehen ist, ist geschehen . . . Schließlich bin ich Herr auf meinem Hof. Ich kann nicht zulassen, daß mein Sohn von einem Knecht geschlagen wird."

„Aber daß dein Sohn den Frauen auf dem Hof zu nahe tritt, das kannst du zulassen?"

Unwillig hob de Wit die Schultern.

„Was hast du vor, für diesen Knecht zu tun? Es ist Winter –

er findet im Augenblick keine andere Arbeit, und schon gar, da er hier weggejagt worden ist."

Der Bauer dachte nach und sagte dann zögernd und mit einem mürrischen Ton in der Stimme:

„Zur Not kann er ja Armenunterstützung bekommen . . ."

Der Pfarrer setzte seinen Stock hart auf den Boden.

„De Wit", sagte er langsam, und verhaltene Wut schwang in der dröhnenden Stimme, „du bist Kirchenvorsteher und weißt genausogut wie ich, daß die Armenkasse nicht dazu da ist, die Fehler ungerechter Bauern auszugleichen. Peer van Til wird mit seiner Familie keine Not leiden, bloß weil du einen Schmierfink zum Sohn hast, das sage ich dir als Pfarrer dieser Gemeinde. Aus der Armenkasse gibt es in diesem Fall nicht einen roten Heller – dafür wirst du schon aufkommen müssen!"

Der Bauer erhob sich schwerfällig. Er war blaß geworden, und seine großen Hände hatten sich zu Fäusten geballt.

„Herr Pfarrer", sagte er mühsam, „ich lasse mir im eigenen Haus nicht die Leviten lesen! Ich . . ."

„Bleib sitzen, Mann!" befahl der Priester, und seine Stimme hatte so viel Gewicht, daß der Bauer bestürzt gehorchte und auf seinen Stuhl zurückfiel. „Ich bin als Hirte über diese Gemeinde gestellt, und solange ich hier bin, werden die Schafe nicht von den Wölfen gefressen, darauf kannst du dich verlassen! Ich sage dir eins: entweder du nimmst Peer zurück, oder du sorgst dafür, daß er zu einem andern Bauern kommt. Wenn nicht, bezahlst du ihm zu Haus den vollen Lohn – und Kostgeld dazu. Morgen vor zwölf muß ich Bescheid haben, wozu du dich entschlossen hast. Sonst liegt morgen nachmittag eine Anzeige gegen deinen Sohn wegen versuchter Notzucht an einer Frau im Abhängigkeitsverhältnis bei der Staatsanwaltschaft . . . Zeugen sind da. Und in Breda lachen sie nicht über solche Scherze . . ."

„Das ist . . . das ist Erpressung!" stotterte der Bauer.

Toon blickte abwechselnd seinen Vater und den Pfarrer an. Er war kreideweiß geworden, und der Schweiß perlte ihm auf der Stirn. Pfarrer Ramakers lachte kurz und höhnisch.

„Das brauchst du mir nicht zu erzählen", sagte er dann grob. „Schlimm genug, wenn in einer christlichen Welt der Geistliche seine Gemeindeglieder nur durch Erpressung zur Gerechtigkeit zwingen kann! Als Bauer trägst du die Verantwortung für deine Leute, Mann, nicht allein vor dem Gesetz, sondern auch vor deinem Gewissen und vor Gott. Und wenn du das vergißt, dann bin ich dazu da, dich darauf hinzuweisen. Reichtum ist bei mir kein Freibrief für Schurkenstreiche, sondern etwas, worüber du Rechenschaft ablegen mußt. Merk dir das! Außerdem erwarte ich, daß du so schnell wie möglich von deinem Amt als Kirchenvorsteher zurücktrittst . . . Guten Abend miteinander!"

Ehe jemand von der bestürzten Familie Zeit hatte, etwas zu erwidern, war der Pfarrer schon aus dem Zimmer. Merijntje öffnete ihm die Haustür. Dann standen sie einen Augenblick auf dem dunklen Hof.

Plötzlich erklangen hinter den Fenstern ein roher Fluch von Bauer de Wit und ein dröhnender Schlag auf den Tisch. Darauf Gläserklirren, erregtes Geschrei von hohen Frauenstimmen und wütender Streit der Männer.

„Komm, Merijntje!" sagte der Pfarrer vergnügt. „Die sind jetzt nicht um Gesprächsstoff verlegen."

Merijntje ging noch ganz benommen, doch mit einem Gefühl großer, leuchtender Freude in der Brust neben ihm her. Am liebsten wäre er wie ein kleiner Junge um den Pfarrer herumgesprungen und hätte seine Hand ergriffen, um sein Gesicht daran zu reiben. Er fühlte sich so klein und leicht und hatte das Empfinden, neben einem Riesen, einem guten und gerechten Riesen dahinzutrippeln, der den Wagen des verfahrenen Lebens mit einem Ruck seiner mächtigen Hand ins rechte Gleis zurückbrachte. Wie er da in dem Zimmer des stolzen Bauern gestanden hatte, der ganzen mächtigen Familie gegenüber – ein Turm von Kraft und Gerechtigkeit... Und sie waren so klein geworden, diese reichen Bauern, gewohnt, willkürlich über ihre Knechte und Mägde zu verfügen. Sie waren zu ganz gewöhnlichen Menschen zusammengeschrumpft, nicht mehr wert als die, die für sie arbeiteten. Nur einer war da gewesen, von dem Größe und Macht ausgingen, und das war der Pfarrer, der Gerechtigkeit forderte und erzwang. Erpreßte, hatte der Bauer gesagt, aber der Pfarrer hatte sich nicht einschüchtern lassen – er hatte ihm eine Antwort gegeben, die dem Bauern erst mal gehörig Kopfzerbrechen machen würde – so lange, bis Peer van Til sein Recht erhielt...

Plötzlich rief Merijntje begeistert aus: „Verflixt, Herr Pfarrer, denen habt Ihr's aber gezeigt! Wetten, daß der Bauer heute nacht kein Auge zutut?"

Pfarrer Ramakers schlug ihm scherzhaft mit dem Stock auf den Rücken, lachte leise und blieb stehen.

„Wir wollen mal probieren, ob wir uns eine Zigarre anstecken können", lenkte er ab. „Ich hab eine ganz trockene Kehle bekommen bei all dem Gerede."

Das sagt er bloß, weil er nicht gelobt werden will, dachte Merijntje. Und plötzlich mußte er lachen: die kleinlichen, giftigen Klatschbasen des Dorfes, all die Schleicher mit ihren unsinnigen, gemeinen Gerüchten ... was vermochten die gegen die Kraft dieses Mannes? Pfarrer Ramakers war ein Felsen, und irgendwo da unten brodelten ein paar lächerliche, winzige Wellen, die immer wieder gegen den Granit anliefen.

„Worüber lachst du denn, Merijntje?"

„Ich mußte gerade an was denken."

„Ich glaubte schon, du lachtest über mich – dann könntest du nämlich was erleben!"

„Ich über Euch lachen?" rief Merijntje begeistert. „Das glaubt Ihr doch wohl selber nicht!"

Und nun war es am Pfarrer, in herzhaftes Gelächter auszubrechen.

4

Am nächsten Tag war Peer van Til fester Knecht bei Koenraads, einem freundlichen Bauern, dessen Hof näher beim Dorf lag; Koenraads hatte seinen Knecht mit de Wit getauscht, und Peer stand sich nicht schlecht dabei. Am Sonntag bei der Messe ging der Küster mit dem Klingelbeutel durch die Reihen: Bauer de Wit war nicht mehr Kirchenvorsteher . . .

Die Gegner des Pfarrers zerbrachen sich die Köpfe. Da mußte doch wieder etwas passiert sein – so ein reicher und angesehener Mann! Wenn der sein Amt als Kirchenvorsteher niederlegte, schien es mit dem Pfarrer ja weit gekommen zu sein!

Merijntjes Großmutter war abermals krank geworden. Der Junge besuchte sie ab und zu, trank eine Schale Kaffee bei ihr und ließ sich über alles mögliche den Text lesen – er tauge ja ohnehin nicht viel, aber der Umgang mit diesem rauhbautzigen Pfarrer verderbe ihn vollends. Doch er machte sich nichts mehr daraus. Es begann ihn allmählich zu amüsieren, statt zu ärgern. Sie war eigentlich drollig, die Großmutter – dieses grantige alte Weiblein mit dem hageren, spitzen Gesicht, das im Ausschnitt des straffgespannten Randes ihrer Häkelhaube immer mehr den Farbton verblassenden gelben Wachses annahm. Die kohlschwarzen Äuglein bohrten den wachsamen Blick noch ebenso scharf in ihr Gegenüber wie ehedem, doch die Stimme knarrte rostiger als früher, brüchig und heiser.

Die Alte saß meist, halb liegend gegen einen Berg von Kopfkissen gelehnt, in ihrem Bett, und Nachbarin Bluut versorgte sie und hielt ihr Häuschen sauber. Merijntje mochte Frau Bluut sehr gern; sie hatte zehn Kinder zwischen zwölf und dreißig und war immer munter und guter Dinge. Nur daß ihre Kinder von Jahr zu Jahr älter wurden und keins mehr in der Wiege lag, betrübte sie.

Deshalb versorgte sie oft anderleuts Säuglinge oder greise kranke Menschen, die der Pflege bedurften. Auch um die Großmutter kümmerte sie sich in aufopfernder Hilfsbereitschaft wie um ein Kleinkind, ohne sich von den giftigen Bemerkungen der Alten abschrecken zu lassen. Nur wenn das Weiblein gegen den Pfarrer zu Felde zog, wurde sie heftig. Denn den hatte sie ins Herz geschlossen, und keiner im Dorf traute sich in ihrer Gegenwart zu klatschen oder zu schimpfen, vor allem aber, weil sie mit Nele befreundet war.

Auch Pfarrer Ramakers besuchte regelmäßig die Kranke, ohne sich durch ihre scharfe Zunge irritieren zu lassen. Ihre Ausfälle erzürnten ihn nicht, und er erteilte seine Zurechtweisungen mehr, um sich an ihren boshaften Repliken zu ergötzen, als in der Hoffnung, sie könnten sich in ihre Seele senken.

Als Merijntje an einem regnerischen Nachmittag nicht weiterarbeiten konnte, da einzelne Teile des Schrankes geleimt waren und noch trocknen mußten, ging er zu seiner Großmutter. Er traf drei von ihren Freundinnen an, die ihr ebenfalls einen Besuch machten. Sie hatten den Tisch neben das Bett geschoben, tranken Kaffee und tratschten voll Behagen. Als der Junge eintrat, verstummte das Gespräch. Argwöhnisch schauten sie nach der Tür, und als niemand folgte, begrüßten sie ihn mit süßlicher Freundlichkeit, indem sie sich voll des Lobes darüber ausließen, wie brav es von ihm sei, sich um seine kranke Großmutter zu kümmern.

„Zuviel Zucker verdirbt den Magen", brummte Merijntje ärgerlich. Und seine Großmutter stichelte sofort wieder:

„Ja, er ist solch ein braver Bursche ... Wie wär's auch anders möglich, wo er doch im Pfarrhaus wohnt. Bei so einem heiligen Mann muß man wohl selber heilig werden!"

Die Freundinnen gackerten über die treffliche Anspielung, die so wunderbar das eben geführte Gespräch ergänzte.

„Mir scheint, es geht dir schon wieder viel besser, Großmutter", erwiderte Merijntje sarkastisch.

„Wenn's mit deiner Seele nur halb so gut stünde wie mit meiner Gesundheit, dann wär's noch auszuhalten", bemerkte die Kranke anzüglich.

Merijntje parierte den Hieb. „Ich kann sie ja mal untersuchen lassen", schlug er vor. „Denn so blühend siehst du nun auch wieder nicht aus, Großmutter!"

Verächtlich zuckte die Alte die knochigen Schultern. „Du hast den Beichtvater an der Hand", entgegnete sie bissig. „Noch dazu einen, der rasch und viel vergibt, ja, der über die Sünde lacht. Hat er sich nicht reichlich über euren schmutzigen Anschlag auf An Nollebart lustig gemacht – deinen und Pinneke Testers' Schurkenstreich? Er läuft durchs ganze Dorf damit und amüsiert sich darüber ... Ja, tu bloß nicht so unschuldig! Ihr beiden wart es – und niemand sonst. Ein Reisigbündel voll Unrat – es ist doch eine Schande, nein!"

Eine der Freundinnen begann unschicklich zu kichern, aber schwieg sogleich, als Großmutter sie strafend ansah. Eilig bezeugten sie allesamt ihre Übereinstimmung mit dem Urteil der Kranken und schauten mißbilligend auf den mutmaßlichen Helfershelfer bei dieser Freveltat. Aber der zuckte nur die Schultern und schenkte sich dreist ein Schälchen Kaffee ein. Er ließ sich auf einen Stuhl fallen, setzte die Hacken auf den obersten Steg, stützte die Ellbogen auf die angezogenen Knie und pustete in seinen Kaffee, spöttisch in die Runde blickend.

Die Freundin, die eben so unbeherrscht gelacht hatte, fragte neugierig:

„Erzähl doch mal, wie's zugegangen ist, Merijntje!"

Er zog die Augenbrauen hoch, trank einen Schluck und berichtete:

„Sie sagen – so fangt ihr doch immer an – sie sagen ... aber ich will nichts gesagt haben ... ja, sie sagen, daß die Mieke vom Küster ans Fenster geklopft hat, sagen sie, und um Einlaß gebeten hat ... und dann, sagen sie, dann hat An Nollebart die Tür geöffnet ... und dann kam dieses Reisigbündel herein anstelle von Mieke ... Und alle sagen, daß An den Strauch an sich gedrückt hat, als ob sie eine Reliquie bei der Fronleichnamsprozession in den Armen hielt ... und es soll unvorstellbar gestunken haben, sagen sie ... und An hat gebrüllt, als würde sie ermordet ... Ob was daran wahr ist, was sie so erzählen, weiß ich nicht, es wird ja soviel geredet, und ich will nichts gesagt haben ..."

Die Form, in die er seine Erzählung kleidete, war den Frauen durchaus suspekt, aber sie konnten sich ein Lachen nicht ganz verkneifen. Merijntje sah sogar die Spur eines Lächelns über die starren Lippen seiner Großmutter huschen. Aber sie rügte streng:

„Wahrhaftig, da gibt's wohl was zu lachen ... eine schöne Einstellung, das muß ich schon sagen ...""

Mit unschuldiger Miene fragte Merijntje: „Verstehst du, Großmutter, daß die Mieke vom Küster so was macht? Das hätte ich
nie gedacht – ich hab sie immer für ziemlich anständig gehalten. Und du?""

„Nun reicht's aber! Gib jetzt gar noch andern die Schuld, schlimmer Junge!""

„Großmutter, sie sagen doch alle, daß An Nollebart deutlich
Miekes Stimme gehört hat. Dann muß sie's doch gewesen sein ...
ja, nein, ich will nichts gesagt haben, aber ... der Herrgott soll
mich davor bewahren ... aber sie sagen doch alle ...""

„Halt deinen losen Mund! Hast du nichts zu tun?""

„Heute nicht mehr.""

Mokant schaute er sich um. Er war natürlich mitten in die herrlichste Klatschrunde hineingeplatzt, und nun wagten sie nicht, ihr
Kikelkakel fortzusetzen. Aber er blieb schön an seinem Fleck. Den
Gefallen wollte er ihnen nicht tun, zu gehen und ihnen das Feld zu
räumen für weitere Hechelei. Ihn amüsierte die Verlegenheit der
alten Damen. Mal hüstelten sie, mal nippten sie von ihrem Kaffee,
dann klagten sie über das nasse Wetter, das so schlecht war für
ihre rheumatischen Knochen und ihnen eine Erkältung nach der
anderen bescherte.

„Rauhe Winter bestellen die Gottesäcker", tröstete Merijntje
mit ernstem Gesicht. „Da dürfte wieder so mancher aus unserer
Mitte dran glauben, ehe der Lenz anbricht.""

Die Frauchen duckten sich schaudernd und zogen die wollenen
Umschlagtücher fester um die mageren Schultern. Großmutter sah
ihn böse an.

„Wenn dir nichts anderes einfällt, kannst du gehen, vorlauter
Affe!" keifte sie ihn an.

Merijntje grinste und begann ruhig, sich die Pfeife zu stopfen.

„Du darfst hier nicht rauchen, sonst bekomme ich Atemnot.""

„Dann nicht.""

Gelassen steckte er die Pfeife wieder in die Tasche, blickte vergnügt vor sich hin und pfiff leise zwischen den Zähnen. Auf keinen
Fall würde er jetzt weggehen – sollten sie an ihren Neuigkeiten,
die sie nicht loswerden konnten, ruhig zerplatzen!

„Das junge Volk von heute hat keine Ehrfurcht mehr im Leibe",
sagte eine der Freundinnen schnippisch.

„Das tut und sagt einfach, was ihm in den Kopf kommt", pflichtete eine andere ihr bei.

„Zu unserer Zeit war das ganz anders ...""

„Das lag daran, daß die Menschen damals noch nicht klüger
waren", sagte Merijntje gleichmütig. „Die Welt geht eben vorwärts.""

„Vorwärts?" schnaubte die Großmutter. „Die Welt geht den Krebsgang, das kann ich dir versichern, und zwar schneller als ein Pferd läuft . . ."

Die Freundinnen nickten eifrig, und die spitzen Nasen über den verächtlich zusammengezogenen Lippen ihrer Mümmelmündchen bewegten sich auf und nieder.

Merijntje mußte sich Gewalt antun, um nicht laut zu lachen. Eine der Frauen hielt es nicht länger aus, wandte ihr Gesicht ihm zu und fragte:

„Weißt du, warum Bauer de Wit sein Amt als Kirchenvorsteher niedergelegt hat?"

„Ja, das weiß ich."

Alle vier blickten ihn scharf an; die Neugierde sprang förmlich aus ihren Augen.

„Warum denn?"

„Die Bäuerin erlaubt's nicht mehr."

Bestürzt starrten sie ihn an. Sie rutschten auf ihren Stühlen vor Ungeduld hin und her, um mehr zu hören. Merijntje nickte treuherzig.

„Wieso nicht?" kam es wie aus einem Munde.

„Sie hat Angst, daß der Herr Pfarrer ihn auf Abwege bringt. Man stelle sich das auch mal vor: so ein abgefeimter Taugenichts wie Pfarrer Ramakers und dann so ein simpler, unbescholtener Mensch wie Bauer de Wit . . . Na, und da hat sie ihm einfach verboten, noch länger Kirchenvorsteher bei so einem Schurken zu bleiben!"

Die drei saßen da und blickten ihn töricht an. Nur Großmutter fuhr heftig auf ihn los:

„Lümmel, frecher! Schämst du dich nicht, alte Leute zum Narren zu halten? Aber warte nur, das wird dir schon noch vergehen! Was Gescheites hast du dort auf der Pfarrei noch nicht gelernt!"

Merijntje schmunzelte über die Wut seiner Großmutter und die Enttäuschung der drei anderen, die endlich begriffen hatten, daß sie hereingefallen waren.

Bei Großmutters Worten war die Tür aufgegangen, und Pfarrer Ramakers' Stimme klang belustigt, als er sagte:

„Na, was hab ich denn schon wieder auf dem Kerbholz?"

Erschrocken blickten sich die Frauen nach ihm um und murmelten verlegen einen Gruß. Merijntje stand auf, um einen Stuhl für den Pfarrer zu holen.

„Ihr dürft dem Bengel ruhig etwas mehr Ehrfurcht vor dem Alter beibringen, Herr Pfarrer!" brummte das alte Weiblein mürrisch.

„Hat er sich wieder schlecht benommen, der Lausejunge?" Der Geistliche schüttelte mißbilligend den Kopf. „Ja, ja, Großmutter, ich sag es ja immer, dein Enkel hat eine schlimme Anlage . . . Ich hab was mit ihm auszustehen! Und Nele erst! Du bist sicher nicht streng genug mit ihm gewesen, als er klein war ..."

Merijntje lachte laut, und die Freundinnen glucksten verlegen ein bißchen mit.

„Da siehst du's!" klagte der Pfarrer. „Vor mir hat er auch keinen Respekt, der Lümmel!"

„Ihr!" murrte Großmutter ärgerlich. „Ihr bestärkt ihn noch in seiner Frechheit!"

„Die wird ihm schon vergehen, Herr Pfarrer!" warnte Merijntje im Stil seiner Großmutter.

Die Freundinnen standen auf. „Die Arbeit ruft ..."

„Ich vertreibe euch doch nicht etwa?" fragte der Pfarrer mit gespielter Besorgnis. „Bleibt ruhig noch eine Weile! Vielleicht erfahre ich dann auch das eine oder andere über die Sündhaftigkeit meiner Pfarrkinder ... oder über meine eigene Schlechtigkeit – als Anregung gewissermaßen für die Sonntagspredigt ..."

Die Weiblein kicherten verlegen, sagten auf Wiedersehen und schlurften eins nach dem anderen zur Tür.

„Beim Küster ist der Kaffee braun", erzählte der Pfarrer freundlich. „Ihr dürft getrost eure erbauliche Unterredung fortsetzen. Unser Dorf kann ein gediegenes Urteil und guten Rat sehr wohl gebrauchen. Geniert euch nicht, der Nächstenliebe das Wort zu erteilen! Ihr wißt, solches sieht der Herrgott gern ..."

Die Frauen flüchteten. Merijntje sah sie mit gebeugtem Rücken am Fenster vorbeigehen, während er dem Pfarrer eine Schale Kaffee eingoß. Der schüttelte den Kopf, kam zum Tisch, legte Stock und Hut darauf und setzte sich.

Großmutter blickte ihren Besucher finster an.

„Sind das nun Manieren für einen Geistlichen?" fragte sie erbost.

Pfarrer Ramakers fuhr sich durch das störrische Haar und erwiderte seufzend:

„Ach, Großmutter, was muß ich in deinen Augen für ein miserables Stück Pfarrer sein ..."

Eine Weile sah die Alte ihn mit ihren funkelnden schwarzen Augen durchdringend an. Dann sagte sie giftig:

„Wenn Ihr nur nicht denkt, daß Ihr in den Augen Gottes ein guter Pfarrer seid!"

Merijntje fuhr zusammen. Wie konnte sie so etwas wagen! dachte er und erwartete, daß der Pfarrer in Wut ausbrechen würde wegen dieser Unverschämtheit. Doch der Geistliche war nicht in der Stimmung, ernsthaft auf die Angriffe der alten Frau einzugehen. In erschrockenem Ton fragte er:

„Die drei liebwerten Mägdlein waren doch wohl auch keine verkleideten Engelchen, die dir eine Botschaft des Herrgotts brachten?"

„Ja, spottet nur!" schnappte die Kranke zurück. „Aber das dicke Ende kommt zum Schluß . . ."

„Das stimmt, Großmutter Gijzen, das stimmt. Wir werden's ja sehen, wenn es soweit ist. Auf jeden Fall bin ich dir sehr dankbar für all die Anteilnahme, die du mir erweist – du und ein paar andere treue Seelen aus der Gemeinde. Der Lohn wird gewiß nicht ausbleiben, sei unbesorgt!"

Die alte Frau kniff die Lippen zusammen und antwortete nicht. Lange Zeit blickte sie ihn an. Endlich sagte sie leise, doch mit deutlicher Drohung in der schwachen, knarrenden Stimme: „Ihr glaubt, Ihr seid groß und stark, Herr Pfarrer . . . was? Aber es sind schon Größere und Stärkere gefallen als Ihr. Unser Herrgott braucht nur den kleinen Finger auszustrecken, dann liegt Ihr da . . ."

„Da hast du recht, Großmutter. Und hier im Dorf gibt's genug, die unserem Herrgott gern dabei behilflich sein würden, wenn sie es nur könnten . . . Glaubst du nicht auch?"

Sie antwortete nicht, sondern schaute den Pfarrer mit so viel Mißachtung an, daß Merijntje erstaunt war, warum der nicht auffuhr. Und wieder beschlich ihn die Angst vor diesen Gerüchten, über die man nie etwas Genaues erfahren konnte: es mußte doch etwas sehr Schlimmes sein, wenn Großmutter dem Pfarrer gegenüber einen solchen Ton riskierte. Wie war das alles möglich, und was steckte dahinter? Was wußten sie, oder was glaubten sie zu wissen, daß sie so ungeniert gegen den Pfarrer aufzubegehren wagten wie seine Großmutter?

Pfarrer Ramakers betrachtete das böse, verschlossene Gesicht der alten Frau, und um die Winkel seines kräftigen Mundes spielte ein Lächeln. Er drehte die Silberkette seiner Uhr um Daumen und Zeigefinger. Endlich sagte er:

„Wenn ich nur wüßte, was du gegen mich hast, Großmutter Gijzen . . . Aber das wirst du mir wahrscheinlich nicht ins Gesicht sagen wollen . . ."

„Ich sage nie mehr, als ich verantworten kann."

„Na, davon bin ich freilich nicht ganz überzeugt. Aber wenn ich dabei bin, ist es natürlich etwas anderes."

Merijntje hielt es nicht mehr aus. „Du dürftest ruhig etwas mehr Ehrfurcht vor einem Geistlichen haben!" warf er seiner Großmutter heftig vor.

Sie wandte ihm die Augen zu und sagte kurz: „Der Glaube ist mehr als ein Geistlicher."

„Und Gott mehr als der Glaube, den du meinst", sagte der Pfarrer ruhig. „Aber das wirst du erst begreifen, wenn's zu spät ist . . . Ja, ich muß weiter. Ich habe noch mehr Kranke zu besuchen. Nur gut, daß sie nicht alle so viel an mir auszusetzen haben . . . Darf ich noch etwas für dich tun, Großmutter? Du brauchst es nur zu sagen."

„Ich kann für mich selber sorgen – im Leben wie im Sterben."

„Das ist mehr als die meisten Menschen von sich behaupten können. Vorläufig wirst du noch nicht von uns gehen – du wirst uns wahrscheinlich noch alle unter die Erde bringen ... Guten Tag, Frau Gijzen, alles Gute!"

Sie brummte einen unverständlichen Gruß. Merijntje war empört. Er stand auf.

„Ich gehe auch", sagte er böse.

„Willst du deine Großmutter allein lassen?" fragte der Pfarrer, aber Großmutter zog ihren Rosenkranz unter dem Kissen hervor und knurrte gleichmütig:

„Ich bin immer in guter Gesellschaft ... Geh ruhig!"

Der Pfarrer sah sie noch einmal an, schüttelte den Kopf und ging lächelnd aus der Tür. Merijntje folgte ihm auf den Fersen. Draußen spuckte er auf den Weg und sagte leidenschaftlich:

„Pah, diese unverträgliche Alte!"

Pfarrer Ramakers begann zu lachen.

„Sie ist ein tapferer Streiter für ihren Gott, Merijntje, das mußt du zugeben. Wir wollen mit diesem Götzen zwar nichts zu tun haben, aber sie steht bis zum letzten Atemzug für ihn ein. Das muß man respektieren."

„Das kann ich nicht!" rief Merijntje aufgebracht.

„Mag sein, Bürschlein! Dafür bist du auch noch reichlich jung. Aber trotzdem solltest du nicht so schlecht von ihr denken, denn im Grunde bist du ihr viel ähnlicher, als du glaubst ..."

„Ich? Der Großmutter?" fragte der Junge bestürzt.

„Ja. Innerlich, meine ich."

„Nur zu! Das ist ja noch schlimmer! Ist das wahrhaftig Euer Ernst, Herr Pfarrer?"

„Doch, doch ... Und es ist als Kompliment gemeint ... Leb aber wohl jetzt – bis nachher! Ich muß hier hinein ..."

Lachend ließ er Merijntje stehen.

Der Junge fühlte sich gekränkt. Er sollte seiner Großmutter, dieser fanatischen, strengen Frau, ähnlich sein? Der Gedanke kam ihm so lächerlich vor, daß er fest überzeugt war, der Pfarrer habe ihn zum Narren halten wollen ... Natürlich, wie konnte es auch anders sein! Und er war wieder einmal dumm genug gewesen, darauf hereinzufallen. Esel, der er war!

Lachend ging er auf das Pfarrhaus zu. Sein Magen knurrte, und er beeilte sich, zu Nele in die Küche zu kommen, um zu sehen, ob sie nicht etwas für ihn zu naschen hätte ...

5

In der nächsten Zeit hatte Merijntje oft das seltsame Gefühl, daß er sich selber immer fremder würde, sich immer weniger verstehe, genau wie er die Welt um sich her immer weniger begriff. Ein paarmal hatte er Nelleke abends im Dunkeln nach Hause gebracht, wenn sie im Dorf Besorgungen gemacht hatte. Sie wußte es dann jedesmal so einzurichten, daß er noch ein Stündchen bei ihr und ihrer Mutter saß, mit ihnen redete oder ihr im Schuppen half. Doch es kam dabei zu keiner Arbeit – sofort hing sie ihm am Hals.

Manchmal besuchte er sie auch, wenn er wußte, daß sie allein war, und sie wurde immer dreister, immer leidenschaftlicher, doch sobald er die Grenzen überschreiten wollte, die sie sich gesetzt hatte, wehrte sie ihn entschieden ab, und jedesmal fühlte er sich tiefer verletzt und nervös gemacht, jedesmal nahm er sich vor, nicht mehr zu ihr zu gehen; doch nach einigen Tagen lockte ihr lachendes und erregendes Bild wieder so sehr, daß er der Versuchung nicht widerstehen konnte. Immer häufiger wurden die Augenblicke, in denen er sie und sich selber haßte. Aber es schien, als läge er im Bann einer Verzauberung, aus der er sich nicht zu befreien vermochte.

Sie bettelte ihm alles mögliche ab: ein Stück Stoff für eine Bluse, eine Schnalle zum Gürtel, eine Korallenkette. Sie redete voller Begeisterung über etwas, was sie gern haben wolle, sich aber nicht kaufen könne, und er gab ihr das Geld dafür. Ihr Entzücken und ihre Dankbarkeit waren von kindlicher Überschwenglichkeit, die ihn gleichzeitig bezauberte und ärgerte. Alles an ihr bezauberte und ärgerte ihn gleichzeitig ... Er konnte rasend darüber werden, wollte von ihr loskommen und vermochte es nicht.

Und doch wußte er, daß es nichts weiter war, diese ganze ungestüme Liebelei mit Nelleke, nichts weiter als ein ewiges und vergebliches Suchen, ein Trinken, das den Durst nicht löschen konnte, unwiderstehlich anziehend zwar, aber unbefriedigend und unschön. Unschön, ja vor allem das. Gewiß hatte Nelleke recht, wenn sie das Letzte, das Ärgste nicht gestatten wollte – trotzdem schien es ihm, als käme ihm gerade deshalb hinterher alles so häßlich vor. Hatte sie recht? Nein, das war es eben – sie hatte nicht recht! Sie hätte recht gehabt, wenn sie nichts zugelassen, wenn sie sich sittsam zurückgezogen und völlig keusch verhalten hätte. Sie suchte aber den Genuß, indem sie die Gefahr mied ... Das war es: sie reizte ihn und sich auf in diesem prickelnden Spiel, und wenn er die Beherrschung verlor und alles von ihr wollte, kam sie plötzlich zur Besinnung und ließ die Vernunft sprechen. Nelleke konnte unversehens den Strom ihrer Leidenschaft unterbrechen und den Verstand einschalten. Und das ernüchterte Merijntje jäh – es verlieh ihm das Gefühl, zu kurz gekommen, betrogen und zum Narren gehalten worden zu sein. Hier wurde ein Spielchen mit ihm gespielt – und wenn man vergaß, daß es ein Spielchen war, wurde man scharf abgebremst und zurückgestoßen. Das Spielchen war aus, und entnervt durfte man von dannen ziehen. Es war häßlich, und jedesmal flößte es ihm mehr Ekel ein. Er wollte davon los. Er mußte damit aufhören, wenn er vor sich selber noch einen Rest an Achtung bewahren, sich nicht ganz und gar als ein in die Gosse geratener Strolch betrachten wollte. Aber dann kam Nelleke und blickte ihn mit unschuldig fragenden Augen vorwurfsvoll an, und ihr kirschroter, verlegen lächelnder Mund sagte: „Mein liebes Schifferchen!" Dann wurde er machtlos und tat wiederum, was sie wollte. Und noch tiefer enttäuscht und erniedrigt als zuvor kehrte er heim – ein Schwächling, der er war, ein erbärmlicher Waschlappen.

Im Dorf spürte man die immer gespanntere Stimmung. Häufig kam es jetzt zu Reibereien. Überall hörte man versteckte Drohungen, dunkle Andeutungen, die Unheil prophezeiten, aber Genaues war nicht zu erfahren. Die Gerüchte, die Merijntje zu Ohren kamen, waren geradezu haarsträubend und lachhaft. Die mußten sich doch von selbst erledigen! Mit solch kindischem Unsinn war dem Pfarrer gewiß nicht beizukommen – und wenn die Großmutter und ihre ränkesüchtigen Mitstreiterinnen noch so düstere Fabeln in Umlauf setzten!

Merijntje versuchte, so wenig wie möglich davon aufzuschnappen, nicht daran zu denken – aber er konnte sich dem nicht entziehen: es blieb in ihm ein stilles Entsetzen, eine heimliche Furcht.

Neles deutlich spürbare Angst verstärkte seine Unruhe; auch sie ahnte nicht, was da eigentlich gemunkelt wurde und ob sie etwas gegen den Pfarrer im Schilde führten. Die Hartnäckigkeit der Flüsterpropaganda rieb sie auf, ließ sie immer nervöser werden; überall begegnete sie anzüglichen Blicken und zweideutigen Bemerkungen, die sie nicht verstand und sich nicht zu erklären wußte. Alles blieb in einen Hauch von Rätselhaftigkeit gehüllt; es glich einer Verschwörung, von der man das Wesentliche eigentlich nie zu erfahren bekam, das Ziel nicht, die Mittel nicht, womit die im Dunkeln geschmiedeten Pläne ausgeführt werden sollten. Der Pfarrer war der einzige, der ruhig und unerschütterlich seines Weges ging, nichts fragte oder auch nur in Andeutungen seine Besorgnis über die kursierenden Gerüchte kundtat. Kaum daß man ab und an etwas von Unmut in einer unerwartet heftigen Gebärde oder einem zornigen Runzeln seiner Augenbrauen bemerkte, wofür es sonst keine stichhaltige Erklärung gab.

Aber auch unter den Leuten im Dorf schien sich einer gegen den anderen verschworen zu haben. Man warf sich in seiner Gereiztheit und Wut die gröbsten Gemeinheiten an den Kopf, erzählte heimlich üble Geschichten von diesem oder jenem Nachbarn. Denn wenn die Gerüchte um die angeblichen Vergehen des Pfarrers auch dunkel und undurchdringlich waren, so blieben die Lieblingssünden der Dorfbewohner doch keineswegs ein Geheimnis.

Das ganze Dorf schien eine Bande durchtriebener Schlitzohren, heimlicher Lüstlinge, Diebe und Ehebrecher zu sein. Merijntje hatte einmal miterlebt, wie Jan Bosters, der für den Pfarrer war, Willem Nuiten und seine Frau schlecht gemacht hatte, als er mit ihnen vor deren Haustür über irgendeine Kleinigkeit in Streit geraten war. Jan hatte bei weitem das lauteste Organ und das größte Geschick im Gebrauch von drastischen Ausdrücken und kernigen Schimpfworten. Er hatte in Gegenwart der belustigten Zuschauer eine so bildhafte Darstellung sittlichen Verfalls der beiden übereifrig zur Kirche rennenden Bauersleute entworfen, daß einem die Haare zu Berge standen: sie klauten wie die Raben, rafften zusammen, was sie nur unter die Finger bekamen, betrogen und belogen Gott und alle Menschen – er, Nuiten, kroch jedem anrüchigen Frauenzimmer unter den Rock, und sie zeigte sich alles andere als zimperlich, in Abwesenheit ihres löblichen Gemahls Herrenbesuch zu empfangen; sie fluchten und rissen Zoten, wenn sie sich unbeobachtet wähnten, und ihre Frömmelei war die ungeheuerlichste und empörendste Heuchelei, die dem lieben Herrgott je begegnet sei. Nuiten und seine Frau hatten sich schließlich bleich und zitternd vor Wut in ihr Haus geflüchtet und waren dort – zur unbeschreiblichen Freude Jan Bosters' – miteinander handgemein geworden. Als Merijntje ihm später einmal allein begegnete, hatte er ihn gefragt, ob das denn auch wirklich alles wahr sei, was er seinen Nachbarn vorgeworfen habe. Jan hatte nur gelacht und treuherzig gesagt:

„Aber nein, Junge. Hast du das etwa geglaubt?"

Starr vor Staunen hatte Merijntje ihn angeblickt und gestottert:

„Hast du dir das ... hast du dir das denn ... das denn nur ausgedacht?"

„Ist doch klar!"

„Ja, aber warum in Himmels Namen?"

„Warum? Die verbreiten über mich doch auch Lügen ... Denkst du vielleicht, das laß ich auf mir sitzen? Ich bin doch nicht dumm. Gleich um gleich, verstehst du?"

Er fand es ganz selbstverständlich und lachte unbesorgt über Merijntjes Erstaunen und seine Entrüstung.

Wie sollte man nun daraus klug werden? Es war ein hoffnungsloses Durcheinander, und man wußte nie, woran man war.

Nach dem Abendbrot, als sie gemeinsam eine Pfeife rauchten, erzählte Merijntje dem Pfarrer den närrischen Vorfall und fragte, was er davon halte.

Der Geistliche lachte laut. „Was hältst du denn selber davon, Merijntje?"

„Ich begreife nicht, wie jemand auf so etwas kommen kann. Man darf sich doch nicht einfach irgend etwas aus den Fingern saugen!"

„Man darf nicht ... aber man tut es. Nicht umsonst steht geschrieben: Du sollst nicht falsch Zeugnis reden ..."

„Eben, das meine ich doch auch, Herr Pfarrer."

„Ja, Junge, aber an den Geboten kannst du sehen, woran es bei den Menschen hapert. Wenn du die Schwächen und die Sünden der Menschen kennenlernen willst, brauchst du dir nur die Zehn Gebote anzusehen. Die sind schon vor Tausenden von Jahren aufgestellt worden für die Menschen jener Zeit, für die Juden in einem östlichen Land. Mose kannte seine Pappenheimer. Aber die Menschen von heute, die Christen, die brauchen sie noch genauso dringend, denn sie sind innerlich nicht minder schwach als die alten nomadisierenden Juden des Mose – und sie sündigen noch ebenso kräftig ..."

Merijntje ging in Gedanken die Zehn Gebote durch ... Ja, da hatte man genau all die Dinge beisammen, gegen die zu jeder Stunde bei Tag und bei Nacht gesündigt wurde. Seltsam war das – gewiß steckte es tief und unausrottbar in den Menschen drin.

„Du sollst keine fremden Götter haben neben mir ... Das ist vielleicht das einzige Gebot, an das sie sich noch halten", sagte der Junge.

Der Geistliche sah ihn nachdenklich an.

„Ich glaube, da irrst du dich, Merijntje."

„Aber sie beten doch keine Götzen mehr an, Herr Pfarrer."

„Woher weißt du das? Selbst davon bin ich nicht ganz überzeugt", entgegnete er. „Wenn ich mir die Menschen um mich her so betrachte, kann ich mir oft kaum vorstellen, daß sie alle dem einen Gott dienen. Gewiß, sie kommen in die gleiche Kirche und beten die gleichen Gebete, aber haben sie nicht daneben soundso viele andere Götter, die sie anbeten? Götter, die sie sich je nach ihrer Wesensart ausgesucht und auf den Thron erhoben haben. Ja, man möchte fast glauben, daß sich jeder Mensch seinen eigenen Gott zurechtgeschustert hat."

„Wer hat denn nun aber den wahren?"

Wieder lachte Pfarrer Ramakers.

„Als Priester müßte ich jetzt sagen: wir ... die römisch-katholische Kirche ... Und du weißt, alle im Dorf sagen das gleiche. Und doch hat ein jeder hier seinen eigenen Gott — so einen, der am besten zu der ganz persönlichen Art des einzelnen paßt. Denk doch an den Gott von Flierefluiter — war das nicht Flierefluiter in höchster Perfektion?"

„Aber es muß doch einen wahren Gott geben, Herr Pfarrer?"

„Natürlich ..."

„Und wo ist er dann? Wie ist er?"

„Das kannst du im Katechismus nachlesen."

Merijntje schaute den Pfarrer an und sah dessen Augen spöttisch funkeln. Er überlegte. Unzufrieden sagte er:

„Darin steht, daß er allgegenwärtig und vollkommen ist, allwissend, allgütig und allweise ... dreifaltig und doch einer ... das haben alle Christen gelernt, und Ihr selber sagt, daß sich fast jeder einen eigenen Gott zurechtgeschustert hat. Ich möchte einmal einen Menschen finden, der mir genau den wahren Gott zeigt."

„Du möchtest ihn begreifen?"

„Ja."

„Ach, Mann, wo ist dein Verstand? Begreifen — das bedeutet doch, mit deinem Menschenverstand erfassen ... umfassen ... Aber etwas, was du umfassen willst, muß kleiner sein als du, sonst bringst du's nicht fertig. Und eben darum kannst du Gott nicht begreifen! Du magst wohl ab und an etwas von ihm sehen, hier und da etwas von ihm ahnen, vielleicht sogar ein unendlich kleines Bröcklein seines Wesens erwischen ..."

„Aber wie vereinbaren das denn die Menschen mit ihrem Privatgott — oder wie man ihn nennen will. Irren sie alle? Sind sie alle Götzendiener?"

Der Pfarrer blies eine mächtige Rauchwolke aus und sah durch die sich langsam in die Höhe kräuselnden Schwaden Merijntje versonnen an. Es dauerte eine Weile, bevor er antwortete:

„Das glaub ich nicht. Gott ist so groß, so allumfassend, daß jeder, der etwas anbetet, doch immer Gott anbetet — einen Teil von ihm. Da gibt's niemand, der sich ihm nicht wenigstens so weit nähert, daß er mit seinem Verstand, mit seiner Natur ein ganz klein wenig von ihm zu erfassen vermag. Nicht viel gewiß, aber womöglich genügt's. Ein weiser Mensch erwartet von einem andern nicht mehr als dieser zu geben imstande ist. Und Gott, der allweise ist, sollte er weniger klug handeln?"

„Nein", sagte Merijntje nachdenklich, „das glaub ich auch nicht." Und nach kurzem Zögern fügte er hinzu: „Aber . . . sind dann überhaupt Kirchen und Geistliche nötig?"

Pfarrer Ramakers zog die Schultern hoch, lachte und antwortete:

„Jetzt reitest du wieder mit verhängten Zügeln, verflixter Philosoph! Hab ich nicht recht, wenn ich behaupte, daß viel von deiner Großmutter in dir steckt? Ich meine, die Menschen haben die Kirche und die Geistlichen ebenso nötig wie die Minister ihre Polizisten. Ohne Aufpasser geht's nicht. Von allein können sie die Zehn Gebote nun einmal nicht halten."

„Wie kommt das nur, Herr Pfarrer? Haben sie sich nicht lange genug darauf einrichten können?"

„Weil sie noch keine Menschen sind, sondern Tiere", sagte der Pfarrer und schlug dumpf mit seiner großen Faust auf den Tisch.

Merijntje erschrak ein wenig bei diesem heftigen Ausbruch. Forschend blickte er den Pfarrer an. Langsam glätteten sich dessen harte Gesichtszüge. Er schüttelte lächelnd den Kopf und erklärte:

„Der Mensch ist ein vernunftbegabtes Wesen. Aber die Gelehrten sagen, daß es eine Zeit gegeben hat, da die Menschen genau wie die Tiere durch die Wildnis streiften und ihre Vernunft nur dazu benutzten, ihre Bedürfnisse zu stillen und den anderen Tieren der Schöpfung überlegen zu sein. Und von diesem Tier ist noch manches übriggeblieben. Wir müssen zugeben, daß das Tier noch in uns steckt. Unser Verstand sagt uns, daß dies schlecht ist, verkehrt und gefährlich. Ein Tier in der Wildnis kämpft auf Leben und Tod mit einem andern, das ihm in den Weg kommt; es frißt, was es findet, ohne zu fragen, ob es nicht einem andern gehört; es paart sich mit dem Weibchen, das es gerade trifft, wenn ihm danach zumute ist – heute dieses, morgen jenes. Und wenn ein anderes Männchen Ansprüche erhebt, wird es verjagt oder getötet. Es denkt nur an eins: so lange und bequem wie möglich zu leben, all sein Verlangen reichlich zu befriedigen. Und nichts andres will das Tierchen in einem jeden von uns auch. Du kannst überall den lieben langen Tag deutlich beobachten, wie es immer wieder in uns durchbricht. Die Gabe der Vernunft verträgt sich nicht mit dem Tier. Die Vernunft ist dem Menschen zum sittlichen Bewußtsein geworden, und das sittliche Bewußtsein will das Tier in uns zähmen und ausrotten. Darauf sind die Zehn Gebote ausgerichtet – jedes einzelne davon wendet sich gegen die Gier des Tieres, gegen seine Neigung, ohne Gewissen, ohne Geist, nur dem Fleisch allein zu leben. Vielleicht verlangen sie Unmögliches, vielleicht gehen sie zu rabiat gegen die Natur des Wesens vor, das Mensch genannt wird. Wenn man das Resultat betrachtet nach soviel Jahrhunderten, möchte man fast zu dieser Auffassung gelangen. Aber es ist gut und ist schon viel gewonnen, daß es die Gebote gibt; denn sie haben die Menschen dazu gebracht, es als böse, als Sünde zu empfinden, wenn das Tier in ihnen die Oberhand gewinnt. Sie schämen sich darüber, wagen das Falsche nur noch heimlich zu tun, sind beunruhigt und werden von ihrem Gewissen geplagt... Leider ist das Tier sehr hartnäckig und lebt im verborgenen weiter, der Geist erweist sich der Natur gegenüber noch nicht als stark genug. Nein, es ist viel wert, daß wir die Gebote haben und kein Mensch mehr öffentlich schuldig zu werden wagt. Töten, rauben, stehlen darf niemand mehr...".

„Und im Krieg?"

Der Pfarrer nickte traurig. Er seufzte und reckte sich gegen die Lehne seines Stuhles.

„Noch lebt das Tier im Menschen, Merijntje", sagte er mit müder Stimme, „und es ist so stark in jedem einzelnen. Wieviel millionenmal stärker muß es dann wohl in ganzen Völkerschaften sein, die sich aus Millionen Menschen zusammensetzen! Rührt es sich hier, dann zählen die Gebote nicht mehr, dann zählt der Geist nicht mehr und auch nicht die Vernunft – dann streckt das Tier seine Klauen aus und beginnt zu wildern, auf der Jagd nach Beute, auf der Suche nach Raub ... dann werden die Menschen, jeder für sich, wieder zum bloßen Tier, denn es gilt nur noch das eine Gesetz: morden oder gemordet werden, fressen oder gefressen werden... Und wenn es so lange gedauert hat, den Menschen als Individuum an die Gebote zu gewöhnen – wie lange mag es wohl dauern, ganze Völkergemeinschaften dahin zu bringen? Man könnte recht mutlos werden, Merijntje, wenn es nicht einen Trost gäbe."

„Welchen denn, Herr Pfarrer?"

„Der zerstörungssüchtige Ideenreichtum dieses scheußlichen Tieres. Es erfindet die gräßlichsten Mordwaffen. Bald sind wir soweit, daß zwei Länder, die Krieg miteinander führen, sich selbst in kürzester Zeit vernichten, total vernichten. Dann kann mit einem Krieg nichts mehr gewonnen, nur noch alles verloren werden. Dann müssen aus purem Selbsterhaltungstrieb Vernunft und Rücksichtnahme walten. Das ist dann die Zeit, da einem die Ohren klingen werden ob all der Bravheit, der feinen Gesittung und des köstlich reinen Gewissens – sie werden sich akkurat an die Gebote halten...".

Er lachte wieder, aber sein Lachen klang nicht fröhlich, eher boshaft und vergrämt; es erinnerte Merijntje dunkel an das spöttische Gelächter des verrückten Doktor Presco. In seinem Kopf

summte und brummte es von alldem, was der Pfarrer gesagt hatte.
An tausend Dinge zugleich mußte er denken, und tausend Fragen drängten sich ihm auf, tausend Schlußfolgerungen verlangten
gründliches Überlegen.

Schüchtern sagte er: „Es ist doch alles so einfach, Herr Pfarrer.
Warum wollen das die Menschen nicht begreifen!"

Der Geistliche stand auf, rekelte sich und gab seine Antwort:
„Der Weg zurück ins Paradies ist weit, Junge, und die Menschen
suchen auf die falsche Art. Daran liegt's."

„Wieso?"

„Jeder sucht das Paradies für sich allein – jeder will sein eigenes
retten. Doch davon gibt's nicht soviel. Das Wort kennt keine
Mehrzahl. Wenn wir es aber eines Tages wirklich für die ganze
Menschheit suchen wollen, alle miteinander, dann haben wir es
morgen schon gefunden..." Lachend beendete er seine Rede:
„Und du, du gehst jetzt schleunigst ins Bett! Du siehst ja aus, als
ob dir dein Kopf in fünf Minuten zerspringt. Ab mit dir, mein
Söhnchen!"

„Wohl zu ruhen, Herr Pfarrer!"

„Schlaf gut, Junge! Träum nicht zuviel vom Paradies, sonst gefällt dir die Erde morgen nicht mehr."

6

Merijntje arbeitete und ging umher wie im Traum. Tagelang stand er im Bann des Gespräches mit dem Pfarrer. Er hatte Mühe, seine stürmischen Gedanken zu ordnen. Manchmal war er ausgelassen fröhlich, glaubte überall Licht und Klarheit zu sehen, doch gleich darauf wurde alles wieder dunkel und rätselhaft vor lauter Bedenken, und er mißtraute seinem schwachen Verstand, der nicht ausreichte, das zu begreifen, was er begreifen wollte. Niedergeschlagen setzte er dann den Schrank weiter zusammen. Aber meistens hielt diese Stimmung nicht lange an, und Fröhlichkeit zog wieder in sein Herz, weil endlich so viele Dinge in ihm geklärt waren. Die alte unbestimmte Angst war verschwunden, ein Gefühl des Friedens erfüllte ihn, und er wußte, daß er sich nicht mehr vor Gott fürchtete. Die Angst war auf eine unerklärliche Weise aus ihm herausgefallen, und er kam sich befreit und erleichtert vor.

Und das alles hatte er nur dem Pfarrer zu verdanken. Pfarrer Ramakers war der größte, gelehrteste und edelste Mann, dem er je begegnet war. Wenn der mit einem sprach, wie an jenem Abend, dann war es gerade, als täte sich eine unendliche Weite auf, in die er einen schauen ließ... Man konnte fast schwindlig werden – aber es war herrlich. An seiner Hand fühlte man sich so sicher und geborgen. Es war mühsam, gewiß ... kompliziert. Man mußte sich gewaltig anstrengen, um nicht den Anschluß zu verlieren, aber am Ende war es dann plötzlich doch wieder so leicht, so hell und einfach, und man erfaßte eine Menge Dinge, die einem zuvor verborgen geblieben waren. Er war ein ganz ungewöhnlicher Mann.

Mochte er sich vielleicht auch ab und an in einer Weise äußern, die einem Geistlichen nicht unbedingt anstand, so war er doch groß und gut – auch wenn er den Menschen, deren Scheinheiligkeit ihn erzürnte, manchmal als arger Polterer erschien. Wie gütig hatte er sich der Großmutter gegenüber gezeigt, obwohl sie ihm so spitz und respektlos begegnet war – nur weil er glaubte, die alte Frau werde es nicht mehr lange machen. Und doch wußte er, daß Großmutter mit am schlimmsten gegen ihn intrigierte. Und wie er Bauer de Wit in die Ecke gedrängt und winzigklein gemacht hatte, damit Peer van Til Gerechtigkeit geschehe ... Über solch einen Mann erlaubte sich das törichte Dorf zu lästern? Gott sei Dank, er würde ihnen schon zeigen, wer er war – heute oder morgen würde er losbrausen wie ein Sturmwind und über sie herfahren und die ganze Brut feiger Übelredner zerschmettern. Ein sanftmütiger, geduldiger Heiliger war er sicher nicht – aber ein Heiliger immerhin. In seiner unwirschen, rauhen Art dennoch ein Heiliger ...

In der Nähe dieses Geistlichen fühlte Merijntje sich immer stärker werden. Er konnte ihm versonnen nachblicken, wenn er in Gedanken vertieft durchs Zimmer wanderte. Dann saß der Junge still da und überlegte, was in diesem mächtigen Kopf wohl vor sich ging, und jedesmal wieder pries er sich glücklich, daß er im Hause eines solchen Mannes wohnen und für ihn arbeiten durfte.

Er war sich nun auch darüber klargeworden, daß es mit Nelleke aus sein mußte. Er wollte das nicht mehr. Es hatte keinen Sinn. Es war ganz und gar die Herrschaft des Tieres, und er wehrte sich dagegen, sich von diesem Tier beherrschen zu lassen. Er wollte nach den Geboten leben, nicht um sich dessen zu rühmen, sondern weil er ein Mensch war, ein vernunftbegabtes Wesen. Das mit Nelleke hatte mit Vernunft nichts zu tun, es war vollkommen unvernünftig, nichts als die Lust des Tieres, das seinen Wünschen die Zügel schießen lassen wollte.

Sobald er sie wieder traf, würde er ihr ruhig sagen, daß es aus sei und daß er genug davon habe.

Mitten in diese Vorsätze kam ein Zettelchen von Nelleke, daß sie am nächsten Abend allein zu Haus sei und ob er ihr Gesellschaft leisten wolle ...

Als er an diesem Abend auf die Straße trat, fand er Teeuw Meesters, der auf ihn wartete.

„Ich wollte gerade klingeln und fragen, ob ich dich mal sprechen kann, Merijntje."

„Ist was passiert?"

„Ich bin bei ihr gewesen."

„Bei wem?"

„Bei Marjan natürlich – bei wem denn sonst!"

Erschrocken sah Merijntje ihn an. Im rötlichen Licht der Laterne flackerten Teeuws Augen in übernatürlichem Glanz. Seine
Mundwinkel verzogen sich, und man wußte nicht, wollte er weinen
oder lachen. Merijntje ging weiter, und Teeuw blieb neben ihm
wie ein Hündchen.

„In Antwerpen warst du? Du bist ja verrückt, Mann!"

„Ja, einen ganzen Nachmittag hab ich vor ihrem Haus gewartet,
dann kam sie heraus."

Merijntje spürte eine seltsame Rührung. Teeuw, der hier neben
ihm ging, hatte Marjan wiedergesehen, Teeuw, den er ihretwegen
zu Boden geschlagen hatte, war bei ihr gewesen ... Schmerz und
Wut stiegen in ihm auf.

Er zwang sich zur Ruhe und fragte: „Und dann?"

„Als sie mich sah, wollte sie erst weglaufen. Aber ich habe ihr
gesagt, sie brauche keine Angst zu haben. Da haben wir dann in
einer Wirtschaft miteinander gesprochen."

„Hat sie ... hat sie nach mir gefragt?"

„Nein. Aber ich habe ihr erzählt, daß du wieder im Dorf bist.
Da hat sie den Kopf weggedreht. Sie hat gesagt, sie sei ganz zufrieden jetzt mit ihrem Leben. Ich solle sie vergessen, das sei nur Käl-
berliebe gewesen, sagte sie. Und sie will in Ruhe gelassen werden.
Sie bekommt ein Kind von ihrem Kerl ..."

Wie angewurzelt blieb Merijntje stehen, und im gleichen Augenblick hielt auch Teeuw inne. Merijntje konnte im Dunkeln sein
Gesicht nicht sehen. Schweigend ging er weiter, und plötzlich setzte
auch Teeuw sich wieder in Bewegung, als wäre er unsichtbar mit
ihm verbunden.

„Und was sonst?"

„Weiter nichts ... Ach ja, deshalb bin ich ja zu dir gekommen.
Als ich wegging, rief sie mich zurück. Sie hat gesagt, ich sollte dich
grüßen – auf keinen Fall sollte ich das vergessen ... Ja, das sagte
sie. Ich bin nach Antwerpen gegangen, aber dir bestellt sie Grüße ... Na ja, das ist nun auch egal – wir beide haben nichts mehr
von ihr, Merijntje."

„Wie sah sie denn aus?"

„Ein bißchen schmal und blaß, schien mir."

Merijntje sagte nichts. Eine Weile ging Teeuw noch neben ihm
her, dann blieb er stehen.

„Nun hab ich's ausgerichtet", sagte er. „Ich geh wieder."

Er streckte Merijntje die Hand hin.

„Und was machst du nun?"

Teeuw lachte heiser. „Ich laß mich vollaufen, bis ich nichts mehr
weiß."

Er roch bereits stark nach Alkohol.

„Laß doch den Schnaps, Mann! Der hilft dir auch nicht weiter!"

„Heute das letztemal, Merijntje. Morgen hör ich damit auf. Morgen sag ich Vater, daß es in Ordnung ist, daß ich Willemien von der Mühle heiraten will – und zwar bald. Ich habe jetzt genug . . ."

„Das tu nur – und viel Glück dazu!"

Eilig ging Merijntje davon, während Teeuw langsam ins Dorf zurückschlenderte. Er hörte ihn eine Melodie pfeifen, die nach wenigen Takten mit einem schrillen Ton abbrach. Hätte er je geglaubt, daß es bei dem jungen Bauern so tief säße! Oder lag das nur daran, daß er seinen Willen nicht bekommen hatte? Wer weiß? Man wurde ja nie klug aus den Menschen . . .

Und Marjan lebte also mit ihrem Mann und würde ein Kind von ihm kriegen . . . Warum erfüllte ihn ein so heftiger Abscheu – ein beklemmendes Ekelgefühl, als müßte er brechen? Warum eigentlich? Es war doch das beste so . . . Der Pfarrer hatte schon recht. Das war die einzige Lösung für sie – alles andere war falsch . . . besser könnte sie es nicht treffen: zurück zu ihrem Mann, ein geregeltes Leben, ein Haus mit Mann und Kindern . . . Dann würde alles gut für sie werden. Ja, wenn sie ihr Kind erst hatte, würde sie gebunden sein und wohl vergessen, was früher geschehen war.

Natürlich war es so das beste . . . Gott, wie sehr hatte er Marjan geliebt – wie sehr liebte er sie noch! Plötzlich spürte er, daß er sie in diesem Augenblick erst wirklich verloren hatte . . . Die ganze Zeit über war er innerlich noch mit ihr verbunden gewesen. Doch nun hatte sie sich jäh von ihm gelöst und trieb weg von ihm, jede Minute weiter. Sie war ihm schon so fern, daß er ihr Gesicht nicht mehr sehen konnte – dieses liebe, liebe Gesicht von Marjan . . . Oh, es tat so weh! Sie hatte Teeuw zurückgerufen, um ihm, Merijntje, Grüße bestellen zu lassen . . . sie hatte ihn also noch nicht ganz vergessen. Vielleicht mochte sie ihn sogar noch ein bißchen. Aber sie hatte sich von ihm getrennt, hatte sich einem anderen Leben verschrieben. Sie würde ein Kind bekommen von ihrem Mann. Das konnte einem nun sympathisch sein oder nicht, aber es war das allerallerbeste – das einzig Richtige für Marjan, das Klügste . . .

Weshalb lief er eigentlich hier über den Deich? Ach ja, er sollte zu Blosekrjekske . . . Er lachte auf, ein kurzes, bitteres Lachen. Jetzt war es nicht mehr so schwer, ein Ende zu finden. Er wurde schon zornig, wenn er nur an Nelleke dachte. Die Vorstellung ihres Körpers flößte ihm Abscheu ein.

Hier machte der Deich eine Krümmung. Merijntje war über den Polderweg bereits hinausgelaufen. Lächelnd über seine Zerstreutheit eilte er mit großen Schritten zurück – hastig, denn er wollte es rasch hinter sich bringen. Je eher, desto besser! Er hatte das Gefühl, die Geschichte mit Nelleke verunreinige ihn. Wenn es endgültig vorbei wäre, käme er sich vor, als hätte er ein Bad in einem Teich oder einem Moorsee genommen – der Leib war dann so frisch und kühl, wie neugeboren.

Als er die Hand nach der Tür ausstreckte, wurde sie schon von innen aufgerissen. Nelleke warf sich ihm an den Hals und gab ihm drei laute Küsse auf den Mund.

„Mein hübsches Schifferchen! Bist du endlich da?"

Mit ingrimmiger Befriedigung bemerkte er, daß ihre Küsse ihn kalt ließen und ihre Arme um seinen Hals, ihr weicher Körper sein Blut nicht in Aufruhr brachten. Er machte sich los.

„Komm doch rein!" drängte sie ihn.

Nelleke stand vor ihm, als er sich den Mantel aufknöpfte.

„Was ist denn mit dir? Hast du den Langen Flatterkerl gesehen?"

„Nein", sagte er, „Gespenster pflegen sich in der Regel vor mir zu verstecken."

Er sah sie an. Bildete er sich das nur ein, oder war in ihren Augen wirklich eine Unruhe, wich ihr Blick dem seinen aus?

Sie bohrte: „Du machst so ein seltsames Gesicht. Ist irgend etwas?"

„Nein, was sollte denn sein?"

„Man kann nie wissen . . ."

Eifrig ging sie zum Herd, schürte das Feuer, warf Kohlen auf und redete ununterbrochen.

Was hat sie nur? dachte Merijntje. Sie ist so nervös, so aufgeregt . . . Ob sie ahnte, weshalb er kam?

„Ich gieß dir gleich eine Schale Kaffee ein . . . Hier, Aniszwiebäckchen mit Butter und Zucker. Die magst du doch gern? Sorge ich nicht gut für dich, mein liebes Schifferchen? Ist es nicht gemütlich bei mir? Du hast noch gar nichts zu meiner Bluse gesagt. Findest du sie nicht schön?"

Sie trug die neue Bluse, für die er ihr den Stoff spendiert hatte. Kerzengerade stand sie da. Ihre kleinen festen Brüste zeichneten sich deutlich unter dem dünnen Stoff ab.

„Sehr schön", lobte er.

„Selber gemacht, Junge . . . Und deine Kette, paßt die nicht gut dazu?"

Er nickte. Trotz allem stieg wieder eine kleine Zärtlichkeit in ihm auf, aber es war Mitleid. Sie spürte bestimmt, daß es aus sein sollte. Sie war so betriebsam, benahm sich so anders als sonst, so unruhig, als hätte sie Angst.

Nachdenklich kaute er an dem Zwieback, ohne zu schmecken, was er aß. Wie sollte er nur anfangen? Er blies in seinen Kaffee und blickte Nelleke über den Rand der Schale an. Sie saß jetzt still auf ihrem Stuhl, die Hände fest zusammengepreßt. Auf ihren Wangen lag fleckiges Rot, und wieder wichen ihre Augen seinem Blick scheu aus.

So war sie eigentlich viel anziehender als sonst. In ihrer Nervosität war etwas Rührendes, Hilfloses, das schon im voraus um Mitleid und Schutz bettelte. Wenn sie so weitermachte, würde es schwer werden. Aber vielleicht tat sie es gerade deshalb! Vielleicht ahnte sie schon alles. Sie verstand es ja immer, sich in seine Schwächen hineinzutasten. Aber diesmal würde es ihr nicht gelingen.

Wenn Teeuw ihm nicht von Marjan erzählt hätte, dann wäre er vielleicht wieder schwach geworden. Aber so ... Nein, er würde stark und hart bleiben – es war vorbei!

„Was guckst du mich denn so an?" rief Nelleke plötzlich mit unsicherer Stimme.

Er erschrak. Da lachte sie und sprang auf.

„Du tust gerade, als wolltest du mir die Kleider vom Leib gukken. Aber das kriegst du mit den Augen allein nicht fertig, Schifferchen!"

Es klang frech, doch nicht so selbstsicher wie sonst, und die Bewegung, mit der sie sich auf seinen Schoß setzen wollte, war zögernd.

Merijntje faßte sie an den Oberarmen und hielt sie von sich ab.

„Wir müssen einmal miteinander reden, Nelleke."

„Reden? Was müssen wir denn jetzt reden? Wir haben was Besseres zu tun ... Komm, gib mir erst mal einen Kuß, einen ganz, ganz langen Kuß. Du sollst mal sehen, wie lieb ich heute abend zu dir bin. Schifferchen, komm!"

Merijntje schüttelte den Kopf, ließ sie los und stand auf.

„Nein, Nelleke, damit mußt du aufhören."

Sie trat einen Schritt zurück.

„Aufhören? Was soll das heißen, Merijntje?"

In ihrer Stimme und in ihrem Gesicht war mehr Angst als Bestürzung. Sie war völlig aus der Fassung, das arme Mädchen. Merijntje hatte großes Mitleid mit ihr. Wie schön wäre es, sie jetzt in die Arme zu nehmen, sie Blosekriekske zu nennen und zu sehen, wie in den dunklen Augen wieder das übermütige Funkeln aufblitzen und der verzogene Mund zu lachen beginnen würde, froh und lockend ... Aber es nützte nichts. Es mußte durchgefochten werden. Außerdem wurde es gar nicht so schlimm sein! Auch für Nelleke nicht. Es war doch alles nicht tief gegangen. Ein reizvolles Spiel für sie beide, gewiß, und es tat einem leid, wenn es so plötzlich aus war. Aber davon starb man nicht. Sie würden es eher vergessen, als sie glaubten ... Er wollte schließlich nach den Vorstellungen leben, die er mit dem Pfarrer besprochen hatte – und da paßte Nelleke nicht hinein ... Und Nelleke? Oh, die würde sich im Handumdrehen bei einem anderen Jungen einschmeicheln und mit dem das gleiche von vorn beginnen ...

„Es ist wirklich das beste, Nelleke. Ich kann es nicht mehr ertragen."

Plötzlich war sie wieder dicht bei ihm. Unter den aufsteigenden

Tränen leuchteten ihre Augen ihm hoffnungsvoll, verlangend und flehend entgegen.

„Ja, das ist wahr, Merijntje. So hältst du das nicht aus. Aber das brauchst du auch nicht. Ich werde mich nicht mehr wehren . . ."

Merijntje wandte beschämt den Kopf ab. Sie glaubte, ihm sei es darum zu tun . . . Er wich zurück und sagte verlegen:

„Nein, Nelleke, darüber wollen wir nicht mehr sprechen. Es geht nicht, ich kann es nicht mehr."

Das Mädchen fiel auf einen Stuhl, schlug die Hände vors Gesicht und schluchzte heftig. Verlegen knöpfte Merijntje seinen Mantel zu. Er mußte machen, daß er wegkam, das ertrug er nicht mehr lange. Dieses verzweifelte Schluchzen machte ihn so weich, und er mußte mit aller Gewalt die unwiderstehliche Neigung unterdrücken, den wilden Kummer wegzuküssen.

Da nahm Nelleke die Hände vom Gesicht, wischte sich die Tränen ab und sah ihn mit einem Blick voller Haß an. Ihr ganzes Gesicht schien in einer plötzlich auflodernden Wut erstarrt, und er wunderte sich wieder über diesen raschen Wandel. Doch gleichzeitig fühlte er sich erleichtert. So war es ihm lieber! Wenn sie böse und ausfällig wurde, war es nur noch halb so schlimm.

Erbost sagte sie: „Du hast mit ihm gesprochen, was? Und er hat dir alles erzählt, dieser Kerl! Aber so seid ihr!"

Verblüfft sah er sie an.

„Von wem redest du denn um Gottes willen?"

Sie lachte höhnisch auf.

„Tu doch nicht so! Ich weiß genau, daß du mit Toon gesprochen hast . . . Mir kannst du nichts vormachen!"

Fassungslos starrte Merijntje sie an. Worüber redete sie nur? Toon de Wit? Was war denn mit Toon?

Doch sie fuhr schon wieder fort: „Aber du bist auch schuld daran! Hättest du ihn neulich nicht mitgebracht, dann wäre das nicht passiert . . . Ich hatte schon ganz Schluß gemacht mit ihm, und als ich vorige Woche allein zu Hause war, ist er gekommen. Ich war bei der Wäsche im Schuppen . . . Ich wollte es nicht, Merijntje, ich wollt's wirklich nicht! Er hat mich verrückt gemacht, wahnsinnig hat er mich gemacht. Aber ich hab nicht gewollt – ich hab es ja nicht einmal mit dir gewollt. Ich weiß bis jetzt noch nicht, wie er mich dazu gekriegt hat, dieser Schuft! Und daß er's dir gleich erzählt hat – oh, dieser gemeine Hund! Dieser Schmutzfink!"

Sie ließ den Kopf auf die Arme fallen und brach in hemmungsloses, verzweifeltes Schluchzen aus. Merijntje stand einen Augenblick da wie erstarrt. Ihm war eiskalt geworden bei dem unvermuteten Geständnis. Deshalb war sie also so nervös gewesen! Mit Toon de Wit . . . Sie hatte Toon de Wit nicht widerstehen können. Aber trotzdem hatte sie ihn, Merijntje, gebeten, heute abend zu ihr zu kommen . . . Heute abend wollte sie sich gegen seine Angriffe nicht mehr wehren! So eine war sie also. Und nun saß sie weinend da – ein Mensch, der auch auf den letzten Tropfen im Glas nicht verzichten wollte und dem der Deckel dabei auf die Nase gefallen war.

So kommt unser lieber Herrgott, sagte man zu den Kindern . . . Er riß sich aus der Beklemmung los, rannte ohne Gruß davon und zog die Tür mit einem harten Schlag hinter sich zu. Sein Herz schlug wild, und er hatte Lust, zu fluchen und zu schimpfen . . . auf Nelleke, auf den geilen Hund Toon de Wit, auf die ganze Welt, in der er leben mußte und in der alles wieder verpfuscht und beschmutzt worden war.

Irgendwo in seinem Innern stach ein Schmerz, aber er wehrte sich dagegen: Warum sollte ihm diese Geschichte Schmerz bereiten? Er hatte nichts damit zu schaffen. Was ging ihn Nelleke an? Nelleke und ihr Lebenswandel, ihre Affären, ihre Raffinessen? Nichts, rein gar nichts. Auch ihr Kummer nichts. Sie hatte getan, wozu sie Lust hatte, sie hatte ihr ganzes Leben lang getan, wozu sie Lust hatte, und das würde wohl auch so bleiben. Ab und an ging es einmal ein bißchen schief, und dann glaubte sie, es sei ihr Unrecht zugefügt worden, und fing an zu heulen und tat herzzerbrechend bekümmert. Ersticken sollte sie – sie und der ganze Klüngel dazu! Er hatte es immer schon gespürt: das Tier im Menschen war zwischen ihnen gewesen. Und nun zeigte es sich allzu deutlich, allzu schlimm – einzig das Tier. Immer schon hatte er ein Ende machen wollen, doch jetzt war er mit hartem Ruck ein für allemal ans Ende gestoßen worden. Prächtig war das. Es war schließlich genau das, was er gewollt hatte. Deshalb brauchte er in seinem Herzen auch nicht traurig zu sein, und böse brauchte er auch nicht zu sein – dafür gab es keinen Anlaß. Aber wenn ihm unglücklicherweise dieser Toon de Wit über den Weg laufen sollte, wäre er sich gar nicht so sicher, ob er ihm nicht an die Gurgel springen und seinem jämmerlichen Leben die Luft abdrehen würde. Warum sollten solche Unmenschen frei herumlaufen? Jeden neuen Tag richteten sie neues Unheil an.

Schneidender Frostwind hatte die Wolken vom Himmel gefegt. Kalt funkelten die Sterne. Ein dunstig heller Fleck zeigte sich dort, wo gleich der Mond aufgehen sollte. Am Deich setzte Merijntje sich einen Augenblick hin, außer Atem vom hastigen Lauf. Es schien fast, als befände er sich auf der Flucht! Der kalte Wind strich wie mit Eishänden über sein erhitztes Gesicht, stach in die Ränder seiner Ohren und in die Nase. Über seinen schweißnassen Rücken lief ein Frösteln, als ob ein nasses Tuch darüber gezogen würde. Zitternd stand er wieder auf. Bei diesem Wind war es ein Wahnsinn, sich an den Deich zu setzen. Er steckte die Hände in die Taschen und lief gegen den Wind an. Eine Backe war kalt wie ein Stück Eis, die andere glühte noch.

Wieviel klüger man in so kurzer Zeit werden konnte! Ein Schlußstrich war unter allerlei Torheiten gezogen. Vor kaum zwei Stunden hatte er sich auf den Weg gemacht, um dem unwürdigen Verhältnis mit Nelleke ein Ende zu bereiten. Dann war erst Teeuw gekommen und hatte ihm das von Marjan erzählt... Marjan – sie war zufrieden mit ihrem Leben und würde ein Baby kriegen von ihrem Mann. Seine – seine Marjan! Und dann war Nelleke mit ihrem versehentlichen Geständnis herausgeplatzt. Er war wirklich sehr viel klüger geworden an diesem Abend, in diesen wenigen Stunden. Er hatte ein paar Lektionen erhalten, die er nie vergessen würde. Klug werden tat offenbar weh. Aber darauf kam es nicht an. Man zog ja seinen Nutzen daraus. Für ihn bedeutete es eine heilsame Lehre, sich nicht so bald wieder in neue Dummheiten einzulassen – er mit seinen naiven Vorstellungen von den Mädchen, mit seinem lächerlichen Bestreben, immer nur das beste von ihnen zu denken! Die eine bekam ein Kind vom Ehemann, mit dem sie in Unfrieden lebte, und die andere legte sich zu einem jungen Bauern, von dem sie wußte, daß er mit allem anbändelte, was einen Rock trug. Und unterdessen lief er herum, das Haupt in den Wolken, den Kopf voll unschuldiger Träume und lieblicher Gedanken, das Herz jedoch nicht ohne Selbstvorwürfe, weil er so grob mit ihr umsprang.

Aus für immer – aus auf jeden Fall! Es war schon das Sinnvollste, sich lediglich „an die Gebote zu halten". Das Tier bescherte einem doch nichts weiter als ein Rinnsal von Vergnügen und hernach eine Flut von Unannehmlichkeiten, Ärger und Reue, Erniedrigung und das Gefühl, bis zum Hals im Schlamm versackt zu sein. Aus jetzt! Er hatte seine Lehren erhalten und würde sich danach richten. Ihn bekämen sie nicht noch einmal ins Netz!

In einem großen Bogen ging er durch die kalte Nacht um das Dorf herum und kam von der anderen Seite wieder zurück in den Ort. Seine Erregung hatte sich gelegt, und lähmende Entmutigung lastete auf seiner Seele. Als er fröstelnd unter die Bettdecke kroch, schlug die Turmuhr Mitternacht. Zwölf helle Schläge klangen durch die klare stille Frostnacht. Noch lange starrte er mit weitgeöffneten Augen in das Mondlicht, spann seine trübseligen Gedanken und versuchte der jammervollen Enttäuschung, des unstillbaren, so sinnlosen Zornes Herr zu werden ...

· Fünftes Kapitel ·

I

Am anderen Morgen wurde Merijntje mit schmerzendem Hals, dröhnendem Schädel und einem Gefühl bleischwerer Mattigkeit wach, das seine Glieder lähmte. Trotzdem stand er auf und ging hinunter, doch Pfarrer Ramakers schickte ihn wieder ins Bett. Er hatte eine heftige Erkältung. Nele verwöhnte ihn mit leckeren Gerichten und zwang ihn, ein paar Tage länger im Bett zu bleiben, als er es selber für nötig hielt. Der Pfarrer brachte ihm jeden Abend ein großes Glas Glühwein mit Zucker und einer Scheibe Zitrone darin: dem sei keine Krankheit gewachsen ...

Die Fiebertage hatte er apathisch vor sich hingedämmert; als es dann besser wurde, ruhte Merijntje behaglich in dem schönen, warmen Bett und sann darüber nach, was in letzter Zeit geschehen war. Es hatte ihn völlig aus der Bahn geworfen. Aber jetzt reifte langsam ein großer Gleichmut. Er hatte wohl doch alles viel zu schwarz und trist gesehen. Still lag er da und lauschte den Geräuschen des Dorfes: den klingelnden Schlägen des Schmiedehammers, dem dumpfen Klopfen in der Stellmacherei schräg gegenüber vom Pfarrhaus, dem Klappern der Pferdehufe auf den Pflastersteinen, dem Rattern der Wagenräder, dem eifrigen Geschnatter der spielenden Kinder, der hellen Stimme aus dem Turm, die den Tag einteilte, dem Gezwitscher des Vogels in der Voliere. Ein Hund kläffte, Hähne krähten gegeneinander an.

Das Wetter zeigte sich veränderlich. Der Frost war mit einemmal wieder weg, und ein feuchter Westwind strich klagend um die
Hausecken; weicher Regen rann an den Fenstern hinab, eine wäs-
serige Sonne zeichnete dann und wann die bewegten Schatten der
sanft schwingenden Äste auf die Scheiben.

Ruhig zogen die Tage dahin ... Die Krankheit wich rasch. Es
war alles nicht so furchtbar schlimm ... Flierefluiter war zufrieden gestorben, niemand mißgönnte ihm die Ruhe. Mit Marjan war
es gründlich vorbei; sie war bei ihrem Mann und erwartete das
erste Kind von ihm – und alles ging gut. Wie recht hatte der Pfarrer gehabt! Er würde gewiß nicht sterben deshalb, auch wenn es
irgendwo tief in seinem Herzen noch weh tat. Aber er hatte daraus tüchtig gelernt, allerhand wertvolle Erfahrungen gesammelt.
Und Nelleke? Nelleke war frei, sie konnte jetzt tun und lassen,
was sie wollte. Es war häßlich, es war abstoßend, aber sie mußte
es selber wissen und verantworten. Es lag wohl in ihrer Natur, so
zu leben, wie sie es tat. Ihn bekümmerte es nicht weiter: mit jedem Tag, den er verträumte, sah und erkannte er es deutlicher,
daß die Sache für ihn ausgestanden war. Nelleke glitt aus seinem
Bewußtsein. Es war ein Irrtum gewesen, ein Irrtum seiner Sinne;
und er durfte froh sein, daß er so unsanft wachgerüttelt worden
war. Er fühlte ein unbestimmtes Mitleid mit ihr und ihrer merkwürdigen Art; sie würde sich noch Schererei'en genug damit aufhal-
sen – aber er konnte ihr nicht mehr helfen. Die quälende Bezauberung war von ihm abgefallen, und er wußte, daß es aus war.
Ein Glück! Der Gedanke verschaffte ihm eine so ungeheure Erleichterung, daß er das Gefühl hatte, auch alle anderen Sorgen
würden sich als unnütz herausstellen.

Gewiß, die Leute im Dorf waren dumm und klatschsüchtig,
aber man durfte ihre Redereien nicht so ernst und schwer nehmen.
Mit der Zeit verlor jedes Gerücht an Reiz und Wichtigkeit und
verlief sich allmählich im Sande. Er war natürlich in den letzten
Wochen ein wenig nervös gewesen, überreizt ... Kein Wunder, es
war ja auch alles so rasch und hart auf ihn herniedergestürzt. Aber
wenn man nun so ruhig unter der Bettdecke lag, darüber nachdachte und dabei auf die vertrauten Geräusche von draußen hörte,
dann wurde alles viel verständlicher, viel weniger schlimm und
war viel leichter zu ertragen.

Nach einer Woche kam er wieder herunter. Nele behielt ihn den
ganzen Vormittag in der Küche. Er schliff alle Messer und putzte
Gabeln und Löffel, reparierte die Kaffeemühle und setzte Nele
einen neuen Stiel in den Besen.

Doch nach dem Essen zog er sich die Jacke an und ging in den
Garten, um den gefallenen Baum weiter zu Brennholz zu verarbeiten. Er sah, daß der Stamm dicht unter der Krone mit der Axt
abgehackt war. Kopfschüttelnd stand er davor. Wer hatte denn

das fertiggebracht? Dazu nahm man doch die Säge! Das war bestimmt der Herr Pfarrer gewesen. Anscheinend wußte er nicht,
wohin mit all seiner Kraft! Die Axt steckte fast bis zum Schaft im
Stamm.

Merijntje keuchte und bekam einen roten Kopf vor Anstrengung, als er sie mit viel Mühe und Stöhnen herauszog. Er erschauerte bei dem Gedanken an die Wucht des Hiebes, mit der
die Axt in den Baum getrieben worden war. Dann mußte er aber
lachen: man konnte fast glauben, der Pfarrer habe aus unbändiger
Wut so gewaltig ausgeholt. Er begann die Wurzeln abzuhacken.
Aber schon bei den ersten Hieben merkte er, daß es nicht ging. Er
betrachtete die Axt und sah, daß eine Scharte neben der anderen
war. So ließ sich damit nicht arbeiten. Er wollte rasch zum Stellmacher gehen und fragen, ob der ihm beim Schleifen helfen konnte. Die Axt über der Schulter, ging er durch den Garten.

Der Pfarrer kam gerade mit Stock und Hut aus der Hintertür;
er wollte diesen Nachmittag zu einem Freund, der im Nachbardorf Geistlicher war.

„Wohin willst du denn mit der Axt?" fragte er.

Merijntje lachte. „Die muß geschliffen werden. Ihr seid ganz
hübsch damit zugange gewesen, Herr Pfarrer. Sie ist so stumpf,
daß man darauf reiten kann."

„Die Dinger halten auch gar nichts aus", brummte der Pfarrer,
„richtiges Spielzeug!" Und lachend trat er auf die Straße und
schlug mit der Eisenspitze seines Stockes Funken aus den Pflastersteinen.

Als die Axt geschliffen war und Merijntje noch eine Weile mit
dem Stellmacher schwatzend in der Werkstatt stand, hörten sie auf
der Straße keifende Stimmen. Sie unterbrachen ihre Unterhaltung
und horchten nach draußen.

„Ach, wieder Nol Damme!" sagte der Stellmacher lachend.
„Der hat jetzt dauernd Krach mit den Frauen. Es wird wohl um
den Pfarrer gehen."

Sie liefen hinaus. Nol Damme, der Kaufmann, hatte sich vor
seiner Ladentür aufgepflanzt, die gespreizten kurzen Beinchen fest
in den Boden gerammt, das runde Bäuchlein unter dem ange-
schmuddelten weißen Kittel streitlustig vorgestreckt. Er führte
einen bewegten Disput mit Mieke vom Küster, Trien Leepoog –
ein ausdrucksvoller Name, der soviel wie „Plierauge" bedeutet –
und Annet vom Bäcker, die ein Haus weiter, vor Triens Tür, bei-
einandergluckten, die Hände fröstelnd unter den bunten Schürzen
verborgen, und keine Antwort schuldig blieben. Zwei Schiffer, die
mit ihren Frauen auf Vorrat bei Nol eingekauft hatten, stellten
sich neugierig dazu und spitzten die Ohren. Nol Damme hatte
eine Stimme wie eine Glocke und verfügte über eine ausgesuchte

Kollektion bildhafter Kraftausdrücke, die er wie Peitschenhiebe bedrohlich über die Köpfe der schnüffelnasigen Frauen knallen ließ, für die er grenzenlose Verachtung an den Tag legte.

Nol Damme verteidigte den Pfarrer. Er hätte den Pfarrer auch verteidigt, wenn der das Gemeindehaus in Brand gesteckt und den Bürgermeister totgeschlagen hätte. Und dafür gab es Gründe. Denn Pfarrer Ramakers hatte den in eine beträchtliche Misere geschlitterten Kaufmann buchstäblich in letzter Minute vor dem Untergang gerettet. Merijntje kannte die Geschichte sehr genau.

Nol Damme war ein eigensinniger Bursche, der unerschütterlich für das einstand, was er für recht und billig und der Wahrheit dienlich hielt. Vor einigen Jahren hatte er die Stirn besessen, sich mit dem Schulvorsteher, der zugleich Dirigent der Dorfkapelle „Sint Caecilia" war, anzulegen. Er behauptete öffentlich, daß Rektor Plasmans keinen blassen Schimmer von Musik habe und nicht höre, wie falsch und unsauber sein Verein spiele. Nol Damme war sehr musikalisch. Er blies Piston und Klarinette, schlug die große und die kleine Trommel, und wenn der Rektor krank oder verhindert war, dann probte er selber und heizte den Musikanten tüchtig ein, weil sie so gewissenlos ihre Instrumente traktierten. Ohne beschönigende Worte gab er schlankweg dem Rektor die Schuld daran, daß das Orchester keine Preise heimbrachte und entmutigt allen Festspielen und Musikwettkämpfen fernblieb. Er hatte in jeder Hinsicht recht; doch Rektor Plasmans war der Schützling von Pastor van Gils – und diese beiden Dorfautoritäten warfen den unbotmäßigen Nörgler aus dem Orchester hinaus, mit der Begründung, er untergrabe den guten Geist der Gemeinschaft. Das war ein schlimmer Schlag für den eifrigen Kaufmann, denn Musizieren war sein Einundalles – mit Musik stand er auf, mit Musik ging er zu Bett. Ohne diese Freude war das Leben nur mehr die Hälfte wert.

Mit ein paar anderen unzufriedenen Mitgliedern hatte er dann als Gegenstück zur „Sint Caecilia" eine neue Kapelle gegründet. Und anstatt sie auch nach einer Heiligen zu benennen, hatte er sich den heidnischen Namen „Aurora" ausgedacht. All seine Ersparnisse hatte er geopfert, um seinen Leuten zu Instrumenten zu verhelfen. Sie übten bei einem befreundeten und couragierten Wirt außerhalb des Dorfes, und Nol dirigierte selber. Pastor van Gils und Rektor Plasmans hatten anfangs über die lächerliche Konkurrenz des ungebildeten Tütendrehers gelacht. Aber das Lachen war ihnen bald vergangen, denn Nol Damme vergrößerte sein Trüppchen zusehends und hatte Erfolg. „Aurora" spielte viel besser und kerniger als „Caecilia" – und was das Schönste war: auf dem ersten Festival holte sich Nol Damme den ersten Preis und einen Ehrenpreis. Mit Sang und Klang, mit Pauken und Trompeten waren sie wie Triumphatoren ins Dorf eingezogen, und der belustigte protestantische Notar hatte ihnen als Zeichen seiner Anerkennung eine prächtige Fahne geschenkt: roter Samt mit einer aufgehenden Sonne in Gold und silbernen gotischen Buchstaben. Damit hatte der Krieg endgültig begonnen. Pastor van Gils hatte kategorisch von Nol Damme gefordert, daß er sein gottloses Orchester aufgebe, und das hatte Nol Damme ebenso kategorisch abgelehnt.

Endloser Streit war gefolgt, Intrigen und Drohungen und Lokkungen, darauf ausgerichtet, seine besten Musikanten abzuwerben; bissige Hetze gegen den widerspenstigen Kaufmann, der es wagte, der kirchlichen Obrigkeit die Subordination zu versagen. Nol Dammes Geschäft hatte erheblich darunter gelitten. Außer dem Kreis seiner treuen und mitschuldigen Musikanten blieben ihm kaum noch andere Kunden, und das genügte natürlich nicht, einen Laden zu führen. Die Preise, die er überall gewann, wo er mit „Aurora" auftrat, hoben zwar die Stimmung, hielten ihn aber nicht materiell schadlos. Und auch das häusliche Leben wurde nicht glücklicher: seine Frau hatte wenig Verständnis für die musikalischen Erfolge ihres Gatten und warf ihm täglich vor, daß er seine Familie zugrunde richte für eine sinnlose Liebhaberei. Aber Nol Damme gab nicht auf. Weder die Mahnungen des Herrn Pfarrers noch dessen gepfefferte und mehr als deutliche Sonntagspredigten über eigenbrötlerische Narren und hochmütige Zwietrachtsäer, noch die Tränen und Zänkereien seiner Frau oder der hoffnungslose Rückgang seines Umsatzes konnten ihn dazu bringen, den steifen Nacken zu beugen. Denn Nol Damme fühlte sich im Recht und verkündete, er wolle lieber trocken Brot essen mit gutem Gewissen als mit schlechtem im Überfluß schwelgen. Pathetik gehört zur Märtyrerschaft – und Nol Damme fühlte sich als Märtyrer für eine gute Sache, Opfer anmaßender Willkür der Großen dieser Welt. Er suchte Arbeit als Tagelöhner auf dem Feld und bot sich an, auf Hochzeiten, Jahrmärkten und kleinen Festen zum Tanz zu spielen – er, der Bürger, der einst so wohlhabende Geschäftsmann, einer der Beinahe-Honoratioren des Ortes! Doch der beißende Schmerz seines gekränkten Stolzes bestärkte ihn nur in der erbitterten Auflehnung gegen das Unrecht.

Gerade als der endgültige Untergang unabwendbar schien und ein paar ungeduldig gewordene Grossisten drohten, das Konkursverfahren zu eröffnen, starb unerwartet Pastor van Gils, und Ramakers kam als sein Nachfolger. Der neue Pfarrherr ließ sich über den seltsamen Tatbestand aufklären, wieso ausgerechnet ein so unbedeutendes Dörfchen zwei Musikvereine besitzen müsse. Er hielt nichts von Kraft-, Zeit- und Geldvergeudung und am allerwenigsten von Zerwürfnissen in seiner Gemeinde. Er hatte sich feierlich von beiden Kapellen vorspielen lassen. „Sint Caecilia" hatte für Lachkrämpfe und Bauchschmerzen gesorgt. Über „Aurora" war er entzückt. Den bestürzten Schulvorsteher hatte er in aller Öffentlichkeit gerügt und dagegen gewettert, daß das Mittelmäßige das Gute am Gedeihen zu hindern getrachtet habe. Als er die Leidensgeschichte Nols unverkürzt vernahm, packte ihn unmäßiger Zorn; wie ein Gewitter zog er abermals auf und donnerte von der Kanzel herab seine Empörung über den unerhörten Skandal, daß Menschen, die sich Christen nannten, einem Bruder um lächerlicher Differenzen willen das Wasser abgruben – für eine Sache überdies, wo das Recht auf seiten des Benachteiligten liege. Und mit einem Faustschlag auf das Kanzelpult, der die Kirche erdröhnen ließ, hatte er erklärt, solch heidnische Zustände in seiner Gemeinde nicht zu dulden, ihnen nötigenfalls mit harter Hand ein Ende zu bereiten.

„Sint Caecilia" war geräuschlos verschwunden und Nol Dammes Laden von Stund an in ungekannter Weise aufgeblüht. Der Kaufmann-Musikus war ein ergebener Gefolgsmann von Pfarrer Ramakers geworden. Als die verdutzte Clique der Unschuldsengel und Biedermänner sich immer giftiger gegen den neuen Pfarrer zu regen begann, reichten Nols Atem und Worte gar nicht mehr aus, um öffentlich und lautstark seine Meinung über die gleisnerische Heuchlerbande kundzutun. Und da es jetzt in letzter Zeit immer toller wurde mit den Lästerreden, führte er mit schneidendem Sarkasmus und brennendem Hohn einen regelrechten Feldzug gegen die Marienkäferchen, die überall herumkrabbelten und versuchten, den verseligten Pastor van Gils in seiner Vortrefflichkeit über den neuen ob seiner rauhen und harten Praktiken unfromm gescholtenen und vielgeschmähten Hirten zu erheben, der von Woche zu Woche in den Augen der Gerechten verdächtiger wurde und über dessen gottloses und sündiges Betragen immer abenteuerlichere und alarmierendere Gerüchte auftauchten. Sein Wissen um die Geheimnisse im Leben vieler sich übertrieben kirchenfromm gebender Dorfbewohner kam Nol bei seiner Kampagne äußerst zustatten, und er machte unbarmherzig Gebrauch davon: über seinen Ladentisch huschte die Kunde von den intimsten Vorfällen des Dorflebens in seine diskreten Ohren – aber er hatte ein unfehlbares Gedächtnis. Und wenn es galt, seinen Retter und Abgott zu verteidigen, dann kannte er keine Skrupel.

Merijntje hörte, wie er laut den Schiffern bezeugte: „Unser Pfarrer ist ein wahrer Mann Gottes, der streng darauf sieht, was recht ist. Und da haben sie Angst vor, solche neunmalklugen Heiligkeitsfanatiker wie die drei, die da ihre Köpfe zusammenstecken. Die treten den Sack im Dunkeln, aber bei Tage tragen sie die weiße Weste. Einen rechtschaffenen Menschen wie den Pfarrer Ramakers bewerfen sie, wo sie nur können, mit ihrem schmutzigen, stinkigen Geschwätz. Wenn sie über ihren eigenen Mist das Maul wetzen würden, hätten sie genug zu tun. Er darf seine Hand nicht über eine Frau halten, der der Mann durchgebrannt ist! Puh, wenn der Kees von der Trien Leepoog nicht so ein Jämmerling wäre, hätte er seinem zanksüchtigen Hausteufel schon längst den Rücken gekehrt!"

„O je!" feixte der Stellmachergeselle und gab Merijntje einen Rippenstoß.

Trien drehte sich wütend nach dem schimpfenden Kaufmann um.

„Das werd ich dir heimzahlen, du niederträchtiger Lügner!" kreischte sie. „Ich hab Zeugen, ich geh zur Polizei!"

„Immer geh!" lachte Nol. „Dann bring ich eine ganze Handvoll Zeugen mit und erzähl, was du über den Pfarrer gesagt hast. Und Chiel Verstraten kann dann auch gleich sein Büchlein über dich aufblättern."

Die Schmähworte erstarben Trien auf den Lippen, als sie den Namen hörte. Woher wußte dieser Schuft die Sache mit dem Maurer, der ihr den Schuppen in Ordnung gebracht hatte? Waren sie beobachtet worden oder hatte der Fuchsschwanz es selber erzählt? Hastig wandte sie sich ab, das fleckige Gesicht spitz wie das einer bösartigen Ratte, die ohnehin stark hervorquellenden, rötlich entzündeten Plieraugen vor Wut und Bestürzung weit aufgerissen.

Nol Dammes lautes Lachen schallte hinter ihr her, und auch die Schiffer lachten schadenfroh über die unverkennbare Niederlage Trien Leepoogs.

Merijntje freute sich. „Der weiß Bescheid", sagte er zum Stellmacher.

Übermütig rief Nol Damme den beiden zurückgebliebenen Tratschtanten zu: „Soll ich von euch auch noch was zum besten geben? Ihr braucht's nur zu sagen!"

Die Frauen sahen sich scheu nach der geräuschvoll lachenden Gruppe um und schlüpften eilig ins Küsterhaus, aus Angst vor unangenehmen Enthullungen oder schamlosen Lügen dieses Halunken, der sich vor seiner Krämerbude so dreist gebärdete. Auch waren sie plötzlich ganz besessen vor ungeduldigem Verlangen, so schnell und genau wie möglich auseinanderzuklauben, was an der unerhört erfolgreichen Anspielung auf gewisse unlautere Beziehungen zwischen ihrer Freundin und dem langen Chiel Verstraten denn wahr sein könne... Sie wußten es längst: Die Welt war schlecht! Aber wie ein Mann an so einer Vogelscheuche wie der Leepoog mit ihren Plieraugen Gefallen finden konnte – du liebe Zeit!

„Nun seht bloß, was die für ein reines Gewissen haben!" höhnte Nol. „Sollte man sie nicht aufknüpfen, diese verflixten Heuchelhexen?" Und zu den Schiffern gewandt sagte er befriedigt: „Erzählt nur überall, wie gut wir's mit unserm Pfarrer getroffen haben. Und wer Schlechtes von ihm unter die Leute bringt, der lügt das Blaue vom Himmel herunter!"

Er schnipste mit den Fingernägeln und schaute streitlustig auf den Platz, wo soeben die hechelnden Weiblein gestanden hatten, als wollte er sie zum Widerspruch herausfordern. Lachend zogen die Schiffer mit ihren Frauen in Richtung Kai davon, zufrieden über ihren Einkauf und das aufregende Erlebnis eines kleinen Dorfkrachs.

Voller Genugtuung überblickte Nol Damme das Schlachtfeld, auf dem er unbestrittener Meister geblieben war. In sich hineinkichernd stopfte er seine kurze Tonpfeife und steckte sie in Brand.

Merijntje war auf ihn zugekommen und schmunzelte.

„Da blieb ihnen die Spucke weg, Nol", sagte er anerkennend.

Der Kaufmann paffte eine schwere Rauchwolke aus und sagte rachsüchtig:

„Die waren platt, was? Ich werd ihnen schon was beibringen, den Dicktuern! Wenn's nach denen ginge, würden sie Ramakers aus dem Dorf vergraulen, dann könnten sie bei dem nächsten vielleicht wieder ihr leckeres Süppchen kochen und den Zuträger spielen – Murrköpfe, verfluchte!"

„Was reden sie denn alles?"

„Ach, weiß Gott . . . die lügen ja, daß sich die Balken biegen! Der Pfarrer ist viel zu gut für sie. Er hätte ihnen längst die Lästermäuler stopfen müssen!"

„Dafür steht er zu hoch. Er will doch nie etwas gehört haben."

„Ich würd ihnen schon das Fell gerben", drohte Nol grimmig. „Wenn's noch lange so weitergeht, pack ich die Sache anders an. Und das schönste ist, daß der Schulvorsteher in letzter Zeit auch wieder mit ihnen unter einer Decke steckt. Sie haben ihn doch wahrhaftig so weit gekriegt, daß er ihnen einen Brief an den Bischof aufsetzen will. Aber dieser Kerl ist ja auch nicht mehr wert als die ganze stinkende Bande zusammen . . . Ja, Frau, ich komm ja schon! Wiedersehen, Merijntje!"

Seine Frau hatte ihn gerufen, und er trabte eilig in den Laden hinein.

Merijntje blieb nachdenklich stehen . . . Das war das Neueste! Sie wollten einen Brief an den Bischof schreiben! Und was sollte wohl in diesem Brief stehen? Daß der Herr Pfarrer ohne Soutane, mit einer Ärmelweste durch den Garten ging und Holz hackte? Daß er Fleerefluiter ins Haus genommen hatte? Daß er seinen Gemeindegliedern nicht erlaubte, einer wehrlosen Frau mit Steinen den Schädel einzuwerfen? Daß er sich nichts aus der frommen Heuchelei von Muckern und Pharisäern machte?

Das konnte ein schöner Brief werden, und Monseigneur, der Bischof, würde einen vergnügten Abend damit haben! Plötzlich mußte Merijntje mitten auf der Straße laut auflachen. Schnell lief er zum Pfarrhof, um mit der frisch geschärften Axt seine Heiterkeit an der armen umgestürzten Buche auszulassen.

2

Merijntje und Nele saßen zusammen in der Küche und machten ihre Kaffeepause. Der Pfarrer blieb bis zum späten Abend bei seinem Freund. Nele blickte schweigend vor sich hin und nahm ohne Appetit hin und wieder einen Happen von ihrem Butterbrot und trank zum Hinunterspülen einen Schluck Kaffee hinterher. Merijntje fiel auf, wie bedrückt und traurig sie war. Sie verkraftete das immer schamloser werdende Geraune nicht so leicht wie der Pfarrer. Merijntje hatte ihr eigentlich von Nol Dammes Auseinandersetzung mit der Dreieinigkeit der berüchtigtsten Bet- und Klatschweiber erzählen wollen und auch von dem verrückten Plan, einen Brief an den Bischof zu schreiben. Doch als er nun ihr sorgenvolles Gesicht sah, fand er nicht mehr den Mut dazu. Vielleicht war es doch nicht so harmlos und lächerlich, wie er es sich vorstellte ... Und gewiß würde Nele, die die Redereien seit jeher so schwer nahm, die Fassung dadurch völlig verlieren.

Nele drehte ein Brotkrümchen zwischen den Fingern, und ihr Blick hing starr an einem bestimmten Punkt des Herdes. Um sie abzulenken, fragte der Junge:

„Hast du was, Nele?"

Sie schrak zusammen und sah ihn abwesend an.

„Was ist?" fragte sie.

„Du guckst ja Löcher in die Luft!" lachte Merijntje.

Das altbewährte Scherzchen, mit dem verträumt vor sich hinstarrende Menschen immer wieder geneckt werden, konnte ihr kein Lachen entlocken. Sie seufzte und sagte zerstreut:

„Ich dachte gerade an was."

„Das hab ich gemerkt!" knurrte Merijntje unzufrieden. „Aber es lohnt sich doch nicht. Du bist wirklich dumm, Nele. Was kann es dir schon ausmachen, ob die Leute reden oder nicht? Laß sie doch!"

„Es ist ja nicht meinetwegen, Merijntje", erwiderte Nele leise. „Mir käm's nicht drauf an. Aber es geht gegen den Herrn Pfarrer. Und von dem Klatsch, sei er auch noch so dumm und sinnlos, bleibt immer etwas hängen."

„Bei diesen Schuften, ja", sagte der Junge böse. „Aber die ehrlichen Menschen stehen auf der Seite des Pfarrers – es gibt ja nicht nur Lumpen hier im Dorf."

Nele seufzte wieder und schüttelte bekümmert den Kopf.

„Du weißt ja gar nicht, wieviel Unglück aus solchen Redereien entstehen kann – dazu bist du noch zu jung. Ich habe lieber einen Schlag ins Gesicht als Klatsch hinter dem Rücken."

„Du nimmst dir alles viel zu sehr zu Herzen. Sei doch nicht so dumm – was können sie denn erzählen?"

„Das ist es ja ... Wenn ich das nur wüßte! Mir erzählen sie's ja nicht. Aber weißt du es nicht?"

„Ach, irgend so einen Quatsch über seinen Morgenrock und so ... und über die Sache mit Marjan Bedaf – alles abgeschmacktes Zeug!"

„Und was noch?"

„Mehr hab ich nicht gehört."

Plötzlich fielen ihm einige Anspielungen ein, deren Sinn ihm nie aufgegangen war. Auch Nelleke hatte ja manchmal so seltsame Andeutungen gemacht. Was konnte das nur sein? Er schaute Nele an und fing ihren forschenden Blick auf.

Wußte sie etwas davon? Gab es etwas, wovor sie sich besonders fürchtete?

„Weißt du was", sagte er. „ich werde mich einmal umhören. Vielleicht erfahre ich etwas, und dann erzähle ich dir alles."

Nele nickte gedankenverloren. Der gequälte Ausdruck wich nicht von ihrem Gesicht. Merijntje war gerührt. Am liebsten hätte er den Arm um ihre Schulter gelegt und sie getröstet. Sie war ein so lieber Mensch, lauter Güte und Sanftmut. Daß ausgerechnet sie soviel Verdruß haben mußte durch das verfluchte Geklatsche!

„Ich könnte ja auch noch mal zu Frau Bluut gehen", überlegte sie, „das ist so eine gute Frau, die geht für den Herrn Pfarrer durchs Feuer. Vielleicht weiß die etwas ..."

„Das tu nur!" riet Merijntje. „Dann bist du wenigstens beruhigt ... Bekomme ich noch eine Schale Kaffee?"

Er ließ sich doch durch das Altweibergewäsch nicht den Appetit verderben!

Es war schon zu dunkel, um noch draußen zu arbeiten. Nele räumte den Tisch ab. Er holte sich ein Buch, das Pfarrer Ramakers ihm gegeben hatte. „Klein Dorrit" hieß es und war von einem englischen Schriftsteller, den der Pfarrer einen der größten Erzähler der Welt nannte. Er setzte sich an den Küchentisch, die Hände unter dem Kinn, die Finger in den Ohren. So ein Buch nahm einen ganz und gar gefangen. Nach einer Weile hatte man das Gefühl, als kenne man all diese fremden Menschen persönlich; man spürte den Druck, der auf ihnen lastete, man sah die arme kleine Dorrit auf der Treppe sitzen und hörte die verschiedenen Stimmen der einzelnen Gestalten. Man sah, wie sie sich in ihren altmodischen Kleidern bewegten. Es mußte herrlich sein, so ein Buch schreiben zu können – aber wahrscheinlich sehr schwer. Dazu mußte man gelehrt sein und viel von der Welt und den Menschen wissen.

Einmal hatte er einen Mann gekannt, der auch Bücher schrieb: Mijnheer Walter, dessen Frau er sein „Liebfrauchen" genannt hatte. Mijnheer Walter sagte, Bücher seien Träume Gottes ... und daß man auserwählt sein müsse, um sie schreiben zu können. Dieser Charles Dickens war bestimmt ein Auserwählter. Ganz gebannt erlebte man alles gemeinsam mit seinen Personen, und manchmal konnte man nicht weiter, weil sich die Augen plötzlich mit Tränen gefüllt hatten, genau wie über das Unglück und die Trauer von Menschen, die man gut kannte und sehr liebte.

Und doch sagte der Pfarrer, daß ein Schriftsteller meistens nur von Menschen erzähle, die er sich selber ausgedacht hatte. Wenn man so etwas konnte, mußte man wohl ein sehr glücklicher Mensch sein ...

Er war zu Ende mit dem Buch, und es tat ihm leid. Schade, daß er es nicht noch vor sich hatte! Ausgedachte Menschen? Wie kam es dann aber, daß man so fest an ihr Dasein glaubte? Das Buch war doch schon vor vielen Jahren geschrieben. Auch wenn die Menschen gelebt hätten, wären sie jetzt längst tot. Und doch waren sie in diesem Buch lebendig geblieben ... Man sah sie, fühlte sie leben.

Es war doch wirklich recht geheimnisvoll, beinah grausig. Man hatte das Empfinden, ihnen jeden Augenblick begegnen zu können ... Das war natürlich Unsinn. Aber rätselhaft blieb es doch, wenn man darüber nachdachte. Er mußte den Pfarrer einmal danach fragen, der konnte so herrlich über Bücher sprechen, genau als ob es selber auch lebendige Wesen wären. Er wollte ihm einmal von Mijnheer Walter erzählen. Vielleicht kannte er den ... Was für Bücher mochte Mijnheer Walter geschrieben haben?

Verrückt, daß er nie wieder etwas von ihm gehört hatte, niemals darüber nachgedacht hatte, ob er vielleicht einmal ein Buch von Mijnheer Walter lesen könne ...

Er brachte den Roman ins Zimmer des Pfarrers zurück, zog sich den Mantel an und sagte Nele Bescheid, daß er fortgehe.

„Falls du eher kommst als ich – der Schlüssel liegt im Mauseloch . . . Du weißt schon."

„Ist gut. Auf Wiedersehen, Nele, bis nachher."

„Auf Wiedersehen, Merijntje!"

Wie müde ihre Stimme klang! Wie konnte sie sich die dumme Rederei nur so zu Herzen nehmen. Frauen ließen sich doch sehr schnell aus der Fassung bringen. Männer lachten über so etwas, wollten nichts damit zu tun haben, blieben unbeeindruckt. Oder sie gingen dem Ursprung nach, verpaßten dem Lügenbold eine saubere Abreibung – und ausgestanden war die ganze Angelegenheit. Nur Frauen walzten es bis ins Unendliche aus, wurden unsicher und mutlos und kamen davon nicht mehr los. Lächerlich . . . Schade um Nele! Saß sie denn nicht sicher in der Pfarrei, beschützt vom mächtigsten Mann des Dorfes? Warum mußte sie sich nur solche Sorgen machen?

Aber heute abend würde er erfahren, worum es ging, und dann würde gewiß auch Nele einsehen, daß es töricht war, sich über diesen Unsinn den Kopf zu zerbrechen.

Er ging ein Stück den Deich hinauf. Das Buch steckte ihm noch im Kopf, und er hatte keine Lust, sich jetzt schon in die Wirtschaft zu setzen. Der Abend war dunkel und kalt. Aus Nordwesten wehte ein rauher Wind – vom Himmel war nichts zu sehen. Ab und zu fiel dem Jungen ein eiskalter Tropfen aufs Gesicht. Ein hohles Rauschen fuhr durch die laublosen Wipfel über seinem Kopf. Am Deich entlang und auf dem Weg in die Felder leuchtete vereinzelt ein Fenster in der schwarzen Nacht. Der Wind wurde immer heftiger, blies ihm ins Gesicht, so daß seine Augen tränten. Die heimliche Unruhe über die Verleumdungen vertrieb allmählich die Erinnerung an das Buch.

Merijntje drehte um. Den Wind im Rücken, schritt er zum Dorf zurück. Wenn das so weiterging, würde es heute nacht einen ganz schönen Sturm geben!

Kurze Böen heulten durch die kahlen Baumkronen, und die Zweige peitschten gegeneinander. Der Junge ließ sich durch den drängenden Wind zu größerer Eile antreiben.

Plötzlich beschlich ihn das wunderliche Gefühl, daß er von irgend etwas gejagt werde, daß er laufen müsse, um rasch im Dorf zu sein, weil er sonst etwas versäume, was sehr wichtig war. Im stillen mußte er darüber lachen. Es war doch nichts weiter als der Wind in seinem Rücken, und der brauste ebenso wild gegen alles andere an wie gegen ihn. Das war auch so ein alter Aberglaube, über den Flierefluiter gegrinst hätte: die törichte Wahnvorstellung von unbedeutenden Geschöpfen, daß sich geheimnisvolle übernatürliche Mächte eifrig um ihr kleines persönliches Schicksal bemühten.

Vielleicht war es auch nur die heimliche Angst vor dem Alleinsein im Dunkeln, diese elende Angst, die ihm schon als Kind die
abenteuerlichsten Bilder vorgegaukelt hatte und von der er sich
noch immer nicht ganz frei wußte. Vielleicht aber war es auch nur
das Verlangen nach der Gemütlichkeit eines gut geheizten und erleuchteten Zimmers oder der Drang, endlich zu erfahren, welchen
Topf die Lästerzungen für den Pfarrer eigentlich auf dem Feuer
stehen hatten ... Nichts und niemand trieb ihn zu größerer Eile
an, aber wenn man solche Gedanken erst einmal aufkommen ließ,
hatte man das Gefühl, irgend jemand sitze einem auf den Fersen.
Seltsam war das.

Das Dorf war nicht mehr weit. Man sah es schon in der Krümmung des Deiches liegen. Hier und da ein rötlicher Schein, der
durch die Löcher der Fensterläden drang. So hell und deutlich
war das Bild des Dorfes vor sein inneres Auge gemalt, daß er die
Umrisse der Häuser und die Silhouette des Kirchturms im Dunkel
der Nacht meinte unterscheiden zu können, selbst die schwarzen,
brüchigen, frisch geteerten Bretterschuppen, den schmalen Wasser-
gang und den sich lustig schlängelnden Lauf des Kreekflusses mit
seinem raschelnden Schilf- und Binsensaum glaubte er zu erkennen – und zwischen den Häusern hin und wieder das zuckende
Flämmchen einer Straßenlaterne mit ihrem schwankenden Petro-
leumlicht ...

Bei Bauer Koenraads ging jemand mit einer Stallaterne über
den Hof. Der Schein tanzte wie ein Irrlicht. Irrlichter seien ruhelos umherschweifende Seelen von Abgeschiedenen, hatte man ihm
als Kind weisgemacht ... Er wußte längst, daß auch das dummer
Aberglaube war, und trotzdem schauderte er vor unbestimmter
Angst. Eigentlich war der Mensch doch ein wunderliches und
schwaches Wesen!

In der Wirtschaft von Birres saßen vier Männer beim Karten-
spiel. Der Wirt stand dabei und sah zu; mit einer mechanischen
Bewegung strich er sich über seinen dichten Bart.

„Guten Abend zusammen!"

Die Kartenspieler blickten kurz auf, grüßten flüchtig und spielten leidenschaftlich weiter.

„Gib mir ein Glas altes Braunbier, Birres!"

Er setzte sich an den runden Tisch in der Mitte unter die große
Petroleumlampe und schaute auf das schäumende Bier, das gluk-
kernd aus der Kruke in das Glas floß. Behaglich war es hier.
Der Ofen glühte, und im Schornstein heulte der Wind. Merijntje
knöpfte den Mantel auf, lehnte sich auf seinem Stuhl zurück und
streckte die Beine unter den Tisch. Er hob Birres, der sich zu ihm
setzte, das Glas entgegen und trank einen herzhaften Schluck.

„Santé!" wünschte der Wirt.

„Verdammt kalt draußen", sagte Merijntje, den Schaum von den Lippen leckend.

„Es gibt Sturm", prophezeite Birres, „und Schnee auch ... das spür ich in meinem Rücken."

„Gut möglich", nickte Merijntje, „wollen wir eine Partie Billard spielen?"

„Von mir aus", grinste Birres, seines Sieges sicher. „Dann trink ich gleich einen Klaren auf die Partie."

„Und ich nehme zwei Zigarren darauf – für jeden von uns eine. Dann werden wir sehen, wer den doppelten Schaden zu bezahlen hat."

„Na, dann los", schmunzelte der Wirt, „halt das Portemonnaie nur bereit!"

Gegen Birres, der alle Tücken seines abgenutzten Billards kannte und sie beim Punktesammeln zu nutzen wußte, hatte Merijntje nicht die geringsten Aussichten. Obendrein war der Junge ungewöhnlich fahrig.

Die Kartenspieler hatten ihre Runde beendet und redeten halblaut miteinander. Manchmal dämpften sie die Stimmen zum Flüsterton, und dann wurde kurz darauf unterdrückt gelacht, oder einer stieß Laute des Staunens aus. Erst meinte Merijntje, sie erzählten sich gepfefferte Witze, doch nun hatte er schon ein paarmal den Namen des Pfarrers gehört. Einer der Spieler war ein Fremder, ein Schiffer, der wurde gewiß gerade über die Spannung aufgeklärt, in der das Dorf lebte.

Allmählich wurde der Junge wütend. Stoß um Stoß mißlang, weil seine Hand zitterte und seine Gedanken nicht mehr beim Spiel waren. Er spitzte die Ohren, um ab und an ein Wort von der Unterhaltung der anderen aufzufangen. Als die Männer abermals anzüglich grinsten und der Schiffer sich kräftig auf den Schenkel schlug, drehte Merijntje sich zu der Gruppe um und rief:

„Sprecht doch ein bißchen lauter, damit wir auch was zu lachen haben!"

Die vier am Tisch schauten ihn an. Einer sagte spöttisch:

„Dir werden wir da nicht viel Neues erzählen können, Bürschlein."

Es war de Fijne, jener Kampfhahn, den Pfarrer Ramakers auf der Kirmes mit den Fäusten zur Vernunft gebracht hatte. Neben ihm saß Kees Leepoog, von Nol Damme Jämmerling genannt, ein Lümmel mit abgekautem Hängeschnurrbart, runden, vorquellenden Augen und großen vorspringenden Schneidezähnen, die ihn einem müden, abgerackerten Gaul ähnlich machten. Der dritte war Woutje Luyks, ein heimlicher Wilderer und Hühnerdieb, der keine Messe und keine Andacht versäumte, dem es aber trotzdem nicht gelungen war, sich bei seinem Seelsorger beliebt zu machen ... Eine saubere Gesellschaft! Wenn die anfingen, blieb bestimmt kein gutes Haar am Pfarrer. Und dann zu einem fremden Schiffer, der die Geschichte, hübsch ausgeschmückt, weitererzählen würde! Merijntjes Herz schlug schneller vor Empörung.

Birres sah, daß er rot wurde, und sagte beschwichtigend: „Laß sie doch klatschen, Junge!"

Doch Merijntje ging langsam auf den Tisch zu, das Queue locker in der Hand. Jetzt sollte de Fijne ihm sagen, was er da erzählt hatte, und wenn er es mit dem dicken Ende des Stockes aus ihm herausprügeln mußte.

„Wie meinst du das, de Fijne?" fragte er ruhig.

Der andere sah ihn mit seinen listigen Mäuseaugen spöttisch an, zog an seinem Zigarrenstummel und erwiderte gedehnt:

„Na ja ... du hast doch im Sommer in der Pfarrei gewohnt, und jetzt bist du auch schon wieder eine ganze Zeit da ... Du wirst mehr gesehen haben als wir alle miteinander."

Gut so! dachte Merijntje. Angefangen hast du, jetzt lasse ich nicht mehr locker!

Er schob einen Stuhl heran und setzte sich rittlings darauf, die Hände auf der Lehne, das Queue an die Schulter gelehnt. Doch Birres nahm es ihm scheinbar absichtslos weg und stellte es sorgfältig in den Ständer. Er witterte Unheil, und ein Billardqueue war ein gefährliches Ding in der Hand eines Hitzkopfes. Mit mürrischem Gesicht setzte er sich ebenfalls an den Tisch, bereit einzugreifen, wenn es nötig wurde.

Merijntje grinste ein wenig. Dann fragte er gelassen:

„Und was soll ich da so Außergewöhnliches gesehen haben?"

„Das weißt du besser als ich."

„Ich weiß gar nichts, aber ich möcht's gern wissen."

„Na, na", fiel Leepoog mit einer dünnen, heiseren Stimme ein, „tu bloß nicht so – du hast doch auch Augen im Kopf."

„Und verdammt gute!" erwiderte Merijntje.

„Sie haben Ohren und hören nicht, sie haben Augen und sehen nicht", zitierte Woutje feierlich.

„Aber sie haben eine Schnauze, und damit reden sie viel zuviel", erboste sich Merijntje. Kampflustig blickte er von einem zum anderen und fuhr fort: „Da sitzen sie nun, diese drei Helden ... und keiner wagt laut zu sagen, was sie hinter der Hand murmeln. Los, heraus damit, Himmelkreuzdonnerwetter!"

De Fijne schob sein scharf geschnittenes Gesicht vor und sagte bissig:

„Ich möchte wirklich wissen, was du dich da reinhängst. Du bist doch nicht gefragt worden!"

„Nein, aber ich frage euch etwas – und ihr sollt mir auch Rede und Antwort stehen!"

„Ach, Mann, geh zu deinem Pfarrer!"

„Ich geh auch zu meinem Pfarrer ... zu eurem Pfarrer, genaugenommen. Aber erst sollt ihr mir erzählen, was ihr über ihn redet, sonst pack ich dich am Kragen, de Fijne, und nehm dich mit zu ihm. Dort wirst du wohl mit der Sprache rausrücken müssen."

Ein Schreck durchfuhr den mageren Kerl, und er warf einen scheulauernden Blick nach dem frechen Bengel, der ihn da so gelassen bedrohte. Die Erinnerung an den eisernen Griff von Pfarrer Ramakers' Faust in seinem Nacken erfüllte ihn noch immer mit Furcht und Respekt. Er überlegte auch, daß Merijntje, dieser robuste Kerl, vielleicht wirklich imstande wäre, ihn mitzuschleppen. Doch all diese nüchternen Betrachtungen vermochten es nicht, seine einmal angestachelte Wut und Kampflust in Schranken zu halten. Das erging ihm immer so, und daher kam es, daß er bei Streit und vor allem bei festlichen Gelegenheiten, wenn er sich Mut angetrunken hatte, jedesmal von dem einen oder anderen gründlich verprügelt wurde.

Birres spürte, daß die Sache brenzlig wurde. Ärgerlich brummte er: „Seid doch nicht so kindisch! Große Kerls, und streiten über dummes Weibergeklön!"

„Was heißt Weibergeklön?" ereiferte sich de Fijne. „Was wahr ist, ist wahr. Und lange wird's kein Geheimnis mehr bleiben. Die Spatzen pfeifen es ja schon von den Dächern. Wartet nur ab, bis der Brief an den Bischof erst weg ist, dann werden wir noch was Schönes erleben. Verlaßt euch drauf!"

Merijntje spürte, wie sich der Bursche in seiner Wut zu immer deutlicheren Erklärungen hinreißen ließ: jetzt würde er schon alles aus ihm herauslocken.

„Na, na", reizte er ihn weiter, „das wird ja ein kurioser Brief werden! Der Herr Pfarrer trägt zu Hause keine Soutane, sondern einen geblümten Morgenrock und eine rote Mütze – gar noch mit einer Quaste dran! Und der Herr Pfarrer läuft in kurzen Hosen über den Hof, in Hemdsärmeln oder mit einer Bauernweste. Der Herr Pfarrer donnert ein paar besoffene Schlägerkreaturen, die nicht aufhören wollen, sich zu prügeln, mit den Köpfen aneinander, daß es kracht ... Der Herr Pfarrer bringt eine Bande Schurken zur Vernunft, die mit Steinen nach einer Frau werfen ... So etwas Unchristliches, und noch dazu von einem Pfarrer! Das ist schlimm, wirklich schlimm. Da wird der Bischof aber Augen machen! Jungejunge!"

„Vielleicht steht dann auch noch drin, daß er mit diesem Weibsstück was gehabt hat", stichelte der andere. „Weshalb hätte er ihr sonst dazu verholfen, Hals über Kopf nach Antwerpen zu fahren? Und Briefe schreibt sie ihm auch noch!"

Merijntje lachte schallend. Für ihn, der alles wußte, war das so unsagbar lächerlich. Und der Postbote gehörte also auch zu den Klatschbasen!

„Das sind wirklich schlagende Beweise", sagte er spottend.

„Monseigneur wird so einen Pfarrer sofort wegjagen, wenn er das liest ... Und dann gehört noch in den Brief, daß er Flierefluiter ins Haus genommen hat ... Und daß er im Sommer bei der Schleuse im Strom schwimmt. Das ist auch eine Todsünde."

„Ja, aber die wichtigste hast du ausgelassen."

De Fijnes Mäusegesicht wurde immer spitzer.

„Das tut mir wirklich leid", erklärte Merijntje, „vielleicht liegt es daran, daß ich sie nicht kenne."

„Du kennst sie besser als jeder andere."

„Dann hab ich sicher ein schlechtes Gedächtnis. Vielleicht hilfst du mir ein bißchen auf die Sprünge?"

Woutje Luyks stieß de Fijne warnend an, doch es war bereits zu spät. Mit überschlagender Stimme schrie er es heraus:

„Daß er's mit seiner Haushälterin treibt – das verschweigst du!"

Merijntje erstarrte. Er schloß die Augen und wurde blaß bis in die Lippen. Nach einer Weile stammelte er fast unhörbar:

„Mit Nele?"

„Natürlich mit Nele!" rief de Fijne triumphierend. „Da! Seht ihn euch doch an, wie er zusammenfährt – der weiß ganz genau, was los ist!"

„Ihr seid ja wahnsinnig!" stotterte Merijntje.

„Dafür gibt's Zeugen, Mann – mehr als einen."

An allen Gliedern zitternd sprang der Junge auf, die Hände krampfhaft um die Stuhllehne gepreßt. Die Augen funkelten in dem gespensterhaft bleichen Gesicht, und schwer rang er die Worte aus der trockenen Kehle: „Dem, der das aufgebracht hat, müßte man die Zunge aus dem stinkenden Hals schneiden!"

„Und die Sache geht an den Bischof!" schrie de Fijne, sprang ebenfalls auf und trat, wie ein Verrückter mit den Armen fuchtelnd, vor Merijntje hin.

Mit einer langsamen Bewegung hob der Junge die Hand und gab ihm einen Schlag ins Gesicht. De Fijne fluchte und griff nach dem Bierglas. Doch er erreichte es nicht mehr. Denn blitzschnell sauste Merijntjes Faust gegen den spitzen Kiefer des anderen. Es klang trocken, wie der Schlag eines Hammers auf ein Stück Holz. De Fijne wankte, verdrehte die Augen und sackte zusammen. Bleich und bewegungslos lag er da. Die Männer waren zur Seite gesprungen und schauten schweigend und erschrocken auf den Niedergeschlagenen.

Birres kniete neben ihm hin und hob den Körper ein wenig an, der Kopf sank schlaff zur Seite. Mit dunkel drohender Stimme fluchte er: „Verdammter Strolch, wenn du ihn totgeschlagen hast!"

„Das ist mir auch egal", sagte Merijntje gelassen. Dann knöpfte er sich den Mantel zu, zog die Mütze tiefer ins Gesicht und ging zur Tür.

Keiner hielt ihn auf.

3

Merijntje kauerte in der Tiefe des Waldes. Er hatte die Arme um
die hochgezogenen Knie gelegt, auf denen sein Kinn ruhte. Dichtes
Unterholz und eine kleine Erderhöhung hinter ihm schützten ihn
vor dem schneidenden Wind, der die großen, grauen Wolken immer dichter zusammenjagte. Merijntje fühlte sich wie ein gehetztes
Tier, das sich verborgen hält. Verkriechen wollte er sich, keinem
Menschen begegnen, von niemand gesehen werden. Ein unüberwindlicher Abscheu hatte ihn in die Einsamkeit getrieben. Schon
drei Tage war es her, seit er aus dem Dorf geflohen war und nun
in fassungslosem Entsetzen umherirrte.

Er hatte Hunger und Kälte gelitten, und erst als er gar nicht
mehr konnte, war er in ein Dorf gegangen, um dort zu essen und
zu schlafen. Doch kaum war sein Hunger gestillt, sein erschöpfter
Körper halbwegs ausgeruht, als er auch schon wieder weiterzog.
Panik trieb ihn vorwärts.

Es war nicht die Angst vor den Folgen des Schlages, den er de
Fijne versetzt hatte. Er wußte sehr gut, daß er diesen Faselhans
nicht totgeschlagen hatte. Der war bestimmt nach wenigen Minuten wieder zu sich gekommen. Merijntje war deshalb auch ganz
ruhig weggegangen und hatte nur dauernd überlegt, was zu tun
sei, um diesen gemeinen Verleumdungen ein Ende zu machen,
Vielleicht sollte er mit dem Pfarrer darüber sprechen oder mit
dem Bürgermeister und den veranlassen, einzugreifen. Dieser Brief
an den Bischof durfte nicht geschrieben werden – das wäre eine
Schande für das ganze Dorf ...

So war er denn spät am gleichen Abend nach dem erschütternden Wirtshauserlebnis auf den Pfarrhof zurückgekehrt.

Als Merijntje durch die Hintertür ins Haus kam, hörte er im Zimmer des Pfarrers Stimme. Die Tür war offen, und während er darauf zuging, sah er im Spiegel an der Seitenwand, was drinnen geschah. Er hielt den Atem an.

Mitten im Zimmer stand der Pfarrer, anscheinend eben erst nach Hause gekommen, den Hut noch auf dem Kopf. Er hatte einen Arm um Neles Schulter gelegt und klopfte ihr mit der großen Hand begütigend auf den Rücken, der von Schluchzen geschüttelt wurde. Merijntje hörte ihre bebende, erstickte Stimme.

„Sie wollen an den Bischof schreiben..."

Pfarrer Ramakers' Gesicht war angsterregend in seinem Ausdruck drohenden Zorns. Die harten Augen unter den dichten Brauen flackerten, und zähneknirschend stieß er hervor:

„Diese Flegel! Die Köpfe sollte man ihnen einschlagen!"

Da klammerte sich Nele an ihn und jammerte:

„Was soll nur daraus werden, Geert, was soll nur daraus werden?"

In ihrer Stimme klang so entsetzliche Furcht, daß es Merijntje eiskalt überlief. Der Pfarrer legte seinen Arm fester um ihre Schulter, drückte sie an sich und blickte auf sie nieder. Sein hartes Gesicht veränderte sich: Die Augen bekamen einen sanften Ausdruck, auf seine verkniffenen Lippen trat ein Lächeln, und seine Stimme wurde liebevoll, als spräche er einem verängstigten Kind Mut zu:

„Aber, Nele, wer wird denn gleich den Kopf verlieren!"

Da hatte sich Merijntje auf Zehenspitzen davongeschlichen und war in seine Schlafkammer hinaufgelaufen. Undeutlich hörte er die Stimmen von unten. Er hatte sein Bündel gepackt, einen kurzen, zusammenhanglosen Brief an den Pfarrer geschrieben, sich bei ihm bedankt und gesagt, er könne nicht länger bleiben, er müsse fort. Und als viel später in der Nacht im Haus alles still war, hatte er sein Bündel genommen und war wie ein Dieb davongeschlichen, aus der Pfarrei, aus dem Dorf, quer durch die Polder hinaus in die kalte Nacht mit dem ungewissen Schein des Mondes hinter den jagenden Wolken.

Er fühlte sich schwindlig und elend. Seine Knie zitterten, und wankend wie ein Betrunkener taumelte er über die Straße. Ohne es zu wissen, redete er halblaut vor sich hin. Ein Ekel gegen die ganze Welt und das Leben würgte ihm in der schmerzenden Kehle. Der Widerwille, der ihn nach Teeuws Bericht über Marjan und nach Nellekes Bekenntnissen so sehr gequält hatte, derselbe Widerwille, aber unendlich viel stärker, machte ihm das Atmen schwer. Entsetzen lastete auf seinen verwirrten Gedanken. Er wollte es nicht glauben, trotz allem. Nichts wollte er davon glauben. Es konnte, durfte nicht wahr sein! Alles war Verleumdung böswilliger Intriganten. Nele war lieb und gut, sanft und ohne Schuld. Der Pfarrer war ein großer Mann, ein gewaltiger Polterer, ein handfester Sittenlehrer, aber gerecht; und es waren die Scheinfrommen, die heimlichen Sünder, die gemeinschaftliche Sache machten, ihn zu Fall zu bringen. Leugnen mußte er, was seine Augen gesehen, seine Ohren gehört hatten. Nichts hatte er gehört, nichts gesehen ...

Das Bild von Pfarrer Ramakers und Nele mußte unangetastet bleiben. Sie waren nicht schuldig. Es war unmöglich! Damit wäre alles zusammengestürzt, woran er sich gehalten hatte. Er hatte in der letzten Zeit so viel verloren: Flierefluiter, Marjan ... so viel Vertrauen war zerbrochen, zerstört. War er nicht schon einsam genug? Sollte ihm jetzt auch noch das Letzte genommen werden? Dann wäre die Welt ganz leer und unerträglich häßlich. Dann würden die Schmutzfinken recht behalten, und alles wäre egal. Dann konnte man leben wie ein Hund ... Er mußte das verjagen, aus seinem Geist verbannen, es konnte nichts anderes gewesen sein als ein böser Traum – so stark konnte das Tier nicht sein!

Aber das Bild im Spiegel war in sein Gedächtnis eingebrannt, entmutigend deutlich, entsetzlich klar ... Nele an der Brust des Pfarrers, sein Arm um ihre Schultern, sein Gesicht mit dem Ausdruck unendlicher Liebe zu ihr niedergebeugt. Und in Merijntjes Ohren klang ihre verzweifelte Stimme, mit der sie ihn bei seinem Namen gerufen hatte ... Geert hatte sie ihn genannt. Eine Haushälterin, die den Pfarrer mit dem Vornamen anredete! Ihn schauderte bei dem Gedanken, daß ein anderer es gehört haben könnte – spionierende Ohren und Augen, die durch einen Spalt in den Gardinen belauerten, was im Pfarrhaus geschah ... Dann hatten sie Beweise genug! „Es gibt Zeugen", hatte de Fijne triumphierend gerufen, „mehr als einen ..." Sie hatten geschnüffelt. Er selbst hatte ein paar spähenden Weibern ein Stück Holz an den Kopf geworfen, als sie durch ein Loch in der Hecke schielten.

Eine würgende Angst trieb ihn zu immer größerer Eile an. Pfarrer Ramakers und Nele waren verloren. Es ging ein Brief an den Bischof, und die Zeugen standen bereit. Es war nichts mehr zu ändern. Deshalb floh er – nur fort vom Pfarrhof, fort aus dem Dorf! Die Luft war schwer von Bosheit, drückend schwül von Vorahnungen eines unabwendbar heraufziehenden Unwetters. Das Schicksal kam mit jeder Stunde näher und würde vernichtend gerade über die Menschen hereinbrechen, die er mit einer so großen, ehrfürchtigen Verehrung liebte. Nein, es war nicht mehr aufzuhalten. Sie hatten es selbst auf sich herabgerufen. Er mußte fort, die Flucht ergreifen. Keinen Augenblick durfte er säumen, Entsetzen und Angst erstickten ihn. Der Pfarrer und Nele würden von dieser Bande von Verleumdern und Heuchlern zuschanden gemacht werden, davongejagt, vielleicht mit Steinen und Schmutz beworfen – Pfarrer Ramakers, der in Merijntjes bewundernden Augen so groß und sicher dagestanden hatte! Die ehrlosen Flüsterer würden recht behalten, über den mächtigen Mann triumphieren, der wie ein gewaltiger Sturmwind über diese Duckmäuser dahingefegt war. Als verachteter Büßer würde er gebeugten Hauptes verschwinden müssen, vom Thron gestoßen, Spießruten laufen durch das gnadenlose, dumme Volk, das vor seinem gerechten Zorn gezittert hatte. Und unter allen Sündern würde er der ärgste sein; keiner würde ihm den rachsüchtigen Spott ersparen.

Er sah das verächtlich schmähende Gesicht seiner Großmutter, die den Fall des Pfarrers vorhergesagt hatte. Er haßte das schmächtige alte Weiblein, als ob allein sie die Ursache alles Bösen wäre. Er haßte sie so tief und ingrimmig, daß ihm das Herz davon schmerzte. Und so haßte er das ganze Dorf, verzweifelt und zerstörungswütig haßte er es, denn er liebte nur zwei Menschen darin: den Pfarrer und Nele. Sie waren für ihn das Höchste, und das Dorf hätte er verbrennen und ausrotten mögen, um sie vor dem Schicksal zu bewahren, das ihnen drohte. Denn wären sie auch schwarz wie Pech vor Sünde – die an ihrem Untergang arbeiteten und über ihre schmähliche Niederlage lachen und sich freuen würden, waren noch viel schwärzer ... kriechendes und schleichendes Geziefer, nicht wert, unter den Füßen zertreten zu werden.

Fort mußte er, weit fort, um nichts mehr zu hören, nichts mehr zu sehen von dem Schrecklichen, das dort geschehen sollte ... Er wußte nicht, wohin er ging, ziellos folgte er den Biegungen der Wege, wich den Dörfern aus. Erst gegen Abend des nächsten Tages hatte er in einem kleinen Ort Nachtquartier gesucht. Er war völlig erschöpft gewesen, seine Füße trugen ihn nicht mehr, und seine Zähne klapperten. Das Essen verursachte ihm Übelkeit, und die Geräusche der Schankstube, die Stimmen der redenden und lachenden Menschen, das Klappern der Billardkugeln dröhnten in seinen Ohren wie brausender Lärm. Er hatte Kopfschmerzen, und alle Glieder taten ihm weh.

Er war gleich in seine Kammer gegangen und in das schmale Bett gekrochen. Fröstelnd lag er zwischen den klammen Laken. Er schloß die Augen, schlief jedoch nicht ein. Langsam wurde ihm wärmer. Und da war zum erstenmal der Zweifel gekommen, der Zweifel an der Schuld des Pfarrers und Neles. Denn wenn er diese beiden auch nicht aus seinem Herzen hatte reißen können, so war doch bis dahin kein Zweifel über die Wahrheit des schrecklichen Gerüchts in ihm gewesen. Was er im Spiegel gesehen und durch die offene Tür gehört hatte, war mit so heftigem Schreck und Entsetzen über ihn gestürzt, daß für Zweifel gar kein Raum mehr blieb ... Aber nun kamen Zweifel, und fieberhaft begann er an einer Verteidigung zu spinnen. Konnte das alles nicht vollkommen unschuldig sein?

Was hatte er denn gesehen, was unumstößlich ein schuldhaftes Verhältnis zwischen dem Pfarrer und seiner Haushälterin bewies? Genau betrachtet – gar nichts ...

Nele hatte erfahren, was über sie und den Pfarrer erzählt wurde und daß ein Komplott bestand, darüber an den Bischof zu schreiben. Kein Wunder, daß sie völlig verstört nach Hause gekommen war! Konnte sie da nicht aus lauter Verzweiflung und Kummer, aus Schwäche und Angst Zuflucht bei dem Pfarrer gesucht haben? Das war sehr gut möglich.

Und daß Pfarrer Ramakers dann den Arm um sie gelegt, sie auf den Rücken geklopft und schützend an sich gezogen hatte, als sie so fassungslos weinte – was bewies das denn? Das tat man auch bei einem betrübten und ängstlichen Kind. Es konnte durchaus eine begütigende Geste gewesen sein, einfach nur um sie zu beruhigen und zu trösten. Der Pfarrer hatte sanft und voller Liebe auf sie herabgeblickt ... Aber war das nicht verständlich? Er hatte nie ein Hehl daraus gemacht, daß er sehr viel von Nele hielt – und wer wollte ihm das verübeln bei einem Menschen wie ihr, die immer gut und freundlich war und nie ein böses Wort über jemand sprach? Zeugten sein Verhalten und seine Art, sie in ihrer Not zu trösten, nicht einfach von Mitleid mit einem Geschöpf, das plötzlich nicht mehr aus noch ein wußte, und das der Bosheit der Menschen nicht gewachsen war? Hätte er nicht jedem anderen genauso trost- und liebevoll zugesprochen, der in seiner Not zu ihm geeilt wäre?

Gewiß, Nele hatte ihn Geert genannt ... „Was soll nur daraus werden, Geert?"

Aber Merijntje wußte ja, daß sie den Pfarrer schon aus ihrer Kindheit kannte. Ihr Vater war Verwalter auf dem Hof seines Vaters gewesen. Sie waren fast gleichaltrig, waren zusammen zur Schule gegangen, hatten miteinander gespielt. Vielleicht war er früher als Junge auch schon manchmal für sie eingetreten ... Konnte es da nicht sein, daß durch den Schock, die Angst und Verzweiflung die Vergangenheit wieder nach oben gespült worden war, so daß sie ihn, ohne es zu wissen, beim Vornamen nannte? Und wenn sie sagte: „Was soll nur daraus werden?" – dann bewies das noch nicht, daß zwischen ihr und dem Herrn Pfarrer etwas war, sondern allein, daß sie sich vor den Folgen der Gerüchte und des Briefes an den Bischof fürchtete.

Und bestand dafür etwa kein Grund? Auch wenn von Schuld keine Rede war? Jeder kannte die verheerende Gewalt von Verleumdungen, die sich wie ein Lauffeuer ausbreiteten und gierig aufgenommen wurden. Es war wahrhaftig keine Kleinigkeit für einen Pfarrer und seine Haushälterin, wenn so etwas über sie erzählt wurde. Ob es nun Wahrheit oder Lüge sein mochte, der gute Name und das Vertrauen waren zerstört. Dabei konnte man vor Angst wohl den Kopf verlieren.

Nein, wenn er es genau und ruhig überlegte, mußte er zu dem Schluß kommen, daß das, was er gesehen und gehört hatte, keinerlei Beweise für die Schuld der beiden ergab. Alles ließ sich aus Güte und Menschlichkeit erklären.

Diese Überlegungen hatten ihn ruhiger gestimmt, und schließlich war er darüber eingeschlafen. Als er aufwachte, war es heller Tag. Er hatte die Gedankengänge des Abends wiederholt und noch einmal sorgfältig alles gegeneinander abgewogen. Nein, wenn man ohne Niedertracht und bösen Willen war, konnte man keine Schuld darin finden.

Und dennoch war die Unruhe zurückgekehrt. Gewiß, seine Erklärungen waren annehmbar – aber das andere lag zu sehr auf der Hand: die Verleumdungen. Und schon gar für Menschen, die sie glauben wollten...

Und im Dorf gab es viele, die es wollten, die den unbarmherzig aufrechten Pfarrer haßten. Und selbst die ehrlichen, braven Leute – würden nicht auch sie sehr bald den Stab über den Pfarrer brechen, weil es so aussah, als ob die schmutzigen Gerüchte doch einen Schein von Wahrheit enthielten? Dieser Schein würde sie verblenden, genau wie er selber sich hatte verblenden lassen. Denn würde er mit ehrlichem Herzen zu behaupten wagen, daß gar nichts daran sei? Gewiß, um den Pfarrer zu schützen und ihm zu helfen, würde er es jedem gegenüber beschwören – aber vor seinem eigenen Gewissen? Entmutigt mußte er zugeben, daß er es nicht könnte. Das beißende Gift war schon zu tief in seine Seele gedrungen...

Traurig hatte er sein Bündel aufgenommen und war weitergeirrt.

4

Und nun saß er schon ein paar Stunden in diesem stillen, einsamen Wald und kämpfte hartnäckig mit sich selber um Klarheit. Die Erinnerungen quälten ihn. So entsetzlich wachsam war sein Geist unter dem scharfen Stachel der ungeheuerlichen Beschuldigung geworden – wachsam und argwöhnisch. Hundert Kleinigkeiten aus dem Leben im Pfarrhaus fielen ihm ein, die alle darauf hindeuteten, daß die Anschuldigung nicht unbegründet zu sein brauchte. Er mochte sich auflehnen, so sehr er wollte, in diesem Licht erhielt jede Kleinigkeit düstere, bleischwere Bedeutung.

Die ganze Atmosphäre in der Pfarrei war von einer eigenartigen häuslichen Vertraulichkeit erfüllt, die man in der Wohnung eines Geistlichen eigentlich nicht erwartete. Vielleicht war es doch nicht so üblich und selbstverständlich, daß ein Pfarrer in Kniehose und Ärmelweste mit seiner Haushälterin in der Küche aß – genau wie ein grobknochiger Bauer mit seiner Frau. Er hatte auch gesehen, wie Pfarrer Ramakers manchmal dasaß und Nele nachschaute, wenn sie mit ihrem stillen Gesicht, den niedergeschlagenen Augen und dem hellen, gütigen Lächeln durchs Zimmer ging ... oder wie Nele strahlend vor Freude und Verlegenheit errötete, wenn der Pfarrer unvermutet einen kleinen Scherz mit ihr machte.

Und wie oft hatte Nele mit ihm selber über den Pfarrer gesprochen und ihn geradezu herausgefordert, ihn über die Maßen zu loben! Wie zufrieden und von Herzen glücklich hatte sie dann jedesmal ausgesehen und ihm etwas Leckeres zugesteckt ... Doch nie war ihm der Gedanke gekommen, etwas anderes dahinter zu suchen als die schwärmerische Bewunderung der Haushälterin für ihren ungewöhnlichen Pfarrer. Und nun suchte er doch etwas anderes dahinter und machte sich bittere Vorwürfe, weil er es nicht mehr wie früher sah. Denn auch die frühere Auffassung konnte richtig sein, natürlich ... aber das immer tiefer sickernde Gift hatte auch ihm die Arglosigkeit genommen, ließ ihn allenthalben Unerlaubtes sehen, wo er früher allein Güte und menschliche Wärme gespürt hatte.

Auch die Erinnerung an jenen Sommerabend quälte ihn, als er so erschrocken war, weil er geglaubt hatte, den Pfarrer mit Nele im Garten stehen zu sehen, sie an seine Schulter gelehnt, er den Arm um sie geschlungen. Nachher war er glücklich und erleichtert gewesen, als sich herausgestellt hatte, daß Neles Bruder zu Besuch gekommen war. Aber schien es, genaugenommen, denn überhaupt glaubhaft, daß Nele so mit ihrem Bruder dagestanden hatte? Brüder und Schwestern aus dem Brabanter Bauernland gingen nicht so zärtlich miteinander um.

Merijntje weinte vor Wut und Verzweiflung, weil seine Erinnerung immer mehr Schuld fand. Er konnte sich nicht mehr dagegen wehren. Alles, was bis jetzt nur allzu natürlich gewesen war, rein und schön, Zeichen eines warmen menschlichen Einvernehmens, verkehrte sich in häßliche Indizien für die Wahrheit einer Sache, die einfach nicht wahr sein durfte. Er fühlte sich in eine dunkle Tiefe abgleiten, aus der er nicht wieder emporkam. Die verhaßten Übelredner erhielten recht – und er haßte sie darum nur um so hemmungsloser. Das Bild des Pfarrers hatte seinen Glanz verloren: Der unerreichbare, leidenschaftliche Streiter Gottes, der mächtige, mannhafte Priester war entthront, war auf die Erde heruntergestürzt, mit dem Schmutz der abscheulichsten Sünde befleckt. Der bewunderte Polterer gegen die Scheinheiligkeit war selbst ein Heuchler, der in Blasphemie, in Schande und Todsünde lebte und in Schmach und Erniedrigung untergehen würde.

Und Nele auch ... Nele, die er so gern gehabt hatte, diese stille, besorgte, mütterliche Frau, die so richtig lieb gewesen war und ohne Falsch und Bosheit, die über andere nie ein unschickliches Wort gesagt hatte, eine bescheidene, wirklich fromme Frau, an die man nur mit achtungsvoller Zuneigung denken konnte. Nele sollte auch in entheiligender Sünde gelebt haben – und das mit dem Pfarrer? Er vermochte es nicht zu ertragen, gerade von diesen beiden nicht. Sie waren so gut, sie ragten so hoch über das gewöhnliche Maß der Menschen hinaus; sie hätten unantastbar für Böses und Schmutz bleiben müssen ... Wenn dies mit Pastor van Gils und seiner Hausangestellten passiert wäre – er hätte es abscheulich gefunden, gemein und unbegreiflich, doch hätte er sich nicht allzusehr darüber den Kopf zerbrochen. Er wäre gleichgültig zur Tagesordnung übergegangen und hätte höchstens den schadenfrohen

Verdammern im Dorf zugerufen: „Denkt an den Balken im eigenen Auge!"

Aber hier war es etwas anderes. Es tat weh, als schnitte es ins eigene Fleisch. Er wollte es einfach nicht glauben und mußte es doch – von Stunde zu Stunde mehr. Und alle sehnsuchtsvollen Versuche, die alte Stimmung, die vertrauten Gesichter wieder herbeizuzaubern, blieben fruchtlos. Er meinte die Wahrheit in der Anklage erkennen zu müssen und zitterte vor Angst bei dem Gedanken, was über Pfarrer Ramakers und Nele hereinbrechen würde. Denn wie abscheuerregend er ihr Verhalten auch fand, viel schlimmer war, daß er beide noch liebte und daß er nichts tun konnte, um ihnen zu helfen, sie zu schützen, sie vor Unglück und Schande zu bewahren. Ihr Unglück kam auch über ihn. Noch nie hatte er sich so zerschlagen und verzweifelt, so leer und einsam gefühlt, so verlassen von allen Menschen. Gewiß, er konnte nach Hause gehen. Vielleicht würde die Nähe seiner Mutter ihn trösten.

Aber er wagte es nicht. Großmutter würde natürlich schreiben, schon geschrieben haben, und wenn der Donnerschlag den Pfarrer zerschmetterte, würde sie triumphierend mit der ganzen Geschichte kommen. Und seine Eltern waren Menschen wie alle anderen, sie würden ach und weh rufen über die Schlechtigkeit eines solchen Pfarrers und über die Liederlichkeit von Nele. Man würde tagelang darüber reden, ihm tausend neugierige Fragen stellen, Interesse an Einzelheiten zeigen, die er doch wissen müsse, man würde den Fall hin und her wenden, von unten nach oben und von innen nach außen, und es bedauern, daß man so eine aufregende Geschichte nicht hatte miterleben können.

Das würde er nicht ertragen. Er vermochte es einfach nicht, nach Hause zu gehen . . . Aber wohin sonst?

Ganz egal! Er hatte sich an die Landstreicherei gewöhnt, hatte Geld in der Tasche . . . Und was machte es schon aus? Die ganze Welt war ja doch ein einziger stinkender Misthaufen, das Leben ein Durcheinander, aus dem nicht einmal der Teufel klug wurde. Von ihm aus konnte alles in die Luft fliegen, krepieren und er selber dazu. Er hatte ja doch nichts und niemand, wofür es der Mühe wert war, zu leben.

Vielleicht, wenn Flierefluiter noch da wäre!

Flierefluiter?

Er lachte kurz und bitter auf. Damit wäre selbst der nicht fertig geworden! Das Lachen wäre ihm mit Sicherheit vergangen. Denn hier gab es nichts zu lachen oder gar in Ordnung zu bringen. Hier konnte man nur zwei Menschen, die man gern hatte, durch eigenes Versagen zugrunde gehen sehen. Das Herz mochte einem zerreißen vor Zorn und Kummer – doch man konnte nicht helfen.

Oh, wie war das alles schmutzig und ekelhaft!

Müde und steif an allen Gliedern stand er auf. Es wurde bereits dunkel. Ein Schauder lief ihm über den Rücken. Er war kalt bis ins Mark. Verrückt, so lange dort auf dem Moos zu sitzen, an so einem stürmischen Wintertag . . .

Kräftig schlug er die erstarrten Hände gegen die Schultern, um das Blut wieder zum Strömen zu bringen. Dann trat er stampfend und trampelnd auf den Waldweg. In seinen Fingern kribbelte es, und seine Füße waren eingeschlafen und stachen, als steckten tausend Nadeln darin.

Plötzlich wehte ihm etwas naß und kalt ins Gesicht. Auf den Ärmeln seines Mantels lagen harte, weiße Körner . . . Schnee . . . Er schaute zum Himmel. Der hing tief und dunkel über der Dämmerung.

Wo mochte er hier eigentlich sein? Er hatte nicht auf den Weg geachtet, war aufs Geratewohl losgelaufen, gleichgültig, wo er hingeriet. Es war ein alter Wald mit mächtigen Bäumen und dichtem, verwahrlostem Unterholz. Vom Weg war nicht viel zu sehen, ein holpriger, hartgefrorener Pfad . . . Wie war er bloß hierhergeraten? Na, ganz egal, irgendwo würde er schon herauskommen. Schließlich war es ja nicht die afrikanische Wildnis! Er nahm sein Bündel über die Schulter, schlug den Mantelkragen hoch und stapfte den Weg entlang.

Der Abend senkte sich rasch über den Wald. Der Wind wurde immer heftiger, fiel zwischen den Bäumen auf ihn herab, stoßend und reißend, launenhaft von einem Augenblick zum anderen die Richtung wechselnd. Vor seinen Füßen wirbelte stäubender Schnee, in langen Streifen vor sich hergetrieben, sofort wieder verweht und bis ins Unterholz geblasen. Es wurde eine gespenstische Wanderung. Durch die Kronen heulte der vollends entfesselte Sturm mit geisterhaft gedehnten, klagenden Lauten. Wolken wütenden Schneegestöbers jagten fauchend zwischen den Stämmen hindurch, ächzendes Knarren ertönte von den ruhelos schwankenden Ästen. Der Flockenwirbel wurde von Minute zu Minute dichter. An einer Wegbiegung sprang der Wind plötzlich um und fegte Merijntje mit ungeheurer Gewalt entgegen. Der Junge preßte das Kinn auf die Brust und kniff die Augen halb zu, um sein Gesicht vor den prickelnden Peitschenhieben der feinen Schneekörner zu schützen.

Der Pfad verbreitete sich und lief schräg auf eine lockere Sandstraße zwischen den Bäumen, kaum sichtbar unter dem schimmernden Glanz der frischgefallenen Schneedecke. Merijntje nahm sein Bündel in die Hand und stützte sich auf den Knotenstock. So schritt er in gebeugter Haltung gegen den atemraubenden Druck des Sturmes an.

Ein seltsames Gefühl grimmiger Genugtuung begann sich in seinem Bewußtsein Raum zu schaffen. Er lehnte sich mit aller Gewalt gegen die wilden Mächte der Natur auf. Sie wollten ihn vom Wege reißen, wollten ihn zur Umkehr zwingen, wollten ihm angst machen mit ihrem gellenden Geheul und den schneidend scharfen Schneekörnern. Aber das war vergebliche Mühe – es würde nicht gelingen! Ihm war nicht bange; er war stark genug geworden in diesen letzten Monaten von der schweren Arbeit und dem übermütigen, unsteten Wanderleben, das ihn durch Felder und Wälder geführt hatte: breit die Brust, kantig die Schultern – und Muskeln, die vor Kraft und Lust, sich zu erschöpfen, vibrierten. Zweimal hatte er einen Menschen mit einem einzigen Schlag niedergestreckt. Er wußte jetzt, wozu er imstande war, und ließ sich nicht reizen. Wer den Willen hatte, mußte es auch schaffen. Zwischen den Zähnen stieß er eine Kette von Flüchen und Drohungen aus.

Er war aus dem Dorf geflohen, weil er Angst vor Gewalten hatte, die unsichtbar auf die Menschen zukamen und die auch durch allergrößte Anstrengungen nicht abgewendet werden konnten. Er hatte Angst vor dem nicht faßbaren Geist des üblen Geredes, vor der unaufhaltsam nahenden Vergeltung, die das Böse nach sich zog. Spuk in der Luft, wogegen aller Widerstand vergeblich war ... Hier aber ging es Kraft um Kraft, hier konnte ein Mann zeigen, was er taugte.

Der ganze Stau der durch seine Verzweiflung niedergezwungenen Kampflust löste sich und erhob sich zornig in ihm. Das Gefühl lähmender Ohnmacht gegenüber dem Lauf des Schicksals wich und schaffte dem Willen Platz, sich zur Wehr zu setzen und den Mächten nicht zu weichen, die ihn bedrohten und kleinkriegen wollten. Unmerklich, unergründlich stritten Gefühle, Gedanken und Wünsche in Merijntjes verwirrter, tief betroffener Seele. Eigentlich war es nur das Verlangen, etwas für den Pfarrer und Nele zu tun, seinem Haß gegen das munkelnde, verschwörerische Dorf, seiner Wut über das eigene Unvermögen, über Enttäuschung und Verdruß freien Lauf zu lassen, wenn er sich jetzt so verbissen gegen Sturm und Schneegestöber anstemmte. Das gestörte innere Gleichgewicht wollte wiederhergestellt werden, die entmutigte, niedergeschlagene Seele sich ihrer alten Spannkraft versichern, sich davon überzeugen, ob sie noch Entschlußfreudigkeit und Zuversicht in sich trüge. Und ungestüm warf Merijntje seinen Körper in den Kampf mit den Elementen, die sich gerade rechtzeitig seiner bemächtigt hatten.

Grollend vor Zorn, über den er sich keine Rechenschaft gab, stemmte er Kopf und Schultern gegen den Wind, immer mehr von dem Gefühl beherrscht, gegen leibhaftige Feinde zu fechten, die ihn aufhalten, hindern, vom Wege drängen wollten. Alles, was ihn in der letzten Zeit bedrückt hatte, identifizierte er nun mit den zunehmend heftiger tobenden Naturgewalten. Mit Wollust stürzte er sich in einen zähen Kampf gegen sie. Es wurde ein wütendes Ringen. Der eisige Nordost jagte ihm Wogen von Schnee ins Gesicht, so daß er die Augen nicht mehr aufbekam, er nahm ihm den

Atem und zerrte an seinen Kleidern, blies durch die dünne Hose. Seine Finger wurden starr vor Kälte, kaum daß er Stock und Bündel noch zu halten vermochte.

Fluchend blieb er stehen und schlug die Hände kräftig um die Schultern. Die Fingerspitzen brannten wie offene Wunden. Er rieb sie mit Schnee, bis sie warm wurden und seinem Willen wieder gehorchten. Im Dunkeln tastend suchte er Stock und Bündel, die bereits eingeschneit waren. Dann nahm er den Kampf von neuem auf, den Kopf vorgeschoben wie ein wütender junger Stier.

Ihr sollt mich nicht kriegen! Mit euch werde ich schon fertig!

Die Schneedecke wurde dicker und erschwerte das Gehen. Unter seinen Schuhen bildeten sich hohe Schneeabsätze, auf denen er ausrutschte und zu Fall kam. Fluchend stand er auf und arbeitete sich weiter voran. Er blieb doch Sieger! Mochte es auch noch so gellen und fauchen über ihm in den Bäumen, mochte es heulen in der Luft, mochten sich Fluten augenblendenden Schnees über ihn ergießen, mochte es schütteln und rütteln an seinen Schultern oder eisig über die Schenkel streichen, mochte es ihn mit gewaltigem Druck vor die Brust stoßen oder ihn unversehens loslassen, daß er vorwärtsstolperte und auf die Knie fiel – ihm war alles gleich! Er stand doch wieder auf und kämpfte weiter. Und auch die Schneesenken, in denen seine Füße unvermutet steckenblieben und ihn jedesmal fast zu Fall brachten, entmutigten oder erschreckten ihn nicht – es gehörte eben dazu, und er scheute sich vor nichts. Er würde es ihnen schon zeigen! Er vertrug alles, er überwand alles. Er ließ sich nicht ducken. Er mußte beweisen, hier und jetzt, wer er war. Jemand hatte an ihm gezweifelt. Haha! Das waren doch alles nur Späßchen! Immer herbei, Sturm und Schneegetose! Stoßt und schiebt nur! Versucht doch, tückisch mir ein Bein zu stellen, jault und grölt im Geäst und über mir, als jagten hunderttausend Hexen zugleich auf ihrem Besenstiel durch die Lüfte – mich bezwingt ihr nicht, ich widerstehe allem, ich kämpfe bis zuletzt! Wartet nur – und falls ihr mir den Atem aus der Kehle preßt, dann dreh ich mich um und kämpfe mit dem Rücken. Aber vorwärts komme ich doch!

Da lag ein Dorf. Hinter den Fenstern der Häuser brannte Licht... Als er näherkam, sah er ein Aushängeschild, das im Sturm laut quietschend hin und her schaukelte. Durch das Oberlicht der Tür fiel goldener Schein, in dem die Flocken schimmernd wirbelten – ein Gasthaus. Da drinnen lockten Wärme, Sicherheit und Behagen. Hier konnte er essen und schlafen und Sturm und Schnee hinter sich aussperren.

Nein, das wäre ja wieder eine Art Flucht. Wieder gäbe es Grund, ihn einen Feigling zu schimpfen, an ihm zu zweifeln.

Starrköpfig lief er weiter, holte tief Luft im Windschatten der Kirche. Der rasche Wirbel der Flocken im rötlichen Lichtkreis der

Laterne davor fesselte die Augen und machte Merijntje schwindlig; der Körper wollte mitfliegen und auch zur Erde niederschweben. Vorwärts! Ich habe der Versuchung widerstanden, ich laß mich von euch nicht einschüchtern! Hier bin ich wieder. Versucht doch, mich unterzukriegen, ihr mit eurer nackten Gewalt!

Rasch durchs Dorf, ein schmaler Weg, auf der einen Seite Wald, auf der anderen ein kleines Gefälle, dahinter blinkte mit trübem Glitzern Wasser zwischen den weißbestäubten Zweigen dürren Schlagholzes. Als das letzte Licht des Ortes hinter ihm lag, wurde er wieder aufgeschluckt von der schwarzen Nacht, in der undeutlich der weiße Weg vor seinen Füßen schimmerte. Aufpassen! Der heulende Sturm wollte ihn wohl vom Abhang blasen? Tiefe Wagenspuren und gefrorene Pfützen, dünnes, splitterndes, spiegelglattes Eis über kaltem Wasser, das ihm in die Schuhe drang... An den zackigen, steinhart gefrorenen Schlammrändern der Radspuren stieß er sich die Knöchel wund. Es tat entsetzlich weh, aber er lachte nur – kurz und grimmig. Er gab nicht auf!

Plötzlich war er wieder im Wald, doch er sah keinen Weg mehr, er war ins Unterholz geraten. Zweige peitschten sein Gesicht. Er kehrte um, tastete sich mit dem Stock voran, versuchte sich zu orientieren, überquerte eine kleine, freigewehte Brücke, die hohl unter seinen Schritten dröhnte, und gelangte wieder auf den Waldweg, der sich inzwischen zu einem schmalen Pfad verengt hatte. Er stieß gegen die Stämme, links und rechts. Wie ein Betrunkener stolperte er durch den lockeren Schnee, der ihm hier manchmal bis an die Knie reichte. Er keuchte und hustete vor Anstrengung und Erschöpfung; sein Rücken war heiß und verschwitzt, geschmolzener Schnee lief ihm eiskalt den Hals hinab.

Mit einem Schwung warf er sein Bündel weg. Warum sollte er das mitschleppen? Wozu brauchte er es noch? Was nützten ihm die paar zerschlissenen Hemden? Kämpfen wollte er! An ihm sollte niemand mehr zweifeln dürfen!

Plötzlich verlor er den Boden unter den Füßen und fiel mit einem Schrei vornüber. Seine Stirn schlug hart auf eine Baumwurzel. Aber der Bach war nicht tief und fast ohne Wasser, und Merijntje kletterte auf der anderen Seite wieder hinauf. Den Stock hatte er verloren. An einer kleinen Lichtung blieb er stehen. Voller Hohn tobte der Sturm und schüttete von allen Seiten Schneemassen über ihn... In seinen Augen ist Schnee; in seinen keuchend aufgesperrten Mund, in seine Ärmel stiebt Schnee... Nach Luft schnappend steht er da, atemlos hechelnd, in den Knien wankend. Der Sturm heult an seinen Ohren... Soll er verlieren, aufgeben, sich niedersinken lassen in das Daunenbett, das um seine Füße schmeichelt?

„Nein!" schreit er auf. „Gerade nicht!"

Er stampft mit den Füßen, bläst in die steifen Hände, drückt sie unter die Achseln, beugt den Kopf vor den heranheulenden Böen des wütenden Windes, stößt die Schneewehen vor seinen Füßen auseinander und stolpert weiter. Seine rechte Schulter schmerzt, von seiner Stirn läuft etwas Warmes tropfend über die Wange, auf die Lippen, es schmeckt süßlich. Blut ... Seine Oberlippe fühlt sich geschwollen an. Es macht nichts ... nichts ... gar nichts ... Er kommt voran. Er ist noch nicht besiegt.

Laß den Sturm getrost tosen, brüllen ... soll er versuchen, ihn mit seinen Garben stäubenden Schnees blindzuschlagen. Laß die Wurzeln auf dem Weg nach seinen Füßen greifen, daß er ein ums andere Mal strauchelt, auf die Knie sackt, der Länge nach in den Schnee stürzt – er erhebt sich schon wieder. Und je mühseliger es wird, je schmerzhafter seine steifen Glieder sich strecken, um so störrischer wird er. Trotziger Ehrgeiz voll ungebärdigen Grolls durchströmt ihn wie mit flüssigem Feuer, führt ihm immer neue Kräfte zu, stachelt seinen Willen auf mit einer geballten Ladung Energie. Er kämpft. Es ist zwar hart und schwer, erfüllt ihn aber mit rauschender Freude. Es ist der Mühe wert, zu beweisen, daß an einem nicht gezweifelt werden darf, daß man das, was man will, auch kann und vor Schwierigkeiten und Gefahren nicht kapituliert, sondern sich stärker zeigt als alle Bosheit, aller Unrat, alle Häßlichkeit.

Nun geht er wieder auf einer großen Straße. Er merkt es nur an den stärkeren Böen, die ihn jetzt von der Seite treffen, auch das betäubende Meeresbrausen des sturmgepeitschten Kiefernwaldes ist verstummt. Hier schimmern schwere, dunkle Stämme, mit weißen Flammen gezeichnet, und hin und wieder tauchen auch blankgewehte Stellen auf, wo seine Füße auf Steine treten. Die Straße windet sich, und mal hat er den Wind im Gesicht, mal von der Seite. Nach einer Weile spürt er, daß er vorwärts getrieben wird. Er hat das Gefühl, über weite Strecken Weges emporgehoben und fortgetragen zu werden ... Jetzt ist das dumpfe Heulen des Windes auch nicht mehr außerhalb von ihm, sondern in seinem Kopf ... Dort braust es und summt und macht ihn schläfrig ... Seine Füße sind schwere Eisblöcke, die nicht mehr vom Boden wollen. Glieder und Lenden durchzucken grausam brennende Stiche, wenn seine Schuhe ausgleiten oder irgendwo anstoßen; sein Rücken glüht und ist triefnaß. Auf seinem Nacken liegt plötzlich eine Last, die ihn ganz allmählich, aber mit ungeheurer Gewalt zu Boden drückt. Tiefer, immer tiefer muß er hinunter ... Gleich fällt sein Gesicht auf eine weiße, flaumweiche, warme Decke ...

Und dann ist plötzlich Musik da. Hüpfende Töne, spielerisch, ausgelassen ... Heranjagende Windstöße wehen sie fort; doch schon steigen sie wieder empor.

Merijntje steht still, schüttelt die Schultern. Ein Schneekissen fällt mit mattem Aufschlag vor seine Füße. Er versucht den Kopf gegen den schweren Druck der Hand in seinem Nacken zu heben.

Er sieht auf eine hohe Buchenhecke, in der dürre Blätter geheimnisvoll rascheln ... Durch ein Wirrwarr von verkrümmten Zweigen schimmert Licht, ein großer, goldglänzender Fleck, ein hellerleuchtetes Fenster. Und dahinter lockt die Musik und zieht strudelnd das wilde Schneegestöber hinein.

Und seltsam – es kommt ihm vor, als ob Flierefluiter dahinter stünde und ihm winkte ... Aber das ist Irrsinn. Er weiß genau, daß Flierefluiter tot ist. Und Tote winken nicht.

Er streckt die Hand aus, um sich an der Hecke zu stützen. Die dünnen Zweige zerbrechen zwischen seinen Fingern. Ein neues Klingen und Singen silberklarer Musik hält ihn aufrecht.

Dumpf saust der Sturm in seinem Kopf – aber dort, dort tanzen Funken, hell glitzernde Sonnenflecken, ein Gewimmel von Licht über gekräuseltem Wasser ... Musik ... Und wenn es nun doch Flierefluiter war, der hinter dem Fenster stand und winkte? Da – jetzt wieder ...

„Ich komme", murmelt Merijntje.

Mühsam und stolpernd setzt er sich in Bewegung. Er geht durch ein Tor, über einen Weg und schlägt mit der flachen Hand an eine Tür – eine Tür, die bestimmt voller Nadeln steckt ...

Plötzlich wieder die Musik, hell und jubelnd.

Flierefluiter freut sich, daß er kommt ... Sein steifgefrorener Mund will lächeln, aber die Lippen bewegen sich nicht.

Mit einem schweren Schlag fällt er gegen die Tür ... Die Musik nimmt ihn auf und trägt ihn leise in einen stillgewordenen Himmel, aus dem die Gewalt des Sturmes wie mit einem Zauberschlag weggefegt ist.

Viertes Buch · Abschied
von einem Jungen

· Erstes Kapitel ·

I

Auf dem Dach des Schulhauses saß ein dicker Star. Schwarz gezeichnet stand er vor dem hellen Blau des Himmels, das hinter den auseinandertreibenden grauen und weißen Wolken sichtbar wurde. Während er zwitschernd versuchte, ein paar Töne hervorzubringen, klappte sein spitzer Schnabel rasch auf und zu. Sobald die Sonne einen Augenblick herauskam, war er plötzlich nicht mehr schwarz, sondern glänzte festlich grün, blau und golden, mit silbernen Tupfen gesprenkelt, und sein Schnabel war gelb wie Butter. Er hatte sein Sonntagskleid angezogen, denn der Frühling lag in der milden Luft.

Merijntje stand auf den Spaten gestützt da und betrachtete den Vogel. Er hatte seine Freude an dem hübschen Tierchen. Es war so eifrig dabei, sein kleines Lied zu üben. Immer und immer wieder und jedesmal nachdrücklicher mit hohen, schrillen Zwitscherlauten. Es war zu lustig, wieviel Mühe es sich gab und wie fleißig es war.

Der laue Westwind fegte große Wolken über den Himmel, und hin und wieder fielen ein paar Tropfen. Aber die Luft war mild, die gärende Erde duftete, aus den schwarzen Zweigen der Apfel- und Birnbäume drängten gelblichweiß die Knospen, und im Gras leuchteten schon goldene Blütensterne und der silberweiße Kranz eines einzelnen Gänseblümchens. Der Winter war vorüber. Es wurde Frühling. Das neue Leben machte sich bereit, aus der lockeren Erde, aus den harten Zweigen der Bäume hervorzubrechen. Alles wartete gespannt darauf, emporzuschießen und sich aufzutun in der vielfältigen Pracht von Blumen und Blüten und in unaufhaltsamer Freude zu jubilieren.

Auch in Merijntje drängte diese geheimnisvolle Kraft. Er verspürte eine prickelnde Unruhe, und in seinem Blut war ein stürmisches Singen und Klingen, jeden Augenblick konnte etwas geschehen ...

Er stopfte sich die Pfeife aus einem ledernen Tabaksbeutel. Beides Geschenke von Mijnheer Louis, der vorige Woche Geburtstag gehabt und, noch bevor er selber beschenkt worden war, erst einmal jedem im Haus eine Freude gemacht hatte. Merijntje besah sich vergnügt den blanken Pfeifenkopf und lauschte. Aus dem Haus klang leise Klaviermusik herüber. Mijnheer Louis spielte. Es war das Haus, in das er vor mehr als drei Monaten, am Ende seiner Wanderung durch den Schneesturm, buchstäblich hineingefallen war, in dem er krank gelegen und in dem er nachher, als er wieder gesund wurde, so unglaublich viel gelernt hatte. Von Mijnheer Louis, dem Musiker, und von Joris Moonen, dem Maler.

Mijnheer Louis und Joris Moonen waren Künstler, und Merijntje kam sich wie ein Glückspilz vor, daß es ihm vergönnt war, wirkliche Künstler zu erleben. Das Herz tat sich einem auf, wenn man Joris Moonen vor seiner Staffelei stehen und ihn mit Pinsel und Farbe zaubern sah ... wenn man beobachtete, wie dort, wo eben noch nichts als ein Stück tote weiße Leinwand gewesen war, plötzlich auf wunderbare und geheimnisvolle Weise Leben entstand, oder wenn Mijnheer Louis seine schmalen Hände über die Tasten gleiten ließ und das ganze Zimmer mit einer Musik erfüllt wurde, die wie ein Märchen aus einem fernen Land erklang, ein Märchen in einer Sprache, deren Worte man nicht verstand, deren Sinn einem aber auf unerklärliche Weise aufging.

Eifrig faßte er wieder den Spaten, stieß ihn tief in die fette Erde und warf die dunkel glänzende Scholle in die Furche. Er grub den Garten für Mijnheer Louis um. Schwerer Boden, mühsame Arbeit. Er spürte es in Armen und Rücken. Doch es störte ihn nicht. Er arbeitete für Mijnheer Louis, und für Mijnheer Louis würde er gern noch viel schwerere Arbeit tun. Durchs Feuer würde er für ihn gehen, wenn es nötig wäre. Noch niemals hatte er einen Menschen so geliebt – glaubte er ... Doch plötzlich schämte er sich fast seiner Gedanken: Nein, so war das auch nicht. Mijnheer Louis war ja nicht irgendein Mensch, an den man einfach wie an einen lieben Freund denken konnte. Der stand so hoch über einem, war so unerreichbar und erhaben, daß man nur mit Andacht, mit scheuer Verehrung zu ihm aufzublicken vermochte. Neben ihm kam man sich so klein und bedeutungslos vor, so grob und ungehobelt, kaum wert, den schweren Boden dieses Gartens umzugraben, denn auch dieser Garten gehörte Mijnheer Louis.

Selbst Joris, der ja auch Künstler war und sonst das Herz durchaus auf dem rechten Fleck hatte, zeigte Mijnheer Louis gegenüber eine gewisse Befangenheit und Scheu, obwohl sie gute Freunde waren und sich einfach beim Vornamen nannten. Seltsam, überlegte Merijntje, als der Maler ihn aufgefordert hatte, ruhig Joris zu ihm zu sagen, war ihm das gar nicht schwergefallen, doch Mijnheer Louis mit dem Vornamen anzureden, würde er in alle Ewigkeit nicht fertigbringen.

Hell brach die Sonne durch die Wolken und schien ihm warm in den verschwitzten Nacken. Was die schon für Kraft hatte! Noch zehn, zwölf Furchen, dann war er beim Rasen unter dem Apfelbaum und konnte für heute Schluß machen. Er mußte noch zu Joris, um ihm beim Ausbessern eines alten Schrankes zu helfen, den er von einem Bauern gekauft hatte und der in allen Fugen klaffte. Joris war rein närrisch auf alte Sachen. Er nannte sie antik und erklärte, daß sie von all dem Leben, dem sie gedient hatten, nun selber lebten. Seine Frau behauptete, er habe mehr Ehrfurcht vor toten, antiken Sachen als vor lebendigen Menschen. Dann nickte Joris immer eifrig, klopfte ihr auf die breite Schulter und sagte, sie habe den Nagel auf den Kopf getroffen.

Sie schlugen und balgten sich oft, Joris und Janna, und mußten dauernd miteinander streiten – aber das taten sie aus lauter Liebe. Merijntje hatte noch nie zwei Menschen gesehen, die so verliebt ineinander waren und den Kopf so voller Narrheiten hatten. Genau wie ihre fünf Kinder. Die lärmten von morgens bis abends durch das ganze Haus, tobten herum und kabbelten sich wie ein Wurf junger Hunde. Ein toller Haushalt. Wenn man erst einmal dort war, kam man so bald nicht wieder weg.

Es war wirklich ein Glück, daß ihn der Zufall damals in dem Schneesturm nach all dem bedrückenden Elend im Dorf um Pfarrer Ramakers an die Tür von Mijnheer Louis geführt hatte. In ein ganz neues, völlig unbekanntes Leben war er hineingeworfen worden, und man hatte ihn aufgenommen, als ob es sich von selbst verstünde. Die Tage wurden zu Wochen. Niemand sprach von Weggehen. Er müsse sich erst einmal richtig erholen nach der schweren Krankheit, hieß es immer wieder. Sie hatten ihm ein hübsches Stübchen gegeben. Er arbeitete ein wenig, reparierte dies oder das, machte den Schuppen wind- und wasserdicht, strich das Hinterhaus und die Treppe zum Boden und machte den Garten für das neue Jahr bereit.

Und stundenlang, ganze Tage und halbe Nächte saß er über den Büchern, die Mijnheer Louis ihm aussuchte. Er wußte nun, daß mit dem Inhalt eines Buches, mit der Geschichte allein nicht alles gesagt war. Mijnheer Louis hatte ihn gelehrt, auf den Klang der

Worte, auf bildhafte Ausdrücke zu achten, zu überlegen, was zwischen den Zeilen herauszulesen sei. Auf diese Weise wurde ein Buch so reich, so voll, daß man es kaum auf einmal in sich aufnehmen konnte. Man mußte einfach immer wieder darauf zurückkommen, weil man sich plötzlich nicht mehr genau an bestimmte Passagen erinnerte; dafür setzten sich andere Teile um so unauslöschlicher im Gedächtnis fest, und besonders eindrückliche Sätze summten wie schöne Melodien durch den Kopf und ließen einen nicht mehr los. Eine ganz neue Welt öffnete sich, von deren Dasein er nie etwas geahnt hatte.

Leider gab es so vieles, was er nicht zu fassen vermochte, wozu sein Verständnis nicht ausreichte. Zum erstenmal wurde ihm klar, wie sehr ihn seine mangelnde Bildung behinderte. Er empfand es wie ein Gebrechen, wie eine störende und beschämende Verunstaltung. Gleichzeitig hatte er das Gefühl, ihm sei Unrecht geschehen: Warum durften andere so viel lernen, während er in seinem zwölften Lebensjahr bereits in der Fabrik hatte arbeiten müssen? Es war ihm nicht einmal vergönnt gewesen, die sechs Schulklassen zu absolvieren, bloß weil sein Vater, der damals arbeitslos war, das Schulgeld nicht zusammenbekam. Und nun stand er da... Er konnte lesen, schreiben und rechnen, wußte ein wenig von Erdkunde und ein bißchen von der Geschichte des Landes – aber auch das zum größten Teil noch falsch, wie aus den Erklärungen von Mijnheer Louis hervorging. Danach war längst nicht alles so groß und edel, wie es die Lehrer in der Schule dargestellt hatten.

Doch Mijnheer Louis half ihm, unterrichtete ihn, zeigte ihm im Atlas, wie die Entdeckungsreisenden und Eroberer gefahren waren, und machte ihm die historischen Zusammenhänge klar. Er wußte so unsagbar viel, und Merijntje war immer wieder verwundert darüber, daß dieser gelehrte Mann sich mit ihm abgab, es der Mühe wert fand, mit ihm zu reden, ihm die Dinge zu erklären. Doch er fragte nicht nach dem Warum, denn er fürchtete, daß der andere dann auch merken könne, wie verrückt es war, einem Toren wie ihm soviel Beachtung zu schenken.

Aber es war herrlich so. Joris lehrte ihn unterderhand wieder andere Dinge; er erzählte ihm von Malern und Bildhauern und ihrer Arbeit, von alten Kirchen und Möbeln, dem schönen Handwerk früherer Tage... Und man konnte nur bedauern, daß man nicht mehr in jenen Zeiten lebte, um in aller Geruhsamkeit Meister seines Faches zu werden – Tischler, Kunstschmied, Waffenbauer. Bei all diesen Maschinen drohe der Arbeiter wieder zum Sklaven zu werden, sagte Joris, fast alle Fertigkeiten gingen verloren: Stümperei anstelle von Geschick. Immer nur die gleichen Handgriffe an einem bestimmten Einzelteilchen, von dem man nicht einmal wisse, wozu es gehöre, geschweige denn wie es mit den übrigen Stücken zu einem Ganzen zusammenzufügen sei. Alles Probleme, die Merijntje natürlich längst bekannt waren, über die er aber nie allzu gründlich nachgedacht hatte und die nun wie neu und in einem weitaus weniger angenehmen Zusammenhang vor ihm standen. Joris besaß auch viele Bücher, alte in vergilbtem Pergament oder verwitterten Ledereinbänden und neue dazu – doch fast alles Ausgaben mit Kupferstichen und Reproduktionen von Gemälden, Skizzen und Bauwerken. Es war unbegreiflich, daß Menschen soviel Schönes geschaffen hatten; blinde Wut kroch in ihm hoch, weil er bislang von alldem nichts gewußt hatte und erst durch einen Zufall dahintergekommen war. Mußte das·so sein? Pausenlos konnte er Joris' Erläuterungen folgen, die Bilder bestaunen, sich danach sehnen, die Originale betrachten zu dürfen, lesen, wie die alten Künstler gelebt hatten, wie sie von Fürsten geehrt, verkannt und geschmäht worden waren, Hunger gelitten und dennoch gearbeitet hatten, in Armut gestorben waren, aber nie den Glauben an ihr Werk verloren hatten.

Eine erstaunliche Welt tat sich nach und nach vor seinen Augen auf, eine Welt voller Wunder – Wunder, die wirklich geschehen waren und immer noch geschahen! War Joris Moonen nicht ein echter Maler, ein großer Meister, dessen Name dereinst auch mit Ehrfurcht genannt werden mochte und für dessen Bilder reiche Menschen ein Vermögen opfern würden? Wie er einen gewöhnlichen Landarbeiter malte oder Pferde vor einem Pflug gegen einen Himmel voller Wolken ... wie er Merijntjes Porträt gezeichnet hatte ... hervorragend getroffen – und doch ganz anders, als er sich selber im Spiegel sah ... Seltsam!

Am meisten von allem jedoch bewunderte er die Musik von Mijnheer Louis. Dabei wurde man ganz schwindlig. Wenn er vor dem Flügel saß oder auf der riesengroßen Geige spielte, die er zwischen die Knie geklemmt hatte – Cello nannte sich das Instrument –, dann konnte man alles vergessen. Mijnheer Louis schrieb auch selber Musik, und Joris sagte, er würde einmal sehr berühmt werden können; aber er litt an einer geheimnisvollen Krankheit, über die nicht gesprochen werden durfte, und deshalb konnte er nicht vor Publikum spielen. Eigenartig ... Merijntje hatte nie etwas davon gemerkt, daß Mijnheer Louis krank war. Manchmal schien er zwar sehr nervös, aber er brauchte nicht im Bett zu bleiben oder von einem Arzt behandelt zu werden. Nur sehr schmal und blaß sah er aus, und über den tiefliegenden, dunklen Augen waren die ungewöhnlich schweren Lider immer halb geschlossen. Wenn Merijntje Mijnheer Louis anschaute, mußte er stets auf seine Stirn sehen, und auf dem Porträt, das Joris von seinem Freund gemalt hatte, schien Licht von dieser hohen, weißen Stirn auszustrahlen; aber das lag vielleicht nur daran, daß das braune, wellige Haar mit dem Dunkel des Hintergrundes eins wurde ...

Das Beet war umgegraben. Merijntje stieß den Spaten in die Erde und reckte sich. Seufzend warf er die Arme empor. Fertig. Aus den Augenwinkeln überblickte er den Teil des Gartens, der noch aufgebrochen werden mußte. Ein tüchtiges Stück Arbeit. Morgen weiter! Nun rasch in der Küche die Hände waschen, die Jacke anziehen und dann zu Joris!

2

Das Haus des Malers lag ein Stück vor dem Dorf, abseits der Straße. Man ging durch eine kleine Birkenallee und kam an ein weißgestrichenes Lattentor zwischen zwei steinernen Säulen. Eigentlich war es ein altes Bauernhaus, tief unter dem Strohdach hingebreitet, doch an der Rückseite war ein Stück angebaut, da arbeitete Joris. Es war sein Atelier. Merijntje hätte nie geglaubt, daß ein Atelier so gemütlich sein konnte. Es roch dort nach Farbe, Terpentin und Firnis; ein paar Staffeleien standen herum, am Seitenfenster ein großer schräger Zeichentisch, und überall bunte Gemälde von Joris selbst und von anderen. Dazwischen schnurrige Zeichnungen mit seltsam verzerrten Köpfen von Freunden... Wie war es nur möglich, daß man sie trotzdem so deutlich erkannte?

Auf alten Schränken standen dickbauchige Krüge mit Binsenblüten, buntbemalte Vasen und Teller, farbige Tücher, alte Waffen, ein Ritterhelm und lauter andere Kuriositäten. Unter einem Deckenbalken hing ein kleines Krokodil und spähte mit seinen staubigen, falschen Glasaugen in den Raum. Auf dem Fußboden waren Farbspritzer und Tintenflecke, und überall lagen Bücher, Stapel von Zeitungen und Zeitschriften herum. Es schien ein unentwirrbares Chaos, doch niemand durfte es wagen, Ordnung hineinzubringen. Janna drohte zwar immer wieder, den Stall auszumisten und die Hälfte von dem Plunder hinauszuwerfen; doch in Wirklichkeit hätte sie sich nicht getraut, auch nur einen Pinsel anzurühren.

Neben dem Atelier war ein kleiner Schuppen mit einer Hobelbank und Werkzeug, denn Joris bastelte gern und geschickt und hatte immer etwas heilzumachen an dem einen oder anderen beschädigten Möbelstück, das er irgendwo aufgestöbert hatte.

Merijntje ging in den Schuppen und besah die Tür des Schränkchens, die er gestern geleimt hatte. Eigentlich konnte er Joris verstehen, daß er eine solche Vorliebe für antike Sachen hatte. Das alte Eichenholz der Rahmen fühlte sich so wunderbar glatt an, fast wie Seide, und die Schnitzereien in der Türfüllung zeigten so klare Linien, daß es eine Freude war, sie mit den Fingern nachzuziehen.

Durch die offene Tür des Ateliers hörte er Stimmen. Erst Joris' angenehm dunkle mit dem immer ein wenig spöttischen Ton darin – und dann eine Frauenstimme: kühl und von oben herab. Merijntjes Gesicht bezog sich. Das war Mevrouw Amelie, die Schwester von Mijnheer Louis. Insgeheim bewunderte der Junge sie sehr, aber er fürchtete sich vor ihrem Hochmut und ihren verächtlich blickenden Augen. Wenn sie ihn zufällig einmal anschaute, kam er sich vor wie eine lästige Fliege. Mevrouw Amelie war seit Jahren mit einem Mann verheiratet, der irgendeinen hohen Posten in Indonesien hatte; doch im vergangenen Summer war sie allein zurückgekommen, und es hieß, sie sei geschieden. Mijnheer Louis mochte seine Schwester nicht, er nannte sie Madame Pompadour, und wenn der Name auch sehr würdevoll klang, freundlich gemeint war er nicht, das hörte man schon am Ton.

Mevrouw Amelie sagte gerade: „Sieh an, ein richtiges Dichterlein hast du aus ihm gemacht... Gott, wie romantisch!"

„Ich mache niemals etwas aus einem Menschen", erwiderte Joris. „Ich zeichne, was ich sehe – und damit aus."

Er sprach reinstes Holländisch mit Mevrouw Amelie, ein Beweis, daß er nicht bei guter Laune war.

„Was du zu sehen glaubst", sagte sie ironisch, „oder was du sehen willst... und was ihr euch gegenseitig einredet, du und Louis."

Joris lachte. „Warum ereiferst du dich so, Amelie? Du tust gerade, als ob du eine ausgesprochene Aversion gegen den jungen Mann hättest..."

„Zuviel Ehre", wehrte die Dame frostig ab. „Ich finde das ganze Theater nur so lächerlich, das ist alles."

„Warten wir es ab", sagte Joris. „Vielleicht wird die Zukunft lehren, wer sich irrt, ob wir oder du."

Ein kleines, verächtliches Lachen erklang.

„Zukunft? Haben solche Leute nun auch schon eine Zukunft?"

Feindseliges Schweigen folgte.

Merijntje zögerte an der Hobelbank, zupfte an dem Strick, der um das geleimte Paneel gespannt war. Worüber mochten sie sprechen? Er wagte nicht hineinzugehen, da die beiden sich stritten.

Nach einer Weile fragte Mevrouw Amelie: „Wo hast du das Porträt von deinem Freund Mortelmans? Ist es schon fertig?"

„Nein, aber fast . . ."

„Auch so eine Entdeckung von dir . . . Lieber Gott, wie kann man nur einen solch närrischen Kauz um sich dulden?"

Joris' tiefes Lachen klang sehr vergnügt.

„Es muß auch närrische Käuze geben. Vorgestern war er bis früh um fünf bei mir. Er hat die Gelegenheit benutzt, mir zu erklären, daß die Mutationstheorie von Hugo de Vries grundverkehrt sei: seine eigenen Beobachtungen auf dem Feld bewiesen, daß der Professor entweder keine Augen im Kopf habe oder die Leute bewußt beschwindele. Es war sehr lehrreich und verdammt amüsant."

„Mag sein", versetzte Amelie boshaft. „Aber vermutlich muß man selber einen leichten Knacks haben, um solch ein Geschwätz amüsant zu finden."

„Die geistig Armen werden seliggepriesen", warf Joris sarkastisch ein.

„So ist es. Und du bekommst gewiß einen goldenen Stuhl im Himmel, unmittelbar neben dem Philosophen Mortelmans – mit deiner Neuentdeckung zu Füßen."

Sie lachte. Ihr Lachen klang unangenehm, scharf und höhnisch. Es tat Merijntje weh, daß sie so lachte. Vielleicht weil das häßliche Lachen von einer so schönen Frau kam?

Aber Joris lachte auch, lachte gutmütig gegen ihren Hohn an und gab den Spott zurück: „Dann wird für dich wohl kein Platz mehr bei uns sein, Amelie. Du wirst sicher in die Nähe der Eisheiligen kommen, denke ich."

Das hat gesessen! dachte Merijntje und lächelte belustigt. Drinnen blieb es still. Sie wußte bestimmt nicht, was sie sagen sollte.

Dann vernahm er ihre Stimme, plötzlich mit ganz anderem Klang, sanfter, leicht bekümmert: „Für so eisig hältst du mich? Du bist ein großer Psychologe, Joris Moonen – genauso unfehlbar wie Mortelmans in der Physiologie."

„Und in der Allwissenheit, wenn's beliebt, Amelie. Mortelmans ist allwissend. Übrigens sprichst du Physiologie falsch aus. Mortelmans sagt: Phyliosogie – wahrscheinlich weil er glaubt, das hat etwas mit der Abstammung von Säugetieren zu tun, mit Phyloge-nie..."

Merijntje hörte Mevrouw Amelie weglaufen. Ihre spitzen Hak-ken klapperten rasch und ärgerlich über die Dielen, und laut fiel die verglaste Ateliertür hinter ihr ins Schloß.

Er sah Amelies Gesicht mit den verkniffenen Lippen und den bösen grauen Augen unter dem großen schwarzen Hut, als sie am Fenster der Werkstatt vorüberging. Unwillkürlich trat er einen Schritt zurück, um nicht von ihr gesehen zu werden. Ein Gesicht, vor dem man sich fürchten konnte!

Doch Joris schien das nichts auszumachen. Der lachte vor sich hin, murmelte etwas und begann summend im Atelier auf und ab zu gehen.

Der Junge trödelte noch ein wenig herum, löste die Spannstricke von dem Türrahmen, kratzte ein paar nach außen gepreßte harte Leimtropfen weg und ärgerte sich, weil ihm manches von der Un-terhaltung unverständlich geblieben war. Wieviel mußte man doch lernen, ehe man mit solchen Leuten umgehen konnte! Wenn sie mit einem selber sprachen, merkte man das nicht, aber sobald sie unter sich waren, verstand man bisweilen kaum die Hälfte von dem, was sie sagten.

Im Atelier traf er Joris: eine kurze, großkopfige Pfeife im Mund stand er vor dem Porträt, das er von Merijntje gezeichnet hatte. Nun hing es hinter Glas in einem silbernen Rahmen. So erschien es dem Jungen noch viel schöner. Und wieder war er fassungslos vor Staunen. Das war er, und doch wagte er sich nicht einzubilden, daß er in Wirklichkeit so aussah. Die Augen wirkten seltsam ver-träumt, die Stirn so hell, um den Mund das versonnene Lächeln – und erst die Hände, die achtlos ein Buch hielten! Waren das seine Hände? Er verglich sie rasch und fand sie auf der Zeichnung viel zu schön. Seine Hände waren schwielig, die Finger voll schwarzer Risse, und über den Handrücken lief blutigrot eine Schramme; die hatte er sich gestern beim Schneiden der Hecke geholt... Nein, so schöne Hände hatte er nicht. Der Junge auf dem Bild sah eher so aus wie einer von der Art von Mijnheer Louis oder Joris. Das war nicht Merijntje Gijzen... Und doch – die Nase, das Kinn, die Ohren? Merkwürdig.

Der Maler drehte sich nach ihm um.

„Ach, da haben wir ja das Original!" lachte er. Dann wandte er sich wieder der Zeichnung zu, trat ein paar Schritte zurück und sagte: „Nicht schlecht, was? Wetten, daß du keine Ahnung hattest, was für ein hübscher Junge du bist?"

„Bin ich auch nicht", stritt Merijntje ab. „Du hast mich viel zu schön gemacht. Genau wie ein feiner Herr – und das bin ich nicht."

„Ein feiner Herr?" protestierte Joris. „Du bist verrückt! Ich zeichne keine Herren, daß du's nur weißt. Ich zeichne Menschen."

„Ist ein Herr denn kein Mensch?"

„Hin und wieder mal, ja, aber verdammt selten... Das wirst du schon noch merken."

Merijntje blickte verwundert in sein aufgebrachtes Gesicht, lachte und sagte kopfschüttelnd:

„Du redest manchmal wirklich komische Dinge... Wollen wir den Schrank jetzt zusammensetzen?"

Doch Joris hatte nicht zugehört.

„Du gehst nach Amsterdam", sagte er.

„Ich? Was soll ich denn da?"

„Dein Porträt, Dummkopf! Zur Ausstellung... ‚Porträt von M. Gijzen'... Sollen die Leute doch mal raten, was das für ein Hosenpuper ist."

Merijntje wurde rot.

„Zur Ausstellung?" fragte er verwirrt. „Das ist doch nicht dein Ernst?"

Er empfand etwas wie Scham. Irgendwie war es ihm unangenehm, sich vorzustellen, daß sein Bild da hängen sollte und jeder es betrachten konnte.

„Warum nicht?" fragte Joris belustigt. Spöttische Lichter funkelten in seinen schwarzen Augen. „Es ist eine gute Arbeit. Und du brauchst dich nicht zu genieren, du bist ja nicht nackt darauf..."

„Das fehlte auch noch!" rief Merijntje entrüstet.

„Aber irgendwann mußt du mir doch einmal nackt stehen", neckte Joris. „Ich will einen David malen, dafür suche ich schon lange ein gutes Modell. Du hast ordentliche Muskeln, glaub ich, und bist ein dunkler Typ... die Nase ein bißchen krumm... genau das, was ich brauche."

„Du bist ja verrückt!" fuhr Merijntje auf, während er blutrot wurde und vor Angst ins Schwitzen geriet. „David ist doch sicher nicht nackend herumgelaufen!"

„Splitterfasernackt", schwor Joris, „nur eine Schleuder in der Hand."

„Dafür such dir gefälligst einen andern aus!" rief Merijntje empört. „Ich tu das nicht – nicht für tausend Gulden!"

„Verflixter kleiner Spießbürger!" schimpfte Joris. „Du mußt langsam mal davon abkommen zu glauben, daß Nacktheit etwas mit Schmutzfinkerei zu tun hat. Denkst du denn, daß alle Maler und Bildhauer verkommene Subjekte sind, weil sie Männer und Frauen nackt Modell stehen lassen? Paß auf, ich werd dir mal einen anderen David zeigen."

Er griff ein Buch aus einem Stapel, blätterte darin und schlug eine Abbildung von Michelangelos David vor Merijntje auf.

„Siehst du", sagte er begeistert, „der hat auch keine Kleider an. Und doch erkennt man, daß er ein König ist – ein königlicher junger Bursche, alles an ihm Kraft und Adel. Denn Nacktheit ist das Schönste, was es gibt. Die hat Gott selbst geschaffen. Die Kleider hat der Teufel erfunden, um in Gottes herrliches Werk hineinzupfuschen. Schau dir das an ... Michelangelo hat hier ein Standbild von Christus gemacht – völlig nackt. Das steht jetzt in einer Kirche in Rom, mit einem goldenen Lendentuch geschützt. Welch Sünde, zu zeigen, daß Jesus ein Mann war! Pharisäer, armselige!"

„Das gehört sich auch wirklich nicht", sagte Merijntje tief entsetzt. „Ich finde es schamlos!"

„Du wirst in diesem Punkt wohl nie gescheiter", lenkte der Maler versöhnlich ein und schmunzelte. „Aber die Leute, die der Christusfigur das Tuch umlegten, die wußten verdammt gut, daß alberne Prüderie sie leitete. Heuchler und Betrüger! Der Schmutz haftet nicht dem edlen Bildnis von Michelangelo an, er steckt in ihrer eigenen Seele, in ihrem verdorbenen Herzen!"

„Kannst du mir nicht mehr von diesem Michelangelo erzählen?" bat Merijntje ganz gebannt.

Da öffnete sich die Tür des Ateliers, und Mevrouw Amelie trat abermals ein. Der Maler blickte verwundert und unwillig auf.

Flüchtig grüßte sie Merijntje: „Tag, junger Mann!"

Er nickte verlegen: „Guten Tag, Mevrouw!"

„Ach, Joris, ich habe etwas vergessen ... Mein kleiner Ruysdael ... ja, ja, ich weiß, du behauptest, es sei eine schlechte Kopie, aber trotzdem ... Er ist von der Wand gefallen und hat eine häßliche Schramme abbekommen. Könntest du das für mich in Ordnung bringen?"

Jetzt, da sie etwas will, ist sie ganz anders als vorhin, dachte Merijntje. Wenn man sie so hört, würde man nicht glauben, daß sie so eine Katze sein kann.

Aber Joris fiel nicht darauf herein. Schroff erwiderte er:

„Damit mußt du zu einem Restaurator gehen. Ich habe keine Lust, in den Ruf zu kommen, daß ich echte Ruysdaels mit meinen ungeschickten Pfoten verpatze."

Mevrouw Amelie lachte. Jetzt hatte sie ein liebes Gesicht und war schön wie ein Engel. Sie legte Joris die Hände auf die Schultern, hielt den Kopf ein wenig schief und sagte in schmollendem Ton:

„Sei doch kein Bär, Meister! Du hast diesen herrlichen van Goyen für Onkel Arnold so vorzüglich restauriert, daß kein Mensch etwas davon merkt ... Tu mir doch den Gefallen, ja?"

Oh, wenn sie mich so bäte! dachte Merijntje, die Hände auf meinen Schultern ... Was für kleine, weiße Hände sie hat! Ein bedrückendes Gefühl erfüllte plötzlich sein Herz: so etwas Schönes würde er nie erleben!

Joris brummte unwillig: „Das war etwas anderes. Ruysdael ist nicht van Goyen."

„Ach was! Du kannst alles ... Tust du's?"

Sie rüttelte ihn zärtlich an den Schultern.

„Ich will mal sehen", erwiderte Joris, halb lachend. „Du kannst einen richtig tyrannisieren."

Mit einem erleichterten Seufzer ließ sie ihn los.

„Wunderbar! Ich wußte ja, daß du nicht so bist, wie du immer tust."

Sie sagte es genau wie ein kleines Mädchen, herrschsüchtig und triumphierend.

Joris wandte sich halb ab, drückte mit dem breiten Zeigefinger den Tabak in der Pfeife fest und knurrte:

„Nur weil an dem Plunder doch nichts zu verderben ist, sonst täte ich es bestimmt nicht ..."

Dann begann sie von etwas anderem zu sprechen. Leise ging Merijntje in die kleine Werkstatt hinüber, nahm die Tür für das Schränkchen und versuchte, sie allein einzusetzen. Hinter sich hörte er die Unterhaltung der beiden – die dunkle, immer etwas rauhe Stimme von Joris und die kühle, hochmütige von Mevrouw Amelie, in der jedoch manchmal ein mädchenhaft heller, silberner Ton aufklang. Plötzlich fühlte er sich so beiseite geschoben, so ausgestoßen und vernachlässigt. Schuster bleiß bei deinem Leisten, dachte er voller Bitterkeit. Was tat er eigentlich hier? Das war eine andere Welt, in die er nicht hineingehörte.

Ein unwiderstehliches Verlangen stand in ihm auf: nach seiner Mutter, nach der gutmütig polternden Stimme seines Vaters, nach Arjaan und dem frechen Jantje, nach der schmeichelnden Art der kleinen Mieke, nach Annet, die jeden Abend so müde und abgespannt von ihrer Arbeit kam ... Dort war er auf seinem Platz, dort galt er etwas – aber hier ... hier zählte er nicht viel ... Die beiden am Fenster sprachen jetzt französisch, Joris las etwas aus einem französischen Buch vor.

Und er bastelte derweil an diesem alten morschen Schrank, versuchte die Tür sauber einzuhängen, daß sie nicht klemmte und genau im Winkel stand – er, der kleine Handlanger ... er, M. Gijzen, von dem die Leute erraten sollten, was das für ein Hosenpuper sei ...

3

Doch als er eine Stunde später nach Hause ging, sah alles plötzlich ganz anders aus. Joris war abgerufen worden, und Mevrouw Amelie war zu ihm in die Werkstatt gekommen. Sie hatte ihn in ein Gespräch gezogen, ihn gefragt, was er da tue, und ihm freundlich und nett über seine Befangenheit hinweggeholfen. Sie war gar nicht so stolz und unangenehm, wie er glaubte. Wie aufmerksam und interessiert hatte sie sich seine Erklärungen über die Arbeit angehört! Ab und zu schweifte ihr Blick über ihn hin, dann war er jedesmal sehr verlegen geworden. Und plötzlich hatte sie ihn gefragt, ob er für sie auch einmal was tun würde: sie habe ein altes Münzenschränkchen zu Haus, in dem sich einige Schubladen nicht öffnen ließen; Griffe und ein Fuß seien abgegangen. Sie würde es sehr nett finden, wenn er heute abend gegen acht mit Werkzeug zu ihr kommen wollte, um es in Ordnung zu bringen.

So konnte man sich also in den Menschen täuschen, wenn man sie nur nach ihrer Sprache und Haltung beurteilte, ohne sie näher zu kennen. Wie alt mochte sie eigentlich sein? Erst hatte er gedacht, gegen dreißig, aber jetzt erschien sie ihm viel jünger.

Als Merijntje bei Tisch erzählte, daß er abends aufs Schloß müsse, um für Mevrouw Amelie etwas in Ordnung zu bringen, sah Louis ihn eine Weile nachdenklich an. Er trommelte mit seinen langen Fingern auf die Tischplatte und schaute mit hochgezogenen Brauen an Merijntje vorbei. Dann sagte er verdrießlich:

„Weshalb? Was hast du dort zu tun?"

„Sie hat ein Schränkchen ..."

Aber Merijntje sprach sein Rotterdamer Straßenkauderwelsch – und da klang es nicht so fein wie gedruckt. Er sagte nämlich nicht: „Ze heeft een kastje" – wie es sich in reinstem Niederländisch gehört hätte, sondern: „Ze heb een kastje." Und das war falsch.

Mijnheer Louis verbesserte ihn. Merijntje war es inzwischen gewöhnt. Der Hausherr lehrte ihn die Hochsprache sprechen und kämpfte unermüdlich gegen seine nachlässige großstädtische Mundart an, die noch lange nicht überwunden war.

Merijntje setzte neu zu einer Antwort an und gab sich alle Mühe, korrekt zu sprechen:

„Sie hat ein Schränkchen, das repariert werden soll."

„So . . ." Die Falten zwischen Louis' Brauen vertieften sich. „An deiner Stelle würde ich nicht hingehen. Joris kommt heute abend mit Janna. Ich habe versprochen, etwas zu spielen. Soll ich hinüberschicken, daß du nicht kommen kannst?"

„Ja, aber . . . aber ich habe fest versprochen, daß ich komme."

„So . . . na ja . . . schade . . ."

Er nahm eine Zigarette, stand vom Tisch auf und lief mit unwilligem Gesicht, in Gedanken vertieft, hin und her. Ab und zu warf er dem Jungen einen Blick zu, schüttelte kaum merklich den Kopf und fuhr sich nervös mit der Hand durch das wellige Haar. Merijntje fühlte sich unbehaglich. Was war nur? Hatte er etwas falsch gemacht?

Sie gingen in das große Musikzimmer, wo eine Lampe auf dem Flügel goldenes Dämmerlicht verbreitete. Louis wies auf einen tiefen Sessel an dem niedrigen Tisch und schob ihm die Zigarrenkiste zu. Schweigend saß Merijntje da und rauchte. Ein unbestimmtes Schuldgefühl quälte ihn, als hätte er Mijnheer Louis irgendwie unrecht getan. Aber womit?

Langsam schritt Louis in dem dämmerigen Zimmer auf und ab. Er sagte nichts, weil er nicht wußte, wie er beginnen sollte. Er mußte den Jungen vor Amelie warnen. Ihr plötzliches Interesse, das aus der scheinbar harmlosen Aufforderung hervorging, gefiel ihm nicht. Er kannte ihre unberechenbaren Launen, ihre impulsiven Einfälle, durch keinerlei Skrupel gebändigt, ihren Hunger nach Sensationen, dem sie alles opferte. Hatte sie etwas mit dem Jungen vor? Er wäre nicht der erste, mit dem sie ein perfides Spiel triebe. Anscheinend hatte sie ihn ganz plötzlich bemerkt, und sofort streckte sie die gierigen Hände nach ihm aus. Er verachtete sie wegen dieser völlig gewissenlosen Genußsucht, doch gleichzeitig empfand er etwas wie heimliche Bewunderung für ihren leidenschaftlichen Mut, mit dem sie ihren Impulsen folgte.

Vielleicht steckte sowohl in seiner Verachtung wie in der Bewunderung verborgener Neid, der quälende Neid des Schwachen dem Starken gegenüber. Schließlich waren sie aus einem Blut, und wer weiß . . . ohne die Belastung seines schrecklichen Leidens? Sie hatten ja beide mit diesem unheilvollen Erbe fertig zu werden, er im Körper, sie in der Seele mit ihrem hochmütigen, perversen Wesen ... Doch er war für andere unschädlich – sie dagegen war eine Gefahr, immer unbefriedigt, immer auf der Jagd nach neuen Spannungen, krankhaft brutal, krankhaft hemmungslos ... Er mußte den Jungen warnen. Wenn sie es darauf anlegte, wurde er bestimmt ihr wehrloses Opfer. Gerade er mit seiner gefühlvollen Art, seiner Harmlosigkeit, seinem unbewußten Bedürfnis nach Verfeinerung und Schönheit. Er würde eine leichte Beute für ihre katzenhaften Verführungskünste werden. Aber wie sollte er das diesem Knaben verständlich machen? Der lebte ja meilenweit von solchen Dingen entfernt, hatte nicht die leiseste Ahnung von ihren Ursachen und ihrer tragischen Unvermeidbarkeit.

Endlich sagte er leise mit stockender Stimme: „Paß ein bißchen auf bei meiner Schwester, Merijntje ...“

Und als der Junge ihn mit großen Augen erstaunt ansah, fügte er schroff hinzu:

„Sie kann verdammt unangenehm sein, weißt du ... ich warne dich!“

Dann setzte er sich an den Flügel und begann zu spielen. Wie immer flüchtete er sich vor Schwierigkeiten in die Musik.

Merijntje saß mit unruhig klopfendem Herzen in seinem Sessel und hörte zu. Es klang traurig und müde und manchmal ein wenig zornig. Mijnheer Louis liebte seine Schwester Amelie nicht. Warum? Gonda, seine jüngere Schwester, mochte er doch so gern. Die studierte in Leiden und kam nur sonnabends und sonntags nach Haus. Gewiß, Mevrouw Amelie konnte unangenehm sein, das hatte er schon gemerkt. Aber sie konnte auch freundlich sein, und dann war sie so lieb und schön – eine vornehme Dame, ganz fern und doch ... irgend etwas kam ihm vertraut an ihr vor. Er sollte ein bißchen bei ihr aufpassen? Ein bitteres Lachen verzog seinen Mund: aufpassen! Das klang ja, als ob sie seinesgleichen wäre. Er war von Mevrouw Amelie aufgefordert worden, ein Schränkchen zu reparieren. Wenn die Arbeit getan war, würde sie sich bei ihm bedanken, ihm ein paar Münzen in die Hand drücken, und er würde gehen. Was gab es dabei aufzupassen? Hatte sie vielleicht die Gewohnheit, Arbeiter grob zu behandeln, sie zu schikanieren, wenn es nicht so ging, wie sie wollte? Dann konnte sie sich von ihm aus zum Teufel scheren – er stand nicht in ihrem Dienst!

Er war schon mehrmals im „Schloß“ gewesen, dem alten Herrenhaus, das südlich vom Dorf am Ende einer Auffahrt in einem parkartigen Garten lag. Louis' Mutter wohnte dort mit ihrer Tochter Amelie, einem Diener, einem Gärtner, der auch Stallknecht und Kutscher war, und zwei Mädchen. Vier Personen, um zwei Leute zu bedienen ... Es war ein wenig unheimlich in diesem weiträumigen Haus mit den hohlklingenden Gängen und den großen Zimmern, die durch die hohe, dunkle Eichentäfelung und die schwer herniederhängenden Gardinen und Portieren besonders düster wirkten.

Die alte gnädige Frau sah man nur selten. Sie ging immer schwarz gekleidet mit einer kleinen Spitzenhaube auf dem dünnen weißen Haar und sprach mit einer merkwürdig schrillen, gläsernen Stimme, die einem das absonderliche Empfinden gab, daß sie jeden Augenblick zerbrechen müsse. Merijntje konnte sich gut vorstellen, daß Mijnheer Louis lieber in das gemütliche Haus im Dorf gezogen war.

Als er· vor der hohen Tür unter der vergoldeten Laterne stand und dem Hall der Glocke lauschte, überfiel ihn ein Frösteln. Es war ein kalter Abend. Der Wind war heftiger geworden und heulte durch die kahlen Baumkronen.

Das brummige alte Dienstmädchen hörte kaum auf das, was er sagte; sie wußte wohl, weshalb er kam, zeigte nur auf die Treppe und murrte:

„Oben rechts und dann die zweite Tür links."

Darauf schlurfte sie wieder in die Küche zurück und ließ ihn stehen.

Im Haus war es totenstill. Mit klopfendem Herzen schlich Merijntje die Treppe hinauf, seine Füße versanken in dem dicken Läufer, und er kam sich vor wie ein Einbrecher, der heimlich in das Haus reicher Leute eingedrungen war. Als er auf dem oberen, von einer kleinen Lampe nur spärlich erleuchteten Gang stand, wußte er zu seinem Entsetzen nicht mehr, welche Tür es war. Der Schweiß brach ihm aus. Dummkopf! Warum hatte er nicht richtig zugehört?

Glücklicherweise öffnete sich da eine Tür, und Mevrouw Amelie erschien auf der Schwelle.

„Da ist ja mein Tischler", sagte sie lachend. „Komm nur herein!"

Es war ein großes Zimmer, herrlich warm, denn in dem offenen Kamin brannte ein Feuer unter dem braunen Marmorumbau. Ein bittersüßer Duft hing im Raum. Mevrouw Amelie trug ein dunkelrotes Samtkleid. Die Ärmel, die die Handgelenke eng umschlossen, fielen weit und faltig um die Arme und waren von den Schultern bis zu den Ellbogen aufgeschlitzt, so daß bei jeder Bewegung die schimmernd weiße Haut unter dem satten Rot sichtbar wurde – eine wunderliche Erfindung. Um den Hals trug sie eine goldene Kette mit einem leuchtend gelben Stein, aus dem funkelnde Strahlen schossen. Ihr Gesicht wirkte sehr weiß unter dem schwarzen Haar, und die grauen Augen glänzten in freundlichem Lächeln.

Sie sieht aus wie eine Königin, dachte Merijntje verblüfft und stand mit feuerrotem Gesicht da, zerdrückte seine Mütze und brachte kein Wort hervor. Amelie nahm ihm die Mütze aus den nervösen Fingern und warf sie achtlos auf das Sofa. Sie wies auf den Tisch, der mitten im Zimmer unter einer großen Lampe mit goldbraunem Seidenschirm stand.

„Da ist das Schränkchen. Willst du es dir einmal ansehen?"

Schwerfällig setzte sich Merijntje in Bewegung. Er hatte das Gefühl, daß er ganz und gar aus Holz sei, eine ungelenke, steife Holzpuppe, plump und eckig und völlig fehl am Platz. Die blinkenden Möbel mit ihren zierlichen, kunstvoll geschnitzten Füßen standen auf einem schwarzen Teppich. Überall blitzte Kristall und Silber vor dem seidig schimmernden Damast der Tapezierung, und dazwischen bewegte sich eine Königin im roten Samtkleid, schob Tulpen und Flieder in einer hohen Vase zurecht und summte eine Melodie vor sich hin. Und er selber stand da und bastelte mit zitternden, ungeschickten Fingern an den Schubladen eines wunderlichen Schränkchens, rot lackiert mit mattgoldenen Figuren, Puppen in chinesischen Kleidern, Ranken von Rohr und Blumen, Häusern mit spitzen Dächern, winzigen Vögeln, Faltern und angsterregend gekrümmten Drachen. Sein Werkzeug auf dem Tisch war viel zu grob, als daß man es für dieses zerbrechliche, ungemein kunstvoll gearbeitete Schmuckstück hätte gebrauchen können.

„Daran wage ich nicht zu nageln, Mevrouw", sagte er besorgt. „Das muß vorsichtig geleimt werden. Soll ich es mitnehmen und bei Joris machen?"

„Warte, ich habe Furnierleim da. Der ist besser als euer Tischlerleim."

Sie trat an einen kleinen Sekretär aus Rosenholz und kam mit einer Tube zurück, die sie vor ihn auf den Tisch legte.

„Haben Sie keine Zeitung zum Unterlegen? Sonst mach ich den Tisch dreckig."

„Was denn noch alles!" belustigte sie sich.

Schweigend begann er zu arbeiten, seine Hände wurden allmählich ruhiger. Er konzentrierte sich ganz und gar auf die knifflige Aufgabe, die viel Geschick von ihm verlangte. Die glatten Brettchen fügten sich sauber aneinander, und während der Leim trocknete, betrachtete er die wunderlichen Verzierungen an der Schatulle, bestaunte die Sorgfalt der Verarbeitung: der Lack ohne jede Falte, ohne ein einziges Körnchen, das Rot in leuchtendem Glanz, tiefglühend die goldenen Ornamente. Die Griffe waren kleine Bronzedrachen, deren wilde Augen Funken sprühten. Jede der winzigen Schuppen lag sauber abgerundet, wie lose auf dem Körper, so als könne man sie einfach abheben. Und das haben Chinesen gemacht, ein ungebildetes Heidenvolk, dem wir Missionare schicken, um es zum Christentum zu bekehren und ihm Kultur zu bringen?

„Was glaubst du, wie alt das Schränkchen ist?"

Merijntje schaute auf. Mevrouw Amelie saß in einem großen Sessel hinter dem Tisch, die Ellbogen auf den Knien, das Kinn in die Handflächen geschmiegt. Ein amüsiertes Lächeln spielte um ihren keck aufgeworfenen Mund. Er zog die Augenbrauen hoch, blickte noch einmal auf die glatte, glänzende Lackierung, die zierliche Zeichnung der goldenen Motive.

„Zehn Jahre?" riet er zögernd.

„Rechne mal noch vierhundert dazu, dann kommst du ungefähr in die Nähe!"

„Vierhundert Jahre?" Die Schublade fiel ihm fast aus den Händen. „Konnten die Chinesen denn damals schon . . ."

Die Dame nickte, lachte flüchtig und sagte:

„Ja, Merijntje Gijzen, und sie konnten schon lesen und schreiben, beherrschten die Kunst des Malens und Bildhauens, webten prächtige Seide mit herrlichen Blumenmustern, als unsere Vorfahren noch in Tierfellen durch die Wälder krochen und Bären und Auerochsen jagten. Sie kannten sogar den Kompaß, sie waren echte Gelehrte und Weltweise. Ein bewundernswertes Volk . . ."

„Sind Sie . . . sind Sie schon einmal in China gewesen?"

„Ja, ich bin über Japan und China aus Indonesien zurückgekommen."

Merijntje seufzte und schaute wieder auf die Schatulle vor sich. Über Japan und China aus Indonesien zurückgekommen . . . Das klang fast wie ein Märchen. Ein großes, ohnmächtiges Verlangen quälte ihn. Die reichen Leute waren eben doch bevorrechtet . . . Aber gleich taten ihm diese Gedanken wieder leid. Nein, so durfte man das nicht sehen. Sie waren gut zu ihm, diese reichen Leute, er lernte von ihnen, sie zeigten ihm schöne Dinge, öffneten ihm eine ganz neue Welt; und in dieser Welt galten weder Armut noch Reichtum, nur Geist und Schönheit, Kultur und Talent . . . so sagte Mijnheer Louis. Aber man mußte wohl viel Bildung besitzen, um mit dazuzugehören, denn man mußte alles begreifen, jede geistvolle Anspielung verstehen können, sonst verlor man sehr rasch den Anschluß.

„Woran denkst du?"

Er blickte auf. Mevrouw Amelie hatte sich erhoben und schenkte Tee ein. Aus den Augenwinkeln spähte sie zu ihm herüber.

„An Indonesien und China und Japan", sagte er leise. „Es muß herrlich sein, das alles sehen zu dürfen."

Er sah sie an, den Traum von der Ferne in den dunklen Augen.

Ein merkwürdiger Junge, dachte Amelie, vielleicht hatte Joris nicht einmal ganz unrecht mit seinem Porträt. Er wirkte so naiv empfindsam, zeigte seine rasch wechselnden Stimmungen, ohne sich dessen bewußt zu sein; gab sich schüchtern wie ein Mädchen, linkisch und verlegen – und doch lag etwas Starkes in seinen Gesichtszügen, etwas Trotziges um seinen verbissenen Mund. Die Umgebung und sie, Amelie, schienen ihn völlig durcheinandergebracht zu haben. Wenn sie es darauf anlegte, konnte sie mit dem zarten Jüngelchen machen, was sie wollte. Vielleicht bekam sie Lust, ihn ein wenig tanzen zu lassen? Sie langweilte sich entsetzlich – die Energie, ihre Sachen zu packen und auf Reisen zu gehen, brachte sie nicht auf ... Letzten Endes war es doch überall das gleiche: öde, geisttötend, an den Schuhsohlen abgelaufen ...

Joris und Louis wollten mit aller Gewalt etwas Besonderes aus diesem Naturbengel herausholen. Mit seltsamem Ernst und Fleiß bastelten sie an dem ungebildeten „Volksjungen" herum, und er hing an ihnen wie ein Hündchen. Nicht ausgeschlossen, daß wirklich etwas in ihm steckte ... Er hatte schöne, ausdrucksvolle Augen, eine klare Stirn, auf die drollige Fältchen traten, wenn er angestrengt nachdachte oder verwundert war. Breite Schultern hatte er und kräftige Hände. Sobald die Leidenschaft ihn packte, würde er einen gewiß an sich pressen, daß einem der Atem stockte; Sinnlichkeit übergenug lag auf seinen vollen Lippen, auch wenn er sie noch so spröde zusammenkniff.

Amelies allzeit wache Sensualität schüttelte die Sinne mit Fieber – mit jenem aufflackernden Fieber, das alles zu verwandeln und Spannung zu bringen versprach, als ginge man der Erfüllung geheimer Wünsche entgegen. Sie schätzte das Unkultivierte durchaus. Unerwartetes konnte daraus entspringen, es konnte gefährlich werden, außerordentlich bedrohlich in seiner Primitivität, unberechenbar. Es war ihr nicht unbekannt, sie hatte es schaudernd erfahren, bebend vor Angst knapp bezwungen, gebändigt und verdrängt – plötzlich all dessen überdrüssig, durchaus ernüchtert und angewidert. Der Kampf mit dem Gorilla ... Dieser Knabe hatte freilich wenig von einem Gorilla an sich, wie sie fand. Sie schaute lächelnd in seine bewundernd zu ihr aufgeschlagenen Augen, die fasziniert ihren Bewegungen folgten. Ja, in dem Jungen steckte unbedingt etwas Besonderes. Viel Sanftheit, viel Zärtlichkeit ... In seiner Unbeholfenheit kam er ihr vor wie ein großes, junges Tier, das seine gefährliche Kraft nicht kennt und flehend zu seinem Herrn aufblickt – im Zweifel, ob es gestreichelt oder getreten werden soll. Wer weiß, vielleicht hatte sie Lust, ihn zu streicheln ... vielleicht auch, ihn zu treten? Beides machte Spaß – es schaffte Ablenkung und Aufregung. Und beißen würde er wohl nicht. Oder doch? Der trotzige Zug um Mund und Augen konnte plötzlich erstarren, hart und finster werden vor Empörung und Wut.

Tastend glitten ihre Gedanken über ihn hin, suchten sein Wesen zu ergründen, prüften die Möglichkeiten, ihn zu liebkosen oder zu quälen, ihn zu ihrem Ergötzen und Genuß zu gebrauchen, erwogen zart erregt, doch kühl berechnend, ob sich der Einsatz lohnte ... wie eine Katze, die die Maus belauert und sich den spannenden

Augenblick vorstellt, da sie ihre Krallen in den warmen, zuckenden Leib schlagen würde, die höchste Wollust einer sorgfältig unterdrückten Gier, die endlich in leidenschaftlicher, vernichtender Aktivität losschießt. Vielleicht lohnte es sich gar nicht. Vielleicht war der Junge lächerlich belanglos, die Beschäftigung mit ihm im Grunde genommen beschämend. Aber sie würde in jedem Fall Joris und Louis damit ärgern können, ihren albernen, besorgten Eifer um ihr Hätschelkind zunichte machen. Was ihnen dieser große Pfarrer wohl alles über den Jungen eingeblasen hatte? Sie konnte ihnen ihr Spielzeug wegnehmen, es kaputt machen, sich über ihre Wut amüsieren – so wie sie es als Kind oft getan hatte, wenn es ihr gelungen war, Louis zur Raserei zu bringen, und sie sich nachher, zwar zitternd vor Erregung und Angst, aber doch mit einer tiefen, animalischen Befriedigung an seinen Wutausbrüchen geweidet hatte.

Sie hatte immer gern Böses getan – sie, Amelie –, jedenfalls das, was die Leute gemeinhin für böse hielten. Für sie war es nichts weiter als heimliches Vergnügen gewesen, den Beweis anzutreten, daß sie in ihrem unbezwingbaren Drang, Macht über andere auszuüben, nicht ermüdete, und sich davon zu überzeugen, daß sie stärker als ihre Mitmenschen war und mutiger dazu; sie hatte ihre Freude, die Reaktionen der Schwachen und Furchtsamen zu beobachten, die sich von ihren kindlichen Vorstellungen über Sünde und Strafe irritieren ließen und fest annahmen, der Übeltäter lenke die Vergeltung zwangsläufig und unvermeidlich auf sich herab. Ihre Erfahrung indes hatte sie schon früh eines Besseren belehrt. Sie war das abgöttisch geliebte, ungewöhnliche, begabte Kind. Alles war ihr erlaubt. Die Unterlegenen ängstigten sich vor ihr, buhlten um ihre Gunst, um vor ihrer Quälsucht sicher zu sein; sie wurde bewundert, verehrt, umworben. Ihr Vater war stolz auf sie, meinte in ihr einen hohen, unabhängigen Geist sehen zu können, verspottete die Beschwerdeführer, verzieh Amelie jede Laune, gönnte ihr jeden Triumph und den anderen ihre Niederlagen.

Einmal hatte Louis sie, über die Gebühr von ihr gereizt, nach Strich und Faden verdroschen. Sie hatte nicht geheult, hatte nur die Hände vors Gesicht gehalten und die Züchtigung über sich ergehen lassen, eiskalt vor Wut, aber machtlos gegenüber seiner jäh aufgebrochenen Wildheit. Schweigend hatte sie ihrem Vater die Beulen und die dunkelblauen Flecke auf den Armen, den Beinen und auf dem Rücken gezeigt und auf Louis gewiesen. Da war der sonst so ruhige, besonnene Aristokrat außer sich geraten, war über den Jungen hergefallen und hatte ihn übel zugerichtet. Louis hatte sich gewehrt, zurückgeschlagen, war in eine Ecke gestürzt und dort bewußtlos liegengeblieben, bis das jammernde Dienstmädchen kam und ihn aufhob. Die Mutter saß zitternd in ihrem Sessel, bleich und fassungslos, und konnte sich nicht rühren vor

Schreck und Abscheu. Die Nacht darauf hatte Louis seinen ersten Anfall gehabt.

Seit diesem Tag wich ihre Mutter ihr aus, scheu und ängstlich vor dem Dämon, den ihr Mann als Genie betrachtete. Doch Amelie lebte weiter, als sei nichts geschehen, lebte fröhlich in dem großen Haus, das mehr und mehr zu einer stillen Hölle wurde. Sie erkannte keine Schuld an und war durch nichts in Angst zu versetzen. Jedem Einfall und jeder Laune gab sie nach. Überall, wohin sie kam, bildete sie den Mittelpunkt – intelligent, einschmeichelnd, quälerisch, genußsüchtig, gewissenlos; gefeiert als die hochmütige, überdurchschnittliche Amelie, die anders war als jedermann sonst, der man alles vergeben mußte, weil sie nie um Vergebung bat, nie Bedauern zeigte, selbst dann nicht, wenn etwas schiefging und sie vor unangenehmen Konsequenzen stand. Sie war wie ein gut trainierter Boxer, steckte, ohne mit der Wimper zu zucken, die Hiebe ein und schlug kalt und hart, sorgsam kalkulierend, zurück; denn sie kämpfte mit dem Verstand. Niederlagen erlitt sie nur, wenn ihr Gehirn vorübergehend Kraft und Klarheit verlor, wenn sie überwältigt wurde von der gärenden Sinnlichkeit, die tief in ihrem Wesen verborgen lag wie eine geheime Krankheit, für die es weder Erklärung noch Heilmittel gab. Wenn die hohen Wogen die Dämme sprengten, kam eine Lähmung über sie – und fortgerissen wurde sie von der trüben Flut. Wehrlos war sie jener Macht preisgegeben, die sie sonst selber mit unfehlbarer Treffsicherheit als erbarmungslose Waffe handhabe. Sie hatte mit vielen Männern gespielt, aber manche hatten auch mit ihr gespielt, und sie wußte, daß sie in den verräterisch liebkosenden Händen mißbraucht worden war wie eine Puppe, ein Ding, eine Dirne. Und sie hatte es mit sich geschehen lassen – willenlos dieser beklemmenden Leidenschaft ausgeliefert, die ihr den höchsten Genuß und die tiefste Erniedrigung zugleich brachte.

Der Gedanke an solche Perioden saß wie ein Widerhaken in ihrer Seele und trieb sie dazu, immer wieder nach neuen Opfern zu spähen. Sie wollte Rache nehmen für eine Schmach, die sie elend machte, zur Verzweiflung trieb und doch jedesmal noch gierigeres Verlangen in ihr weckte... Es war wohl besser, selber zu spielen, als mit sich spielen zu lassen; besser, zu herrschen, als beherrscht zu werden; besser, Jäger als Beute zu sein.

Aus halbgeschlossenen Lidern warf sie dem Jungen einen Blick zu... Ob diese Beute die Mühe der Jagd lohnte?

4

Es wurde wenig gesprochen. Ab und zu ein Wort, ein paar Sätze. Eine beiläufige Frage, eine befangene Antwort. In ihr die stille Beunruhigung über unausgereifte, zögernd erwogene Absichten, das behagliche Wissen um Möglichkeiten, die zum Greifen nahelagen, der heimliche Vorgeschmack des Genusses bei einem Experiment, das sie sich vielleicht gestatten sollte. In ihm die Verwirrung über das Zusammensein mit dieser staunenerregend schönen, vornehmen Dame, über den herbsüßen Duft, den sie verströmte, die seltsame Vertrautheit, mit der sie ihn behutsam zu umgarnen versuchte, über die luxuriöse Umgebung, die unklare Angst vor der Atmosphäre um ihn her.

Das Schränkchen war fertig, die Unordnung auf dem Tisch beseitigt.

„Würdest du es bitte nebenan auf meinen Toilettentisch stellen? Du siehst schon, wo es gestanden hat. Dann kannst du dir auch gleich die Hände waschen. Ich mache währenddessen einen Grog."

Sie raffte die Portiere zur Seite, ließ ihn durchgehen, der Vorhang fiel lautlos hinter ihm zu. Das war ihr Schlafzimmer. Ein niedriges, breites Bett auf gebogenen Goldfüßen, ein gelbseidener Himmel im Licht der hohen Stehlampe. Ein Marmorwaschtisch, eine Frisierkommode mit Spiegeln, funkelndes Kristall, Schmucksachen, Dosen und Töpfchen mit bunten Deckeln zu unbekanntem Zweck.

Merijntje stellte das Schränkchen vorsichtig dazwischen und sah im Spiegel flüchtig sein rotes Gesicht, während ihm süße Düfte von Puder und Parfüm betäubend in die Nase stiegen. Hastig wusch er sich die Hände, wagte nicht, das Handtuch zu benutzen, und trocknete sich mit dem Taschentuch ab. So schlief also eine Dame – inmitten all der Pracht und Üppigkeit ...

Und wieder kam er sich beschämend grob und plump vor, ein unwürdiger Eindringling, ein Nichts. Zitternde Erregung durchströmte ihn, und eine unbestimmte Angst trieb ihn hinaus. Es war auch unschicklich, hier zu sein; das gehörte sich nicht, es war das Schlafzimmer von Mevrouw Amelie ... da schaute man sich nicht um. Ein absonderliches Verlangen zu weinen entsetzte und beschämte ihn noch tiefer. Gewaltsam beherrschte er sich und ging hastig durch die Portiere zurück.

Mevrouw Amelie lachte ihm über die Gläser zu, die sie gerade gefüllt hatte. Sie sah sein verstörtes Gesicht, die trotzig zusammengekniffenen Lippen, die unruhige Glut in seinen Augen – und triumphierte. Na bitte, der Junge! Die Atmosphäre des Schlafzimmers hatte ihn gepackt. Da rührte sich schon der Mann im Knaben! Sie würde die Glut in ihm zum Lodern bringen können, wenn es ihr gefiel. Ein hübsches Gesichtchen hatte er bestimmt – er merkte nicht einmal, daß diese dunkle Locke von der Stirn herab bis über die Augenbrauen gefallen war, so sehr hatte ihn das Zimmer aus der Fassung gebracht. Sancta simplicitas! Breite Schultern, stark gebaut, geschmeidig und sehnig wie ein junges Tier ... mochte beizeiten ein erfahrener Mann werden. In all seiner Unsicherheit und Zurückhaltung hatte er doch etwas von einem Eroberer an sich – daß er das nicht wußte, machte seinen besonderen Charme. In ihrem Blut sang es, ihre Augen bekamen Glanz ... Wenn sie jetzt wollte, gehörte der Junge ihr, war ihr Sklave, ihr Spielzeug. Es war hübsch, mit Menschen wie mit Spielzeug umgehen zu können.

„Zieh die Sessel näher an den Kamin, Merijntje Gijzen ... das Tischchen hierher! So, setz dich, und nun wollen wir auf gute Bekanntschaft anstoßen ... Bis jetzt hattest du ja nur Augen und Ohren für meinen Bruder Louis und für Joris. Das ist nicht sehr schön für eine Frau, Merijntje. So abscheulich anzusehen bin ich doch nicht? Oder?"

Er hatte das Gefühl, als knallten die Worte wie Peitschenhiebe um seine Ohren. Verlegen schaute er sie an, das große Glas in den zitternden Händen. Das ist nicht schön für eine Frau ... Eine Frau ... Diese Vorstellung verlieh ihm ein wunderliches Gefühl. Er mußte plötzlich an Marjan denken, die ihn verstehen gelehrt hatte, was das bedeutete: eine Frau ... Das Blut schoß ihm in den Kopf ob dieses unerhörten Gedankens, denn eine Dame wie diese konnte das nicht so gemeint haben. Er war ein Rüpel. So ein vornehmes Gesicht, und dann solche Gedanken ...

Lachend hob sie ihm das Glas entgegen:

„Santé, Merijntje Gijzen!"

„Santé, Mevrouw!"

Seine Stimme klang heiser. Ihr Blick hielt den seinen fest, während sie trank, doch er ertrug es nicht und schlug die Augen nieder. Er sah ihre kleinen Füße unter dem roten Samt des Kleides, die schmalen Fesseln in den seidenen Strümpfen. Seine Verwirrung nahm zu. Der Grog war von schwerem, altem Rum und hinterließ einen etwas bitteren Geschmack in der Kehle. Er hustete und stellte das Glas hin. Schweißtropfen perlten ihm über die Stirn, aber er wagte nicht, sie wegzuwischen.

Amelie sah seine wachsende Beklemmung, seine Angst. Sie lachte unbefangen und fragte:

„Ist der Grog stark genug, oder möchtest du noch etwas mehr Rum?"

„Nein, nein", sagte Merijntje hastig, „er ist stark genug... danke, danke sehr!"

Er hörte, daß er plötzlich Dialekt sprach, und schämte sich wegen der bäuerischen Redeweise, die ihm hier derb und unpassend vorkam. Betreten entschuldigte er sich, doch Mevrouw Amelie lachte nur.

„Sprich du ruhig brabantisch", sagte sie freundlich. „Das paßt viel besser zu dir... Ich finde es so nett, wenn du Dialekt sprichst."

Sein Gesicht verdüsterte sich. Natürlich: die Bauernsprache paßte zu ihm. In Rotterdam hatte man ihn früher immer „Bäuerlein" genannt, und auch später noch wurde er oft gefragt, ob er von jenseits der Maas komme. Er würde eben sein Leben lang ein tölpelhafter Bauer bleiben. Jeder pflegte gleich zu merken, daß er am liebsten die Sprache vom Lande sprach – nicht den Rotterdamer Gassenjargon, auf den er einst auch nicht wenig stolz gewesen war, nicht das reine Niederländisch, sondern eben die Sprache seines Heimatdorfes... Das paßte zu ihm, das sollte sein Holländisch bleiben – das machte ihn so einer Dame wie Mevrouw Amelie noch sympathischer, und so sagte sie denn auch leichthin:

„Du bist viel niedlicher, wenn du in deiner Mundart sprichst!"

Aha, so meinte sie das. Bauer, bleib bei deinen Rüben – Hund, bei deinen Knochen!

Er schwieg und wußte selber nicht, wie finster er dabei aussah. Amelie begriff, was in ihm vorging. In diesem Gesicht konnte man lesen wie in einem offenen Buch. Innerlich mußte sie darüber lachen, aber irgendwie rührte sie diese Empfindsamkeit. Sanft und mit schmeichelnder Stimme sagte sie:

„Darüber brauchst du doch nicht böse zu sein, Merijntje... Ich finde das Brabantische wirklich viel netter. Es klingt so weich, so melodisch, und wenn es deine Muttersprache ist, kannst du dich ja auch viel besser darin ausdrücken."

„Warum sprechen Sie's dann nicht selber?" fragte er, ärgerlich über ihr Gerede und absichtlich grob. Mochte sie ruhig böse werden, dann kam er wenigstens bald fort hier.

„Ich wünschte, ich könnte es", erwiderte sie mit einem Seufzer. „Aber als Kind durfte ich es nicht sprechen. Mama wollte es nicht – und dabei mag ich es so gern . . ."

Er sah sie an. Es klang aufrichtig, und ihr Blick war ganz offen und ehrlich. Ein Lächeln brach aus seinen finsteren Augen. Wenn sie es so meinte, hatte er sie wieder einmal ganz zu Unrecht der Boshaftigkeit verdächtigt. Er nahm einen Schluck von seinem Glas.

„Die Bauernsprache paßt auch nicht zu Ihnen", sagte er dann, „dazu sind Sie viel zu vornehm, zu fein . . . und zu . . . zu gelehrt."

Amelie lachte hell auf.

„Närrischer Junge!" rief sie. „Was hat denn das damit zu tun? Jede Sprache ist schön – es kommt nur darauf an, wie man sie gebraucht. Das Flämische zum Beispiel wird auch als Bauernsprache verachtet, und wenn ich mir vorstelle, was Guido Gezelle daraus gemacht hat . . . Kennst du Guido Gezelle?"

Merijntje nickte. „Mijnheer Louis hat mir etwas von ihm vorgelesen. Es war herrlich. Man hat das Gefühl, den Wind im Schilf rauschen zu hören."

Seine Augen leuchteten, und Begeisterung verwandelte sein Gesicht. Lächelnd blickte Amelie ihn an.

„Vielleicht gelingt es dir einmal, dafür zu sorgen, daß Brabantisch ebenso schön klingt wie das Flämisch von Gezelle."

„Wie denn?"

„Du könntest ja auch dichten."

Mit großen, verdutzten Augen sah er sie eine Weile an.

„Ich?" stotterte er dann verwirrt. „Ich kann doch nicht dichten! Und . . . und schon gar in Brabantisch!"

Doch plötzlich begriff er, daß Mevrouw Amelie sicher nur einen Scherz hatte machen wollen. Er lachte laut auf über seine eigene Torheit.

Sie sah ihn verwundert an. „Warum lachst du denn?"

„Das ist gut!" grinste er. „Ich und dichten – noch dazu in Bauernbrabantisch, verdammt! Ich Esel fall auch auf alles herein!"

Er trank einen großen Schluck aus seinem Glas und mußte husten.

„Das ist wohl ziemlich starkes Zeug?"

„Schmeckt es nicht?"

„Doch, gut sogar."

„Wie nennt man es auf brabantisch, wenn etwas besonders gut ist? Da gibt's doch einen bestimmten Begriff?"

„Spul van den uil – Eulenlabsal?"

„Eulenlabsal!" wiederholte Amelie belustigt. „Und wenn ein Junge ein Mädchen liebt, sagt er dann auch: Eulenlabsal?"

„Nein", lachte Merijntje, „das gilt nur fürs Essen und Trinken. Zu einem Mädchen sagt man eher: lekker mals boutjen – zarter Leckerbissen oder so ähnlich . . ."

Plötzlich wurde er wieder rot. Was sollte dieses Geschwätz einer so vornehmen Dame gegenüber? Das war ihr bestimmt zuwider. Verstohlen blickte er sie an, doch sie lächelte, und ihre großen grauen Augen glänzten.

Leise sagte sie: „Zarter Leckerbissen . . . Wie hübsch das klingt! Aber zu mir wird so etwas nie jemand sagen . . ."

Ihre Stimme klang ein wenig betrübt und sehnsüchtig. Es war seltsam, daß sie so zu ihm sprach. Es schien, als käme sie ihm damit viel näher. Sie hatte auf einmal etwas überaus Menschliches gesagt. Einen Augenblick hatte er das Gefühl, daß sie nicht die große vornehme Dame sei, sondern ein Mensch wie jeder andere. Ernsthaft fragte er:

„Warum denn nicht?"

Amelie schüttelte seufzend den Kopf.

„Ach, Junge", entgegnete sie bekümmert, „die Menschen mögen mich nicht leiden. Ich weiß auch nicht, warum. Vielleicht bin ich häßlich und . . ."

Doch Merijntje unterbrach sie aufgeregt.

„Sie, häßlich?" rief er entsetzt. „Sie sind schön . . . schön wie . . . wie eine Königin . . ."

Er blickte sie fassungslos an. Wie kam sie nur auf solch einen Gedanken? Es war unbegreiflich. Und sie meinte das wirklich so, das sah man ganz deutlich an ihren traurigen Augen, an ihrem gramvoll verzogenen Mund. Sie machte ein Gesicht wie ein kleines, betrübtes Mädchen, das getröstet werden will. Er fühlte sich an etwas erinnert, an etwas Beunruhigendes – aber er wußte nicht, woran oder an wen.

„Das sagst du nur, um mich aufzumuntern", erwiderte Amelie, „das ist lieb von dir, aber du meinst es sicher nicht ernst."

Merijntjes dunkle Augen glühten vor Begeisterung.

„Nicht ernst?" rief er. „Sie sind das Schönste, was ich je in meinem Leben gesehen habe!"

Amelie schaute in sein strahlendes Gesicht, entdeckte die feurigen Augen, die glühende Bewunderung. Er tanzt schon, dachte sie amüsiert. Ich kann ihn tun und sagen lassen, was ich will. Wenn er ein Mann wäre, würde er solch gewaltige Komplimente nicht über die Lippen bringen, oder er würde ganz andere Worte dafür finden. Ein reizvoller Junge! Er spricht noch mit seiner Seele. Was ist er mehr – Mann oder Kind? Mann und Kind zugleich. Louis hatte wahrscheinlich recht: so etwas machte den Dichter – konnte es jedenfalls, wenn die Umstände ihr Teil dazu beitrugen. Sie würde in ihm wachrufen können, was sie wollte – den Mann, den Dichter. Was interessierte sie am meisten? Am meisten interessierte sie das Spiel, ihr Spiel, die Ablenkung in der gräßlichen Eintönigkeit dieser stumpfsinnigen, leeren Tage.

Sie erhob sich und ging im Zimmer auf und ab. Als sie an seinem Sessel vorbeikam, legte sie einen Augenblick ihre warme Hand um seine Wange.

„Du bist ein lieber Junge", sagte sie leise.

Dann kehrte sie wieder zu ihrem Platz zurück, und während sie die Gläser noch einmal füllte, blickte sie aus halbgeschlossenen Lidern auf Merijntje. Der saß wie erstarrt in seinem Sessel. Er war kreideweiß, und sein Mund verzog sich, als wollte er schreien. Seine Hände krampften sich um die Lehne. Und wie er tanzt! dachte Amelie.

Dunkle triumphierende Lust stieg in ihr auf. Aber sie unterdrückte sie. Noch nicht ...

Hier hatte sie mit aller Vorsicht zu Werke zu gehen – der Junge mußte langsam überwältigt werden, mußte eingesponnen und zur Aktivität gezwungen werden. Vielleicht würde sie sich dann gehenlassen, vielleicht würde sie ihn aber auch abschieben. Niemand vermochte vorauszusagen, welche Lust sich als stärker erweisen würde in dem entscheidenden Moment: der wilde Genuß, genommen zu werden in einem Sturm jäh aufgebrochener, täppischer Leidenschaft, oder das Vergnügen, kaltblütig quälen, zurückstoßen, erschrecken zu können. Aber jetzt noch nicht. Es versprach recht interessant zu werden mit diesem naiven Geschöpf. Unverdorbenes Kind der Natur – ein seltsames Phänomen für einen Jungen seines Alters! Ein gefälliges Instrument, auf dem sich's gut spielen ließ. Bei der geringsten Berührung ertönten schon zart vibrierende Klänge. Doch nur behutsam! Es hatte Zeit. Die Langeweile schwand – ein wenig Leben kehrte zurück. Beileibe nichts Großartiges, aber es konnte ganz unterhaltsam werden.

„Gefällt es dir bei meinem Bruder?"

Ruhig, nüchtern fiel die Frage in die schwüle Atmosphäre. Die Worte kamen wie aus weiter Ferne.

„Wie bitte?" fragte Merijntje verwirrt.

„Ob es dir bei Mijnheer Louis gefällt ..."

„Ja ... ja, sehr ..."

Er holte tief Luft und hatte das Gefühl, als sei er aus großer Höhe zur Erde herniedergestürzt.

„Du magst ihn sehr gern, nicht wahr?"

„Gern? Ich liebe und verehre ihn! Mijnheer Louis ist ein Wunder von einem Menschen."

„So, findest du? Na ja, ich kann mir vorstellen, daß er diesen Eindruck auf dich macht ... Wenn er nur nicht so eifersüchtig wäre!"

„Eifersüchtig?"

Amelie lachte bitter. „Das wirst du schon noch feststellen, wenn er zum Beispiel merkt, daß du auch mein Freund sein möchtest. Mijnheer Louis ist sehr egoistisch. Er will immer alles für sich allein behalten . . . Nun ja, so wichtig ist das nicht."

Merijntje fühlte sich unangenehm berührt. Er glaubte nicht, was Mevrouw Amelie sagte. Mijnheer Louis egoistisch? Ein Mensch, der alles an sich zog, nichts für andere übrig hatte? Nein . . .

„Mijnheer Louis ist kein Egoist!" Es klang kurz, schroff, feindselig.

Amelie achtete nicht darauf. Ihr war bereits etwas anderes eingefallen, eine Neuigkeit, die sie am Morgen bei Bekannten in der Stadt erfahren hatte.

„Weißt du das schon von diesem Pfarrer Ramakers, der damals, als du krank warst, hier gewesen ist, um sich nach dir zu erkundigen? Er ist versetzt worden."

„Versetzt?"

„Ja, in eine kleine Stadt irgendwo in Holland, eine viel größere Gemeinde."

Merijntje atmete auf.

„Also nicht verschlechtert?"

„Im Gegenteil . . . Nur seine Haushälterin durfte nicht mit. Die hat er wegschicken müssen."

„Nele? Nele fort? Warum?"

„Na, hör mal! Nach allem, was über die beiden geredet worden ist!"

Sie lachte. Merijntje wurde rot vor Wut. Er hätte sie schlagen mögen.

„Verdammte Lügen!" rief er böse. „Der Pfarrer hat mir selber gesagt, daß es Lügen sind. Und der lügt nicht, nie, dazu ist er viel zu stolz."

„Deine Freunde sind anscheinend alle Musterbeispiele an Vortrefflichkeit", spottete sie. „Aber es ist schön, daß du für sie eintrittst. Wirst du über mich auch so gut reden, wenn es nötig ist?"

„Lügen! Nichts als schmutzige, stinkende Lügen!"

„Natürlich. Sonst wäre der Pfarrer auch seines Amtes enthoben statt befördert worden."

„Und warum mußte die arme Nele dann fort?"

„Wegen der Rederei, Junge, begreifst du das denn nicht?"

„Nein. Denn jetzt werden sie frohlocken, daß es doch wahr ist . . . Warum hätte Nele sonst nicht bleiben dürfen? Das ist gemein – ein verdammt gemeiner Streich! Und ich verstehe nicht, wie der Pfarrer das zulassen konnte."

„Und wenn der Bischof es nun so angeordnet hat, was kann der Pfarrer dann dagegen tun?"

Mit gerunzelter Stirn blickte Merijntje an ihr vorbei. Falten standen zwischen seinen Brauen, und seine Augen wirkten schwarz. Störrisch wiederholte er:

„Eine verdammte Gemeinheit. Warum soll Nele für die schmutzigen Verleumdungen büßen?"

Was für ein Kind! dachte Amelie. Wenn sie ihm jetzt die Arme um den Hals legte, ihn an sich zöge und ihn auf diesen bösen, eigensinnigen Mund küßte, gäbe es in einer Minute keine Nele mehr, keinen Pfarrer, kein Problem außer dem einen: in unsinnigseligem Vergessen versinken...

Wohlbehagen strömte wie Öl über ihr Herz. Es tat gut, zu wissen, daß man Macht hatte, wenn auch nur über so einen einfältigen Jungen wie diesen gutgläubigen Merijntje Gijzen.

Plötzlich stand er auf. Die Nachricht von dem Pfarrer und von Nele hatte ihn in tiefe Bestürzung versetzt.

„Ich muß jetzt gehen."

Amelie sah ihn mit ihrem freundlichsten Lächeln an. Sie wollte ihn noch nicht fortlassen.

„Willst du denn schon weg? Es ist noch sehr früh. Bleib doch noch ein bißchen!"

Merijntje griff nach seiner Mütze und knöpfte den Mantel zu.

„Nein, Mevrouw, ich muß gehen... Und vielen Dank!"

Ihr Blick erstarrte. Spürte er denn nicht, daß er bleiben mußte, weil sie es so wollte? Was war denn das plötzlich? Übernahm er die Führung? Entzog er sich ihrem Einfluß? Er durfte gehen, wenn sie es für gut befand! Ihr Lächeln wurde schmeichelnd, bezaubernd. Aber er schien es gar nicht mehr zu bemerken.

„Gute Nacht, Mevrouw!" murmelte er zerstreut. Dann drehte er sich um und ging aus der Tür.

Verblüfft blickte Amelie ihm nach, und auf ihre glatte Stirn traten Falten. Plötzlich begann sie zu lachen. Hm, dieser Junge war doch nicht so bequem! Was bildete er sich eigentlich ein? Ach, wahrscheinlich gar nichts... sie hatte ihn einfach erschreckt. Wer konnte denn wissen, daß er so sehr an dem Pfarrer und seinem Dienstmädchen hing? Ein treues Seelchen, haha! Nun, das nächste Mal würde er nicht so davonkommen... Vielleicht war es doch der Mühe wert, ihn an sich zu binden, ihn so zu bezaubern, daß er an nichts mehr denken konnte als nur an sie. Ein Typ wie er war leichte Beute es würde ihr gewiß gelingen. Ein lustiges Experiment!

Trällernd mischte sie sich noch einen Grog an. Bah, sie hatte schon kompliziertere Vorhaben zu einem guten Ende geführt...

5

Der Abend war dunkel, und ein stürmischer Wind jagte kühle
Regenschauer schräg über die Straße. Auch in Merijntjes Herz war
es dunkel und stürmisch. Er war tief entsetzt über die schockie-
rende Neuigkeit, die Mevrouw Amelie ihm mitgeteilt hatte. Der
Pfarrer in Holland, in einer größeren Gemeinde ... aber ohne
Nele. Das hatten die Lästermäuler also doch erreicht. Arme Nele!
Natürlich auch armer Herr Pfarrer – doch vor allem: arme Nele!
Der Pfarrer war ein Mann, gewaltig und stark – der zog mit grim-
migem Gesicht in seine neue Parochie, hatte seine Arbeit, seine
Bücher, seine Geige. Der kam schon zu Rande ... Aber Nele?
Was würde sie nun tun? Zu ihrem alten Vater zurückgehen, aufs
Dorf, auch so ein elendes Kaff, wo man genauso über sie klatschen
würde?

Er hörte es schon: „Da muß doch etwas gewesen sein, sonst
hätte er sie bestimmt mitnehmen dürfen. Klar, selbstverständlich.
Niemand hält eine Kuh für bunt, an der nicht wenigstens ein Farb-
fleckchen ist. Schrecklich! Was man heutzutage alles erlebt! Die
Welt ist schlecht wie Pumpenwasser. Aber so einem Pfarrer, dem
tun sie nichts. Na ja, eine Krähe hackt der andern nicht die Augen
aus! Es sind immer die Kleinen, die die Zeche bezahlen müssen.
Diese Nele! Mit einem Pfarrer anzubändeln. Für die steht die
Hölle offen wie ein Scheunentor..." Und dazwischen die giftige
Stimme seiner Großmutter: „Ich hab's ja immer gesagt! Ein Halunke, dieser große Unmensch ... und dieses Weibsbild mit dem
scheinheiligen Gesicht erst – eine Schlampe durch und durch, eine

Schande für das Dorf! Wartet nur, unser Herrgott kommt schon zur Zeit!"

Und dabei war es in Wirklichkeit nichts anderes als eine alte Freundschaft aus ihrer Kindheit. Eine Herzlichkeit wie zwischen Bruder und Schwester.

Das konnten sich die Schmutzfinken nicht vorstellen, weil sie selber zu so etwas Gutem und Sauberem nicht imstande waren. Aus ihrer verdorbenen Phantasie waren ja die schäbigen Intrigen, das unflätige Gerede hervorgegangen. Lügen und Verleumdung, niederträchtige Erfindungen – und zwei Menschen hatten darunter zu leiden. Nele allermeist ... mußte sie nicht an ihrer Einsamkeit zerbrechen, gemieden und verabscheut wie ein fauler Apfel?

Merijntje wußte, daß alles ganz anders gewesen war.

Eine Woche hatte er bei Mijnheer Louis zugebracht, als Pfarrer Ramakers zu Besuch gekommen war. Er mußte immer noch das Bett hüten und konnte nicht laufen, denn das Knie war geschwollen und ließ sich nicht bewegen. Es war ein trüber Tag. Sonderbar gleißendes Licht, vom Schnee reflektiert, fiel durch die Fenster. Mijnheer Louis hatte Pfarrer Ramakers geschrieben. Es war eine beschwerliche, stockende Beichte geworden. Merijntje hatte sich aufgesetzt und gegen die Sofakissen gelehnt; die Augen hielt er niedergeschlagen – glühende Wangen, bebende Lippen. Es hatte den Pfarrer Mühe gekostet, ihn zum Sprechen zu bringen, aber er hatte Worte gefunden, die ihm über die erste Befangenheit hinweghalfen. Seine tiefe, brummige Stimme hatte so gut geklungen; und dann war endlich – stoßweise zwar und zögernd noch – die Geschichte gekommen von dem namenlosen Entsetzen, das ihn voller Furcht aus dem Dorf getrieben hatte.

Langsam hatte die schwere Stimme des Pfarrers gesagt: „Du hast es also auch geglaubt ..."

Hilflos war er dem großen Gesicht über dem Schwarz der Soutane ausgewichen.

„Nein!" hatte er widersprochen.

Aber der Pfarrer war hartnäckig: „Und warum bist du dann weggelaufen, ohne Lebewohl zu sagen?"

„Ich habe mich gefürchtet. Ich weiß selbst nicht recht ... Ich ... ich wußte nicht mehr, was ich denken sollte ..."

„Eben, sie haben dich also doch zum Zweifeln gebracht."

Merijntje hatte nicht geantwortet, hatte den Kopf gesenkt und war puterrot geworden. Er schämte sich maßlos, weil er zu wenig Vertrauen gehabt hatte.

„Und wenn es nun wahr ist, Merijntje, würdest du mich dann für immer verstoßen?"

Mit einem Ruck hatte der Junge den Kopf gehoben. Alles Blut lief in sein Herz zurück; das Gesicht wurde kreideweiß, und die weitgeöffneten Augen blickten stumpf und starr vor Schreck. Eiskalt überlief es ihn. Die Lippen bewegten sich, aber er brachte kein Wort heraus, die Zunge lag wie gelähmt in seinem trockenen Mund. Da hatte sich Pfarrer Ramakers lächelnd über ihn gebeugt und eine Pranke auf seine Schulter gelegt.

„Du kannst ganz beruhigt sein, dummer Kerl", brummte er begütigend. „So tief ist dein Heiliger nicht gefallen!"

Merijntje hatte hörbar aufgeatmet und für einige Sekunden die Augen geschlossen. Gott sei Dank! Nun hatte er Gewißheit. Der Pfarrer hatte es selbst in Abrede gestellt – es stimmte also nicht. Als er die Augen wieder öffnete, war sein Gesicht wie verwandelt, es strahlte vor Freude.

Lächelnd hatte Pfarrer Ramakers den Kopf geschüttelt und gesagt:

„Nun bist du zufrieden, ja? Aber ich bin's nicht. Denn entscheidend ist in der Welt nicht, was wahr ist, sondern was die Menschen für wahr halten. Und dieser ihr Irrglaube ist viel mächtiger und manchmal auch viel gefährlicher als die Wahrheit."

Dann hatte sich ein fröhliches Lachen auf seinem Gesicht breitgemacht.

„Weißt du, daß der Schulvorsteher bei mir war?" fragte er. „Ich hatte den Schlappschwanz zu mir bestellt und gezwungen, all den Blödsinn in groben Zügen zu erzählen, weil ich auch an den Bischof schreiben wollte, um die Sache ins rechte Licht zu rücken. Er zitterte wie ein Strohhalm, aber ich hab ihm klipp und klar versprochen, er werde nicht mit heiler Haut das Haus verlassen, wenn er nicht ohne Umschweife berichte, was über mich erzählt wird. Den Brief habe ich dann eigenhändig zur Post getragen. Am nächsten Tag wetzten alle Rechtschaffenen ihre Mäuler. Und jetzt müssen wir uns in Geduld fassen..."

Merijntje hatte ihn sehr bewundert, hatte ihn wieder ganz groß gefunden, so groß wie noch nie, hatte über seinen Einfall gelacht, über die gewaltige Blamage, die den Rektor mit seiner schuftigen Mannschaft von Übelrednern erwartete, und war völlig beruhigt gewesen: gegen den Pfarrer kamen sie eben nicht an, diese Zwerge mit ihrem kleinlichen Getratsche!

Und nun war es so gekommen. Der Pfarrer hatte gesiegt. Aber es war nur ein Teilsieg. Denn was Nele betraf, so hatten die Schmutzfinken ihr Spiel gewonnen – also doch gewonnen! Sie würden der Lüge Glauben schenken, nicht der Wahrheit. Der Pfarrer selbst hatte gesagt, es komme darauf an, was die Menschen für wahr halten, und nicht, was wirklich wahr ist – dieser Glaube der Leute sei mächtiger und gefährlicher als die Wahrheit. Das war nicht gut, das war falsch und gemein – aber so war nun einmal die Welt, so waren die Menschen. Eine morsche Welt, schlechte Menschen... ein widerwärtiges, undurchdringliches Dickicht, in dem sich niemand orientieren konnte. Denn wenn sich die Wahrheit

nicht gegen den törichten Glauben an eine Lüge behaupten konnte
– was blieb dann? Was war die Wahrheit wert? Überall hörte
man, daß die Wahrheit das höchste Gut sei, daß man für sie eintreten, ja für sie kämpfen müsse. Doch wenn man die Wahrheit
nicht annehmen wollte, lieber an Lug und Trug glaubte – was
dann? Da stand man wie dumm da mit seiner Wahrheit, ganz
schön ins Abseits gedrängt, und die Lüge trug den Sieg davon.
Nele war das beste Beispiel . . . Wie hatte der Pfarrer es übers
Herz bringen können, sie gehen zu lassen? Es war nicht zu verstehen! Das war gerade, als schnitte man einem Menschen mit einem stumpfen Messer die Kehle durch . . .

Gejagt, mit verstörtem Gesicht und wilden Augen langte er zu
Hause an. Louis war allein und spielte Klavier, leise und getragen.
Er warf dem Jungen einen Blick zu, nickte und musizierte weiter.
Merijntje setzte sich, die Hände in den Taschen, und starrte vor
sich hin, mit seiner Unruhe beschäftigt, seinem Kummer, seiner
ohnmächtigen Auflehnung gegen das Unvermeidliche. Doch allmählich drang das Spiel auf ihn ein, die Musik fiel wie ein sanfter
Regen in seine rebellischen Gedanken, lenkte ab, machte ruhiger,
und zurück blieb nur Wehmut, Trauer, ein unbestimmtes Bedauern . . . Als die letzten Töne leise verhallten, blieb er bewegungslos sitzen.

Louis stand auf, seufzte tief und ging an den Kamin, um eine
Zigarre zu holen. Während er das Streichholz anriß, hörte er Merijntje sagen: „Solche Musik . . . davon wird man ruhig."

Louis lächelte, hob das Flämmchen, das unterwegs zu verlöschen
drohte, behutsam höher und sog Feuer in die Zigarre. Er tat einen
tiefen Zug, blies den Rauch mit zurückgelegtem Kopf gegen die
braunen Balken der Decke und sagte:

„Orpheus spielte im Wald für die wilden Tiere, und sie lauschten ihm und wurden zahm und sanft bei seiner Musik."

„Wer war das, Orpheus?"

Langsam auf und ab gehend, erzählte Louis die Mythe von dem
griechischen Gott der Musik.

Bezaubert lauschte der Junge. Dann sagte er:

„Die Menschen müssen immer einen Gott oder Götter haben.
Warum nur?"

Mijnheer Louis blieb stehen, schaute ihn an und dachte nach.
Endlich zuckte er die Achseln und nahm seine langsame Wanderung wieder auf. Versonnen sagte er:

„Der Mensch ist nur ein hilfloses Wesen, glaube ich, schwach
und einsam, wankend und vergänglich. Aber er ist hochmütig und
unzufrieden mit seinem Los. Er will nicht vergehen wie ein Feuer,
das erlischt, oder wie ein Tier, das stirbt. Er träumt von Ewigkeit
und zeitlosem Leben. Den Träumen gibt er die Form von Gottes-

vorstellungen. Immer wieder anders. Alle tausend Jahre baut er sich ein neues Bild, beugt sich davor und schmückt es mit höchster Vollkommenheit – die er selber entbehrt und doch so gern besäße ... Ich denke, daß der Mensch in all den Vorstellungen von Gott und Göttern nichts anderes sucht als sich selber, so wie er sich am liebsten sehen möchte. In seinen Göttern befreit er sich von sich selber, von seiner Unvollkommenheit, seiner Vergänglichkeit, seiner Kleinheit und Schlechtigkeit ..."

„Aber besser ist er dabei auch nicht geworden!" rief Merijntje heftig.

Louis lachte. „Wie kommst du so plötzlich an diese bittere Weisheit? Hat meine Schwester Amelie etwas damit zu tun?"

„Mevrouw Amelie war sehr freundlich", erklärte Merijntje eifrig. „Aber dann hat sie mir erzählt, daß Pfarrer Ramakers in eine größere Gemeinde versetzt worden ist und daß Nele nicht mitgehen darf ..."

„So, hat sie dir das erzählt?" sagte Louis stirnrunzelnd. „Ja, Madame Amelie hat weiche Hände, aber es sind scharfe Nägel daran, und sie kann es nicht lassen, sie immer wieder einmal auszuprobieren. Ich habe dir doch gesagt, daß du bei ihr aufpassen sollst."

Merijntje fand das ungerecht.

„Aber dafür kann doch Mevrouw Amelie nichts ..."

Er überlegte, was sie über Mijnheer Louis gesagt hatte, über seine Eifersucht, sein Bestreben, alles für sich allein zu behalten. Ob er vielleicht deshalb so schlecht von ihr sprach, um ihn, Merijntje, von ihr fernzuhalten? Aber das wäre doch kindisch!

„Sie hätte es dir nicht zu erzählen brauchen – oder wenigstens nicht so grob ... Ich hätte es dir schon gesagt."

„Wußten Sie es denn?"

„Ja, seit ein paar Tagen ... Ich dachte gerade darüber nach, wie ich es dir sagen könnte."

„Finden Sie nicht auch, daß es ein gemeiner Skandal ist?"

Louis lächelte heimlich über die Heftigkeit des Jungen, dann sagte er ruhig: „Du mußt bedenken, daß Pfarrer Ramakers ein Priester ist und daß alles vermieden werden muß, was auch nur den Schein eines Ärgernisses geben könnte. Wahrscheinlich ist es so für beide am besten, denn auf diese Weise schlafen all die Gerüchte allmählich ein."

„Und Nele?" fuhr Merijntje erregt auf. „Zählt die nicht mit? Was glauben Sie, wie die Lästermäuler triumphieren werden? ,Da muß doch was an der Geschichte sein, sonst hätte er das Frauenzimmer mitnehmen dürfen!' Na bitte. Sie wird's nicht leicht haben. Was soll sie nun anfangen?"

„Nele wird Haushälterin bei einer angesehenen Familie in Den Haag, mit der Pfarrer Ramakers befreundet ist."

„Woher wissen Sie das?"

„Pfarrer Ramakers hat es mir geschrieben und mich gebeten, es dir zu erzählen. Es tut mir nur leid, daß Amelie mir zuvorgekommen ist und dir falsche Eindrücke vermittelt hat. Aber nun weißt du ja die Wahrheit."

„Was nutzt einem die Wahrheit, wenn die andern doch das Schlechteste glauben?" sagte Merijntje finster.

Louis warf ihm einen überraschten Blick zu.

„Wie kommst du darauf?"

„Das hat der Pfarrer selber gesagt – und für Nele ist es das Schlimmste. Wenn das Gute die Wahrheit ist, und die Menschen glauben immer nur das Schlechteste – was hat das denn noch alles für einen Sinn?"

„Hoho, du darfst nicht immer an die Menschen und ihr kleinliches Geschwätz denken, Merijntje. Es gibt auch noch so etwas wie ein Gewissen, das Gefühl des eigenen Wertes... Nele und der Herr Pfarrer haben ein reines Gewissen. Sie brauchen nicht unter den boshaften Klatschereien minderwertiger kleiner Verleumder zu leiden. Sie stehen hoch über diesen Dingen und gehen ihren Weg, ohne auf die Gerüchtemacher zu achten. Wer ein reines Gewissen hat, ist stärker als eine ganze Welt von Schmähung und Verleumdung."

Merijntje dachte an Neles Unruhe und Angst, an ihre Tränen und Verzweiflung. Verdrießlich zuckte er die Achseln und schwieg. Mijnheer Louis war nicht dabeigewesen, als die Gerüchte um die Pfarrei summten wie ein Schwarm giftiger Wespen, immer dichter, immer drohender, gemeiner und gefährlicher. Und das herzliche Zusammenleben der beiden war ein für allemal vorbei – trotz der größeren Gemeinde und der guten Stellung für Nele.

„Hast du Amelies Schatulle heilgemacht?" lenkte Louis das Gespräch ab.

„Ja, ein schönes Schränkchen. Allmächtiger, und dabei soll es vierhundert Jahre alt sein, sagt Mevrouw."

„Das kann wohl stimmen... Und war sie sonst nett?"

„O doch, sie hat mir einen Grog gemacht, sehr gut, aber sehr stark. Und dann... dann hat sie so etwas Verrücktes gesagt: sie mag es lieber, wenn ich brabantisch spreche, sie findet den Klang so schön, hat sie gesagt. Und dann meinte sie, man könne Gedichte in Brabantisch schreiben, genau wie Guido Gezelle in Flämisch. Und ich sollte es getrost versuchen... Aber das wird nichts, ich bin kein Dichter... Und vielleicht hat sie ja auch nur Spaß gemacht."

„So, hat sie das gesagt?"

Es klang kühl und abweisend. Louis hatte sich umgedreht. Er spürte, daß er rot wurde vor Ärger, und wollte es den Jungen nicht merken lassen.

Zum Teufel! Was hatte sie mit dem Jungen vor? Warum ließ sie ihn nicht in Ruhe? Sie war klug genug, um zu verstehen, was sie mit ihren selbstsüchtigen Spielereien verderben konnte. Der Junge war dabei, zu lernen und Neues aufzunehmen. Wenn das in ihm steckte, was er, Joris und dieser Pfarrer Ramakers glaubten, dann mußte sich das allmählich entwickeln – auf natürliche Weise. Doch was Amelie tat, war niederträchtig. Aber wie sollte er es verhindern? Sie war eine schöne Frau mit großer erotischer Anziehungskraft, die sie als geschmeidige Waffe geschickt und schamlos handhabe, wenn es in ihre Pläne paßte. Dieser unerfahrene Junge mußte ihr unterliegen. Er war jetzt schon bezaubert und voller Zärtlichkeit. Noch ein wenig weiter, und sie wickelte ihn um den Finger. Dann blieben Joris' und seine Bemühungen um ihn vergebens. Und bei dem Jungen lief es nicht ohne Wunden ab. Das wollte er nicht. Himmel, das durfte nicht geschehen!

Aber leicht würde es nicht sein. Merijntje hatte eine feinfühlige und peinlich gewissenhafte Art. Wenn er etwas für einen Menschen empfand, mußte man achtgeben, ihn in seiner Verehrung nicht zu verletzen, denn dann stellte er seine Stacheln auf und wurde unzugänglich. Und Amelie hatte alle Trümpfe in der Hand. Schon durch die Tatsache, daß sie eine Frau war... Er selber jedoch lief Gefahr, daß der Junge ihn der Eifersucht verdächtigte. Er hatte sicher schon gemerkt, daß zwischen Amelie und ihm kein gutes Verhältnis bestand. Er mußte vorsichtig sein und sah nicht gleich den rechten Weg.

Merijntje verstand sein Schweigen nicht. Ungeduldig fragte er:

„Was meinen Sie, Mijnheer Louis, würde das gehen – in Brabantisch?"

Langsam drehte Louis sich zu ihm um.

„Warum nicht?" fragte er zurück. „Die Sprache ist Nebensache. Es kommt immer nur darauf an, wie sie benutzt wird."

„Das sagte Mevrouw Amelie auch."

„Natürlich, es liegt auf der Hand... Aber ich bin müde, Merijntje. Ich geh schlafen. Wenn du noch etwas lesen willst..."

„Nein, ich geh ins Bett. Ich bin auch müde... Wohl zu ruhen, Mijnheer Louis!"

„Gute Nacht, mein Junge!"

Aber er ging nicht ins Bett. Als Merijntje aus der Tür war, setzte er sich an den Tisch, rauchte und versank in Nachdenken. Er mußte einen Weg finden, den Jungen von Amelie fernzuhalten.

· Zweites Kapitel ·

I

Merijntje starrte ins Dunkel und horchte nach dem Wind, der klagend durch die Bäume fuhr. Er dachte an den Abend und verfing sich dabei in den Bildern, die vor seinem Auge aufzogen. Eine ungestörte Herrlichkeit hätte es sein können, wenn nicht die erschütternde Nachricht von Pfarrer Ramakers und Nele dazwischengekommen wäre. Tief in seinem Herzen glomm ein kleiner, aber grimmiger Groll gegen den Pfarrer: Hätte er, der mächtige Mann, Nele nicht diesen großen Kummer ersparen können? Nein, sagte Mevrouw Amelie, der Bischof hatte es so angeordnet, und dann mußte ein Pfarrer natürlich gehorchen ... Und doch es blieb ein übler Nachgeschmack. Das ganze Gerede war die pure Verleumdung. Wieso mußte die arme Nele dann doch geopfert werden? Kam es wirklich so sehr auf das an, was man menschliche Rücksichtnahme nannte? Um der Schwachen willen kein Ärgernis geben! Er konnte das nicht akzeptieren.

Er verstand auch Mevrouw Amelie nicht, die so kühl und ohne jedes Mitleid gesprochen hatte. Sie kannte Nele und den Pfarrer nicht – ja, das stimmte ... aber sie hätte doch wenigstens versuchen können, sich in den Zustand dieser armen Frau hineinzudenken.

Reiche Leute waren hart – wahrhaftig! Eine Dame wie sie lebte in reinstem Überfluß, hatte alles, was ihr Herz begehrte, kümmerte sich nicht im geringsten um die Welt. Und in welchem Reichtum Mevrouw Amelie lebte! So etwas hatte er noch nicht gesehen. Alles gleich köstlich, gleich schön und üppig. Das Schlafzimmer – wie das Gemach einer Prinzessin aus einem Märchen. So hatte sie auch ausgesehen in ihrer roten Robe mit diesen wunderlichen aufgeschlitzten Ärmeln, unter denen man immer wieder die grazilen Bewegungen der runden, weißen Arme sah. Ein staunenerregend schöner Mensch war diese Frau – und war es nicht noch staunenerregender, daß er bei ihr sitzen, mit ihr sprechen, Grog trinken und sich in ihrem Schlafzimmer umschauen durfte? Da wurde ihm jetzt noch schwindlig, wenn er daran dachte. Gott, wenn man doch bloß nicht so ein armer Schlucker wäre, sondern auch ein reicher Herr, dann könnte man einer solchen Dame ebenbürtig gegenüberstehen, offen und ungezwungen, wie gleich und gleich, als habe er es mit Blosekriekske zu tun . . . Ja, wenn er das Recht hätte, seine Arme um solch eine Frau zu schlingen und sie zu küssen!

Sein Herz blieb fast stehen bei dieser Vorstellung, und er spürte, wie ihm das Blut in die Wangen schoß . . . „Das ist nicht sehr schön für eine Frau", hatte sie gesagt. Sie war eine Frau, und das hatte sie ihm mit klaren Worten zu verstehen gegeben. Unter ihren fürstlichen Kleidern war sie eine Frau – eine Frau wie Marjan, ihr Körper so weich, so weiß und rund . . . Natürlich, dachte er grimmig, plötzlich von unbändigem Haß gepackt, natürlich, ob reich oder arm – alle Menschen waren unter ihren Kleidern gleich, Männer für sich, Frauen für sich, versteht sich. Aber die Kleider – die unterschieden die Menschen, teilten sie in verschiedene Welten . . . Er mit seinem blauen Pullover und dem groben Schuhwerk – sie in ihrem roten Samtkleid. Zwei Welten, die unerreichbar weit auseinander lagen – wie es in dem alten Lied von den Königskindern hieß: „Sie konnten zusammen nicht kommen, das Wasser war viel zu tief . . ." Hier war das Wasser die Kluft des Reichtums. Dann verwies er sich seinen Dünkel. Als ob es keinen anderen Unterschied gäbe! Bildete er sich vielleicht ein, daß eine so wunderschöne Frau, die die ganze Welt bereist hatte, ausgerechnet mit ihm, mit so einem Knülch, etwas zu tun haben wollte, mit dieser halben Portion von beschränkter Auffassungsgabe, mit krummer Nase, derben Fäusten und der ungehobelten Sprache?

Aber ihr Bild blieb in seiner Phantasie haften. Mevrouw Amelie spukte durch seine Träume, lockte ihn an ihr breites Himmelbett, flüsterte ihm mit gespitzten Lippen etwas zu und streckte die nackten, runden Arme nach ihm aus. Aber wenn er endlich seine Lähmung überwinden konnte und nach ihr griff, wich sie weiter und weiter zurück und verschwand, zerfloß in nichts, löste sich auf und verschmolz mit der leeren Luft. Und am nächsten Morgen schämte er sich maßlos und hätte nicht für alles Geld in der Welt

auch nur einer Menschenseele erzählen mögen, welche Gesichte ihn
im Schlaf entzückt und gequält hatten.

Die folgenden Tage zogen trüb und träge vorbei – schweigsame
Tage, in denen überall Schwierigkeiten spürbar wurden. Mijnheer
Louis ging nachdenklich umher, spielte fast nie, rauchte mehr, als
er durfte, und saß mit verschlossenem Gesicht in seinem Zimmer.

Auch Merijntje fand keine Ruhe. Die Geschichte mit Nele wollte ihm nicht aus dem Kopf, und zwischendurch wurden seine Gedanken immer wieder von Mevrouw Amelies Bild abgelenkt: ihre
grauen Augen, die so warm glänzen konnten, sahen ihn lachend
an; ihre angenehme Stimme sprach verrückte Worte, riet ihm, ein
Dichter zu werden; und ihre weißen Arme bewegten sich im Schatten der dunkelroten, aufgeschlitzten Ärmel . . .

Was war das doch für ein Abend gewesen mit diesem Wunder
von einer Frau! Gewiß, eine vornehme Dame und unerreichbar
fern – und dennoch für kurze Augenblicke so betörend nahe, wenigstens für sein eigenes lächerliches Gefühl.

Mevrouw Amelie ließ sich nicht sehen. Vielleicht war sie in der
Stadt. Doch er wagte nicht danach zu fragen, und niemand sprach
über sie. Abends im Bett mußte er dauernd an sie denken, ob er
wollte oder nicht. Eine leichte Verwunderung war in ihm: Warum
ließ sie sich nicht sehen? Ob sie böse war, weil er sich so plötzlich
verabschiedet hatte? Vielleicht war das ungehörig gewesen? Sie
konnte ja nicht wissen, wie sehr ihn die Nachricht über den Pfarrer verwirrt hatte. Oder vielleicht bereute sie es auch schon, daß
sie so freundlich und gut zu einem gewöhnlichen Arbeiterjungen
gewesen war, der sich gleich danach, undankbar und unhöflich, auf
die Socken gemacht hatte. Denn so mußte sie es ja sehen. Und vornehme Leute waren sehr leicht beleidigt . . . Er schürzte im Dunkeln die Lippen. Na schön, dann war sie eben beleidigt – was
konnte ihm das ausmachen! Heut oder morgen ging er doch hier
weg, und dann sah er sie nie wieder.

Aber er wußte sehr gut, daß das alles Großtuerei von ihm war.
Tief im Herzen verlangte er danach, ihr zu begegnen, sie ansehen
zu dürfen, ihre Stimme zu hören, die Bewegungen ihrer schmalen
Füße unter dem Saum des Kleides zu verfolgen.

All diese Monate hatte er nichts mit Mädchen zu tun gehabt.
Das häßliche Abenteuer mit Blosekriekske hatte ihn scheu gemacht und Mißtrauen in ihm hervorgerufen. Sie waren alle falsch
und treulos – besser, man gab sich gar nicht erst mit ihnen ab. Und
außerdem hatte er an so viel anderes zu denken: Bücher, Gemälde, Lehrmeinungen; dann Fragen, die er stellte, Antworten, die
er erhielt – Antworten, die alles heller machten. Das Wunder der
Musik. Zwischen Joris und Mijnheer Louis die langen Gespräche,
denen er mit glühenden Augen beiwohnte, ohne auch nur die

Hälfte davon zu begreifen, über die er aber viel später noch nachdachte, um den Sinn zu erfassen.

Es war ein leidenschaftlich betriebener Entdeckungszug durch eine Welt, deren Tore sich eben erst für ihn geöffnet hatten. Gedichte, die einem noch lange in den Ohren sangen und einem ein unbestimmtes Gefühl von Seligkeit schenkten, Ahnungen wachriefen und eine Sehnsucht, über die man fast weinen mußte. Gedanken, die eine Reihe anderer Gedanken hervorlockten und alte Fragen in ein ganz neues Licht rückten. Romane voller Schrecknisse und doch erregend und hinreißend. So viel, so bestürzend viel, was neu und groß und erstaunlich war... Wie sollte er da noch an etwas so Unbedeutendes wie Mädchen denken, mit denen man doch nur schmusen konnte? Über die tausend wunderbaren Dinge, die einen in Atem hielten und unbedingt verfolgt und erforscht sein wollten, ließ sich mit ihnen ja sowieso nicht reden. Im Grunde war die ganze Liebelei etwas recht Gewöhnliches. Überdies wußte er schon: wenn er damit begann, meinte er es sogleich bierernst – und dann gab es wieder nur Unannehmlichkeiten und Konflikte, Jammer und Verdruß. Er konnte sie recht gut entbehren, die Mädchen...

Doch sein Blut hatte nach ihnen verlangt, ohne daß er sich darüber im klaren war, ganz unbewußt. Hätte ihm das jemand gesagt, so hätte er ihn ausgelacht. Er kannte nur das eine Wort dafür: es war ihm zu banal. Diese töricht erregende Schnäbelei war banal. Man konnte seine Zeit besser gebrauchen. Aber vermeiden ließ es sich nun auch wieder nicht, daß seine Augen einem Bauernmädchen folgten, das mit wiegenden Hüften vorbeiging, oder einer anderen zuschauten, die die Straße kehrte, den Rock hinten durch das Schürzenband hochgerafft, so daß man die runden Waden und die schwarzen Strickstrümpfe sehen konnte, oder auch die hübsche kleine Hausangestellte des Notars musterten, das Mädchen mit den sanftgewölbten Brüsten unter dem reizenden weißen Schürzchen mit den überkreuz geknöpften Trägern. Wenn er sich dabei ertappte, schalt er sich fürchterlich und wandte sich ab – das alles waren ja nur banale Anwandlungen, die nichts mit dem zu tun hatten, dem einzigen, was wirklich lohnte und von Mijnheer Louis „Leben des Geistes" genannt wurde.

Und das war die große und gefährliche Verlockung bei Mevrouw Amelie: sie war eine schöne Frau, weiblich, wie es sich ein Mann nur vorstellen konnte, doch gleichzeitig Teil dieser neuen Welt, in der er umherstreifte wie ein Pionier, der ein eben erst entdecktes Land zur eigenen und vertrauten Domäne machen will. In dieses Land gehörte auch sie. Und mochte sie noch so fern und unerreichbar sein, sie war eine Frau – und dem Jägerinstinkt des Mannes scheint keine Frau unerreichbar.

Merijntje war sich all dieser Dinge nicht bewußt, und dennoch arbeiteten sie in ihm, beunruhigten ihn und erfüllten ihn ganz allmählich mit heimlichem Verlangen. Und deshalb war er enttäuscht, weil Mevrouw Amelie unsichtbar blieb. Zum erstenmal während seines Aufenthalts hier wurde er von einem leisen Gefühl der Einsamkeit gequält, das ihn zerstreut machte, ihm die Stimmung nahm und ihn in Verwirrung brachte ...

Doch plötzlich war sie wieder da.

Am Sonnabend hatte er bei Joris den alten Schrank fertiggemacht. Joris war sehr stolz darauf und wies Merijntje immer wieder auf neue Schönheiten des Möbelstückes hin. Er hatte Mappen mit Zeichnungen und Reproduktionen darin eingeordnet und eine mittelalterliche Madonna daraufgestellt. Immer wieder stand er davor, lächelnd, zufrieden, glücklich. Solche Tage besaßen festlichen Glanz für ihn.

Früh am Nachmittag kam Mortelmans, um für sein Bild zu sitzen. Er hielt sich unendlich viel darauf zugute, daß Joris nicht nur stundenlang mit ihm disputierte, sondern ihn auch noch für würdig befunden hatte, sein Porträt zu malen. Er war eine eigenartige Erscheinung in seinem grünlich verschossenen schwarzen Bauernanzug und dem zerdrückten Filzhut über dem rot leuchtenden Gesicht mit den beweglichen, schlauen Rattenaugen, der langen, fleischigen Nase und dem breiten, fast zahnlosen Mund mit den dünnen Lippen, auf denen sich immer braune Bläschen bildeten, wenn er sprach; denn Mortelmans priemte, und er spuckte meisterhaft, zielte aus jeder Entfernung seine scharfen, braunen Strahlen genau in den Kohlenkasten – worauf er mit dem Handrücken die Tropfen von Lippen und Kinn wischte und die Hand mit stets gleicher Bewegung an seiner schmierigen Hose abtrocknete.

Merijntje fand, er sei ein entsetzlicher Kerl, doch Joris hielt ihn für ein Original. Er amüsierte sich über sein wirres Philosophieren, sein dummschlaues Gehabe und war oft verblüfft darüber, was dieses Männlein alles wußte, gehört oder gelesen hatte. Denn Mortelmans las ungeheuer viel: Zeitungen, Broschüren, Bücher, Zeitschriften, ganz gleich über welches Thema und von wem geschrieben. Er hatte die unwiderstehliche Neigung, gegen alles anzugehen, und war prinzipiell anderer Meinung: der geborene Querulant. Mit besonderer Vorliebe benutzte er Fremdwörter, deren Bedeutung er nicht kannte und die er auf die verrückteste Weise verdrehte. Joris hütete sich, ihn zu verbessern, und widersprach ihm nur, um ihn zu neuen sinnlosen Streitereien herauszufordern.

Mortelmans war früher Sekretär des Bauernbundes und Mitglied des Gemeinderats gewesen. Aber bei den letzten Wahlen war er übergangen worden. Der Bürgermeister und der Pfarrer hatten sich zusammengetan, um ihn hinauszuwerfen. Seither dauerten die Sitzungen nur noch ein Drittel der Zeit, und das Herzleiden des Bürgermeisters hatte sich sehr gebessert; doch Joris ging nicht mehr ins Rathaus, um den Debatten der Gemeindeväter zu lauschen: sie waren weder amüsant noch anregend, seitdem die näselnde Stimme Mortelmans' und seine erstaunlichen Orakelsprüche nicht mehr zu hören waren.

Der Alte saß barhaupt Modell. Der kleine Stahlkneifer wakkelte auf seiner großen Nase. Seine durchdringenden Äuglein blickten darüber hinweg auf Joris, der vor seiner Staffelei stand und angespannt arbeitete. Merijntje saß schräg hinter dem Maler und schaute aufmerksam und verwundert dem unbegreiflichen Spiel der Pinsel zu, unter deren Strichen ein zweiter Mortelmans entstand – dem lebenden sprechend ähnlich und dennoch anders. Wie kam es, daß er, Merijntje, den originalen Mortelmans nicht ausstehen konnte, aber vom Porträt durchaus angetan war?

Tiest Mortelmans redete ununterbrochen. Seine scharfe Stimme quäkte durch die Stille, doch Joris achtete nicht auf das, was er sagte; er merkte auch nicht, daß die Kalkpfeife, die ihm schräg im Mundwinkel hing, längst ausgegangen war. Seine runden braunen Augen gingen eifrig zwischen Modell und Leinwand hin und her, und die Pinsel tupften Farbflecke auf das gemalte Gesicht, das immer lebendiger wurde, immer mehr Fleisch und Blut gewann. Es war ein naseweises, eigensinniges Gesicht, und die großen, abstehenden Ohren an dem spitzen, kahlen Schädel hatten gezackte dünne Ränder, die aussahen wie von Ratten angefressen. Die listigen kleinen Äuglein blickten ungemein pfiffig drein, und die leuchtendrote Rübennase hing über dem geschlossenen Mund, der gerade Pause machte, aber gleich wieder zu einem Schwall spöttischer Kritik und knarrender Rathausweisheiten aufklappen würde. Man mußte unwillkürlich lachen, so echt hatte Joris das Wesen dieses alten Nußknackers auf die Leinwand gebannt.

„Ich habe einen Artikel gelesen über diesen Berlage, Hendrik Petrus Berlage", erzählte Mortelmans in verächtlichem Ton. „Sie wollen jetzt den Leuten mit aller Gewalt weismachen, daß der Kerl ein Genie ist – aber mich wickeln sie nicht ein! Mir war immer schon klar, was da dran ist. Berlage ist nichts anderes als ein Maniak."

„Ein was?" fragte Joris, flüchtig aufsehend.

„Ein Maniak, ein Monogramm, so ein Mensch mit einer fixen Idee, ein Halbschlauer, der immer nur eine Sache im Hirn hat, bis alle andern auch so halbschlau sind wie er – und dann ist alles weise und richtig, was so ein Maniak von sich gibt. Man nennt das modern. Aber es ist nur Gesülze, ohne Kopf und Schwanz, wenn man's recht betrachtet. Schon der alte Sokrates hat gesagt: ‚De gustibus non est disputandum.' Das ist verdolmetscht: Die Welt will betrogen sein."

Joris griff hastig nach der Pfeife, die aus seinem Mund zu fallen drohte, als er plötzlich in schallendes Gelächter ausbrach. Mortelmans blickte ihn verwundert an und fragte mißtrauisch:

„Hab ich etwa nicht recht?"

„Natürlich hast du recht." Joris mußte schlucken. „Aber du darfst beim Sprechen nicht so mit den Ohren wackeln – das ertrag ich nicht."

Das Männchen faßte nach seinen Ohren, erstaunt und ungläubig. „Wackel ich denn mit den Ohren? Du bist ja verrückt..."

„Das tun Esel immer – und sie wissen's auch nicht", sagte Joris. „Erzähl getrost weiter, aber probier bitte, stillzuhalten!"

Mortelmans sah ihn argwöhnisch an: dieser Bilderklecksen würde damit doch wohl nicht behaupten wollen, daß er ein Esel sei? Merijntje biß die Zähne aufeinander, um nicht laut loszubrüllen, aber Joris malte schon wieder andächtig weiter. Mortelmans konnte einfach nicht schweigen, und so gab er alsbald neue Erkenntnisse von sich:

„Dieser Berlage soll in Amerika gewesen sein. Und da muß er Gebäude von einem gewissen Wright gesehen haben, Frank Lloyd Wright heißt der – und das ist des Rätsels Lösung. Die sind ihm nämlich in den Kopf gestiegen, und seitdem äfft er bloß noch die Häuser von diesem noblen Baumeister nach. Es ist zum Verrücktwerden, wenn man's recht bedenkt. Die Welt steckt voller Narrheit!"

„Du sagst es", brummte Joris.

„Jetzt bewundern sie schafsdumm, was ihnen so ein Maniak von einem Architekten hinsetzt."

„Aber dich wickelt keiner ein, was?" fragte Merijntje mit todernstem Gesicht.

„Nie und nimmer, verdammtnochmal!" antwortete Mortelmans mit einem raschen Blick zu dem Jungen. „Ich laß mir nichts vormachen... ich streng meinen eigenen Grips an – dafür hab ich ihn gekriegt. Ich bin ein unabhängiger Geist!"

„Paß auf, daß das der Pfarrer nicht hört", warnte Joris. „Was du da sagst, stinkt gefährlich nach Ketzerei."

„Was – dieser Schnapsbruder?" fragte Mortelmans rachsüchtig. „Der hat selber keinen Grips, nicht einen Fingerhut voll. Der kann nicht einmal sein Meßlatein. Hör zu, so singt er: ‚Doppelschuß, wo bist du?' – anstelle von: ‚Dominus, vobiscum!', wie's geschrieben steht."

„Nicht zu glauben!" murmelte Joris. „Und dafür hat er studiert?"

„Auch wenn der Ochs zur Schule geht, bleibt er ein Ochs von früh bis spät", gab der andere mokant lächelnd und vollauf mit sich zufrieden zum besten. „Ich will ja nicht sagen, daß ich ein Gelehrter bin – da fehlt wohl noch was dazu, aber ich weiß, was ich weiß..."

In diesem Augenblick öffnete sich die Tür, und Mevrouw Amelie kam herein. Sie brachte eine Woge kühle, frische Luft mit, und der verwirrende, bittersüße Duft ihres Parfüms stieg Merijntje in die Nase. Er sprang von seinem Stuhl auf und wurde feuerrot. Sie hatte ihm einen erfreuten Blick zugeworfen, der freilich sogleich wieder verschwand; doch heller Jubel stieg in ihm auf: ihn hatte sie zuerst angesehen!

„Guten Tag!" grüßte sie allgemein.

Joris seufzte, legte Pinsel und Palette auf einen Schemel und sagte:

„Pause, Tiest... Nimm dir eine Zigarre und vertritt dir ein bißchen die Beine, bis die gnädige Frau wieder fort ist."

„Vielen Dank für den zarten Wink", lachte Amelie, „ich werde nicht lange bleiben... Wie steht's mit meinem Ruysdael?"

„Ich habe mir die Kopie vorhin gerade angesehen. Wetten, daß sie nicht älter ist als fünfzig Jahre?"

„Ein berühmter Experte hat das Bild für echt erklärt. Ich habe ein Zertifikat."

„Na, dann gratuliere ich", brummte Joris achselzuckend. „In Rotterdam hängt bei einem reichen Mann ein Matthijs Maris, den ich vor fünfzehn Jahren gemalt habe – auch mit einem Zertifikat eines berühmten Experten. Aber ein anständiger Maler riecht auf eine Stunde Entfernung, daß das kein echter Maris ist."

„Hast du die Unterschrift denn so täuschend nachgemacht?"

„Das Bild ist zufällig unsigniert", knurrte Joris bockig. „Genauso wie dein Ruysdael. Das ist das Glück der Experten... Für meine besten Gemälde bekomme ich nicht soviel Fünfundzwanzig-Gulden-Scheinchen, wie der Rotterdamer Kunstjünger Tausend-Gulden-Lappen gezahlt hat – allerdings nicht an mich. Ich hab nicht einen Kwartje gesehen."

„Unfaßlich! Wie hast du das angestellt?"

„Gar nichts hab ich angestellt. Ich hab's einem Freund zum Geschenk gemacht. Und der ist gestorben. Dann ist es offenbar in die Hände von jemand gekommen, der eine gute Nase hatte – und außerdem einen guten Experten. Zufällig las ich von der Entdeckung. Das Gemälde war auch abgebildet. ‚Eine beeindruckende Probe pittoresken Handwerks', hieß es – und: ‚Des Meisters ganz persönliche Note... unnachahmliche Malkunst...'"

Er lachte verächtlich und ein wenig bitter.

„Warum gibst du's nicht bekannt?"

„Weshalb denn?" fragte er zurück. „Warum soll ich dem Mann die Freude verderben? Laß ihn doch stolz und glücklich sein mit seinem Maris, diesen Feinschmecker!"

„Ich würde es auf jeden Fall publik machen", lachte Amelie. „Stell dir den Kladderadatsch vor! Totlachen würd ich mich!"

„Das kann ich mir vorstellen", sagte Joris anzüglich. „Hauptsache, es bringt Sensation und Ärger – die Sensation für dich, den Ärger für andere."

„Verbindlichen Dank, galanter Sittenrichter du!"

Sie lachte dabei, aber es klang spitz und ungehalten. Merijntje gab ihr recht. Joris war viel zu gutmütig; nur sie nahm er wohl gern aufs Korn.

Einen Augenblick war es still. Dann ließ sich Mortelmans' Stimme vernehmen:

„Das ist ein gutes Gedicht!"

Er stand am Zeichentisch und schlug mit der flachen Hand auf ein aufgeschlagenes Buch.

Joris drehte sich zu ihm um. „Seit wann kannst du denn Französisch?" fragte er verwundert.

„Man braucht doch nicht Französisch zu können, um das zu sehen."

Joris' Gesicht bekam wieder den fröhlichen Ausdruck. Schmunzelnd fragte er:

„Und woran siehst du das, Tiest?"

„Na, an den kurzen Zeilen – und am Klang."

„Du bist ja verrückt, Tiest! Französisch klingt ganz anders, als du glaubst und als es da geschrieben steht. Du kannst das doch gar nicht beurteilen, bild dir bloß keine Schwachheiten ein!"

Einen Moment schien Mortelmans verwirrt, dann fragte er: „Wieso? Ist es denn kein gutes Gedicht?"

„Aber ja, zum Teufel!" erwiderte Joris. „Es ist von Baudelaire."

„Na, also", sagte Mortelmans befriedigt, „was hast du denn da zu meckern, Mann?"

Merijntje hätte den Wicht am liebsten verprügelt für so viel freche Rechthaberei. Aber Joris ließ sich in einen Sessel fallen und lachte, daß das ganze Atelier dröhnte. Er schlug sich klatschend auf die Schenkel und konnte sich gar nicht wieder beruhigen. Die Tränen kullerten ihm von den Wangen in seinen krausen Bart. Auch Mevrouw Amelie war in Gelächter ausgebrochen, aber es klang höhnisch, und der Blick, den sie Mortelmans zuwarf, drückte so eisige Verachtung aus, daß es Merijntje kalt dabei wurde. Mortelmans selbst entblößte die braunen Zahnstummel und grinste breit und zufrieden: sein Sieg über den oberschlauen Maler, der ihm, Tiest Mortelmans, wahrhaftig eine Lektion hatte erteilen wollen, erfüllte ihn mit Genugtuung.

Joris, der immer noch schlucken mußte, wischte sich die Tränen aus dem Gesicht.

„Ist er nicht köstlich, mein Monsieur Je-sais-tout?" rief er, zu Amelie gewandt. „Nicht zu schlagen! Ein großer Mann . . ."

„Zweifellos", erwiderte sie in schneidendem Ton, „groß auf seine Art – aber diese Art gehört ins Tollhaus."

Joris bekam einen neuen Lachanfall.

„Ich möchte noch einen Spaziergang machen", sagte Amelie. „Hast du Lust mitzukommen, Merijntje Gijzen?"

„Ich habe nichts zu tun jetzt", antwortete der Junge und wurde rot vor Überraschung und Freude. Er fuhr in den Mantel und riß die Mütze vom Haken.

Als sie schon an der Tür waren, hörte er Mortelmans erhaben sagen: „Manche Leute können geistige Überlegenheit schlecht vertragen . . ."

Am liebsten wäre er umgekehrt und hätte dem aufdringlichen Burschen das Fell warmgerieben. Aber dicht vor sich sah er Mevrouw Amelies Schultern zucken. Wenn sie darüber so lachen konnte, brauchte er wohl auch nicht böse zu sein.

2

Eine Weile gingen sie auf dem schmalen Sandweg zwischen dem Schlagholz schweigend nebeneinander her. In den dürren Blättern des Vorjahres raschelte der starke Frühlingswind. Die Äcker warteten gepflügt auf die Saat. Die Erde hatte einen dumpf säuerlichen Geruch. Es war eine arme Gegend mit undankbarem Sandboden, der viel Arbeit verlangte und wenig hergab.

Merijntje sah Mevrouw Amelies kleine Füße in den leichten Promenadenschuhen neben den seinen in den festen, plumpen Fettlederstiefeln tippeln. Sie trug ein braunes Mantelkleid aus weichem, flauschigem Wollstoff; eine feine Spitzenrüsche umgab ihren Hals in kleinen Falten, und der elegante braune Filzhut mit der wehenden Feder saß ein wenig schief auf dem schwarzen Haar. In seinem derben blauen Anzug und der Schiffermütze kam sich Merijntje unbeschreiblich grob neben ihr vor. Er verbarg seine schwieligen roten Hände tief in den Taschen seiner Joppe und begriff nicht, wie eine so feine Dame mit einem so unansehnlichen Menschen wie ihm spazierengehen mochte. Er blickte auf ihre Schulter nieder und sah den weißen Hals, den die schwarze Feder bei jedem Schritt wie in einer schüchternen Liebkosung streifte.

Sie spürte seinen Blick und schaute zu ihm auf. Verlegen wandte er den Kopf ab und sah vor sich hin auf den schmalen Weg und dann weiter auf den Kiefernwald in der Ferne, dessen Stämme unter den dunklen Kronen goldbraun in der Sonne glänzten. Das war der Wald, durch den er damals in dem wilden Schneegestöber gekommen war – vor einer Ewigkeit, aus einem anderen Dasein ...

Das Schweigen bedrückte ihn. Endlich sagte er: „Dieser Mortelmans ist ein seltsames Individuum. Wie kann Joris nur soviel Gefallen an ihm finden?"

Er spricht Dialekt, um mir eine Freude zu machen, dachte Amelie; rührend, wie er alles tut, um mir zu gefallen. Selber findet er es bäurisch und genierlich, aber er erinnert sich, daß ich ihn darum gebeten habe. Wie aufmerksam und liebenswürdig! Wäre er ein wenig dreister, würde er vielleicht aufdringlich werden, sich verliebt geben. Nicht unwahrscheinlich, daß er's sogar ist – aber er würde im Erdboden versinken vor Scham, wenn er den Eindruck hätte, daß man's ihm anmerkt. Eigentlich dürfte es nicht schwierig sein, ihn ganz zu sich herüberzuziehen. Wenn er sich etwas vorteilhafter kleidete, könnte er sogar recht passabel aussehen – ein frischer, forscher Junge, stämmig und hochgewachsen. Dieses kindliche Gesicht, in dem sich alles widerspiegelt, was in ihm vorgeht; die weitgeöffneten, allzeit etwas verwunderten, braunen Augen, sanft, fast fraulich – und im Gegensatz dazu der trotzige Zug um den Mund, der starke, überaus männliche Bau von Kiefer und Kinn ... Er mochte schon ein Liebhaber sein, den man nicht so schnell vergaß.

Merijntje sah sie an. Warum sagte sie nichts? Himmel, wie war sie schön!

Ihre Stimme klang verächtlich, als sie schließlich antwortete: „Joris, der ist selber nicht recht klug. Er umgibt sich mit lauter Kuriositäten. Dieser entsetzliche Mortelmans ist auch eine davon. Ich finde das so roh von ihm. Er macht sich über Menschen lustig, als ob es Dinge wären, nur um sie zu studieren und für seine Arbeit auszunutzen. Im Grunde seines Herzens liebt er nämlich nichts und niemand außer seiner Arbeit und seinen Kuriositäten – und die auch nur, weil sie ihm für seine Arbeit von Interesse sind."

Scheu sah Merijntje sie von der Seite an. Er war erschrocken. Meinte sie das wirklich ernst, was sie da sagte? Doch ihr Gesicht hatte einen finsteren Ausdruck, als sie noch hinzufügte:

„Ich fürchte, du bist auch nicht mehr als eine Kuriosität für ihn. Gib nur ein bißchen acht, das kann sehr schmerzhaft sein!"

Joris? dachte Merijntje entsetzt. Joris sollte ihn als Kuriosität betrachten, ihn ansehen wie einen wurmstichigen Schrank, ihn reden lassen, wie er Mortelmans reden ließ, den er immer wieder zu neuem Unsinn herausforderte, um sich dann heimlich darüber lustig zu machen? Sollte das wahrhaftig so sein? Und er war einfältig genug gewesen, darauf hereinzufallen? War er denn immer noch das Dorfbübchen, das sich von dem Stadtrabauken Willem van Duin beschummeln ließ, jenem verwegenen, draufgängerischen Willem, der das Kupfer, das sie gemeinsam zusammengesucht hatten, für sich allein verkaufte. Er hatte sich mit ihm geprügelt, hatte ihn halb lahm geschlagen, aber damit war der Ärger, die Bitterkeit, die Demütigung nicht ausgelöscht. Es verschaffte keine Befriedigung, körperlich stärker zu sein als der Widersacher, der einen betrog und verriet. Befriedigung konnte man nur empfinden, wenn es einem gelang, dem Betrug zuvorzukommen, über den Verrat zu triumphieren, indem man ihn rechtzeitig erkannte und sich zurückzog, um ihm nicht mit Haut und Haaren zum Opfer zu fallen.

Du lieber Himmel, würde er denn sein Leben lang ein solcher Einfaltspinsel bleiben, immer in jedem Menschen sofort einen Freund sehen, glauben, daß die anderen selbstlos handelten, aus reiner Güte? Er hatte doch schon so viele schlechte Erfahrungen gesammelt, würde er denn nie klug werden? Bets, dann das Mädchen aus dem Gasthaus, der junge Bauernsohn de Wit, Blosekriekske – die wußten es besser. Flierefluiter auch: nehmen, genießen, vorübergehen. Güte und Vertrauen aufheben für später oder für ganz seltene Gelegenheiten.

Joris sollte sich seiner unverfroren als Kuriosität bedienen? Ausgerechnet Joris, den er so liebte und bewunderte, dem er völlig vertraute? Joris, der so tat, als möge auch er ihn gern, als wolle er ihm helfen, sein Lehrer sein. Und dabei ließ er ihn tanzen wie einen Harlekin, einen Hanswurst, und lachte heimlich darüber? Wenn das stimmte!

Er ballte die Fäuste in den Taschen, und Schamröte stieg ihm ins Gesicht. Was blieb ihm denn schon anderes zur Verteidigung als die Kraft seiner Fäuste, mit denen er auch Willem van Duin niedergeschlagen hatte?

Sollte das mit dem Maler wirklich so sein?

Oder war es nicht vielleicht so, daß Mevrouw Amelie Joris

nicht leiden mochte und daß sie deshalb schlecht von ihm sprach? Denn daß Joris ihn derart zum Narren hielt, war doch fast unmöglich. Es konnte nicht sein, durfte nicht wahr sein ... „Paß ein bißchen auf bei meiner Schwester ... sie kann verdammt unangenehm werden ... ich warne dich!" hatte Mijnheer Louis gesagt. Er hatte es zwar merkwürdig gefunden, es aber als eine Folge des schlechten Einvernehmens zwischen Bruder und Schwester abgetan.

Aber wenn er nun das damit gemeint hatte? Wenn Mevrouw Amelie wirklich eine Verleumderin war, die sich ein Vergnügen daraus machte, andere anzuschwärzen? Mißtrauisch warf er ihr einen Blick zu. Nein, so sah sie nicht aus. Sie hatte kein falsches Gesicht. Diese schönen, ruhigen Augen vermochten nicht zu lügen. Und warum auch? Was konnte sie, eine so reiche, vornehme Dame, für ein Interesse daran haben, einem armen Schlucker wie ihm etwas vorzulügen und ihn gegen seinen Freund einzunehmen? Es mußte ihr doch völlig gleichgültig sein, ob er mit Joris befreundet war oder nicht. Was lag ihr schon daran, mit wem dieser armselige Merijntje Gijzen umging? Lächerlich! Es war ohnehin ein Wunder, daß er überhaupt für sie vorhanden war, hier neben ihr gehen durfte.

Amelies warme, überzeugende Stimme sprach ruhig weiter:

„Künstler sind oft so, weißt du ... Man darf es ihnen nicht einmal übelnehmen, sie können nichts dafür. Sie sind einfach von ihrer Arbeit besessen. Und was für diese Arbeit gut ist, betrachten sie als erlaubt. Die Folgen für andere interessieren sie nicht, sie kennen nur eine einzige Treue: die Treue ihrer Arbeit gegenüber. Im Interesse ihres Werkes verraten sie alles andere, ohne Bedauern, ohne Bedenken, ohne sich Vorwürfe zu machen. Nichts anderes können sie wirklich lieben als die Aufgabe, vor die sie sich gestellt sehen. Alles übrige, Freunde, Frauen, Kinder, Blumen und Tiere, rückt in den Hintergrund und ist nur als Anregung, als Stimulans für ihre Arbeit von Belang. Es verliert allen Wert, wird unverzüglich fallengelassen, sobald es den Zweck erfüllt hat, das Werk zu fördern. Und wenn es gar schädlich zu sein scheint, wird es gehaßt und verabscheut. Kann man es vernichten, um so besser – schonungslos, in heller Wut, mit unwiderstehlichem Drang ... Man nennt die Künstler Übermittler der höchsten Kultur. Eigentlich stehen sie aber auf einer sehr niedrigen Stufe: sie kennen weder Mitleid noch Moral, sobald es um ihr Werk geht – und das heißt um ihre eigenen Interessen."

Merijntje empfand jedes Wort wie einen schmerzhaften Stich. War es denkbar, daß so das Bild eines Künstlers aussah?

„Und Mijnheer Louis?"

Es war eine gestammelte Frage, eine verzweifelte Bitte um Erbarmen. Ängstlich blickte er sie an. Aber sie hatte kein Erbarmen. Sie starrte mit einem verschlossenen, harten Gesicht vor sich hin.

Ein bösartiges Lächeln verzerrte ihren schönen, klar gezeichneten, etwas zu großen Mund. Zum erstenmal verband sich für Merijntje mit diesem Mund der Gedanke an Gier. Nur für einen kurzen Augenblick, den Bruchteil einer Sekunde. Dann hörte er die Worte, die dieser Mund sprach:

„Mijnheer Louis ist zu schwach, um wirklich Böses zu tun. Das ist alles. Doch den Egoismus des Künstlers trägt er ebenso in sich. Ich habe früher oft genug darunter leiden müssen."

Sie gingen jetzt durch den Wald. Ihre Schritte waren fast unhörbar auf dem schwarzen, von Kiefernnadeln bedeckten Boden. Zwischen den Stämmen lagen breite Bahnen Sonnenlicht, und lange violette Schatten fielen quer darüber hin. Wie fernes Meeresrauschen klang der Wind über ihren Köpfen. Merijntje hatte das Gefühl, dies alles schon einmal erlebt zu haben, schon einmal mit Mevrouw Amelie – oder mit wem sonst? – durch diesen Wald gelaufen zu sein. Oder war es ein anderer Wald? Und auch der Wind sang genauso, fern und unendlich schwermütig. Aber dieser Eindruck verwischte sich sofort wieder, und es blieb nur der Jammer, der schmerzende Zweifel.

Waren sie wirklich so, Mijnheer Louis und Joris? Louis hatte seine Schwester verletzt? Einer so schönen, vornehmen Dame, vor der man sich auf die Knie hätte werfen mögen, war durch ihn Leid widerfahren? Das konnte sich Merijntje nicht vorstellen, das wollte er nicht glauben. Aber ein Mensch wie Mevrouw Amelie log doch nicht? Warum sollte sie sich so etwas ausdenken und gerade ihm sagen – ihm, dem unbedeutenden, zufällig in ihre Welt geschneiten Nichts, das Merijntje hieß?

Heftige Feindseligkeit stieg in ihm auf, doch er versuchte sie gewaltsam zu unterdrücken. Er wollte nicht so von Mijnheer Louis denken! Es war unmöglich. Er sah das stille, bleiche Gesicht, die träumerischen Augen, die feingliedrigen Hände auf den Tasten des Flügels, den weichen Mund, ähnlich dem von Mevrouw Amelie – nur ohne das Gierige... Nein, an Mijnheer Louis konnte nichts Schlechtes sein, nichts Bösartiges. Und war er nicht immer voller Güte und Freundlichkeit zu ihm gewesen? Wäre das möglich, wenn er einen schlechten Charakter hätte, voller Selbstsucht und Erbarmungslosigkeit? Es konnte nicht sein.

Amelie blickte verstohlen in das Gesicht des Jungen neben sich. Sie sah seine ungläubige Bestürzung, seinen Zweifel, den Kampf. Er wollte wohl nicht von seinem Abgott lassen. Wenn sie ein Junge, ein Mann wäre, würde er nicht auf sie hören, dann würde er ihr über den Mund fahren und ihr vielleicht eine Tracht Prügel versetzen. Aber sie war eine Frau, und ihre weiblichen Reize hatten ihn schwach gemacht, und nun wußte er nicht, woran er war. Der Mann in ihm stand unter dem Zauber ihrer Weiblichkeit. Er war rührend in seiner Arglosigkeit, man konnte fast zärtlich dabei werden, ihn in den Arm nehmen und ihm tröstend erklären: Dummer Junge, es ist gar nicht wahr, was ich sage, sei nur ruhig! So etwas Kindlich-Bestürztes war in diesem erregten, gequälten Gesicht.

Aber dann wäre das Spiel aus. Und das wollte sie nicht; sie wollte weiterspielen, um jeden Preis – ihn ganz langsam an sich ziehen und ihn so betören, daß er alles andere vergaß und nur noch an sie dachte. Vielleicht würde sie ihn wirklich in den Arm nehmen, aber nicht um ihn mit ein paar guten Worten den anderen und sich selber zurückzugeben. Nein, dann sollte er sie ganz erfüllen, solange sie es begehrte – nur vorübergehend freilich, denn was sie fesselte, war nicht so sehr der gutgläubige Anfänger, sondern das Spiel an sich. Kannte er überhaupt die Liebe, das Brennen der Leidenschaft, den Taumel höchster Verzückung? Sie langweilte sich schon viel weniger, neue Spannkraft floß ihr zu, die kommenden Tage waren gefüllt – da lockte ein Ziel, das es zu erreichen galt. Und es gab nicht eben viel, was Amelie je entgangen wäre, hatte sie sich's einmal in den Kopf gesetzt.

Plötzlich sagte Merijntje hart und eigensinnig: „Ich glaube nicht, daß Mijnheer Louis und Joris schlechte Menschen sind."

Amelie hörte die störrische Auflehnung, mit der er sich an seiner Liebe festklammerte. Sie blieb stehen und legte ihm die Hand in dem weichen Wildlederhandschuh auf den Arm. Er schaute dauernd auf diese Hand, während sie sprach. Genau wie ein Vögelchen, dachte er, ein warmes, kleines Vögelchen, das sich vertrauensvoll auf meinen Arm gesetzt hat...

„So war es auch nicht gemeint, Merijntje Gijzen. Natürlich sind Mijnheer Louis und Joris keine schlechten Menschen. Wer sagt denn das? Sie sind Künstler. Sie leben auf ihre Art. Gut und Böse sind doch Dinge der Bewußtheit, ich meine: die tut man absichtlich, mit dem Ziel, Böses oder Gutes zu tun, oder doch jedenfalls mit dem Wissen, daß es gut oder böse ist, was man tut. Verstehst du, was ich meine? So ist das mit Louis und Joris oder mit den Künstlern im allgemeinen natürlich nicht."

Sie nahm ihre Hand fort. Es blieb eine warme Stelle, und er schaute immer noch darauf und dachte über das nach, was sie eben gesagt hatte. Es klang schon viel weniger häßlich als zuerst. Aber der Vorwurf des Egoismus blieb: sie sind Künstler, sie können es nicht ändern... Das war ein schöner Trost, besonders wenn man selber das Opfer wurde!

Von neuem zweifelnd sagte er: „Aber sie sind doch so gut zu mir gewesen, für nichts und wieder nichts. Ich habe ihnen soviel zu verdanken. Sie lehren mich und sind freundlich und geduldig, wenn ich etwas nicht gleich verstehe. Wenn sie nur an sich selber dächten, weshalb täten sie mir dann so viel Gutes?"

„Du verstehst mich immer noch falsch", lachte Amelie. „Ein Künstler ist kein gewöhnlicher, spießbürgerlicher Egoist, kein falscher Verräter... Joris und Louis interessieren sich für dich, und deshalb sind sie auch nett zu dir. Du hättest nichts für sie getan, sagst du. Nun, du hast Joris zu einem ausgezeichneten Bild inspiriert, einem seiner besten. Hältst du das für nichts? Und für meinen Bruder bist du vielleicht ein Mensch, vor dem er gern spielt, der ihn zur Arbeit anregt. Ich weiß es nicht... Für dich ist das nur gut, denn sie sind beide Künstler von Format. Profitiere davon, solange es geht. Aber glaub nicht, daß es gewöhnliche Freunde sind, die dich um deinetwillen lieben, denn dann ziehst du den kürzeren. Wenn sie heute oder morgen den Eindruck gewinnen, du hast keinen Wert mehr für ihre Arbeit, dann bist du für sie nicht mehr vorhanden, dann lassen sie dich aus ihrem Leben verschwinden, als ob du niemals teil daran gehabt hättest... Nicht weil sie schlechter oder auf die übliche Weise selbstsüchtig wären, sondern weil sie besessen sind – besessen von ihrer Arbeit. Deshalb darfst du dir auch nicht allzuviel daraus machen, wenn es soweit ist. Sie können nun einmal nicht anders."

In düsterer Stimmung ging Merijntje neben ihr her, starrte auf den hügeligen Erdboden und sah nichts als die eigene Einsamkeit. Er war allein. Mijnheer Louis und Joris hatten ihn verlassen, sie waren weit weg in ihrem abgeschirmten Reich und machten sich nichts mehr aus ihm. Sie waren ihm entglitten. Er hatte gemeint, langsam Anteil zu bekommen an dieser traumschönen Welt, in der sie zu Hause waren, aber sie bereiteten ihm keinen Platz, schnüffelten nur ein bißchen an ihm herum, nahmen sich von ihm, was sie gebrauchen konnten, und ließen ihn dann draußen stehen. Das konnte er nun also auch vergessen. Was blieb denn überhaupt noch?

Oh, sofort wenn er „nach Hause" kam, sollten sie freundlich und gut zu ihm sein. Bücher sollten sie ihm geben, ihm erklären, was er unbedingt wissen mußte, ihm auf seine Fragen antworten. Solange es irgend ging, wollte er noch von ihnen profitieren. Joris wollte ihn ja als David malen, weil er so schöne Muskeln hatte. Mijnheer Louis spielte ihm vor und ließ sich erzählen, fragte ihn nach allem, was er erlebt hatte, hörte aufmerksam zu und schaute an ihm vorbei in die Ferne. Vielleicht steckte auch Musik in seinen Schilderungen – doch er konnte sich nicht vorstellen, wie... Aber über kurz oder lang hatten sie alles aus ihm herausgeholt, was ihnen irgendwie nützen konnte, und dann wurde er weggeworfen wie eine leere Haut – fort, auf den Misthaufen. Nein, so ließ er sich nicht behandeln, ganz gewiß nicht! Dann ging er lieber auf der Stelle weg. Das war nicht seine Auffassung von Freundschaft. Was hieß hier überhaupt Freundschaft? Das traf ihre Beziehung zueinander nicht. Dafür standen die Männer viel zu weit entfernt von ihm, viel zu hoch über ihm. Er brachte ihnen grenzenlose Ehrfurcht entgegen und schätzte sie so sehr, daß er alles für sie getan hätte. Aber nicht so – so nie und nimmer! Er war schließlich kein Sklave, der sich widerspruchslos mißbrauchen, beleidigen und wegjagen ließ. Er war auch kein Bettler, der für alles danke sagte und den Tritt in den Hintern als Zugabe freudig mitnahm. Nein, dann zog er lieber aus freien Stücken davon, kehrte heim nach Rotterdam, wo sie zwar nicht so gelehrt waren, aber ihn immerhin gern hatten und achteten.

Es war schon hart. Das Ausmaß der ganzen Enttäuschung konnte ihm so rasch gar nicht deutlich werden. An so etwas hatte er nie gedacht. Oh, er hatte viel erfahren und wußte, daß manches im Leben so makellos nicht war, wie es aussah. Betrug hatte er überall gefunden, Falschheit und Heuchelei, Mißgunst und Eigennutz. Auch bei den gewöhnlichen, ungebildeten, mittellosen Menschen, zu denen er sich rechnete. Und von den Reichen hatte er sowieso nie viel was anderes gesehen und gehört. Aber hier war es eine andere Welt gewesen ...

An diese Welt hatte er geglaubt. Da existierte nicht arm und reich, nur Schönheit und Wissen herrschten, Talent und Geist. Ideale ... sie sprachen gern von Idealen. Das hatte ihn betört. Er hatte sich dieser Welt bedingungslos und reinen, unerschütterlichen Glaubens hingegeben in der Hoffnung, auch einmal ein bescheidenes Plätzchen darin zu ergattern, umhergehen zu dürfen in dem wunderbaren Licht, der warmen Atmosphäre, endlich einen festen Halt zu haben, etwas, für das zu leben und zu arbeiten sich lohnte. Die unbestimmte Ahnung hatte ihn gereizt, auf dem Wege zu sein, eine wirkliche Heimat zu finden, echtem Glück, wahrer Geborgenheit und Ruhe in dieser „Welt des Geistes" zu begegnen, wo alles nur Schönheit ausstrahlte, Weisheit und Wahrhaftigkeit. Und nun war aus ebendieser Welt eine berufene Stimme gekommen, die den Traum zerstörte – zerbrochen lag er bei all den anderen Träumen, an die er früher geglaubt hatte. Denn eine Welt, in der Menschen einander so behandelten – das konnte die Welt nicht sein, in der Merijntje Gijzen sich zu Hause fühlte. Wo gab es denn hier den Unterschied zu jener Welt, die ihm geläufig war? In den schönen Worten, den schönen Dingen, den schönen Klängen? Die Übereinstimmung war groß, sie lag in der Lieblosigkeit, der Untreue, der Selbstsucht. Und das war das Entscheidende. Wenn man nichts und niemandem trauen konnte, nirgend eine Stütze fand – wie konnte man dann leben, froh sein oder gar Glück erwarten? Kalt und leer lag die Welt, ohne jeden Reiz. Man stand allein, wieder allein, wie immer allein. Jedesmal wenn man dachte, irgendwo warmgeworden zu sein, Zuneigung, Freundschaft, Liebe gefunden zu haben, Gemeinschaft mit anderen, merkte man plötzlich, daß man sich einem Wahn hingegeben hatte, daß jedermann darauf bedacht war, nur zu nehmen und ja nicht zu geben. Merijntje gab gern und viel – alles, wenn nötig. Aber was hatte er davon? Man wurde doch nur leergeplündert, und wenn nichts mehr da war, was man opfern konnte, dann ließen sie einen stehen, von allem beraubt; sie schauten fort mit ihren gleichgültigen, ihren kalten, feindseligen Augen ... Geh doch! Wer bist du eigentlich? Wir kennen dich nicht ... Und die Menschen aus dieser wunderbaren neuen Welt waren genauso. Was nützte es zu wissen, weshalb sie waren, wie sie waren! Die gescheite Erklärung half ihm nichts. Er stand abermals in der Kälte – einsamer und enttäuschter denn je, niedergeschlagen, zum soundsovieltenmal betrogen ...

Amelie sah die Bestürzung, die ihm zu schaffen machte, die starke Ernüchterung. Sie lächelte still vor sich hin. Er reagierte wunschgemäß. Ein leicht beeinflußbares Gemüt, bequem zu beherrschen – bequemer als sie sich gedacht hatte. Eine höchst sensible Natur, kindhaft und durch das Gefühl von Abhängigkeit, das seine geringe Herkunft unvermeidlich in dieser Umgebung hervorrufen mußte, außerordentlich unsicher und schwankend. Die Frucht war reif. Wenn sie schüttelte, fiel sie ihr in den Schoß. Männer – das starke Geschlecht. War das für eine Frau, die ihre Macht kannte und sie zu gebrauchen wußte, nicht zum Lachen? Merijntjes ratlose Verschrecktheit rührte sie, stimmte sie geradezu sanft – vielleicht nur, weil sie sie selber verursacht hatte, weil er sich so willig unter dem zarten, aber steten Druck ihres Willens beugte? Ein unbeholfener, ungebildeter Junge aus dem Volk ... Zweifellos steckte etwas in ihm – das hatten Louis und Joris durchaus richtig erkannt. Er hatte eine sehr feinfühlige Art, ein überempfindsames Naturell, war offen für den Ansturm aller Einflüsse, zugänglich für mancherlei Eindrücke, leicht ergriffen, leicht zu schrecken, offenbar dazu bestimmt, viel Leid zu erfahren, weil er einfach zuviel Vertrauen besaß und deshalb in Gefahr geriet, immer aufs neue hinters Licht geführt zu werden. Povero bambino! Spöttisches Mitleid mit ihm und seiner kunstreich heraufbeschworenen Not gewann lächelnd die Oberhand in ihr. Sie würde ihn füglich ein wenig trösten, ihn ablenken und in Erregung bringen. So, wie er jetzt neben ihr herzottelte, war er eine allzu triste Gesellschaft!

Sie befanden sich mitten in dem stillen Wald. Vor ihnen leuchtete schwarz das Wasser eines großen Moorsees. Amelie blieb stehen und atmete tief den würzigen Geruch des Waldes ein, wo es in Boden und Holz gärte und alles sich bereit machte für ein neues Leben in ungehemmter Fruchtbarkeit. Sie schaute in Merijntjes düsteres, blaß gewordenes Gesicht.

„Du siehst so einsam aus, Merijntje Gijzen."

Er blickte sie an. „Das bin ich auch", sagte er mutlos.

Sie lachte leise. „Das ist aber kein Kompliment für mich. Wie kann man sich einsam fühlen, wenn man mit einer Frau zusammen ist, die nicht gar zu abscheulich aussieht, die freundschaftlich mit einem redet und einem keineswegs übel gesinnt ist?"

Er schüttelte den Kopf. „Ich meine das anders", sagte er. „Die ganze Welt ist einsam ..."

Er reagierte nicht auf ihre lockende Stimme. Sie war ihm wieder so fern, stand so hoch über ihm, eine Dame, der man in seiner Lage gesellschaftlichen Respekt schuldete.

Eine leichte Ungeduld erhob sich in ihr. Abstände waren dazu da, um überschritten zu werden, wenn einen die Lust dazu ankam.

„Für dein Alter bist du viel zu melancholisch! Lach mich lieber einmal an und freu dich, mit mir allein in dem großen, dunklen Wald zu sein – genau wie der Prinz und die Prinzessin im Märchen."

„Ein schöner Prinz!" spottete er bitter.

„Es hat sich schon manche Prinzessin in den Hirtenknaben oder in den wilden Köhler mit dem schwarzen Gesicht verliebt."

„Ja, im Märchen ..."

„Und in der Wirklichkeit, meinst du, sei das nicht möglich?"

„Ich glaube nicht mehr an Märchen – dazu habe ich schon ein bißchen zuviel von der Welt gesehen."

„Oh, was für ein weiser Mann du bist!"

Im stillen war sie ärgerlich ... Plötzlich reagierte er nicht mehr so, wie sie es wollte und erwartete. Hatte er sich zurückgezogen und die Tür hinter sich zugeworfen? War sie ungeschickt in der Wahl der Mittel gewesen, ihn an sich zu locken? Ein eigenartiger Junge! Wie stolz und abweisend er plötzlich in seiner Enttäuschung aussah! Er rollte sich zusammen wie ein Igel, kehrte die Stacheln nach außen, unnahbar ... Wirklich unnahbar? Ein Lächeln, triumphierend und siegesgewiß, huschte flüchtig über ihr Gesicht.

„Wollen wir uns ein bißchen ausruhen?" Sie wies auf einen gefällten Baum, ein paar Schritte entfernt.

Gehorsam folgte er ihr und setzte sich. Sie ließ sich dicht neben ihm nieder. Er spürte die leise Berührung ihrer Hüfte und rückte höflich ein Stückchen zur Seite. Amelie lächelte belustigt in sich hinein. Dieses Spiel erhielt immer neue Reize, sie entdeckte völlig unerwartete Züge an dem Jungen. Es lohnte schon, sich ihm zu widmen ...

Merijntje saß vornübergebeugt auf dem Baumstamm, die Ellbogen auf den Knien, die Hände locker verschränkt, und schaute mit starren Augen über das schwarze Wasser. In ihm war es genauso schwarz – schwarz und leer. Nacht ohne Mond und Sterne. Er würde morgen fortgehen. Irgendeine Ausflucht war rasch erdacht. Er wollte nach Haus – er gehörte nicht hierher. Narren wie er sollten nicht Landstreicher werden. Das paßte zu Flierefluiter, aber nicht zu ihm. Er hatte die dumme Angewohnheit, sich überall behaglich einzunisten, wo es ihn hin verschlug. Und immer ging es schief, immer klammerte er sich an etwas Verkehrtes und eckte übel an. Der Kummer in ihm übertönte alles. Aber er versteifte sich dagegen. Er wollte nicht mehr so kindisch sein und sich von diesen vertrackten Dingen, die ihn in der einen oder anderen Art bedrängten, verrückt machen lassen. Es war an der Zeit, endlich klug zu werden, sich hart zu zeigen und nicht mehr dem ersten besten, der einem über den Weg lief, blindlings an den Hals zu werfen. Damit mußte ein für allemal Schluß sein. Er hatte zuviel Lehrgeld gezahlt.

Unversehens war wieder die kleine braune Hand da, das Vögelchen, das sich auf seinem Arm niederließ. So ein warmes Vögelchen, so eine kleine Frauenhand. Wenn das nun die Hand von einem gewöhnlichen Mädchen wäre, einem Mädchen seines Lebenskreises, dann würde er sie nehmen und das Mädchen an sich ziehen, es küssen und liebkosen, bis die Einsamkeit versinken, das Schwarz hell werden und das Gefühl aufsteigen würde, daß man zusammengehörte und nicht mehr allein war ... Aber diese Hand konnte ihm nicht helfen, so weich und warm sie auch war – sie gehörte zu einer fremden Welt, sie würde ihn nie erreichen.

Traurig schloß er einen Atemzug lang die Augen und spürte, wie die Hand sich langsam höher tastete, ihm leise über den Rücken fuhr und auf seiner Schulter liegenblieb. Er wandte den Kopf zur Seite, blickte in ein ernstes, weißes Gesicht, in dem die großen, grauen Augen wehmütig die seinen suchten.

„Ist denn die Einsamkeit so schlimm, Merijntje Gijzen? Weißt du nicht, daß alle Menschen einsam sind?"

Es klang so sanft und betrübt.

„Sind Sie denn auch einsam?"

Sie lachte auf, ein bitterspöttisches Lachen, das ihm weh tat.

„Ich bin eine geschiedene Frau, Merijntje. Einsamere Geschöpfe gibt es nicht, das mußt du doch verstehen."

Ein einsames Geschöpf hatte sie sich genannt. Der Ausdruck klang seltsam für eine so reiche, vornehme Dame. Es war gerade, als stiege sie damit von einem Podest und käme auf ihn zu.

„Aber Sie ...", begann er.

Doch sie fiel ihm ins Wort: „Du urteilst nach dem Schein, Merijntje Gijzen. Du denkst: Diese Frau Amelie ist eine reiche, vornehme Dame, sie wohnt in einem großen Haus, in prachtvollen Zimmern, sie hat Mädchen und Diener, sie kann reisen und alles tun, was sie will, sie ist glücklich, sie muß glücklich sein ... Aber du bedenkst nicht, daß diese Dame auch noch ein Mensch ist, eine Frau, die nach Gesellschaft hungert, nach einem, der lieb und gut zu ihr ist und sie tröstet, wenn sie Kummer hat. Auch in einem schönen, warmen Zimmer kann man frieren, Merijntje ... Wenn das Herz nicht gewärmt wird, ist es überall kalt."

Ein tiefes Erstaunen erfaßte den Jungen bei ihren Worten. Sein eigener Kummer trat zurück. Mevrouw Amelie klagte. Sie war nicht glücklich und zufrieden. Ihr Leben schien so reich, so angefüllt mit allem, was man sich nur wünschen konnte – und doch war es leer und kalt. „Wenn das Herz nicht gewärmt wird, ist es überall kalt..." Wie schön sie solche Dinge zu sagen vermochte – und wie recht sie hatte! Mitleid stieg in ihm auf. Wie unglücklich mußte sie sein, daß sie sich herabließ, einem so unbedeutenden Geschöpf, wie er eines war, ihr Leid zu klagen, sie, die stolze, gnädige Frau, vor der jeder tief die Mütze zog...

Menschen waren doch wunderliche Wesen. Wenn man einmal in sie hineinschaute, sah man Dinge, die man niemals erwartet hätte. Ein warmes, herzliches Gefühl überwältigte ihn. Er hätte sie so gern getröstet. Aber wie? Sagen, daß sie auf ihn rechnen könne, daß er lieb zu ihr sein, ihr mit Freundschaft und Ergebenheit helfen wolle? Lächerlich! Sie hatte gerade ihn nötig! Ja, wenn sie eine gewöhnliche Frau oder er reich und gelehrt wäre, dann hätte er es tun können... Aber so? „Sie konnten zusammen nicht kommen..."

„Warum sagst du nichts, Merijntje Gijzen?"

„Was soll ich wohl sagen?"

Es klang unglücklich und beschämt. Er wandte den Blick von ihr ab. Sein Gesicht war weich und verlegen, wieder das schüchterne, befangene Jungengesicht von vorhin.

„Irgend etwas... Vielleicht mich trösten..."

„Ich? Sind Sie ausgerechnet auf mich angewiesen?"

Er sagte es so furchtsam, so tief überzeugt von seiner Unwürdigkeit und Ohnmacht, daß sie eine warme Zärtlichkeit verspürte. Etwas Beschützendes, fast Mütterliches rührte sich in ihr, vermischte sich mit der aufsteigenden sinnlichen Erregung zu einem Gefühl, das sie verwirrte und erfreute, weil sie es nicht kannte. Sollte ihr in diesem Knaben wirklich etwas ganz Neues begegnen? Wenn sie jenes mütterliche Gefühl für ihn bewahren und doch seine Geliebte werden könnte!

Ihre Augen trübten sich, wie hinter einem Schleier... Ein Schauder der Lust lief ihr über den ganzen Körper. Sie ergriff seine Hand, hielt sie fest und sagte leise:

„Warum nicht? Vielleicht gerade du. Wenn zwei Einsamkeiten miteinander verschmelzen, dann heben sie sich auf, dann gibt es keine Einsamkeit mehr."

Er schaute ihr in die leuchtenden Augen, in das leidenschaftlich bewegte Gesicht, über das die Farbe der Erregung flog. Sie war so schön, und ihre Augen strahlten so zwingend, daß er Furcht bekam. Sein Herz hämmerte laut, und er drückte ihre kleine Hand, als wollte er sie zerbrechen. Unerträgliche Spannung erfüllte ihn... Das war doch unmöglich. Das konnte doch nicht der Sinn ihrer

Worte sein! Er war sicher auf dem Wege, verrückt zu werden, verrückt vor überspanntem Hochmut.

Und dennoch zog er sie voller Leidenschaft an sich und preßte seinen Mund auf den ihren. Er erwartete, daß sie ihn schlagen, ihn kratzen und beißen, sich kreischend losreißen und davonlaufen werde. Doch sie schmiegte sich in seine Arme, und ihre weichen kühlen Lippen öffneten sich.

Er hatte das Gefühl, daß sich die Erde auftun und sie beide verschlingen müsse.

3

Merijntje lag hellwach, von tausend einander widersprechenden Gefühlen, Freuden und Ängsten bewegt, und starrte mit großen, brennenden Augen in das matt schimmernde Rechteck, wo sich das Fenster seiner Kammer befand. Draußen stand der Sternenhimmel schwarz über der Welt, und ein übermütiger Frühjahrswind fegte um das Haus, schlug die Äste des Birnbaums unter dem Fenster dann und wann mit trockenem Knarren aneinander.

Er würde nicht schlafen, die ganze Nacht nicht. Es war unmöglich. Erstaunen hielt ihn wach und all die wechselnden, gegeneinander anströmenden Gefühle und Empfindungen. Vor allem Erstaunen, ein gewaltiges Erstaunen, das wie eine Kuppel über allen anderen Regungen stand ... ein unsägliches Verwundern, wie das möglich gewesen war. Hoch und fern schwebte sie über ihm – sie,

Mevrouw Amelie, die Schwester von Mijnheer Louis, die große Dame vom „Schloß". Da hatte ihn ein Schwindel gepackt, als bliebe die Zeit stehen. Ein Blitz war eingeschlagen. Eine unbekannte Macht hatte ihn mit unwiderstehlicher Gewalt ergriffen und ihn in ihre Arme geschleudert. So war es doch wohl geschehen? Etwas, was außer ihm war, nicht von ihm kam, hatte ihn dazu getrieben, an Mevrouw Amelie heranzurücken und sie zu küssen – er täuschte sich doch nicht? Von sich aus hätte er es wohl nie gewagt? Der Gedanke allein erschien ihm als heiligschänderische Dreistigkeit – auch jetzt noch, bis zu diesem Augenblick . . . Wie war das nur gekommen? Wie hatte es geschehen können?

Er hatte sich erst todunglücklich gefühlt, nachdem ihm dank Mevrouw Amelies besserer Einsicht klargeworden war, wie unsinnig er seine neuen Freunde idealisiert hatte. So kalt, so leer, so einsam war ihm zumute gewesen, als sei er an eine fremde, verlassene Insel gespült worden. Dann hatte er von Mevrouw Amelie erfahren, daß sie sich genauso elend fühlte. Mitleid mit ihr hatte ihn seinen eigenen Schmerz vergessen lassen. Sie zählte soviel mehr als er und spürte doch den gleichen Kummer, litt die gleiche Not! Wie wundersam, daß sie sich an ihn um Hilfe wandte. Mit zitternder Stimme, mit großen, glänzenden, betrübten Augen hatte sie ihn gerufen . . . sie – ihn!

Und dann hatte er sie in den Arm genommen, als wäre sie ein gewöhnliches Mädchen, eine Nelleke, eine Mieke, eine Sjoke . . . Sie hatte ihn wiedergeküßt. Ach, wie sie ihn geküßt hatte! So, nein, so hatte ihn noch nie eine geküßt. Er hatte nicht einmal geahnt, daß man so küssen konnte. Ein Sturm war es gewesen, ein loderndes Feuer, eine Gewalt, die einen mitriß, in der man vergehen mußte. Sie hatte sich an ihn geklammert, als ob sie ihn nie wieder loslassen wolle, ihre Lippen regneten Küsse über sein Gesicht, seinen Hals. Ihre Zähne hatten ihn gebissen, er hatte Blut auf seinen Lippen geschmeckt, und der Schmerz war Lust gewesen. Er hatte sie an sich gepreßt, bis sie nach Atem rang und keuchend stammelte: „Wie stark du bist, Merijntje Gijzen!"

Und um zu beweisen, wie stark er war, hatte er sie emporgehoben und um den ganzen Moorsee getragen. Sie hatte still an seiner Brust gelegen, die Arme um seinen Hals geschlungen, ihr leuchtend weißes Gesicht dicht an dem seinen.

„So möchte ich Sie aus der Welt hinaustragen!" hatte er geflüstert, und sie hatte erwidert: „Tu's, Merijntje Gijzen, du darfst es . . ."

Sie nannte ihn immer Merijntje Gijzen. Er wollte den Grund wissen, und sie hatte entgegnet, daß es so schön klinge, so hell, die beiden fröhlichen Ei-Laute hintereinander – eine merkwürdige Vorstellung, aber sie hatte recht, es lag etwas Frohes in diesem Klang . . . Er nannte sie Mevrouw Amelie. Er konnte nicht Amelie sagen, das wollte ihm nicht über die Lippen, und sie hatte es lachend gutgeheißen.

So leicht war sie in seinen Armen gewesen – und doch war sie nicht klein, nicht schmächtig. Seine Hand hatte sich um ihre weiche Brust gelegt, ihre Schenkel hatte er auf seinen Armen gespürt ... sie hatte es schön gefunden, sie hatte es gewollt. Und wieder fiel das Staunen über ihn: Wie konnte so etwas geschehen? Es war vollkommen unbegreiflich, es widersprach allem, was in seiner Vorstellungswelt lebte. In seiner bestürzten Verwirrung hatte er sie zögernd danach gefragt: wie das möglich sei, eine Dame wie sie und ein Arbeiterjunge.

Sie hatte gelacht: „Ich bin für dich keine Dame, sondern eine Frau, und du bist für mich kein Arbeiterjunge, sondern ein Mann. Wir sind als Mann und Frau geschaffen, das andere hat erst die Welt aus uns gemacht, und das hat keine Bedeutung. Ein Mann und eine Frau – die sich finden und sich lieben ... Liebst du mich, Merijntje Gijzen?"

Liebte er sie? Seine Gedanken stockten. So wie sein Herz einen Augenblick gestockt hatte, als sie es fragte. Er hatte auch nicht gewagt zu antworten, sondern ihre Stimme in Küssen erstickt.

Liebte er sie? So einfach und tief und ohne zu denken, wie er Marjan geliebt hatte? War diese Trunkenheit, diese furchterregende Bezauberung Liebe? Wie kam es, daß sich immer wieder ein unbestimmter Schrecken in das Entzücken mischte, mit dem er an ihr Bild dachte? Ob er sie liebte? Wenn sie gefragt hätte, ob er für sie durch Feuer und Wasser gehen wolle, dann hätte er ja gesagt und es auch getan.

Aber selbst hier in der Schlafkammer, wo er allein im Dunkel lag, wagte er nicht unbefangen ja zu der Frage zu sagen, ob er sie liebe. Er war rasend und wild, wenn er an sie dachte. Sie hatte einen Sturm in seinem Blut entfesselt, seine Sinne in Flammen versetzt, sie hatte all seine Gedanken mit Beschlag belegt, sein Gefühl überwältigt. Nichts war in ihm als die Erinnerung an sie, das Verlangen nach ihr – und dennoch ... Er wagte nicht zu sagen, daß er sie liebe. Wie kam das? Warum schrak sein Gefühl vor diesem Wort, diesem Bekenntnis zurück? Lag es daran, daß sie doch die Dame blieb, die scheu bewunderte Erscheinung aus anderen, für ihn unzugänglichen Gefilden, zu fern, zu hoch, zu fein für seine Grobheit, seine Dummheit, seinen Mangel an allem, was dort als selbstverständlich und unentbehrlich galt?

Vielleicht war es das. Aber es gab noch etwas anderes, etwas Unerklärliches, eine heimliche Abwehr irgendwo in einem tief verborgenen Winkel seines Bewußtseins.

Und sie – liebte sie ihn? Wie konnte eine Mevrouw Amelie einen Merijntje Gijzen lieben?

Sie war unglücklich. Ein einsames Geschöpf hatte sie sich genannt. Eine geschiedene Frau, die von ihrem Gatten betrogen, verraten, verlassen und verstoßen war. Sie hatte es ihm haarklein erzählt... Ein richtiger feister Kolonialbeamter war der Mann, ein reicher Dicktuer, eine Art kleiner Vizekönig über die kaffeebraunen Untertanen in dem fernen Land Indonesien, ein herrschsüchtiger, roher, sittenloser Typ, der seine Frau wie eine Sklavin behandelte, hatte er sie erst einmal in seine Gewalt gebracht. Sie, diese milde, liebe, feingesittete Frau, die sich unendlich nach Zärtlichkeit sehnte! Wenn er den Schuft hier hätte, würde er ihm mit Vergnügen das Genick brechen. Wie konnte es solche Unmenschen geben! Anstatt sie anzubeten, Gott auf bloßen Knien zu danken, daß er so einen schönen, kostbaren Schatz erhalten hatte... Er soff, stritt, hurte mit fremden Frauen, braunen wie weißen – fast unter Amelies Augen. Und als sie dagegen aufbegehrte, hatte er sie ausgelacht, sie angebrüllt und schließlich mißhandelt – betrunken, jähzornig, grausam wie eine Bestie. Ja, diese Sorte Mensch gab es unter den Reichen auch – mochten sie noch so gebildet, so kultiviert und wohlerzogen erscheinen. So war es zur Scheidung gekommen, und sie war nach Holland zurückgekehrt, niedergeschlagen, kaputt, untröstlich – und dazu auch noch verleumdet als der schuldige Teil. Arme Mevrouw Amelie!

Jetzt sei sie schon ein wenig darüber hinweggekommen, hatte sie gesagt. Das Unglück habe sie mißtrauisch, stolz und abweisend gemacht, und deshalb sei sie so leicht gereizt und oft böse. Aber Merijntje Gijzen würde es wieder an ihr gutmachen – er solle nur lieb zu ihr sein, sie beschützen und dafür sorgen, daß der Kummer sie nicht mehr erreichen konnte. Ob er das wolle? So eindringlich hatte sie ihn darum gebeten, und ihre grauen Augen hatten so flehend die seinen gesucht, daß er vor Rührung kein Wort hervorbringen konnte. Was sollte er anderes tun als nicken, sie an sich drücken, die großen furchtsamen Augen küssen und versuchen, ein Lächeln auf dieses wunderbare Gesicht zu zaubern. Mevrouw Amelie, die sich von ihm beruhigen ließ wie ein kleines Mädchen...

Und dennoch schien alles so unwirklich, so fern und fremd wie ein Spiel unter Kindern. Nun bist du der Vater, und ich bin dein kleines Mädchen, und ich hab mir weh getan, und du mußt mich trösten und es wegküssen. Und wenn dieses Spiel gespielt ist, geht jeder wieder in die eigene Wohnung, und es ist vorbei, fertig und vergessen. Man kann sich nur nicht vorstellen, daß so ein schönes Mädchen mit so eleganten Kleidern und aus einem so vornehmen Haus Lust hatte, mit einem zu spielen.

Vielleicht, weil zufällig kein anderer da war? Es war das Seltsamste, was ihm widerfahren konnte. Ausgerechnet seine Mevrouw Amelie, die er nicht aus allergrößtem Abstand mit solch unbescheidenen Gedanken zu betrachten gewagt hätte!

Wie kam es, daß er nicht mit Vertraulichkeit an sie denken konnte? Sie hatten sich in den Armen gehalten, sich geküßt, bis ihnen der Atem ausgegangen war, sich liebe Worte zugeflüstert, kindisch und süß, sie hatte sich an ihn geschmiegt, seine Hand an ihre Brust gedrückt, um ihn fühlen zu lassen, wie ungestüm ihr Herz schlug. Und trotzdem kam ihr gegenüber keine Intimität in seine Gedanken. Er verstand es nicht, es machte ihn nervös. Das Warum quälte ihn, und er fand keine Antwort... Es verlangte ihn nach ihr. Er versuchte sich vorzustellen, wie sie in ihrem breiten Bett lag, nur mit einem seidenen Nachthemd bekleidet, und an ihn dachte, sich nach ihm sehnte, so wie er sich nach ihr sehnte, tief seufzte, wie er es jetzt tat. Und er dachte daran, wie es wäre, wenn er bei ihr läge, das leidenschaftliche Spiel des Nachmittags fortsetzte, wenn sie sich ihm völlig hingäbe. Ja, das vermochte er sich durchaus vorzustellen – aber Vertraulichkeit brachte es immer noch nicht. Es schwebte etwas Fremdes über diesem allem, etwas Unwirkliches, fast Gespenstisches... Vielleicht... Vielleicht lag sie ja da und bedauerte bereits, was geschehen war. Vielleicht war das alles nur gekommen, weil das Gespräch über die Einsamkeit ihr die Fassung genommen, sie vor Kummer und dem Verlangen nach Trost wehrlos gemacht hatte.

Ihm hatte sie sich geöffnet, einem ungeschlachten Jungen, einem Arbeiter, mit dem sie so gut wie nichts gemein hatte, der vor ihr nichts galt, ein grober Klotz im Vergleich zu ihr, schlecht gekleidet und dumm, ohne Ausbildung, unwissend, nur mit seinen starken Pranken am Leib. Viel mehr als ihrer beider Kummer verband sie wohl nicht – zwei einsame Menschen... Die Einsamkeit hatte sie zu ihm herabgezwungen. Und sicher schämte sie sich zu Tode über das, was geschehen war, wenn sie jetzt in Ruhe darüber nachdachte. Ohne Frage! Morgen dürfte es bereits begraben und vergessen sein. Das war begreiflich – aber weh tat es ihm doch. Er hätte heulen mögen, wenn er nicht zu stolz dazu gewesen wäre. Sie war so unaussprechlich schön, Mevrouw Amelie, und er verfluchte das Schicksal, daß sie nicht in derselben Gemeinschaft geboren war wie er – dann wäre alles ganz normal gewesen, und ein unvorstellbar großes Glück hätte zum Greifen nah vor ihm gelegen. Aber so? Eine flüchtige Aufwallung, ein kurzer Augenblick der Schwachheit... Und er hatte zufällig gerade an ihrem Weg gestanden, es hätte auch ein anderer sein können – jeder andere...

Im Dunkeln waren sie ins Dorf zurückgegangen. Sie hatte sich eng an ihn gelehnt; er hatte seinen Arm um ihre Hüfte gelegt und die Bewegungen des schmiegsamen Körpers unter ihrem Schritt gefühlt. Ab und zu waren sie stehengeblieben und hatten sich geküßt. Ihre Schenkel hatte er an den seinen gespürt. Sie hatte gesagt, daß sie sich nun oft sehen wollten, an einem der nächsten Abende würde sie ihn bitten, wieder etwas für sie zu arbeiten, und sie würden ein großes Fest daraus machen, ganz allein in ihrer Wohnung – niemand werde etwas davon wissen oder merken. Aber das war sicher nur so ein leeres Versprechen gewesen, das ihr auch schon leid tat.

Mijnheer Louis hatte ihn nichts gefragt. Er hatte ihn hin und wieder, wenn er meinte, Merijntje achte nicht auf ihn, forschend und beunruhigt angeblickt. Sie hatten ziemlich einsilbig gegessen, dann eine Zigarre geraucht und gelesen. Später war Louis zu Joris aufgebrochen; er hatte Merijntje angeboten, ihn zu begleiten. Aber Merijntje hatte gesagt, daß er lieber zu Hause bliebe, er sei müde, habe Kopfschmerzen und wolle früh ins Bett. Nun war Mijnheer Louis schon lange wieder zurück und schlafen gegangen. Merijntje lag wach, fiel buchstäblich von einem Gedanken in den anderen, konnte aus sich selber und seiner Stimmung nicht schlau werden, taumelte aus höchster Verzückung über sein Erleben in tiefstes Erschrecken über seine Minderwertigkeit und fand keine Ruhe, keine Sicherheit, kein Vertrauen. Schweiß prickelte brennend auf seiner Haut – und immer wieder fragte er sich wie gehetzt: Was soll bloß daraus werden?

Am folgenden Morgen fühlte sich Merijntje elend und schlecht aufgelegt. Er hatte wenig geschlafen und war immer wieder aus quälenden Träumen aufgewacht. In einem unbestimmten Gefühl der Furcht versuchte er Mijnheer Louis auszuweichen. Der war ebenfalls düster gestimmt und unruhig. Er rührte den Flügel nicht an, lief im Zimmer auf und ab, stand minutenlang vor dem Fenster, starrte hinaus und trommelte mit fahrigen Fingern an die Scheibe. Er rauchte eine Zigarre nach der anderen, obwohl er wußte, daß es schädlich für ihn war.

Merijntje war in den Garten gegangen, stach die Wege ab und begann, die Buchenhecke zu verschneiden. Gegen elf Uhr kam Joris Moonen vorbei. Er begrüßte Merijntje flüchtig, blickte ihn mit einem kurzen, forschenden Blick an und trat dann ins Haus. Der Junge fühlte sich unbehaglich. Er hatte ein schlechtes Gewissen, und das ärgerte ihn. Was hatte er sich denn vorzuwerfen? Er war doch ein freier Mensch, und Mevrouw Amelie ebenso. Wenn die beiden etwas ahnten und böse darüber waren, konnte er es auch nicht ändern. Er war niemand Rechenschaft schuldig. Und außerdem – sie hatten ja doch nur so lange etwas für ihn übrig, wie er für ihre Arbeit interessant war. Vielleicht machten sie sich heimlich sogar über ihn lustig, lachten über seinen Eifer, seine feurige Hingabe, seine Wißbegierde, seine törichten Fragen, seine drolligen, falschen Antworten. Auch gut. Mochten sie lachen! Sie konnten ersticken! Er würde es ihnen nicht gönnen, ihn abzuschütteln, so wie es ihnen paßte. Er ging aus eigenem Entschluß – und zwar bald.

Ein Glück, daß Mevrouw Amelie ihm die Augen über sie geöffnet hatte. Es war zwar eine harte Enttäuschung, aber besser, man erfuhr so etwas rechtzeitig. Und was zwischen ihr und ihm war, das ging sie einen feuchten Kehrricht an. Mevrouw Amelie war der einzige Grund, weshalb er noch nicht heute davonzog. Er konnte nicht fort. Er war zu verwirrt – immer noch versank er in endloses, ungläubiges Erstaunen, sein Blut wallte stürmisch, und er war durchdrungen von der Ahnung einer großen Erfüllung. Seine Sinne riefen nach ihren Händen, ihren Lippen, nach dem ganzen geschmeidigen, warmen, unbekannten Leib – und trotzdem hätte er nicht gewagt, auch nur ein Wort darüber fallenzulassen. Sie hielt ihn gefangen. Er mußte bleiben. Lieblich war das Band, aber fest . . .

Bei Tisch hatte er dann das Gefühl, daß Mijnheer Louis ihn etwas fragen, ein Gespräch beginnen wolle. Aber sobald Merijntje ihn ansah, schwieg er, wandte den Kopf ab, zerkrümelte ein Stück Brot. Es herrschte eine merkwürdige Spannung, die der Junge als feindselig empfand und gegen die er sich, innerlich aufbegehrend, zur Wehr setzte. Er beeilte sich mit dem Essen und kehrte mit einem kurzen Gruß zu seiner Gartenarbeit zurück. In seinem Rücken fühlte er den witternden Blick von Mijnheer Louis. Das Haus blieb stumm. Es erklang keine Musik. Doch den ganzen Nachmittag bedrückte ihn ein unsinniges Schuldgefühl, das er zornig zu verdrängen suchte.

Gegen halb vier schritt er frisch gewaschen und geschniegelt zur Tür hinaus, die Hände in den Joppentaschen, die Mütze verwegen schief auf dem sorgfältig gekämmten Haar, und pfiff ein gellendes Liedchen. Er war ungewöhnlich nervös.

Am Moorsee traf er Mevrouw Amelie. Sie trug ein schwarzes Mantelkleid mit einer offenen weißen Seidenbluse darunter und einem bunten Tuch um den Hals. Sie flog ihm mit einem kleinen Freudenschrei in die Arme wie ein verliebtes junges Mädchen. Er küßte sie und wußte nur noch, daß sie die Arme um seinen Nakken schlang, daß sie schöner war, als er es je für möglich gehalten hatte, daß er trunken war von dem Duft, den sie verströmte, und daß er fast den Verstand verlor vor Verlangen und Freude. Leidenschaft jagte wie ein Feuer durch sein Blut, und alle marternden Zweifel verflogen wie Staub im Wind . . . Sie gehörte ihm – und wehe dem, der seine Hand nach ihr ausstreckte!

4

Die Nacht hatte er wie ein Murmeltier geschlafen. Jetzt war ihm alles einerlei, nichts konnte ihn mehr erschüttern. Die wilden Küsse, die leidenschaftlichen Liebkosungen hatten ihn in einen Rausch versetzt, der alles Denken unmöglich, ja überflüssig machte. Etwas Gewaltiges war auf ihn herabgestürzt, riß ihn mit, und er ließ sich fallen. Eine solche Herrlichkeit hatte noch keiner erlebt. Ein weißglühendes Glück...

Mevrouw Amelie hatte ihm gesagt, er sei ein Sonnenkind. Und das war er in der Tat: ein Sonnenkind, beschienen von hellem, goldenem Glanz. Heute würde er sie nicht sehen, aber morgen abend durfte er wieder bei ihr sein. Dann sollte das Fest begangen werden, das sie ihm versprochen hatte, das Fest ihrer Liebe... Eine Königin würde sich einem Sklaven schenken; denn so war es: sie war die Königin und er der Sklave ihrer Liebe. Sie hatte es ihm erzählt wie ein Märchen. Sie wisse jetzt, daß sie noch niemals einen Mann geliebt habe – aber ihn liebe sie, in ihm sei etwas, was sie bezaubere, betöre; sie könne an nichts anderes mehr denken... Was er denn mit ihr getan habe? Sie hatte es gestammelt, ihre Lippen auf den seinen, und ein Gefühl der Macht, des Stolzes war in ihm erwacht. Er wollte wohl Sklave heißen, wollte ihren Sklaven spielen, aber der Sklave würde über die Königin herrschen.

Mijnheer Louis war nicht beim Frühstück. Er fühlte sich nicht wohl, hatte wenig geschlafen und blieb noch ein paar Stunden im Bett. Merijntje arbeitete wieder im Garten, die Sonne schien, eine helle Märzsonne, die Luft war kühl und würzig, und die Erde roch nach feuchter Wärme. Eifrig handhabte Merijntje die große Schere, unter deren scharfen Bissen die Zweige raschelnd auf den Boden vor seinen Füßen fielen. Der Sklave arbeitete. Er arbeitete hart und mit Vergnügen. Die Königin wartete. Morgen ... morgen abend ... Kurz tauchte der Gedanke auf: Und danach? Danach?

Er lachte laut durch die Stille des Gartens – und erschrak über die Stimme, die sagte: „Der Gärtner hat gute Laune?"

Es war Joris, der auf der anderen Seite der Hecke stand.

„Was lachst du da so einsam vor dich hin?"

Ohne zu zögern erwiderte Merijntje: „Ich dachte gerade an das französische Gedicht, das Mortelmans so schön fand."

Nun lachte auch Joris: „War das nicht ein Witz? Ich lach mich noch einmal tot über diesen Narren." Und dann: „Ist Mijnheer Louis drinnen?"

„Ich weiß es nicht. Vorhin lag er noch im Bett. Er fühlt sich nicht wohl, sagt Katrien."

„So ... ja, er schien mir gestern abend schon ein bißchen merkwürdig."

Mit besorgtem Gesicht ging er weiter, drehte sich noch einmal um und schüttelte auf seltsame Weise den Kopf.

Sie wußten bestimmt etwas, dachte Merijntje. Natürlich! Der eine oder andere Zuträger hatte ihn wohl mit Mevrouw Amelie gesehen, auch wenn ihnen beiden niemand aufgefallen war. Die Klatschmaschinerie arbeitete vielleicht schon auf vollen Touren. Er mußte darüber lachen, voll bitteren Grolls. Mochten sie flüstern und pikante Einzelheiten herumtragen – hier konnten sie nichts ausrichten. Er war kein Pfarrer, und Mevrouw Amelie betrachtete das ganze Dorf seelenruhig mit ihrem hochmütigen Blick aus den grauen Augen. Sie fanden es nicht gut. Keiner fand es gut – Joris und Mijnheer Louis auch nicht. Sie taten besorgt, bedrückt, schockiert. Es beeindruckte ihn keineswegs. Die wilde Spannung, die sein Leben durch die Liebe dieses hohen Wesens gewonnen hatte, konnten sie nicht zerstören! Auch wenn er – zu seinem unaussprechlichen Leidwesen – ein noch so ungebildeter, derber Arbeitertölpel war, immerhin vermochte er einer einsamen, verlassenen und mißhandelten Frau das innere Gleichgewicht zurückzugeben, sie froh und glücklich zu machen. Alles in ihm flog ihr entgegen. Und wer das nicht wahrhaben wollte, sollte von ihm erfahren, daß es etwas zwischen ihr und ihm gab, etwas ungeheuer Gewaltiges, was niemand auseinanderbrechen konnte. Das ließ er sich nicht rauben, nicht verderben. Durch kein Gerede, keine bösen Blicke, keine Scheinfürsorge.

Heute würde er sie nicht sehen. Schade! Er verlangte nach ihr. Seine Hände wollten ihre runden Oberarme umfassen, seine Lippen wollten sich in ihren warmen Hals drücken, dort wo die eine

Ader so ungestüm klopfte; den trunkenmachenden Duft wollte er einatmen, der von ihr ausging – alles an ihr war trunkenmachender Duft, unvergleichlich war sie, das Entzückendste weit und breit. Mit ihr stieg man in schwindelerregende Höhen, von deren Dasein niemand wußte, erschauerte vor Seligkeit, die über alles Begreifen ging. Sie sollten wagen, auch nur mit einem Finger daran zu rühren – dann würden sie schon erfahren, wer dieser stille, schüchterne Merijntje Gijzen in Wirklichkeit war!

Am Nachmittag war Mijnheer Louis aufgestanden. Merijntje hatte sich ziellos im Dorf herumgetrieben, hatte die Straßen und Waldwege aufgesucht, die er mit Amelie gegangen war; er hatte am Moorsee gestanden und über das dunkle, sich zart kräuselnde Wasser geblickt. Er mochte den See. Lächelnd gestand er sich eine leichte Eifersucht ein – Mevrouw Amelie hatte ihm erzählt, daß sie im Sommer in diesem See schwimme, ganz nackt, denn hierher verirre sich kaum einmal jemand. Im Sommer würden sie zusammen hier schwimmen . . .

Als er zurückkam, von unbestimmten Träumen und Wünschen erfüllt, saß Mijnheer Louis, in Decken gehüllt, am Kamin. Er sah schlecht aus, blaß und erschöpft. Seine Hände hingen schlaff über der Lehne des Sessels, und das dunkle Haar fiel ihm unordentlich in die Stirn. Die Stimme klang matt, als er Merijntjes Gruß erwiderte; unter den schweren, halb geschlossenen Lidern glühten die Augen in fiebrigem Glanz.

Merijntje empfand Mitleid mit ihm. Er hatte so ein gutes und schönes Gesicht. Man sah deutlich, daß er ein Bruder von Mevrouw Amelie war. Die Augen schienen zwar dunkler, doch genauso geformt wie die ihren. Die Stirn auch. Nur war bei ihm alles härter und schärfer. Doch beide wirkten gleich vornehm.

„Fühlen Sie sich nicht wohl, Mijnheer Louis?" Etwas von der alten Wärme klang in der besorgten Stimme.

„Es geht wohl wieder vorüber . . ."

Die weiße Hand machte eine kurze, abwehrende Bewegung. Wie ein kranker Vogel, dachte Merijntje. Er liebte Mijnheer Louis doch sehr. Es war eine bittere Empfindung, daß diese Feindseligkeit zwischen sie getreten war, eine Fremdheit, ein Mißtrauen. Anfangs war doch alles so gut, so friedfertig, so unbeschwert gewesen!

Mijnheer Louis aß wenig, langsam und in Gedanken versunken. Das Glas zitterte in seiner Hand, wenn er einen Schluck Wasser nahm. Gewiß hatte ihn eine schwere Erkältung gepackt.

„Sie hätten im Bett bleiben müssen!"

Der andere sah ihn an und zuckte die Achseln.

„Sie müßten eine heiße Zitrone mit Zucker trinken und früh schlafen gehen."

„Ja, ja ... Ach, da fällt mir ein, Joris hat gefragt, ob du nach Tisch zu ihm kommen willst ... Er möchte dir etwas zeigen, etwas mit dir besprechen."

„Gern."

Nach dem Essen begab sich Louis wieder in seinen großen Sessel am Kamin. Er rieb sich mit einer seltsam trägen Bewegung fröstelnd die Hände. Seine Augen hatten einen starren Ausdruck, stumpf und abwesend.

Merijntje ging im Zimmer auf und ab, nahm ein Buch, schaute hinein, las ein paar Zeilen, ohne zu begreifen, was die Worte bedeuteten. Endlich sagte er:

„So, ich werde mal meinen Mantel holen und zu Joris gehen."

„Das ist gut ... Wenn du nun aber noch ein wenig deutlicher artikulieren wolltest, wäre an deiner Sprache kaum mehr etwas auszusetzen."

Der Junge lachte. Er hielt es für kein schlechtes Zeichen, daß Mijnheer Louis noch Interesse hatte, auf seine Sprache zu achten.

„Ich will mir Mühe geben", sagte er mit Nachdruck und verließ das Zimmer.

An der Tür blickte er sich noch einmal um. Der Kopf des Kranken war auf die Brust gesunken, als ob er schliefe. Es hatte ihn gewiß tüchtig erwischt, so lustlos und schlapp hatte er Mijnheer Louis noch nie gesehen.

Oben zündete Merijntje die Lampe an, wusch sich Gesicht und Hände und zog den blauen Schiffersweater über. Dann kämmte er sich die Haare und lachte seinem Spiegelbild zu. Die Besorgnis um Mijnheer Louis war im Augenblick verflogen, und ein strahlendes Gesicht schaute ihn an, rot, gesund, stark und frei. Morgen ... morgen abend ... Vierundzwanzig Stunden mußte er noch warten, aber das machte nichts. Das war nur gut, dann blieb ihm Zeit, darüber nachzudenken, den Vorgeschmack des großen Glücks auszukosten, zu träumen, sich die Wärme der weichen Arme vorzustellen, die so schmeichelnd seinen Hals umschlangen, die halbgeschlossenen grauen Augen, den entzückten, betörenden Blick – es war ein Fest, zu leben, zu wissen, daß jemand so toll nach einem war, so unbegreiflich toll ...

Er legte sich ausgestreckt aufs Bett und verschränkte die Hände hinter dem Kopf. Er hatte noch ein Weilchen Zeit. Joris lief ihm nicht davon. Der hatte etwas mit ihm zu besprechen? In seine Augen trat ein wachsamer Blick. Was konnte das sein? Sicher hatte Mijnheer Louis Joris überredet, von Mevrouw Amelie anzufangen! Sie würden versuchen, sie bei ihm anzuschwärzen. Es fiel ihm wieder ein, daß Louis seine Schwester immer Madame Pompadour nannte. Er wußte jetzt, wer das war: eine schändliche Dirne, die Geliebte eines französischen Königs; sie hatte alles Böse begangen, was man sich nur vorstellen konnte – und mit

so einer wagte Mijnheer Louis Mevrouw Amelie zu vergleichen!
Oder ob er damit nur auf ihre Schönheit anspielte, denn diese
Marquise mußte ein Wunder an Schönheit gewesen sein. Nein, er
meinte es häßlich – das hörte man an seinem Ton. Wie konnte es
jemand übers Herz bringen, seine eigene Schwester so zu verleum-
den! Als ob sie es nicht ohnehin schon schwer genug hatte als geschiedene Frau.

Er schloß die Augen, sah ihr edles, weißes Gesicht, die Trauer,
die sich darüber senkte, wenn sie über die betrüblichen Geschehnisse aus ihrem Leben sprach. Ein einsames Geschöpf... Das
Wort machte ihn noch immer zärtlich. Es war gut, hier so still zu
liegen, zu träumen, sie zu verteidigen, sich nach ihr zu sehnen, zu
wissen, daß sie an einen dachte, daß es ein Wunder gab, daß jeder
Herzschlag einen näher zu diesem unausdenkbaren Glück brachte.

Die Zeit verstrich. Mochte sie verstreichen... Der Abend war
lang, und zu Joris kam er immer noch früh genug.

Unten war jemand durch die Gartentür eingetreten und ging
nun den Korridor entlang. Rasche, heftige Schritte. Man konnte
hier oben genau verfolgen, was unten geschah. Dann öffnete sich
die Tür zum großen Zimmer, und er hörte den erstaunten Ausruf:
„Amelie?"

Merijntje fuhr hoch. Amelie? Sie kam doch fast niemals hierher...

„Hallo, ja, ich bin es! Wo ist Merijntje Gijzen?"

Ihre Stimme klang übermütig, lachend und erregt. Eine Weile
blieb es still. Dann fragte Mijnheer Louis:

„Was willst du von dem Jungen?"

„Ihn holen. Er soll etwas für mich erledigen. Ich hatte ihn für
morgen abend darum gebeten, aber es paßt mir jetzt besser."

Merijntje hatte bereits ein Bein auf die Erde gesetzt, als er
Mijnheer Louis sagen hörte: „Er ist weggegangen."

„Wohin?"

„Das weiß ich nicht."

Mijnheer Louis log. Er mochte glauben, daß Merijntje fortgegangen war – aber dann wußte er, wohin. Er wollte nicht, daß
Mevrouw Amelie ihn fand. Deshalb log er. Das war häßlich.

„Gewiß zu Joris?"

Aha! Mevrouw Amelie ließ sich nichts vormachen. Wenn sie
wegging, würde er die Treppe hinunterrennen und sie abfangen,
noch ehe sie den Garten verlassen hatte.

„Was hast du mit dem Jungen vor?"

Das war die Stimme von Mijnheer Louis, heftig, erregt und
scharf. Merijntje erschrak dabei, doch dann mußte er über die
Frage lächeln – darauf würde er wohl nie im Leben die wahre
Antwort erhalten.

Spöttisch kam Amelies Gegenfrage:

„Geht dich das vielleicht etwas an?"

Eben! Darauf wußte er wohl nichts zu sagen! Eine Entgegnung kam auch nicht sogleich. Er hörte Mijnheer Louis unruhig hin und her laufen. Er sah das überlegene, gleichgültige Gesicht Mevrouw Amelies vor sich, die gelassen ihre Freiheit verteidigte. Sie durfte doch wohl verkehren, mit wem sie wollte. Aber die Heftigkeit ihres Bruders jagte ihm einen gewaltigen Schreck in die Glieder. Noch nie hatte er eine so wütende Stimme gehört – wie ein sprungbereites, brüllendes Tier vor dem Angriff. War das Mijnheer Louis, der gewöhnlich so ruhig und nachdenklich, fast ein wenig träge sprach, ohne jede Spur von Erregung?

„Ich rate dir, laß die Finger von dem Jungen! Ich werde nicht dulden, daß du ihn verdirbst, verstehst du? Ich will es nicht!"

„Lieber Himmel, was für eine Aufregung! Du tust ja, als wärst du für sein Seelenheil verantwortlich."

„Nein, aber ich mag ihn gern. Und dieser Junge ist zu schade für deine liederlichen Spiele. Such dir andere dafür aus, es wird dir nicht schwerfallen!"

„Natürlich nicht, aber im Augenblick interessiert mich Merijntje Gijzen und nicht irgendein anderer."

„Ich weiß genau, warum er dich interessiert und was du von ihm willst. Vivisektion – was? Versuche am lebenden Objekt? Du bist schon immer ein Sadist gewesen. Aber hör meine Warnung: Untersteh dich, ihn zu mißbrauchen! Wenn du ihn nicht in Ruhe läßt, werde ich ihm die Augen über dich öffnen."

Amelie lachte höhnisch. In schneidendem Ton rief sie:

„Versuch's doch mal! Ich fürchte nur, daß er dich dann in deinem eigenen Zimmer zu Boden schlägt. Ich habe das Terrain bereitet. Ich habe ein Bild in die unverdorbene Seele deines Merijntje geätzt, das besser in den Rahmen paßt als die perverse Halbweltdame, die du ihm weismachen willst. Und weshalb soll er dir glauben? Bist du eine Frau? Hast du Lippen, die er küssen will? Hüften, die er unter dem Druck seiner Hand spüren, einen Hals, in den er sein Gesicht graben will? Hast du Arme, nach denen er verlangt, daß sie ihn umschlingen mögen? Und wenn sein Verstand ihm hundertmal klarmachen würde, daß du die Wahrheit sagst, seine Sinne würden nach mir schreien, und deine Warnungen wären in den Wind gesprochen. Solange ich ihn nicht loslasse, muß er an mir hängen. Denn was bist du schon für ihn! Eine bessere Art Schulmeister. Ich bin die Lust, die Liebe, die Frau, die üppige, reife Frau, von der alle Männer seines Alters träumen. Ich tue mit ihm, was ich will, und solange es mir gefällt ..."

„Bist du still, verdammt! So etwas Schamloses! Eine Schlampe bist du, durch und durch, lebst wie eine Hure!"

„Alles bekannt. Kann ich's ändern? Mach deine Komplimente unseren verehrten Vorfahren!"

„Billige Ausflüchte! Wenn du wolltest . . .“

„. . . würdest du, mein lieber Bruder, du, ja du, gesund sein! Wenn dir das glückt, will ich gern versuchen, mein Leben von vorn zu beginnen, als reine Magd.“

Etwas zerschellte krachend zu Scherben. Amelie übertönte den Lärm mit ihrem schrillen Lachen.

„Heuchler“, rief sie verächtlich, „jämmerlicher Heuchler! Wenn du einen anderen Körper hättest, würdest du gern mit mir wetteifern.“

„Du läßt den Jungen in Ruhe! sage ich dir, Herrgott, du läßt ihn in Ruhe!“

Er schrie es mit überschlagender Stimme, und Merijntje wurde eiskalt dabei. Er saß in fieberndem Entsetzen zusammengesunken auf dem Bett. Was war das?

„Ich denke nicht daran! Dieser Junge gehört mir. Ich will ihn haben, verstehst du? Und wenn ich etwas will, wirst du der letzte sein, der es mir vorenthält. Und jetzt will ich also den Merijntje Gijzen von dir. Ich habe ihn mir selber versprochen. Ich brauche Ablenkung, und die soll er mir verschaffen. Vielleicht kannst du ja später, wenn ich genug von ihm habe, noch etwas aus ihm machen. Meinetwegen einen Dichter oder sonst etwas . . . So ein Erlebnis muß für einen angehenden Dichter doch recht wertvoll sein . . .“

„Ist es nun genug? Widerliches Stück! Wenn du dein loses Maul nicht hältst, schmeiß ich dich auf der Stelle hinaus – Dame oder nicht Dame! Und den Jungen rührst du mir nicht an. Den rührst du mir nicht an! Verstanden? Sonst passiert ein Unglück!“

Klirrend flog wieder etwas auf den Fußboden, und Mevrouw Amelies aufreizendes Lachen bewies, daß sie sich wenig aus der rasenden Wut ihres Bruders machte.

„Stell dich doch nicht so an!“ lachte sie höhnisch. „Ich sage offen, was die meisten Frauen denken und wonach sie handeln, ohne es zu sagen. Das ist der ganze Unterschied. Du bist doch kein Kind mehr!“

„Mach was du willst, an deine Liederlichkeit bin ich gewöhnt. Aber ich schwör dir – diesen Jungen wirst du nicht quälen und verderben. Dafür ist er zu gut. Ich werde es zu verhindern wissen.“

„Na, dann versuch's doch! Über deine Aufschneiderei kann ich nur lachen.“

„Sieh dich vor, Amelie! Ich warne dich!“

Wieder lachte sie. Wie konnte sie jetzt noch lachen? In Mijnheer Louis' Stimme klang soviel Verzweiflung und eine so wütende Drohung . . . Aber Mevrouw Amelie wurde nicht ängstlich. Kalt und quälend sagte sie:

„Jetzt fängst du auch noch an, dramatisch zu werden. Ich glau-

be, es ist besser, ich gehe. Ich will mal schauen, ob Merijntje Gijzen bei Joris ist . . . So long, dear!"

Mit raschen Schritten ging sie aus dem Zimmer, durch den Korridor, und warf mit einem harten Schlag die Haustür ins Schloß.
Doch Merijntje Gijzen lief ihr nicht nach, um sie abzufangen und
mit ihr zu gehen. Er saß auf seinem Bett und zitterte am ganzen
Körper.

Unter ihm fluchte Mijnheer Louis gotteslästerlich und schlug
dreimal hintereinander dröhnend mit der Faust auf den Tisch. Der
Junge hörte ihn stampfend durchs Zimmer laufen. Dann wurde es
still. Er hatte sich hingesetzt, völlig erschöpft von seinem Wutaus-
bruch. Armer Mijnheer Louis! Merijntje hatte ihn zu unrecht be-
schuldigt. Er war kein Egoist, der ihn nur für seine Zwecke gebrauchen wollte, um ihn dann schnöde im Stich zu lassen, wie
Mevrouw Amelie behauptet hatte. Genau umgekehrt! Sie wollte
ihn zu ihrem Vergnügen gebrauchen, als Spielpuppe, als Schmuse-
äffchen. Und all ihre Schöntuerei, all ihre Besorgtheit – die reinste
Komödie, nur um ihn zu blenden. So eine Schlange, so ein Biest!
Tränen der Wut, des Entsetzens und Kummers stiegen ihm langsam in die Augen. Scham und Enttäuschung würgten ihn.

Warum hatte er ihr nur geglaubt und sich gegen seine wahren
Freunde gekehrt? Warum war er hinter ihr hergelaufen? Sie hatte
es selber gesagt, triumphierend und anmaßend: weil sie Lippen
hatte, die er küssen wollte, Hüften, die er unter seiner Hand spüren
wollte . . . weil er ihren ganzen weichen Körper begehrte, der ihn
verrückt machte vor Verlangen – weil sie eine Frau war! Das war
ihre Macht über ihn, darin lag die Ursache seiner Schwachheit.
Idiot, der er war, mieser Kerl, unbeherrscht, ohne jede Gewalt
über sein Geschlecht. Sobald eine Frau, raffiniert und mit System,
seine Sinnlichkeit erregte, verlor er den Verstand, sein Urteilsver-
mögen, streunte hinter ihr her, nahm witternd die Spur auf wie ein
Hündchen, wie ein Rüde. Alle Männer waren Rüden . . . Wer hatte
das doch gleich gesagt? Nein, das war es nicht allein – nicht diese
tierische Leidenschaft. Frauen machten ihn auch schwach, wenn sie
so lieb redeten, wenn sie betrübt dreinschauten und ihn merken
ließen, daß sie sich von ihm helfen lassen wollten, daß sie ihn nötig hatten. Das schienen sie zu wissen, die Luder, davon machten
sie Gebrauch, um ihn an sich zu ketten. Und dann kam der Rest:
die aufreizende Anmut ihres fremden Körpers, dieses anderen, so
wunderbaren Körpers, der so schlicht war, aber schön, ohne die
zähe Kraft, die schwellenden Muskeln unter der Haut – einfach,
aber schön, wohlgeformt, rein und weich. Das raubte ihm die letzte
Besinnung, er glaubte an ihre Vollkommenheit, ihre Güte, ihre
Unschuld – alles wollte er für sie tun, sie verteidigen, umsorgen,
verwöhnen, trösten . . . er sah nur noch, was sie ihm vorgaukelten.

Ob denn alle Männer so waren? Oder bildete er eine Ausnahme, war er ein schlapper Kerl, ein einfältiger Tor, dazu bestimmt, ewig ein Spielzeug zu bleiben für gerissene Frauen, die sich mit ihm vergnügen, ihn vor ihren Karren spannen wollten?

Er hatte doch einen solchen Widerwillen gegen Mevrouw Amelie gehabt, hatte sie gefürchtet und gemieden, weil er spürte, daß sie stolz, kalt und selbstsüchtig war. Dann hatte sie ihn gestrichelt, und seine Meinung war umgeschlagen. Mijnheer Louis hatte ihn gewarnt, doch er hatte nicht hören wollen. Sie hatte mit ihren schönen Armen kokettiert, mit ihrem glatten, weißen Hals, der Geschmeidigkeit ihres Körpers, und er war in eine Art lähmende Bewunderung versunken. Sie hatte die Komödie der bedauernswerten, ungerecht behandelten, verkannten Frau gespielt, und er war ihr prompt zu Willen gewesen, sie zu trösten, ihr zu helfen. Hals über Kopf hatte er sich in den Wahn gestürzt, den sie mit Vorsatz und List in ihm bereitet hatte. Und warum? Sie langweilte sich, sie wollte Ablenkung haben. Merijntje Gijzen war ein niedliches Spielzeug, er hüpfte und purzelte nach ihrem Belieben; sie konnte sich schieflachen über die Grimassen und Verrenkungen, die sie ihm entlockte, und sogar in ihrem Bett wollte sie ihn haben. Sie kannte weder Scham noch Tugend – alles war nur Vergnügen, Genuß, gewissenloses Spiel. Mevrouw Amelie, der Inbegriff von Vornehmheit, Würde und feinen Manieren! Dabei war sie genauso verkommen wie Bets, das lüsterne Weib in Rotterdam, das selbst Flierefluiter um den Finger gewickelt hatte; kein Deut besser war sie als Bets, nur raffinierter – eine niedrige Kreatur! Und er hatte ihr wie ein winselnder Hund zu Füßen gelegen, sich streicheln, auf den Nacken klopfen lassen und ihr die Hände geleckt. Bah! Es war zum Übelwerden. Er hätte auf sich selber speien mögen, auf sie, auf die ganze verfluchte, schmutzige Welt. Nur ein Glück, daß er noch gerade zur Zeit die Wahrheit erfahren hatte. Der liebe Gott meinte es wohl doch nicht so schlecht mit ihm ... Der liebe Gott!

Er grinste spöttisch, böse, verbittert. Gott, der diese teuflische Welt geschaffen hatte und ertrug, der nicht Feuer und Schwefel regnen ließ, um sie wegzubrennen ... Er hatte den Menschen nach seinem Bild und Gleichnis geschaffen! Ein schöner Herrgott, wenn man sich ihn nach diesem Bild und Gleichnis vorstellte! Dann erschrak er vor seinen Gedanken. Er konnte zwar nicht mehr an den lieben Gott seiner Kinderjahre glauben, aber dennoch schauderte er plötzlich vor seinem boshaften Spott – Gott mußte zwar anders sein, als man es ihn gelehrt hatte, aber es war undenkbar, daß er nicht existierte ... wo und wie, das spielte keine Rolle, aber achten mußte man ihn – auch wenn er eine Welt duldete, in der es soviel Schmutz und Gemeinheit gab, in der der Teufel das Zepter schwang. Gott hatte den Menschen alle Freiheit gegeben, auch die Freiheit hierzu ... Aber warum? Warum erschlug Gott nicht den

Teufel? Wenn er, Merijntje, der Herrgott wäre, würde er ihn ein für allemal zerschmettern, die Welt vom Bösen befreien, die Menschen gut, friedfertig und glücklich machen. Welchen Sinn hatte das Leben solcher Geschöpfe wie Bets, wie Mevrouw Amelie? Warum mußten Männer wie Flierefluiter und Mijnheer Louis von ihnen gequält werden? Warum war das Böse stärker als das Gute? Warum ließ Gott das zu? Bets lebte herrlich und in Freuden und erntete die Früchte ihrer finsteren Machenschaften. Flierefluiter lag im Grab und wurde von den Würmern gefressen. Und Gott sah zu und ließ es geschehen. Weshalb?

Es war alles so traurig. Das ganze Leben ein einziger Betrug, ein Chaos ... Wofür lebte man, wenn man immer wieder zu Boden gedrückt wurde, kaum daß man sich von dem vorigen Schlag erholt hatte und glaubte, nun müsse es doch endlich etwas besser werden? Er haßte das Böse, wenn er natürlich auch selbst oft Böses tat. Er wollte Gutes tun, gut sein, er hatte immer an der Seite Gottes stehen wollen, und immer hatte der Teufel seine Hand ins Spiel gemischt und ihn niedergehauen. Die sich auf die Seite des Teufels stellten, gewannen – und die anderen, sie bekamen die Schläge.

Und wenn er jetzt dort auch mitspielte – so tat, als wüßte er nichts? Sich unschuldig stellte, zu Mevrouw Amelie ging und sie zum Narren hielt? Sie ausnutzte, sie zum Vergnügen nahm, seiner Lust frönte, als wäre sie ein Straßenmädchen, um dann eiskalt zu sagen: Bitte sehr, meine Dame, jetzt hab ich dich gehabt, jetzt genügt's aber auch, es hat mir Spaß gemacht. Nun sieh zu, daß du mir nicht wieder unter die Augen kommst, ich geh zu Mijnheer Louis zurück! – Das wäre ein Triumph. Das hätte sie verdient. Dann würde sie lernen, daß es ihr nicht überall gelang, ihren Willen durchzudrücken. Ihr weh tun, sie kränken und demütigen – so gehörte es sich. Aber das schaffte er nicht, das war es ja eben! Er konnte das Theater nicht spielen. Er konnte ihr keinen Schaden zufügen. Er konnte keine Freundlichkeit heucheln, keine Verliebtheit, keinen Rausch.

Mevrouw Amelie hatte ausgedient. Die Wunde war rauh, sie ätzte und brannte. Dort hatte sein großes und herrliches Gefühl für diese Frau gesessen; mit einem Ruck war es aus ihm herausgerissen worden. Der Schmerz war ungeheuer, aber er hatte es mit seiner törichten Naivität nicht besser verdient. Lehrgeld mußte gezahlt werden, immer wieder, bis man klug wurde und sich nicht mehr prellen ließ. Er war gewiß ein schlechter Lehrling ...

Inmitten seiner traurigen und bitteren Gedanken erstarrte er vor Schreck. Unten hatte es ein Gepolter gegeben, und dann zerriß ein Schrei die Stille, ein langgezogener, klagender Schrei, so hohl und grausig, daß Merijntje kein Glied zu rühren vermochte und das Empfinden hatte, das Blut gefriere ihm im Leibe und sein

Herz stehe still. Dann erstarb der Schrei in einem röchelnden Stöhnen. Allmächtiger Gott! Das war ja bei Mijnheer Louis!

Es war etwas geschehen... Er riß sich aus seiner Lähmung, sprang vom Bett und rannte in eilender Hast die Treppe hinunter. Im Zimmer fand er Mijnheer Louis auf dem Boden neben dem umgefallenen Stuhl und zwischen den Scherben einer zerschlagenen Vase liegen. Sein Gesicht war blau, Schaum zitterte auf den halb geöffneten Lippen, die Lider bebten über den vorquellenden, verdrehten Augen, und seine Glieder schüttelten sich in heftigen Krämpfen. Kreideweiß stand Merijntje da und schaute auf das Entsetzliche. Was sollte er tun... Was in Gottes Namen sollte er nur tun?

Da stürzte Katrien, die Haushälterin, in Nachtjacke und Unterrock ins Zimmer. Sie kniete neben dem zuckenden Körper nieder.

„Rasch... lauf zum Doktor!" rief sie. „Mijnheer Louis hat einen Anfall... Barmherziger Gott!"

Barhaupt raste Merijntje aus der Tür in das dunkle Dorf. Ein Anfall! Das war es also – das geheimnisvolle Leiden, über das niemand mit klaren Worten sprach... Fallsucht... Mijnheer Louis litt an Fallsucht, an Epilepsie... Er hatte nach dem Streit mit seiner Schwester, nach der Aufregung der letzten Tage einen Anfall bekommen. Mit Gewissensbissen und Abscheu vor sich selber fühlte Merijntje, daß er mitschuldig war an dieser Aufregung.

· Drittes Kapitel ·

I

Der strahlende, wie lichtblaue Seide schimmernde Himmel scheint höher als sonst. Vielleicht kommt das von den kleinen weißen Wölkchen, die da droben entlangziehen. Vielleicht auch von dem jubelnden Gesang der Lerche, die man nicht sehen kann und deren Lied wie ein Regen kristallener Töne zur Erde tropft. Vielleicht aber bildet es sich Merijntje auch nur ein – Merijntje, der über den Deich trottet, das Bündel an einem Knotenstock über der Schulter. Denn ein leichtes Gefühl von Sorglosigkeit und Befreiung erfüllt ihn.

Die Aprilsonne ist warm, das Gras sprießt dicht und sattgrün an den Deichhängen hervor, in den stark duftenden Feldern keimt das Leben, das Wintergetreide wogt schon wie hohes, kräftiges Gras, und die Saatkrähen schreien und krächzen in den knospenden Bäumen und bauen ganze Kolonien schwarzer Nester.

Überall beginnt das neue Leben. In den Gräben quaken die sich paarenden Frösche, und die Spatzen balgen und zanken sich wütend um die grauen Weibchen. Das Gurren der Holztauben klingt tief und schmeichelnd. Und immer und überall sind die silbernen Töne der Lerche über den Feldern. Auf den Äckern stampfen die Pferde, und hinter ihnen führen die Knechte die Egge darüberhin. Ihre Rufe hallen weit über das Land. Im Gras leuchten die schimmernden Sterne der Gänseblümchen, das glänzende Gold der Butter- und Dotterblumen, die blassen zitternden Blüten des Wiesenschaumkrauts auf den schlanken Stielen mit den zarten Blättern ...

Das Land ist herrlich, dieses unermeßliche Brabanter Land mit seinen Baumreihen auf den Deichen – weit, so weit, so unendlich weit, es tritt zurück in der Ferne, verschwimmt am Horizont; dort liegen Häuschen mit Obstbäumen und kleinen Brücken, Bauernhöfe im Schatten hoher Baumgruppen, Dörfer mit spitzen Türmchen und dazwischen die mächtigen Stämme der Ulmen.

Hinter einem fernen Deich erhebt sich finster und wuchtig der gewaltige Turm der Stadtkirche. Eine Wegstunde weiter liegt das Dorf, in dem Merijntje geboren wurde. Leb wohl, Stadt, leb wohl, unsichtbares Dorf! Merijntje zieht fort, nach Norden zu, dorthin, wo jetzt sein Zuhause ist, nach Rotterdam ...

Eine leise, unbestimmte Wehmut ist in ihm. Er liebt dieses weite Land, und die große Stadt lockt ihn nicht, aber trotzdem geht er ohne Verdruß, mit einem Gefühl von Zufriedenheit und dem wachsenden Verlangen, seine Mutter schimpfen und brummen zu hören, bei den anderen im Zimmer zu sitzen, zu wissen, daß er zu Hause ist, bei der eigenen Familie ... Vor einem Jahr ist er von ihnen gegangen. Mit Flierefluiter. Um Arbeit für den Sommer zu suchen. Vor einem Jahr ... Wirklich nur ein einziges Jahr? Was ist in dieser Zeit alles geschehen, was hat er erlebt und durchgemacht? Es war ein großer Sommer ...

Zu zweit sind sie gegangen, und allein kehrt er heim. Flierefluiter ist auf dem kleinen fremden Kirchhof geblieben ... Aus, vorüber, zu Ende. Ein Jahr ... Was kann in einem Jahr mit einem Menschen geschehen – wie rasch geht alles, wie fliegen die Dinge an einem vorbei!

Die letzten Wochen sind schwer gewesen. Er hatte sich elend gefühlt, niedergeschlagen, enttäuscht und gedemütigt. Doch Mijnheer Louis war es gelungen, ihm darüber hinwegzuhelfen. Allmählich, Schritt für Schritt, bis alles hell war, durchsichtig und klar. Mijnheer Louis war ein großer Mann. Groß und gut. Mijnheer Louis und Joris. Joris auch. Solche Menschen verstanden alles und konnten einem alles verständlich machen. Sie scheuten sich nicht, über die heikelsten Fragen zu sprechen – und das war auch nötig, um mancherlei Verworrenes und Unbegreifliches aus dem Zwielicht zu rücken und aufzuhellen. Es war beschwerlich, manchmal klang es hart und grausam; aber man gewöhnte sich daran – und es sah dann alles ganz anders aus, man begriff, daß es keinen Sinn hatte, den Kopf in den Sand zu stecken, Komödien aufzuführen, zu heucheln und zu lügen. Man mußte den Mut aufbringen, der Wahrheit ins Auge zu sehen und für sie einzutreten; denn an der Wahrheit kam niemand vorbei. Das Unglück war nur, daß die Menschen es liebten, die Wahrheit in dicke Schichten von Lügen zu packen, in Erfindungen und lächerlichen Zierat. Aber darunter blieb die Wahrheit doch die Wahrheit und machte ihr Recht unabweisbar geltend – genauso wie der bloße Körper, den die Menschen unter Schichten von Kleidern verbargen; zu gern würden sie leugnen, solange es ginge, daß sie diesen scheußlichen nackten Körper hatten, aber sie wurden von ihm beherrscht, ob sie es zugaben oder nicht, und wenn sie sich auch zehn Hemden und Hosen und Röcke und Mäntel überstreiften – der nackte Körper steckte darunter, blieb mächtig und übte Gewalt aus. Aber sie wollten es verheimlichen. Als ob das etwas nützte! Die Wahrheit blieb die Wahrheit – abstreiten, täuschen war sinnlos und verkehrt. Mijnheer Louis sagte: Das rufe Spannungen hervor, durch die die Dinge aus ihrem natürlichen Gefüge gerieten. Sittliche Maßstäbe verschöben sich, alles werde häßlich, es verkümmere und treibe zu unerwarteten Auswüchsen, die schlimmer seien als all das, was geleugnet, gewaltsam unterdrückt und für verachtenswürdig gehalten werde. Das beste sei, der Wahrheit mutig zu begegnen, die Wirklichkeit anzuerkennen – Gott zu geben, was Gottes sei, und dem Kaiser, was des Kaisers sei ... In Mijnheer Louis' Mund gewannen viele alte, bekannte Worte eine völlig neue Bedeutung.

Nach und nach hatte er Merijntje seine ganze Geschichte erzählt, die Geschichte seiner Familie, und wie das Leben dieser reichen, mächtigen und hemmungslos genießenden Vorfahren auf ihm lastete – auch auf Amelie, nur in anderer Weise, doch vielleicht noch schlimmer ... Merijntje tat es leid, daß er ihr einige Tage nach Mijnheer Louis' schrecklichem Anfall bei ihrem Versuch, ihn doch noch an sich zu locken, so hart und unbarmherzig zugeschrien hatte, er habe ihr Spiel bis auf den Grund durchschaut. Denn sie selber zu durchschauen und zu begreifen, war ihm erst nach den Erklärungen von Mijnheer Louis gelungen. Da hatte er eingesehen, daß sie eigentlich nichts dafür konnte, daß sie getrieben wurde wie von einer Macht, die in ihrem Blut saß und sie nicht glücklich werden ließ ... Seltsam, Menschen aus einem so alten und vornehmen Geschlecht, die beneidet und mit Respekt angesehen wurden, und doch so oft alles andere als beneidenswert waren ...

Er war nicht mehr böse auf Mevrouw Amelie. Die Erinnerung an sie schmerzte ihn wohl bisweilen noch; sie hatte ihre giftigen Nägel zu tief in sein Herz und seine Sinne geschlagen. Aber böse war er ihr nicht mehr, nur froh, daß er ihr noch rechtzeitig hatte entrinnen können – dieser seltsamen und beunruhigenden Frau. Wie verblüfft war sie erst über seine heftige Abfuhr gewesen, doch dann hatte sie nur spöttisch genickt und ihn wieder angesehen wie früher – so als wäre er eine Maus oder eine Mücke. Und beim Hinausgehen aus der Werkstatt hatte sie ihm einen Gruß an Mijnheer Louis aufgetragen: „Meine respektvolle Empfehlung ..."

Damit, das hatte er deutlich gespürt, war er für sie erledigt, ausgelöscht, als hätte er nie für sie existiert. Das hatte ihn tiefer gedemütigt als alles andere. Daß jemand so etwas fertigbrachte! Daraus ging erst hervor, wie leichtfertig sie mit ihm gespielt hatte: wie mit einem wertlosen Gegenstand – man schiebt ihn fort und denkt nicht mehr daran. Wenn er das nur auch könnte! Denn so leicht vermochte er sie trotz allem nicht zu vergessen. Sie war doch wie ein Wunder durch sein Leben gegangen, durch dieses Leben, das so voll von seltsamen und traurigen Erscheinungen war und in dem die Vorstellungen von Gut und Böse stets von neuem ins Wanken gerieten. Und mit sich selber war er auch noch lange nicht im reinen – er wußte nicht, ob die Klärung des Verhältnisses ihm zur Ruhe verholfen oder ihn noch ärger in innere Bedrängnis gebracht hatte.

Ein großer Vorteil war freilich nicht zu übersehen: er hatte sich ohne Vorbehalt wieder zu Mijnheer Louis und Joris bekannt und zu dem Glauben an die Welt, zu der sie gehörten. Mijnheer Louis' Befinden hatte sich bald gebessert; zunächst zeigte er sich noch ein wenig müde und abgeschlafft, auch traurig gestimmt und matt in seinen Bewegungen. Aber dann war er plötzlich ungemein aktiv geworden, hatte Klavier gespielt und komponiert, sich mit ihm über Bücher und mancherlei schöne Dinge unterhalten und alles viel deutlicher erklärt als je zuvor. Dann hatte er auch begonnen, ihm die Geschichte von Mevrouw Amelie zu erläutern, die Hintergründe um sie aufzuhellen, zu berichten, was mit ihr geschehen war. Merijntjes gekränkte Eitelkeit war unter diesen Erzählungen dahingeschmolzen. Und dennoch war eine Bedrückung in ihm spürbar geworden, eine unbestimmte, ferne Angst vor dem Schicksal, das wie eine düstere Wolke über diesen Menschen hing, auf ihrem Leben lastete und ihr Dasein mit Schlägen bedrohte, die keiner vorhersehen konnte. Dieses Gefühl der Unbehaglichkeit war mit jedem Tag stärker geworden, wenn er sich auch einredete, daß es Torheit sei. Auch das Haus bedrückte ihn. Es schien ihm plötzlich dunkel und geheimnisvoll, so als irrten die beunruhigten Geister der Vorfahren darin umher, um zu erforschen, auf welche Weise ihre Sünden an den Nachkommen heimgesucht würden.

Wenn er nachts wach lag und ein leises Knacken durch die Balken des alten Hauses oder die Sparren des Daches ging, erschrak er heftig und lauschte mit laut klopfendem Herzen, ob er keine schleichenden Schritte höre, und verspottete sich selber wegen seines kindischen Aberglaubens. Doch die Bedrückung blieb, sie wollte nicht weichen, und er beschloß fortzugehen. Als er diesen Entschluß gefaßt hatte, fühlte sich erleichtert. Er freute sich plötzlich so sehr auf das Wiedersehen zu Hause, versuchte sich vorzustellen, wie das kleine Schwesterchen aussehen und wie groß Jan geworden sein mochte ...

Mijnheer Louis schien verstimmt, als er zögernd vom Weggehen sprach, doch er verstand, daß Merijntje sich nach Hause sehnte.

Auch Joris verstand es, und sie machten es ihm nicht schwer. Sie schenkten ihm Bücher und Joris noch ein paar Zeichnungen, die er sich selber hatte aussuchen dürfen. Das alles sollte ihm nachgeschickt werden. Er hatte versprechen müssen, zu schreiben, sie um Rat zu fragen, wenn er mit etwas nicht fertig wurde oder etwas wissen wollte, und wiederzukommen, sobald er Lust hatte – er sei stets willkommen.

Wenn er jetzt an das alles zurückdachte, spürte er jedesmal ein Würgen in der Kehle und fragte sich, womit er soviel Freundschaft verdient habe, echte Freundschaft von zwei so tüchtigen, gelehrten Männern, Künstlern, die berühmt werden würden, wenn sie es nicht schon waren . . .

Am letzten Abend hatte Mijnheer Louis eine Flasche alten Wein aufgezogen und mit ihm auf den Abschied getrunken. Sein gutes und feines Gesicht sah ein wenig wehmütig aus. Das Gespräch war nach einer Weile ins Stocken geraten, und sie hatten lange geschwiegen.

Dann hatte Mijnheer Louis gesagt: „Denk dran, Merijntje, du hast nun vom Baum der Erkenntnis gegessen, und wenn du der bist, für den ich dich halte, wirst du damit fortfahren müssen, ob du willst oder nicht."

Verwundert hatte der Junge gefragt: „Wofür halten Sie mich denn, Mijnheer Louis?"

„Für einen jungen Mann mit einem hellen Köpfchen und einer Seele, die sich für Schönheit und Wahrheit offenhält. Das braucht nicht viel zu bedeuten, kann aber viel sein. Du hast hier von Dingen erfahren, die es für dich zuvor kaum gegeben hat. Wenig allerdings, denn die Zeit war kurz. Den Fuß hast du noch gar nicht über die Schwelle gesetzt. Probier hinüberzugelangen! Lies viel, aber lies mit Verstand, lies wieder und immer wieder, was du nicht richtig verstanden hast, und frag, wenn du den Sinn nicht erfaßt. Lern und lebe mit klarem Urteil! Laß dich durch nichts irritieren! Du wirst dich noch häufig genug stoßen – doch das muß sein. Jede Beule und Schramme kann dich klüger machen. Vielleicht wirst du auf diese Art einmal ein Weiser – und das wäre doch das Schönste, was man von einem Menschen sagen kann, daß er Weisheit besitzt. Das hat mit Gelehrsamkeit nichts zu tun, nichts mit dem, was man auf der Schule lernt. Dein Freund Flierefluiter war ein weiser Mensch. Oder dieser kleine alte Dorfpfarrer, bei dem du Meßdiener gewesen bist – jeder auf seine Art. Aber das Herrlichste von allem ist doch wohl, seine Erkenntnisse an andere weitergeben zu dürfen, in klarer, reiner Form. Dazu muß man freilich Künstler sein."

Merijntje hatte eine Zeitlang geschwiegen, nachgedacht und dann mutlos geantwortet: „Das wird mir wohl nie gelingen . . ."

Lächelnd hatte Mijnheer Louis die Schultern gehoben: „Vielleicht nicht, vielleicht doch – das kann man nicht wissen... Es sind schon große Wunder geschehen. Aber das ist auch nicht entscheidend. Entscheidend ist, zu leben und Augen, Herz und Seele offenzuhalten. Der Freude nicht auszuweichen, dem Leid nicht zu entfliehen, den Mut zu haben, dem Leben ins Gesicht zu sehen und für das einzutreten, was man für gut hält – dabei aber trotzdem Verständnis und Ehrfurcht vor den Menschen zu haben, die andere Dinge gut finden und dafür einstehen. Denn alle Dinge haben zwei Seiten, oft auch mehr und manchmal unendlich viele. Und wenn du glaubst, daß die Ansicht eines anderen nicht unbedingt falsch zu sein braucht, dann bist du schon ein ganzes Stück weiter auf dem Weg zur Weisheit."

Noch viel mehr hatte er auf seine stille, verträumte Art gesagt; es schien, als wüßte er kaum, daß er sprach, als grübelte er für sich allein leise vor sich hin. Merijntje hatte längst nicht alles begriffen, aber dennoch der sanften Stimme gelauscht und sich vorgenommen, sein Bestes zu tun.

Es war ein schöner Abend im milden Schein der Lampe, eine wehmütige Stunde, vertraulich und warm. Er hatte wohl verstanden, daß Mijnheer Louis zu ihm wie zu einem guten Freund sprach. Er war natürlich zu alt und stand zu hoch, um für Merijntje ein gewöhnlicher Freund zu sein, aber es war doch Freundschaft, die ihn so sprechen ließ ... er wollte dem Jüngeren, Unerfahrenen etwas Gutes mit auf den Weg geben. Und er, der Jüngere, würde diesen Abend nie vergessen und in vielen Augenblicken seines späteren Lebens an die Worte denken, die der feinnervige, blasse Mann im hohen Lehnstuhl zu jener Stunde gesprochen hatte...

Heute morgen hatte er Abschied genommen, bei Joris und seiner fröhlichen Familie hereingeschaut und sich bei der alten Katrien für ihre Sorge und Mühe bedankt. Mijnheer Louis war ein Stück mitgekommen, bis sich der Waldweg nach Norden wandte. Dort hatten sie einander die Hand gedrückt, und Merijntje mußte einen Augenblick schwer schlucken. Dann war er hastig weitergegangen, mit den aufsteigenden Tränen kämpfend, die die Welt verschwommen machten. Doch als er den Wald hinter sich hatte und die Landstraße entlangschritt, die in den Polder führte, und das weite bekannte Land sich vor ihm auftat, war seine Trauer verflogen und eine frohe Ungeduld in ihm aufgestiegen... Fort! Fort jetzt von all dem, zurück nach Haus, zur Vertrautheit der eigenen Familie – sie hatte er vermißt, ohne es zu wissen, aber jetzt fühlte er es. So manches wäre für ihn weit weniger drückend gewesen, wenn er es im engen Kreis von Eltern und Geschwistern hätte bewältigen können, jenem liebgewordenen und sicheren Unterschlupf, in dem er geboren und aufgewachsen war.

Er hatte sich vorgenommen, zu Fuß zurückzugehen, auf dem

gleichen Weg, den er mit Flierefluiter vor einem Jahr gekommen war. Noch einmal über die Straßen streifen, unbeschwert und sorglos, ohne zu wissen, in welcher Herberge man abends rasten würde. Der sonnige Apriltag stand über der erwachenden Welt, und ein junger Mensch lief pfeifend in einem Gefühl der Befreiung und schwellenden Freude dahin, der Ferne entgegen, wo hinter dem Horizont am Ende der langen Straße sein Zuhause wartete... In drei Tagen, drei Ferientagen, würde er es leicht schaffen. Was dann kam, mußte man abwarten, doch er war der festen Überzeugung, daß es gut und schön sein würde. Warum auch nicht? In der Stadt wurde es ebenso Frühling wie hier – und er wollte gern einmal wieder sehen, wie die Sonne über der Maas unterging.

2

Am anderen Tag kam er gegen Abend in Rotterdam an. Die Ungeduld hatte ihn gepackt, und in Zevenbergen war er in den Zug gestiegen. Vielleicht lag es auch daran, daß er mittags in einem Gasthaus saß, in dem er mit Flierefluiter übernachtet hatte, und plötzlich randvoll von Erinnerungen war, die ihn auf dem Weg verfolgten und melancholisch machten.

Der Börsenplatz war ein Chaos, vor dem er einen Augenblick zögerte. Der Stadtlärm fiel wie ein dröhnendes Entsetzen über ihn. Doch rasch überwand er es, lächelte und ging über den Platz. Er kannte ihn ja – der Beursplein. Wenn es darauf ankam, war er auch ein Rotterdamer: mit elf, zwölf Jahren war er hierhergekommen, hier war er großgeworden, hier fühlte er sich zu Hause.

Der betriebsame Bienenkorb nahm ihn auf; er verschwand in der Menge, sah aus wie ein junger Fahrensgast, wie sie hier zu Hunderten herumliefen... Nun ging er erst einmal an den Läden entlang. Für jeden wollte er etwas einkaufen; sie sollten alle ein Geschenk bekommen. Wenn einer von einer weiten Reise zurückkehrt, bringt er seiner Familie Geschenke mit. Für Vater eine Pfeife und Tabak, für Mutter einen geblümten Stoff zu einem Kleid. In einer Buchhandlung sah er „De avonturen van den baron van Münchhausen" liegen, darauf war er selber immer ganz närrisch gewesen – das war etwas für Jan; Mieke bekam eine Puppe mit echten Haaren, die die Augen zumachte, wenn man sie hinlegte. Für Arjaan kaufte er einen schwarz-rot gestreiften Schlips und für Annetje einen Gürtel mit einer blitzenden Schnalle – so etwas konnten Mädchen immer gebrauchen.

Als er über die Willemsbrücke ging, wurden die Laternen angezündet. Er schaute über die Maas. In der Dämmerung funkelten die zahllosen kleinen Lichter der Schiffe, gelb und grün und rot. Girlanden von Lichtern wie zu einem Fest... Eine Tjalk schob sich schräg von der Brücke weg, die Mannschaft heißte die Segel. Ein Schlepper puffte schwarzen Rauch aus. In der Ferne dämmerten die hohen Rümpfe von Seeschiffen. Man hörte das tiefe Huhlen eines abfahrenden Dampfers. Und über die Brücke polterte und dröhnte der Hafenstadtverkehr in einer ununterbrochenen Kette lärmender Geräusche. Es war betäubend, es überrumpelte einen, aber es war doch auf eine eigene Weise schön: es lebte ungeheuer, keuchte und stampfte vor Leben.

In der Taktstraat schaute er in das Geschäft, wo früher das blonde Ladenfräulein bedient hatte. Sie war noch da. Im fahlen Licht einer Gaslampe stand sie hinter dem Verkaufstisch und ordnete Handschuhe in eine Schachtel. Hier wurden Modeartikel für Damen und Herren angeboten. Sie war noch da...

Ein Jahr lang war er durch Brabant gestreift, und sie stand noch genauso da wie damals, als er wegging... Es war reizend. Er freute sich. Warum, das wußte er selber nicht. Sie war ein wenig blaß, sah aus, als ob sie Kopfschmerzen hätte.

Ein toller Gedanke kam ihm. Er trat in das leere Geschäft und stand vor dem Ladentisch. Das Mädchen blickte auf. Zwei wunderbare blaue Augen sahen ihn kühl fragend an:

„Mein Herr?"

„Ich möchte ein Paar Handschuhe haben. Glacé heißt das, glaub ich, nicht wahr?"

Sie lächelte. „Ja, mein Herr... Für Sie selbst?"

Er warf einen Blick auf seine Hände und lachte – die würden wohl komisch aussehen in Glacéhandschuhen.

„Nein, für ein Mädchen."

„Wissen Sie die Größe?"

„Nein, aber sie hat genau solche Hände wie Sie – genauso groß."

„Nummer sieben . . . Und in welcher Preislage hatten Sie gedacht?"

„Ja, das weiß ich nicht. Ein Paar schöne . . ."

„Vielleicht drei Gulden . . . drei fünfzig? Das ist gute Qualität."

„Ja, bitte."

„Und die Farbe?"

„Welche Farbe finden Sie denn schön?"

Da lachte sie ein bißchen. Auf ihrer linken Wange bildete sich ein Grübchen. Nur auf der linken, das war reizend.

„Ich finde diese hellbraunen sehr schön. Aber ich weiß natürlich nicht, ob Ihr Mädchen . . ."

Er lachte laut. „Es ist nicht mein Mädchen. Es ist nur so ein reizendes Mädchen, dem ich eine Freude machen möchte."

„Tja . . . Und was halten Sie von dieser Farbe?"

„Sehr schön. Ob sie passen?"

„Es ist Nummer sieben. Wenn sie genau solche Hände hat wie ich . . ."

„Genau solche . . . Könnten Sie sie nicht einmal anziehen, nur damit ich sehe, wie sie aussehen?"

„Aber gern."

Sie arbeitete einen Augenblick flink und geschickt mit der Handschuhschere, streute ein wenig weißen Puder hinein und streifte vorsichtig den eng anliegenden Handschuh über die Finger.

Lächelnd schaute er auf ihre Bewegungen. Wie hübsch und anmutig sie das machte! Was für liebe Dinge Frauenhände doch waren!

Sie hatte den Handschuh an, drehte die Hand hin und her, um zu zeigen, wie schön das Leder sie umschloß. Dann fragte sie schelmisch:

„Den andern auch?"

„Ach ja, bitte!"

Nun lachte sie hell auf. Was für ein spaßiger Junge!

Er schaute auf das Grübchen in ihrer linken Wange und lachte mit.

„Was kosten die?"

„Drei fünfzig."

Sie strich die Handschuhe glatt. Er suchte in der Hosentasche und legte einen Gulden und einen Reichstaler auf den Ladentisch. Sie hielt ihm beide Hände entgegen, die Handflächen nach unten, den Kopf ein wenig zurückgelegt.

„Schön, nicht wahr?"

„Ja, herrlich ... Und behalten Sie sie bitte gleich an, sie sind für Sie."

Mit einem leisen Schlag sanken die Hände auf den Tisch. Sie wurde rot.

„Aber mein Herr ..."

Doch er war schon an der Tür. Er winkte über die Schulter und schaute sich nicht um, denn er wollte nicht zeigen, daß er auch rot geworden war. Rasch trat er auf die Straße, und bis sie zur Tür kam, war er schon zwischen den Passanten verschwunden. Er lachte leise in sich hinein. Das hatte er gut gemacht. Was sie für ein Gesicht zog! So ein entzückendes Fräulein! Nun mußte sie ein Geschenk von jemand annehmen, den sie überhaupt nicht kannte. Was sie sich wohl denken mochte? Wahrscheinlich gar nichts ... Er übrigens auch nicht. Es war nur so ein verrückter Einfall gewesen – es hatte ihm Spaß gemacht. Wenn sie zu vornehm war, das Geschenk anzunehmen, mußte sie die Handschuhe eben in die Schachtel zurücklegen und die Drei fünfzig auf die Straße werfen.

Aber das würde sie nicht tun. Ein Mädchen, das ein Grübchen in der linken Backe hatte, tat so etwas nicht ... Vorwärts jetzt, rasch nach Hause ...

Er bog in den Prinz-Hendrik-Kai ein und begann einen Schritt zuzulegen – fast wäre er an der Tür vorbeigelaufen. Ho, da war ja schon der Bäckerladen!

Pechfinster gähnte ihn die schmale Treppe an. Seine Füße erkannten all die ausgetretenen Stellen der Stufen wieder, die harten Astknorren, und er roch den dumpfen, etwas säuerlichen Geruch, der unausrottbar im Treppenhaus hing.

Im dritten Stockwerk öffnete sich die Wohnungstür, und in dem trüben Schimmer des Flurlämpchens erkannte er die Silhouette seiner Mutter.

„Wer ist da?"

„Ich bin's, Mutter!"

„Merijntje!"

Mit ein paar Sätzen war er oben, ließ alles fallen, was er trug, und schlang die Arme um ihre Schultern. Er spürte, wie sie zitterte, küßte sie auf beide Wangen und schmeckte das Salz ihrer Tränen. Sie küßte ihn wieder, rüttelte ihn an der Schulter und sagte mit stockender Stimme:

„Alter Rumtreiber! Wo hast du denn die ganze Zeit gesteckt? Schämst du dich nicht?"

Solange er sich erinnern konnte, hatte er sich immer über irgend etwas schämen sollen. Lachend erwiderte er:

„Dazu hab ich jetzt keine Zeit. Komm, wir gehen erst mal rein ... Ist Vater zu Haus?"

Jan kam den Korridor entlanggestürmt, rannte auf ihn zu, packte ihn um die Hüften und schrie:

„Merijntje! Bist du endlich da? Hast du mir was mitgebracht?"

„Na, hör mal!" tadelte seine Mutter und schob ihn energisch zur Seite. Doch Merijntje faßte ihn lachend unter den Armen, hob ihn hoch, bis ihre Gesichter in gleicher Höhe waren, und rief:

„Junge, was bist du groß geworden! Kaum wiederzuerkennen!"

Doch Jan ließ die Päckchen auf der Erde nicht aus den Augen.

„Hast du was für mich?" Er konnte einfach an nichts anderes denken.

„Mal sehen!" lachte Merijntje. „Heb alles auf und bring's rein!"

In der Küche stand Mieke, im Nachthemd, den Finger im Mund, und blickte scheu auf den großen, fremden Mann, der auf sie zukam.

„Tag, Mieke! Kennst du Merijntje denn nicht mehr?"

Furchtsam trippelte das kleine Ding davon und verbarg sich hinter Mutters Röcken. Merijntje hockte sich auf den Boden und streckte ihr ermunternd die Arme entgegen. Doch sie rührte sich nicht.

„Komm, Mieke", sagte Mutter Gijzen, „gib Merijntje mal ein Händchen!"

Zögernd schob sich ein kleines, molliges Fäustchen hervor. Merijntje ergriff es und zog das Kind auf sich zu, doch es wehrte sich, fing an zu schreien und klammerte sich an Mutters Schürze.

„Laß nur", beruhigte seine Mutter und nahm Mieke auf den Arm, „sie muß sich erst wieder an dich gewöhnen ... Jan, du Lümmel, willst du wohl deine Dreckfinger da wegnehmen!"

Jan war bereits dabei, die Päckchen zu untersuchen.

„Welches ist für mich?" fragte er, keineswegs durch den Ausfall seiner Mutter eingeschüchtert.

„Das da."

„Was ist denn drin?"

„Sieh doch nach!"

Ein patentes Bürschchen war der Jan. Alles tat er mit gleich viel Leidenschaft und strammem Eifer. Er hatte große Ähnlichkeit mit Arjaan – der gehörte auch zu den Typen, die genau wußten, was sie für sich haben wollten, und sogleich zugriffen.

Merijntje wandte sich wieder seiner Mutter zu:

„Ist Vater noch in der Fabrik?"

„Gott sei Dank ja, und Arjaan auch. Sie kommen gegen acht nach Haus."

Plötzlich brach Jan in ein Freudengeheul aus wie ein Indianer.

„Ein Buch", schrie er, „ein Buch mit Bildern! Guckt euch das an! Der Kerl trägt unter jedem Arm ein Pferd. Wie macht der denn das? Gibt's denn so starke Leute?"

Mutter Gijzen hielt sich die Ohren zu.

„Der Bengel schreit einen noch taub und dumm – und immer gleich tausend auf einmal!"

Merijntje mußte darüber lachen. „Lies es doch", sagte er, „dann wirst du schon sehen, wie er das macht."

„Was hast du denn für die andern?" drängte Jan. „Zeig mal!"

Merijntje packte die Schachtel mit der Puppe aus.

„Mieke", lockte er, „sieh mal, was ich hier habe ... Das ist für dich."

Er hob die Schachtel hoch und zeigte ihr die Puppe. Ihre Augen fingen an zu leuchten.

„Puppe!" rief sie entzückt. „Puppe!" Und streckte beide Arme danach aus.

„Na, komm!" lachte Merijntje. „Hol sie dir doch!"

Die Kleine strampelte und versuchte sich aus Mutters Armen freizumachen. Frau Gijzen setzte sie auf den Boden, und stolpernd vor Hast trippelte Mieke auf Merijntje zu, drängte sich an seine Knie und hob verlangend die Ärmchen empor.

„Puppe ... Puppe!" wiederholte sie leidenschaftlich.

Merijntje nahm sie auf. „Was krieg ich denn dafür?" fragte er lachend.

Ein feuchtes Mündchen drückte sich eilig auf seine Wange.

„Puppe ... Puppe!"

Nahm sie in den Arm, kreischte vor Freude und drückte sie ungestüm an sich. Immer jauchzender wurde ihr hohes Krähstimmchen, immer schneller hintereinander rief sie:

„Puppe, Puppe, Puppe!"

Frau Gijzen schüttelte den Kopf.

„Die freut sich wie ein König", rief sie lachend. „Aber jetzt muß sie ins Bett. Es ist schon viel zu spät geworden ... Sag Merijntje gute Nacht, Mieke!"

Die Kleine betrachtete den unbekannten Bruder, und die Worte drollig abhackend, plapperte sie gehorsam: „Nacht ... 'erijntje ..."

Er drückte das kleine Ding, das gut nach Seife roch, an sich, und sie ließ sich ohne Widerspruch von ihm ins Bett tragen und zudecken. Die Puppe mußte dicht neben ihr auf dem Kissen liegen. Gemeinsam mit seiner Mutter schaute er auf das glückliche Gesicht mit den leuchtenden Augen.

„Niedlich ist sie geworden", sagte er bewundernd.

„Ja, nicht?" Seine Mutter nickte stolz.

Er schaute sie an. Sie sah munter aus, fand er, fast als sei sie jünger geworden in seiner Abwesenheit. Hier ging sicher alles gut ... Dann faßte er sie am Arm.

„Komm, für dich habe ich auch was mitgebracht. Guck's dir an, ob es dir gefällt ..."

Sie konnte sich gar nicht beruhigen. So ein schöner Stoff! Damit würde sie aber Staat machen ... Jan blickte von seinem Buch auf, las jedoch gleich wieder weiter – Kleiderstoff interessierte ihn nicht.

Dann saßen sie sich am Tisch gegenüber, und Mutter Gijzen schenkte ihm eine Schale Kaffee ein. Zufrieden sagte sie:

„Gut siehst du aus. Ich glaube, du bist noch gewachsen in dem einen Jahr – und immer mehr deinem Großvater ähnlich."

Sie hatte ihren verstorbenen Schwiegervater sehr gern gemocht und freute sich, daß Merijntje nach ihm ging – auch innerlich. Er war das ganze Gegenteil von seiner herrschsüchtigen und giftigen Frau gewesen, die ihm das Leben sauer genug gemacht hatte und nach seinem Tod noch schlimmer geworden war ... vielleicht weil sie dann niemand mehr hatte, den sie von morgens bis abends tyrannisieren konnte, dachte Frau Gijzen, und laut ihre Gedanken fortsetzend, fragte sie:

„Wie geht's denn der Großmutter?"

„Ich weiß nicht. Die letzten Monate bin ich nicht mehr im Dorf gewesen."

„Ja, das schrieb sie uns. Und was war das mit diesem Pfarrer Ramakers? Du hast doch im Pfarrhaus gewohnt. Das muß ja eine schöne Geschichte gewesen sein."

„Ach, ich hab keine Lust, das alles wieder aufzuwärmen. Ich weiß nur, daß es nichts als stinkende Lügen waren. Und sie haben schon genug Unglück angerichtet. Man sollte diese Übelredner aufhängen – und Großmutter dazu ..."

„Na, hör mal, Junge! Die Mutter deines Vaters!"

„Das ist mir egal. Sie ist eine Schlange!"

Mutter Gijzen schüttelte den Kopf. Viel besser dachte sie zwar auch nicht von ihrer Schwiegermutter, aber das brauchte der Junge nicht zu wissen. Sie fragte nach Freunden und Bekannten, und Merijntje erzählte, was er wußte.

Dann kamen Vater und Arjaan nach Hause, gelbgrau bepudert von Sägemehl und Holzstaub. Erstaunte und lärmende Begrüßung. Sie wuschen sich unter der Leitung und erhielten ihre Geschenke. Zwischendurch erzählte Jan begeistert von Münchhausens Abenteuern. Arjaan neckte und hänselte ihn, bis der Kleine wütend wurde, der Vater sich beschwichtigend einmischte und Mutter Gijzen zu schimpfen begann.

Merijntje stand dabei und lachte in sich hinein. Es war alles so bekannt und vertraut. Er war wieder zu Hause. Er gehörte hierher ... Sie aßen wie früher ihr Abendbrot, gebackene Kartoffeln aus der Bratpfanne, die mitten auf dem Tisch stand. Arjaan angelte sich die schönsten Krusten vor Jans Nase weg, und der protestierte, pikte böse mit der Gabel nach den Fingern des Räubers und stibitzte seinerseits die knusprigsten Stücke von Merijntjes Stelle. Dann gab es Buttermilchsuppe mit Sirup und einer Scheibe Brot, und er sah, nicht ohne Rührung, wie sein Vater das Brot in die Suppe brockte, so wie er es immer getan hatte, er allein, stets mit demselben geistesabwesenden Blick. Danach mußte Jan ins

Bett – aber er wollte nicht, sträubte sich mit Händen und Füßen. Er wollte lesen. Heftige Quengelei. Schlafen kam nicht in Frage! Arjaan zerrte ihn schließlich erbarmungslos in die Schlafkammer, wo die Kabbelei weiterging. Plötzlich schmetterte Jan sein hohes Lachen, versöhnt. Vater schmunzelte: Dieser kleine Bandit war doch eine unversiegbare Quelle des Vergnügens – aber das durfte er nicht merken, denn Mutter verwöhnte ihn schon genug, und ihre Vorwürfe trafen dann als Retourkutschen eigentlich immer nur ihn und Arjaan. Auf diesen großen Flegel lud sie alles von ihrem rotznäsigen Liebling ab.

Nach dem Abendbrot saßen sie um den Tisch, die Männer rauchten, und Frau Gijzen strickte neue Füßlinge an die dicken Socken ihres Mannes. Merijntje mußte erzählen, was er gesehen und erlebt hatte. Schallend lachten sie über Flierefluiters gepfefferte Späße, die Streiche von Pinneke Testers, die drolligen Konflikte unter den Dorfbewohnern. Immer von neuem hieß es: „Ach ja, richtig, der Birres, wie geht's denn dem?" Oder: „Sieh mal an, der alte Bosters, lebt der auch noch?" Und Merijntje mußte erzählen und immer wieder erzählen. Denn sie kannten ja fast noch jeden einzelnen mit seiner ganzen Familie und seiner Lebensgeschichte. Dann berichtete Merijntje von Pfarrer Ramakers' energischem Eingreifen, von seiner unerbittlichen Art, den Sündern einzuheizen: wie er zu dem großen Bauern de Wit gegangen war, ihn gezwungen hatte, das begangene Unrecht wiedergutzumachen, und ihn erbarmungslos seines Amtes als Kirchenvorsteher enthoben hatte.

Arjaans Augen blitzten. „Das ist noch ein Pfarrer!" sagte er. „Wenn sie alle so wären, ginge ich morgen wieder in die Kirche."

Er hielt nichts mehr vom Glauben und schimpfte auf Priester und Kirche. Mutter machte das viel Kummer – aber da half kein Reden bei dem Dickkopf. Die Fabrik hatte ihn verdorben, und der Militärdienst hatte den Rest dazugetan.

Von Flierefluiters Krankheit und Tod sprach Merijntje mit bewegter Stimme, und es blieb lange still, als er schwieg.

Endlich sagte der Vater seufzend: „Das ist wahr, so ein Kerl wie der durfte nicht alt werden . . . ein Windhund mit steifen Rheumatismusbeinen – da ist es schon besser, man beißt rechtzeitig ins Gras."

„Vielleicht ist er zu guter Letzt doch noch katholisch geworden", unterstellte Arjaan als allerschrecklichste Möglichkeit.

Aber Mutter sagte: „Nur gut, daß er einen christlichen Tod gestorben ist . . . Das ist immer eine große Beruhigung."

„Eine Versicherung auf die Ewigkeit!" spottete Arjaan. „Man kann ja nie wissen . . ."

„Ja, ja, spotte du nur", brummte seine Mutter, „aber noch ist nicht aller Tage Abend. Wenn's nämlich drauf ankommt, haben die größten Schreier die Hosen am ehesten voll."

Arjaan lachte, fest überzeugt, daß ihm so etwas nicht passieren könne. Um von diesem Thema abzulenken, fragte Merijntje nach Annet: ob sie immer so spät aus dem Dienst komme.

„Die schläft jetzt auch bei ihrer Herrschaft – das hab ich dir doch geschrieben. Eine gute Stelle, anständiger Lohn und viel Trinkgelder. Zweites Mädchen bei einer reichen Familie am Heringsfleet – einem Reeder."

„Ja, einem der größten Aussauger von ganz Rotterdam", warf Arjaan böse ein.

„Arjaan sieht nur noch lauter Aussauger", lachte der Vater.

„Der ist unter die Sozialen gegangen!"

„Ja, leider!" Frau Gijzen machte ein grimmiges Gesicht. „Eine Schande ist das . . ."

Doch Arjaan fiel ihr erregt ins Wort: „So, eine Schande nennst du das? Aber daß einer vom Schweiß des andern lebt, ist keine Schande, was?"

„Es steht geschrieben: Im Schweiße deines Angesichts sollst du dein Brot essen!" sagte seine Mutter murrend.

„Dagegen habe ich auch nichts", erwiderte Arjaan. „Aber wo steht geschrieben, daß ein anderer im Schweiße meines Angesichts Braten essen soll?"

„Jetzt hör doch endlich auf!" Langsam wurde auch Vater Gijzen unwillig. „Merijntje ist nicht nach Haus gekommen, um sich Streit anzuhören."

Merijntje lächelte nur. Solche Redereien waren ihm nichts Neues. Er kannte sie seit Jahren von Nachbar van Tol. Aber Arjaan trug sie so schlagfertig vor, daß man darauf kaum etwas zu erwidern verstand. Der Bruder blickte ihn an und schien unzufrieden. Er drehte an seinem kleinen schwarzen Knebelbart und knurrte:

„Ich werde die Schläfer schon noch aufwecken – wart's ab!"

„Was hast du eigentlich die letzte Zeit da in diesem andern Dorf getan?" fragte der Vater, um endlich wieder friedlicheren Gesprächsstoff zu finden. „Du hast kaum etwas darüber geschrieben."

„Ach", entgegnete Merijntje ausweichend, „alles mögliche: gezimmert, im Garten gearbeitet . . . Ich war so halb und halb Gehilfe von Mijnheer Louis . . . Ein reicher Mann. Ich hab es gut gehabt, aber jetzt wollte ich endlich wieder nach Haus. Das Rumstreifen gefiel mir nicht mehr. Wie ist das wohl – ob ich bei euch in der Fabrik unterkommen könnte?"

„Das glaube ich nicht", erwiderte der Vater. „Aber irgendwo wirst du schon was finden – es gibt genug Arbeit."

„Es hat auch keine Eile, ich habe noch etwas Geld – fürs erste langt's . . ."

Als er dann im dunklen Alkoven neben Arjaan lag, lauschte er den Geräuschen von draußen. Züge dröhnten über die Eisenbahnbrücke, eine Motorschute klopfte durch den Königshafen, in der Ferne brummte die tiefe Stimme eines Ozeandampfers, auf einem Schiff am Kai wurde rauschend Wasser ausgepumpt, ein Lastwagen holperte über die Pflastersteine ... Welch Unterschied zu der nächtlichen Stille eines Brabanter Dorfes!

Ärgerlich unterdrückte er die Gedanken daran. Er durfte nicht so wankelmütig sein. Er hatte nach Hause gewollt, und nun war er zu Hause, bei Vater und Mutter, bei seinen Brüdern und Schwestern. Hierher gehörte er ... Und dann überlegte er, wie bitter wenig er diesen Menschen, zu denen er gehörte, von dem erzählt hatte, was in diesem Jahr auf ihn eingestürmt war ... Er hatte nicht mehr berichtet als ein paar äußere Geschehnisse, zufällige, belanglose Abenteuer. Doch von Marjan und Blosekriekske, von seinem großen Kummer um Pfarrer Ramakers und Nele, von all dem Neuen, was er bei Mijnheer Louis und Joris gelernt hatte, von Mevrouw Amelie – von all diesen Dingen, auf die es ankam, wußten sie nichts und würden nichts erfahren, weil er darüber nicht sprechen konnte.

Das alles mußte er ihnen verschweigen.

Warum eigentlich? Ja, warum? Man hätte ebensogut fragen können, warum man nicht mit bloßem Hintern über die Straße ging ... So etwas tat man eben nicht. Man verbarg seine Scham. Und das gleiche Gefühl war es, das einem den Mund verschloß, wenn von diesen Dingen die Rede war. Man schämte sich. Auch vor den vertrauten Menschen – vor Vater und Mutter, vor ihnen ganz besonders ...

Sollte Mevrouw Amelie doch recht haben, daß jeder Mensch einsam war? Allein mit jenen Dingen, die einen am stärksten bewegten? Schade, es wäre so schön, wenigstens einen Menschen zu haben, mit dem man alles besprechen, dem man alles erzählen konnte, ohne Scheu, ohne Zurückhaltung – und der einem auch alles erzählte ... Marjan, dachte er. Bei Marjan wäre das möglich gewesen. Aber Marjan war verloren, fort ... Wo fand man jemals wieder einen solchen Menschen? Nun zog das Heimweh doch in sein Herz. Aber er wehrte sich tapfer. Es gab kein Zurück.

Da sah er in seiner Phantasie zwei Hände in Handschuhen vor sich ausgestreckt, und eine heitere Stimme fragte: „Schön, nicht wahr?"

Es war ein verrückter Einfall gewesen ... Und sie hatte ein Grübchen in der linken Wange, wenn sie lachte. Nur in der linken ...

Mit einem Lächeln schlief er ein.

3

Wenn Merijntje nun in die Stadt ging, vermied er die Taktstraat. Er fürchtete, das blonde Ladenfräulein könne ihn entdecken und ihn ärgerlich zur Rede stellen. Denn hinterher hatte er es doch ziemlich frech gefunden, sie einfach so zu überrumpeln; es war zwar freundlich von ihm gemeint, aber sie hatte es bestimmt als Beleidigung aufgefaßt. Ein anständiges Mädchen ließ sich von einem wildfremden Kerl keine Geschenke aufdrängen... Es war wohl besser, ihr einstweilen aus dem Weg zu gehen.

Mit widerstreitenden Gefühlen streifte er durch Rotterdam. Oft wußte er nicht, ob die Stadt ihn anzog oder abstieß. Die Häfen im Morgennebel oder in der heftigen Glut eines roten Sonnenuntergangs entzückten ihn, wenn Schiffe und Kräne, Speicher und Lagerhäuser gewaltige Ausmaße annahmen, übergroß, ungeheuerlich und imposant in der rostroten Atmosphäre, durch die schwarze Rauchfetzen wehten. Aber der niemals endende Lärm des Verkehrs und die dröhnende Arbeit machten ihn unruhig, nervös und müde. Seine Gedanken verwirrten sich, und die Kette brach immer wieder ab.

Der Betrieb in der Innenstadt betäubte ihn, und trotzdem zog es ihn immer wieder dorthin. All die fremden Menschen, die ohne Gruß hastig aneinander vorübergingen, bildeten eine wimmelnde Masse, in der man sich verloren vorkam und von der man dennoch ein Teil war. Ohne einen selber war die Masse nicht vollständig, man trug dazu bei, sie zu bilden, ein Tropfen Wasser in einem ewig strömenden Fluß, der das Rotterdamer Leben war, ein einziger kleiner Tropfen in dem rasenden Strom... Jeder Tropfen war ein Mensch, eine kleine Welt für sich, mit Sorgen und Freuden beladen, mit Erinnerungen und Erwartungen. Man wurde schwindlig, wenn man auf die zahllosen vorübereilenden Gestalten blickte und bedachte, daß jede davon ihre eigene Geschichte hatte. Tausende von unbekannten Geschichten, die für jeden einzelnen aber doch so unendlich wichtig waren. Man hatte ja nichts Wichtigeres als das eigene Leben – und doch blieb es für all die übrigen ein verschlossenes Buch, bedeutungslos, nicht existent. Alle miteinander aber formten wieder etwas, was seine eigene Geschichte hatte: die Masse, die voneinander und miteinander lebte... Rotterdam – dicht gedrängt, übereinander und nebeneinander, dennoch getrennt durch die Scheidewände der eigenen Persönlichkeit, aus der niemand herauskonnte und in die ein anderer nicht hineinzublicken vermochte. Ein Glück! dachte er mit leichtem Unbehagen. Ein lästiges, unbefriedigendes Gefühl blieb...

Stundenlang konnte er dastehen, an ein Brückengeländer gelehnt, und zuschauen, wie die Menschen an ihm vorübereilten, neugierig ihrem Leben, ihren Gedanken, ihrem Wesen nachspürend. Manche gingen energisch mit erhobenem Kopf, lächelnd, die Augen vorwärtsgerichtet, als blickten sie mitten in etwas Angenehmes hinein, doch man selber sah nichts, sie schauten ja nach einem Bild, das in ihnen war. Was mochte es sein? Ein Mädchen, ein Freund, ein Profit, ein bevorstehendes Fest?

Und sowenig man sich die Freude des einen erklären konnte, sowenig ahnte man, welche Sorge, Bedrückung und welcher Kummer ihre Spuren in das Gesicht eines anderen gezeichnet hatten. Erbarmungswürdige Gesichter waren darunter, feindselig verschlossen, finster und drohend, mit lauernden Augen, einem verbissenen Mund, voller Haß. Gesichter, vor denen man zurückschreckte... Wer weiß, was auf ihrem Gewissen lastete – Mord, Raub oder irgendein anderes lang zurückliegendes Unrecht, das sie nicht verwinden konnten und das ihnen keine Ruhe ließ.

Eine Frau mit schönen Kleidern und reichem Schmuck – ihr Gesicht sah abgespannt und mutlos aus, ihre Augen blickten so stumpf und ohne Glanz, als würden jeden Moment Tränen herausspringen; sie schritt langsam und müde einher. Alles an ihr sprach von Vergeblichkeit. Was hatte sie erlebt, woher kam sie, wohin ging sie – so geschlagen und entsetzlich einsam? Ein frisches, hübsches Mädchen mit keckem Gesicht lachte vor sich hin. Das dunkle, zu einem dicken Knoten im Nacken aufgesteckte Haar zitterte, ihre leuchtenden Augen schauten ihn im Vorbeigehen fest an, und trotzdem sah sie ihn nicht; mit tänzelnden Schritten lief sie an ihm vorüber, die stolzen Brüste wogten sanft unter der engen schwarzen Bluse. Wer war sie? Was war eben geschehen oder was würde sogleich geschehen, daß sie so heiter war, so voller Spannung, so überschäumend lebensfroh? Alte Menschen schlurften an den Häuserwänden entlang, matte, graue Haare, gelbe Runzelgesichter, schlaffe Haut am Hals, wackelnde Köpfe, magere, knochige Hände, eingefallene Münder; etwas Unglückliches und zugleich Apathisches haftete ihnen an – sie hätten am liebsten wohl ihr Leben schon verabschiedet. Aus – vorbei. Welche Last an Erinnerungen trug so ein gebrechlicher Altfrauenrücken, was hatte dieses gebeugte alte Männlein alles durchgemacht! Wohin starrten die tränenden, fast erloschenen Augen so angestrengt? Sahen sie Geister wandeln in der flutenden Menschenmenge? Wer würde dies je erfahren?

Dicht an dicht wuselten sie zu Tausenden aneinander vorbei, ein jeder mit sich selbst beschäftigt, als lebte er allein auf der Welt. Sie wußten nichts voneinander, wollten nichts wissen. Der andere interessierte sie nicht. Sie waren nicht neugierig.

Aber er! Er hätte brennend gern gewußt, wie all diese Leben aussahen, die an ihm vorüberströmten. Wie und warum war dieser dunkelbraune Neger mit dem feinwolligen Krauskopf aus seiner Heimat fortgegangen, was hatte er unterwegs gesehen und erlebt? War er froh, so weit in die Welt verschlagen worden zu sein, oder sehnte er sich zurück in sein heißes Land mit den Palmen, den Affen und Flamingos? Und dieser kleine Chinese mit dem pergamentartigen Gesichtchen, das nicht die leiseste Gefühlsregung preisgab – was ging in ihm vor, was hatte ihn aus seinem fernen, fernen Vaterland hierhergetrieben, was veranlaßte ihn, ausgerechnet an Merijntje Gijzen vorbeizuschlendern und ihn auf seine Abenteuer, seine rätselhaften Gedanken und Impulse neugierig zu machen? Was bildete sich nun so ein elegant gekleidetes Herrchen ein, mit seinem Spazierstock, seinem hohen Kragen, seinem glattrasierten Gesicht, daß er das wohlgeratene Bäuchlein so selbstbewußt und ungeniert mitten auf dem Bürgersteig durch das Gedränge schob, als verstünde es sich von allein, daß jeder für ihn Platz machte? War er auch einmal ein schüchterner, linkischer Junge gewesen – und wie hatte er sich dann so verändert?

Und warum war er, Merijntje, nun so schrecklich wild auf das, was all die anderen Leute offenbar absolut gleichgültig ließ: das Leben, das Schicksal, das Wesen des Menschen... Oder... oder wirkten sie nur so? Schien er in ihren Augen nicht auch gleichgültig? Waren sie vielleicht genauso neugierig wie er, und merkte er es nur nicht?

Er hätte sich gern einmal einen herausgesucht... Diesen Lümmel da zum Beispiel mit den schiefgetretenen Schuhen und der ausgefransten Hose, mit der verschossenen Mütze, die er so herausfordernd auf dem Schädel trug – fröhlich pfiff er vor sich hin, als gäbe es weder Armut noch Sorgen. Den hätte er gern einmal aufgemacht, um nachzusehen, was in ihm steckte, um seine Gedanken zu erforschen, die Gründe zu erkennen, warum er so war, wie er war. Aber das konnte man nicht.

Manche allerdings taten, als könnten sie es. Romanschriftsteller – die schufen Menschenleben, sagte Mijnheer Louis. Das klang seltsam, fast ein wenig lästerlich, denn allein Gott vermochte zu schaffen. Und doch, so, wie Mijnheer Louis es erklärte, schien es ganz glaubhaft. Ein Schriftsteller dachte sich einen Menschen aus, den es nicht gab, beschrieb sein Äußeres so, daß man ihn vor sich sah, ließ ihn leben, schaute dauernd in sein Inneres und wußte genau, was in seinem Kopf, seinem Herzen, seiner Seele vor sich ging; er schenkte ihm Glück oder jagte ihn in Unheil und Tod, ganz wie es ihm gefiel – genauso, wie einem beigebracht wurde, daß Gott es tue.

Und hatte man nicht das Empfinden, daß man die Menschen der Romanschriftsteller besser kenne als die Geschöpfe Gottes? In diese schaute nur Gott selber hinein, für jeden anderen blieben sie verschlossen. Doch in die des Schriftstellers durfte man mit hineinblicken, man sah, wie sich alles bewegte – genau wie bei einem Uhrwerk, das, ohne den Schutz des Gehäuses, den Pulsschlag der Rädchen preisgab. Es mußte herrlich sein, als Schriftsteller Menschen formen zu können. Auch wenn sie nur scheinbar lebten, in der Phantasie des Lesers. Aber dazu gehörte Gelehrsamkeit, ungeheure Menschenkenntnis und Lebenserfahrung. Und außerdem etwas, so sagte Mijnheer Louis, was einem keine Schule vermitteln konnte: Talent. Man mußte Künstler sein – und das war etwas Angeborenes, etwas Geheimnisvolles, eine Gabe... Wohl dem, der sie besaß, dem sie in die Wiege gelegt worden war!

„Geh weiter, Bengel! Was stehst du denn hier rum?"

Ein junger Polizist hatte ihn angestoßen. Aufgeschreckt blickte Merijntje in sein mißtrauisches Gesicht.

„Wartest du auf jemand?"

„Nein... warum?"

„Na, dann mach, daß du fortkommst!"

Merijntje grinste und zuckte die Achseln. Das argwöhnische Gesicht des Polizisten amüsierte ihn. Der Kerl wurde dafür bezahlt, mißtrauisch zu sein – und je länger im Dienst, desto mißtrauischer mußte er tatsächlich werden. Zum Schluß würde er wohl niemand mehr trauen, dem eigenen Vater, der eigenen Mutter nicht, seiner Frau und seinen Kindern nicht. Überall würde er Unrat wittern. Wenn er etwas nicht ganz verstand, würde er Böses vermuten und mit seinen Ketten rasseln oder nach seinem Säbel greifen, drohen, einen zur Wache zu schleppen, wo dann genauestens geklärt würde, welche Ungesetzlichkeit sich hinter dem Dunkel verbarg. Dabei mußte man ja allmählich verrückt werden. Man überlege sich: da wurde jemand bezahlt, um immer mißtrauisch zu sein. Denn wenn er sein Geld ehrlich verdienen wollte, war es ja seine Pflicht, keinem Menschen zu glauben, sondern ständig auf der Lauer zu liegen und herumzuschnüffeln, ob das Auge des Gesetzes nicht irgendwo etwas Verdächtiges aufspüren konnte. Schrecklich! Vielleicht war dieser Beamte schon ein bißchen verrückt... Wahrscheinlich traute der arme Kerl sich selber nicht mehr über den Weg? Solch ein Beruf war bestimmt keine reine Freude! Das lag auch wieder daran, daß der eine nicht sehen konnte, was in dem anderen vorging.

Er mußte lachen: Wenn er jetzt ein Romanschriftsteller wäre, würde er sich einfach so einen jungen Polizisten ausdenken und von seinem Leben erzählen, wie gewissenhaft argwöhnisch er war, um alles nur ja richtig zu machen, und wie es dadurch immer weiter bergab mit ihm ging, wie er seine Bekannten, seine Nachbarn, seine Familie, seine Hausgenossen verdächtigte, schließlich verhaftete, um ihren Fall untersuchen zu lassen, sich selbst sogar bei häßlichen Gedanken über seine Vorgesetzten ertappte, sich Handschellen anlegte und zur Polizeistation abführte. Und dann wurde er ins Irrenhaus gesperrt und bildete sich ein, der Kommissar höchstpersönlich zu sein, bekam ein paar Ketten zum Spielen, verhörte den ganzen Tag imaginäre Verbrecher, fesselte sie und setzte sie gefangen. Und wenn ihm die Wärter die Handschellen abnahmen, wurde er wild, begann zu schreien und um sich zu schlagen und bekam schließlich die Zwangsjacke übergeworfen. Bis er den Tod auf sich zukommen sah und vor Schreck starb, weil er keine Ketten hatte, die stark genug waren, den Knochenmann für immer zu fesseln.

Eine tolle Erzählung – für einen Romanschreiber war das der beste Stoff, bei dem man nicht wußte, ob man lachen oder weinen sollte. „Wachtmeister Jacob Zemelman der Krümelkacker oder Die Tragödie vom Argwohn" – nein, diese Doppeltitel waren nicht mehr in Mode, und solch kuriose Spitznamen wie Krümelkacker sollte man auch nicht verwenden, sagte Mijnheer Louis, das sei zu billig. Sonst konnte man ihn vielleicht Zebedeus Kolderhoofd nennen, was soviel wie Rappelkopf bedeutet. Er mußte darüber lachen, er fand die verrückten Namen unheimlich lustig – woran man gleich erkennen konnte, daß er kein Künstler war, kein Schriftsteller, sondern ein einfacher Arbeiter, ohne Bildung und Geschmack. Er merkte schon: es war Zeit, daß er bald irgendwo Arbeit fand, denn die Rumtreiberei in der Stadt brachte ihn nur auf dumme Gedanken, die ihm nicht weiterhalfen und den jungen Polizeibeamten eben sogar in Alarmbereitschaft versetzt hatten.

Die Bücher und Bilder waren angekommen, ein ganzer Schatz. Die Zeichnungen blieben in der Papprolle. Er würde sie später einmal einrahmen. Für die Bücher hatte er im Vorderzimmer ein Brett aufgehängt. Da standen sie nun prächtig im Licht neben dem

Fenster, und die weißen, roten, grünen, braunen und schwarzen Rücken mit der goldenen Aufschrift waren und blieben ein Entzücken für das Auge, ein Luxus, ein ungeahnter Reichtum.

„Meine Bibliothek", sagte er lächelnd zu sich selber. Und er gelobte sich, noch mehr zu erwerben, Bücher über Bücher, ein Bort nach dem anderen. Da standen Romane und Gedichtsammlungen. Das meiste hatte er schon gelesen, aber es störte ihn nicht. Vor allem die Gedichte konnte er stets von neuem lesen – die wurden jedesmal schöner, klarer, reicher im Klang, tiefer von Bedeutung, immer leichter drangen sie ins Ohr, bis er merkte, daß er sie auswendig konnte, ohne sie gelernt zu haben. Er las sie laut und versuchte den rezitierenden Ton zu treffen, in dem Mijnheer Louis sie vorgetragen hatte, berauschte sich am Wohllaut der Worte, sah unter den suggestiven Klängen die Bilder vor sich aufsteigen und versank in eine verzauberte Welt.

> 't Is triestig, dat het regent in den herfst,
> dat het moe regent in den herfst, daar-buiten.
> En wat de bloemen wegen in den herfst;
> en de oude regen lekend langs de ruiten.

> Traurig ist es, wenn im Herbst der Regen rinnt,
> draußen fällt er müde auf den Weg.
> Blumen schütteln sich im nassen Wind;
> alter Regen an der Scheibe tropft so träg.

Wie konnten so traurige Worte einen so froh machen – Worte, die schwer und düster durch den Kopf irrten? Weil sie so lieblich waren, sagte Mijnheer Louis, weil sie die Schönheit waren. Weil der Regen, den man bislang nur als gleichförmige Tropfen und Fäden kennengelernt hatte, müde und alt sein konnte wie ein Lebewesen – und doch Regen blieb; weil sie, die „Worte", die Herbstblumen so schwer machten, daß man ihr Gewicht auf dem Herzen lasten fühlte. Weil ein Dichter allen Dingen Leben gab und ein Antlitz, sie mit dem eigenen Ich in einer anderen Welt verband, in der alles schön war, selbst Trübsal und Leid. Weil alles zur Harmonie wurde – ein fremdes Wort, das einem aus Mijnheer Louis' Munde vertraut erschien, auch wenn man es zuerst nicht richtig verstand und mit der Dorfmusik von Nol Damme in Verbindung brachte. Harmonie war etwas überaus Schönes – wo Harmonie war, gedieh auch Schönheit.

> Al liefde is als een spel van lucht en water:
> De wind blaast voort, de witte golven vlieden ...
> 't Is schoon, dat schitt'rend stoeien te bespieden.
> Maar iedereen, die mee wil doen, vergaat er.

Die Liebe eilt dahin, wie Luft und Wasser treiben:
Die weißen Wellen fliehn, die schnellen Winde wehn...
Schön ist's, das blendend Gaukelspiel zu sehn.
Doch wer verweilen will, vergeht – es ist kein Bleiben.

Dichter waren weise Menschen. Sollte das aber wirklich wahr sein, was dieser Dichter hier so ruhig, fast unbekümmert, in seinem Vers sagte? War Liebe nicht mehr als ein Spiel von Luft und Wasser, schnellen Winden und fliehenden Wellen, die sich selbst auflösten in ihrem Lauf? Mußte jeder vergehen, der in diesen Sog geriet, der teilhaben wollte an der Liebe? War Liebe etwas so Eitles, so Nichtiges, so Vergängliches? Er dachte an seine eigenen Erfahrungen, an Marjan, an Nelleke, an ein paar liebe Erscheinungen, an die fürstliche Gestalt dieser unbegreiflichen Mevrouw Amelie – sie alle hatte er auf die eine oder andere Art geliebt. Was war davon übriggeblieben? Bitterkeit und Bedauern. Doch je flüchtiger die Begegnung, desto lieblicher die Erinnerung... Selbst die Kleine in der Herberge, die ihn in ihr Dachstübchen gelockt hatte, die er in blinder Leidenschaft, kaum gesehen, Stunden später schon besessen hatte und von der er am nächsten Morgen nicht eines Blickes gewürdigt wurde – selbst die Erinnerung an sie war nicht so bitter wie an die anderen Frauen und Mädchen, mit denen er so viel mehr erlebt hatte, die so viel tiefer in sein Herz gedrungen waren. Sollte das wirklich die Regel sein?

Wollte der Dichter, verbindlich für jedermann, die unveränderliche Wahrheit mit diesem Vers ausdrücken? Der Sinn der Zeilen war doch wohl der: Bleib der Liebe fern, schau es dir an, das „blendend Gaukelspiel", aber tue nicht mit, sonst vergehst du darin...

Die Tür öffnete sich, und seine Mutter kam herein.

„Was machst du denn da?"

„Ich lese Gedichte."

„Gedichte lesen?" sagte sie kopfschüttelnd. „Das klingt ja, als ob du ein Mönch wärst, der aus der Bibel vorliest."

Der Vergleich kränkte ihn: er psalmodierte doch nicht!

„Hör mal, Mutter, findest du das nicht auch schön?"

Und er las, getragen und mit viel Pathos in der Stimme:

Ik ween om bloemen, in den knop gebroken
en voor den uchtend van haar bloei vergaan.
Ik ween om liefde, die niet is ontloken,
en om mijn harte dat niet werd verstaan.

Ich weine um Blumen, um Knospen verhüllt,
um Blüten, vergessen, eh sie vorhanden.
Ich weine um Liebe, die nie ward erfüllt,
und um mein Herz, das keiner verstanden.

„Das ist gewiß schön", sagte seine Mutter. „Das würde sich prächtig eignen für die Traueranzeige auf den Tod eines jungen Mädchens, das ganz plötzlich gestorben ist . . ."

Merijntje sah sie an und wollte aufbrausen vor Zorn – das war doch eine Beleidigung seines herrlichen Gedichtes! Aber ihre Augen blickten ernst und ehrlich. Vielleicht lag es auch an dem feierlichen Ton, den er gewählt hatte. Sie verstand es nicht. Es ging doch um etwas ganz anderes . . .

„Komm zum Kaffeetrinken! Es gibt auch Zwieback dazu."

Unvermittelt aus der edelsten Poesie zu Kaffee und Zwieback . . . Er hatte Lust, sich ärgerlich zu weigern, doch da trippelte Mieke herein, die Puppe fest an sich gedrückt.

„Taffee tinken!" rief sie mit ihrem hellen Stimmchen. „Taffee tinken, 'erijntje!"

Da mußte er lachen, ob er wollte oder nicht. Er nahm sie hoch und setzte sie auf seine Schulter. Krähend vor Vergnügen hielt sie sich mit einer Hand an seinen Haaren fest. Als er sie in ihrem hohen Kinderstuhl an den Tisch schob, hatte sie ein Büschel Haare zwischen den Fingern, die sie ihm triumphierend entgegenstreckte.

„Haare . . . Haare!" rief sie begeistert.

„Na, bitte!" entrüstete er sich, seiner Mutter zugewandt. „So sind die Frauen: Man ist nett zu ihnen, und dafür reißen sie einem die Haare vom Kopf."

Mutter Gijzen sah ihn an und lachte. Aber in ihrer Stimme schwang doch Mißtrauen, als sie fragte: „Woher hast du denn diese Weisheit? Auch aus den dicken Büchern?"

„Na, klar!" lachte er. „Davon sind die Bücher voll . . . genau wie das Leben selber."

4

Um Arjaan stand es merkwürdig. Merijntje hatte immer bewundernd zu ihm aufgeschaut, mit einer seltsamen Mischung aus Liebe und Haß. Arjaan zauderte nie, nahm immer das Beste für sich in Anspruch, kümmerte sich wenig um die Wünsche und Rechte anderer, griff zu, wo und wann es ihm gefiel, und schlug um sich, wenn er nicht seinen Willen bekam. Merijntje hatte viel unter ihm zu leiden gehabt – und nicht allein Merijntje. Er tyrannisierte alle seine Kameraden, hielt sie in Schach, war immer und überall der Anführer, schützte mit draufgängerischem Wagemut und harten Fäusten den, der ihm gehorsam folgte, und spielte den König unter seinen Vasallen. Die Mädchen waren ihm schon früh nachgelaufen, und er hatte auch sie tyrannisiert, hatte sich mit ihnen vergnügt, bis sie ihn langweilten, und sie dann von sich weggeschoben wie lästige Kinder, ohne sich von ihrer Wut oder ihren Tränen rühren zu lassen. Die Schlauen, die ihn für sich haben wollten, machten sich an andere Jungens heran, wenn er in der Nähe war, und taten, als gäbe es ihn nicht. Aber nur solange, bis er eifersüchtig wurde und loslegte. Manchmal wurde der Rivale schon durch seine groben Worte eingeschüchtert, häufig wurde aber auch gekämpft, und meistens schlug Arjaan am kräftigsten und sichersten zu und zog mit dem Mädchen als Beute davon. Doch nie für lange. Denn er hatte eine wetterwendische Art, betrachtete die Mädchen nur als kleine Tierlein, die zu seiner Lust geschaffen waren, und hatte mitunter drei oder vier gleichzeitig an der Hand. Die Spur eines Gewissens hatte Merijntje an ihm auch beim besten

Willen nicht entdecken können, und wenn er ihn in einer apostolischen Anwandlung zur Rede stellte, erntete er nur lautes und herzhaftes Gelächter. Er war sicher, daß Arjaan Mädchen verführte, als handelte es sich um ein harmloses Spielchen; sie waren ihm im Grunde unbegreiflich gleichgültig – und so ließ er sie denn auch nach Gutdünken wieder laufen.

Mit siebzehn Jahren hatte er ein Verhältnis mit der jungen Frau eines älteren Polizeibeamten aus der Nachbarschaft gehabt – das pfiffen die Spatzen von den Dächern. Monatelang hatte das gedauert, dann war der Polizist verzogen, in eine ganz andere Gegend der Stadt. Arjaan war ihr nicht nachgelaufen; und als die Frau selber kam, um nach ihm zu sehen, hatte er getan, als ob er sie kaum kannte. Sie hatte eine Mordsszene gemacht, an der die halbe Nachbarschaft sich weiden durfte, und Mutter hatte sich zu Tode geschämt – aber Arjaan war die Sache nicht weiter peinlich gewesen. Ein Gauner war er, ohne Herz und Reue. Allein für sein Vergnügen lebte er, für seinen Genuß. Das wußte jeder, und doch umschwärmten sie ihn alle. Er hatte Freunde und Freundinnen, soviel er wollte, und sie taten alles für ihn. Mutter und Merijntje führten ihm wiederholt vor Augen, daß es noch einmal ein schlimmes Ende mit ihm nehmen werde, aber dann schnaubte er nur verächtlich, lachte und zuckte die Schultern.

Auch bei den Soldaten hatte er sich sehr wohl gefühlt – das war so recht nach seinem Geschmack. Die Husarenuniform stand ihm prächtig, er mochte Pferde, war stark, schneidig, gelenkig wie eine Katze, vollbrachte die tollsten Wagestücke, gehörte zu den besten Reitern der Schwadron und konnte sich bei seinen Vorgesetzten allerhand herausnehmen. Was er dann auch nicht versäumte. Er hatte es sogar bis zum Feldwebel gebracht – und Vater war ungeheuer stolz auf ihn. Vater war immer stolz auf ihn gewesen, hatte ihn insgeheim bewundert und vielleicht auch ein wenig gefürchtet. Denn Vater zählte eher zu der zaghaften Zunft und stand unter dem Eindruck, daß große Erfolge ihm ohnehin nicht auf den Leib geschnitten seien. Er schickte sich in das Leben, aber empfand, wie so viele schüchterne Menschen, eine verborgene, durchaus bewundernde Zuneigung für dreiste Typen, die die Menschen nach ihrer Pfeife tanzen ließen und auf diese Weise das Leben bewältigten. „Arjaan wird's schon machen", hatte er immer gesagt, und davon war er jetzt noch überzeugt. Auch in der Fabrik schlug sich Arjaan durch. Er war ein tüchtiger Arbeiter, geschickt und flink, mit Liebe zu seinen Maschinen, die er innen und außen kannte. Man schätzte ihn. Er ließ sich nicht viel sagen. Auf besserwisserische Bemerkungen übereifriger Kollegen gab er prompt eine passende Antwort, und der Chef ließ ihn sowieso in Ruhe. Er gehörte zu den bestbezahlten Arbeitern, verdiente mehr als Vater und schwamm fürstlich in seinem Geld.

Aber Merijntje fand ihn jetzt sehr verändert. Er war längst nicht mehr so schroff und herrschsüchtig, schien häuslicher und den Eltern gegenüber weitaus zuvorkommender; bereit auch, nachzudenken, ehe er etwas sagte oder tat. Nur wenn es um seine politischen Auffassungen ging, trat die frühere Entschiedenheit mit ungebrochener Kraft wieder zutage, wurde er bissig und unnachgiebig, anzüglich und ungeduldig, mit dem bekannten drohenden Unterton des „Willst du es wohl endlich begreifen!" in der Stimme. Ab und zu jedoch kam der alte Adam wieder zum Vorschein. Dann suchte er frühere Kameraden auf und zog mit ihnen los, trieb sich mit ihnen in den Kneipen herum, tanzte auf dem Schiedamer Deich, spielte mit fremden Seeleuten Karten, und wenn ihm in den Kram paßte, hatte er das eine oder andere Mädchen parat und tobte sich mit ihm aus. Aber dann, ganz unvermittelt, zog er sich zurück, lief mit finsterer Miene, völlig unnahbar, herum und beschäftigte sich stundenlang wie ein guter Freund mit Jan und Mieke, bis er sein seelisches Gleichgewicht wiedergefunden hatte.

Nur mit Annet hatte er immer Streit. Sie sprach voller Achtung von der Familie, bei der sie tätig war; doch er entrüstete sich zornig: sie sei eine Sklavenseele mit ihrer duckmäuserischen Untertänigkeit gegenüber den reichen Protzen, die sie nach Strich und Faden ausnutzten – und zwar für einen Schandlohn, für Brosamen geradezu, die von ihrem üppig gedeckten Tisch fielen. Der Reeder und Schiffsmakler van Duren war einer der einflußreichsten Herren im Hafen, ein mächtiger Mann, ein echter altmodischer Potentat und Scharfmacher, und Arjaan hielt seiner Schwester beharrlich vor, daß es sich nicht gehöre, für solch einen Kerl Partei zu nehmen, wenn sie auch zehnmal sein Brot esse. Annet war ein großes, kräftiges, frisches Mädchen geworden und nicht auf den Mund gefallen. Ärgerlich verteidigte sie ihren Herrn: er sei immer so freundlich zu seinem Personal und sorge so gut für die Leute ... Und von wegen Brosamen! Arjaan wäre froh, wenn er sein Leben lang solches Essen bekäme wie sie bei Herrn van Duren. Manchmal sei er richtig wie ein Vater – gestern erst habe er sie lachend unter dem Kinn gestreichelt, als sie die Suppe auftrug.

„Paß bloß auf", schnauzte Arjaan, „heut oder morgen streichelt er dich auch unterm Rock, und dann sitzt du da mit der Bescherung!"

Da aber war Mutter Gijzen wütend über ihn hergefallen, er solle gefälligst seinen dreckigen Schnabel halten, und Annet hatte vor Ärger und Scham geweint; doch Arjaan hatte grinsend die Schultern gezuckt: Wenn sie ewig Kinder bleiben wollten – bitte schön. Er nicht!

Später hatte Frau Gijzen Annet allerdings gewarnt, als sie mit ihr allein war: sie solle ja vorsichtig sein mit diesem väterlich tuenden gnädigen Herrn. Arjaan habe gar nicht ganz unrecht, ein ehrbares Mädchen könne nicht genug auf seinen Anstand achten.

Mutter hatte mit Merijntje über die merkwürdige Veränderung gesprochen, die in Arjaan vorgegangen war. Das habe bereits angefangen, als er noch beim Militär gewesen sei. Irgendein Wachtmeister, ein gescheiterter Lehrer oder Büroangestellter oder so etwas, der viel mit ihm gesprochen habe, scheine unheilvollen Einfluß auf ihn ausgeübt zu haben. Das sei dann später so weitergegangen. Seit jener Zeit pflege er ganz anderen Umgang, laufe ewig zu irgendwelchen Versammlungen und bringe dauernd gefährliche Broschüren angeschleppt. Nachbar van Tol, der immer schon so von ihm eingenommen war, könne sich gar nicht genug tun vor Begeisterung, was Arjaan für ein patenter Bursche geworden sei. Der mache wenigstens die Augen auf und sehe ein, daß er nicht allein auf der Welt lebe und daß die Welt auch nicht zu seinem persönlichen Vergnügen geschaffen sei.

„Ich weiß selber nicht, was mir lieber ist", sagte Frau Gijzen bekümmert. „Gewiß, früher war er ein Rumtreiber und ein unverschämter Taugenichts, aber jetzt ist er manchmal so seltsam, und der Himmel mag wissen, mit was für Bombenwerfern und glaubenslosen Gesellen er sich abgibt . . ."

„Bomben werfen sie nicht", beschwichtigte Merijntje, „und die Leute, die an Gott glauben, sind auch nicht immer die besten – das weißt du genauso gut wie ich."

Mutter Gijzen fuhr böse auf: „Fängst du auch schon damit an, du Rotznase?"

Merijntje lachte. „Aber nein, Mutter", neckte er, „ich habe schon vor langer Zeit damit angefangen."

Arjaan hatte Merijntjes Bücherschatz durchschnüffelt. Die Dichter interessierten ihn nicht, und es mißfiel ihm, daß der Rest nur aus Romanen bestand und ein paar Lebensbeschreibungen von Malern und Bildhauern mit Abbildungen dabei. Kein einziges gediegenes Werk über Politik und Gesellschaftsfragen!

„Wie bist du nur so aufsässig geworden?" fragte Merijntje verwundert.

„Das bin ich doch immer gewesen – bloß noch nicht so schlimm", schmunzelte Arjaan. „Aus Widerspruch . . . . manchmal muß man sich eben ordentlich abreagieren, weil einen die ganze Schweinerei anstinkt. Was haben wir denn in unserer Kindheit gehabt? Was steht unsereins bevor? Schuften, daß die Knochen knacken, für ein paar Cent, solange es Arbeit gibt – und dann ist's wieder soweit, Holz zu kauen. Und wenn du zu deinem Pech verheiratet bist, setzt du einen Wurf Junge in die Welt, die das gleiche Jammerleben führen dürfen wie du. Ich habe mir früher immer gesagt: Sollen sie getrost das Schlottern kriegen – aber ohne mich! Du lebst nur einmal – nimm, was du kriegen kannst, Arjaan, mein Guter! Die ganze Welt ist eine große Räuberhöhle, und wer es versteht, den andern zu piesacken, der ist der Herr – dem fliegen sie alle zu, den mögen sie. Sorg dafür, daß du dabei bist. Jeder ist sein eigener Herrgott. Wer pfiffig und stark ist, kommt nicht zu kurz – und ich bin nicht zu kurz gekommen, ich war immer obenauf. Vor mir sind sie gekrochen."

Merijntje war entsetzt. Sollte das der Arjaan sein mit seinen „neuen" Ideen? Das war der Arjaan von gestern, er sagte es ja selber. Ärgerlich konterte er: „Nun, wenn alles nach Wunsch gelaufen ist, warum bist du denn nicht zufrieden, he? Sie waren doch alle eifersüchtig genug und beneideten dich."

„Nein, damit konnte ich nicht zufrieden sein. Von denen bekam ich bald die Nase voll – nur scheinheiliges Gerede, und taugen taten die auch nichts. Die wahre Erfüllung war das nicht!"

„Wieso denn nicht?"

„Das wußte ich damals selber nicht. Aber jetzt weiß ich's. Mich hatte es fuchsteufelswild gemacht, daß die Welt durch Unrecht regiert wurde; und weil ich das so satt hatte, fing ich an, selber Unrecht zu tun. Weil ich selber in dieser Welt ein Stück Dreck war, behandelte ich die andern auch wie Dreck. Verstehst du, das war so meine Art, mich durchzusetzen. Das macht ein wütender Stier nicht anders. Und so ohnmächtig ich war, ich trat tüchtig auf die, die noch ohnmächtiger waren als ich – anstatt mich gegen die zu wenden, die uns traten. Aber nun hab ich's kapiert. Ich weiß jetzt, wo ich zu stehen habe, um Schläge auszuteilen. Aber die Hiebe gibt's nicht mit den Fäusten. Die große Auseinandersetzung geht anders vonstatten, Merijntje – wir armen Läuse gegen die mächtigen Herrn! Das ist ein Lebensziel."

Ein Lebensziel, dachte Merijntje. Das klang wie ein ganz großes Wort – ein ganz ungewisses Wort, das für jeden Menschen etwas anderes bedeutete und darüber hinaus im Einzelfall seinen Sinngehalt änderte. Wie lange hatte er geglaubt, das einzig lohnende Ziel seines Lebens läge im Jenseits, und eines Tages – wann? – war dieser Glaube ins Wanken geraten, oder hatte zumindest an Überzeugungskraft verloren, um ihm genügen zu können. Ein Ziel? Arbeit, damit man zu essen hatte, ein Dach überm Kopf, ein Bett zum Schlafen. Vorwärtskommen in der Welt, es besser haben, emporsteigen die Leiter des Erfolgs, Werkmeister werden in der Fabrik, das große Los ziehen und aus eigener Kraft wohlhabend werden ... Das waren so viele Ziele, aber sie liefen eigentlich alle auf dasselbe hinaus: es gut zu haben im Leben, eine liebe Frau, keine Sorgen, Freunde, Befriedigung ... Was wollte Arjaan?

„Du willst vorankommen in der Welt", sagte Merijntje, halb fragend.

„Ich? Wie kommst du darauf?" gab Arjaan verärgert zurück. „Beileibe, das will ich nicht. Früher mal, aber jetzt mach ich mir nichts mehr draus. Wenn ich Werkmeister werden wollte, könnte ich's morgen schon sein. Ich brauchte nur Streit mit dem alten Dolf anzufangen und zum Chef gehen und sagen, daß ich unter ihm nicht mehr arbeiten will – schon wäre er raus aus dem Laden. Aber ich würde mich auf diese Weise abhängig machen. Nein, Werkmeister will ich nicht sein. Vielleicht mein eigener Antreiber und Sklavenjäger? Wenn ich vorwärtskomme, dann als ehrlicher Arbeiter ... Besser bezahlte Arbeit, mehr Freiheit, bessere Ausbildung – Mensch sein anstatt Jochvieh ..."

Mensch sein? Ja, das war gut gesagt. Nicht alles, was auf zwei Beinen lief, war unbedingt ein Mensch – das hatte ihn das Leben schon gelehrt; und der Umgang mit Mijnheer Louis hatte diese Frage noch in ganz besonderer Weise erhellt. Nicht immer war die harte Arbeit schuld daran – es gab auch andere Gründe, die die Menschen zu Tieren machten. Merijntje hatte inzwischen genug Leute kennengelernt, die nicht arbeiteten, hinreichend Bildung genossen hatten – und trotzdem nichts taugten. Er klopfte bei Arjaan auf den Busch, wie er sich das erkläre. Der grinste nur über soviel Arglosigkeit, die sich hinter dieser Frage verbarg. Es war doch alles kinderleicht und sonnenklar: die Ursache hierfür lag auch in der sozialen Ungerechtigkeit. An allem Unglück und Leid dieser Welt war nur die ungleiche Güterverteilung schuld. Und die Reichen bekamen natürlich auch ihre Portion Fäulnis zu schlucken – und wenn sie mit ihrem stinkigen Geld noch soviel einzuheimsen vermochten, ihr Leben und vor allem ihr Menschsein war doch verpfuscht und verdorben infolge ihres anrüchigen Lebensprinzips. Und deshalb mußte eben dieses Prinzip verändert werden, denn die Menschen waren die Frucht des schlechten, tief eingewurzelten, selbstsüchtigen Prinzips, unter dem sie aufwuchsen. Verbessert das System, sorgt für vernünftige soziale Verhältnisse, schließt euch zusammen, über die Grenzen hinweg, werdet Brüder und helft euch untereinander, so werden sich auch die Menschen ändern, werden brüderlich leben, brüderlich teilen und unterscheiden lernen, was wirklich gut und böse ist. Dann wird die Erde endlich ein Paradies, das sie längst hätte sein können – jeder Tag ein Fest ...

Merijntje betrachtete verwundert Arjaans begeistertes Gesicht. Noch nie hatte er ihn sich so ereifern sehen für etwas, was nicht unmittelbar seine eigene Person betraf. Er meinte es gewiß sehr ernst mit seinen weltverwandelnden Gedanken. Aber hatte er recht? Würden sich die Menschen mir nichts, dir nichts ändern, würden sie besser werden, wenn sie es plötzlich bequemer hätten, wenn sie freizügiger und vergnüglicher leben könnten? Das schien ihm eine ernste Frage. Er hatte da seine Bedenken. Wenn er die Geschichten hörte von sogenannten einfachen Leuten, die irgendwo und irgendwie Chef geworden, von Dienstmädchen, die zur „gnädigen Frau" avanciert waren, dann klang das bei weitem nicht so sehr wahrscheinlich und hoffnungsvoll – das wurden gewöhnlich die größten Schufte und Schinder. Natürlich, das stimme, räumte Arjaan mit leichter Geringschätzung für sein mangelhaftes Denkvermögen ein, aber das beweise nichts – im Gegenteil. Daraus würde einmal mehr deutlich, daß sich der Mensch nicht verändere, solange seine Umwelt die gleiche bliebe; wo immer man seinen Platz habe, ob hoch oder niedrig, die Verhältnisse gäben einem keine Chance zur Entwicklung der reinen Menschlichkeit.

Merijntje faßte Feuer. Unsinn war das ja, das war aus dem hohlen Bauch geredet! Arjaan schwatzte immer ins Blaue hinein. Ach, die Menschen wurden nicht besser und innerlich schöner, wenn sie's besser hatten im Leben, unsinnigerweise manchmal sogar schlechter und häßlicher. Besser wurden sie nur, wenn sie ins geistige Leben eindrangen, Ehrfurcht vor der Kunst bekamen, Sinn für das Schöne und Edle... Das stehe außer allem Zweifel, fand Arjaan, er habe vorhin doch auch besseren Unterricht für das Volk genannt. Nein, widersprach Merijntje, das meine er nicht, das habe nichts mit Schulen und Gelehrsamkeit zu tun – das mochten durchaus bisweilen einfache Menschen begreifen, während es an studierten Leuten spurlos vorüberging. Das sei eine Frage von Herz und Seele und Geist – und der Verstand habe eigentlich blutwenig damit zu tun. Und gerade darin läge eine Möglichkeit, die Menschen glücklicher zu machen, besser, innerlich reicher – und dieser Reichtum sei mehr wert als materieller Wohlstand, wie Arjaan ihn fordere. Alles, was er von Mijnheer Louis und Joris gelernt hatte, quoll aus ihm heraus, und er sprach davon mit träumerischer Begeisterung und suchenden, ungewissen Worten, die Arjaan erstaunten und verdrossen.

Endlich unterbrach er ihn: „Das ist doch alles nur Palaver, Junge, merkst du das nicht? Seichtes Geschwätz von überschlauen Leuten, die nichts Besseres zu tun haben, als schöne Bücher zu lesen oder sich schöne Bilder anzugucken – auch wieder nur zu ihrem eigenen Vergnügen, also eine Art Privileg."

„Das ist nicht wahr", bestritt Merijntje, „ich habe in einem Gedicht gelesen: Schönheit ist für alle da oder für keinen."

„Dann war dieser Dichter ein Sozialist", stellte Arjaan unerbittlich fest.

Aber das leugnete Merijntje entschieden, erschrocken und böse, ohne zu wissen, warum. Arjaan glaubte wohl, es gelte nichts anderes auf der Welt als seine Sicht der Dinge? Das war das Verrückte mit den Menschen: sobald sie an etwas glaubten, war alles andere Geschwätz, taugte nichts, war erlogen, Irrlehre und Betrug. Es war überall dasselbe – und Arjaan machte keine Ausnahme.

Sein Bruder lachte. „Das ist doch logisch", sagte er, „die Wahrheit kann nicht an zwei Stellen zugleich sein. Du bist ein Träumer, Merijntje, das weißt du selbst – das hast du schon immer gewußt, gib's zu! Träumer können liebe Menschen sein, aber sie sind zu nichts zu gebrauchen. Wer träumt, vertrödelt die Zeit. Zugreifen, tüchtig anpacken, das ist das Wahre..."

„Von Christus sagt man auch, daß er ein Träumer gewesen sei", wehrte sich Merijntje.

Arjaan griff das Stichwort begierig auf. „Eigentlich war Christus Sozialist", behauptete er im Brustton der Überzeugung. „Aber da sehen wir's eben: anstatt zuzupacken, träumte er. Er nahm Petrus das Schwert ab – und hätte doch besser jeden einzelnen Jünger damit versehen sollen. Was hat er nämlich erreicht? Nichts. Keinen Schritt ist er vorangekommen. Macht geht auch heute noch vor Recht. Die Menschen bekriegen sich wie die Teufel, treten den Schwächeren unter die Füße, fressen einander auf, stehlen Land von den Schutzlosen, die noch keine Kanonen kennen, und machen sie zu Sklaven auf ihrer eigenen Scholle. Demut, sagt Christus, Nächstenliebe, der Arme ist in Gottes Augen mehr wert als der Reiche. Ach, laß mich in Ruhe! Geh doch mal in die Kirche und sieh dich um – wer sitzt denn auf den besten Plätzen? Wem laufen die Priester die Türen ein? Uns vielleicht? Ja, wenn sie uns armen Schluckern noch ein Kwartje abbetteln können, um die Kirche ihres Herrn, der die Armut predigte, zu vergolden. Hör mir auf, es gibt kein Christentum – alles nur fauler Zauber! Ich kenne nur die Anhäufung von Reichtum, nichts weiter... Unrecht, Unredlichkeit – zehn Nutznießer auf zehntausend Hungerleider und Packesel. Das Mark saugen sie uns aus den Knochen, die braven Christen, und dann winken sie mit dem Himmelreich, das noch nie ein Mensch gesehen hat und das auch ich nie sehen möchte – etwa mittendrin zwischen all diesen vertrackten Frömmlern und Pharisäern! Wir sollten uns erst einmal um unseren eigenen Himmel hier unten bemühen. Laß die andern doch machen, was sie wollen, diese scheinheiligen Gottbeschummler!"

Er spricht genauso wie der übergeschnappte Doktor Presco, dachte Merijntje. Auch so ein Wortemacher. Aber es war nicht alles abwegig, was er sagte. Da war eine Menge Bedenkenswertes dabei. Die Lehre der Kirche war goldrichtig – doch was machten die Menschen daraus? Ein Gefühl entmutigender, quälender Ohnmacht hatte um sich gegriffen. Was konnte man dagegen tun, wie ließ es sich verdrängen? Schelten wie Doktor Presco und Arjaan? Derweil drehte sich die Welt weiter, und das Unrecht nahm überhand. Konnte man mehr tun, als für sich ganz persönlich gut zu sein, die Wahrheit zu suchen, wie Mijnheer Louis gesagt hatte, und anderen ihre Wahrheit zu lassen? Arjaan hatte sich verändert – zweifellos zum Guten, wenigstens für den Augenblick. Denn warum sollte das von Dauer sein? Schon morgen konnte er ebensogut von etwas anderem abgelenkt werden, dem er sich mit gleicher, unverminderter Hingabe widmete. Arjaan war ein Hitzkopf, hartnäckig und unverwüstlich, wenn es galt, eine Sache anzugehen; zielstrebig schoß er darauf zu wie der Falke auf das Mäuschen. Arjaan glaubte unbekümmert an seine Wahrheit ... Merijntje mußte noch lesen und lernen, um alle Wahrheiten zu entdecken, die in der glanzvollen, herrlichen Welt des Mijnheer Louis und Joris Moonen verborgen lagen, in jener Welt der Künstler, die nur das Gute und Wahre suchten, um es in Schönheit zu verwandeln ... In dieser Welt war kein Platz für Arjaans Wahrheit, denn diese schien in Merijntjes Augen alles andere als harmonisch; zanksüchtig war sie, mißgünstig, jeden Augenblick bereit, die Fäuste zu ballen und zuzuschlagen ... Die Menschen suchten immer dort, wo nichts war. Davon erzählte auch das wunderbare Buch „Hänseken" von Wedekind – das Herrlichste, was er kannte. Wie diese törichten Zwerge grübelten und stöberten und doch nicht dahinterkamen. Großartig, wer ein solches Buch schreiben konnte! Oder einfach nur dieses Gedicht: „Ich bin ein Gott in der Tiefe meines Sinnens ..." Solche Zeilen dichten zu können, einmal in solch majestätischen Worten aussprechen zu dürfen, was in einem vorging, was dort wühlte und brannte. Diese unerträgliche Spannung mitunter ... Und wenn man nur den Liebreiz der kleinen Mieke schildern wollte, kam man auch auf nichts anderes als auf ein paar Allerweltswörter, die jedermann im Munde führte. Pfarrer Ramakers hatte zu Flierefluiter gesagt: „Dichter, sie sind die Stimme der Seele ... Unsere Seelen sind stumm geboren."

Damals hatte er nichts davon begriffen, aber jetzt begriff er es ziemlich gut, und das Unvermögen seiner Seele, sich hinreichend verständlich zu machen, bedrückte ihn. Man mußte es in sich verschlossen halten, es würgte und preßte in der Kehle, aber man konnte es nicht aussprechen. Es war schon besser, so wie Arjaan zu sein, nur an solche Dinge zu denken, die man mit den üblichen, runden und griffigen Vokabeln wiedergeben konnte. Denn woran dachte er schon – er, Merijntje? Eigentlich an nichts. Er wußte selber nicht, was er überhaupt dachte. Etwas anderes dachte in ihm. Strenggenommen war es gar kein Denken – es waren unerklärliche Empfindungen und Wünsche, unbestimmte Träume, in denen er zwar eine gewisse Rolle spielte – welche jedoch, das wußte er nicht. Es gab nicht einmal einen Namen für die Dinge. Aber der Dichter, der fand die Worte, die in staunenerregenden Bildern dies alles spürbar, sichtbar, für andere wahrnehmbar machten. Jetzt hatte man nur das Verlangen, fliegen zu können, ein Verlangen, das fast zur Ahnung wurde, jeden Augenblick würden Flügel an den Schultern wachsen.

Natürlich wuchsen die Flügel nicht, und man mußte manierlich am Boden hocken bleiben. Gut, dort durfte man immerhin den

Stimmen anderer Seelen lauschen – denen der Dichter. Und es war auch schon ein gewaltiges Vorrecht, Menschen begegnet zu sein, die einen darin unterwiesen hatten. Warum lehnte sich in ihm sogleich wieder etwas dagegen auf: ein Gott in der Tiefe seines Sinnens? Ein Gott, angetan mit einem Schifferpullover und mit Fettlederstiefeln. Oh, er war auch nie zufrieden! Großmutter würde sagen: „Vögel, die schimpfen, frißt die Katze."

Hoffart war nun einmal die liebste der sieben Hauptsünden.

5

Mit gleißendem Gefunkel auf dem unaufhörlich bewegten Wasser, im Festschmuck von lichtem Grün, mit bunten Blumen in Gärtnereien, auf Wagen, in Körben und rostigen Marmeladeeimern an den Straßenecken zog der späte Frühling über die Stadt. Die Sonne spiegelte sich in hohen Fenstern, im Messinggeschirr der Brauereipferde, auf den Kämmen kleiner Wellen und in den Augen hastender Menschen, die eine Unruhe im Blut spürten, aber keine Zeit hatten, darüber nachzudenken, woher sie kommen mochte. Spatzen und Stare, die gewohnten Großstadtvögel, tschilpten und zwitscherten auf Telegrafendrähten und Regenrinnen, ordentlich in Reih und Glied, mit aufgeplustertem Gefieder, um von der freundlichen Sonne soviel Wärme wie möglich aufzufangen. In den noch durchsichtigen Kronen der Bäume am Straßenrand stellten sie einander nach, schreiend vor Lebenslust und Liebesverlangen. Manchmal am Abend flötete eine Amsel, die sich aus einem der Parks verirrt hatte, ihr orgelndes Liedchen in einem Hinterhof in den Zweigen eines verkümmerten Baumes.

Dann faßte das Heimweh Merijntjes Herz, und er dachte an das vergangene Jahr, an jenen großen Sommer, versuchte sich zu erinnern, wo er gerade mit Flierefluiter umhergestreift war, unter rauschenden Bäumen, zwischen blühenden Gärten, durch die weiten Felder, wo die Pflanzen üppig aufschossen und der Kuckuck lockend aus der Ferne nach ihnen rief – an das freie, lachende Leben, an ein Fest abends auf einem Bauernhof mit Gesang, Musik und Tanz, an ein hübsches Mädchen, das einem das Küssen beibrachte und sagte, man sei ein lieber Junge ...

Das war anders als hier in der Stadt, wo man den Frühling nur in Fetzen sah, hier ein Büschel Grün, da einen Strauß Blumen, dort einen Strahl sommerliches Licht über dem Hafen, ein Stückchen blauen Himmel zwischen den Dächern hoher Häuser, von Telegrafendrähten durchschnitten. Und doch, das mußte er zugeben, zog Rotterdam ihn immer stärker an. Er fühlte, wie er allmählich heimisch wurde, immer neue Schönheiten entdeckte. Der ununterbrochene Lärm von Handel und Verkehr störte ihn nicht mehr; er begleitete Leben und Gedanken als etwas Eigenes, etwas, was dazugehörte und nicht fehlen durfte.

Nur sonntags war es viel stiller – dann schien Rotterdam eine andere Stadt. In der Nachbarschaft ging es vergnüglich zu: die Fabrik- und Hafenarbeiter lungerten in weißen Hemdsärmeln vor den Haustüren herum, kauten an schwarzen Zigarren und riefen den herausgeputzten Frauen mit dem sorgfältig frisierten und gelockten Haar anzügliche Bemerkungen nach. Die Kinder in ihrem Sonntagsstaat bewegten sich steif und ungelenk aus Furcht, eine Tracht Prügel zu beziehen, wenn sie die feierliche Pflicht der sonntäglichen Zurückhaltung vergaßen und ihre aristokratische Kleidung beschmutzten oder ruinierten. Eigentlich war es zum Lachen. Denn kein Mensch fühlte sich wirklich wohl in dieser Pracht, man mußte auf eine Menge Dinge verzichten, die man gern tat, und andere tun, die man viel lieber gelassen hätte. Und doch fanden alle ein rätselhaftes Vergnügen daran, und aus dem einen oder anderen Grund fühlten sie sich festlich gestimmt, vielleicht gerade wegen dieser ungewohnten, störenden Anzieherei.

Wie grenzenlos aber war die Verachtung, mit der man auf die Gleichgültigen herabschaute, die in Arbeitskleidern herumlungerten. Daran erkannte man das Gesindel, den Ausschuß ... Am Sonntag trinken oder auch eine Meinungsverschiedenheit mit den Fäusten austragen, dagegen war nichts einzuwenden – aber ohne Sonntagskleider! Nein, man wußte doch, was sich schickte!

Merijntje konnte es nicht ändern, er fand das reizend und hatte sein Vergnügen daran, die sonntäglichen Gewohnheiten mitzumachen. Nur Arjaan, der im Grunde sehr gern gute Anzüge trug, entdeckte plötzlich ein Haar in der Suppe. Er wurde richtig böse, wetterte gegen das Kasperletheater, wie er es nannte, gegen die kindische Kostümierung, die geschmacklose Nachäfferei der vornehmen Pinkel. Man sollte doch wohl soviel Selbstbewußtsein und Gefühl für Eigenwert besitzen, daß man diesen Leuten in nichts ähnlich zu sein versuchte. Wer ein bißchen Stolz hatte und wußte, was er war und wohin er gehörte, sollte sich gerade sonntags in seiner Arbeitskluft zeigen, sollte getrost überall herumlaufen, besonders in den besseren Stadtvierteln, und er würde sich wundern, wie viele Gleichgesinnte es neben ihm gab, und würde sich stark fühlen. Am besten, man erfand eine eigene Tracht, bequem und leicht, sie brauchte ja nicht häßlich zu sein – nur daß man jedem sofort ansah, wer und was er war ...

„Mir reicht es, wenn man uns die ganze Woche ansieht, daß wir Arbeiter sind", erklärte sein Vater, der um keinen Preis der Welt darauf verzichtet hätte, am Sonntag sein blütenweißes Oberhemd anzuziehen, wenn ihm auch die steifgebügelten Manschetten die Handgelenke aufscheuerten.

„Glaub ja nicht, daß man dir das am Sonntag nicht ansieht!" grinste Arjaan mit erbittertem Spott. „Du kannst dich noch so sehr herausstaffieren, die Armut guckt dir aus allen Knopflöchern. In Arbeitskleidern ist der einfache Mann ein Kerl, aber im Sonntagsanzug ist er ein aufgeputzter Affe, und die andern lachen über ihn mit seinem wundgescheuerten Hals und den steifen Pfoten."

„Der Lümmel ist auf dem besten Wege, verrückt zu werden", seufzte die Mutter. „Von wem hast du nur diesen Firlefanz?"

Merijntje spürte, worauf Arjaan hinauswollte, und es ärgerte ihn, daß er dauernd das betonte, was die Menschen trennte.

„Ich habe nicht das Bedürfnis, von den Dächern zu schreien, daß ich ein ‚einfacher Mann' bin", sagte er achselzuckend, „ebensowenig wie mich für etwas anderes auszugeben. Mensch ist Mensch. Auf die Kleider kommt es nicht an. Der eine arbeitet, und der andere bummelt herum – jeder nach seinem Geschmack. Aber diese ewigen Redereien über irgendwelche Benachteiligungen und Gegensätze hängen mir allmählich zum Hals heraus. Ich gönne den Reichen ihren Reichtum – er macht sie auch nicht glücklich. Ich lebe auf meine Weise und bin ganz zufrieden dabei."

Arjaan warf ihm einen Blick zu, als wollte er ihn mit einem Schlag vernichten. Schneidende Verachtung klang in seiner Stimme, als er schroff sagte: „Ja, weil du ein Duckmäuser bist."

Gleichgültig zuckte Merijntje die Achseln. „Meinetwegen."

Das Schimpfwort berührte ihn nicht. Ein Duckmäuser. Gut, dann war er eben ein Duckmäuser. Arjaan wußte nicht, was er,

Merijntje, wußte. Beispielsweise diese reiche und vornehme Familie von Mijnheer Louis, die kannte er nicht ... Nun, dann kam er doch lieber aus einer ganz gewöhnlichen Arbeiterfamilie, da brauchte er wenigstens nicht für das Schlemmen und Saufen und die Ausschweifungen seiner Vorfahren geradezustehen. Arjaan mußte sich immer an etwas festbeißen, meist an ziemlich nebensächlichen Randfragen eines Problems. Natürlich war es nötig, mit einer Menge Unrecht aufzuräumen, natürlich konnten die Herren da oben durchaus mit etwas weniger auskommen und ihre Arbeiter besser entlohnen, natürlich war es abscheulich, wie das Christentum manchmal von heuchlerischen Personen mißbraucht wurde, um die Menschen unwissend und bieder, anspruchslos und gehorsam zu halten und davon schließlich doppelt und dreifach zu profitieren, natürlich war es schrecklich, daß Macht vor Recht ging. Gewiß, das mußte aufhören. Aber was ließ sich dagegen tun? Wie sollte man es ändern?

Durch die Empörung eines Häufleins verwegener, aufrührerischer Gesellen, die sich Sozialisten nannten? Was wollten sie? Die Arbeit niederlegen und Hunger leiden? Aufstände – und sich dafür von der Polizei zu Krüppeln schlagen lassen? Oder dem Chef gegenüber das Maul aufreißen und dafür auf die Straße gesetzt werden und vielleicht auch noch andere ins Elend zerren?

Merijntje empfand den eingefleischten Abscheu und die Verachtung gegen die „Sozialen", die ihm zu Hause, in der Schule und in der Kirche eingeimpft worden waren. Keine öffentliche Festlichkeit verging, in der es nicht auch ein paar Seitenhiebe auf die Sozialen gesetzt hätte. Als Junge war er in einer großen Menschenansammlung durch die Nachbarschaft gelaufen, mit einer Oranienschärpe, einem Fähnchen und einer Papierlaterne am Stock, und hatte lauthals gerufen: „Nieder mit den Sozialen! Es lebe Wilhelmina!" Oder: „Nieuwenhuis soll Tüten kleben, hi-ha-ho!" Oder auch: „Alle Sozialen in die Heringstonn!" Die Sozialen bekamen immer ihr Fett ab – im sicheren Schutz seines Trüppchens schrie man Schimpf und Schande über jenes gefährliche Pack, den Abschaum der Gesellschaft. Ferdinand Domela Nieuwenhuis und Jelles Troelstra galten als Kinderfresser, und die Namen der beiden Buhmänner verbreiteten gruseliges Entsetzen. Inzwischen wußte er, daß sie ihren üblen Ruf nicht verdienten – sie warfen nicht den ganzen Tag Bomben nach der Königin und ihren Ministern, steckten nicht jede Woche Kirchen in Brand, überlegten sich nicht pausenlos, wie sie am besten rauben und plündern und morden könnten, um die Macht an sich zu reißen und die Welt in ein Schlachthaus zu verwandeln. Aber ganz geheuer waren sie ihm trotzdem nicht mit ihren Umzügen und Versammlungen, ihren roten Tulpen und den anmaßenden Prophezeiungen, als ob allein sie der Welt das Heil bringen könnten mit ihrem Hochmut und rebellischen

Wesen, ihrer ewigen Auflehnung gegen alle, die es besser hatten oder höher standen ...

Er begriff, daß für Arjaan gerade in diesem ständig wachen Zweifel ein gewisser Reiz liegen mochte. So war Arjaan. Stolz und eigensinnig. Kaum fühlte er sich auf die Zehen getreten – jähzornig und unüberlegt, herrisch und tollkühn. Angst kannte er nicht ... Aber ihm, Merijntje, lag das nicht. Genau wie Arjaans hartnäckige Bemühungen, andere unbedingt von seiner Meinung überzeugen zu wollen. Das machte ihn ganz unruhig, verdroß ihn; er ließ einen gar nicht nachdenken, gönnte einem keinen eigenen Standpunkt, fiel wie ein Sturmwind über einen her. Und diese törichte Einbildung auf seinen Stand! Das rief doch bloß Lachlust und ein wenig Mitleid hervor. Purer Unsinn! Daß man stolz darauf war, ein Graf, ein Dichter oder ein Gelehrter zu sein – gut ... Aber wie konnte man stolz darauf sein, daß man Arbeiter war, einer von Millionen, arm wie die Ameisen und ebenso zahlreich und unbedeutend. Ein Arbeiter ... Arjaan nahm das Wort in den Mund, als bedeute es wunder was Vornehmes, als wäre es eine Ehre, dazuzugehören. Wenn es ihnen so gut gefiel, warum redeten sie dann dauernd von der „Erlösung aus dieser Knechtschaft"? Verlangten die Blaublütigen auch Erlösung aus ihrem Adel? Ach, es war viel dummes Geschwätz dabei, Prahlerei und Dünkel – und es würde wohl lange dauern, ehe sie ihn so weit hätten, da mitzumachen. Er sah andere Dinge für die Zukunft, andere Werte für das Leben: die standen auf dem Bort in seinem Stübchen, die waren festgeschrieben in den Büchern, die gehörten in die Welt von Mijnheer Louis und Joris Moonen.

Zu dieser Welt war er unterwegs, dort würde er zu Hause sein. In dieser Welt gab es keine Unterschiede, keine Armen und Reichen, keine Lohnarbeiter und keine Geldmänner – da waren sie alle gleich, da galt allein der Mensch, und jeder, der ein wenig Gefühl und Auffassungsgabe hatte, war dort willkommen. Die Welt des Geistes und der Schönheit, sie fragte nicht danach, ob man katholisch oder evangelisch war, vermögend oder unbemittelt, politisch hier stand oder dort – das waren alles Nebensächlichkeiten, die bei tieferem Verständnis jedes Sinnes entbehrten. Mensch sein genügte. Und Merijntje hielt seine Erwartung, diese Welt müsse für alle offenstehen, für so schlicht und selbstverständlich, daß nichts weiter zu tun blieb, als jedermann darauf hinzuweisen und geduldig hinzulenken. Nur die Sozialen, wie Arjaan einer war, die würden es sich nicht nehmen lassen, mit Barchenthose und Schirmmütze aufzutauchen und zu krakeelen: „Weg da – hier kommen wir!" Und sie würden sofort zu schnüffeln beginnen, ob sie nicht doch irgendwelche Unterschiede feststellen könnten, und einen schrecklichen Spektakel anheben in dieser stillen Welt. Er mußte aber doch lachen bei der Vorstellung. Er sah die Sozialen emsig die Dichter durchsieben – bitte schön. Du gehörst zu uns, du zu den anderen. Und wenn sie die Spreu vom Weizen getrennt hatten, bekamen die einen die Schirmmütze auf, die anderen den Zylinder. Und dann standen sie sich also wieder gegenüber, verteufelten einander und versuchten sich gegenseitig den Garaus zu machen. Welch ein Wahnsinn! Wie bekamen die Menschen so etwas nur fertig! Warum fanden sie immer Gründe, den anderen zu hassen und zu bekämpfen, ganze Völker, gesellschaftliche Schichten, Rassen, Nachbarn, Verwandte – stets mußten sie Unruhe stiften und einander das Leben sauer machen. Mißgünstige, boshafte Wesen, sagte Doktor Presco, unendlich viel gefährlicher und niederträchtiger als die harmlosen Raubtiere. Boshaft und gefährlich oder nicht – verrückt waren sie auf jeden Fall. Die Sozialen bestimmt. Die lebten doch nicht, wenn sie sich nicht austoben konnten! Merkwürdig, daß so viele dabei mitmachten. Arjaan behauptete, Rotterdam wimmele von ihnen... Na, ihm konnte es gleich sein, er fand Rotterdam trotzdem schön.

Er hatte nicht gewußt, daß die Bewegungen der Kräne über Schiffen und Speicherhäusern, getaucht in hellen, diffusen Schimmer von Rauch und Dampf, mit großen, dunklen Wolken darüber und niederjagenden Regenschauern davor, so ungemein anmutig sein konnten. An sich war die Stadt doch düster und farblos, hektisch und lärmend, schmutziggrau und trübe. Eigentlich hätte sie abgrundhäßlich wirken müssen auf sein Auge, das einen weiten Blick über frisches, blühendes Land mit schwankenden Bäumen und dem warmen Rot der Dächer zwischen all dem Grün gewöhnt war. Aber er konnte es nicht mehr häßlich finden. Schön war dies alles, denn es war etwas Großartiges dabei, etwas Gewaltiges, als hantierten da Riesen mit ungeheuren Werkzeugen; die Luft war erfüllt von dem Gedröhn ihrer Taten, alles bebte unter der Leidenschaft ihrer übermenschlichen Anstrengung. In dieser unheimlichen Finsterkeit, in dieser grau verrauchten Atmosphäre lag doch etwas Heiteres, etwas Lockendes, das nach einem rief, als wollte es dazu auffordern, teilzunehmen an dem ruhelosen, geschäftigen Treiben. Das war es... Eine Lust durchzuckte seine Muskeln, mit anzupacken. Alles bewegte sich, rackerte, lief herum, schleppte sich ab, war eingefügt in das enorme, komplizierte Räderwerk mühseliger Arbeit: Rotterdam war das. Ein Bienenkorb, summend von Gewerbefleiß, ein Ameisenhaufen, in dem alles durcheinanderkribbelte und doch sorgsam geregelt war – aber hier war es maßlos vergrößert, ins Riesenhafte gesteigert. Die ganze Stadt ratterte und donnerte von der Arbeit. Überall breitete sie sich aus, auch in der Innenstadt mit ihren Geschäftshäusern, Kontoren und Warenlagern, den Läden und Werkstätten, den überfüllten Binnenhäfen und lauten Märkten. Frachtwagen holperten, Schauermänner buckelten Ballen und Kisten, rollten dumpf rumpelnde Fässer über das Pflaster, bebrillte Handlungsgehilfen, in den Händen Papiere, eine Feder hinter dem Ohr, krochen kontrollierend zwischen den Güterstapeln herum. Straßenhändler sangen und schrien, in großen Fabriken raste das Maschinenwerk, auf der Börse trafen sich die einflußreichen Herren, Reeder und Geschäftsleute, kauften und verkauften, hielten die Menge in Atem. Alles schob und drängelte, die Straßen waren überfüllt von Menschen, die irgendwohin eilten und Aufträge erfüllten, Botschaften überbrachten, Bestellungen und Waren. Züge und Schiffe kamen und gingen, trugen unermeßliche Reichtümer heran und davon, trafen aus fernen Ländern ein und schwärmten in andere ferne Länder aus.

Aber das Herz der großen, unermüdlichen Stadt, das war der Hafen. Da klopfte das gewaltige Leben, von dort überflutete es die City und spülte in die entlegensten Winkel, hier keuchte und brauste die unbezwingbare Inbrunst, die alles beseelte und in Trab hielt. Der Hafen war nie still, nicht bei Tage und nicht bei Nacht. Ununterbrochen wütete dort die Arbeit, ohrenbetäubend. Sirenen heulten, schrille Warnsignale pfiffen und brüllten, Schiffsglocken schellten, Loren glitten über die Schienen, Kräne schwenkten ihre mächtigen Arme, Dampf zischte und stieb in weißen Wolken in die Luft, die schweren Rümpfe der Ozeanriesen zeigten drohend in den Himmel. Das wirbelnde Wasser glitzerte in allen Regenbogenfarben. Jollen, Prahme und schnaufende Schlepper kreuzten, und überall tummelten sich die Menschen, klein und unscheinbar, zwischen den massigen, dunklen, angsteinflößenden Ungetümen der Technik und hielten mit ihren winzigen Händen den imposanten Mechanismus in Bewegung. Jeden Augenblick veränderte sich das Bild, verschoben sich die Einzelteile, wechselte das Licht, aber das donnernde Getöse der Arbeit endete nicht, ununterbrochen pumpte der Hafen das lebendige, heiße Blut durch den schwerfälligen Körper Rotterdams. Ein Strom von Menschen ergoß sich zwischen Hafen und Stadt, Dockarbeiter, Büroangestellte, Fuhrmänner und Matrosen. Fremdländische, malerische Mannigfaltigkeit: schlanke, große Neger, chinesische Branntweinbrenner mit ihren maskenartigen Schlitzaugen, unergründlich und geheimnisvoll, braune Javaner mit stillen Gesichtern und gleitendem Schritt, dunkle Araber mit hellfunkelnden oder glanzlos verträumten Augen, Amerikaner und Deutsche, blonde Norweger und drahtige Engländer; aus aller Herren Ländern waren sie herbeigekommen, um teilzuhaben am strudelnden, fieberhaften Leben Rotterdams, dieser so vital pulsierenden Großstadt.

Von Tag zu Tag wurde er stärker von dem wilden Zauber überwältigt, der von der unruhigen Handelsmetropole ausging, an die er mit Abscheu gedacht hatte und die ihm ein Ort des Schreckens gewesen war – die er, alles was recht ist, verkannt hatte. Allmählich trat das Bild des weiten, stillen Landes mit seinem langsam im Rhythmus der Jahreszeiten atmenden Leben in den Hintergrund ... Schön und träge ... Gewiß, es war schön – aber das hier war auch schön, schön auf eigene Weise. Erregend wirbelte und kreiste es wie das strömende Wasser der Maas, es bewegte sich mit bestürzender Schnelligkeit, riß einen mit, ließ einem keine Zeit, Luft zu holen, stieß einen mitten hinein in ein scheinbares Chaos, in dem doch Ordnung war und in dem alles in sorgfältig geplanten und wohlüberlegten Bahnen lief. Aber es konnte hier nur leben, wer sich dem dröhnenden Betrieb ganz hingab und nicht abseits stand. Hals über Kopf mußte man sich hineinstürzen und zugreifen, darin eintauchen, um sich mitzudrehen als kleines, aber rastlos rotierendes Rädchen in der ungeheuren Maschinerie.

Es war eine starke, leidenschaftliche Schönheit, die sich mehr und mehr vor ihm auftat. In vielem roh und ungehobelt, aber doch männlich kraftvoll und frisch wie der feuchte Wind, der über die offenen Wasser der Stadt wehte. Etwas Verwegenes, das empfindsame Naturen verschrecken mochte, das sie zugleich aber anzog, denn es war nicht bösartig, sondern dreist und übermütig. Merijntje konnte jetzt Arjaans Begeisterung verstehen, wenn er von Rotterdam schwärmte und nicht weg wollte.

„Diese Stadt", sagte Arjaan, „ist wie ein strammes, wildes Mädchen, von dem man nie genug kriegen kann. Du magst wohl Ärger mit ihr haben, dich mit ihr tüchtig in den Haaren liegen, aber du kehrst immer wieder brav zu ihr zurück und kannst dir nicht vorstellen, daß es irgendwelche Unstimmigkeiten gegeben haben soll – so schön, so verflucht schön ist sie, zart und verlockend das Fleisch, und ihr Wesen feurig wie ein junges Pferd."

Er schnalzte mit der Zunge, als fühlte er wirklich den üppigen Leib eines Mädchens in seinen Armen. Merijntje mußte darüber lachen, aber Arjaans Enthusiasmus schien ihm nicht mehr lächerlich, unbillig oder fehl am Platz. Er begann ja auch Feuer zu fangen und mit Bewußtsein darin zu leben; sie regte sich in seinem Blut, diese quirlige Stadt, er sah ihre gesunde Schönheit.

Das faule Herumlungern behagte ihm sowieso nicht mehr, und auch die Bücher vermochten ihn kaum noch zu fesseln wie früher. Immer wieder irrten beim Lesen seine Blicke nach draußen, folgten den Schiffen im Königshafen; er lauschte den Geräuschen von Straße und Wasser, dem Dröhnen eines Zuges, der über die Brücke fuhr, dem Gebrüll von Stimmen. Rotterdam rührte sich, arbeitete, vergnügte sich und sang. Rotterdam rief nach ihm ... Langsam schloß seine Hand das Buch, und lächelnd nickte er. Gut, er würde kommen ... Und als Nachbar van Tol eine Woche später vorschlug, ihn zum Hafen mitzunehmen und den Vormann zu bitten, ihm mit Gelegenheitsarbeit als Schauermann auf den Weg zu helfen, pflichtete er eifrig bei. Vor Aufregung konnte er an diesem Abend keinen Schlaf finden.

·Viertes Kapitel·

I

Im Hafen gibt es überreichlich Arbeit, und es mangelt an Arbeits-
kräften. Jeder, der sich meldet, wird sofort angenommen. Die
freien Schauerleute sind keinen Tag ohne Beschäftigung. Oft müssen Schiffe im Strom an den Bojen liegenbleiben, weil am Kai
kein Platz für sie ist und keine Hände zum Löschen frei sind. Die
großen Hafenbecken werden zu klein. Pläne reifen, einen neuen
Hafen zu bauen. Mit gleichgültigem Gesicht werden phantastische
Zahlen genannt: die Kosten kommen rasch wieder ein ... Rotterdam blüht, der Handel platzt aus den Nähten. Überall wird gebaut: Speicher, Bürohäuser, Wohnviertel. Aus allen Weltteilen
strömen die Güter herbei, Wohlstand und Reichtum fließen in die
Stadt. Der Hafen dröhnt von der Arbeit. Neue, schwerere Maschinen werden herangefahren, mächtigere Kräne heben ihre eckigen Greifarme in den Himmel. Heulend vor Ungeduld klingt der
dumpfe Schrei der Schiffe über das Wasser. Stilliegen ist nicht ihre
Art, sie wollen weiter.

Ihre Rümpfe steigen beim Löschen immer höher und sinken
während des Stauens der neuen Ladung wieder hinunter. Wie emsige Insekten kriechen die Schauerleute über den gewaltigen Leib,
in den trächtigen Bauch. Keuchend schleppen sie die Fracht hinein, hinaus ... Die Winden rasseln, Dampf zischt, schwere Kisten
und Fässer poltern auf Eisendecks, Befehle gellen heiser über

den Lärm hinweg, ein Liedfetzen verklingt, Flüche knallen wie Peitschenhiebe, ratternd rollen die Loren hin und her. Es stinkt nach Qualm und Öl, nach Moder und faulem Wasser, nach Schweiß und ranzigem Fett. Weißglühend steht die Sommersonne am wolkenlosen Himmel und breitet sengende Hitze über die Steine, die Decks und die Blechdächer der Speicherschuppen. Die Luft flimmert über Erde und Wasser, die hohen Gebäude auf der gegenüberliegenden Seite zittern eigentümlich, als sei ihnen schwindlig von der unerträglichen Wärme, die trocken und ohne Erbarmen aus der stahlblauen Kuppel niederfällt. Die vollblütigen Pferde vor den Frachtwagen haben dunkle, feuchte Flecke auf dem Hals. Mit Kopf und Schwanz erwehren sie sich der Fliegenplage, dieser stechenden Schmeißfliegen, die in Scharen um sie herumschwärmen. Träger ächzen unter ihrer Last, fluchen stumpf, wischen sich den beißenden Schweiß aus den Augen.

Merijntje Gijzen ist in das Heer der Hafenarbeiter eingereiht. Er hat seinen Platz in dem gewaltigen Räderwerk eingenommen und hat teil an der Arbeit, die Rotterdams Blut und Atem ist, der dröhnenden, nie abreißenden Arbeit im Hafen.

Die ersten Tage sind unmenschlich schwer gewesen. Seine Mutter hatte sich aufgelehnt: Warum mußte er ausgerechnet unter die Schauerleute gehen? Er hatte doch ein Handwerk gelernt... Es wäre bestimmt etwas anderes zu finden – in einem Baubetrieb oder irgendwo... Was hatte er bei den Schauerleuten zu suchen, diesem rüden Volk, von dem man die übelsten Geschichten hörte? Die verdienten ihr vieles Geld nur zum Versaufen, und wenn sie den Hals voll hatten, dann prügelten sie sich und hurten herum, daß es nur so eine Art hatte, diese ungehobelten, gottlosen, aufrührerischen Halunken...

Sein Vater jedoch hatte nur vor sich hin geschmunzelt. Der Junge würde schon von allein aufhören! Er selber hatte es in Zeiten der Arbeitslosigkeit und drückenden Armut auch manchmal versucht. Aber es war ihm nie gelungen, es länger als ein paar Tage auszuhalten. Er war jedesmal wie gerädert nach Hause gekommen, mit wundgescheuerten Schultern, zitternden Knien und einem Gefühl, als müsse er auf der Stelle umfallen. Merijntje würde auch bald genug davon haben.

Das war Schinderarbeit.

Es war wirklich Schinderarbeit, und Merijntje ging es genau wie seinem Vater. Aber er wollte nicht aufgeben. Er biß die Zähne zusammen und bemühte sich, die steifen Beine beweglich zu halten. Doch er wagte nicht, Mieke hochzuheben, aus Furcht, sie würde seinen unsicheren, zitternden Händen entgleiten. Sein ganzer Körper war ein einziger Schmerz, alle Muskeln brannten vor Überanstrengung und Müdigkeit. Er wich den prüfenden Augen seiner Mutter aus, dem lächelnd fragenden Blick des Vaters, aß mit langen Zähnen die schmackhaft zubereiteten Speisen und kroch ins Bett, zu kaputt und abgemattet, um Schlaf zu finden. Unausgeruht schleppte er sich am frühen Morgen durch die kaum zum Leben erwachten Straßen wieder zur Arbeit. Der Tag wurde zur höllischen Marter. Nieselregen legte sich über den Hafen, machte alles kalt und klebrig, die Steine speckig glatt. Die feuchten Kleider rieben den verschwitzten Körper wund, überall wo sie nur drükken und schnüren konnten. Der Tag war noch nicht halb um, da begann ihn schon der beschämende Wunsch zu quälen, alles hinzuschmeißen, sich krank zu melden, sein Geld abzuholen und nach Hause zu gehen – nach Hause ins Bett, und nie mehr zurückzukehren, nie mehr an diesen Folterort. Aber er lehnte sich dagegen auf, bockig, hartnäckig; er gönnte es ihnen daheim nicht, ihn kapitulieren, mit hängenden Flügeln der viehischen Arbeit davonlaufen zu sehen, die er auf Biegen und Brechen hatte anpacken wollen. Sein zorniger Trotz hielt ihn aufrecht. Er spannte die Muskeln bis zum äußersten – und schaffte es.

Diesen Abend taumelte er wie betrunken nach Hause und stolperte, sich mühsam am Geländer hochziehend, die drei engen Treppen hinauf. Mit mürrischem Gruß setzte er sich an den Tisch, gab auf die besorgte Frage seiner Mutter, wie es gegangen sei, eine unfreundliche Antwort, aß wie ein Wolf, wusch sich in der kleinen Küche den schmutzigen, schmerzenden Körper, ging zu Bett und fiel wie ein Klotz in Schlaf ... Und jeden Abend schwor er sich, dies sei der letzte Tag gewesen, doch am nächsten Morgen stand er pünktlich auf, noch verschlafen und schwindlig vor Erschöpfung, ließ sich das eiskalte Leitungswasser über Kopf, Nacken und Arme laufen und ging zum Hafen, einer von vielen in dem Strom der stämmigen Kerle, die zu den Anlegeplätzen zogen, Kaffeekrug und Brotsack über der Schulter – ein Schauermann ...

Er würde nicht aufgeben, und wenn er dabei umfiel. Er hatte das Gefühl, das könne jede Minute geschehen, besonders um die Mittagszeit. Dann waren seine steifen Muskeln wie gelähmt und der Rücken wie zerbrochen unter den zentnerschweren Lasten. Die über Nacht verharschten Scheuerwunden auf den Schultern waren wieder aufgerieben, und ein tiefer Riß am Oberschenkel, den er sich an einer zerbrochenen Reling geholt hatte, brannte, als läge glühendes Eisen darauf. Aber er blieb zäh. Er wußte schon, daß es besser würde, wenn der Körper lange genug in Bewegung war und die Muskeln sich lockerten. Und es wurde besser! Der Körper wurde unempfindlich, er lief und trug, er mühte sich und keuchte, schob sich mechanisch vorwärts, halb unbewußt, getrieben von dem steinharten Willen, der ihn kommandierte, unablässig wiederholend: Du mußt, du mußt!

Merijntje sprach wenig, konnte seine Luft zu Besserem gebrauchen. Auch in den Essenspausen saß er schweigend da, kaute sein

Brot, starrte vor sich hin und frägte sich, ob er diesen Abend heil erleben werde.

Einer aus der Gruppe schaute ihn jedesmal interessiert an, ein junger Kerl, fast einen Kopf größer als er und entsprechend breit, ein Riese an Kraft, der unter seinen Lasten dahintrabte, als trüge er sie zu seinem eigenen Vergnügen. Er hatte ein etwas einfältiges Gesicht von der täppischen Gutherzigkeit eines jungen Hundes, und seine blauen Augen blickten wie die eines Kindes in die Welt, harmlos und unbekümmert.

Am vierten oder fünften Tag, den sie zusammen in der Gruppe arbeiteten, sprach er Merijntje in der Mittagspause an:

„Du bist wohl noch nicht lange da, was?"

„Nein."

„Dacht ich mir. Hab dich meines Wissens noch nie im Hafen gesehen. Arbeitslos?"

„Ja."

„Mist! Gefällt dir hier wohl nicht?"

„Och, man gewöhnt sich an alles."

„Natürlich... Du bist bloß noch zu steif – in den Knien ein bißchen durchsacken, dann geht's viel leichter."

Merijntje sah ihn zweifelnd an.

„Wirklich! Guck mal, so – ganz locker... Wie heißt du eigentlich?"

„Gijzen."

„Ich heiße Dekwaadsteniet... Ja, Mann, du hast richtig gehört: ‚Der Schlechteste nicht'. Wahrhaftig, Klaas – der Schlechteste nicht... Klaas Dekwaadsteniet... Verrückt, was? So ein blöder Name! Es heißt, mein Urgroßvater hätte ihn aus dem französischen Krieg mitgebracht. Der war Schiffer, genau so ein Bär wie ich, aber noch ein Ende größer und schwerer. Man soll von ihm gesagt haben, daß er nicht der Schlechteste war, und das haben die französischen Tröpfe dann als seinen Namen aufgeschrieben... Und jetzt sitzt die ganze Familie damit da – Schweinerei verdammte!"

Merijntje lachte kopfschüttelnd.

Dieser Bursche redete, als hätte er heute noch keinen Handschlag getan, so frisch und munter.

„Ach, was macht ein Name schon aus!" tröstete er ihn.

„Sag das nicht", widersprach der andere. „Immer grinsen alle, wenn ich ihn irgendwo angebe. Beim Militär haben sie gleich einen Reim darauf gemacht. ‚Wer diese Schnauze sieht, der spricht: Das ist bestimmt der Schlechteste nicht...' So ein Quatsch, was? Aber sie hatten ihren Spaß daran. Wie sie wollen... Ich war bei den Grenadieren in Den Haag, und der Sergeant nannte mich ‚Des lieben Herrgotts Birnenpflücker' – wegen meiner Länge."

Er hieb sich klatschend auf die mächtigen Schenkel; es klang, als ob er Holz auf Holz schlug. Er lachte dröhnend, seinen roten Mund hatte er weit geöffnet, den Kopf in den Nacken gelegt.

Jan lacht genauso, dachte Merijntje.

„Sag du ruhig Klaas zu mir, das ist kürzer und nicht so verrückt", fügte der andere hinzu, als er sich beruhigt hatte.

„Ich heiße Merijntje. Aber hier sagt man Tinus."

Klaas sah ihn verwundert an. „Und wo sagt man Merijntje?"

„Bei uns zu Hause... Wir sind Brabanter."

„Oh, ich habe auch Verwandte in Brabant, in Tilburg. Ist das in eurer Gegend?"

„Nein, auf der andern Seite."

„Ach so, na, ist ja egal ... ich hab sie noch nie gesehen, die Mischpoke... Gut, dann sag ich eben auch Merijntje."

„Ja bitte, wie du willst."

Nach diesem belanglosen Gespräch war Klaas sein Freund geworden. Er hatte sich ihm einfach angeschlossen, als müßte es so sein. Vielleicht tat ihm der Neuling leid, der bei jeder Pause so todmüde aussah und doch nicht schimpfte oder fluchte. Er half ihm ein bißchen und brachte ihm die kleinen Tricks bei, die das Tragen erleichterten: eine Änderung der Haltung, des Ganges, eine bestimmte Art, die Last abzuwerfen. Nach der Arbeit ging er wie selbstverständlich neben ihm her bis dorthin, wo ihre Wege sich trennten. Dabei erzählte er alle möglichen Geschichten von diesem oder jenem Hafenarbeiter oder auch über sich selber. Er hatte eine naive, unbefangene Art, seine ungeheure Persönlichkeit ins Licht zu setzen.

Merijntje erwiderte ab und zu ein Wort, lachte, hörte auf die dunkle Stimme, ohne recht aufzunehmen, was sie sagte. Es war eine angenehme Brummstimme, grob, aber sympathisch, und Merijntje war froh, irgend jemand neben sich zu haben, jemand von der Arbeit. Dann hatte man nicht mehr so sehr das Empfinden, daß man daran zerbrach, ohne daß ein Sterblicher sich um einen kümmerte.

An diesem Abend kam er munterer nach Hause, ging nach dem Essen nicht wie sonst sofort ins Bett, sondern spielte noch eine Weile mit Mieke und stand Jan Rede und Antwort auf seine tausend neugierigen Fragen: was für ein Schiff Merijntje lösche, woher es komme, ob es sehr groß sei, ob er wohl in die Kapitänskajüte dürfe, ob die Schauerleute sich auch während der Arbeit prügelten, ob er denn gar keine Angst vor ihnen habe... Jan wollte auch Schauermann werden. Das war der beste Beruf in ganz Rotterdam, und man verdiente eine Masse Geld. Und stark wurde man davon... Laß mal fühlen, was du für Muskeln hast...

Und dann ging es von Tag zu Tag besser. Man gewöhnte sich daran. Die Haut wurde hart und scheuerte sich nicht mehr wund. Der Rücken ertrug die Zentnerlasten ohne das Gefühl, gleich darunter zusammenbrechen zu müssen. Die Muskeln stellten sich auf die Arbeit ein, wurden geschmeidiger und doch hart wie Eisen. Merijntje staunte über die Anpassungsfähigkeit seines Köpers, dessen Potenz sich vervielfältigte, der reichliche und fette Nahrung verlangte, gierig verschlang, was er früher nicht angenommen hätte – fettes Fleisch, Rahmmilch, zerquirlte Eier, alles was Kraft gab. Merijntje wuchs in die Arbeit hinein, seine Hände schienen breiter, die Finger klammerten sich wie Eisenhaken um die Sackbünde, seine Schenkelmuskeln spannten und entspannten sich mühelos beim wiegenden Gang unter der drückenden Last. Er war zwar nach wie vor noch müde und heilfroh, wenn die Schufterei ein Ende hatte, aber es war eine gesunde Müdigkeit, nicht so lähmend und bleiern wie zu Anfang und vor allem ohne die stechenden und ziehenden Schmerzen im ganzen Körper und ohne das Gefühl, gleich umfallen zu müssen.

Manchmal, wenn er nackt in der Küche stand und sich wusch, bemerkte er die Veränderungen an seinem Körper: kein Gramm Fett, alles Sehnen und Muskeln. Dann reckte er sich stolz und atmete tief die Luft ein, so daß die Muskeln um Bauch und Brustkorb hart wie Stahl wurden – und dichter kräuselten sich die dunklen Haare darüber. Gewiß, er gehörte nicht zu den Größten und Breitesten aus der Gruppe, denn es gab Kerle wie Büffel mit einem Stiernacken und Händen wie Greifkräne. Aber er selber brauchte sich auch nicht zu verstecken, er konnte sich durchaus sehen lassen – und es würde noch besser werden!

Seine Bücher hatten wochenlang unangerührt auf dem Regal gestanden, und nun kehrte er zu ihnen zurück. Erst war es seltsam ... Die schönen Worte ärgerten ihn – es war alles so fein, so ätherisch, so unendlich weit von seinem augenblicklichen Leben entfernt. Da gab es keine groben Gesellen, keine schuftenden, schwitzenden und fluchenden Schauerleute in blinder Wut, dem unerbittlichen Druck der Arbeit preisgegeben. So ein Dichter lebte nur seinen Gefühlen, schrieb seine Verse mit spitzer Feder auf das weiße Papier, träumte, liebte, klagte und jubelte – aber von dem grimmig harten Leben Merijntjes und seiner Kameraden wußte er nichts.

Auch nicht von der wilden, lärmenden Schönheit einer Stadt wie Rotterdam, so wie sie Merijntje in tiefer Verwunderung entdeckt hatte und wofür andere Worte nötig wären als die süß und melodisch klingenden der Dichter. Doch, wenn er das Buch ärgerlich zuklappen wollte, wurde er plötzlich von einer Zeile angerührt, die etwas anderes in ihm weckte, Erinnerungen heraufbeschwor, die Atmosphäre eines fast vergessenen Abends, die Wehmut ausdrückte, Verlangen nach etwas, was höher, edler, leuchtender war als das gegenwärtige Leben: das Lauschen auf die unbeschreiblich ergreifende Musik, die Gespräche mit Mijnheer Louis in dem stillen Zimmer, das unbestimmte Träumen in der Nacht mit den Sternen vor dem Fenster, das innere Erschauern beim Dämmern neuer Erkenntnisse und Hoffnungen ... Dann las er weiter, horchte auf seine eigene halblaute Stimme, und langsam trieb er zurück in jene Welt, wohin seine tiefste Sehnsucht ihn zog ...

Aber je weiter er las, desto mehr wurde er irre an sich selbst. Ob er sich in seiner Bewunderung für die Schönheit von Rotterdam nicht doch täuschte? Hatte diese brandende Geschäftigkeit, dieses dröhnende Leben überhaupt etwas mit Geist und Schönheit zu tun? War nicht alles roh und häßlich, zu schreiend, zu grell – nur aus der Sucht nach Geld und Macht geboren? War die gewaltige Kraft, die alles bis zum Bersten erfüllte und die doch immer wieder gebändigt und in Schranken gehalten, in die richtigen Bahnen gelenkt wurde, nicht voller Brutalität? Konnte in so etwas Nüchternem wie Handel und Verkehr mit ihrer betriebsamen Hast, der Jagd nach Geld und Gewinn überhaupt etwas von jener Schönheit liegen, über die Mijnheer Louis und Joris nur in ehrfürchtigen Worten sprachen? Hatte er sich da nicht einer Einbildung hingegeben, sich etwas zusammengereimt, was nur in seiner Phantasie existierte?

Er mußte Mijnheer Louis einmal danach fragen, ihm genau alles darstellen, was er empfand ... Eifrig suchte er Papier und Schreibzeug hervor und begann, einen Brief aufzusetzen. Seine steifen Finger konnten die Feder kaum führen, immer wieder blieb die Spitze in dem fasrigen Papier hängen und machte Spritzer. Aber das störte ihn nicht. Viel schwieriger war es, deutlich auszudrücken, was ihn bewegte, wie er Rotterdam sah, wie ihm die Stadt als lebendiges Wesen erschien mit ihrem fieberhaften Pulsschlag, ihrem jagenden Atem ... und daß er sich deshalb zu den Schauerleuten gedrängt hatte und nun im Hafen schuftete, Schiffe leerschleppen half – Schiffe mit Erz, mit Südfrüchten, mit Steinkohle, mit Getreide, mit Erdnüssen und allem, was nur herbeigefahren wurde. Und daß ihm nun Zweifel gekommen seien und er nicht wisse, ob er recht habe oder nicht.

Vielleicht sei er ja ein Dummkopf, der nicht schön von häßlich zu unterscheiden vermöge, und Mijnheer Louis dürfe nicht denken, er sei undankbar und habe ihn vergessen, weil er so selten schreibe. Die Arbeit sei entsetzlich schwer, und abends sei er zu müde und könne die Feder kaum noch halten, so hart und steif seien seine Finger ... Aber die Maas sei doch wirklich schön, und der Hafen oftmals auch mit den gigantischen Schiffen – die grauen Wolken über dem unruhigen Wasser, die Sonne darauf, und über allem der träge Smog, verschwommen im Hintergrund die Stadt ...

2

Am Sonntagnachmittag kam Klaas. Er fand seinen Freund lesend im Vorderzimmer, in das Frau Gijzen den Riesen ein wenig mißtrauisch hineingeführt hatte.

Merijntje legte sein Buch weg, schob für Klaas einen Stuhl ans offene Fenster und setzte sich dazu.

„Schöne Aussicht hier über das Wasser!"

„Ja. Du bist sicher froh, daß du endlich mal Schiffe siehst, was?" spottete Merijntje.

Klaas lachte, dann blickte er sich um. „Was für ein Haufen Bücher! Gehören die alle dir?"

„Ja."

„Wir sind auch auf so einen Roman in Fortsetzungen abonniert... Jetzt haben wir ‚Anita de Mondeza oder Der Kampf um Kuba'... Mann, da stehen dir die Haare zu Berge!"

„Bauernfang", mokierte sich Merijntje von oben herab.

„Das ist wahr", stimmte Klaas treuherzig zu. „Bei jeder Fortsetzung ist ein Gutschein. Wenn man so viel Gutscheine wie Fortsetzungen hat, soll man ein Kaffeeservice kriegen, und deshalb bringen sie einem einfach die letzte Nummer nicht mehr. Dann sparen sie sich ihr Service, diese Gauner!"

„Das wollte ich damit nicht sagen. Ich meine die Bücher selbst – die sind sowieso nichts wert, die haben mit anständiger Literatur nichts zu tun, sind keine richtigen Romane, keine Kunst. Solchen Schund kann sich jeder beliebige Tölpel aus den Fingern saugen."

Klaas machte ein betretenes Gesicht.

„Findest du? Ich kann es immer kaum erwarten, bis die nächste Fortsetzung da ist. Na ja, aber soviel verstehe ich nicht davon... Kommst du mit, irgendwo in der Stadt ein Glas Bier trinken?"

Eigentlich hatte Merijntje zu Hause bleiben und lesen wollen. Aber er mochte Klaas nicht vor den Kopf stoßen. Er war ein guter Kamerad...

„Gut, dann los!" sagte er und rief seiner Mutter zu, daß er fortgehe.

„Komm nicht zu spät nach Haus!" mahnte sie in alter Gewohnheit und unwillig über die Gesellschaft des gefährlichen Schauermanns.

Auf der Straße kam Jan auf sie zugesprungen. „Darf ich mit, Merijntje?"

„Du bist wohl verrückt!"

„Ist das ein Bruder von dir?" fragte Klaas.

„Ja, das ist Jan – der größte Lümmel im ganzen Viertel."

„Nach dir!" gab Jan zurück, duckte sich aber vorsichtshalber, um dem erwarteten Schlag zu entgehen.

Klaas lachte: „Au, genau ins Auge! Reich mir die Hand, junger Freund!"

Zögernd legte Jan seine schwarze Pfote in die Bärenpranke von Klaas.

„Bist du ein Kollege von Merijntje? Bist du auch Schauermann?"

„Erraten."

„Wenn ich groß bin, will ich auch Schauermann werden. Bin ich schon stark genug? Fühl mal meine Muskeln..."

Klaas betastete seinen gespannten Bizeps, und Jan schaute erwartungsvoll in sein Gesicht. Er wurde nicht enttäuscht, denn Klaas riß die Augen weit auf vor ungläubigem Staunen.

„Du lieber Himmel!" rief er erschrocken. „Wie Eisen! Na, du wirst mal ein Schauermann!"

Jan seufzte und lachte zufrieden. „Ich komme ein Stück mit", sagte er fröhlich, „bis an die Ecke... Darf ich?"

„Klar, warum nicht..."

Frech schob er sich zwischen sie und blickte stolz nach rechts und nach links, ob auch jeder sah, mit wem er da loszog. Dann versuchte er sich an die Arme der beiden Älteren zu hängen; und als er merkte, daß es hielt, streckte er die Beine waagerecht in die Luft und ließ sich gemütlich tragen.

„Guckt mal, was ich kann!" schrie er voller Begeisterung. „Das könnt ihr nicht!"

„Ich ja", sagte Klaas. „Paß auf!"

Und schon hockte er sich nieder und reckte ein Bein nach vorn, so daß Jan plötzlich mit seinem Sonntagsanzug auf dem staubigen Bürgersteig saß. Sofort sprang der Kleine hoch, klopfte sich den

Hosenboden ab und rief wütend: „Das ist gemein du! Paß ja auf, daß du nicht eins aufs Auge kriegst!"

Merijntje und Klaas lachten laut über seinen Zorn. Der Riese sagte:

„Na, wart noch ein bißchen, bis du ranreichst, Freund! Dann kannst du noch mal wiederkommen ... Hier, das ist für den Schaden."

Er gab ihm ein Dubbeltje. Jan betrachtete ihn mit Augen, groß wie Murmeln.

„Ist ... ist das alles für mich?"

„Genau."

Der Junge warf ihm noch einen Blick zu und vergaß vor lauter Verblüffung, sich zu bedanken: ein ganzes Dubbeltje! Dann drehte er sich um, voller Angst, daß der großzügige Schenker es sich anders überlegen könnte, und rannte davon wie ein von der Sehne geschnellter Pfeil. Lachend schauten die beiden ihm nach und hörten ihn rufen: „Kees! Keehees!" Flüchtig zeigte er seinem Freund den Schatz, und darauf stoben sie Hand in Hand weiter – um die Ecke ...

„So ein Lümmel!" sagte Klaas zärtlich.

„Das setzen sie jetzt alles bei Frau Jacobs in Naschzeug und Zigarren um – das Stück zum halben Cent", grinste Merijntje. „Und nach einer halben Stunde haben sie so viel gegessen und geraucht, daß ihnen kotzübel ist ... Du mußt diesem Lausejungen nicht so viel Geld geben!"

„Soll er auch seinen Spaß haben", sagte Klaas. „Ich weiß ein ruhiges Café am Maaskai. Dort trinken wir ein Bierchen und spielen eine Partie Billard."

Das ruhige Café war ein Schlachtfeld. Ein halbes Dutzend Schiffer war in eine Prügelei mit ebensoviel Schauerleuten verwickelt. Sie hatten alle zuviel getrunken, fluchten, lärmten und bearbeiteten einander mit Billardqueues, Fäusten und Stuhlbeinen.

„Wirklich ein ruhiges Café", sagte Merijntje trocken, als sie vorn in einer Schar von Neugierigen standen. Er bekam keine Antwort und erschrak, als er in Klaas' Gesicht schaute. Mit zusammengebissenen Zähnen und wildem Blick starrte der auf die Prügelei. Sein gutmütiges Gesicht war blaß und wutverzerrt. Er hatte die Fäuste geballt und die Arme leicht gebogen, als wollte er unverzüglich auf die Kämpfenden losstürmen.

Merijntje begriff das nicht. Was focht diesen Kerl denn plötzlich an?

„Was ist denn los?" fragte er.

„Wart mal!" erwiderte Klaas heiser. „Ein Freund von mir ist dabei ... Moment!"

Er sprach mit zusammengebissenen Zähnen und trat einen Schritt vor.

Merijntje packte ihn am Arm und sagte in drängendem Ton:
„Verrückt, Mann! Mach dir die Hände daran nicht schmutzig!
Sollen sie sich doch prügeln!"

Er stand nun vor ihm und hielt ihn an beiden Armen fest.

Klaas' wunderlich starre Augen blickten über die Schulter seines Begleiters auf die kämpfende Gruppe. Dumpf sagte er:
„He, laß mich los!"

„Ich denke gar nicht dran", sagte Merijntje entschlossen. „Du
bleibst hier – du schlägst dich nicht!"

Er zerrte an dem gewaltigen Kerl herum wie ein Terrier, der
sich an einer Dogge festgebissen hat.

Klaas schaute auf ihn hinunter, als begriffe er gar nicht, was der
andere von ihm wollte.

„Du läßt das", sagte Merijntje, „oder ich seh dich nie wieder
an!"

Das starre Gesicht entspannte sich, und ein Lächeln huschte um
den verbissenen Mund.

Da mischte sich ein langer, magerer Kerl in Hemdsärmeln ein:
„Laß ihn doch in Ruhe, Mann! Was kümmert's dich, was der
macht?"

Er gab Merijntje einen Stoß, um ihn von Klaas wegzubringen.

Aber nun packte den Jungen die Wut, und laut klatschend versetzte er dem Langen eine Ohrfeige, daß der sich um die eigene
Achse drehte. Im gleichen Augenblick schoß Klaas' Hand nach
vorn, faßte den mageren Burschen am Schlafittchen und schleuderte ihn Hals über Kopf mitten in das Knäuel der sich prügeln-
den Bande hinein, wo er in schöner Unparteilichkeit mit Fausthieben und Fußtritten empfangen wurde. Klass und die übrigen Zuschauer kreischten vor Vergnügen, und Merijntje, über das erste
Erstaunen hinweg, brullte mit. Der frisch Eingetroffene schrie
Zeter und Mordio, versuchte Fersengeld zu geben, wurde aber
zurückgezerrt und verschwand in der Obhut von vier wüst tobenden Leibern; ein Ärmel hing bereits in Fetzen herab, und das
Blut floß in Strömen aus der zerschlagenen Nase.

„Der hat, was er braucht!" grölte Klaas. „Jetzt kann er sich's
von nahem begucken."

In dem Augenblick drangen Polizisten in das Restaurant.

Klaas packte Merijntje am Arm.

„Komm", sagte er, „komm bloß raus hier, sonst passiert doch
noch was ... Sobald Polypen kommen, sehe ich rot!"

Gemeinsam arbeiteten sie sich durch die Neugierigen hindurch
und liefen zur Maasbrücke hinauf. Merijntje spürte noch immer
die Stelle, wo Klaas' Finger seinen Arm umklammert hatten; das
würde wohl blaue Flecke geben. Was mußte der Kerl für Kräfte
haben! Wenn man sich vorstellte, daß er anfing, um sich zu schlagen ...

Zufrieden sagte er: „Na, ich bin jedenfalls froh, daß du's deinen Freund allein hast ausbaden lassen."

Klaas seufzte tief und blieb stehen, um sich eine Zigarre anzustecken.

„Es war gar kein Freund von mir dabei", bekannte er verlegen.

„Was?" rief Merijntje überrascht. „Und weshalb wolltest du denn überhaupt mitmachen?"

Klaas zuckte die Achseln. „Weiß ich?" sagte er schuldbewußt. „Das ist ja eben das Verrückte." Er grinste vor sich hin und fuhr dann in kindlicher Verwunderung fort: „Ich bin doch, verdammt noch mal, bestimmt nicht so schnell aus der Ruhe zu bringen, man kann mit mir machen, was man will, mich stört es nicht, ich lach gern mit, wenn sie mich durch den Kakao ziehen. Aber sobald ich sehe, daß sich irgendwo ein paar prügeln, ist's aus mit mir. Dann juckt es mir in den Pfoten, ich werde eiskalt vor Wut und muß losschlagen, ob ich will oder nicht, ganz egal, auf wen und warum... Verrückt, was?"

Hilflos fragend sah er seinen Freund an. Sein Gesicht war wieder gutmütig, jungenhaft, ein wenig simpel.

Merijntje lachte leise... Lieber Himmel, was für merkwürdige Geschöpfe waren doch die Menschen! Man wurde einfach nicht klug aus ihnen. Aber wie sollte das auch möglich sein, wenn sie sich selber nicht einmal begriffen? Doch plötzlich fand er es nicht mehr merkwürdig, sondern dumm und kindisch, und ärgerlich fuhr er Klaas an:

„Du Affe, wenn du doch weißt, wie idiotisch das ist, warum tust du's denn? Du hast doch deinen Schädel gekriegt, um ihn zu benutzen!"

Klaas nickte. „Das sagt mein Alter auch immer", gab er zu, „aber der ist genauso gewesen... Jetzt nicht mehr, weil er's auf der Brust hat. Und wenn er in Wut gerät, geht ihm die Puste aus. Aber wenn er noch so könnte, wie er wollte – ich weiß ja nicht, was dann manchmal passierte."

Sieh an! dachte Merijntje, der hat also auch was von seinen Vorfahren geerbt... Was für eine Stinksippschaft! Da verluderte der eine oder andere Ahnherr sein Leben oder hatte irgendwelche miesen Eigenschaften – und prompt bekam man das graue Elend auch auf den Hals... die Sünden der Väter... Und dann blökten sie noch vor Rechtschaffenheit!

„Ich hab schon oft genug dafür im Loch gesessen", erzählte Klaas mit verlegenem Lachen. „Und wenn du eben nicht dabeigewesen wärst, säß ich heute vielleicht wieder drin. Dabei hätte nicht viel gefehlt, und du hättest auch deine Tracht Prügel bezogen... Was bin ich doch für ein Stück Malheur!"

Er fluchte lästerlich vor sich hin und schüttelte verständnislos den Kopf über seine unbegreifliche Narrheit... Da hatte er nun einen Freund, den er von Herzen gern mochte, und doch hätte er ihn vor ein paar Minuten am liebsten krumm und lahm geschlagen. Wie war so etwas nur möglich? In all seiner Gewaltigkeit fühlte er sich klein und hilfsbedürftig und hatte das unbestimmte Empfinden, daß Merijntje ihn beschützen, ihm helfen könne. Der Brabanter war viel klüger als er und immer so ein guter Kamerad . . . Ein warmes Gefühl der Dankbarkeit und Zuneigung erfüllte ihn plötzlich und der Wunsch, irgend etwas für Merijntje zu tun. Gegen den sollte im Hafen bloß mal jemand die Hand erheben, dann würde er aber zeigen, was ihm sein Freund wert war!

„Überleg doch gefälligst vorher, was du tust!" fuhr Merijntje schimpfend fort. „Du bist viel zu stark, um dich zu prügeln. Das gibt ein Unglück, ehe du dich versiehst . . . Na ja, solange du bei mir bist, kann nicht viel passieren. Denn da schlag ich dich schon lieber selber krumm und schief, als daß ich dich mit andern kämpfen lasse."

„Tu das", lachte Klaas, „ich glaub nicht, daß ich mich trauen würde, dir den Schädel zu zertrümmern."

Langsam schwand die Erregung über den seltsamen Zwischenfall. Sie liefen über die Brücke und durch die sonntagsstille Stadt. Aus einer Kirche drang gedämpfte Orgelmusik auf die Straße und der gedehnte Klang lauten Choralgesangs der Gemeinde. Es gab Merijntje ein wehmütiges Gefühl, ließ ihn an ein Sonntagsabenteuer aus seiner Kindheit denken, ängstlich beklemmend und belustigend zugleich. Er erinnerte sich an seinen hingebungsvoll singenden Vater und an Nachbar van Tol und an das bedripste, knallrote Gesicht seines jüdischen Freundes David in dieser separatistischen Kirche, wo ein aufgeregter Prediger, ein reformierter Pfarrer, gegen das Fluchen und die katholische Götzendienerei vom Leder gezogen hatte. Er mußte jetzt noch unheimlich darüber lachen, gleichzeitig spürte er aber auch wieder die Wut über diese blasierte Theologensprache und die Angst davor, daß soviel schandbare Selbstherrlichkeit nicht ungestraft bliebe.

„Worüber lachst du?" fragte Klaas neugierig.

„Das mußt du hören", sagte Merijntje und erzählte ihm die verrückte Geschichte.

Klaas lachte so schallend, daß die Passanten ihn mißfällig ansahen und Merijntje sich genierte.

„Verflixt", wieherte er, „so ein Spaß! Da saß die ganze Männerwelt in der Klemme, und die Frauen standen auf der Straße ohne einen Cent im Beutel. Ich lach mich tot!"

„Du kannst ruhig etwas leiser lachen", sagte Merijntje. „Schrei gefälligst nicht so! Du bist schließlich nicht allein unterwegs – alle Leute gucken sich nach dir um . . ."

Klaas riß sich zusammen, schluckte ein paarmal und wurde rot. Er verteidigte sich schwach:

„Du bist ja selber daran schuld – warum erzählst du mir denn so was!"

Da schmunzelte Merijntje auch wieder. Der Klaas war doch ein ziemlicher Kindskopf – so ein richtiger Rüpel und Taugenichts. Er sah den langen Lulatsch von der Seite an: Spielte er ihm etwas vor? Nein, sein Blick war treuherzig wie der eines jungen Hundes. Er fühlte sich offenbar als der Schwächere, als der, der die Führung eines anderen brauchte.

Eine verschwommene Erinnerung tauchte in Merijntjes Gedanken auf. Das gleiche hatte ihn schon einmal in Erstaunen versetzt... Wann? Wo? Er wußte es nicht mehr. Ach, das gab es wohl öfter. Man erlebte etwas und hatte den Eindruck, als sei es nicht das erstemal... Seltsam war das. Doch plötzlich stand das Gesicht von Kruik vor seinen Augen... Kruik, der Wilderer, der große, starke Kruik, der Janekee und den Grenzwächter erstochen hatte. Ein Schauder lief ihm über den Rücken, und er fühlte sich unbehaglich und nervös. Erst allmählich verflog diese Empfindung.

„Es gibt ein Gewitter", sagte Klaas, „paß auf. Es ist schwül zum Ersticken... Wir gehen rasch irgendwo rein."

Merijntje schaute auf. Noch schien die Sonne blendend weiß auf das staubige Pflaster, aber schwere, bleigraue Wolken schoben sich vor das Blau, schnell und unheildrohend. An der Ecke der Börse jagte ein plötzlicher Windstoß durch die Blätter der Ulmen, und eine dichte Staubwolke, in der Papierschnipsel tanzten, wirbelte über die Straße. Die sonntäglichen Spaziergänger blickten beunruhigt zum Himmel und beschleunigten den Schritt. Irgendwoher ertönten kreischend aufjauchzende Kinderstimmen. Schneller zogen die schweren Wolken über den Himmel, und im Handumdrehen war die Sonne verschwunden. Ein neuer Windstoß riß an den trockenen Kronen der Bäume und wirbelte mächtige Staubschwaden über den Platz.

Ein Mädchen im hellen Sommerkleid faßte erschrocken nach ihrem Hut, der Wind blies gegen ihre Röcke, und einen Augenblick lang zeichneten sich die langen, geraden Beine unter dem dünnen Stoff ab. Sie sahen es beide gleichzeitig. Klaas lachte und sagte vergnügt:

„Oh, nett von dem Wind... Hast du die hübschen Beine gesehen?"

Merijntje nickte nur unwillig. Er fand es zwar verrückt und übertrieben, aber so etwas genierte ihn immer. Die Augen wurden unwillkürlich angezogen, und man schaute nach etwas, was verborgen bleiben sollte. Das gab einem ein Gefühl von Unkeuschheit.

Plötzlich fielen große Tropfen klatschend auf das Pflaster, weit voneinander entfernt, und zeichneten schwarze Ringe in den Staub, um die kleine Spritzer flogen. In der Ferne polterte der erste Donnerschlag, als führe hoch in der Luft ein Zug über einen Viadukt. Die Leute liefen rascher, stürmten die Straßenbahnen, flüchteten in die Wartehäuschen, die Cafés, die Toreinfahrten der großen Geschäfte.

Klaas zog seinen Freund in ein Café. Es war noch ziemlich leer, sie fanden einen Tisch am Fenster und setzten sich zufrieden lachend hin, weil sie ein Dach über dem Kopf hatten, noch bevor das Unwetter richtig losbrach. Es wurde dämmerig, als sänke der Abend herein.

Jäh zuckte ein bläulichgelber Schein über den Himmel, und gleich darauf krachte ein Donnerschlag, der mit finsterem Grollen über der Stadt verhallte. Schreckensrufe ertönten, ein Kind weinte, und rauschend strömte der Regen an den Fensterscheiben entlang, von einem heftigen Windstoß gepeitscht.

In wenigen Minuten war das Café gedrängt voller Menschen, die triefnaß von der Sturzflut lachend oder fluchend Unterschlupf suchten. Draußen der Platz war wie leergefegt. Nur noch vereinzelte flüchtige Schatten irrten im Halbdunkel durch den strömenden Regen auf der Suche nach einem trockenen Plätzchen. Abermals zuckten die blauen Flammen der Blitze gleißend vor den Fenstern auf, flackerten durch die Perlenschnüre des schräg niederprasselnden Regens; boshaft ließ der krachende Donnerschlag die Scheiben erzittern.

„Der hat getroffen", sagte eine bebende Stimme in der Stille, die darauf folgte.

„Das werden wir hören, wenn die Feuerwehr kommt", antwortete jemand.

Und wieder füllten Lachen und lärmendes Reden die Kaffeestube; dazwischen riefen die Kellner in singendem Tonfall ihre Bestellungen zum Büfett hinüber.

Klaas trank sein Bier in einem Zug leer, hielt den Ober am Arm fest, stellte das Glas wieder auf sein Tablett und sagte:

„Bring gleich zwei neue, Meister, der Innenbrand ist noch nicht gelöscht ... Hast du's zischen hören?"

Lachend ging der Kellner davon und schob sich zwischen den Tischen und den stehenden Gästen hindurch.

Klaas seufzte. „Das hat gutgetan. Ich hab das Gefühl, als könnte ich die ganze Maas leersaufen."

Merijntje lachte. Auch er hatte sein Glas leer und verlangte nach einem neuen.

In dem überfüllten Café war es stickend heiß. Die nassen Kleider dampften, und der Zigarrenrauch qualmte dicht über den Köpfen. Immer wieder drängten sich neue Gäste herein, durchgeweicht bis auf die Haut, mit roten, erhitzten Gesichtern, glänzend vor Nässe.

Ein junges Mädchen weinte vor sich hin, das Kleid klebte ihr am Leibe wie ein Wischlappen, und das dunkle Haar unter dem triefenden Sommerhut hing ihr in nassen Strähnen ins Gesicht. Sie bot einen erbarmungswürdigen Anblick, wie sie da völlig aufgelöst und verzweifelt ihren Tränen freien Lauf ließ. Der junge Mann neben ihr stand unbeholfen und verlegen dabei. Er hielt seine großen roten Hände in den tropfenden Ärmeln zu beiden Seiten des Körpers weit von sich. Plötzlich zog er ein klatschnasses Taschentuch aus der Jacke und wollte es dem Mädchen reichen, offenbar damit sie sich abtrocknen konnte. Aber mit dieser hilfsbereiten Geste schien er sie um den Rest ihrer Fassung gebracht zu haben. Sie heulte wütend auf, riß ihm das Tuch aus der Hand und schleuderte es zu Boden. Und ehe der bestürzte Liebhaber noch wußte, wie ihm geschah, war sie laut jammernd zur Tür hinaus. Mit ausgestreckten Armen lief er hinter ihr her, und seine beschwörenden Worte gingen in dem schallenden Gelächter unter.

„Der kopflose Galan, wie er leibt und lebt", rief ein junger Kerl von der Tür her; und ein anderer schmachtete mit sehnsüchtigem Pathos: „Oh, mit diesem Fräulein würd ich auch zu gern in nähere Beziehung treten..."

Klaas brüllte vor Vergnügen. „Ein Zirkus ist gar nichts dagegen!" keuchte er völlig erschöpft.

Auch Merijntje hatte seinen Spaß, aber im stillen tat ihm das Mädchen leid. Wer weiß, wie sie hatte schuften müssen, um das Geld für das hübsche Kleid und den Hut zusammenzusparen – und nun war mit einem Schlag alles verdorben. Traurig... Und alle sahen nur das Lächerliche in ihrem Kummer.

Klaas war aufgesprungen und hatte den beiden, die durch den strömenden Regen über den Platz rannten, durchs Fenster nachgeschaut. Als sie um die Ecke bogen, setzte er sich wieder hin.

„Wer den Schaden hat, braucht für den Spott nicht zu sorgen", sagte er mit einem mitleidigen Grinsen. „Aber eigentlich ist es ein Jammer für so ein Mädchen. Sie sah aus wie eine ersäufte Katze, und vielleicht war's ihr einziges gutes Kleid..."

Merijntje blickte ihn mit einem herzlichen Gefühl an. Plötzlich fiel ihm Klaas' Name wieder ein... Dekwaadsteniet... Und er mußte lachen. Dieser grobe Klotz war weiß Gott der Schlechteste nicht, und eigentlich mochte er ihn verdammt gut leiden.

3

Mijnheer Louis hatte zurückgeschrieben. Die Art, in der Merijntje Rotterdam empfand und sah, hielt er ganz und gar nicht für töricht oder verkehrt. Und natürlich gab es viel Schönheit in einer rüstig arbeitenden Stadt – und gewiß nicht nur in den Häfen, von denen Merijntje so begeistert berichtete. Joris sei ganz unruhig davon geworden und wolle die Stadt malen kommen. Merijntje solle nur ohne Scheu seine Eindrücke, Gedanken und Vorstellungen aufschreiben, er habe ja einen hellen Kopf; und wie sich intelligente, überdies phantasiebegabte Menschen zu bestimmten Dingen äußerten, sei eigentlich immer interessant – vorausgesetzt freilich, daß sie es ehrlich meinten und schlichte Worte fänden, ohne krampfhaft originell sein zu wollen. Aber mußte man nun unbedingt so gewaltsam mittenhinein in die Schönheit Rotterdams springen und die unmenschlich schwere Schinderei als Hafenarbeiter auf sich nehmen? Vielleicht wurde man arg enttäuscht, wenn man sich auf diese totale Weise einbeziehen ließ ... Um Schönheit erkennen und genießen zu können, war Distanz nötig – und ein ausgeglichener Geist, der zu schauen verstand.

Merijntje bekam diesen Brief, als er achtundzwanzig Stunden durchgearbeitet hatte. Die Kolonne, zu der er und Klaas gehörten, hatte das Löschen eines kleinen Schiffes übernommen und war pausenlos beschäftigt gewesen, den Kahn leerzuschleppen; dabei war ein hübsches Sümmchen herausgesprungen. Aber die letzten Kräfte waren auch aufgebraucht. Man mußte sich mit starkem Kaffee munterhalten, ab und zu den Kopf in einen Eimer kaltes

Wasser stecken, sich immer wieder rauh und rücksichtslos zur Wachsamkeit aufstacheln, damit man nicht ins Wasser lief oder im Laderaum stolperte und zusammenbrach. Zwingen mußte man den Körper, eine Maschine zu sein, die ohne Unterbrechung durchlief wie geschmiert, solange der Motor eingeschaltet war: der Motor saß im Kopf, betrieb und regelte das Räderwerk. Fiel er aus, war's geschehen – dann durfte man froh sein, wenn es ohne schweres Unglück abging. Aushalten, wach bleiben, weiterrennen, Leitern und Treppen hinauf und hinab, über federnde Planken, einen abfallenden Laufsteg mit tückischen Quersprossen, die die abgestorbenen Füße geradezu zum Straucheln nötigen – ein Mann vor dir, der nicht vom Fleck kommt, einer hinter dir, der ungeduldig drängt, der flucht und schimpft; unter den schwer aufsetzenden Stiefeln glitschiges, mit einem Häutchen von Öl und Nachttau überzogenes Pflaster. Von morgens sechs, den sengenden Sommertag hindurch, während der langen Dämmerung, die kurze Nacht, die der vom Hafen heraufziehende Brodel feuchtkalt werden läßt, dann unter der steigenden und bald wieder stechenden Morgensonne: unaufhörlich heben, laufen, tragen, hin und her, treppauf, treppab, bis die letzte Fracht im muffig riechenden Speicher geborgen liegt...

Der gräßliche Berg Arbeit war schließlich abgetragen. Erleichterung, die die Spannung brach, zufriedenes, derbes Gefluche kaputtgebrüllter Stimmen, Gähnen, das Recken und Strecken der Arme, die langen Strängen voll Schmerzen glichen, das Aufteilen des Geldes, ein paar belebende Schnäpschen, die brennend durch die ausgedörrte Kehle rannen und eine kleine beschwingte Fröhlichkeit durch den Kopf jagten – und dann nach Hause... Mit Klaas hinten auf einem Rollwagen. Doch Vorsicht, daß man nicht einduselte und herunterfiel, unter die Hufe der unmittelbar folgenden Kutschpferde, deren schwere Köpfe dicht vor den Knien auf und nieder wippten, umschwärmt von Wolken summender Fliegen. Und als er nach Hause kam, verdreckt und staubig in allen Poren, gerädert wie in den ersten, schlimmsten Tagen, fand er den Brief von Mijnheer Louis. Er las ihn flüchtig. Die zierliche, regelmäßige Schrift der geübten Hand, die sauber fließenden Sätze – darin steckte die Atmosphäre der schönen großen Stube in dem stillen Haus, die Beschaulichkeit eines bedächtigen Zwiegesprächs. Er sah seine schmutzigen Hände auf dem weißen Papier, Schrammen und verkrustete Wunden auf den Knöcheln, schwarze, abgebrochene Fingernägel. Die Worte geisterten in seinem dösigen Kopf ohne irgendeine Bedeutung. Achselzuckend warf er den Brief auf den Kamin, kroch ungewaschen ins Bett, zu erschöpft für jede weitere Anstrengung, raffte sich mit einem Gefühl der Niedergeschlagenheit eben noch zu der Erkenntnis auf, daß er kein Mensch mehr war, und fiel in den bleiernen Schlaf eines

Bewußtlosen; er schnarchte den ganzen Tag durch wie ein großes Untier.

Mutter schüttelte den Kopf. Das war doch kein Leben! Das war kein Arbeiten, das war Folterung. Wie hielt der Junge das bloß aus? Wie hielten das all die anderen Männer aus? Aber sie schwieg – es half doch nichts: dieser Lorbaß wollte es nun einmal so, und was er sich in den Kopf gesetzt hatte, das wurde auf Biegen und Brechen durchgezogen. Man begriff die eigenen Kinder nicht – man setzte sie in die Welt, säugte sie, umsorgte sie, sie hingen an den Rockschößen, pumpten einen leer, forderten und nahmen sich alles, als ob es sich von selbst verstünde, fragten nicht nach dem Woher, fraßen einen bei lebendigem Leibe auf. Doch sie waren vom gleichen Blut, vermochten nichts ohne die Mutter, riefen bei jeder Gelegenheit nach ihr – und man hätte ihnen gerne mehr gegönnt, mußte sich aber mit dem Wenigen begnügen ... Und dann waren sie auf einmal groß, kamen allein zu Rande, brauchten einen nicht mehr – die Hilfe nicht, den Rat nicht; entschieden selbst und handelten selbst, lebten ein Leben, von dem man so gut wie nichts wußte, von dem man weithin ausgeschlossen blieb. Es waren die eigenen Kinder – und doch waren sie es nicht mehr. Das Los einer Mutter – hart ... Warum hörte so ein Junge nun nicht und ging folgsam in die Fabrik? Warum mußte er zum Hafen, unter die rohen, gottlosen Schauerleute? Aber sie sagte schon lange nichts mehr, da war sowieso Hopfen und Malz verloren. Und dann war sie auch recht angenehm überrascht von dem Geld, das er nach Hause brachte und lässig auf den Tisch knallte – soviel Geld, mitunter mehr an einem Tag als Vater in der ganzen Woche verdiente ... Sie verwahrte es ängstlich im Schrank: Es war doch fast nicht möglich, mit ehrlicher Arbeit soviel Geld zu machen; ein ganzer Batzen hatte sich schon angesammelt – alles Merijntjes Geld. Aber er sagte, sie solle es gut beieinanderhalten, am besten im Spartopf – ein Äpfelchen für den Durst, wenn trockene Tage kämen, Krankheit oder Arbeitslosigkeit. Er wurde sich schon nehmen, was er brauche, und das sei nicht viel. Merijntje war nicht verschwenderisch wie Arjaan, der alles durchbrachte – und wenn er noch soviel verdiente.

Mutter Gijzen schaute nach ihrem Jungen. Die dünne Bettdecke war halb von ihm herabgeglitten, ein brauner, muskulöser Arm lag angewinkelt auf dem Kissen, die Hand unter dem Nacken, das Hemd stand offen, zeigte die behaarte Brust ... ein Mann, erwachsen und stark, Bartstoppeln stachlig auf Wangen und Kinn, dazwischen rußig verschmiert der Hafendreck – ein richtiger Dockarbeiter, rauh, robust und zäh. Schweiß perlte auf der glatten Stirn, und eine Locke klebte darauf. Dieser große, fremde Bursche ... Und doch war es ihr Merijntje. Woran lag es, daß das Gesicht mit den schwarzen Stoppeln trotzdem so kindlich aussah? Machte das ihre Erinnerung an das schwer zu lenkende Kerlchen von einst, das sanft und eigensinnig, brav und aufbrausend, anhänglich und abwehrend zugleich gewesen war?

Mit dem Schürzenzipfel wischte sie behutsam den Schweiß von seiner Stirn. Er wandte im Schlaf das Gesicht ab, ein Ausdruck von Unmut flog darüber. Sie lächelte: so war er. Dann kehrte sie mit einem tiefen Seufzer ins Hinterzimmer zurück und begab sich an die Arbeit. Abschied von ihrem Jungen ... Dieses Kind war ihr entglitten, war groß geworden, selbst im Schlaf widersetzte es sich ihrer Fürsorge. Ach ja, Annetje erzählte auch nur, was sie erzählen wollte – und das war nicht viel. Jan und Mieke blieben die einzigen, die sie noch bemuttern durfte. Und doch hatte sie alle Kinder in ihrem Schoß getragen, diese großen, fremden erwachsenen Menschen jetzt, die man kaum besser kannte als die belanglosen Nachbarn auf der gleichen Treppe – und wahrscheinlich erzählten die einem sogar noch mehr von ihrem Leben.

Am nächsten Tag, gewaschen, rasiert, ausgeruht und frisch angezogen, las Merijntje noch einmal den Brief von Mijnheer Louis. Warme Freundschaft sprach aus ihm, das Bedürfnis zu helfen, ihn zu stützen, gut zu ihm zu sein. Mijnheer Louis mochte ihn, und er, Merijntje, liebte Mijnheer Louis auch sehr, mit einem Gefühl der Ehrerbietung, aber auch des großen Schmerzes, seitdem er wußte, welch schreckliches Leiden dieses schöne Leben auszehrte. Joris hatte versucht, ihm klarzumachen, was das bedeutete: es gab wenig Pianisten, die so genial spielten wie Mijnheer Louis, und trotzdem konnte er keine Konzerte geben, weil er die Fallsucht hatte – ein fürchterliches Unglück! Sie waren gut zu Merijntje gewesen, unbegreiflich gut. Die Monate, die er bei ihnen verbracht hatte, zählten vielleicht zu den schönsten seines Lebens. Was hatte er alles gelernt! Das Frühere war grau geworden, dumm und nebensächlich, ohne Glanz und ohne jede Beziehung zu dem Höheren, das ihm hier in überwältigendem Maße offenbart wurde. Ein Traum schien es, ein strahlender Traum von Herrlichkeit und Licht, ein neuer weißer Traum ...

Seltsam.

Seltsam, daß er jetzt kein Verlangen mehr dorthin zurück hatte. Seltsam, daß es ihm fern und unwirklich vorkam, so als habe er es tatsächlich nur geträumt, als bestünde überhaupt keine Verbindung zu dem realen Leben, zu seinem Leben. Wenn er versuchte zurückzudenken, war es ihm, als sähe er Schatten wandern in blauem Rauch. Und einer dieser Schatten war er. Unecht erschien es ihm – ein erträumtes Leben in einem erträumten Land, gemessen die Bewegung, durchsichtig, schemenhaft, unwirklich. Und doch hatte er es selbst erlebt, intensiv und mit wachen Sinnen. Und daß es echt war, kein Traum, bewiesen die Bücher auf dem

Regal, der Brief, der vor ihm lag. Er wußte recht gut, daß es Wirklichkeit gewesen war. Es schien nur so unerreichbar, es schien so unwahrscheinlich, weil Welten es von seiner gegenwärtigen Existenz trennten. Es war wohl ganz und gar ausgeschlossen, daß dieses andere Leben dem jetzigen vorausgegangen sein sollte – jeden Tag verlor es sich weiter in traumverschleierten Fernen. Nicht der Ansatz eines Brückenschlages ließ sich erkennen. Und wie gesagt, das Seltsamste von allem war: es verlangte ihn nicht dorthin zurück. Es kam kein Heimweh in sein Herz beim Erinnern, kein Heimweh nach dem Vagabundieren durch das stille Land, wo das Korn jetzt bald seine goldene Farbe bekam, kein Heimweh nach dem großen Sommer, nicht nach den Menschen, zu denen er aufschaute und die er so sehr liebte – bis zu dieser Stunde. Es war keine Undankbarkeit.

Er konnte sich einfach nicht danach zurücksehnen. Nicht wegen Mevrouw Amelie. Dafür hatte er nur ein Lachen übrig, freilich ein bitteres und voller Selbstspott. Es war von so kurzer Dauer gewesen. Sie hatte ihn trunken gemacht mit ihrem verführerischen Geplauder, dem Duft ihres Parfüms und ihres gepflegten Körpers, mit ihren Liebkosungen und der Glut ihrer ausschweifenden Leidenschaften. Er war fasziniert von ihrer fordernden Fraulichkeit, und ihr Verlangen hatte das seine aufgereizt. Eine Hure brachte das nicht besser fertig. Sie wollte ihn in ihrem Bett haben, und er wäre gegangen und hätte geglaubt, wahre Liebe zu erfahren – und es wäre bloß ein heißer Flirt gewesen, wertloser als der mit dem Mädchen aus der Herberge oder mit Blosekriekske... Er hatte gemeint, etwas Gewaltiges zu erleben, und sich blenden lassen von einem Strohfeuer, das nicht zu seiner Ehre entfacht worden war. Sie hatte leichtes Spiel mit ihm gehabt, diese vornehme, weltgewandte Dame. Blind war er in das Licht geflogen wie eine unverständige Motte, hatte gedacht, daß er getragen würde von einem großen und erhebenden Gefühl – und sie desgleichen... Und es war nichts weiter gewesen als schäbige Liebelei, Katzengeschmuse, ordinär und beiläufig, von ihrer Seite gar nicht anders gewollt und von ihm unbewußt wohl auch so empfunden, denn sonst hätte er sich viel stärker gegrämt. Nach der Entdeckung ihrer Falschheit war er wütend gewesen, enttäuscht und vor allem gedemütigt, weil er sich so blöde hatte hereinlegen lassen. Aber echten, großen Kummer, der lang und weh nachhallte wie damals bei Marjan, nein, den hatte es nicht gegeben. Verdrossenheit, Scham, Gewissensbisse, Erniedrigung – aber kein tief ätzender Schmerz, bei dem das Herz sich zusammenkrampfte.

Und nun konnte ihn diese Erniedrigung auch nicht mehr aufregen – sie ließ ihn kalt. Es lag auf der Hand, daß ein Junge wie er einer Frau wie Amelie nicht zu widerstehen vermochte, wenn er so angegangen wurde. Keine Kunst, ein Kind zu treffen, sagten sie im Hafen. Eigentlich hätte er mit ihr ins Bett gehen und ihr danach sagen müssen, daß er die Nase voll habe von ihren schlüpfrigen Annäherungsversuchen und daß sie sich zum Teufel scheren solle. Arjaan hätte das bestimmt getan, lächelnd und mit der hübschen Ausrede, daß er auf diese Weise wenigstens noch auf seine Kosten gekommen sei. Und das hatte durchaus seine Richtigkeit. Er war die Sache jetzt los, hatte sie überwunden, sie lag weit hinter ihm. Amelie hatte selber so getan, als sei es ihr völlig egal, aber er hatte ihr gehörig die Meinung gesagt... Es war vorbei und beschwerte ihn nicht mehr – was blieb, war die Erinnerung an ein unschönes Abenteuer. Fern, unwirklich, verschwommen, wie diese ganze Zeit es mittlerweile geworden war.

Nachdenken, sorgsam überlegen, angespannt horchen und suchen; träumen zu jeder Stunde, am hellichten Tag, in tiefer Nacht, träumen von allem, was unverdaut sich in ihm regte – das war jene Zeit gewesen. Beschäftigt mit allerhand Wunderbarem und Neuem, mit sich selbst, mit den paar Menschen, die ihm wichtig waren. Als säße man in einem Zauberkreis gefangen, aus dem man nicht hinausgelangen, nicht hinausschauen konnte. Was wußte er von dem Dorf, von den Menschen, die dort lebten, von ihren Plänen und Nöten? So gut wie nichts. Er hatte nur eine vage Vorstellung von der Landstraße, von der alten efeubewachsenen Kirche, dem französischen Haus des Notars. Hatten gestutzte Linden davorgestanden, oder war das vor der Wohnung des Rektors gewesen? Und er konnte doch sonst immer jedes Plätzchen, an dem er sich aufgehalten hatte, so exakt vor sein geistiges Auge rufen. Aber hier verschwamm alles im Nebel eines halbvergessenen Traumes.

Der Unterschied war auch zu groß. Rotterdam zeigte sich in seiner ganzen Macht und Pracht und umtoste ihn mit berstender Gewalt, wo immer er sich befand. Er lebte ja mittendrin und mußte zupacken, arbeiten, daß die Schwarte krachte, in Gruppen mit breitschultrigen, muskelstrotzenden Kerls, die sich genau so abstrampelten wie er, umgeben vom ohrenbetäubenden Getöse des brodelnden Hafenbetriebs. Er tat ihr Werk, sprach ihre Sprache, sein geschundener Körper teilte ihre Schmerzen; er schalt und fluchte mit ihnen über die schmutzige Knochenschinderei, machte sich Luft gegen den Aufseher und die Dummköpfe im Büro, die schlafend reich wurden, mit ihren faulen Hintern auf weichen Stühlen, und von ihrem Schweiß zerten, ihrem Blut, ihrer viel zu schweren, viel zu langen Arbeit. Er futterte ihre grobe Kost, schlang Fleisch und Speck und Fett hinunter, schwoll an vor Muskelkraft, kämpfte mit den Lasten, die auf seinem Rücken lagen; wie sie, so schüttelte auch ihn das Fieber der Leidenschaft bei dieser verhaßten Tätigkeit – die dennoch niemand missen mochte, auch wenn sie einen aufrieb und ständig mit schrecklichen Gefahren bedrohte, ja, die auf eine Art sogar geliebt wurde, weil sie einen so maßlos stolz machte. Er war zu Hause unter ihnen, gehörte zu ihnen, und gemeinsam gehörten sie zu Rotterdam; er mochte sie und Rotterdam, liebte sie ohne Sentimentalität, mit rauher, kameradschaftlicher Festigkeit. Zum Grübeln und Träumen blieb wenig Zeit – und wenn er tatsächlich einmal träumte, dann von dieser Stadt, ihrem ungestüm wirbelnden Leben, der Kraft, die alles zusammenhielt, dem winzig kleinen, aber schweren Anteil, den er an diesem Leben hatte, und dem Erstaunen, wieso er nicht davonlief und sich eine ruhigere, weniger zermürbende Existenz bei leichterer Arbeit suchte. Bisweilen irrte halb unbewußt die Vermutung durch seinen Kopf, daß es doch eine Verbindung geben mußte zwischen der betörend schönen Welt, die Mijnheer Louis ihn hatte schauen lassen, und diesem brausenden Leben der großen Handelsstadt. Ein geheimnisvoller Zusammenhang, unvorstellbar zwar, aber vielleicht würde er ihm eines Tages offenbart werden, irgendwo – das wäre dann alle Herrlichkeit auf Erden ...

Klaas Dekwaadsteniet war sein Schatten geworden. Er sollte als fester Schauermann von einer Reederei eingestellt werden. Aber er hatte sich geweigert, weil für Merijntje in dieser Gruppe kein Platz war. Er solle doch nicht so dumm sein, beschwor ihn Merijntje. Aber Klaas zuckte nur die Achseln. Ohne ihn habe er keine Lust. Außerdem gebe es genug freie Arbeit, und er verdiene mehr, als er brauche.

Sie gingen jetzt fast jeden Sonntag zusammen aus, das eine oder andere Mal kam auch Arjaan mit; sie tranken ein Glas Bier und spielten Billard. Hin und wieder trafen sie Kollegen aus dem Hafen oder aus Arjaans Fabrik und zogen dann mit ihnen weiter. Mitunter wurde es ein recht übermütiger Klüngel mit allzuviel Alkoholverbrauch, lautem Krakeel, saftiger Flachserei und nicht selten Krach mit Fremden. Aber Merijntje griff dann meist mit einem Scherzwort ein, um den Frieden wiederherzustellen. Vielleicht war es aber auch Klaas' herkulische Gestalt, die alle überragte und eine Schlichtung fast mühelos zustande brachte: niemand hatte wohl Lust, in seine Bärenpranken zu geraten.

Wenn sie allein waren, sprach Klaas manchmal von einem Mädchen, und allmählich, nach langem Zögern, erfuhr Merijntje, daß es eine hoffnungslose Liebe war, in die der Riese sich verstrickt hatte. Mit verlegenem Lachen und einem gespielt gleichgültigen Achselzucken erzählte er davon. Und immer wieder schüttelte er den Kopf über sich selbst. Daß man mit so etwas nicht fertig werden konnte!

Es war ein Mädchen aus der Nachbarschaft, die Tochter von Leuten, mit denen seine Eltern schon lange verkehrten. Sie war sechs Jahre jünger als er, und schon als Kind hatte sie ihn um den

Finger gewickelt. Er hatte sein Taschengeld für sie ausgegeben, hatte die Jungen des Viertels verprügelt, wenn sie sie ärgerten, und sie selber war immer hilfesuchend zu ihm gelaufen, sobald irgend etwas schiefging. Er hatte es stets als ausgemachte Sache betrachtet, daß sie einmal seine Freundin und dann seine Frau würde.

Als er vom Militär zurückkam, war sie sechzehn, ein Bild von einem Mädchen – man wurde blind, wenn man sie ansah, so ein hübsches Püppchen war das ... Na ja, Püppchen – so klein auch wieder nicht, nur im Vergleich zu ihm. Doch da stellte es sich heraus, daß sie nicht sein Mädchen werden wollte. Freundschaft, ja ... sie mochte ihn gern, behauptete sie, so wie ihre Brüder, sogar ein bißchen mehr ... Aber sonst? Nein! Vielleicht war er ihr zu groß – oder auch zu dumm, denn sie war nicht auf den Kopf gefallen. Vielleicht wollte sie auch überhaupt etwas ganz anderes: nicht so einen plumpen Schauermann. Sie sah aus wie eine feine Dame, immer wie aus dem Ei gepellt.

Aber wie es auch sein mochte, er erreichte nichts. Er konnte sich die Beine ablaufen, er kam nicht weiter. Sie war freundlich – und damit aus! So etwas setzte einem zu, wenn man jahrelang darauf gerechnet hatte. Früher hatte er eigentlich Seemann werden wollen, doch das hatte er ihrethalben aufgegeben: er wollte nicht immer von ihr weg, wenn sie erst verheiratet waren. Und nun kam es gar nicht dazu, und er stand da mit seiner Kunst.

„Hat sie denn einen andern?"

Eine gefährliche Flamme flackerte in Klaas' gutmütigen, ein wenig bekümmerten Augen auf.

„Nein ... Nicht, daß ich wüßte. Und wenn's so wäre, wüßte ich's. Außerdem, den Kerl würde ich gleich in die Maas schmeißen."

„Warum?"

„Warum? Na, hör mal! Denkst du, das ließe ich mir gefallen?"

Ein Schauder lief Merijntje über den Rücken. Wieder sah er das Gesicht von Kruik vor sich ... Kruik, auch so ein Riese an Kraft, der den holländischen Flurwächter und Janekee umgebracht hatte, bloß weil Janekee ihn nicht mochte, weil sie den blonden Holländer haben wollte. Zu zehn Jahren Gefängnis hatten sie ihn verurteilt, und als er herauskam, war er ein armer Narr, ein Trottel ... Und Klaas, der gutmütige Bär, war ein genauso gefährlicher Schläger. Sollte es mit Klaas den gleichen Ausgang nehmen? Mußten solch furchtbare Dinge denn immer wieder geschehen?

Heftig fuhr er auf:

„Was ist das für ein Unsinn? Darf denn das Mädchen nicht lieben, wen es will?"

Klaas sah ihn an. Wie konnte jemand so eine verrückte Frage stellen? Sollte er vielleicht ruhig mit ansehen, wie ihm ein anderer die Kleine einfach vor der Nase wegschnappte? Das gab es nicht ... So etwas konnte man mit ihm nicht machen!

„Du möchtest wohl dein Leben lang im Knast sitzen, was?"

„O nein, ich habe mir schon alles genau überlegt. Ich warte so lange auf ihn, bis ich ihn irgendwo allein habe – und dann ein Schlag über den Schädel und hinein in die Maas. Da kräht kein Hahn danach."

„Und dann?"

„Was heißt: und dann?"

„Und das Mädchen?"

„Ach, die wird ihn schon vergessen. Einmal muß sie doch begreifen, daß sie zu mir gehört."

„Und wenn sie sich wieder verliebt in irgendeinen andern und vielleicht noch einmal – willst du die dann der Reihe nach um die Ecke bringen?"

Klaas machte große Augen. „Na, hör mal!" brummte er. „Die ist doch kein Flittchen ... die hüpft doch nicht von einem zum andern! Bist du denn nicht gescheit? Sie ist anständig wie nur eine ... "

„Ach, scher dich zur Hölle, Kerl!" ereiferte sich Merijntje böse. „Was hat denn das damit zu tun? Du bist ein Idiot, verstehst du ... Ist dieses Mädchen vielleicht ein Gegenstand, mit dem man machen kann, was man will, den man sich einfach aneignen kann?"

„Ich wünschte, es wäre so ..."

„Ach, sieh mal an! Und das nennst du Liebe? Rücksichtsloser Strolch!"

„Das ist mir egal, deshalb gönn ich sie trotzdem keinem andern!" Verzweifelte Auflehnung klang in seiner Stimme.

„Du bist mir der Richtige!" sagte Merijntje zornig. „Wenn du das Mädchen wirklich lieb hättest, würdest du dich freuen, sie glücklich zu sehen."

„Mit einem andern?" staunte Klaas.

„Ja, auch mit einem andern ... Und wenn du das nicht kannst, dann nimm die Schnauze nicht so voll! Dann liebst du nämlich nicht das Mädchen, sondern dich – und dann bist du nichts als ein egoistisches Schwein ..."

Klaas sah ihn an, mit tiefen Grübelfalten auf der Stirn. Dann schüttelte er energisch den Kopf, als sei ihm ein Licht aufgegangen.

„Nein, nein, Merijntje", sagte er in überlegenem Ton, „davon verstehst du nichts ... Ist ja auch klar, das liegt einfach daran, daß du so etwas noch nicht erlebt hast. Wahrscheinlich hast du noch nie ein Mädchen richtig geliebt ..."

„Das weißt du gerade!"

„Hast du also schon?"

„Hm ..."

„Na ja, aber immerhin, die ist sicher nicht mit einem andern gegangen ... Und wenn, dann hättest du das bestimmt nicht sehr
vergnüglich gefunden."

Einen Augenblick zögerte Merijntje. Er dachte an Marjan. Die
alte Wunde schmerzte immer noch.

„Sie ist mit einem andern gegangen, und vergnüglich fand ich
es nicht ... Aber eine Frau darf ebenso über ihr Leben verfügen
wie ein Mann. Ich habe es ihr nicht schwer gemacht."

„Dann hast du sie eben nicht richtig geliebt", schloß Klaas mes-
serscharf. „Nicht so, wie ich Riekie liebe. Wenn sie es wagt, mit
einem andern zu gehen, sollst du was erleben!"

Merijntje wurde fuchsteufelswild. So ein dickköpfiger Esel!
Wollte er sich und andere denn wahrhaftig mit aller Gewalt unglücklich machen? Wie sollte man diese Mauer von Unverstand
durchbrechen? Er war einfach nicht zugänglich für vernünftige
Vorstellungen, er hielt halsstarrig an seiner dummen Eifersucht
fest, seiner wahnsinnigen Idee, das Mädchen gehöre ihm und dürfe
nicht tun, was es wolle. Und dabei war er doch sonst so ein guter,
sanftmütiger Bursche, der zu allem ja und amen sagte, was man
ihm vorredete ...

Nach einer Weile fragte er: „Und wenn es nun umgekehrt wäre?
Wenn dich irgendein Mädchen mit aller Gewalt haben wollte, und
du hättest keine Lust dazu? Und wenn die nun das Mädchen in
die Maas schmeißen würde, mit dem du gehst ... Fändest du das
sehr lustig?"

„Das kommt auch vor", nickte Klaas weise. „Aber Weiber schüt-
ten sich Vitriol ins Gesicht. Voriges Jahr bei uns in der Straße ..."

„Ja", unterbrach Merijntje ihn ungeduldig, „aber was würdest
du sagen, wenn dir das passierte?"

Klaas schüttelte ärgerlich den Kopf über die Hartnäckigkeit des
anderen. Er lachte, ein bißchen verlegen, ein bißchen gelangweilt.
Dann sagte er:

„Du kannst einen aber auch weichmachen, Mann. Das ist doch
ganz was anderes. Ich nehme keine andere als Riekie, und wenn
sie mich zehnmal nicht will!"

Merijntje lachte schallend auf. Es war zu komisch! Und außerdem blieb es noch abzuwarten, ob Klaas wirklich die Hand gegen
Riekies Freund ausstrecken würde. Er hatte wohl ein großes Maul,
aber ein weiches Herz.

„Wir wollen lieber noch ein Bierchen trinken", schlug Klaas vor,
zufrieden, daß Merijntje wieder lachte. „Aber ich bin doch froh,
daß ich es dir erzählt habe. Manchmal hab ich nämlich einen verdammten Katzenjammer, und dann könnt ich aus der Haut fahren
vor Wut, daß es nicht so geht, wie ich es will. Aber das liegt alles
nur daran, verstehst du ..."

Merijntje nickte seufzend. Was war das Leben doch für eine

verrückte Wirtschaft! Warum mußte der Kruik sich damals ausgerechnet in Janekee verlieben und Klaas in diese Riekie, die nichts von ihm wissen wollte, während Tausende von reizenden Mädchen herumliefen, die ihn gern nähmen und mit denen er auch gut würde leben können? Was konnte man dagegen tun? Er war Marjan begegnet, als es zu spät war – und so ging es überall.

„Meinen Schwager kann ich damit auch immer zur Weißglut bringen", grinste Klaas. „Der ist ein Sozialer . . . ich natürlich auch . . . aber das ist so ein ganz Kluger. Der reinste Prophet, der kann dir heut schon haargenau auseinandersetzen, wie es in seinem Heilsstaat aussehen wird . . . Du mit deinem Heilsstaat! sag ich ihm dann. Erzähl mir erst mal, ob dort jeder das Männchen oder Weibchen kriegen wird, das er nun gerade haben will, denn wenn ich Riekie nicht bekomme, scheiß ich auf deinen ganzen Heilsstaat . . . Mann, dann solltest du ihn mal sehen! Dann schreit er wie ein Wilder: Dummer Affe und Individualist und so etwas . . . und ob ich mich nicht schämte, mit den Reichen gemeinsame Sache zu machen . . . Heilsstaat oder nicht, sag ich dann immer, besser mit Riekie unter den Reichen als ohne Riekie in deinem schönen Heilsstaat! Ist das vielleicht nicht wahr?"

„Wahr?" wiederholte Merijntje plötzlich ernst. „Tja, was ist nun wahr? Für dich ist es etwas ganz anderes als für deinen Schwager und für deinen Schwager wieder etwas anderes als für mich."

Mijnheer Louis hatte recht, dachte er: jeder hat seine eigene Wahrheit, und jeder muß für diese seine Wahrheit den Kopf hinhalten. Aber was für ein Wirrwarr! Wie kam man da nur zu Rande, wenn alle an dem festklebten, was sie für wahr hielten, und glaubten, die anderen lögen oder seien in einem Wahn befangen.

Doch für solche verwickelten Untersuchungen war Klaas nicht zu haben.

„Das ist Quatsch", stellte er fest. „Was wahr ist, ist wahr, davon beißt keine Maus einen Faden ab – und alles andere ist das Geschwätz von Verrückten oder reiner Schwindel."

„Natürlich", lachte Merijntje, „nur vergißt du eines: was heute wahr ist, kann morgen schon eine Lüge sein. Als die Menschen glaubten, die Erde sei eine Scheibe, schlugen sie die Gelehrten tot, die herausgefunden hatten, daß sie eine Kugel ist, nur weil sie so unbedingt für die Wahrheit eintraten."

„Na ja", muckte Klaas auf, „flach oder rund – ein Misthaufen ist sie bestimmt."

Das war wieder eine andere Wahrheit, über die sich streiten ließ . . .

4

Arjaan, der ein tüchtiger Arbeiter war, alle Maschinen in der Fabrik zu bedienen verstand und dem man mehrmals zu verstehen
gegeben hatte, daß er durchaus das Zeug zum Meister besitze, war
fristlos entlassen worden. Während der Frühstückspause war draußen auf dem Hof, wo die Arbeiter wie gewöhnlich auf Balken und
Brettern herumsaßen und ihr Brot verzehrten, ein Gespräch über
den Streik in einer Möbelfabrik in Den Haag entstanden. Einer
hatte mißbilligend über die roten Rädelsführer gesprochen: Es sei
eine Schande, die Kollegen ins Elend zu stürzen; ein Glück, daß
hier so etwas nicht passieren könne – hier lasse man sich nicht auf-
hetzen, denn die Zeche müsse man ja doch selber bezahlen ...

Es war keine große Fabrik, ungefähr dreißig Arbeiter, die sich
der Chef sorgfältig aussuchte, meistens Leute, die vom Lande gekommen waren, einzelne in einem christlichen Berufsverband, manche gar nicht organisiert. Schweigsame, willige Männer, überwiegend Familienväter, die froh waren, daß sie feste Arbeit hatten.

Arjaan war für die Streikenden eingetreten. Mit leidenschaftlichen Worten hatte er die Pflicht zur Gemeinschaftlichkeit betont,
hatte erklärt, daß die Streikenden in Den Haag auch für sie in die
Bresche gesprungen seien und daß es Zeit werde, hier die Schläfer
ein wenig wachzurütteln.

Sein Vater hatte versucht, ihn zur Vernunft zu bringen, aber bei
den stichelnden Bemerkungen der anderen war Arjaan immer heftiger geworden. Da hatte der Meister ihm befohlen zu schweigen.
Arjaan hatte ihn ausgelacht und gefragt, ob er vielleicht glaube,

daß er außer der Arbeit auch sonst noch etwas zu kommandieren habe.

Eine halbe Stunde später wurde er ins Büro gerufen, und der Chef teilte ihm mit, daß er keine Aufwiegler in seinem Betrieb gebrauchen könne – er sei entlassen, bekomme aus Freundlichkeit einen Wochenlohn und könne gehen.

„Man darf also hier nicht denken und sagen, was man will?" begehrte Arjaan auf. „Wir leben doch immerhin in einem freien Land."

„Du kannst sagen und denken, was du willst, Gijzen", erwiderte der Chef mit einem spöttischen Lachen. „Aber ich bin ebenso wie du ein freier Mann und kann in meiner Fabrik einstellen, wen ich will, nicht wahr?"

„Sicher", sagte Arjaan, ebenfalls lächelnd. „Dann werden wir nur versuchen müssen, Sie zu lehren, Ihre Freiheit besser zu gebrauchen!"

Der Chef war blaß geworden. „Für dein zeitliches und ewiges Heil wäre es besser, wenn *du* die Freiheit richtig zu gebrauchen wüßtest! Du bist auf dem falschen Weg, junger Mann..."

„Vielen Dank für die gute Lehre!" fiel Arjaan ihm ins Wort.

Dann hatte er sich umgedreht und war ohne Gruß aus dem Büro gegangen, mit erhobenem Kopf, siedend vor Wut, entschlossener denn je, tief überzeugt von seinem Recht und von der Notwendigkeit, den Kampf fortzusetzen. Er war erst durch die Stadt getrödelt, um sich zu beruhigen. Als er gegen elf nach Hause kam, sah ihn seine Mutter erschrocken an, voller Furcht, daß ihm in der Fabrik ein Unfall zugestoßen sei.

„Sie haben mich entlassen", sagte er finster und warf die Mütze in eine Ecke.

„Entlassen?" fragte sie ungläubig. „Ist denn keine Arbeit mehr?"

„Arbeit genug, aber nicht für mich ... nicht für einen, der sich nicht treten lassen will ... der wird rausgeworfen!"

„Rausgeworfen?"

Das Wort traf sie wie ein Schlag. Es war schon schlimm genug, wenn man entlassen wurde, weil es nicht genügend Arbeit gab. Aber rausgeworfen werden und noch dazu aus solchen Gründen! Lieber Gott, was für eine Schande!

„Rausgeworfen ... rausgeworfen!" Kopfschüttelnd und mit zitternder Stimme sprach sie es immer wieder vor sich hin ... Und dann plötzlich, stotternd vor Heftigkeit: „Du auch immer mit deinem großen Mund! Der wird dich noch einmal Kopf und Kragen kosten ... Willst du denn nie klug werden?"

„Ich bin gerade dabei", erwiderte Arjaan grinsend. „Aber hör jetzt auf, es ändert doch nichts mehr."

„Und wenn du ... wenn du noch mal zum Chef gehst und um Entschuldigung bittest... Vielleicht nimmt er dich dann wieder."

Arjaan wurde blutrot. Er wollte wütend aufbrausen. Dann sah er das ratlose Gesicht seiner Mutter, blaß und versorgt, die Augen schreckhaft geweitet vor der Vision des ewig drohenden Gespenstes: Arbeitslosigkeit, Armut, hilflos dem Mangel und dem Hunger ausgeliefert... Und plötzlich hatte er Mitleid mit ihr. Arme Mutter! Das war ihr einziges Verteidigungsmittel: sich beugen, immer wieder beugen, schwanzwedelnd um Gunst flehen... Hunde hatten sie aus den Arbeitersleuten gemacht, furchtsame Hunde, die nicht zu beißen wagten.

Seine Heftigkeit legte sich. Er wollte es ihr nicht schwerer machen, als sie es schon hatte.

Ruhig sagte er: „Es würde doch nichts nützen, Mutter. Außerdem... lieber fresse ich meine eigenen Pfoten. Hier... hast du Geld – Kostgeld für vier Wochen. Bis dahin habe ich längst wieder Arbeit. Mach dir keine Sorgen!"

Sein Vater kam finster nach Hause. Er war auch aufs Büro gerufen und vom Chef ins Gebet genommen worden. Es sei doch eine Schande, daß er seine Kinder nicht auf dem rechten Weg zu halten wisse. Er habe es allein seinen jahrelangen treuen Diensten zu verdanken, daß er bleiben dürfe.

„Ein Wunder nur, daß nicht auch die Sünden der Kinder an den Eltern heimgesucht werden!" spottete Arjaan.

„Halt den Mund, naseweiser Flegel!" schimpfte seine Mutter.

Doch Arjaan lachte nur, und, zu seinem Vater gewandt, sagte er: „Der weiß genau, warum er dich nicht entläßt. So einen guten und billigen Tischler wie dich findet er so bald nicht wieder. Da kann er in ganz Rotterdam suchen... Wer steht denn jetzt an meiner Maschine?"

„Wilde."

Auf Arjaans Gesicht spiegelte sich Verachtung. „Dieser Pfuscher? Da können sie übermorgen die Monteure kommen lassen. Na, schließlich – um so besser, von mir aus soll er sie gleich zu Schrott machen..."

Als Merijntje am Abend davon hörte, zuckte er die Schultern. Arbeit gab's genug auf der Welt... Doch seine Mutter konnte sich noch immer nicht beruhigen:

„Aber rausgeworfen... wegen Aufwiegelei. Stell dir das doch mal vor! Diese Schande! Daraufhin gibt ihm kein Mensch mehr eine Arbeit."

„Schande hin, Schande her!" ereiferte sich Merijntje. „Was geht das einen Chef an, ob seine Arbeiter Soziale sind oder nicht? Hauptsache, sie machen ihre Arbeit anständig. Alles andere braucht die Herren nicht zu kümmern. Wir fragen sie ja auch nicht nach ihrem Privatleben."

„Bist du auch schon soweit?" Seine Mutter warf ihm einen empörten Blick zu.

Merijntje hatte Kohlen gelöscht. In dem schwarzen Gesicht leuchtete das Weiß der Augen; und als er jetzt beim Lachen die blitzenden Zähne bis über das Zahnfleisch entblößte, sah er aus wie ein grinsender Teufel.

Arjaan war froh über die Unterstützung durch seinen Bruder. Ingrimmig sagte er:

„Wir werden sie schon kleinkriegen, paßt nur auf!"

„Du auch gerade!" höhnte sein Vater. „Du hast's doch eben erlebt. Ein Wort vom Chef, und schon sitzt du auf der Straße."

„Aber das bleibt nicht so!" entgegnete Arjaan giftig. „Wenn ihr nur nicht alle so erbärmliche Duckmäuser wäret, wenn ihr nur eine Ahnung von eurer Macht hättet, sobald ihr Schulter an Schulter steht – dann säße ich jetzt nicht auf der Straße. Wenn ihr wüßtet, was Gemeinschaftssinn bedeutet, und sagen würdet: Entweder Arjaan kommt zurück, oder wir gehen alle – dann würden sie schon anders tanzen. Aber dazu seid ihr zu schlapp und zu unterwürfig."

„Ja, ja, damit andere kommen und unsern Platz einnehmen ... Ach, Junge, du kennst die Menschen nicht! Du redest, wie du's verstehst. Du wirst noch einen Haufen grünen Schnee fressen müssen, ehe du klug wirst."

„Jeder für sich selbst – und Gott für uns alle, was?" schimpfte Arjaan. „Das läuft doch nur immer aufs gleiche hinaus: jeder leidet für die eigene Armut und schuftet für fremden Gewinn, für seinen Chef, um ihn noch reicher zu machen, als er schon ist. Wunderbares Gerede! So bleibt alles haarscharf beim alten!"

„Das ist immer so gewesen und wird immer so bleiben", sagte der Vater ergeben.

Aber Arjaan fiel leidenschaftlich ein: „Das wird es eben nicht! Wir werden es ändern. Auch dich werd ich noch munter bekommen – und zwar schneller, als du denkst. Wart's mal ab!"

Vater machte eine abwehrende Handbewegung und schwieg. Mit diesen jungen Rotznasen ließ sich ja nicht reden. Wenn sie erst verheiratet waren und das Haus voller Kinder hatten, würden sie es schon billiger geben und lernen, daß das Leben kein Zuckerbier war und daß ein Arbeiter am besten tat, den Mund zu halten und dankbar zu sein, wenn er etwas zu kauen bekam ... Rackern, bükken, schweigend gehorchen und schlucken, was einem vorgesetzt wurde – das war die Parole für die kleinen Leute. Aufsässigkeit schickte sich nicht und strafte sich von allein. Sie würden's schon noch merken.

Arjaan schwieg auch, aber seine Augen funkelten. Im Geist sah er seinen Traum von der großen Kameradschaft bereits verwirklicht: Die Menge zog herauf, einig und mächtig, ein unwiderstehliches Heer stämmiger Arbeiter, Streiter für die soziale Sache, die rote Fahne voran, und alles Unrecht traten sie unter die Füße, fegten die Unterdrücker hinweg und marschierten in eine frohe Zukunft, eine neue, saubere Welt, in das Gelobte Land des neuen Menschen, der kein Sklave mehr war, kein Knecht, kein Untertan. Er glaubte daran, so fest und gewiß, wie er an das Kommen des morgigen Tages glaubte. Es war so schön, so einfach, daß jeder Mensch es einsehen mußte, und wenn man erst der Masse diesen Glauben, diese Hoffnung eingeprägt hatte, dann war es im Handumdrehen geschehen. Eine heftige Erhebung, kurz, und wenn es sein mußte, hart und blutig – aber dann war die Welt befreit... Welch ein unermeßliches Glück! Und es lag vor einem, man brauchte nur zuzugreifen! Wie war es möglich, daß die Erde schon so lange bestand und daß diese Idee erst jetzt zu den Menschen durchzudringen begann? Er war froh, in dieser Zeit zu leben – froh, dazuzugehören, einer der Millionen zu sein, die die Welt aus den Angeln heben und sie bereitmachen würden für das großartigste Menschenglück: die wahre Freiheit...

Merijntje fühlte sich zu seinem Bruder hingezogen. Er fühlte sich immer zu denen hingezogen, die Unrecht litten. Arjaan litt Unrecht. Mutter sah niedergeschlagen aus. Vater blickte bekümmert und mürrisch drein. Sie alle litten Unrecht. Er selbst fühlte sich gekränkt, beleidigt, ungerecht behandelt in seinem Bruder. So ein Schuft besaß nun eine ganze Fabrik und hatte deshalb das Recht, ihnen allen ins Gesicht zu schlagen, nur weil ihm Arjaans Auffassung nicht behagte. Sie spürten es alle, weil sie als Familie mit betroffen waren. Und sie vermochten nichts dagegen zu tun, sie mußten wehrlos den Schlag entgegennehmen. Zu bedanken brauchten sie sich allerdings noch nicht dafür; es genügte, wenn sie schwiegen und ihren Groll hinunterschluckten, sonst setzte es weitere Schläge, gegen die sie nichts unternehmen konnten. Der Chef hatte ja auch noch den Vater in seiner Hand. Ein einzelner hatte über Wohl und Wehe einer ganzen Gruppe von Menschen zu befinden – und er gebrauchte diese Macht, um sie zu unterdrücken, ihre Gedanken und Meinungen zu reglementieren, während es doch jedem freistand, zu denken und zu sagen, was er wollte? Eine Scheinfreiheit war das... Und das geschah nun alle Tage. In anderen Fabriken. In anderen Familien. Man war nur nicht dabei und merkte es nicht. Und doch ging es einen was an. Ganz gewaltig ging es einen an. Solange so etwas möglich war, steckte man mit drin – Familie oder nicht. Tagtäglich konnte es einen selber erwischen. Folglich betraf einen jedes fremde Unrecht, und man mußte sich ihm entgegenstellen. Wie?

Vor einer Antwort schreckte er zurück – er war einfach zu müde dazu. Am besten, er ging schlafen. Es war ein anstrengender Tag gewesen, und morgen würde es auch nicht bequem werden. Er durfte sich die Dinge nicht allzusehr zu Herzen nehmen. Man stelle sich vor, er würde jedes Unrecht aufstöbern, wo immer es geschah, und dort überall in die Bresche springen wollen. Da hätte er ja keine ruhige Minute mehr! Arjaan bekam schon wieder Arbeit – und dieser schuftige Kerl in der Fabrik mochte ersticken!

Aber im Bett warf er seinen nur flüchtig gereinigten, schmerzhaft ermüdeten Körper noch eine Zeit schlaflos hin und her. Er war nicht zufrieden mit dem oberflächlichen Resultat seiner Überlegungen – und doch wollte er kein anderes gelten lassen: es war unmöglich, wie ein Packesel alle Sorgen und alles Leid der Welt auf sich zu laden. Da stimmte etwas nicht. Sehr viel stimmte da nicht. Klaas hatte wohl nicht ganz unrecht: flach oder rund, die Erde war ein Misthaufen ... In dem Heilsstaat konnte Klaas seine Riekie auch nicht kriegen – so war das also gleichfalls für die Katz. Werde da einer schlau draus! Aber der Chef hatte Arjaan und sie alle ungerecht behandelt. Der größte Misthaufen der Welt war vielleicht doch das, was sie die ungleiche Güter- und Machtverteilung nannten. Und war es dann nicht seine verdammte Pflicht, zu helfen, damit Schluß zu machen? Pflicht? Er zog unter der Decke eine Grimasse. Wer sollte ihm diese Pflicht auferlegen? Vorläufig hatte er andere Pflichten übergenug: dieser verfluchte Kohlenpott mußte morgen leergeschleppt werden, und außerdem mußte er endlich einen Brief an Mijnheer Louis schreiben und sich etwas einfallen lassen zu dem „Distanzhalten" und dem „ausgeglichenen Geist", der einen befähigt, wahre Schönheit zu schauen. Der Brief war bereits etliche Wochen alt – schöne Worte, mit denen er nichts mehr anzufangen wußte ...

Ein Unglück kommt selten allein. Im Laufe der nächsten Woche kam Annet mit Sack und Pack nach Haus: die gnädige Frau hatte sie vor die Tür gesetzt. Unter einem Strom von Tränen erzählte sie, was geschehen war. Der Sohn, ein Student, war über die Ferien zu Hause. Er war nett zu ihr und machte immer Dummheiten, über die sie lachen mußte. An diesem Abend hatte sie ihm den Tee aufs Zimmer bringen sollen. Er war allein und hatte wieder seine Späße mit ihr gemacht. Aber dann hatte er sie auf einmal gepackt und geküßt und sie auf das Sofa geworfen, und sie hatte sich gewehrt, erst leise, weil sie sich vor dem Hausherrn und der Hausfrau fürchtete, aber dann war er so gemein geworden, und da hatte sie ihm das Gesicht zerkratzt und geschrien, daß alles in Aufruhr geriet. Sie war in die Küche gerannt, und später war sie hineingerufen worden, und Madame hatte gesagt, daß sie keine Mädchen bei sich dulden könne, die sich nicht vor den Männern zurückhielten, und daß sie stehenden Fußes ihr Bündel packen und das Haus verlassen solle. Sie hatte kein Wort mehr sagen dürfen ...

Das gab große Bestürzung. Frau Gijzen hatte sie streng ins Verhör genommen, ob es auch wirklich so zugegangen sei, ob sie keinen Anlaß gegeben habe und ob es nicht doch ihre Schuld sei. Annetje hatte ununterbrochen geweint und heftig abgestritten. Sie habe niemals etwas mit diesem Jungen gehabt, nichts, und sie wolle das auch nicht, aber er habe sie gepackt, als ob sie ein Straßenmädchen wäre, mit dem man machen könne, was man wolle.

Und dann war Corrie zu Gijzens gekommen, die andere Haushaltshilfe, und hatte, kochend vor Empörung, Annets Bericht bestätigt und erklärt, daß sie eine halbe Stunde nach Annet auch mit gepacktem Bündel aus dem Haus gegangen sei. Es habe noch einen zornigen Streit gegeben, und sie habe der Madame klargemacht, was sie für einen sauberen Sohn habe – und ob sie sich etwa einbilde, daß sie das auf ihrer Freundin Annet sitzen lasse? Der Dreckjunge könne seine Pfoten nie zurückhalten, der sei genau wie sein Vater . . .

Corries schwarze Augen funkelten vor Leidenschaft, sie küßte Annet, das arme Schäfchen – sie solle es sich nur nicht so zu Herzen nehmen, sie werde für sie beide eine andere Stelle suchen, und es werde schon alles gut werden.

Arjaan hatte Corrie die ganze Zeit angesehen; ein warmes Gefühl strömte in sein Herz. Das war ein anständiges Mädchen! Sie war zwar nicht die Schönste, aber sie hatte so ein offenes, ehrliches Gesicht . . . Und wie wohl tat es, einem Menschen zu begegnen, der seine Stellung aufgab, nur weil andere schlecht behandelt wurden! Und das war, verflixt, ein Mädchen! Daran könnte sich mancher Kerl ein Beispiel nehmen.

Er hatte seine ganze rasende Wut über das häßliche Abenteuer seiner Schwester vergessen und lachte erleichtert und voller Vergnügen. Corrie blieb ein Weilchen, trank Kaffee mit aus dem ewig warmen Brabanter Topf, und ihr burschikoses Reden vertrieb nach und nach alle Niedergeschlagenheit, die auf der bestürzten Familie lastete. Was war denn schon geschehen? Annet hatte dem Erzhalunken die Visage aufgeschabt als Lohn für seine Unverfrorenheit. Gott sei Dank war sie jetzt raus aus diesem Haus! Die Ziererei der ehrenwerten Madame, die gern Annetje die Schuld gegeben hätte, konnte ihnen doch völlig Wurst sein, und eine neue Stellung war rasch gefunden – dem stand nichts im Wege.

Arjaan brachte Corrie nach Haus, und als er ihr vor der Tür einen Kuß geben wollte, hielt sie ihn an den Schultern zurück und sagte: „Nein, Freund, so einfach geht das nicht. Ich bin auch außerhalb meines Dienstes anständig."

„Ausgezeichnet!" sagte Arjaan und gab ihr einen kameradschaftlichen Schlag auf die Schulter. „Es war auch nicht unanständig gemeint . . . Du bist ein tolles Mädchen, Corrie, dich sehe ich bestimmt noch einmal wieder!"

Pfeifend ging er davon, und sie blickte ihm noch eine Weile nach, ehe sie in die Haustür trat.

Zwei Tage später begegnete Arjaan auf der Blaak einem jungen Herrn mit Kratzspuren im Gesicht. Heftige Wut überfiel ihn. Er hielt den Jüngeren an.

„Sind Sie vielleicht Herr van Duren vom Heringsfleet?"

„Ja... Was ist denn?"

„Dann hab ich eine Botschaft von Annet Gijzen für Sie. Ich bin der Bruder... Hier!"

Er versetzte ihm eine schallende Ohrfeige, daß Hut und Kneifer über den Bürgersteig rollten. Und als der andere zurückschlagen wollte, sprang Arjaan ihn mit geballten Fäusten an, warf ihn zu Boden, rollte über ihn, und ehe die herbeieilenden Passanten und zwei patrouillierende Polizisten ihn von seinem Opfer weggezogen hatten, war der junge Herr van Duren dermaßen zugerichtet, daß er in die benachbarte Apotheke gebracht und von dort ins Krankenhaus transportiert werden mußte, wo man ihn mit einer ausgerenkten Schulter und leichter Gehirnerschütterung aufnahm.

Arjaan wurde fünf Tage auf der Polizeiwache festgehalten. Dann erklärte ihm der Kommissar, daß er seine Entlassung der Großmut des Herrn van Duren zu verdanken habe – sonst hätte er bestimmt drei Monate wegen schwerer Körperverletzung bekommen. Er dürfe Herrn van Duren wirklich dankbar sein.

„Die Pocken soll er kriegen mit seiner ganzen Familie!" erwiderte Arjaan. „Sagen Sie ihm das ruhig, falls Sie ihn wiedersehen. Wenn er sich nicht vor dem Skandal fürchtete, würde er mich allzugern auf ein halbes Jahr ins Loch bringen."

Der Kommissar plusterte sich auf, aber Arjaan ließ ihn toben. Als er nach Hause kam, fand er seine Mutter, Annet und Corrie versammelt. Er küßte Mutter und Schwester auf die tränennassen Wangen. Doch als er Corrie die Hand geben wollte, sagte sie:

„Nun kannst du mir ruhig auch einen Schmatzer geben."

Und sie bekam ihn mitten auf den Mund, daß es knallte.

· Fünftes Kapitel ·

I

Für Merijntje waren es fieberhafte Tage gewesen, erfüllt von einer Erregung, die er nicht kannte. Von dem Vorfall mit Annet hörte er erst am nächsten Tag, denn er hatte die Nacht durcharbeiten müssen. Der Bericht war ein wenig verschwommen gewesen, da Corries Dazwischentreten den Dingen einen anderen Aspekt gegeben hatte. Außerdem war man schon ein bißchen darüber hinweg, es erschien nicht mehr ganz so abscheulich. Er war todmüde schlafen gegangen, voll verworrener Gedanken über diese Entlassung, die eine neue Willkür, ein neues Unrecht bedeutete. Die Nebenumstände waren ihm gar nicht so recht klargeworden. Die Nacht darauf hatte er wieder gearbeitet – bis zum späten Nachmittag, und als er nach Hause kam, fand er alles in hellem Aufruhr, denn es war gerade ein Polizeibeamter dagewesen, der Aufklärungen über den festgenommenen Adrianus Josephus Gijzen verlangte und mitteilte, warum man ihn eingesperrt habe. Sie würden ihn zunächst wohl nicht wiedersehen, der Fall sehe schlimm aus.

Da erst war es Merijntje aufgegangen, was eigentlich geschehen und wie Annet bedroht und beleidigt worden war. Seine Schwester: ein Mädchen von achtzehn Jahren. Ein Mädchen ... Noch immer vermochte dieses Wort ein warmes und zartes Gefühl in ihm zu wecken; etwas Sanftes und Ehrfurchtgebietendes klang darin, worunter sich ein scheues Verlangen regte. Das hatten alle bitteren Erfahrungen in ihm nicht zerstören können. Es ließ sich über so etwas nicht unter albernem Gekicher und primitiven Anspielungen sprechen – aber es steckte in einem drin und war schön. Es war vielleicht das Schönste, was es gab. Mit dem Gedanken an seine Schwester verband er allerdings nie die Vorstellung von einem Mädchen. Aber sie war es. Für andere war sie ein Mädchen, das eines Tages zur Frau würde, jemandes Frau, jemandes Liebe, Freude und Glück. Und dort in dem großen, in dem vornehmen, reichen Haus hatte ein junger Mann unverfroren seine Hände nach ihr ausgestreckt, um sie für ein Augenblicksvergnügen zu mißbrauchen, zu schänden und zu verunreinigen, sie einem anderen zu verpfuschen, der später käme und das ausschließliche Recht auf sie hätte, weil sie sich ihm in wahrer Zuneigung hingeben würde. So etwas Schönes und unendlich Liebes! Das wollte dieser wohlerzogene, studierte, mit den moralischen Grundsätzen bestens vertraute Herr aus den nobelsten Kreisen, wo der Anstand doch über alles ging, so einfach zu sich ziehen und als Genußmittel konsumieren, weil er die Lust dazu verspürte, weil seine Gedanken ihm die Sinne geweckt hatten? Und weil Annetje nur ein Dienstmädchen war, konnte er es mit ihr probieren. Dienstmädchen waren keine Menschen, denen man Achtung schuldete, sie waren nur bezahlte Arbeitstiere im Haus. Daß sie zufällig so gebaut waren wie richtige Mädchen, war eine erfreuliche Begleiterscheinung, von der man zwanglosen und angenehmen Gebrauch machen konnte. Als vollwertig brauchte man sie nicht zu betrachten. Mit Liebe hatte es ja nichts zu tun, mit Schwärmerei, mit wachsenden und stärker werdenden Gefühlen, die beide Teile entzückten und reizten. Man war ein bißchen freundlich – und da mußte so ein Wesen schon dankbar sein, denn man war schließlich wer! Man brachte die Kleine mit ein paar Späßchen zum Lachen und hatte damit genug getan, das eigentliche Spiel vorzubereiten. Dann ließ man sich Tee aufs Zimmer bringen, griff sie sich, küßte sie, warf sie aufs Sofa, entkleidete sie und legte los. Und dann durfte sie wieder in die Küche abdampfen – bis man erneut Lust nach ihr hatte. Und wenn sie nicht wollte, sich etwa wehrte, wie jedes anständige Mädchen es tun würde, dann war sie keine ordentliche Haushilfe und mußte ihre Siebensachen packen und sich trollen. Raus! Unbrauchbar!

So war seine Schwester behandelt worden ... Annetje, die vielleicht eben schüchtern und ängstlich über die Liebe nachzudenken und zu ahnen begann, wofür eine Frau geschaffen war. Mit ihr hatte dieser Schuft sein schmutziges Spiel treiben wollen, und sie war hinausgeworfen worden, weil sie sich gesträubt und dem gnädigen Herrn die Visage zerkratzt hatte. So also wurde ein Mensch behandelt, wenn er in einer niedrigen Stellung diente. So behandelte ein Mensch den anderen, weil der eine reich und der andere ein Dienstmädchen im Haus der Eltern war. Und diese Eltern stellten sich hinter ihn, schützten ihn, setzten das Dienstmädchen, das als Mensch respektiert werden wollte, einfach auf die Straße.

Und Arjaan, der dem Kerl eine Tracht Prügel verabreicht hatte, saß in einer verlausten Zelle und würde vielleicht für wer weiß wie lange ins Gefängnis kommen, während der wirklich Schuldige es sich in einem behaglichen Krankenhauszimmer wohl sein ließ! Himmelkreuzdonnerwetter! Und damit sollte man sich abfinden?

Er konnte das bekümmerte und versorgte Gesicht seines Vaters nicht ansehen, das verzweifelte Jammern seiner Mutter nicht mehr hören. Ihre Unterwürfigkeit, ihr ergebenes Warten auf den nächsten Schlag, versetzte ihn in rasenden Zorn. Er biß die Zähne zusammen und schwieg, denn wenn er anfinge zu sprechen, würde er schreien, fluchen, toben gegen ihre kleinherzige Geduld, ihre wehrlose Ergebung. Und nützen würde es doch nichts – sie waren nun einmal so: kleine Leute, gebeugt und zermürbt von einem ganzen Leben genau solcher Erfahrungen wie der der letzten Tage.

Fragen von Recht und Unrecht, das ihnen geschah, berührten kaum ihr abgestumpftes Gewissen. Sie hatten gelernt, daß Gott die Seinen heimsuche und daß man sich in den Willen des Allerhöchsten zu schicken habe – jenen Willen, der sich klar in dem zu erkennen gab, was ihnen widerfuhr. Sie hatten gelernt, sich ihre armseligen, kleinen menschlichen Sünden hart anzulasten, so daß sich für jedes Mißgeschick eine Erklärung fand. Es war das beste, alles ohne Auflehnung, ohne Aufsässigkeit hinzunehmen – dann wurden die, die über einen gesetzt waren, nicht böse, und Gott rechnete einem Kummer und Leid voll an. Dereinst würde man gewiß belohnt dafür, vielleicht auch schon in diesem Leben ... Das durfte man im stillen hoffen, wenn man auch keinen Anspruch darauf hatte. Sie hatten diese kläglichen Menschen blindgestochen, führten sie im Dunkel durch ihr sinnloses Sorgenleben, schwangen die Knute über ihrem gebeugten Sklavenrücken, und wenn sie vor Schmerz wimmerten, wurde ihnen in salbungsvollem Ton vorgehalten: Gott!

Betrug, Grausamkeit, Willkür, Mißbrauch von Wissen und Macht – mit Gott als letzter Drohung oder einzigem Trost ... aber auch dieser Trost diente ihrem einzigen Ziel, jede widersetzliche Regung und jede Forderung nach Rechenschaft abzutöten. Auch über Merijntjes Leben hatte dieser Gott wie ein Schrecken geschwebt, vom ersten Tag an, da in seinem Gehirn, schwach zwar und zaghaft, das geordnete Denken begann. Immer hatte er mit ihm im Streit gelegen, ihm hart zugesetzt mit tausend Fragen, für die es keine vernünftigen Antworten gab; und mit Drohungen und Hammerschlägen hatten ihm die Erfinder dieses falschen Gottes sein schüchternes Aufbegehren ausgetrieben und ihm den Weg zur großen Angst vor dem Mystischen, dem Unergründlichen gewiesen, ihm das erstickende Bewußtsein seiner sündigen Minderwer-

tigkeit vermittelt. Betrug, bewußter, eigennütziger Betrug! Diesen
Gott gab es nicht, konnte es nicht geben, denn was die Menschen
ihm zuschrieben, hatte nichts Göttliches, war teuflisch, boshaft und
grausam. Gott war anders – diese Gewißheit hatte er. Gott war in
dem Schönen, in dem Guten. Wo genau, wußte er nicht, doch er
würde ihn finden ... es war eine Frage der Entwicklung, der reifenden Erkenntnis – seine blinden Augen würden eines Tages sehen können. Gott liebte mündige Menschen – keine unterwürfigen
Schicksalsgläubigen. Die letzten Reste jenes Herrgotts seiner Kinderjahre, das Spukbild, das wie ein furchterregender Tyrann das
Leben unter unerträglichem Druck hielt, jene Reste hatte er endgültig aus seiner Seele verjagt – und er sandte ihnen jetzt einen
grimmigen Hafenarbeiterfluch nach.

Vor Merijntjes Augen zog das Bild zweier Familien vorüber:
der van Durens und der Gijzens ... Mächtig und vornehm die
eine, gemütlich und im Überfluß lebend; die andere schwach und
in Abhängigkeit, rackernd von früh bis spät für ein bescheidenes
Mahl und ein armseliges Dach über dem Kopf. Und wenn die Familie Gijzen zufällig noch über etwas von besonderem Wert verfügte – etwa den Liebreiz eines jungen Mädchens –, dann war das
vor der Habsucht der ohnehin unverhältnismäßig Bevorrechteten
auch nicht sicher. Und wenn sie ihren Besitz handfest verteidigen
wollten, folgte die Strafe auf dem Fuße: Arbeitslosigkeit ... Es
gab wenig Familien van Duren, es gab viele Familien Gijzen; aber
die wenigen van Durens trampelten hochnäsig auf den zahllosen
Gijzens herum und zwangen sie, für ihren Gewinn und ihr Wohlleben zu schuften – für den Ruhm und das Vergnügen der Wenigen. Die van Durens saßen auf weichen Kissen der Staatskarosse,
und die Gijzens waren davorgespannt und bekamen die Peitsche
zu spüren, wenn sie eine ungeduldige Bewegung machten – zwei
Gesellschaftsgruppen, die einander fremd bleiben mußten ... Ja,
Arjaan hatte recht, und die Sozialen hatten recht: die Welt war
ein Tummelplatz unterschiedlicher Schichten, und die unsagbar
große Schar der abgerackerten Arbeiter zappelte machtlos unter
dem harten Zugriff der kleinen Fraktion der Begünstigten.

Alles, was Ansehen hatte, stand auf der Seite der Wenigen – die
Gesetzgeber, die Regierenden – und sogar die Kirche! Mit tausend
Kniffen gängelten sie die an kurzer Leine gehaltene Menge, ließen
sie schuften und schwitzen, erpreßten von ihr ein Vermögen und
teilten es untereinander auf. Doch wer diesen Reichtum aufbrach-
te, ging leer aus und durfte noch froh sein, nicht hungern zu müssen ... Dieses Bild war deutlich genug ... Daß er es nicht schon
eher gesehen hatte! Immer hatte er sich von irgendwelchen Nebensächlichkeiten ablenken lassen, hatte seine Gedanken, seinen Willen, sein Verlangen auf anderes gerichtet ... Geschlafen hatte er,
mit geschlossenen Augen war er durch diese Welt himmelschreien-

den Unrechts gelaufen, von feinen, lieben, schönen Dingen träumend; er war wohl zornig geworden und hatte gelitten, wenn ihm irgendwo kleine Gemeinheiten begegneten, nichtiges Unrecht, das nichtige Menschen einander antaten, heimtückische Püffe, die sie sich gegenseitig versetzten – aber das große Unrecht, das die ganze Welt beherrschte, hatte an seinen Ohren geklungen, und er hatte es nicht vernommen.

Die Geschichte mit dem jungen Bauern de Wit und Peer van Tils Frau fiel ihm ein... Das war genauso gewesen wie bei Annet und dem jungen van Duren. Damals hatte er den schicksalhaften Zusammenhang nicht erkannt, denn Pfarrer Ramakers hatte rasch und mit harter Hand eingegriffen und das persönliche Unrecht wiedergutgemacht. Das war prachtvoll gewesen, aber was hatte es genützt? Nichts... Es begann an anderer Stelle sofort wieder. Und die Pfarrer Ramakers waren dünn gesät.

Doch nun ging ihm auf, wie die Dinge zusammenhingen. Es kam nicht auf den Sohn von Bauer de Wit und die junge Frau van Til an, nicht auf den jungen Herrn van Duren und Annetje Gijzen. Es war nicht die Willkür irgendeines einzelnen, der seine Lust nicht zu bezähmen vermochte, sich nicht in der Hand hatte – dies alles waren nur die kleinen Randerscheinungen der einen, alles beherrschenden, alles verdrehenden und vergiftenden Ursache: der Einteilung der Welt in unterschiedlich einflußreiche Schichten... die brutale Macht einer kleinen Gruppe von Unterdrückern gegenüber der ungeheuren Masse der Machtlosen... Daß er das nicht eher gesehen hatte, nichts davon hatte hören wollen, wenn jemand mit deutlichen Worten darüber sprach! Mußte man denn alles erst am eigenen Leibe erfahren, ehe man klug wurde? Konnte man sich nicht schon vorher danach richten?

Die beiden nächsten Tage blieb er der Arbeit fern. Er konnte den Hafen nicht mehr sehen. Das schöne Bild, das er sich von Rotterdam vorgespiegelt hatte, lag zerstört im Schmutz. Es war ein Trugbild gewesen, einer der nichtigen Träume, von denen er sich so gern blenden ließ... Es war kein einheitliches Gebilde, in dem jeder an seinem Platz stand, seine Arbeit tat voller Freude und Stolz über das gemeinschaftlich vollbrachte Werk. Es war ein ungeheurer Mechanismus, in dem er und all die anderen Arbeiter sich als überbelastete Rädchen, Zapfen und Wellen knirschend und knarrend herumdrehten, mit dem Öl des kargen Lohns geschmiert – und eine kleine Anzahl von Profitjägern trieb die Maschine an und sammelte das Gold, das sie aus ihr herauspreßten, in ihren Panzerschränken... Eine Raubmaschine war Rotterdam. Und der Überfluß, den es keuchend und stampfend lieferte, wurde von einer Bande unersättlicher Vielfraße gierig verschlungen.

Wie war das möglich? Wie hatte es zu dieser Entwicklung kommen können? Ließ es sich jemals ändern? War es denkbar, daß all diese fügsamen, für ein Butterbrot ins Zeug gehenden Menschen sich ihrer Peiniger entledigten, sich befreiten, um selber die Früchte ihrer mörderischen Arbeit zu ernten?

Er irrte durch die Stadt, sah sie mit neuen Augen. Die geräumigen, palastartigen Wohnungen in den Vierteln der Reichen: da gab es livrierte Diener und Dienstmädchen mit Spitzenhäubchen, die alles blitzend sauber hielten. Dort war das Leben behaglich und schön, ein dauerndes Fest sorglosen Essens und Trinkens und Promenierens ... Doch wieviel ausgedehnter waren dagegen die Elendsviertel, in die es ihn unbewußt zog, um sich selber und seiner Familie zu begegnen: die düsteren Gassen und Winkel, in denen das Leben dahinwelkte, zusammengedrängt in dumpfen, licht- und luftlosen Mietskasernen, dunstend und stinkend von Armut und nutzloser Plackerei. Die übervölkerten, brütendheißen Höfe hinter den hellglänzenden Fassaden der stattlichen Geschäftsstraßen. Es gab viele düstere, gespenstische, angsteinflößende Sieben-Häuser-Gassen ... Risse und Spalten im turmhohen, verschimmelten Mauerwerk, wo die Menschen wie bleiche Schemen lebten, fahle Pilze in einer Kelleratmosphäre. Und zahllos auch die Straßen, die auf den flüchtigen Blick etwas weniger verkommen wirkten – aber eben nur dem Scheine nach. Auch hier überall Dreck und Abfall, durcheinanderwuselnde kotige Kinder, die im Rinnstein spielten oder in Schlammpfützen pantschten, verwahrloste Frauen mit schlaffen, verlebten Leibern, blaß aufgedunsene Säuglinge im Arm, triefnasige Kinder an den geflickten, abgetragenen Röcken, plappernd oder schimpfend in höhlenartigen Toreinfahrten, hinter denen ausgetretene, schmutzstarrende Stiegen und vermorschte Treppen schimmerten. Halbwüchsige Bengel lungerten dort herum, rauchend und trinkend, aufgeschossene Kerls, die den Vorübergehenden unflätige Bemerkungen nachriefen und grölend über ihre Zoten lachten, ein freudloses, unechtes Lachen – jämmerlicher und weitaus erschreckender als die bedrückende, aber ehrliche Finsterkeit, die über der Gegend lag ... Schmierige Spelunken, aus denen der Brodem von Tabak und Alkohol schlug, muffige Keller mit dem Gestank von Lumpen und verwesenden Knochen, auf denen fette Maden wimmelten; bleichsüchtige Menschen, die in diesem Unrat herumstöberten, um hier ihre Tagesration zum Überleben zu finden. Ein unübersehbarer Schuttabladeplatz für stinkenden Unflat, für Verzweiflung und Elend, für sieches, verrottetes Leben, durchkrochen von ekligem Geschmeiß, gärend von Fäulnis in tausenderlei Gestalt – ein Schrecknis, ein Alp ... Hier war alles egal. Hier mußten alle Hemmungen schwinden. Hier keimte das Verbrechen, unaufhaltsam, wie Giftpflanzen auf dem Misthaufen, hier mußte zwangsläufig aus dem trüben Gemengsel von Fäulnis, Verzweiflung und Elend die ungezügelte Auflehnung emporschießen jener in die Enge Getriebenen, die keinen Ausweg mehr wußten und nichts zu verlieren hatten. Die Namen dieser Gassen und Straßen kehrten regelmäßig in den Zeitungsberichten wieder: Mord, Mißhandlung, Einbruch, Raub, Schlägerei mit roher Verstümmelung ... die Läuse, fast zertreten schon, versuchten sich noch untereinander Schaden zuzufügen, sich bei dem geringsten Anlaß das Blut auszusaugen ...

Gijzens waren das – ein bißchen weiter und tiefer in den Schlamm geraten ... Eine längere Arbeitslosigkeit, und die Gijzens vom Prinz-Hendrik-Kai würden absinken zu diesen Gijzens hier. Die Luft der Fäulnis würde sie anstecken und diesen gleichmachen. Konnte man sauber bleiben, wenn man gezwungen wurde, im Schlamm zu hocken?

Am Abend streifte er durch die Viertel, wo hinter roten Türgardinen mechanische Orgeln wimmerten, wo Harmonikas quietschten oder verstimmte Geigen kratzten. Überall stampfendes Getanze, Johlerei und das affektierte Gekreische hoher Frauenstimmen. Hinter Fenstern mit zurückgeschlagenen Tüllvorhängen saßen unter rotschimmernden Lampen grell geschminkte, verlebte Frauen, flüsterten Lockworte und zeigten heimlich die quabbligen Brüste, indem sie ihre Hemden wie absichtslos von den Schultern rutschen ließen. Matrosen, Hafenarbeiter, Herren von zweifelhaftem Habitus streunten von Kneipe zu Kneipe, laut singend, albern tanzend, torkelnd vor Trunkenheit und sinnloser Erregung. Rauhe Flüche wurden gelallt, Ferkeleien aufgedonnerten Mädchen entgegengeschleudert, die die Antwort nicht schuldig blieben. An den Straßenecken standen dunkle Gestalten in leisem Gespräch, scheu zur Seite blickend, wenn er vorüberging. Was heckten sie aus? Eine Frau stieß ihn mit der Schulter an und schmeichelte: „Schätzchen ...?" Im Licht der Laterne sah er ihr Gesicht ... es war grau und eingefallen, mit Augen, die fieberkrank in dunklen Höhlen glühten – vielleicht fünfzig Jahre alt ... Eine Straße weiter war sie sechzehn, ein rundes blühendes Gesicht, hochfrisiertes blondes Haar und Lockenpony, lachende blaue Augen, ein sinnlicher Mund mit vollen Lippen und herausfordernd vorgeschobene junge Brüste ... Zehn Meter hinter ihr ein gefährlicher Boxertyp, die Schirmmütze tief in die lauernden Augen gezogen, die brennende Zigarette tückisch im Zwielicht aufglimmend ... Wilder Lärm in einem Tanzlokal, gellende Schreie in drei, vier Sprachen, dumpfdröhnende Hiebe einer Prügelei, Geklirr von zu Scherben gehendem Glas, darüber brüllende Orchestrionmusik, Hilferufe, Gerenne, schrille Pfiffe, ein Auflauf, hektische Neugier, von drauflosschlagenden, überreizten Schutzmännern abgeführte Krawallbrüder, Gelächter und Gejohle ... Doch der Spaß geht weiter. Vielleicht ist nur ein junger Matrose auf ewig ein Krüppel, vielleicht verblutet im Hinterzimmer ein Zuhälter – der Spaß geht weiter ...

Das Viertel trieft von Gemeinheit, von Unzucht und Gier.

Eklige Krankheiten kriechen von Frau zu Mann, von Mann zu Frau: schweigender, strafloser Meuchelmord unter dem Stöhnen käuflicher Wollust, tierisch und erniedrigend... Und darüber wölbt sich der goldbestirnte Himmel in schwüler Sommernacht – von seinem Thron schaut ein gräßlicher Götze hinab, ein grinsender Teufel, und läßt es geschehen... Gijzens, allesamt Gijzens, durch den Zufall gemeinsamer Not dazu verurteilt, hier in der widerwärtigen Hölle dieses Hafenstadt-Amüsements ihre Rolle zu spielen. Wenn Annet diesem Lump nicht widerstanden und ein Kind von ihm bekommen hätte und von Vater und Mutter aus dem Haus gejagt worden wäre, hätte es dann nicht recht gut möglich sein können, ihr hier zu begegnen, ein, zwei Jahre später – dann wäre sie es vielleicht gewesen, die seine Schulter gestreift und gewispert hätte: „Schätzchen...?" Und wenn Arjaan ins Gefängnis mußte – wie würde er dort herauskommen? Was würde er danach aus seinem Leben machen? Arjaan, dieser hitzköpfige, unternehmungslustige Draufgänger mit seinem aufbrausenden, nachtragenden Charakter, seinem Hang, das Äußerste zu wagen?

Erschöpft und entnervt kam Merijntje von diesen Streifzügen nach Hause – todmüde, als hätte er allein ein Kohlenboot gelöscht. Eine nie gekannte Trauer würgte ihn in der Kehle, und beklemmende Spannung drückte sein Herz zusammen. Er hätte schreien mögen – aber er schwieg, beschämt und entmutigt. Was hätte es genützt – und wenn es bis in die Rozenstraat gellte? Die Sozialen schrien schon so lange und noch dazu im Chor – und was half es? Konnte überhaupt etwas helfen, soviel Schmutz, soviel Elend, Schande und Abscheulichkeit aus der Welt zu schaffen? Wie hatte es überhaupt so weit kommen können? Wie hatten es die Menschen zulassen können, daß ihre eigenen Brüder so tief im Morast versanken?

Priester, Pastoren und Rabbiner standen in Kirchen und Synagogen und beteten zu einem gnädigen Gott; die christlichen Prediger verkündigten den Heiland und Erlöser, der Liebe und Schlichtheit geboten hatte, reinigende Armut ohne Begierden und sündige Anfechtungen, Nächstenliebe, Selbstverleugnung und Barmherzigkeit. Und knapp hinter den buntbemalten Kirchenfenstern, noch in Hörweite der priesterlichen Stimme, gärte das verzweiflungsvolle Leben dieser Menschen, reckte der geschwürige Körper der Slums, verbittert um Mitleid flehend, die ohnmächtigen Arme zum Himmel aus. Doch es wurde ihm nichts anderes zuteil als zusätzliche Polizeibewachung, salbungsvoll ermahnende Tröstungen und Versprechungen, die der eine oder andere Gott dereinst einlösen werde, wenn dieses Leben ausgelitten sei... Ein schmutziges Theater, niederträchtige Heuchelei, falsche, hinterhältige Ausflüchte, um den räudigen Hund zum Kuschen zu bringen.

'Und in den weiträumigen, luftigen Villen saß die kleine Gruppe

der van Durens und stopfte sich voll mit dem, was die Gijzens
zustande brachten und selber entbehrten – und Gijzens in Livree
und Dienstmädchenschürzen reichten es ihnen auf glänzenden Plat-
ten und räumten hinter ihnen den Abfall weg – bückten sich und
taten schön und zeigten sich dankbar, in solch vornehmem Hause
dienen zu dürfen ... sie hatten es gut im Schatten dieser Würde,
begriffen aber nicht, daß sie ihre eigene Familie auffressen halfen.

Es war zum Verrücktwerden! Gab es noch einen Ausweg aus
diesem Chaos von Unrecht und Schmach? Wer vermochte den
Weg zu weisen – und wie konnte es geschehen? Warum griff Gott
nicht ein? So wie Merijntje es aus der Bibel kannte: Sodom und
Gomorrha, die Pestbeule, die Gott mit Pech und Schwefel ausrot-
tete. Warum tat er es nicht? Nein, diese alte Geschichte half hier
nicht weiter. Der Himmel war leer. Wo saß der väterliche, zur
Hilfe bereite Retter? Gott war geflohen. Wahrscheinlich war er
müde und trauerte ob all der Greuel, die seine Geschöpfe sich
gegenseitig antaten ... Hatte er ihnen dafür ihre Freiheit gegeben?
Die Menschen mußten erst einmal unter sich selbst zu Rande kommen. Wenigstens ein Bemühen mußte erkennbar sein ... Doch
wie? Großer Gott, wie!

Seine Bücher sah er nicht mehr an. Was hatten ihm schon die
Dichter zu sagen mit ihren klangvollen Versen, ihren schönen Rei-
men und kunstreich ausgezählten Zeilen, ihren wundervollen Bildern, ihrer ganzen Schönheit? Was gingen ihn diese hübsch erson-
nenen Romane an von Liebe zwischen tiefgründig sprechenden
Männern und hold flötenden Frauen, was bekümmerten ihn ihre
Verwirrungen und ihre Untreue, ihre verzwickten Interpretationen
der natürlichsten Dinge, ihr Gejammer über Seele und Herz und
Geist und Kunst und das Geschlecht. Sie sollten lieber mal einen
Blick in den Hafen werfen und in die Arbeiterviertel, in die Gassen und Torwinkel, in die Animierlokale, die Kneipen und Bor-
delle, um zu sehen, wie das Leben hier vor Schönheit barst! Für
wen schrieben diese feinsinnigen Federhelden eigentlich? Für wen
sonst als für die van Durens! Die Gijzens kamen darin nicht vor –
die standen zu tief. Die Gijzens zogen keinen Nutzen daraus. Die
konnten es ohne Hilfe und Auslegung sowieso nicht begreifen. Ein
und dieselbe Clique, die erhabenen Künstler und die Schmarotzer
in den reichen Häusern ... alles dieselbe Wichse ... Damit wollte
er nichts zu tun haben. Er gehörte nicht dazu. Das war wieder so
eine Wahnvorstellung von ihm gewesen, eine kindliche Illusion.
Er war ein Gijzen – er mußte es mit den Pfoten tun. Aufpassen,
daß er nicht unter die Räder kam! Über Schönheit würde er erst
wieder grübeln können, wenn er nichts besseres zu tun hatte.
Wann wohl? Wenn der am übelsten betroffene Gijzen aus dem
Dreck herausgekrochen und ein wenig menschenähnlicher geworden wäre. Vorher nicht – auf keinen Fall! Auch gut. Man durfte

einfach nicht die Hände in den Schoß legen und alles Gott in die Schuhe schieben. Man mußte sich schon selber ein bißchen tummeln. Merijntje würde auch ohne diese flaue, vielgepriesene Schönheit klarkommen.

Und doch konnte er es nicht verhindern, daß sich des Abends im Bett eine Schwermut in seine Gedanken stahl, weil er sie alle, die Dichter und Schriftsteller, die Künstler, die Schöpfer der Schönheit, verlieren sollte. Zeilen einzelner Verse klangen und sangen in seinem Kopf, wollten nicht verhallen, riefen alte, stille Regungen wach. Es würde nicht so leicht sein, dies alles einfach fahrenzulassen, nicht so leicht, wie er gedacht hatte ...

Am nächsten Abend kam Klaas ihn besuchen. Er müsse ihm mal den Kopf zurechtsetzen ... Ob er sich denn einbilde, irgend etwas zu bessern, wenn er dasitze und darauf warte, was mit Arjaan geschehe, und ewig Trübsal blase?

„Das tu ich ja gar nicht ...“

Nun, und warum kam er dann nicht zur Arbeit und lief wie ein Verrückter in der Stadt herum? Warum? Suchte er vielleicht den feinen jungen Herrn van Duren? Den hatte schon Arjaan fürs Krankenhaus fertiggemacht; der lag jetzt in Watte gepackt und wurde wieder zusammengeflickt. Wenn Merijntje ihm dann später auch noch eine Tracht Prügel gönnen wollte, bitte sehr ... um so besser. Klaas sagte für diesen Durchgang gerne seine Mitwirkung zu.

Was, das wollte Merijntje auch nicht? Ja, was wollte er dann, in drei Teufels Namen? Er war doch nicht drauf und dran, kindisch zu werden? Jetzt sollte er aber mitkommen, ein bißchen herumbummeln, sich ablenken lassen, und morgen kam er wieder mit zum Hafen. Es gab eine Menge zu tun, ein Schiff von der Levante, Südfrüchte, ein gutes Stück Arbeit, und Merijntje konnte dabeisein – dafür hatte Klaas gesorgt. Arbeit war die beste Ablenkung, und wenn man mit Säcken und Kisten und Fässern spielen durfte, vergaß man das graue Elend, alle Scherereien und Enttäuschungen. Da gab es keine Arjaans und keine Riekies mehr – und hernach hatte Merijntje wieder reichlich Gelegenheit zu querulieren ...

Wenn's mal so wäre, dachte Merijntje seufzend. Aber er ging mit.

Währenddessen begann er auf Klaas einzureden. Alles, was ihm in diesen drei Tagen begegnet war, brachte er zur Sprache, schüttete es förmlich aus, zitternd vor Ereiferung, abwechselnd rot und bleich vor Wut, vor Ergriffenheit, vor leidenschaftlicher Empörung. Klaas hörte zu, lebte mit, schaute bewundernd in das unruhige Gesicht seines Kameraden und mochte ihn mehr denn je ... Wie dieser Junge zu reden verstand, wie er erzählen, die Dinge erklären konnte! Es war nichts Neues für Klaas, was Merijntje da in einem Zuge von sich gab, und für Merijntje selber eigentlich auch nicht. Alle beide kannten sie die Stadt – und das Arbeiterleben ohnehin –, aber es war doch nicht ganz so, wie es ihnen früher vorgekommen war. Es wurde ihnen jetzt erst richtig deutlich, wie dies alles zusammenhing, was für eine verdammte Schande es bedeutete, wie erniedrigend es war – auch für sie. Ein brüderliches Gefühl für den „Abschaum" aus den Elendsquartieren durchflutete sie. Auch die Leute dort waren überwiegend ehrliche Arbeiter, die gutes Geld verdienten; aber das Diebes- und Hurenpack gehörte mit zu der großen Familie... Und da mochte geschehen, was wollte – man saß doch mittendrin, mit ihnen in der Falle. Von Glück konnte sagen, wer da wieder herausfand!

„Ja", sagte Klaas mit seiner schweren Stimme, „es ist schon eine verfluchte Schlamperei, und wir werden damit klar Schiff machen."

„Wir?" fragte Merijntje verwundert. „Wer wir? Du und ich vielleicht?"

„Alle Arbeiter miteinander, die Partei der Sozialen und die Gewerkschaften."

Merijntje sah nachdenklich vor sich hin. In seinen Augen schimmerte ein ungläubiges Licht... Die Arbeiter?

„Wie kommst du bloß darauf, zu glauben, daß diese armen Schlucker die Welt verändern könnten?" fragte er. „Sie haben kaum zu fressen. Was können die schon ausrichten?"

Klaas verstand diesen Zweifel nicht.

„Himmeldonnerwetter!" polterte er los. „Wer sollte es denn sonst schaffen? Wenn du denkst, daß die reichen Pinkel von alleine abdanken, nur weil es soviel Unrecht gibt, dann kannst du lange warten. Die armen Teufel sind stark genug, wenn sie alle dasselbe wollen und Tuchfühlung halten."

Merijntje nickte.

„Das kenn ich", sagte er. „Kalter Kaffee. Damit schmettert mir Arjaan auch immer die Ohren voll. Aber das will ich erst sehen. Wenn es gilt, einander die Butterstullen vor der Nase wegzuschnappen, ja, dafür sind sie nicht zu träge..."

„Das sind die Armleuchter unter ihnen", antwortete Klaas gelassen, „Raffer und Nimmersatte, Verräter und falsche Hunde ... versteht sich von selbst, die gibt's überall, die gehören auch dazu. Aber darum geht es nicht. Sie müssen klüger werden... Wenn ich dir heute die Butterstulle mause und du mir morgen meine, gibt es nur eine Sorte Mensch, die heute und morgen lacht – nämlich die Geldherren. Und wenn wir so schlau sind und begreifen, daß wir einander nicht die Haare ausreißen dürfen, sondern zusammenhalten müssen gegen diese Leute, dann werden sie schon rasch das Weite suchen. Doch nicht etwa von allein – oder?"

Merijntje zuckte die Schultern. Es klang recht einfach. Zu einfach. Wenn es so bequem war, warum war es dann nicht schon längst geschehen?

„Ich versteh dich nicht", verwunderte sich Klaas, „du bist doch sonst hundertmal gescheiter als ich – daß du das nicht begreifen willst! Wenn wir geschlossen auftreten, nimmt der Reiche bestimmt die Beine in die Hand. Wir müssen's nur wollen..."

„Wollen wir's denn nicht?"

„Natürlich wollen wir's!" rief Klaas mit einem gewaltigen, meterlangen Fluch. „Aber das geht nicht so eins-fix-drei."

„Sehr richtig", konstatierte Merijntje traurig. „Da sitzt der Hase im Pfeffer: Wir wollen herzlich gern, aber können's nicht – und so drehen wir uns im Kreise, und es bleibt alles, wie es ist."

„Dann müssen wir eben Bomben werfen", sagte Klaas böse.

„Das wäre vielleicht das beste", überlegte Merijntje. „Damit räumen wir dann wenigstens tüchtig auf, und man hat das Gefühl, daß es was nützt."

Klaas lachte laut.

„Verflixt, das hätte ich mir nie träumen lassen, daß du ein Anarchist bist."

„Bin ich gar nicht."

„Was – das auch nicht? Was denn überhaupt? Dann bist du ein Quatschkopf... So, und jetzt gehen wir mal schauen, ob meine alte Dame noch ein Täßchen Negerschweiß übriggelassen hat... Wir sind hier gleich zu Hause."

Als sie zu Klaas' Eltern kamen, saß Besuch am Tisch: ein blondes Fräulein in schwarzem Rock und hellblauer Bluse. Das Fräulein war Riekie, und neben ihr lagen ein Paar hellbraune Lederhandschuhe.

Merijntje blieb stocksteif an der Tür stehen. Riekie sah ihn an, lächelte und wurde rot. Sie hatte ein Grübchen in der linken Wange, nur in der linken...

Riekie war das Ladenfräulein aus der Taktstraat.

2

Keiner von beiden hatte merken lassen, daß sie sich kannten. Sie hatten Fräulein und Herr zueinander gesagt, bis Klaas einen Lachanfall bekam und fragte, was denn dieses alberne Gesieze solle – als ganz gewöhnliche Arbeiterkinder könnten sie doch gut und gern Merijntje und Riek zueinander sagen.

Später brachte Merijntje sie nach Hause und hatte sich noch niemals so hölzern, eckig und häßlich gefühlt.

„Ich hatte noch gar keine Gelegenheit, dir für die schönen Handschuhe zu danken", sagte Riekie und lachte leise. „Das hole ich nun also nach."

Er wurde feuerrot. Stotternd murmelte er: „Ach, ich weiß nicht... Hoffentlich hast du es nicht übelgenommen..."

„Ganz und gar nicht. Ich war nur so verblüfft... Aber später fand ich es doch sehr nett. Wie bist du eigentlich darauf gekommen?"

„Ach, nur so... Ich... hm... kam von einer Reise zurück, und ich war so froh..."

„Und teilt man dann Geschenke an fremde Mädchen aus?"

Er zögerte, dann sagte er: „Du warst kein fremdes Mädchen für mich."

Verwundert sah sie ihn an. Ihre Augen waren ganz blau.

„Wieso? Hast du mich denn gekannt?"

„Ich hab dich oft im Laden stehen sehen. Ich fand dich... na ja ... ich hab manchmal an dich gedacht, als ich durch Brabant wanderte. So kam das..."

„Oh . . . ach so . . . lustig!"

Sie schaute ihn von der Seite an. Die schiefe Seemannsmütze, das dunkle, lockige Haar . . . Eigentlich lag ihr diese Art von Jungen nicht. Aber irgend etwas in seinem Gesicht ließ ihn anders erscheinen, als man es seiner Kleidung nach vermuten konnte. Vielleicht die braunen Augen? Und wie verlegen er war! Sie mußte lachen . . . Aber eigentlich fand sie es nett. Verlegen wie ein kleiner Junge . . . Und der hatte in Brabant an sie gedacht? Komischer Gedanke: ein Mensch, von dessen Dasein man keine Ahnung hatte, lief irgendwo herum und dachte an einen. Zu lustig! Und dieser Einfall mit den Handschuhen – toll! Und daß sie dann bei Klaas' Mutter einander so unverhofft gegenüberstanden! Lieber Gott, ob er von Klaas' idiotischen Anträgen etwas wußte? Hoffentlich nicht. Aber warum eigentlich? Was kümmerte sie dieser fremde Schauermann?

Vor ihrem Haus reichte sie ihm die Hand.

„Auf Wiedersehn, Merijntje, und schönen Dank!"

„Nichts zu danken . . . Auf Wiedersehn!"

Noch lange spürte er die Wärme ihrer Hand in der seinen . . . Riekie, das blonde Ladenfräulein . . . Was für ein merkwürdiges Zusammentreffen! Wie hätte er aber auch vermuten können, daß Klaas über das Ladenfräulein aus der Taktstraat sprach, als er so eifrig von Riekie erzählte. So ein närrischer Zufall! Von ihm selber war es natürlich auch närrisch, sich immer einzubilden, sie müsse etwas ganz Vornehmes sein.

Arjaan nannte das verächtlich: kleinbürgerliche Standesbegriffe. Sobald jemand ein bißchen besser gekleidet war, ordnete man ihn sofort in einen „höheren" Stand ein . . . Na ja, jedenfalls war es eine Erleichterung, daß Riekie auch nur die Tochter eines Schauermanns war. Obwohl – solche Mädchen stellten oft ganz schöne Ansprüche . . . Und was dann? Wieso – was dann? War das etwa seine Sache? Er hatte andere Dinge im Kopf als Riekie . . .

Als er nach Hause kam, war Arjaan da. Helle Freude durchflog ihn. Im ersten Augenblick brachte er kein Wort hervor, stand nur da, drückte ihm die Hand und schlug ihm auf die Schulter, so daß Arjaan grinsend erklärte: „Du, hör mal, meine Schulter ist kein Amboß."

Da brach er in ein befreiendes Lachen aus und sagte heiser: „Da ist er ja wieder, der verdammte Bandit, Himmelsakrament!"

Mutter lief rot an vor Entrüstung und beschwerte sich: „Willst du dir wohl endlich deine Hafenarbeiterflüche sparen?"

Alle lachten mit, und Arjaan erzählte noch einmal, wie er freigelassen worden war und daß es also kein gerichtliches Verfahren geben würde. Nachher brachte er Corrie nach Hause, und kurz danach ging Merijntje ins Bett, denn morgen wollte er wieder arbeiten.

Aber er schlief noch nicht, als Arjaan heimkam und zu ihm in den Alkoven stieg. Behaglich streckte er sich aus und pfiff leise zwischen den Zähnen.

„Schläfst du schon, Merijntje?" fragte er halblaut.

„Nein."

„Wie findest du die Corrie? Weißt du, daß sie ihre Stelle aufgegeben hat, als unsere Annet dort rausgeworfen wurde?"

„Ja, das war anständig."

„Was heißt anständig? Die hat eben ein Gespür für Gemeinschaftssinn ... das gehört sich einfach so. Verflucht, was für ein Mädchen! An der kann sich mancher Kerl ein Beispiel nehmen."

Merijntje schwieg. Arjaan lachte und fuhr fort:

„Und küssen kann sie! Donnerwetter! Das merkst du bis in den letzten Winkel deines Herzens."

„Ach", spottete Merijntje, „ist es wieder mal soweit?"

„Genau", grinste Arjaan, „aber diesmal ist's ernst, Mann. Wenn sie mich will, heirate ich sie ... sobald ich wieder Arbeit habe."

„Du bist ja rasch von Entschluß."

„Ich habe auch lange genug auf so ein Mädchen gewartet – die halt ich jetzt fest, das glaub mir! Mit so einer Frau kann man leben. Die ist aus gutem Holz ..."

„Man muß eben Glück haben."

„Das muß man auch, du eifersüchtiger Affe. Aber außerdem muß man es wagen, zur rechten Zeit zuzupacken. Das ist wichtig."

Genau das war es, dachte Merijntje bitter. Daran hatte es bei Arjaan nie gefehlt – bei ihm, Merijntje, sah das schon etwas anders aus ... Dieser Arjaan! Mit keinem Wort sprach er über das Geschehene, weder über die Schlägerei noch über seinen Aufenthalt in der Polizeiwache. Das war schon wieder vorbei, zu Ende gebracht, vergessen. Es gab etwas Neues: Corrie ... Plötzlich war er in sie verliebt und flog auf sie zu wie eine Biene auf eine Honigblume.

Für Arjaan war immer nur das Neue von Belang – heute galt es zu leben, das Gestern hatte seine Bedeutung verloren, und für die Zukunft wußte er genau, was kommen mußte: die Verwirklichung der sozialen Gerechtigkeit mit Hilfe eines Trüppchens Lumpenvolk. Was hieß das eigentlich: soziale Gerechtigkeit? Man sagte es so leichthin und hatte dabei eine vage Vorstellung von roten Fahnen, tumultuarischen Versammlungen und Umzügen mit viel Politik. „Klassenkampf" war ein Wort, das Bedeutung zu erlangen begann – wenn Merijntje für die Arbeiter auch keine Chance sah, die Klassen hatte er verteufelt gut erkannt. Doch wie mochte es weitergehen? Was war „Sozialismus"? Wie sollte dieser Heilsstaat funktionieren? Ein häßliches Wort, das ihn an die Soldaten der Heilsarmee denken ließ – jene aufdringlichen Leute, die ihm zuwider waren wie niemand sonst, mit ihrer Katzenmusik, ihrem

wehleidigen Singsang, ihrem Armsünderstühlchen – und unaufhörlich die Floskel von den „lieben Brüdern und Schwestern" auf den
Lippen... Arjaan mußte ihm das alles einmal genau erklären.
Aber es war sehr gut möglich, daß er es selber nicht wußte – der
konnte ja schon bei einem flüchtig aufgeschnappten, halb verdau-
ten Wort Feuer fangen und drauflosschwatzen mit einer Überzeugung, als sei ihm nichts verborgen geblieben.

Wie mit dieser Corrie. Er kannte sie kaum und wußte schon so
viel von ihr, daß er sie sofort heiraten wollte. Ein Narr, ein Wilder – aber das war er schon immer gewesen... Doch schließlich,
warum auch nicht? Wenn ein Mädchen einen küßte, daß man es
bis in den tiefsten Winkel seines Herzens spürte...

Aber daß er über so etwas einfach reden konnte! Er selber hätte
Riekies Namen nicht einmal vor ihm zu nennen vermocht. Obwohl
... das war natürlich auch ein ganz anderer Fall: Riekie war kein
gewöhnliches Dienstmädchen wie Corrie...

Dann grinste er und sagte zu sich selber: „Jawohl, du Kleinbür-
ger!" und schlief ein.

Arjaan hatte fünf Tage in der Gruppe von Merijntje und Klaas
mitgearbeitet. Einer der Schauerleute war in den Laderaum gestürzt und hatte sich das Schultergelenk gebrochen. Da brauchte
man jemand, der für ihn einsprang. Arjaan hatte noch keine andere Arbeit in Aussicht: In einigen kleineren Fabriken war er auf
Schwierigkeiten gestoßen, da der Grund für seine letzte Entlassung bereits bekannt war. Also griff er zu, als sich etwas bot. Doch
im Herzen empfand er wie die meisten gelernten Arbeiter einen
eingewurzelten Abscheu vor der Tätigkeit der Schauerleute; wer
etwas gelernt hatte, stand als Arbeiter haushoch über jedem
Schauermann, der seinen Körper nur dazu benutzte, Lasten zu
befördern wie ein Packesel.

Doch während der fünf Tage, die er im Hafen arbeitete, lernte
er begreifen, daß die Arbeit der Schauerleute viel mehr Fachkön-
nen erforderte, als er sich je hatte vorstellen können, und daß es
eine ungemein harte Arbeit war. Zu hart für ihn. Er ließ sich indes
nichts anmerken, biß die Zähne zusammen und trabte mit, so gut
er konnte.

Aber mit Erstaunen und heimlicher Bewunderung sah er auf
seinen jüngeren Bruder, der sich mit einer Sicherheit und Kraft bewegte, die ihm Respekt abnötigten. Es war unglaublich, wie Merijntje sich in den letzten vier Monaten entwickelt hatte, sich hier
zu Hause fühlte und unter dem Druck wuchs. Er selber hatte das
Gefühl, als seien alle Gelenke seines Körpers entzündet, geschwollen und ausgerenkt, seine Knochen erweicht und seine Muskeln
zerrissen. Das hielt ja nicht mal der Teufel aus. Aber Merijntje,
dieser verfluchte Hosenscheißer, der hatte es ausgehalten, der

schleppte, als koste es ihn nicht die geringste Anstrengung, und versuchte nicht einmal mehr, aus dieser Hölle herauszukommen ... War wohl doch ein Kerl, der Merijntje! Schade, daß kein Mumm dahintersaß, daß er ewig ein Herrenknecht bleiben würde ...

Nach fünf Tagen war die Arbeit zu Ende. Am nächsten Morgen stand Merijntje zur gewohnten Zeit auf; er wollte sich umsehen, wo es neue Arbeit gab. Als er mittags nach Hause kam, fand er Arjaan noch im Bett. Corrie saß neben ihm. Er hatte ein nasses Tuch auf der Stirn, und sein unrasiertes Gesicht sah blaß und verfallen aus. Merijntje hatte Mitleid mit seinem Bruder. Er kannte das, verstand, wie er sich fühlte. Aber da mußte man durch ... Wenn man Schauermann werden wollte, mußte man hart zu seinem Körper sein, unerbittlich; er mußte gehorchen lernen, um die schweren Anforderungen der Arbeit zu erfüllen.

Aufmunternd sagte er: „Heut abend kann's wieder losgehen, Arjaan ... Nachtschicht. Um sieben Uhr."

Arjaan schlug die Augen auf. „Du kannst mir gestohlen bleiben!" erwiderte er, doch seine Stimme klang matt, und seine Hand machte eine nervös abwehrende Bewegung. „Ich gehe nicht mehr mit. Das ist viehische Arbeit ..."

Merijntje lachte. „Ja, sicher, aber man muß durchhalten. In vier Wochen hast du's hinter dir, dann spürst du nichts mehr davon."

„Möglich, aber ich hab's satt. Geh allein!"

„Ich hab dich schon aufschreiben lassen."

Da mischte sich Corrie ein: „Laß den Jungen doch in Frieden! Siehst du nicht, daß er ganz krank ist von der Schufterei?"

Mutter war auch dazugekommen und sagte böse:

„Wirst du wohl Arjaan in Ruhe lassen, du häßlicher Quälgeist! Nicht jeder ist so ein Querkopf wie du, der sich unter dem rohen Volk der Hafenarbeiter zu Hause fühlt. Dein Bruder ist nicht von Eisen und Stahl."

„Ich auch nicht – und trotzdem hab ich mich durchgeboxt."

„Ach, du bist verrückt!"

Merijntje zuckte die Achseln. Corrie hatte die Hand auf Arjaans Stirn gelegt, und der hatte die Augen wieder geschlossen, ein kleines, kümmerliches Lächeln um den Mund. Dieser Glückspilz! Immer wurde er von den Frauen verhätschelt ... Und wie behandelte er sie?

Merijntje wandte sich ab und verließ das Zimmer.

„Dann eben nicht – es gibt Arbeitswillige genug."

Eifersüchtig lief er auf die Straße. Es schien wirklich ernst zu sein mit Corrie. Die kam einfach ins Haus, als sei das ganz selbstverständlich, setzte sich zu ihm und legte die Hand auf seine Stirn. Und Arjaan flezte sich mit seinem faulen Hintern im Bett und ließ sich verwöhnen. Der Hafen war ihm zu beschwerlich ... Natürlich war der schlimm, und wie! Ein brüllendes Tier, das einen jeden

Augenblick zwischen die Reißzähne nehmen konnte. Heute morgen hatte es erst wieder zwei von ihnen erwischt. Eine Kiste war aus der Talje gerutscht und hatte einem Schauermann den Schädel zertrümmert. Mausetot auf der Stelle. Fünfunddreißig Jahre, fünf Kinder. Merijntje kannte ihn gut – ein großer, hilfsbereiter Bursche mit dunklem Schnurrbart, langsam, aber stark wie ein Löwe. Ein anderer war von der Leiter gefallen – beide Beine gebrochen, ein Neuling noch, ein arbeitsloser Metalldreher, der zwischendurch auch ein paar Cents verdienen wollte. Hatte Arjaan nicht allzu recht, wenn er sich nicht mehr in diese rasende Knochenmühle wagte? Und was sollte mit ihm selbst, Merijntje Gijzen, geschehen? Warum fand er den Absprung nicht? Er konnte doch in einer Fabrik arbeiten, an der Bandsäge stehen, an der Hobelbank, an der Stanzmaschine, drehen hatte er auch gelernt ... er konnte zimmern, und im Baugewerbe gab es alle Hände voll zu tun. Auf jeden Fall war es bequemer, ruhiger, sauberer. Man verdiente weniger – doch was hatte man vom sauer erworbenen Geld, wenn einem die zermürbende Arbeit den Garaus machte? Mochte er sich auch noch so sehr daran gewöhnt haben, mochte sich der gehorsame Körper rasch in tiefem, traumlosem, der Bewußtlosigkeit gleichendem Schlaf erholen – die Arbeit laugte einen durch ihre Schwere und Dauer aus; immer wieder scheuchte die tödliche Müdigkeit alle Gedanken aus dem Kopf, Knochen und Muskeln fühlten sich an wie ein loses Bündel Schmerz. Die Arbeit zermalmte einen. Gab es überhaupt ältere Kollegen? Vor ihrer Zeit wurden sie zerschrotet, diese Riesen an Körperkraft, steif wurden sie, verwuchsen zu krummen Spottgestalten und verschwanden schließlich aus dem Bild des Hafens. Oft genug lebten sie ja auch wie die Narren, schindeten wie die Bären, fraßen wie die Wölfe, stopften sich randvoll, und abends soffen sie wie Seelöwen, zeugten endlos neue Kinder, rissen ihre Familien ins Elend, wohnten in erbärmlichen Hütten, trotz anständigen Verdienstes – die Spelunkenwirte schluckten einen großen Teil ihres Lohnes, denn die Schauerleute kannten kein Maß, nicht im Schuften, nicht im Trinken, sie tobten sich aus in wildem, leidenschaftlichem Leben, hielten sich in nichts zurück und brannten herunter wie Fackeln. Der Hafen vernichtete sie, und durch ihr unvernünftiges, ausschweifendes Leben halfen sie dabei noch ein wenig nach; wenn sie nicht schon vorher verunglückten, waren sie in ihren besten Mannesjahren verbraucht und ausgepowert. Ihre Chefs setzten ihnen den Stuhl vor die Tür, und sie verzehrten sich in Armut und Verbitterung – knochige Wracks jener einst unverwüstlichen, alles beherrschenden, kraftvoll auftretenden Regenten des Hafens.

Es war die Hölle. Warum lief er nicht weg? Er wollte nicht. Er konnte nicht. Der Hafen hielt ihn fest, die Strapazen zählten nicht, die unsäglich schwere Arbeit gehörte dazu – man mußte sie in

Kauf nehmen. Es war unbegreiflich und entbehrte jeder rationalen Erwägung, aber wenn er am frühen Morgen frisch und ausgeruht über die Brücke ging und von dort über das Wasser zu den Kais mit den massigen Schiffsrümpfen blickte, die aus dem Dunst des Morgennebels und Hafensmogs auftauchten, dann schlug sein Herz laut und froh: weil er sich mitten in das rasende Getümmel stürzen durfte, dessen vielstimmiger Ruf aus der Ferne schon in die Ohren dröhnte. Und wenn er am Ende seines Tagewerks, fühllos vor Müdigkeit, mit leichtem Beben in den Knien und steifem Rükken, seine Schritte auf dem holprigen Katzenkopfpflaster der Uferstraße hörte, dann regte sich noch eine kleine trotzige Freude im Herzen: weil er dazugehörte, weil er zwischen den lärmend kommenden und gehenden Arbeitern daherlief, den Seeleuten aller Nationen, weil das Tuten der Schiffe, das Rasseln der Ketten, das Zischen des Dampfes und all die ungebärdigen Geräusche des Hafens ihm den vertrauten Gruß nachriefen: Bis morgen!

Er konnte nicht anders, er liebte den Hafen – trotz allem. Und er wollte dort bleiben. Er liebte den Lärm, den heftigen Betrieb, die zügellose Leidenschaft, die alles durchfieberte, er liebte die vierschrötigen Schauerleute, die groben Büffel, die doch gute Kameraden waren. Er liebte die unbekannten Fahrensmänner, die Matrosen, Heizer und Kohlentrimmer. Er liebte die verwitterten, schmutzigen, überall beschädigten Schiffe, diese ächzenden Vagabunden des Meeres, die sich einen Augenblick in einem der vielen Häfen der Welt ausruhten . . . Und er wollte dies alles nicht missen.

Gewiß, er sah Rotterdam anders, als er es sich vor Monaten erträumt hatte, da die Stadt ihm ihr wirbelndes und vielfältiges Wesen zum erstenmal offenbarte. Er wußte von der abgrundtiefen Kluft, die das Leben der Menschen zerschnitt und die auch das Leben dieser grollenden Arbeitsstadt zeichnete. Aber der Hafen blieb der Hafen, das wild schlagende Herz Rotterdams, und alle Ungerechtigkeit, alle Fäulnis und Verwesung dort draußen konnten daran nichts ändern. Auch im Hafen gab es Unrecht, Zerfall, Qual, kränkende und erniedrigende Gegensätze, aber der Hymnus des Lebens drang hoch hinaus über die verräucherte Atmosphäre – das betäubende Lied der mächtigen, nie endenden, mitleidlosen Arbeit. Stark, verwegen, ungestüm, aber männlich. Es war schön. Er jedenfalls fand es schön – selbst in seinen Schrecknissen schön, erhaben und groß . . . Er hielt seinen Bruder für einen Schlappschwanz, der bei den ersten Unannehmlichkeiten im Kampf mit der unbarmherzigen, knochenbrecherischen Arbeit die Segel strich. Durchbeißen mußte man sich, Körper und Geist abhärten – dann öffnete der Hafen seine Arme und drückte einen an sein gewaltig klopfendes Herz . . .

Arjaan würde darüber grinsen und sagen: „Laß dich nur nicht

totdrücken an diesem Herzen! Ich danke dafür. Sollen die Hafenbosse sich selber die Seele aus dem Leib schuften. Mich kriegen sie nicht dazu."

Es kam immer auf den Standpunkt an. Er sah es anders, und er war froh, daß er es so sah, denn das Leben bekam Spannung dadurch, Schwung, Feuer und Rasanz – es eilte mit im Sauseschritt des dröhnenden Hafengetriebes. Schön war es, grausam und aufreibend, aber schön.

Klaas fand es nicht so schlimm, daß Arjaan schlappgemacht hatte.

„Er ist zu fein gebaut", sagte er begütigend. „Du ja auch, aber du bist wohl zäher als er. Riekie behauptet, daß du eigentlich gar nicht wie ein Schauermann aussiehst ... und sie hat recht."

Er betrachtete seinen Freund von oben bis unten.

„Verdammt ja, wenn man dich in den richtigen Anzug steckte, könntest du gut ein feiner Herr sein."

„Der Teufel soll dich holen mit deinem feinen Herrn!" lachte Merijntje ärgerlich und schaute auf seine schwarzen, schwieligen Fäuste ... Und nach einer Weile in gespielt gleichgültigem Ton: „Spricht Riekie denn manchmal über mich?"

„Und ob! Sie fragt immer wieder nach dir. Du hast einen mächtigen Stein bei ihr im Brett, Mann ... Mehr als ich, das kannst du mir glauben."

In seiner Stimme klang Bedauern und leise Eifersucht ... ein wenig auch von dem ewigen Befremden, daß es ihm nicht glücken wollte, Riekie zu bewegen, sein Mädchen zu werden.

Merijntje sah vor sich hin, ein unbestimmtes Lächeln auf den Lippen ... Riekie fragte immer wieder nach ihm ... Ein Gefühl, als wäre ihm ein unverdientes Glück zuteil geworden, durchströmte ihn. Sie dachte an ihn, das blonde Ladenfräulein aus der Taktstraat, das so oft als stilles Bild auf dem Hintergrund seines Denkens und Verlangens gestanden hatte, sehr lieb, aber unerreichbar fern, etwas aus einer Welt, die nicht die seine war. In seinen Gedanken hatte er sie nie als ein Mädchen betrachtet, dem man sich nähern könnte. Sie war ein adrett gekleidetes Ladenfräulein aus einem eleganten Geschäft, in dem er nichts zu suchen hatte mit seinen schäbigen, geflickten Sachen. Zwischen ihnen war ein Unterschied wie Tag und Nacht. So hatte er auch nie ein bestimmtes Verlangen in sich aufkommen lassen; das hätte er nicht gewagt. Aber sie war immer dagewesen, fast unpersönlich wie ein liebes Bild, ein Heiligenbild, das man ja auch nicht mit profanem Verlangen entweihen würde. Und nun war sie Riekie, die Jugendfreundin von Klaas. Ihr Vater war Schauermann, genau wie er, und sie selbst ein Arbeiterkind, auch genau wie er – um nichts vornehmer. Sie trug die Handschuhe, die er ihr in einer verrückten Laune geschenkt hatte. Sie war auch nicht böse über seine Frechheit gewesen. Er war neben ihr gegangen, hatte mit ihr geredet, und nun fragte sie immer wieder nach ihm. Also dachte sie an ihn ... Das war wunderbar.

Etwas Fernes, Schönes war plötzlich ganz in die Nähe gerückt.

Seit er wieder zu Hause war, hatten ihn der Hafen, die Arbeit, der innere Kampf mit den grausamen Problemen, die sich ihm aufdrängten, ganz in Anspruch genommen, sein Gedankenleben völlig beherrscht. Mädchen und Liebe waren Dinge, die nicht dazugehörten. Er hatte kein Interesse dafür gehabt und sie nicht vermißt. Eher war, wenn auch nur halb bewußt, ein gewisser Widerwille in ihm gewesen gegen die süße, schwindlig machende Verführung, die von Mädchen und Frauen ausging, sobald sie das Verlangen in einem weckten. Es war auch oft so viel Häßliches dabei gewesen, manchmal fast Gemeines, das einen immer wieder abstieß. Die Geschichte mit Mevrouw Amelie hatte ihn tief erschreckt und mit Abscheu erfüllt. Deshalb war er all die Monate unzugänglich für Mädchen gewesen, er hatte sie kaum bemerkt, es war ihm gleichgültig, ob sie ihn ansahen oder nicht, sie hätten ebensogut gar nicht dasein können.

Und nun, während er hier am Kai neben Klaas auf einem Anlegepfahl saß und sein Butterbrot verzehrte, mitten im Lärm des betriebsamen Hafens, regte sich auf einmal eine kleine Zärtlichkeit in ihm, ein Verlangen und gleichzeitig der Wunsch, so etwas wunderbar Schönes zu beschützen.

Gewiß, er hatte genug Gründe, sich davor zu fürchten, denn immer waren Enttäuschung und Verdruß darauf gefolgt. Aber es schien, als habe er das alles plötzlich vergessen. Er ließ die Zärtlichkeit an sich heran, ließ sich von ihr rühren und bewegen wie von dem gelinden Schaukeln sonnendurchfunkelten Wassers ... Es war so gut, wieder einmal etwas Sanftes zu spüren, etwas Liebes, zart wie das träumende Gesicht eines blonden Mädchens ...

Mit einemmal wurde ihm bitter klar, wie allein er all die Monate inmitten dieses harten, brandenden Lebens im Hafen von Rotterdam gewesen war, zwischen den Kameraden der Gruppe, zwischen den Hunderten und aber Hunderten von schuftenden Menschen, den Tausenden auf den wimmelnden Straßen und Plätzen. Immer und immer allein ... Allein mit seinen brütenden Gedanken, den abscheulichen Problemen, mit seiner wunderlichen Liebe für diese Stadt voller Gegensätzlichkeiten, ihren blitzenden Wasserstraßen, ihrem mächtigen Atem, ihrem Schmutz und ihrer Verderbnis – eine Liebe, in der Haß und Ekel mit hineinverstrickt waren und die er doch nicht verleugnen konnte.

Immer und überall: allein ... Davon wurde man kalt und hart. Ein Kamerad wie Klaas war nicht genug. Er war gut und freundlich, und von manchen Dingen wußte er mehr als man selber, aber er konnte sie nicht erklären, sich nicht mitteilen, und man selber drang nicht bis zu ihm hin – wenigstens nicht so, wie man es gewollt hätte. Es mußte etwas anderes geben, und das andere lockte aus dem unbekannten Wesen eines Mädchens ... eines Mädchens, das man liebte und das an einen dachte und dem man deshalb alles würde sagen können, selbst wenn es lächerlich, verrückt war – Schwierigkeiten, die man eben gewissenhaft ergründen, hinterfragen, von allen Seiten beleuchten mußte, um schließlich von ihnen loszukommen. Er war sich sicher, daß man dies allein mit einem Mädchen konnte. Und unter allen Mädchen schien ihm Riek die Liebste – ihr meinte er seine geheimsten Gedanken anvertrauen zu können, sie würde sie gut verstehen. Immerhin galt sie ihm als sein ältester und verwunschenster Traum. Und Merijntjes Stärke war es stets gewesen, an das Wahrwerden der schönsten, kaum erfüllbaren Sehnsüchte zu glauben.

Die Enthüllung, daß sie immer wieder nach ihm frage, machte ihn unternehmungslustig. Abends wartete er auf sie, als sie aus dem Geschäft kam. Mit bebendem Herzen und darauf vorbereitet, daß sie ihn abweisen würde. Doch sie schien nicht einmal sehr erstaunt zu sein. Sie gab ihm die Hand, und er ging neben ihr her.

Es war ein kühler Abend, Anfang September, mit Windstößen, die unerwartet um die Ecken pfiffen, und Regenschauern, die jäh herniederprasselten. Sie sprachen wenig. Über den Sommer, der warm gewesen, doch nun anscheinend vorbei sei. Über den Winter, der kam, und über das Schlittschuhlaufen auf dem Kralingsplatz. Über den Betrieb im Hafen, der ein bißchen nachließ ...

Kurz vor der letzten Straßenecke bat sie ihn zurückzugehen: die Nachbarn klatschten so rasch. Sie gaben sich die Hand und trennten sich. Ein paar Schritte weiter drehten sie sich gleichzeitig nacheinander um und lachten verlegen, wie ertappt.

Zwei Tage später holte er sie wieder ab und fragte sie beim Abschied, ob sie am Sonntag mit ihm nach Scheveningen gehen wolle. Ihre Hand in der seinen, hatte sie einen Augenblick gezögert und dann zugestimmt. Still war er nach Hause zurückgekehrt, zu erstaunt, um richtig froh zu sein. Er hatte es sich ganz und gar nicht vorher überlegt. Es war ihm plötzlich eingefallen, und er würde nie wissen, woher er den Mut zu dieser Frage genommen hatte. Gewiß war das wieder so ein verrückter Einfall gewesen wie der mit den Handschuhen ... Aber sie hatte ja gesagt, und es war gerade, als sei der Himmel über ihm ausgeschüttet.

Sonntag um zehn am Delfter Tor ... Wenn er das nur nicht träumte und gleich wachgerüttelt wurde!

3

Es war ein klarer Septembertag mit frischem Wind, strahlender
Sonne und schneeigen Wolkengebirgen am Horizont. Sie trug ein
weißes Kleid mit einem bunten Gürtel und ebenso bunten Blumen
auf dem Hut und hatte weiße Schuhe und weiße, durchbrochene
Strümpfe an. Merijntje war sehr beeindruckt davon. Fast verstimmte es ihn, so vornehm sah sie aus.

Und wieder hatte er das Gefühl, als sei ein Unterschied zwischen ihnen wie Tag und Nacht. Selbst sein neuer grauer Hut, den
er zu Hause so voller Stolz und Wohlgefallen vor dem Spiegel aufgesetzt hatte, erschien ihm plötzlich geschmacklos und billig neben
ihrer schlichten Vornehmheit.

Doch ihr leidenschaftlicher Drang, den Tag zu genießen, ließ
ihn nicht dazu kommen, seinen Grübeleien nachzuhängen. Ihre
blauen Augen strahlten, die Zähne blitzten so weiß, und vor lauter
Aufregung hatte ihr blasses Gesicht sogar ein wenig Farbe. Es war
ein herrlicher Tag, von dem jede Stunde unvergeßlich wurde. Sie
hängte sich an seinen Arm, als ob sie Mann und Frau wären. Bewundernde Blicke folgten ihr, und Merijntje verspürte eine angenehme Befriedigung. Er trug den Kopf ein wenig höher, und
seine Augen sprühten Blitze... Sie sollten nur nicht allzu dreist
blicken!

In einem Segelboot fuhren sie ein Stück aufs Meer hinaus, und
in der Brandung klammerte sich Riekie ängstlich an ihm fest. Er
legte einen Arm um sie, lachte und drückte sie schützend an
sich... Schade, die Wellen hätten noch viel höher gehen müssen,

daß es wirklich Gefahr gegeben hätte – dann würde er einmal zeigen, was er für ein Kerl war!

Zu Mittag aßen sie in einem Gasthaus, als ob sie drei Tage lang gefastet hätten, solchen Hunger hatten sie von der Seeluft. Nach Tisch wollte er ihr allerlei teure Sachen kaufen, denn er hatte sich die Taschen mit gespartem Geld vollgestopft, aber sie wollte nichts als eine braune Muschel, auf der „Scheveningen" stand – und die kostete nur vierzig Cent. Er wäre gern in einer Kutsche mit ihr durch den Park gefahren, doch sie lachte ihn aus und sagte, sie wollten sich lieber nicht zum Gespött der Leute machen. Dann gingen sie am Strand spazieren, bis dorthin, wo es still wurde, wo fast keine Menschen mehr zu sehen waren und man nichts hörte als das Meer, den Wind und den traurigen Schrei der Seevögel.

Sie stiegen auf eine Düne, setzten sich in den Sand und blickten schweigend über das Meer, auf dem Millionen von Sonnenfünkchen tanzten. Die Brandung schob ihren weißen Schaumkragen gegen den Strand und sang ihr rauschendes Lied.

Merijntje schaute Riekie an. Er hatte noch nie ein so reines Profil gesehen, die glatte Stirn, die leicht gebogene Nase, der Mund mit den fein geschwungenen schmalen Lippen, das Kinn, das sich in sanfter Rundung aus dem schlanken weißen Hals emporreckte. So wunderbar klar, so zart und rührend, daß man still dabei wurde. Dann sah er plötzlich, daß ihre Augen feucht schimmerten. Er schob sich näher zu ihr und faßte ihre Hand, die bewegungslos im Sand lag.

„Weinst du, Riekie?"

„Ich? Weinen? Nein..."

Sie sah ihn an, lächelte, aber um ihre Mundwinkel zuckte es.

„Warum, Riekie?"

„Ach, es ist so schön, Merijntje..."

Sie schaute so hilflos fragend zu ihm auf, als wollte sie von ihm eine Erklärung haben, warum man plötzlich weinen mußte, wenn man etwas sehr schön fand. Aber Merijntje gab keine Erklärung. Er zog sie nur fester an sich. Nun lag ihr Kopf an seiner Schulter, das blonde Haar leuchtete in der Sonne wie blasses Gold. Die leicht gewölbte Brust unter dem dünnen Kleid bewegte sich leise auf und nieder. Wie lieb sie war...

Er hob ihr Gesicht, beugte sich darüber und küßte sie auf den Mund. Sie küßte ihn wieder, seltsam keusch, mit fest geschlossenen Lippen, wandte dann scheu den Kopf ab, mit einer beschämten Bewegung.

Riekie ... sie tat so klug und selbstsicher – und konnte noch nicht küssen ... Er fühlte sich sehr erfahren, aber es war kein angenehmes Gefühl. So schüchtern war sie, so rührend unschuldig... So hatte er sich noch niemals einem Mädchen gegenüber gefühlt. Man mußte den Arm schützend um sie legen und sie fest und doch behutsam an sich drücken, damit sie auch richtig spürte, wie sicher sie bei einem war.

Er flüsterte: „Riekie ... bist du meine Freundin?"

Sie nickte, ohne aufzusehen, ohne zu zögern.

„Richtig mein Mädchen? Fest ... und für immer?"

Wieder nickte sie, heftiger, und ihre schmalen Schultern zuckten.

Er küßte das blonde Haar, hob ihr Gesicht wieder zu sich auf und küßte ihr die Tränen von den Wimpern. Sie seufzte mit einem letzten kleinen Schluchzer, lachte dann und sagte:

„Kümmre dich nicht darum, ich bin so ein verrücktes Gespenst."

„Liebes kleines Gespenst ... Hast du mich sehr gern?"

„Das siehst du doch ..."

Ja, er sah es. Ihre Augen waren wie Sterne.

„Und du mich auch?"

Er lachte, tief in der Kehle, und drückte sie so heftig an sich, daß sie fast geschrien hätte. Aber sie schrie nicht, denn ihre ganze Seele füllte sich mit ungekannter Herrlichkeit.

„Wie ist das nur gekommen, Merijntje?"

Er wußte es nicht. Aber ihm war, als sei es immer so gewesen. Alle Bilder verblaßten, verwehten, flossen zusammen zu Riekie, dem blonden Ladenfräulein aus der Taktstraat, die immer in seinem Herzen gelebt hatte. In allen anderen hatte er sie umarmt und geküßt, nur sie, immer nur sie ... Und nun war das Wunder geschehen. Sie lag an seiner Brust, sie liebte ihn, er durfte sie lieben, sie war sein Mädchen – fest ... und für immer.

Mit einem frommen Gefühl wußte er: es war alles so bestimmt gewesen ... Er war zu ihr hingeführt worden, und sie hatte auf ihn warten müssen. Sie hatte nicht einmal küssen lernen dürfen ... Gab es also doch einen väterlichen Gott, der einen auf Umwegen zu dem Ziel führte, für das er einen bestimmt hatte? Vielleicht ... In jedem Fall: danke! Danke schön für Riekie, danke schön für das Glück! Denn dies war nun das Glück – das stand über allem fest. Mit diesem Mädchen hielt er das Glück in den Armen und ließ es nie mehr los, nie mehr ...

Sie hatten einander viel zu erzählen. So viel Wunderbares, das für alle Liebenden neu ist, erstaunlich, noch von keinem vor ihnen erlebt – und das doch so alt ist wie die Welt. Die Zeit begann plötzlich zu eilen, der Tag wurde alt und verfiel, schrumpfte auf den blauen Abend zu, der über das Meer zum Horizont kroch und das letzte Licht der Sonne verlöschte. Doch vorher hatte er bereits tausend Sterne auf seinen samtenen Mantel gesteckt.

Merijntje war schon fast zu Hause und ging weiter mit dem Empfinden, daß er über der Erde schwebte und daß die Luft aus lauter Blumenduft bestehe, bis er plötzlich erschrocken stehenblieb ... Jetzt erst dachte er an Klaas. Keinen Augenblick war es ihm aufgegangen, daß Klaas hiermit etwas zu tun habe. Riekie und er ... er und Riekie ... Das war die Welt. Sowenig er an seine Eltern oder an die ihren gedacht hatte, sowenig hatte er an Klaas gedacht.

Klaas!

Gott bewahre mich! Klaas!

Wie hatte er Klaas vergessen können!

Wie ein Bezauberter hatte er sich hier hineingestürzt, taub und blind und erstaunt. Und nichts hatte es gegeben als allein Riekie. Aber Klaas lebte in der hartnäckigen Vorstellung, daß Riekie ihm gehöre und sein bleiben müsse. Er hatte den Freund verraten und bestohlen. Es war bei Gott nicht seine Absicht gewesen, aber es war geschehen. Und nun mußte er es ihm sagen ... Klaas hatte geschworen, er wolle dem Elenden, der ihm Riekie abspenstig mache, den Schädel einschlagen und ihn in die Maas werfen. Klaas konnte ihn zerbrechen.

Egal ... Er mußte es Klaas sagen, er selber, niemand anders, denn dann bekäme alles einen noch viel falscheren Schein. Es war so schon falsch genug. Herrgott, daß er daran keinen Augenblick gedacht hatte! Armer Klaas! So gut war er, so treu ... wie ein Hund. Aber wenn's um Riekie ging, wurde er toll. Er hatte es sich in den Kopf gesetzt, daß Riekie seine Frau werden sollte, und kein Argument konnte ihn überzeugen, daß so etwas nicht aufgeht, daß ein Mensch kein Gegenstand ist, den man sich einfach aneignen darf ... Es wird schlimm werden. Aber Klaas sollte es aus seinem Mund hören – komme, was da wolle ...

Er klingelt an der Wohnungstür, fragt, ob Klaas zu Hause sei. Ja, ob er hereinkommen wolle? Nein, Klaas möchte doch ein Stück mit ihm gehen ...

Klaas kommt, sieht ihn neugierig an.

„Schon wieder zurück aus Scheveningen?"

„Woher weißt du denn ...?"

„Ich war heut nachmittag bei dir zu Haus ... Warum hast du mir nichts gesagt? Dann wäre ich mitgegangen."

Ist Gekränktheit in seiner Stimme?

Nun muß er es ihm sagen. Aber wie? Wo findet er Worte, um dem Freund sowenig wie möglich weh zu tun? Ach, was kommt es auf Worte an? Er weiß doch, daß er Klaas mitten ins Herz treffen muß ... Der arme Teufel ist auf nichts vorbereitet. In Klaas' Vorstellungswelt besteht diese Möglichkeit überhaupt nicht ... Aber er kann es ihm doch nicht hier auf der Straße sagen. Wenn seine Wut losbricht ...

„Komm, wir gehen ein Stück weiter. Ich muß dir was sagen."

„Lieber Himmel!" grinst Klaas. „Du hast doch nicht zufällig einen Mord begangen?"

Daran fehlt nicht viel, denkt Merijntje, aber er antwortet

nicht... Er hustet, schluckt und steckt sich mit zitternden Fingern seine Zigarre an, die ihm, längst ausgegangen, im Mundwinkel hängt.

Plötzlich kommt Klaas' Stimme: „Nun sag's nur, daß du mit Riekie in Scheveningen gewesen bist..."

Zigarre und Streichholz fallen zu Boden. Merijntje tritt einen Schritt zurück, und unwillkürlich spannt er alle Muskeln, um den ersten Angriff seines gewaltigen Gegners abzuschlagen.

Aber es geschieht nichts. Klaas steht da, die Hände in den Taschen, sieht auf ihn nieder und bewegt keine Miene.

Merijntje läßt die Arme schlaff an den Seiten herabfallen.

„Ja, das ist so... Riekie und ich...", stottert er.

„Du tust gerade, als wäre es ein Unglück."

Klaas lacht auf. Es klingt bitter.

„Verdammt, Klaas, ich ... ich konnte nichts dran machen... Es ist wirklich verrückt, aber ich hatte nichts anderes im Kopf. Und auf dem Heimweg dachte ich plötzlich an dich... Ich will tot umfallen ... zum erstenmal... Und da bin ich sofort zu dir gekommen."

Klaas schweigt und blickt starr über ihn hinweg, als müsse er sich irgend etwas ganz genau überlegen. Dann holt er tief Luft, dreht sich halb um und sagt:

„Da drüben ist ein Café... Komm, wir trinken ein Glas Bier."

Verblüfft geht Merijntje hinter ihm her. Nahm er es so auf? War er gar nicht böse, oder brütete er irgend etwas aus? Würde er ihn dann mit einemmal in seine Bärentatzen nehmen und ihn zu Boden schmettern?

Doch nichts geschieht.

In dem lärmenden Café, in dem laut geredet, Billard und Karten gespielt wurde, saßen sie sich dann an einem Tisch gegenüber. Sie gossen das Bier durch die trockenen Kehlen, bestellten sofort ein neues. Merijntje sah, daß Klaas' Gesicht graublaß war und daß Linien darüberliefen, die er nicht kannte... Das konnte doch nicht so plötzlich in den letzten Minuten gekommen sein?

Er hätte heulen mögen über das, was er, gedankenlos wie ein dummes Kind, angerichtet hatte.

Klaas verzog das Gesicht zu einem kleinen schmerzlichen Lachen.

„Ich habe es schon kommen sehen", sagte er, „man hat ja schließlich die Augen nicht in der Tasche... Wenn es um Riekie geht, sehe ich alles. Ich rieche es zehn Meilen gegen den Wind. Gleich beim erstenmal sah ich, daß irgendwas war. Ein paar Tage später hat sie mir dann von den Handschuhen erzählt und daß du an sie gedacht hast, als du in Brabant warst... Was kann man da machen? Ich war froh, daß du es ehrlich meintest. Daß du mir nichts gesagt hast, konnte ich verstehen, und daß du weiter nichts unternahmst, habe ich rausgekriegt. Aber Riekie fragte dauernd nach dir ... Na ja, und dann hab ich's bald begriffen. Weißt du, es ist immer leicht gesagt, ich schlag dem Kerl den Schädel ein – aber wenn man ... wenn man so einem Mädchen dann in die Augen sieht ..., und sie fragt einen ... Jesusmaria, man ist nun einmal verkauft an sie! Du hattest damals schon recht, man will sie ja nur froh sehen ... und für mich empfindet sie doch nichts ... Na ja, Freundschaft. Was fang ich damit an? Und da hab ich es dir eben erzählt, daß sie dauernd von dir gesprochen hat. Soviel begriff ich schon, wenn du wirklich was für sie übrig hattest, würdest du anspringen. So eine feige Memme bist du nicht ... Na ja, und dann hast du sie vom Geschäft abgeholt und bist mit ihr ausgegangen. Und nun ist es soweit ... Ich hätte nicht davon angefangen. Aber ich finde es anständig von dir, daß du gekommen bist und es mir selber erzählen wolltest. Du bist ein guter Freund ..."

Merijntje schüttelte verzweifelt den Kopf – das war ganz und gar nicht seine Meinung.

„Ich könnte mich prügeln, daß ich nicht eher an dich gedacht habe, Klaas!" sagte er betreten. „Aber ich dachte an gar nichts, wirklich wahr – tot umfallen will ich."

„Beruf's nicht!" sagte Klaas mit mattem Spott. „Wenn sie mit mir nach Scheveningen hätte gehen wollen, hätte meine ganze Familie unter der Straßenbahn liegen können, ich hätt's auch nicht gemerkt ... Ist doch klar ... Ich mach dir keine Vorwürfe."

Er redete so kläglich und so lustlos, daß es Merijntje ins Herz schnitt.

„Lieber wäre es mir, wenn du losgeschlagen hättest!" sagte er dumpf.

Klaas lachte und hatte etwas von seiner gewohnten Unbefangenheit wiedergefunden. Er streckte Merijntje die Hand über den Tisch.

„Hier hast du meine Pfote", sagte er. „Ich gratuliere dir, Himmelarschundzwirn! Es ist wahrhaftig ehrlich gemeint ... Du konntest keine Bessere bekommen, und mit dir bin ich auch zufrieden. Ihr werdet ein schönes Paar sein. Mit mir wären es doch immer nur anderthalb Cent gewesen ... Sie hat ganz recht. Aber ... aber ... eins sag ich dir, Freund! Wenn du einmal schlecht zu ihr bist, dann paß auf – dann schlag ich dir doch noch den Schädel ein!"

Merijntje schluckte schwer. Er drückte die große Hand, die seine Finger fast zermalmte, und sagte mühsam:

„Das wird schon nicht passieren."

Klaas zog die Hand zurück und trank sein Bier aus.

„Na", lachte er, „dann bleiben wir Freunde und reden nicht mehr davon. Die Sache ist erledigt, es wird verdammtnochmal auch Zeit ... Wir trinken noch eins ... Weißt du übrigens, daß sich da im Hafen was zusammenbraut?"

„Nein, was denn?"

„Ein großer Ausstand der Seeleute. Sie fangen morgen in England an. Holland und Deutschland sollen folgen, sagen sie, und Skandinavien auch. Das gibt Kaleika – wart's mal ab! In dieser Woche sollen schon Schiffe einlaufen mit englischen Streikbrechern – Söldnerschiffe, die sie hier gelöscht haben wollen. Na, die können was erleben!"

4

Die Unruhe um den Streik der Seeleute und dessen Rückwirkung auf den Rotterdamer Hafen prallte hart gegen Merijntjes unermeßliches Glücksgefühl. Er ärgerte sich schwarz über Arjaans Begeisterung für die bevorstehende Kraftprobe, die seiner Meinung nach nie gekannte Ausmaße annehmen würde und recht gut auf eine echte Revolution hinauslaufen könnte ... er wäre mit von der Partie, wenn es gelte, auf die Barrikaden zu steigen ... mit Wonne würde er in die Wänste der Hafenmagnaten und ihrer Handlanger blaue Bohnen jagen ... Merijntje, ganz kribblig vor Verlangen, die wunderbare Geschichte vom heiß umschwärmten, endlich eroberten Ladenfräulein loszuwerden, hatte seinem Bruder zugeflüstert:

„Hör mal, Arjaan, ich hab auch ein Mädchen, ein festes Mädchen, Mensch!"

Und Arjaan hatte lakonisch geantwortet: „Wohl bekomm's, Junge! Sieh dir mal das Extrablatt an – was sagst du dazu?"

Und er war in flammenden Enthusiasmus ausgebrochen, der kein Ende kannte; das Feuerwerk wilder, dröhnender Worte sprühte lichterloh durchs Zimmer. Mutter hatte ärgerlich Einspruch erhoben und ihm befohlen zu schweigen: in ihrem Hause dulde sie solch gotteslästerliche Sprache nicht... Arjaan hatte gelacht, seine Mutter gepackt, mit ihr herumgetollt, bis sie atemlos auf einen Stuhl sank und ihm links und rechts eins um die Ohren gab. Er war nicht zu beruhigen gewesen, hatte eine Runde spendiert auf den kommenden Kampf, der sie dem großen Ziel gewiß wieder ein Schrittchen näherbrächte...

Merijntje aber blieb auf seiner Sensation sitzen; kein Mensch war in der Gemütsverfassung, auf angemessene Weise davon Kenntnis zu nehmen. Und so verschloß er sie in sein heftig klopfendes Herz, grollend und doch auch wieder fast zufrieden: so konnte er wenigstens in herrlicher Ruhe für sich allein seinem Traum nachsinnen, sich sanft ins laue Meer der Seligkeit versenken, das ihm das Glück bedeutete. Was kam es schon drauf an, daß jemand es wußte oder seine Freude teilte? Riekie gehörte ihm, sie würde sein Mädchen sein, unwiderruflich und für immer, dieses wunderbare Wesen, dieses süße, reine Kind – Riekie, von der er nie zu hoffen gewagt hätte, daß sie sich ihm je nähern würde. Und nun war sie sein Mädchen, sie mochte ihn; sein Herz hatte sich weit geöffnet, sie war dort eingedrungen, es hatte sich hinter ihr wieder geschlossen – und so würde es jetzt immer bleiben... immer... immer! Er würde sie nie mehr freilassen, nie mehr würde er allein sein, denn Riekie sollte seine Frau werden. Ein einzigartiges Glücksgefühl durchzuckte ihn. Ihr Name war die schönste Melodie, ihr Bild das schönste Gemälde – die ganze Welt war gut und heil, weil sie darin wohnte. Nun wurde sein Leben reich und voll – eine Lust war es zu leben. Mit jedem Herzschlag verlangte er nach ihr.

Alles, was zuvor gewesen, zog noch einmal an ihm vorüber, wurde gewogen und zu leicht gefunden... Selbst sein Gefühl für Marjan hatte Glut und Glanz verloren – es war umwerfend gewesen, ein loderndes Feuer, doch vergebens, aussichtslos... es hatte keine Gewißheit verheißen, keine Hoffnung, keine Zukunft. Es war alles nur eine vorübergehende Anwandlung gewesen, ein Spiel, ein Rausch – die Vorbereitung auf das, was eines Tages kommen mußte und nun gekommen war: Das gemeinsame Leben mit Riekie bedeutete ihm etwas, was in sich selbst abgeschlossen, erfüllt und vollendet war. Was gingen ihn die Menschen an, was die Welt und ihr Streit, was die Seeleute mit ihrem Ausstand!

Aber die Welt gönnte ihm die Ruhe nicht, die er sich erhofft hatte. Aus seiner verliebten Grübelei, seinem Schwärmen und Träumen um das Bildnis Riekies, aus dem süßen Gefühl der

Glückseligkeit ohne Ende wurde er unsanft herausgerissen durch einen plötzlich um sich greifenden Aufruhr, der den Hafen und die ganze Stadt mit ungewohntem, unheildrohendem Lärm erfüllte. Nervosität und Hektik flogen über die Kais und ergriffen die Lotsen. Vornehm gekleidete Herren mischten sich wie absichtslos unter Gruppen laut diskutierender Arbeiter. Die Polizeiposten wurden verstärkt; man erzählte, daß Feldjäger und Soldaten im Anmarsch seien. Niemand vermochte die umlaufenden Gerüchte zu prüfen, aber die Erregung wuchs mit jedem Tag, mit jeder Stunde – und wer konnte sich ihr entziehen?

In den Werkpausen wurden die Gespräche immer heftiger, arteten jeden Augenblick in knisternden Streit aus mit ellenlangen, drastischen Verfluchungen, begleitet von donnernden Fausthieben auf alles, was nur dröhnen konnte. Merijntje horchte angestrengt auf die unterschiedlichen Argumente, blickte in die erhitzten Gesichter, die schmutzigen, staubigen, verrußten Gesichter mit den rauhen, borstigen Schnurrbärten, den stachligen Stoppelbärten, in die wütenden Gesichter mit den weißen, wild blitzenden Augen, den bleichen Lippen, die vor Zorn bebten und eine Sprache anschlugen, daß es einem kalt den Rücken hinunterlief. Wüste Drohungen mit Mord und Totschlag. Nie gehörte Schimpfnamen. Verletzender Spott, glühender Haß, vernichtende Geringachtung fremder Standpunkte. Düstere Prophezeiungen. Predigten vom unversöhnlichen Kampf gegen Bürgertum und Finanzherrschaft. Dagegen: unbeirrtes Festhalten an den christlichen Prinzipien der Unterordnung unter die etablierten Mächte, Gehorsamkeit gegenüber Gesetz und Autorität, Furcht und Abscheu vor eigenmächtigem Handeln und vor Auflehnung gegen die von Gott gefügte Ordnung. Unentschlossen dazwischen die Lauen, die für sich das Recht beanspruchten, so zu arbeiten, wie sie es für gut befanden, wann und für wen und für wieviel auch immer – wenn's nur Vorteile brachte! –, die sich natürlich auch weigerten, sich von einer Gewerkschaft oder irgendeiner Majorität das Gesetz diktieren zu lassen.

Scheiß auf die Mehrheit! Wenn's mir was nützt, greif ich zu. Meine Frau will Moneten sehen. Der Ofen muß rauchen. Grundsätze taugen für Pensionäre und Prokuristen, die genug zu fressen haben.

Wer hatte recht? Hatten sie nicht alle recht – jeder für sich? Was man glaubte, war die Wahrheit. Jeder besaß seine eigene Wahrheit und hielt daran fest, und man mußte die Wahrheit des anderen respektieren. Wenn jemand an der Berechtigung eines Streiks Zweifel hegte, durfte man ihn dann zwingen, seine Arbeit niederzulegen? Wenn er unbedingt arbeiten wollte, weil er es für sich und seine Familie für günstiger hielt und nicht an den Erfolg der Auseinandersetzung glaubte, durfte man ihn dann an seinem

Lohnerwerb hindern, durfte man ihn mit Schimpfworten und Drohungen behelligen, ihn einen Verräter nennen? Was verriet er? Konnte man etwas verraten, wovon man nicht überzeugt war, womit man nichts zu schaffen hatte? Kaum. Oder?

Ein Soldat im Krieg, der nicht an das Recht seiner Partei glaubte, wurde der nicht erschossen, wenn er sich weigerte zu kämpfen oder wenn er mit dem Feind gemeinsame Sache machte?

Das war aber etwas anderes: ein Soldat stand im Dienst seines Vaterlandes.

Ach, zum Teufel mit dem Vaterland! Ein Arbeiter hatte kein Vaterland. Seine Herkunft war sein Vaterland, sein einziges ... und wer gegen die Interessen dieses Vaterlandes handelte, das keine Grenzen kannte, war ein Verräter, ein Kriecher, ein Hund, kein Mensch – und das Stück Eisen, mit dem man ihm den Schädel zertrümmerte, war noch zu gut für ihn.

Oh! Sollte das die vielbeschworene Brüderlichkeit sein? Einander die Köpfe einschlagen, wenn man sich nicht einig wird? Kaum hab ich eine feste Anstellung, da soll ich mich für eine Handvoll Aufrührer und Maulhelden wieder feuern lassen? Für die Halunken von Seeleuten? Mögen die doch selber ihre Suppe auslöffeln! Wer gibt meiner Sippschaft daheim zu futtern, wenn ich mir für Fremde die Pfoten verbrenne?

Wenn wir zusammenhalten, können sie dir das Brot nicht rauben. Wenn wir alle gemeinsam den Hafen lahmlegen, kehren wir auch alle gemeinsam wieder auf unseren alten Platz zurück – oder es kehrt keiner zurück, so wahr wir hier stehen!

Der Herr hat uns auf unseren Platz gestellt – da müssen wir ausharren und zufrieden sein. Murrerei und Aufsässigkeit sind sündig und bringen Verderben. Der Herr hat den Hafen mit Überfluß an Arbeit gesegnet, und so wollen wir dankbar sein, statt wider den Stachel zu löcken und diesen Segen selber zu zerstören.

Kreuzdonnerwetter, nun hört euch diesen gescheiten Pfaffen an, der tönt wie ein frommer Streiter von der Heilsarmee, ein richtiger süßlicher Himmelsdragoner! Plappert bloß nach, was sie ihm auf der Kanzel vorgeraspelt haben. Und jede feiste Krämerseele lacht sich eins ins Fäustchen, weil dieser Humbug so schön mithilft, Fett anzusetzen. Hat man denn nicht auch seinen Mitmenschen gegenüber Pflichten? Weiß dieser Wiederkäuer nicht, daß es auf die Dauer keine Lösung ist, sich solch fauler Ausreden zu bedienen: Soll ich meines Bruders Hüter sein? Das hatte der erste Mörder auch gesagt und war für alle Ewigkeit verdammt.

Ach so, man war seines Bruders Hüter, und wenn an die Brüderlichkeit appelliert wurde, hatte man zu parieren und Farbe zu bekennen?

Wer hatte recht? Wer hatte recht? Wo war der gerade Weg?

Merijntje kam nicht zu Rande damit. Ihm wurde ganz schwindlig im Kreuzfeuer der Argumente und Gegenargumente. Jeder Standpunkt hatte etwas für sich, fand er, überall war etwas Vernünftiges dran, so daß man durchaus die Meinung des jeweiligen Sprechers teilen konnte. Und trotzdem lag alles so ungemein wirr und unübersichtlich vor ihm. Er sah keine große Linie. Die bramarbasierenden Worte, untermauert von rauhen Flüchen und beißenden Schmähungen, perlten von ihm ab – die letzte große Wahrheit, der er begegnen und folgen wollte, offenbarte sich ihm nicht... Warum konnte man nicht jedem seine Freiheit lassen? Er selber würde keinen Handschlag tun, um den Ausstand zu unterlaufen. Streikbrecherei käme für ihn nicht in Frage, das könnte er nicht. Nicht weil er an einen Erfolg des Unternehmens glaubte – er begriff den Hochmut der Hungerleider nicht, die da meinten, die Großen dieser Welt verjagen und ihnen Recht und Ordnung vorschreiben zu können... Aber wenn die Seeleute kämpfen wollten, würde er sie nicht daran hindern, bestimmt nicht. Irgendwie bewunderte er ihren Mumm und gönnte ihnen den Versuch und ihre Illusion. Doch wenn jemand darüber anders dachte, durfte man ihm das verbieten, es ihm verübeln, ihn dafür hassen und steinigen?

Der Hafen war die reine Hölle – mehr denn je. Warme Septembertage spülten Fluten von Sonnenhitze über das staubige Gelände. Der Wind, der träge vom Wasser hereinstrich, brachte keine Abkühlung; die Eisendecks strahlten sengende Glut durch die Schuhsohlen. Die überhitzte Atmosphäre des Hasses und die immer höher aufzüngelnden Flammen der Zwietracht ließen die kräftezehrende Schinderei zu einer noch unerträglicheren Qual werden.

Abends lebte er auf. Er erwartete Riekie vor dem Geschäft, lief zufrieden neben ihr; sein Arm spürte ihre Berührung, und der schwere Druck fiel von ihm ab. Golden glänzten ihre blonden Haare unter dem Rand des Hutes, ihre Stimme glitt schmeichelnd in seine Ohren. Jedes Wort war eine Freude, jede Bewegung fand er hinreißend zierlich. Sie plapperte fröhlich über alles, was sie sah; sie lachten zusammen über Verrücktheiten, die sie bei Passanten beobachteten. Sie suchten stille Straßen, küßten sich im Schatten eines Baumes. Rotterdam summte und brummte um sie herum, sie aber wisperten Liebesworte, alt wie die Welt, ewig neu und berauschend – das Schönste, das Liebste, was je die Sprache ersonnen.

Unvermutet fragte sie, wie es im Hafen stand. Waren schon die elenden Schiffe eingelaufen? Er lachte. Was ging sie das an? Das war Männerangelegenheit... Sie wollte es aber wissen; sie drang in ihn, sie habe ein Recht darauf, zu erfahren, was in seinem Leben vorgeht. Das fand er rührend, er versuchte sie mit ein paar Späßchen vom Thema abzubringen. Sie ließ nicht locker. Sie sei kein Schulkind mehr, schmollte sie, sie wisse recht gut, wie es an solchen Tagen im Hafen zugehen könne, mitunter fielen da harte Schläge. Gab es viele Einkratzer? Das Wort aus ihrem Munde amüsierte ihn. Er begann zu erzählen ... erst leichthin, wobei er versuchte, die tausend verschiedenen Meinungen einander humorig gegenüberzustellen. Dann ernster – und allmählich spürte er wieder den Druck der eigenen Unsicherheit.

Riekie schmunzelte, machte Anmerkungen, die ihm bewiesen, daß sie sich auf bekanntem Terrain befand. Sie blickte ihn gespannt an, als er mit tastenden Worten von seiner Abneigung gegen alle lautstarke Uneinigkeit zu sprechen begann und von jedermanns Recht auf eigene Meinung und Handlungsweise.

Erschrocken fragte sie: „Würdest du denn auch ein Boot löschen helfen, das von Streikbrechern nach Rotterdam gebracht worden ist?“

„O nein, bestimmt nicht.“

„Na also.“

Sie lachte erleichtert, drückte seinen Arm. Er versuchte ihr klarzumachen, daß es gerade sein Anspruch auf eigene Freiheit war, der ihn bewog, die abweichende Meinung anderer zu tolerieren und ihnen zuzugestehen, anders zu handeln. Aber er verfitzte sich in seinen Worten und spürte Riekies inneren Widerstand. Es blieb etwas im Hintergrund, unaufhörlich, was er nicht ganz begriff, wogegen er vergeblich anredete, und es verdroß ihn ungemein, daß er es nicht völlig zu erkennen vermochte; er wußte, er würde keine Ruhe finden, ehe er es nicht ergründet und für sich gewonnen hätte ... Oder etwa aufgeben?

Riekie fragte: „Würdest du nicht jeden davon abhalten wollen, sich ins Wasser zu stürzen oder sich mit dem Messer Schaden zuzufügen?“

„Natürlich ... Aber das kann man doch damit nicht vergleichen!“

Sie lachte wieder. Ihr Lachen irritierte ihn. Er hörte daraus, daß sie ihm nicht recht gab, daß sie ihn vielleicht für albern und naiv hielt. Gekränkt schwieg er, ein wenig bestürzt auch, weil mit einmal Unstimmigkeiten zwischen ihnen möglich schienen. Warum hatten sie auch über den dummen Hafen und diesen aufregenden Streik sprechen müssen!

Riekie empfand offenbar ebenso. Sie sagte: „Laß gut sein, wir wollen uns lieber über was anderes unterhalten – da kommen wir besser zurecht.“

Das klang, als ob ein viel älterer, reiferer Mensch zu ihm sagte: Du mußt noch ein bißchen klüger werden ... Das war spaßig. Er zog ihren Arm dichter zu sich, streichelte über ihre warme Hand und hielt ihre Finger einen Augenblick fest.

„Natürlich“, lachte er, „es kommt schon alles wieder zurecht –

bis auf die versoffenen Piepen ... Sag mal, Riekie, darf ich nicht bald mal deine Eltern aufsuchen und ihnen verraten, daß wir ein festes Verhältnis haben? Dieses verfluchte heimliche Getue beim Abschiednehmen in den Nebenstraßen und so, das stinkt mich an!"

„Sei nicht so ungeduldig – wart noch ein bißchen!"

„Warum denn?"

„Wir kennen uns doch kaum."

„Du willst dich wohl aus der Schlinge ziehen, was? Ich kenn dich schon hundert Jahre, und du mich auch."

Sie lachte nicht. Betroffen fragte sie: „Verrückt! Hast du auch das Gefühl? Manchmal, wenn ich abends im Bett liege und an dich denke, verstehe ich überhaupt nichts mehr – dann ist mir, als hätte ich dich schon immer gekannt, besser und länger als die Menschen, mit denen ich ein Leben lang zusammengewesen bin. Findest du das nicht auch verrückt?"

Ihre Stimme tanzte, leicht und froh.

„Nein", antwortete er ernst, „das finde ich ganz und gar nicht verrückt, denn das kommt nur daher, weil man sich so schrecklich liebhat."

„Aber warum hab ich dich denn lieb?"

„Weil du verrückt bist", lachte er plötzlich ganz ausgelassen. „Und ich habe dich lieb, weil ich klug bin ... Das ist der Unterschied ... Aber es läuft aufs gleiche hinaus. Mir ist so wunderbar zumute, daß ich am liebsten über die Maas springen würde, von den Bäumchen hier bis ans andere Ufer."

„Kannst du schwimmen?"

„Wie eine Ratte."

„Nun, dann probier's doch! Ich will was zum Lachen haben."

„Gut. Und dann komme ich pitschenaß zu euch herauf und sage: Gnädiger Herr Graf, gnädige Frau Gräfin, gestatten Sie, daß ich um die Hand Ihres einzigen Schatzes, des Fräulein Tochters, anhalte?"

„Ja, und dann kreischt meine Mutter: Verschwinde von meinem Teppich mit deinen nassen Flossen! Und Vater sagt: Komm mal wieder, wenn du trocken bist hinter den Ohren!"

Sie brachen in schallendes Gelächter aus. Ein Herr blickte sie mißbilligend an.

„Machst du dir was draus?" fragte Merijntje herausfordernd.

Der Herr wandte erschrocken den Kopf ab und lief weiter.

„Wann soll ich nun kommen?" bohrte der Junge.

„Warte noch, bis die Sache im Hafen vorbei ist."

„Was hat das denn damit zu tun?"

„Es ist besser, glaub mir. Wir haben doch Zeit?"

Aber das fand er nun gar nicht. Es drängte ihn, das Unfaßliche und Wunderbare besiegelt zu sehen. Er brannte vor Sehnsucht, sie jedermann zeigen zu dürfen, überall mit ihr am Arm erscheinen zu können: Wollt ihr gefälligst zur Kenntnis nehmen, daß das schönste Mädchen von ganz Rotterdam meine Frau wird? Der Gedanke bewegte ihn tief, daß sie abends im Bett an ihn dachte. Er versuchte sich vorzustellen, wie ihr Stübchen aussah ... alles blitzblank und reinlich ... ihr Kopf auf dem weißen Kissen, umkränzt vom goldenen Haar ... heilige Ehrfurcht ergriff ihn ... Wie schön sie war! Herrlich war das Leben – und er ein Glückskind ... Verse gingen ihm durch den Kopf: „Gülden, ach gülden sind Feinsliebchens blonde Haare ..."

Wie schade, daß das ein anderer gesagt hatte! Oh, es mußte etwas Gewaltiges sein, solche Gedichte für ein Mädchen machen zu können, auf das man wild war. So ein Gedicht, in dem jedes Wort Zuneigung verströmte, war wie ein Gebet vor dem Bildnis des Lieblingsheiligen ...

Noch ganz versunken in seine verliebte und poetische Träumerei wurde er zu Hause von Arjaans Geschrei überfallen, der die neuesten Gerüchte kommentierte und einen glänzenden Sieg für die Hafenarbeiter voraussagte: dieses Mal würden die reichen Protze einen Nasenstüber bekommen, der sich gewaschen hatte – sie alle seien fest entschlossen, nicht nachzugeben.

Gereizt platzte Merijntje heraus: „Ich versteh nicht, weshalb du dich so aufplusterst. Was hast du denn damit zu tun? Zu lahm, um im Hafen eine Kiste zu bewegen, aber ... Misch dich doch da nicht ein!"

„Himmelkruzitürken!" fluchte Arjaan und schlug auf den Tisch, daß die Platte krachte. „Da fragt der, was ich damit zu tun habe! Hat man je so einen Schwachsinn gehört? Das ist doch eine Sache, die alle Arbeiter angeht, gleichermaßen, Döskopf du! Willst du das nicht endlich kapieren? Hast du denn keine Grütze im Kopf, keinen Anstand im Hintern?"

„Hab ich nicht, hab ich nicht", höhnte Merijntje. „Ist doch selbstverständlich. Wer nicht mit diesen oder jenen Kumpanen konform geht, hat eben keinen Anstand. Ein Wunder, daß man überhaupt das Recht zu leben hat!"

„Hast du auch nicht!" giftete Arjaan.

„Ach, Junge, verschon mich mit deinem Geschwätz!"

Mutter hieb mit der flachen Hand auf den Tisch und rief halb weinend:

„Ist nun bald genug? Sag doch, daß sie den Mund halten sollen, Vater! Wer ist denn hier Herr im Hause? Immer Krach und Gezänk um diesen sozialen Firlefanz ... Das ist kein Leben."

Die kleine Mieke erschrak mordsmäßig von Mutters schriller Stimme und fing plötzlich zu krakeelen an. Merijntje nahm sie auf den Arm und versuchte sie zu beruhigen. Arjaan stand daneben und streichelte das plärrende Schwesterlein; er schnitt seine berühmten Grimassen, bis ein Lachen die Tränen ablöste. Sie klatschte mit beiden Händen auf seine Wangen und krähte vor Vergnügen, strampelte mit den bloßen Füßchen, der kleine geschmeidige Körper ein einziges temperamentvolles Zappeln vor übersprudelnder Freude.

Vater strahlte die Mutter an, wies mit den Augen auf die beiden großen Galgenstricke, die zwei Kampfhähne, die sich von so einem Gör zähmen ließen, sie einträchtig verwöhnten und nichts dagegen hatten, an Nase und Haaren gezogen zu werden.

Wenn's so aussah, war noch nicht alles verloren . . .

Die Erregung im Hafen hatte den Siedepunkt erreicht. Eines Morgens liefen zwei mit Streikbrechern bemannte Schiffe ein und wurden sogleich signalisiert. Ein unbeschreiblicher Tumult brach los. Dockarbeiter und Matrosen strömten zusammen. Ein starkes Polizeiaufgebot kam angestürmt und besetzte die Pier, an der die verhaßten Schiffe festgemacht hatten. Keine Laufbrücken wurden ausgelegt, niemand wollte an Bord. Niemand von Bord wagte sich an Land.

Mürrisch stand der Polizeikordon der aufgebrachten, laut schimpfenden Menge gegenüber, die mit jedem Augenblick größer wurde.

Unter den blinkenden Helmen kamen barsche und finstere Gesichter zum Vorschein – bemüht, nichts von der spukhaften Angst zu verraten, die die Männer vor den wütenden Hafenarbeitern empfanden, die drohend ihre Fäuste nach den bleichen Köpfen der englischen Streikbrecher an Bord ausstreckten, Scheltworte und Drohungen brüllten. Ein Kommissar und ein paar Offiziere berieten nervös. Wenn es ihnen nicht gelang, diese Teufel zur Ruhe zu bringen, geschah ein Unglück. Das mußte schieflaufen. Noch nie hatte es im Hafen eine derartige Empörung gegeben; bis zur Raserei waren die Leute von den verfluchten Umtrieblern aufgeputscht worden. Da mußten berittene Mannschaften angefordert werden. Warum hatten sie noch kein Militär geschickt? Die Stadtverwaltung war viel zu lax. Mußte es erst wieder Opfer geben, ehe Nägel mit Köpfen gemacht wurden? Immer dasselbe: Abwarten, abwarten! Kavallerie her, tüchtig drauflosdreschen, eine Handvoll der wildesten Rädelsführer windelweich knüppeln, gleich ins Krankenhaus mit ihnen, die anderen sofort hinter Schloß und Riegel stecken – das war das einzige, wovor der Mob Respekt hatte. Entschieden auftreten, kein Pardon geben, nicht zaudern! Aber die Order lautete: Nicht nervös werden, Ruhe bewahren, verhandeln und warnen, Waffen nur im äußersten Notfall gebrauchen. Jawohl. Gemütlich Befehle erteilen, wenn man in schönster Sicherheit irgendwo in seinem ruhigen Büro saß! Aber hier sah es anders aus mit dieser Bande böswilliger Hitzköpfe. Wenn einer den Anfang machte, war der Teufel los – und es wurde ein zünftiges Blutbad . . .

„Holt sie von Bord, die Schufte!"

„Mit dem Kopf ins Wasser!"

„Laßt das Pack erst mal an Land kommen!"

„Schmutzige Verräter! Lausiges Volk! In Streifen schneiden sollte man euch!"

„Wieso eigentlich muß die Polizei dieses Kroppzeug auch noch schützen? Die sollen mal hübsch verschwinden, die Blaujacken, wir werden die Boote schon leerräumen!"

Merijntje stand mit Klaas in einer Gruppe wüst gestikulierender und schreiender Kameraden. Er war bleich und zitterte vor Aufregung. Wie ein großes, tollwütiges Tier, alle Muskeln aufs äußerste gespannt, zum Sprung bereit, erschien ihm die zusammengedrängte Masse grauer, klobiger Gestalten. Eine unerwartete Bewegung, ein verkehrtes Wort, und es passierte ein entsetzliches Unglück – das Tier würde zuspringen und alles zerreißen, was vor seine Klauen geriet . . . Auf der anderen Seite waren Säbel und Revolver. Es würde ein grauenvolles Gemetzel geben. Und er selbst? Was geschah mit ihm? Ein irrsinniger Zorn kochte in seinem Blut. Die Hände preßten sich, zu Fäusten geballt, an seinen Körper; er fühlte seine Augen schmerzhaft aus den Höhlen treten

und den ganzen Leib hart wie Eisen werden durch das krampf-
hafte Zusammenziehen der Muskeln. Er würde mit vorwärtsstür-
men. Er würde zuschlagen, zutreten, die verdammten Beamten
niederrennen, die Hunde von Streikbrechern fertigmachen und ins
Wasser schmeißen, dieses Gesindel, dieses Lumpenpack... Leiser
Einspruch meldete sich hinter seinem wild aufgebrochenen Zorn:
Er könnte es wohl nicht. So durfte man sich doch nicht aufführen,
sich wie ein Rasender gebärden Menschen gegenüber, die anders
dachten und anders handelten als er! Aber es half nichts, die Wut
beherrschte alles, die entfesselte Leidenschaft fegte jegliche Bedenken hinweg: er ging mit diesen grauen Gesellen durch dick und
dünn... Wenn gekämpft werden mußte, würde er kämpfen – und
zwar hart, mit heißer Überzeugung, mit Lust. Ein roter Schleier
schwebte vor seinen Augen. Er war zu allem bereit, zu allem imstande. Wieso? Was war denn mit einmal über ihn gekommen?
Mußte er sich nicht schämen? Es war ihm egal. Er konnte sich keinen Kopf darüber machen. Die Emotion war da und tobte sich
aus. Empört fluchte er gegen die vermaledeiten Frachter, forderte
die Mannschaften heraus, verhieß ihnen Tod und Verderben. Sie
sollten nur von Bord kommen, die Scheißkerle!

Da ertönte eine schwere Stimme über dem wirren Gewoge der
erhitzten Geister und forderte Ruhe. Eine kurze, gedrungene Gestalt mit viel zu massigen Schultern, Brust und Arme wie ein Gorilla, war auf eine Tonne gesprungen und ragte mit halber Körper-
länge über die unruhige Menge hinaus. Struppiges Haar fiel tief
in die breite Stirn hinein, die Adern an den Schläfen schwollen vor
Anstrengung, den Tumult zu überschreien, blau an. Es war De
Bie, auch Ome Dirk genannt, einer der Führer der roten Gewerk-
schaftsgruppe. Ausrufe des Protestes wurden laut, Beifall, Verwünschungen und Hurrageschrei. Der Kommissar und die Offiziere schauten einander unsicher an, die Polizisten wechselten erschrockene Blicke. Wollte der berüchtigte Aufwiegler das Signal
zum Sturm geben? Langsam verebbte die Woge des Lärms, und es
wurde still. Die dunkle Stimme Ome Dirks gellte über die Köpfe
hinweg:

„So nicht, Leute! Seid ihr denn von allen guten Geistern verlassen? Wollt ihr eure Chancen heute schon verspielen? Wenn wir's
so anpacken, schicken sie uns ihre Büttel auf den Hals, und die
ganze Sache geht unter Säbelhieben und Pferdehufen zu Bruch.
Wenn's auf Gewalt ankommt, kennt sich die andere Seite immer
noch ein bißchen besser aus als wir. Behaltet die Pranken in der
Tasche und gebraucht eure Kehle für gute Argumente, statt für
Schimpfworte und Flüche, die keinem Hund wehtun. Ihr wollt den
Kampf doch gewinnen?"

Wildes Gebrüll war die Antwort.

„Wir können nur gewinnen, indem wir unsere Arbeit verweigern. Sollen die Schmeißfliegen von Streikbrechern ihre Mistboote selber leertragen, zusammen mit den Herren aus den Kontoren. Wir werden dabeistehen und feixen, wenn sie sich das Kreuz brechen unter der Last von lächerlichen hundert Kilo. Mit unserer Arbeit können wir die Welt bezwingen, aber nicht mit unseren Fäusten. Laßt die Pfoten zu Hause, kehrt an den gewohnten Arbeitsplatz zurück. Werft euren Sprechern nicht Knüppel zwischen die Beine, stellt euch geschlossen hinter die Aktionen der Gewerkschaft. Das ist der Weg, der einzige Weg – jede andere Handlungsweise ist verkehrt und schiebt den Karren nur noch tiefer in den Dreck."

Die Polizei atmete auf. Unsicherheit kam in die aufsässige Menge.

Jemand schrie Ome Dirk zu: „Feigling verdammter, mußt du den Arbeitern allen Mut nehmen? Verräter! Schielst wohl nach einem fetten Pöstchen, was?"

Ome Dirk zog seine Hosen hoch und lachte dröhnend, den gewaltigen Mund weit aufgerissen.

„Ja", rief er zurück, „sämtliche Reeder, Makler und Bankiers haben mir eine dicke Pension versprochen, wenn ich's schaffe, daß ihr alle tut, was ich sage: Pfoten zu Hause lassen, keinen Handschlag für die Söldnerschiffe, den Hafen stillegen zu gegebener Zeit, totenstill, wie es die Gewerkschaft beschließt. So sind die feinen Herren: keineswegs prüde, wenn es darum geht, einem Arbeiterverräter von meinem Schlage einen tüchtigen Lohn zu zahlen ... Willst du noch mehr wissen, verehrter Freund? Ich kann's dir notfalls auch mit den Händen erzählen!"

Gelächter. Pfoten zu Hause lassen, hatte Ome Dirk gesagt, aber dem ersten, der ihm zu nahe trat, bot er eine Tracht Prügel an!

Eine andere Stimme schrie: „Wir brauchen keine Arbeitersprecher! Wir kommen selber zurecht. Sprecher sind auch Schmarotzer. Es gibt schon genug Parasiten!"

„Schlaues Bürschlein!" spottete Dirk. „Nein, so ein Heißsporn! Ja, Mann, dann greif dir eine Handvoll Anarchisten und mach's selber. Entert gleich das Boot, holt die Kerls herunter, fegt die Polizei aus dem Hafen und nehmt ganz Rotterdam ein! Wir wollen neidlos applaudieren. Doch wenn euch daran gelegen ist, statt Krawall und Massaker einen ehrlichen Arbeitskampf zu veranstalten, dann tut, was ich euch geraten habe. Und sorgt dafür, daß morgen abend das Auktionslokal zu klein ist für die Versammlung, in der wir unsere Probleme besprechen wollen. Und was die Vorwürfe betrifft von wegen Verräter und so ... na, die gebt mir mal besser schriftlich, damit ich mir meinen – ihr wißt schon, wen – wischen kann."

Er schlug klatschend auf seinen breiten Hintern und stieg von der Tonne. Beifall brandete auf, es wurde gejubelt und geschrien, geschimpft und ratlos geflucht. Aber die meisten der Versammelten schlenderten davon, begaben sich an ihre Arbeit zurück, die sie grimmig im Stich gelassen hatten. Und was aufgeregt debattierend zurückblieb, wurde von der Polizei, die sich wieder Herr der Lage fühlte, in kürzester Zeit zerstreut. Um die Streikbrecherschiffe wurde es still, und die Mannschaften bekamen wieder etwas Farbe ins Gesicht . . .

Es war ein verbissener Merijntje, der abends an Riekies Seite durch den trüben Nieselregen lief.

Sie fragte ihn aus, und er erzählte, was sich zugetragen hatte: von der Ankunft der Schiffe, wie die Neuigkeit durch den Hafen geflogen war und wie sie zusammengeströmt waren. Er konnte ihr nicht präzise auseinanderlegen, was in ihm vorgegangen war – und das verunsicherte, verwirrte und beklemmte ihn. Er war nach dem Eintreffen der Nachricht von der gleichen fieberhaften Unruhe erfaßt worden wie die anderen; er wußte nicht, ob es aus ihm selbst gekommen oder von den Kollegen auf ihn übergesprungen war. Aber von jenem Moment an war etwas in ihm gewesen, stärker als er, das ihn mitgerissen hatte, als schwömme er in einer Fahrrinne, durch die ein starker Strom trieb, in dem man sich leicht wie eine Feder fühlte, pfeilschnell mit dem Wasser dahinschoß, herrlich und frei und doch gefangen in einer Umklammerung, die zum Tode führen mußte, wenn man nicht rechtzeitig das Ufer erreichte, denn das Außenwasser zog einen in seine saugende Tiefe. Er hätte alles mitgetan, hätte mitgekämpft und Feuer gelegt auf den Schiffen – so total war er von dem heißen Taumel, der den Hafen heimgesucht hatte, gepackt worden, zügellos, ohne jede Hemmung. Später, als Ome Dirk die Gemüter besänftigt hatte, war er plötzlich todmüde gewesen, entnervt und erleichtert, daß es so glimpflich abgelaufen war, und doch auch ein klein wenig enttäuscht, ernüchtert – irgendwo in einem verborgenen Winkel seiner Seele, einem geheimen Eckchen, von dessen Dasein er nie etwas geahnt hatte. Was war das bloß mit ihm? Wie konnte er sich so gehenlassen, fast zu Mordgelüsten verleiten lassen? So unsinnig der eigenen Auffassung zuwiderhandeln? Denn es war nicht gut, gewalttätig zu werden – und zwar spielten für ihn noch ganz andere Gründe eine Rolle als Ome Dirk sie vor den gespannt lauschenden, ungemein erregten Kameraden ins Feld geführt hatte: man mußte die Entscheidungen des anderen respektieren, der aus ehrlicher Überzeugung auf seine Weise handelte.

„Aber doch nicht bei Streikbrechern!" rief Riekie so heftig, wie er sie noch nie hatte sprechen hören. „Streikbrecher haben keine ehrliche Überzeugung. Feiglinge sind das, nichts als Feiglinge und Leisetreter, die ihren Vorteil suchen auf Kosten jener, die um ihre Existenz kämpfen und die Kastanien für andere aus dem Feuer holen, die nicht mitmachen und sich angstschlotternd abseits halten. Das ist schon schlimm genug, aber Streikbrecher sind noch schlimmer. Die sind wie Soldaten, die auf die eigene Familie schießen, um sich bei ihren Vorgesetzten eine gute Nummer zu machen und Extrasold zu bekommen. Das spürt man sehr genau, und deshalb hat man natürlich auch so einen unbändigen Zorn auf das Lumpenpack..."

„Ja, das sagst du jetzt so, daß ein Streikbrecher keine ehrliche Überzeugung haben kann – aber wie willst du das beweisen?"

„Das braucht man nicht zu beweisen, das ist so."

„Warum denn?"

„Das fühlt man... Warum bist du denn so wild geworden?"

„Das weiß ich nicht – das ist ja gerade das Verrückte!"

„Das gehört sich auch so, wild zu werden! Dein Herz war klüger als dein Verstand. Du bist ein Arbeiter, und ein Arbeiter mit Ehrgefühl, der hält es mit den Arbeitern, immer, und wird nie Handlanger der Geldmänner. Ein Streikbrecher ist ein elender Verräter, ein schofliger Kerl... jeder Streikbrecher – und wenn er's aus was weiß ich für welchen Gründen tut..."

Er blickte sie erstaunt an. War das seine liebe Riekie, sein sanftes Mädchen? Sie sprach fast wie ein Mann, streng und ungehalten, voller Eindringlichkeit.

„Du redest wie ein Sozialer, überzeugt und sicher", sagte er lächelnd.

„Das sind wir auch zu Hause alle", erwiderte sie ruhig. „Wir haben von Vater und Mutter nie was anderes gehört."

Es versetzte ihm einen Schock. Eine Aureole fiel von ihr ab. Was? Die kleine Dame, an die er so häufig gedacht hatte mit einer seltsamen Mischung aus Ehrfurcht und Rührung, das blonde Ladenfräulein aus der Taktstraat, das er den besseren Ständen zugerechnet hatte, war nichts weiter als die Tochter eines Hafenarbeiters – und obendrein auch noch rot? Und das sagte sie ganz seelenruhig, ohne sich zu schämen... Alles sträubte sich in ihm – die Kindheit wurde wieder lebendig. Seine ganze Erziehung rebellierte, ungläubig und erschrocken. Stets waren ihm die Sozialen als minderwertige, ewig unzufriedene Krakeeler vor Augen gestellt worden, roh gegen alles schimpfend, was in der Welt das Sagen hatte, voll Haß und Neid und nur darauf bedacht, sich alles unter den Nagel zu reißen, niederträchtige Wesen, die ihr Gift bösartig um sich spritzten, aufrührerisch, blutrünstig, Vasallen des Satans. Und Frauen, die dazugehörten, nun, da brauchte man wohl nicht erst zu fragen, was das für Furien waren – schlimmer als die ordinärsten Fischweiber!

Ach, er wußte längst, daß diese Bilder nicht stimmten, durch Haß verfälscht, verstümmelt und hämisch ins Dämonische verzerrt. Sie waren Menschen wie alle anderen, hielten an ihrer eigen-

tümlichen Weltanschauung fest, deren Vernünftigkeit er nie hatte
einsehen oder für sich akzeptieren können; sie waren immer bereit
zu streiten und führten ziemlich heftige Worte im Munde, aber im
übrigen handelte es sich bei ihnen um ganz normale Leute – unter
ihnen gab es sogar welche, die an Gott glaubten und zur Kirche
gingen. Und doch war etwas von diesen verqueren Vorstellungen
in ihm steckengeblieben – ein heimlicher Abscheu, verknüpft mit
unbestimmter Angst ... dumm und kindisch. Er konnte es jeden
Augenblick verdrängen, sobald er darüber nachdachte – aber irgendwo tief in seinem Innern blieb es als unausrottbares Vorurteil
hängen. Deshalb war er auch immer so gereizt, wenn Arjaan ihm
mit seiner Begeisterung auf den Pelz rückte. Deshalb blieb auch
stets unverkennbares Befremden in ihm, wenn jemand freimütig
und ohne zu erröten zugab, Sozialist zu sein. Deshalb war er eben
auch so erschrocken, als Riekie es von sich bekannt hatte.

Er sah in ihr zartes, leuchtendes Gesicht, auf dem hier und da
kleine Regenperlen glitzerten, und entdeckte plötzlich einen strengen Zug um ihren Mund. Ein Gänschen war sie sicher nicht – sie
wußte, was sie wollte. Wenn nötig, würde sie aufs Ganze gehen. Sie hatte den Gewaltmenschen Klaas auf Distanz gehalten,
freundlich, aber bestimmt. Sie hatte alle jungen Männer unerbittlich von sich abgewiesen, nichts mit ihnen zu tun haben wollen –
nicht einmal küssen hatte sie gelernt. Sie wirkte stolz, galt natürlich als Zierpuppe, die nur auf einen Geschäftsmann lauerte, einen
Lehrer oder eine ähnlich lukrative Partie, weil ihr ein Arbeiter zu
pöbelhaft erschien. Aber sie zierte sich nicht, und hochmütig war
sie auch nicht; sie hatte gleich mit ihm gehen wollen, obwohl er
nur ein ganz gewöhnlicher Saisonarbeiter war – ein Hafenvaga-
bund, der von der Hand in den Mund lebte. Sie trug das Herz auf
dem rechten Fleck, seine Riekie, sie war unsagbar lieb und schön
und sanft, und doch war sie eine Hafenarbeitertochter – resolut,
wenn's sein mußte, stark und aufrecht. Alle Wetter, wie irrsinnig
liebte er sie, seine niedliche, kleine blonde Streiterin. Es erschien
ihm auf einmal rührend kindlich, daß sie sich so unumwunden zu
einer Bewegung bekannt hatte, zu der rauhe Burschen wie Klaas
und Ome Dirk, Nachbar van Tol und Arjaan gehörten.

„Morgen abend ist eine große Versammlung im Auktionslokal",
sagte er nach einer Pause. „Ich geh hin."

„Ich komme mit."

„Du? Zur Hafenarbeiterversammlung?"

„Natürlich. Wo du hingehst, da will ich auch hingehen. Eine
Frau muß mit dem Mann am gleichen Strang ziehen, muß mit ihm
gemeinsam kämpfen, hat mir meine Mutter beigebracht, sonst
wird's nichts zwischen den beiden."

Gemeinsam kämpfen? Wollte er denn kämpfen? Das blieb noch
abzuwarten. Arbeiten, leben wollte er, Riekie heiraten, mit ihr zu-

sammen in einem gemütlichen Häuschen wohnen, abends unter
der Lampe sitzen und lesen und ihr zuschauen, wie sie umherlief
und wirtschaftete oder am Tisch saß bei der einen oder anderen
Näherei. Kämpfen? Wenn man es so behaglich haben konnte? Er
war doch nicht töricht! Aber sie hatte das so fest und ruhig gesagt:
eine Frau mit ihrem Mann ... als wäre sie schon seine Frau! Es
lief ihm heiß und kalt den Rücken herunter vor Innigkeit ... Gott,
lieber Gott, was war sie doch für ein Prachtkerl! Wie gut sie war
– und wie unbeschreiblich gern er sie hatte!

6

Der große Saal war gedrängt voll. Verhaltenes Stimmengewirr
wogte auf und nieder. Tabakqualm schwebte in blauen Schwaden
über die Köpfe hinweg zur hohen Decke. Die Rufe der Zeitungs-
und Broschürenverkäufer ertönten über dem dumpfen Lärm. Auf
dem Podium saßen einige Männer um einen grünen Tisch, unter
ihnen Ome Dirk; sie steckten die Köpfe zusammen und sprachen
leise miteinander.

Merijntje hatte in der Mitte des Saales, zwischen Klaas und Riekie Platz gefunden; an Riekies anderer Seite saßen ihr Vater und
zwei ihrer Brüder, ein Hafenarbeiter und ein Seemann, der gerade
an diesem Morgen aus Südamerika heimgekommen war. Merijntje
fühlte sich fremd hier und war nervös. Es war das erstemal, daß

er an einer solchen Veranstaltung teilnahm. Die Atmosphäre beunruhigte ihn. Was hatte er, der Brabanter Bauernjunge und Katholik, hier eigentlich zu suchen? Er gehörte nicht dazu. Dies alles waren gottlose Rote – und dort auf dem Podium saß einer, der gleich sprechen würde und dessen Name er in seiner Umgebung häufig mit Entsetzen und Abscheu, mit Haß und Verachtung hatte nennen hören. Er hatte im Gefängnis gesessen, er agitierte auf der Straße, zog durch Dörfer und Städte, wurde verhöhnt, verprügelt; man schmiß mit Steinen und Dreck nach ihm und seinen Gefährten; aber er war unbelehrbar, er ließ sich nicht aufhalten und setzte sein aufrührerisches Werk fort. Eine furchteinflößende, unheilverheißende Gestalt, eine Art Antichrist, ein Sohn der Finsternis, der vor nichts zurückschreckte, vor keiner Schandtat, keiner Strafe, besessen von der Sucht, immer mehr Menschen zu verderben und unglücklich zu machen. So war das Bild dieses Mannes in Merijntjes Phantasie geätzt, und er blickte nach ihm mit ängstlichen Augen, auch wenn er längst nicht mehr das arglose Kerlchen war, das alles glaubte, was man ihm weiszumachen beliebte. Das undeutliche Empfinden, auf verbotene Wege abgeirrt zu sein, verlieh ihm ein Gefühl innerer Unsicherheit und Unruhe, das sich nicht so einfach verdrängen ließ.

Mitten in seine verwirrte Grübelei fielen plötzlich Hammerschläge. Das Geraune ringsum erstarb, die Stimmen der Zeitungsverkäufer schwiegen. Ome Dirk eröffnete mit knappen Worten die Versammlung, bat um Ruhe und Aufmerksamkeit für den Sprecher, der die gegenwärtige Situation untersuchen und die mit dem Konflikt in Zusammenhang stehenden Fragen erörtern wolle. Der lange Mann hinter dem Tisch stand auf und trat nach vorn. Starker Beifall brauste durch den Saal, Hochrufe erklangen, aber der Mann gebot mit der Hand Einhalt und begann zu sprechen, ruhig und beherrscht. Seine Stimme klang abgespannt und heiser; einige matte Gebärden begleiteten lasch die ersten Sätze. Und trotzdem geriet Merijntje in Aufruhr. Am liebsten hätte er sich die Ohren zugestopft und wäre Hals über Kopf davongerannt. Man durfte doch solch einem Individuum nicht Gehör schenken! Allein der Anblick: die hagere, leicht gekrümmte Figur, breite Schultern und ein häßliches Gesicht mit großer, gebogener, überragender Nase, dazu eigenartig schiefstehende Schlitzaugen, die glanzlos unter den halbgeschlossenen Lidern hervorschielten, breiter Mund, über dem ein dünner Schnurrbart hing, und die Oberlippe mit einem winzigen, spitzen, rüsselartigen Pünktchen in der Mitte, über das ab und an die Zunge fuhr ... Wahrlich ein beunruhigendes Gesicht! Etwas Teuflisches sprach daraus, auch etwas Schlangenhaftes. Das erkannte man doch beim flüchtigen Hinschauen, daß da ein gefährlicher Mensch stand, ein Verführer und Verderber der Seelen ...

Im Saal war jedes Geräusch verstummt. Man hätte eine Stecknadel fallen hören können. Gespannte Stille, in der nur die allmählich heller werdende Stimme des Redners erklang. Worüber sprach er? Nicht über den Streik und die Auseinandersetzungen im Hafen. Er sprach über die Welt, in die hinein sie geboren waren, über den Zustand, der darin herrschte, die Gefahren, die drohten und zur Katastrophe führen mußten, zur Katastrophe im persönlichen Leben ebenso wie im Leben der Gruppen und der Völker. Er sprach über die Unvermeidlichkeit dieser Entwicklung, die sich gesetzmäßig und folgerichtig aus den Fehlleistungen des gegenwärtigen Gesellschaftssystems ergäben. Seine Stimme wurde immer munterer, seine Worte eindringlicher; er machte beschwörende Gesten, kantig und ungestüm, mit seinen großen, ausdrucksstarken Händen, stieß die geballte Faust in die Luft, hob warnend den Finger, lief mit geschmeidigen Schritten auf und ab. Sein Gesicht belebte sich, die merkwürdigen Augen schienen größer zu werden, funkelten im Feuer der wachsenden Leidenschaft, blickten scharf und durchdringend über den auf der imponierenden Nase wippenden Kneifer hinweg in den Saal.

Unwillig in sich selbst verkrochen war Merijntje voll innerer Abwehr dem Beginn der Rede gefolgt. Hatte zugehört, weil es nun einmal nicht anders ging, von vornherein gelangweilt, weil es so schnell gewiß kein Ende nehmen würde, fest davon überzeugt, daß dieser Mann ihm sowieso nichts Neues zu sagen hätte. Er kannte das übereifrige, hitzige Gerede nun schon zur Genüge, die ganze Phrasendrescherei, all die ohnmächtigen Drohungen, die verständlichen Haßausbrüche und Auflehnungsversuche, die doch zu nichts anderem führten als zu Neid und Mißgunst unter den Menschen. Die Schicht der Gijzens hatte fraglos Grund, sich durch die van Durens zurückgesetzt zu fühlen – die Welt steckte voll Unrecht und Fäulnis. Immer waren es die Gijzens, die Prügel bezogen. Aber ließ sich etwas dagegen tun? Das hatte es doch immer gegeben. Die einzige Möglichkeit war, für sein Teil das Beste herauszuholen, sich eine erträgliche Existenz aufzubauen und die Augen vor allem sonstigen Übel zu verschließen. Und doch hatte er gemeinsam mit anderen Gijzens am Kai vor den bestreikten Frachtschiffen gestanden, fest entschlossen, sie zu stürmen und zu zerstören. Die Minuten unerträglicher Spannung waren nicht mehr fortzudenken, der reißende Strom, in den er eingetaucht war, hatte in der Erinnerung seine Wucht nicht verloren. Die Begeisterung war da und wartete nur auf einen Anlaß, wirksam zu werden und ihn aufs neue dorthin zu treiben, wohin die Strömung ihn zog.

Nach und nach wich der Widerstand, wich die forcierte Gleichgültigkeit, der mit allen Ängsten genährte Wunsch, sich aus diesen Unruhen herauszuhalten. Was der hagere Mann mit dem Raubvogelgesicht und dem spärlichen Haar über der hohen Stirn da auseinanderlegte, begann ihn zu fesseln. Er entwarf in flüssigem Stil, mit einfachen, verständlichen Worten und ausdrucksvollen Gebärden ein Weltbild, an dem man nicht vorbeisehen konnte – ein Weltbild, das man wiedererkannte, weil man es selber so erfahren hatte, über das jedoch langsam ein neues Licht glitt. Das alte Bild begann in seinen Grundfesten zu wanken – mit jedem Wort wurde deutlicher, daß nichts unveränderlich, nichts unumstößlich festgelegt war, ja daß es nichts Unvergängliches oder Unüberwindliches gab. Denn die Kräfte selbst, die diese Welt in eine Schandwelt verwandelt hatten, riefen Gegenkräfte hervor, die eine Veränderung bringen, die Welt von heute niederreißen und eine andere dafür erbauen würden, weit und luftig und schön, eine Welt, in der der Mensch leben und atmen könnte, befreit von Sklaverei und Bedrückung, und endlich jenes Glück fände, das sich nicht auf Entbehrung und Drangsal tausend anderer gründet. Das verfemte Wort Sozialismus bekam einen anderen Klang, es gewann Inhalt, es hielt nicht her für bloßes Palaver machtloser Schreihälse. Dieser Mann wußte genau, was es meinte, was es bewirkte, wie es mit Leben gefüllt werden mußte, um die Welt aus dem eisernen Griff des gegenwärtigen Systems zu befreien, dem kalten, herzlosen, berechnenden Kapitalismus, für den die Millionen und aber Millionen von Arbeitern keine Menschen waren, sondern Maschinenzubehör, Kulis, die fremder Leute wohlbehüteten Reichtum zusammenscharrten, Sklaven, an die Räder des Triumphwagens gekettet, der Mammon gehörte, diesem fürchterlichen Geldgott, der in seiner unersättlichen Gier die eigenen Kinder fraß.

Nun sah er, was dieses System in Wirklichkeit war, wie und für wen es funktionierte. Es war nicht allein der Feind des sogenannten kleinen Mannes, sondern der Feind der gesamten Menschheit und der Welt, die in immer rascher werdendem Tempo dem Untergang entgegensteuerte. In dieser Welt war keine wahre Tugend möglich, kein wahres Christentum, kein wahres Recht, keine wahre Moral. Alles hatte die führende Schicht an sich gerissen, verdreht und verfälscht in ihren Dienst gestellt. Christi Gebot der Liebe hatte sie zum Gegenstand des Gespötts gemacht, zu einem machtvollen Instrument, ihre Diener gefügig und unterwürfig zu halten, und Gott selbst war von ihr zu einer Art grausamen Aufseher über die Masse ihrer Lohnknechte erniedrigt worden – als Gegenleistung gönnte man ihm Tempel und Bilder, Scheinansehen und äußere Ehre. Aber der Mensch, geschaffen nach Gottes Bilde und Gleichnis, wurde in den Kot getreten, geduckt und gehöhnt, ausgenutzt wie ein Zugtier – der „freie" Arbeiter der Gegenwart war Sklave wie in früheren Zeiten und wurde mit der unablässig drohenden Peitsche des Hungers regiert. Für ihn gab es keine Ruhe, keine Sorglosigkeit und Existenzsicherheit, keine Kultur und Schönheit, keinen Liebreiz der Natur. Für ihn gab es die zermürbende Arbeit, zu lang und zu schwer, schlecht geschützt, schlecht bezahlt, in mörderischer Hast zu bewältigen; für ihn gab es die dumpfen Barackenquartiere mit den Pritschen in muffigen, finsteren Schlafkammern, die licht- und luftlosen Gassen und Winkel, die Berufskrankheiten und die Armut, das Elend der Arbeitslosigkeit, ewig die bohrende Frage nach dem morgigen Tag und dem Brot für die Kinder. Als einzige Freude die Betäubung durch den Alkohol, das rohe, anreißerische Vergnügen von Kirmes, Bums und Königingeburtstag. Das sollte Menschenleben heißen? Eine Welt, die die Pferde besser versorgte als die Menschen, wagte sich auf die Lehre von der allesbeherrschenden Liebe zu berufen? Man scheute sich nicht, von Nächstenliebe in einer Gesellschaft zu sprechen, in der die oberen Zehntausend in bedenkenlosem Überfluß und Reichtum auf Kosten des widerwärtigsten Elends und sittlichen Verfalls von Hunderttausenden schwelgten? Eine solche Welt, deren Heuchelei gen Himmel stank, war verflucht und mußte verschwinden – dafür zu kämpfen war Menschenpflicht, sich dafür mit all seinen Kräften einzusetzen, das schönste Werk für einen Menschen dieser Tage. Und der Kampf war nicht hoffnungslos, nicht ohnehin verloren, denn hoch und edel war das Ziel und ungezählt wie Sand am Meer die Schar der Soldaten in der Legion der Arbeiter – unüberwindlich, sobald sie sich ihrer Macht bewußt wurden und der gewaltigen Aufgabe, die die Geschichte für sie bereithielt.

Mit steigender Spannung hörte Merijntje zu, vergaß alles um sich her, sog gierig die Worte des immer feuriger sprechenden Mannes am Rednerpult auf. Schneidend und vorwurfsvoll, dann wieder schmerzlich bewegt klang die Stimme, die das abscheuliche Bild dieser verdorbenen Welt wachrief. Das wunderliche Gesicht lebte inbrünstig mit, litt unter der geschilderten Not, wurde schön wie das beseelte Antlitz eines Bußpredigers und Legendenheiligen ... War das aufrührerische Sprache? Predigte dieser Mann Haß? Gewiß, er geißelte das Böse, das Schlechte. Aber er glühte doch vor Liebe! Liebe strahlte er aus, eine starke, drängende, rufende Liebe für alles, was da litt und unterdrückt und des Glanzes beraubt war, der das Menschsein ausmachte. Dieser Mann setzte sich aus Liebe für den erniedrigten Bruder ein, den Fremden, mit dem ihn nichts verband und von dem er nichts zu erwarten hatte. In ihm brannte die Liebe für den Nächsten, verzehrend und unlöschbar, wie sie in Christus gebrannt hatte, als er in ihrem Namen ohne Klage den Kalvarienberg bestieg – weil in der Liebe die Erlösung lag! Auch dieser Mann hier wollte die Menschen gewissermaßen erlösen, und auch er berief sich auf die Liebe, denn er liebte selber, stark und mutig, verkörperte die Liebe und trug sie hinein in die Welt. Diese Liebe war weder schwach, noch wehrlos. Wie Christus gesagt hatte: „Ich bin nicht gekommen, Frieden zu bringen, sondern das Schwert!" –, so sprach auch er: „Ich stehe nicht hier, um euch zur Resignation aufzurufen, sondern zum Kampf, denn in der Resignation geht die Welt zugrunde, doch im Streit wird sie sich aus der Verzweiflung erheben und mit der Liebe siegen und zum Glück hindurchbrechen!"

Dieser Mann war kein eitler Krawallmacher. Ein Ernst ging von ihm aus, daß man nicht umhin konnte, ehrfurchtsvoll das Haupt vor ihm zu neigen. Er war ein Verkündiger der weitherzigsten und höchsten Menschenliebe, ein Apostel, ein Held und Heiliger. Verlästert und verspottet wurde er, Antichrist genannt, Teufel und Volksverführer; man zeichnete ein falsches Bild von ihm, um die Geschundenen von seinen segensreichen Händen fernzuhalten, man hetzte die Betrogenen auf, ihn mit Steinen und Unrat zu bewerfen, man schleppte ihn ins Gefängnis. Aber seine Liebe war stärker als Furcht oder Kleinmut. Er ließ nicht locker, er schritt weiter. Mit vernichtenden Worten enthüllte er das schmähliche Gemälde des verderbten Lebens, klagte die Schuldigen an, rief die Geringen dieser Erde zum Kampf auf, wies ihnen Mittel und Wege, ging ihnen voran – unbekümmert um Bloßstellung und Gefahr. Er war ein Held. Aber auch ein Zauberer. Er erhob die Zuhörer über ihren eigenen Horizont, ließ sie die Welt aus der Höhe des Geistes betrachten, nahm sie mit auf weitem Flug, öffnete vor ihnen die Pforten der Zukunft und ließ sie in das Gelobte Land schauen.

Er war auch Lehrmeister und Feldherr. In groben Zügen gewährte er ihnen knapp und scharf umrissen Einblick in den Ideengehalt seiner Weltanschauung. Merijntjes letzter Widerstand wich – was er vergeblich gefragt und gesucht hatte, gab ihm der Mann in wenigen Minuten. Der Kern der heißumstrittenen Lehre lag deutlich vor ihm. Und es war nichts Teuflisches daran, nichts Verräterisches, nichts Mysteriöses oder Menschenverderbendes. Es war klar und sauber, durchsichtig wie Wasser, erstaunlich einfach und zugleich von unermeßlicher Bedeutung, unermeßlich wie die Welt, die neue Welt, die daraus entstehen sollte... Er begriff, daß dies alles nicht viel mehr als ein Gedankengerippe war – gleichwohl hatte es ihn unversehens überwältigt und gewonnen. Hierin lag alles begründet, von hieraus begann der neue Weg. Erst mußte es freilich gelingen, dem Heer der ungezählten Arbeiter diesen Kern erkennbar zu machen: den Glauben an die lautere Wahrheit. Dann galt es, mit den Millionen den Marsch zu beginnen ... streiten, fallen und aufstehen, niedergeschlagen werden und schließlich triumphieren, wenn der letzte Kampf ausgefochten, das Ziel erreicht war, Vernunft und Liebe gesiegt hatten.

Wahrhaftig ein großes Lebensziel! Nein, die Gijzens waren nicht so schwach und wehrlos. Er hatte sich geirrt. Die van Durens waren nicht auf ewig allmächtig und unverwundbar und unüberwindlich. Der Zauberer auf dem Podium winkte mit der Hand, und wie Schuppen fiel es von den Augen: gut organisiert ist der Arbeiter stärker als sein Brotgeber, sind die Besitzlosen stärker als die Besitzenden; sie, die Werte schaffen, sind die Mächtigen, sofern sie aufwachen und sich ihrer Bedeutung und ihres Einflusses auf die Gesellschaft bewußt werden – jenen komplizierten Mechanismus, den sie zum Stillstand bringen können, wenn sie sich nur einig sind. Noch war es nicht soweit, aber es würde kommen, es mußte kommen, denn es schien ganz einfach, es schien kinderleicht. Merijntje hatte es eingesehen, Merijntje hatte es sich zu eigen gemacht. Merijntje würde mit aller Kraft dafür kämpfen. So würden sich seine Sehnsüchte erfüllen, blitzschnell, in einem gewaltigen Sturmlauf, denn der Glaube kann Berge versetzen – und dies sollte sein Glaube sein, der alte Glaube in neuem, strahlendem Licht: die flammende, opferbereite, erdumspannende Liebe, der sich niemand entziehen konnte und die im Eiltempo die Welt erobern und in ein Paradies verwandeln würde...

Und nun kam der Sprecher vom allgemeinen zum besonderen, zu den Ursachen und dem bisherigen Verlauf des Konfliktes der Seeleute; er erwähnte den Ausbruch des Streiks, die Unvermeidlichkeit seiner Ausbreitung in andere Länder, die Notwendigkeit für Angehörige verwandter Berufsgruppen, sich solidarisch zu zeigen, die Wahrscheinlichkeit eines Sympathiestreiks der Hafenarbeiter, falls man sie zwingen würde, die Söldnerschiffe zu löschen und zu laden, den schweren und mühsamen Kampf, der bevorstand, die Folgen, die für die Betroffenen daraus entstehen konnten. Merijntje saß frohgemut dabei, drückte Riekies Hand fest in der seinen, die Augen leuchteten, und das Herz war so übervoll von Freude und neuem Glück, daß seine Brust zu klein schien. Einzelheiten interessierten ihn vorläufig nicht. Es würde zur Konfrontation kommen – und er wollte dabeisein. Bald würde er Glied einer starken Kette sein, einverleibt als Soldat in das Millionenheer der Arbeiter, die in aller Welt, über Grenzen hinweg, dasselbe hofften. Strahlend verfolgte er jede Bewegung des Mannes am Rednerpult.

Merijntje wußte es: er schaute in die Augen eines bedeutenden Menschen. Er wußte: dieser Mann hatte ihm ein Glück gebracht, größer als selbst Riekie es ihm hatte schenken können, ein Glück, das andere Dimensionen zeigte, das über ihn hinausreichte. Er wußte: dieser Mann hatte ihn zu einer Liebe angespornt, die alles überwinden, alles erträglicher machen würde, denn in dieser Liebe lag der Glaube beschlossen an eine freundlichere Zukunft der gesamten Menschheit. Sollte er je Kinder haben, würde ihr Leben anders aussehen – und zwar durch seine und seiner Kameraden Hingabe, die dieser Mann geweckt hatte, der jetzt seine Rede beendete. Oh, wie er ihn bewunderte, wie er das leidenschaftlich bewegte Gesicht mochte, die stechenden Augen, die das Fünklein Menschlichkeit in seiner Seele suchten, um es zu einer gewaltigen Flamme zu entfachen, die großen Hände, die ihn ergriffen und zu einem anderen Menschen formten – zu einem Streiter für das Heil aller ...

Der Saal dröhnte vom Applaus – Händeklatschen, begeisterte Zurufe, trommelndes Fußgestampfe. Der Mann auf dem Podium reagierte nicht. Müde setzte er sich, trank aus seinem Glas einen Schluck Wasser und blickte mit mattem Lächeln in die Runde. Sein Gesicht war graublaß geworden, die Augen hatten sich zu schmalen Strichen verengt. Merijntje war mit aufgesprungen. Er klatschte, schrie – ohne zu wissen, was. Seine Kinnbacken zitterten, und plötzlich rannen heiße Tränen über seine Wangen. Beschämt setzte er sich und wischte mit dem kleinen Finger die Augen trocken.

Eine Hand legte sich auf seinen Arm, und Riekies Stimme flüsterte ihm ins Ohr: „Lieber Junge, Merijntje ...“

Er nahm ihre Hand und drückte sie fest. Er flüsterte zurück: „Riekie, jetzt weiß ich's, ich gehöre auch dazu.“

„Siehst du, so mußte es doch kommen ...“

Ihre sanfte Stimme war ein einziges unterdrücktes Jauchzen – und nichts anderes war Merijntjes überquellendes Herz.

Und als sich alles erhob und die mitreißende Melodie der „Internationale“ durch den Saal schallte, stand er kerzengerade; kalte und heiße Schauer liefen ihm über den schmerzhaft gestreckten Rücken. Er fühlte sich zusammengeschmiedet mit diesen wilden Gesellen ringsum, aufgenommen in jene gewaltige Einheit, die sich über die ganze Welt auszubreiten begann. Erneut drangen Tränen unter den brennenden Augenlidern hervor, unaufhaltsam ... Nie zuvor hatte er sich so lebendig gewußt, so glücklich, so unaussprechlich reich.

7

Die Auseinandersetzung spitzte sich zu. Man wollte ein paar Trupps fester Schauerleute zwingen, die Streikbrecherschiffe zu löschen. Die Angesprochenen weigerten sich, andere schlossen sich ihnen an. Damit war der Hafenarbeiterstreik unvermeidlich. Klaas und Merijntje bekamen mit ihrer Kolonne die Chance: sie sollten auf Dauer eingestellt werden. Die meisten lehnten empört ab, doch fünf nahmen an. Sie arbeiteten mit den anderen Streikbrechern unter Polizeischutz, wurden die ersten Tage von Sicherheitsbeamten abgeholt und nach Hause gebracht, bleich und zitternd, umdrängt von einer johlenden Menge, verhöhnt und bedroht. Später wurden sie Tag und Nacht auf dem Gelände gehalten, wohnten in Schuppen, abgesondert wie Aussätzige, bewacht von schwerbewaffnetem Militär. Die religiösen Berufsverbände beschlossen nach reiflicher Überlegung, sich nicht am Ausstand zu beteiligen.

Die Arbeit im Hafen ruhte nicht. Ohnmächtige Wut ergriff die Streikenden. Wie groß auch ihre Zahl war – ein nennenswerter Erfolg mußte ihnen versagt bleiben. Von überall wurden Arbeitswillige herangeholt, egal aus welcher Branche, ob sie geeignet waren oder nicht. Es geschahen abnorm viele Unfälle. Die Arbeit ging nicht rasch genug voran, die Streikbrecher wurden zu größter Eile angetrieben – aber es wurde trotzdem nicht mehr geschafft; nur neues Unglück war das Resultat.

Doch der Hafen lag nicht still – es wurde gearbeitet.

Merijntje nahm tätigen Anteil an den Ereignissen. Er stand Posten, diskutierte mit den Streikbrechern, verteilte Flugblätter, besuchte Versammlungen, und in der Zeit, die ihm verblieb, las er. Jetzt sah seine Lektüre allerdings anders aus: Bücher und Broschüren über soziale, ökonomische und gewerkschaftliche Fragen – alles, was ihm in die Hände kam. Arjaan las mit, und stundenlang unterhielten sie sich, um Klarheit über das Gelesene zu erlangen. Arjaan hatte Beschäftigung in einer großen Fabrik gefunden, wo sie nicht nach der Gesinnung des einzelnen fragten, denn der Einfluß der Gewerkschaftsbünde ließ sich doch nicht mehr aufhalten – immerhin eine stolze und schöne Sache...

Der Einsatz der Streikbrecher untergrub die Schlagkraft des Streiks wie die unscheinbare, aber gefährliche Arbeit von Wühlmäusen. Unbeherrschte Elemente, ratlos vor Wut, konnten die Hände nicht zu Hause lassen, griffen Arbeitswillige an und bekamen es natürlich mit der Polizei zu tun. Merijntje kehrte eines Abends mit einem tiefen Loch im Kopf heim. Er war in eine Schlägerei geraten, hatte sich gewehrt und einen Säbelhieb eingefangen; mit knapper Not war er entwischt und hatte glücklicherweise unbehelligt das Haus erreicht. Mutter heulte, jammerte über ihre verirrten Kinder, Vater knurrte, aber schickte sich darein – junge Hunde konnte man nicht an der Leine halten. Zwei Tage später wurde Klaas bei einem wüsten Scharmützel festgenommen; er hatte einen Feldjäger vom Pferd geholt und bewußtlos geschlagen. Sieben Mann waren nötig gewesen, den tobenden Riesen zu überwältigen. Übel zugerichtet hatten sie ihn und schließlich halbtot aufs Revier geschleppt. Er würde wohl gnadenlos bestraft werden. Es war ein großes Unglück, und Riekie hatte bitterlich geweint. Feiglinge desertierten aus Angst, ihre letzte Chance zu verspielen, wenn sie mit durchhielten. Haß verbreitete sich unter den Streikenden, düstere Drohungen wurden ausgestoßen für später, wenn die Arbeit wiederaufgenommen würde: recht gut konnte eine Kiste aus der Talje schießen oder vom Rücken kippen, wenn so ein Stinktier von einem Verräter darunterstand, eine Planke konnte über dem klaffenden Abgrund eines Laderaums umschlagen oder eine Leiter wegrutschen. Wartet nur! Ein junger Polizeibeamter wurde ertrunken aus dem Hafen gefischt. Niemand wußte, ob er verunglückt war oder ob man ihn ermordet hatte; doch die Hetzpresse der Hafenherren spuckte Gift und Galle und sprach von Verbrechen, als wäre sie dabeigewesen. Streikende zuckten grinsend die Schultern: Ein Teckel weniger, auch nicht schlecht. Der Streik brach zusammen. Es waren entmutigende Wochen voll blinden Eifers, vergeblicher Hoffnung auf größere Beteiligung, heftiger Debatten und gehässiger wechselseitiger Beschuldigungen ohne einsichtigen Grund, geboren aus Enttäuschung, Mißtrauen und Verzweiflung. Der Kampf war verloren. Hätten die Führer das nicht voraussehen müssen? Die lautesten Zujubler von einst waren jetzt bereit, die wütendsten Vorwürfe zu erheben, von Unfähigkeit, Verrat und leichtfertiger Preisgabe ihrer Interessen zu sprechen. Die Gewerkschaft mußte die Niederlage eingestehen, den Rückzug antreten, harte Bedingungen in Kauf nehmen, um zu retten, was zu retten war. Und das war nicht viel. Sie erlitt eine empfindliche Schlappe.

Doch Merijntje war nicht zu entmutigen. Er hatte längst mitbekommen, daß es verkehrt lief, aber auch, daß dies alles notwendig war und gut. Man konnte nicht immer gewinnen – der Kampf als solcher hatte sich gelohnt, man lernte daraus, er stählte einen, er festigte die Überzeugung. Es war ein gerechter Kampf gewesen, den man um edle Prinzipien geführt hatte, aus einer reinen und schönen Gesinnung. Der Impuls blieb, der Fehlschlag würde verwunden werden, die Gewerkschaft wieder erstarken, die Menschen würden lernen, mehr und mehr Augen würden aufgetan, wie die seinigen sich nach langem und hartnäckigem Widerstand hatten öffnen lassen; und es würde abermals Kampf geben, immer wieder aufs neue, bis das Ziel erreicht war.

Keine Resignation, nicht zurückschauen, nur voraus ... Der Streik war verloren, die Lücken mußten geschlossen werden. Vorwärts! Das Ziel war fern, aber eine Niederlage wert.

Die Sonne ging über dem Fluß unter. Der Okzident spendete rotgoldenes Licht, und über dem grauen Wasser glitzerte die grelle Glut, als wollte sie nie verlöschen. Morgen würde die Arbeit im Hafen wieder beginnen; ungezählte Schiffe warteten. Von der Brücke aus sah man die schweren Rümpfe und die Takelage scharf gezeichnet gegen den festlichen Abendhimmel.

Merijntje lehnte sich ans Geländer. Riekie schmiegte sich dicht an ihn. Er schaute über den Strom nach den Schiffen – die Schönheit der erfüllten Stunde überwältigte ihn. Er dachte an jenen Abend, da er plötzlich erkannt hatte, wie unbeschreiblich schön die Maas war. Lang war das her, so lang, daß es ihm eine Ewigkeit schien. Damals hatte das Leben unversehens Wind in die Segel bekommen und nie gekannte Fahrt gemacht, hatte ihn fortgetrieben, von einem Abenteuer zum anderen, von einer Offenbarung zur anderen – fort, nur fort, rastlos fort! Ja, es war schön gewesen, manchmal auch häßlich ... rauh, manchmal auch lieblich ... unheimlich, manchmal auch tröstlich ... beunruhigend und aufregend wie der Wettlauf nach einem unbekannten Ziel – und deshalb wohl oft auch unbefriedigend. Nun kannte er das Ziel. Kabbelige See war es, aber er fühlte sich dort zu Hause und verspürte nicht die geringste Angst mehr. Die eigene Zukunft vermochte niemand vorauszusagen, aber er meinte am fernen Horizont die Zukunft der Welt zu sehen und wußte sich als entschlossener Wegbereiter gerufen, als unbeugsamer Pfadfinder im wilden Land, das dermaleinst von Milch und Honig überfließen würde –

einer der Millionen Namenlosen aus der großen Menge, der sich anschickte, die Welt für das wahre Leben zu gewinnen. Vielleicht würde er selber die Herrlichkeit nicht sehen, doch das Opfer dafür würde deshalb nicht weniger schön sein, denn der Erfolg mußte kommen.

Er wußte es: nie mehr allein – nicht deshalb, weil er es so wollte, sondern weil sie zusammen es so wollten, die Kameraden und er. Nie würden sie zweifeln, versagen oder gar aufgeben, nie ...

Er war ein Junge gewesen, unwissend und unerfahren, als sich die Schönheit der Maas vor seinen erstaunten Augen wie ein Traumgesicht aufgetan hatte. Von diesem Jungen galt es Abschied zu nehmen. Nun stand hier ein Mann, unbändig sein Wille, der Körper von fleißiger Arbeit gefestigt, der Geist bereit, das Wesen aller Dinge zu ergründen und sich ihm zuzuwenden, ein Herz voller Liebe, eine Seele, die sich einem lichten Traum ergeben hatte ... Und an seiner Brust die Wärme von Riekies Schulter. Eine verwehte Haarlocke streichelte über sein Kinn ... In den harten Wochen des Streiks hatte er Riekie in ganz besonderer Weise liebgewonnen, hatte erfahren, was sie für ihn bedeutete: Frau und Gefährte, tapfer, entschlossen, zuverlässig ...

Wie sinnerfüllt und reich das Leben geworden war!

Er blickte in Riekies Gesicht. Es sah ernst und versonnen aus. Sie hob die Augen zu ihm auf – in dem hellen Blau spiegelten sich die Farben des glühenden Sonnenuntergangs.

„In deinen Augen brennt ein Feuer", sagte er leise und lächelte. Dann fügte er hinzu: „Magst du mich?"

„Sehr – für immer!"

Sie sagte es still und nachdenklich.

Flüchtig, aber beseligend hatte Merijntje das Gefühl, der Himmel öffne sich über ihm.